JN245450

第3版

スポーツ理学療法学

動作に基づく外傷・障害の理解と
評価・治療の進め方

監修 陶山哲夫 東京保健医療専門職大学 学長
編集 赤坂清和 埼玉医科大学大学院 理学療法学 教授

MEDICAL VIEW

Sports Physical Therapy: Understanding the Injuries and Disorders Based on Motion Analysis for Evaluation and Treatment, 3rd edition
(ISBN 978-4-7583-2085-6 C3047)

Chief Editor：SUYAMA Tetsuo
Editor：AKASAKA Kiyokazu

2014. 3. 10 1st ed
2018. 11. 30 2nd ed
2023. 8. 10 3rd ed

Printed and Bound in Japan

Medical View Co., Ltd.
2-30 Ichigayahonmuracho, Shinjyukuku, Tokyo, 162-0845, Japan
E-mail ed@medicalview.co.jp

第3版　監修の序

日本におけるスポーツには明治時代以前から行われていた剣道，柔道，拿捕や護身を目的とする柔術などがありました。その後，第二次世界大戦後から欧米で隆興していた競技がオリンピックを通して国際的な種目へと発展し，さらに冬季種目も加わったことで競技種目は増えています。最近では新種目も考案され，スポーツはますます興隆の一途を辿っております。

競技種目が多岐にわたるほど，競技特性に応じた救急処置やトレーニング方法，傷害発生の予防，コーチングなどスポーツに関与する専門家が担う領域は拡大し，スポーツ界における責任と重要性がいっそう問われてきております。

スポーツの基本的な動作は，走る・跳ぶ・投げる・打つ・捕る・蹴る・組む・バランス・リズムなどがあります。これらはスポーツ全体に共通しており，この基本的動作の組み合わせにより各種目・競技別の応用的動作がありますが，今後は現在の種々の科学的分析に則り競技への導入・指導が必須となります。これらを理解したうえで，新たな知識の導入や現場での実行が必要となり，スポーツ関係者同士の協力が求められます。

本書は2014年に初版が刊行され，2018年に第2版，そして2023年に第3版へと改訂を重ねてきました。スポーツに携わる理学療法士を中心として，柔道整復師やトレーナー，コーチ，医師，その他スポーツ関係者にとって，高度な理論的学問体系および専門的な競技性を熟知した専門家たちの知識に基づく本書の内容は，競技現場において非常に有益な情報を集約したものだと思います。

本書の主要な特徴として，以下の2章構成が挙げられます。

Ⅰ．スポーツ医学の基礎知識・基本手技

アスリートに必要な基礎的な事項について，非常にわかりやすく述べております。第3版では，感染症対策，物理療法，メンタルトレーニング，栄養学，女性アスリートの特性，国際競技大会における役割・サポート活動に関する項目を新しく追加し，さらに充実した内容となりました。

Ⅱ．競技動作にかかわる外傷・障害と理学療法

競技・種目別に，外傷・障害の原因となる動作および改善のためのアプローチについて，読者に理解しやすく記述されております。陸上競技や体操競技，競泳，バスケットボール，バレーボール，ハンドボール，サッカー，野球，テニス，柔道，剣道，スキー競技，ラグビーフットボール，ゴルフ，パラスポーツ（視覚障害と車いすテニス）に加えて，オリンピック・パラリンピック種目であるフェンシング，カヌー，車いすラグビーの3競技を新しく加えております。

スポーツにおける諸問題を解決する一助として，是非本書を一読されることを勧めたいと思います。

最後に本書を編集していただきました赤坂先生とご執筆の方々，メジカルビュー社編集部の皆様にこの場を借りて厚くお礼申し上げます。

2023年6月

陶山哲夫

第3版　編集の序

『スポーツ理学療法学』の第1版は，競技動作と治療アプローチを副題に据えて，理学療法士がアスリートのスポーツ外傷・障害に対してみるべきポイントと理学療法の実際の介入方法が具体的に理解できることを意識した書籍として2014年に刊行された。そして2018年に刊行された第2版では，2020東京オリンピック・パラリンピックの開催準備が進むなか，スポーツ現場で共通するスポーツ医学の基礎知識や基本手技を加えるとともに，パラスポーツの充実，筋骨格系徒手検査法を網羅的に整理して，スポーツ大会において理学療法士がサポート活動を行ううえで，実際に必要となる知識や技術などを含めるように工夫した。

今回の第3版の制作では，次に挙げる大きな2つの内容を編集方針に含めることを計画した。第1には，2021年に東京オリンピック・パラリンピック大会が開催され，理学療法士が長時間の多岐にわたる対面およびオンデマンドの研修を受け，実際にスポーツ理学療法士として大会の準備作業や大会サポートに参加した経験を含めることとした。これまでの国内大会や国際大会を遥かに上回る規模のスポーツ大会である東京オリンピック・パラリンピック大会では，多くの実務を経験し，現場における医師や看護師などのスタッフと知識および役割を共有し，スポーツ理学療法士として成長することができた。それらの内容をできるだけ本書に反映させるために，新たに医師やスポーツトレーナー，心理学者の先生方にも第3版の執筆者として加わっていただき，これまで以上に充実したスポーツ理学療法のサービスが提供できるような内容とした。第2には，同年秋に『理学療法ガイドライン第2版』が刊行され，アスリートの外傷・障害や筋骨格系の問題に関するエビデンスが公開されたため，その内容を本書に反映させるようにした。スポーツ理学療法では，急性外傷やオーバーユースが原因で筋骨格系に問題を抱える一人ひとりのアスリートに対してサービスが提供されるが，本書の読者がスポーツ理学療法の専門家として，これまでの研究成果の蓄積によるエビデンスを熟知しておくべきであると考え，各章を担当する執筆者にできる限り『理学療法ガイドライン第2版』の内容を反映していただくように依頼した。

このように，スポーツ理学療法学について内容を吟味するとともに，充実した構成となって第3版を刊行することができたのは，監修の陶山哲夫先生や多くの執筆者の方々にご理解ご協力をいただいた成果であり，さらには多くの読者の方々に長年ご支持をいただいているお陰であり，心より感謝申し上げます。また，本書の刊行にご理解いただくとともに，多大なるご尽力をいただいたメジカルビュー社および編集者である水上優氏に重ねて感謝申し上げます。

2023年6月

執筆者を代表して　赤坂清和

改訂第2版　監修の序

東京2020オリンピック・パラリンピックの開催まで2年を切り，選手やコーチ，医師，トレーナー，組織委員会，各種ボランティア，メディア，さらに各関係者の方々などが慌ただしく動き出している。大会が成功するには関係する方々の円滑な連携と，正確な情報管理に基づく正しい判断と対処が必要であり，組織運営や日本国民に対する視線が世界中から自然と注がれている。

しかし，大会の主役はあくまでも選手自身であると同時に，大会に出場する選手には高い誇りと，フェアプレー精神が必要である。そのためにはすなわち，強靭な身体機能と精神機能の維持・向上が求められ，日ごろからの鍛錬が不可欠となる。

さて，アスリートの身体機能の管理には選手のみならず周囲にたずさわる医師やトレーナー，コーチなどが，高度な理論的学問体系および専門的な競技特性を熟知した専門グループの知識を導入する必要がある。本書はスポーツの現場に精通した日本でも有数の方々が執筆した専門書である。明日へのアスリートにたずさわる医療関係者および養成校の教員・学生に責任をもってぜひ推薦したい本である。

2018年11月

陶山哲夫

改訂第2版　編集の序

2013年9月にリオデジャネイロで開催されたIOC総会で2020年オリンピック・パラリンピック大会が東京で開催されることが決定し，国民のスポーツ競技に対する関心は日々高まってきている。2014年2月に上梓させていただいたわれわれの『スポーツ理学療法学　競技動作と治療アプローチ』は，競技の経験者やサポート活動にたずさわり，第一線で活躍している23名の理学療法士に競技種目に特徴的な動作と外傷・障害，そして理学療法について執筆していただいた。最終的に14競技におけるスポーツ理学療法を体系化し，網羅することができた。これは本邦のスポーツ理学療法学の書籍として初めてのことであり，多くの大学においてテキストとして採用されるようになった。また，さらにわれわれを喜ばせたことは，スポーツ現場でサポート活動に従事する理学療法士や将来スポーツ競技に従事したいと希望している理学療法士からも高い評価が得られたことであった。

第1版から4年以上が経過したところで，メジカルビュー社編集部との検討により，第1版では含めることができなかったいくつかの課題を検討する機会を得た。そして，この改訂第2版では，時代とともに一般的となってきたスポーツ現場で共通するスポーツ医学の基礎知識や基本手技を加えること，障がい者スポーツに対する理解を深める目的で障がい者スポーツの競技種目と理学療法の内容を加えること，アスリートを対象に実施されることが多い筋骨格系徒手検査法を網羅的に整理すること，外傷・障害に対するより具体的な理学療法の考え方と治療手技がわかるように修正・加筆すること，国体や国際大会だけでなく多くの市民が参加するスポーツ競技や大会でみられる外傷・障害および対応を含めることなどを主要な目的として，改訂第2版を企画することになった。その企画を現実化するために，これまでの執筆者に前回の原稿を修正・加筆していただくように依頼した。さらに，第1版における課題に対して内容を多面的に充実させるために，新たに10名以上の医師や理学療法士に執筆者として参加いただくことになった。

このたび，この改訂第2版が出版することができたのは，2020年東京オリンピック・パラリンピック大会に向けて多忙を極める監修の陶山哲夫先生をはじめ，多くの執筆者にご理解ご協力を賜ることができたからであり，心より感謝申し上げます。また，執筆者との連絡や原稿の執筆管理，そして出版の調整に至るまで支えていただいたメジカルビュー社の皆様にも御礼申し上げます。

2018年11月

執筆者を代表して　　赤坂清和

第1版　監修の序

古来より武術・武道を中心に発展したわが国のスポーツは，主に学校において身心機能の教育の一環として行われ，他方，社会人の間では趣味あるいは身体機能の向上・維持を目的として発展してきた。近代になり，趣味的なものから競技性の強いスポーツに幅が広がり，また近年の高齢者における健康寿命の延伸目的のスポーツなど，アマチュアからセミプロ，プロと多種多様に発展・発達し，スポーツ競技人口は増加の一途をたどっている。このようなスポーツの発展には，各競技の監督・コーチをはじめ，整形外科医やスポーツドクター，理学療法士，アスレティックトレーナー，鍼灸マッサージ師，健康運動指導士，スポーツプログラマー，栄養士といった，運動・医療に関するさまざまな職種による各スポーツレベルに応じた指導・支援も貢献しているものと思われる。

スポーツのプレーに関与する因子を考えると，競技種目の運動特性，全身および局所の運動機能と生理機能，サーフェスを含めた競技場の問題，ストレッチング方法，コンデショニング，スポーツに必要な栄養，外傷や障害後の復帰に関するアスレティックトレーニング，心身機能の調整に関するメンタルトレーニング，さらに近年はアンチドーピング・ムーブメントに伴う服薬やサプリメントの使用チェックなど，多方面にわたるものがある。これまで，各分野におけるオーソリティが多くの書籍を執筆し，またそれぞれの本には特徴があり，臨床でも引用されている。

本書の特徴は，各執筆者が自身に競技経験がある，または国体あるいはオリンピックレベルの選手のサポートにたずさわっていることである。そのため，競技特性を熟知しており，競技のルールやプレー特性，受傷機転，治療およびアスレティックトレーニングに関して，できるだけわかりやすく，かつ詳しく述べられている。イラストや写真も豊富で，スポーツ外傷や障害の治療に当たる初心者や熟練している方々にも極めて有益な書籍であり，今までにない斬新な企画といえる。

2013年9月リオデジャネイロで行われたIOC総会において，2020年オリンピック・パラリンピックの開催地が東京に決定したことは，わが国のスポーツ関係者および国民に大きな感動と責任をもたらしたと思う。国内では，次世代の競技者の発掘とメダル獲得に向けて，競技力強化の取り組みが振興するものと思われる。しかし一方では，スポーツが興隆する結果として，競技種目に特徴的なスポーツ外傷・障害も発生すると予測される。競技関係者にとっては，選手のスポーツ障害の早期発見・治療および早期スポーツ復帰，さらには予防が大切であり，ぜひ本書を一読されることをお勧めする。最後に，編集していただきました赤坂清和先生と時田幸之輔先生，ご執筆の先生方，およびメジカルビュー社と編集にたずさわった阿部篤仁様に，この場を借りて厚くお礼申し上げます。

2014年2月

陶山哲夫

第1版　編集の序

スポーツには多くの競技が存在する。日本代表，プロ選手，社会人選手，愛好家，大学生や高校生，小学生，幼稚園児など，取り組んでいる競技レベルや年齢はさまざまである。そして，スポーツ外傷・障害（以下，傷害）から運動機能を改善させ，競技レベルを向上させるために，スポーツドクターをはじめ，理学療法士，アスレティックトレーナー，鍼灸師，マッサージ師など多くの方々が取り組んでいる。2020年に東京オリンピック・パラリンピック大会の開催が決定し，その準備が急務であることは間違いないというなかで，スポーツ理学療法学の現状を把握し，今後の方向性を明らかにするために本書を出版することになった。

本書では，多くの競技種目における競技動作と傷害発生の原因となる動作を分析するとともに，競技者に対する治療アプローチについて，傷害発生から医学的な側点を理解し，競技復帰までの幅広い障害レベルに対応されている理学療法士に執筆をお願いした。執筆者の方々は，ご自身が競技選手であった方が多く，オリンピック選手や国体選手の治療にたずさわっている方もいる。

一般に，課題を見つけて改善を継続させる方法として，課題に対する計画を立てる（Plan），計画を実施する（Do），計画結果を評価し（Check），改善を図る（Action）というPDCAサイクルを実践することの重要性が広く認識されてきているが，執筆者の一人として，本書の読者の皆さんが2020年に向けて，Actionを起こすことを祈念している。

本書の制作にあたり，ご多忙のなか各競技特有の動作を分析し，傷害と治療アプローチについて画像や動画を提供するとともに，わかりやすい表現で執筆していただいた著者の皆様に感謝申し上げます。

そして，本書の企画から刊行まで一貫して，編集者の阿部篤仁氏の多大な労力とメジカルビュー社の理解と熱意があったことに深謝申し上げます。

2014年2月

執筆者を代表して　　赤坂清和

執筆者一覧

監修

陶山哲夫	東京保健医療専門職大学 学長

編集

赤坂清和	埼玉医科大学大学院 理学療法学 教授

執筆者（掲載順）

渡邊裕之	北里大学 医療衛生学部 リハビリテーション学科 理学療法学専攻 理学療法治療学 准教授
岡戸敦男	トヨタ自動車株式会社 リコンディショニングセンター センター長
草野修輔	東京保健医療専門職大学 リハビリテーション学部 作業療法学科 教授／副学長
坂本雅昭	高崎健康福祉大学 保健医療学部 教授
加藤大悟	群馬大学大学院 保健学研究科 理学療法学
浦辺幸夫	広島大学大学院 医系科学研究科 理学療法学専攻 スポーツリハビリテーション学 教授
田城　翼	広島大学大学院 医系科学研究科 理学療法学専攻 スポーツリハビリテーション学
山田睦雄	流通経済大学 スポーツ健康科学部 スポーツ健康科学研究科 教授／柏の葉整形外科リハビリテーションクリニック 副院長
伊藤浩充	甲南女子大学 看護リハビリテーション学部 理学療法学科 教授
細川由梨	早稲田大学 スポーツ科学学術院 准教授
澤田　豊	埼玉医科大学 保健医療学部 理学療法学科 専任講師
赤坂清和	埼玉医科大学大学院 理学療法学 教授
高橋佐江子	国立スポーツ科学センター
鈴木　章	国立スポーツ科学センター
相澤純也	順天堂大学 保健医療学部 理学療法学科 先任准教授
笠原　彰	作新学院大学 経営学部 スポーツマネジメント学科 教授／とちぎスポーツ医科学センター
鈴木志保子	神奈川県立保健福祉大学 保健福祉学部 栄養学科 教授／大学院 保健福祉学研究科長
平野佳代子	井戸田整形外科名駅スポーツクリニック リハビリテーション部 部長
鈴川仁人	横浜市スポーツ医科学センター 診療部 部次長・リハビリテーション科長
玉置龍也	横浜市スポーツ医科学センター 診療部 担当課長
舌　正史	JCHO京都鞍馬口医療センター リハビリテーション科 副技師長
岡田　亨	船橋整形外科病院 地域医療推進室長
関口貴博	船橋整形外科クリニック 理学診療部
内之倉真大	船橋整形外科クリニック 理学診療部
室井聖史	一般社団法人徳洲会 徳洲会体操クラブ 専任理学療法士／アスレティックトレーナー
小泉圭介	東都大学 幕張ヒューマンケア学部 理学療法学科 講師
川島達宏	いちはら病院 リハビリテーション療法科 グループ長
川島敏生	東都リハビリテーション学院 理学療法学科
眞田　崇	Bリーグ 島根スサノオマジック 理学療法士兼アシスタントストレングスコーチ

板倉尚子	日本女子体育大学 健康管理センター
水石　裕	山梨大学医学部附属病院 リハビリテーション部
島　俊也	おかもと整形外科スポーツクリニック／ 日本ハンドボール協会 トレーナー専門委員会
松田直樹	ワイズスポーツ＆エンターテイメント／山手クリニック
堀田泰史	国立スポーツ科学センター
高村　隆	東京スポーツ＆整形外科クリニック 副院長
鈴木　智	東京スポーツ＆整形外科クリニック リハビリテーション部 課長
小川靖之	東京スポーツ＆整形外科クリニック リハビリテーション部 主任
高見悠也	東京スポーツ＆整形外科クリニック リハビリテーション部
澤野靖之	船橋整形外科病院 理学診療部 部長
濵中康治	JCHO 東京新宿メディカルセンター リハビリテーション室
田中　聡	県立広島大学 保健福祉学部 保健福祉学科 理学療法学コース 教授
岡村和典	県立広島大学 保健福祉学部 保健福祉学科 理学療法学コース
渡邊祐介	浮間中央病院 リハビリテーション科 科長
鈴木享之	長汐病院 リハビリテーション科
寒川美奈	北海道大学大学院 保健科学研究院 リハビリテーション科学分野 准教授
金村朋直	京都地域医療学際研究所 がくさい病院
小林寛和	日本福祉大学 健康科学部 リハビリテーション学科 教授
濱野武彦	武蔵野アトラススターズ整形外科スポーツクリニック
野村真嗣	すがも北口整形外科クリニック
中川和昌	高崎健康福祉大学 保健医療学部 理学療法学科 准教授
市川繁之	ヒューマンコンディショニング PNF センター
門田正久	飛翔会グループ 株式会社ケアウイング 代表取締役
松井　康	筑波技術大学 保健科学部 保健学科 理学療法学専攻 講師
樋口毅史	日本体育大学 保健医療学部 整復医療学科 准教授
中山　孝	東京工科大学 医療保健学部 リハビリテーション学科 理学療法学専攻 教授／医療保健学部長
藤縄道子	神奈川リハビリテーション病院 診療管理部 地域連携室
森田融枝	神奈川リハビリテーション病院 理学療法科
蛯江共生	医療法人社団飛翔会 寛田クリニック

CONTENTS
目　次

I　スポーツ医学の基礎知識・基本手技

Ⅱ　競技動作にかかわる外傷・障害と理学療法

解剖イラスト作成
有限会社 彩考

I

スポーツ医学の
基礎知識・基本手技

メディカルチェック

スポーツ選手に対するメディカルチェックは，内科的メディカルチェックと整形外科的メディカルチェックに大別される。内科的メディカルチェックは，突然死に代表される生命予後にかかわる領域までを範疇とし，主として医師に管理される部分が多い。従って，本項では整形外科的メディカルチェックのなかでも理学療法士が扱う可能性の高い機能検査を主体に解説する。

整形外科的メディカルチェックに用いられる手技

柔軟性検査（関節可動域）

関節可動域測定

関節可動域異常は，競技特性に対する適応現象として観察されることが散見される。例えば野球選手の投球側肩関節の過度な外旋などが特徴的な所見であるが，観察される関節可動域が適応現象によって生じているのか，障害を起点として生じているのかを見極める必要がある。関節可動域の評価を実施する際には，競技特性を十分に理解したうえで評価することが望ましい。

関節弛緩性

関節弛緩性の検査にはCarter（カーター）法，Beighton（ベイトン）法などがあるが，わが国では東大式による関節弛緩性検査が一般的に用いられている（**図1**）。東大式は他の方法と比較して中枢側にある関節を対象とし，かつ全身の関節を網羅的に評価している。対象関節は，手関節，肘関節，肩関節，体幹，股関節，膝関節，足関節の7大関節とし，合計得点を7点満点としている。数値が高いほど弛緩性が高いことを示している。

筋柔軟性

筋柔軟性はスポーツ選手のコンディションを推し量るうえできわめて重要な評価である。スポーツ選手は高い筋出力発揮能力を有することから，常に高い筋緊張を維持している一方，疲労などの蓄積からデコンディションの1つとして筋緊張を高めている場合がある。セラピストは選手の置かれている環境や競技特性を考慮し，筋柔軟性の結果の解釈を導かなければならない。さらに成長期のスポーツ選手は骨の長軸方向の成長に伴う筋柔軟性の低下がみられることから，筋柔軟性を評価する際には年齢を考慮に入れる必要がある。

筋柔軟性は筋に対する伸長抵抗を徒手的に検知するため，誤差の大きい評価方法と考えられる。鳥居らの方法を改変したmuscle tightness testは，

図1 東大式関節弛緩性テスト（陽性所見）

❶母指が前腕に付く ❷膝関節が10°以上過伸展する ❸体幹を前屈させ手掌が床面に付く ❹肘関節が15°以上過伸展する ❺背中で両手の指を組むことができる ❻足関節が45°以上背屈する ❼股関節を外旋させ，両足のつま先が180°以上開く

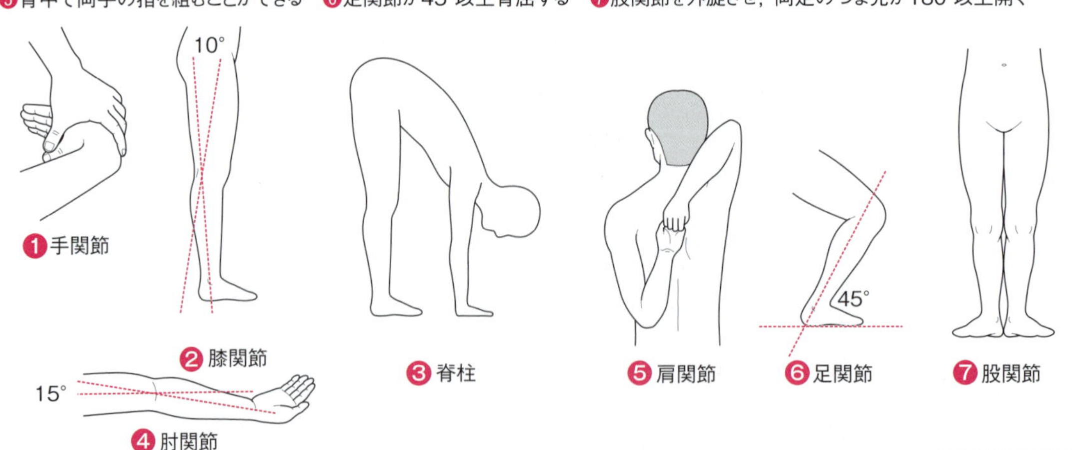

（文献1を参考に作成）

代償動作を極力抑制した手技の1つである（**図2**）。**表1**に1,046名を対象とした腸腰筋，ハムストリング，腓腹筋，大腿四頭筋，ヒラメ筋の年齢別参考値を示す。対象はすべて男性であり，同一の検者による測定である。成長期となる小学校高学年（11～12歳）から中学生期に柔軟性の最も低下した値を示したのは，発育期の影響を著明に受ける筋群であると考えられる。また，大学生期において筋柔軟性の低下している筋群は，中学・高校と比較して筋力トレーニングが活発に行われることによる筋緊張増大の影響を受けているものと推測される。

筋力検査

等速性筋力測定

従来からスポーツ選手に用いられてきた方法であり，専用の機器としてCybex®，Biodex®などが用いられている。各機器は被検者固定方法や計測特性が異なるため，機種間の整合性はない。本評価は膝前十字靱帯損傷患者の靱帯再建術後の復帰指標として用いられてきた。しかし，専用機器が高額であることから，近年では以下に示す代替評価が用いられてきている。

図2 muscle tightness test

❶腸腰筋：背臥位で対側股関節を骨盤中間位となるまで屈曲させ，股関節の屈曲角度を計測する
❷大腿四頭筋：腹臥位で膝関節を屈曲させたときの床面から垂直線と下腿軸とのなす角度
❸ハムストリング：背臥位で股関節を90°まで屈曲させ，床面からの垂直線と下腿軸とのなす角度
❹腓腹筋：背臥位で膝関節伸展位とし，足関節を最大背屈させたときの背屈角度
❺ヒラメ筋：腹臥位で膝を90°まで屈曲させ，足関節を最大背屈させたときの背屈角度

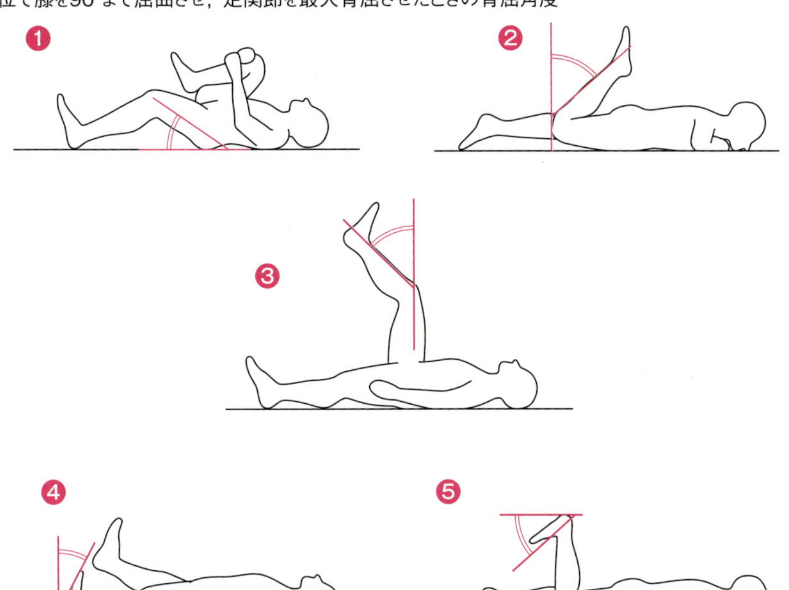

（文献2を参考に作成）

表1 年代別東大式全身関節弛緩性とmuscle tightness testの参考値（n＝1,046）

評価項目	小学生		中学生	高校生	大学生
	9～10歳	11～12歳	13～15歳	16～18歳	19～22歳
関節弛緩性［点］	2.4 ± 1.4	1.8 ± 1.3	2.3 ± 1.3	2.2 ± 1.4	1.8 ± 1.2
腸腰筋［°］	3.4 ± 4.5	5.8 ± 4.5	8.0 ± 4.5	8.5 ± 4.5	7.8 ± 4.5
ハムストリング［°］	43.2 ±11.5	48.5 ±11.5	55.6 ±11.5	39.8 ±11.5	30.0 ±11.5
腓腹筋［°］	8.9 ± 7.3	4.8 ± 7.3	2.4 ± 7.3	7.5 ± 7.3	11.7 ± 7.3
大腿四頭筋［°］	45.0 ± 8.4	44.1 ± 8.4	44.0 ± 8.4	41.3 ± 8.4	34.4 ± 8.4
ヒラメ筋［°］	27.2 ± 7.9	23.4 ± 7.8	19.6 ± 7.9	19.1 ± 7.9	18.5 ± 7.8

関節弛緩性は点数が高いほど弛緩性を有する。muscle tightness testは腸腰筋とハムストリングの数値は大きいほど柔軟性が低くなり，腓腹筋，大腿四頭筋，ヒラメ筋の数値は大きくなるほど柔軟性が高くなる

図3 立ち上がりテスト

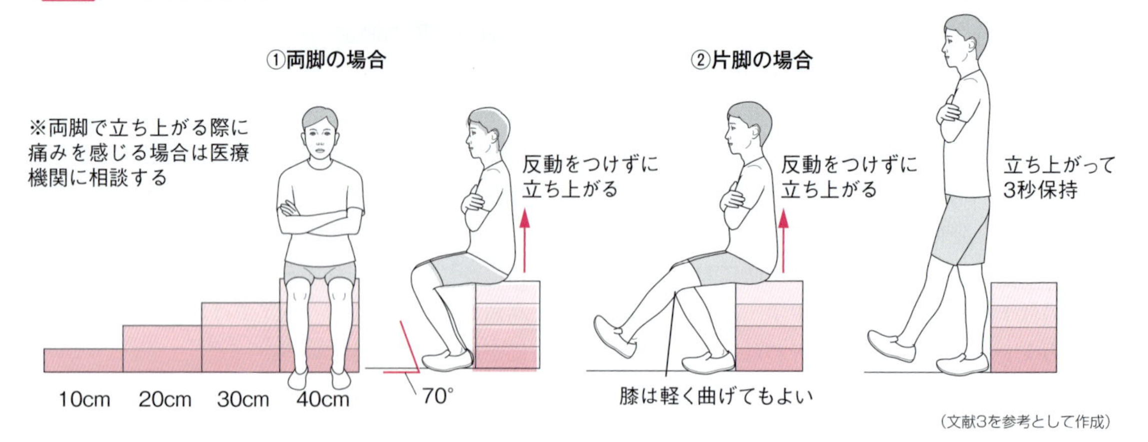

（文献3を参考として作成）

weight bearing index（WBI）

黄川ら[4]により報告された筋力指標である。体重当たりの膝関節伸展筋力を示したもので，運動機能との関係が示されている。

立ち上がりテスト

両脚あるいは片脚で座位から立ち上がる能力から下肢筋力を推定する方法である。計測開始時の座位となる台の高さは，10cm，20cm，30cm，40cmに設定されている（**図3**）。スポーツ外傷・障害や術後の機能回復を評価するために片脚による立ち上がりが選択される。立ち上がりテストは前述した従来の筋力評価（等速性筋力測定，WBI）とも関連性を示している。

アライメント検査

Qアングル（Q角）

Qアングルは上前腸骨棘と膝蓋骨中心を結ぶ線と，膝蓋骨中心から脛骨粗面までを結ぶ線がなす角となる。一般的にQアングルは性差があり，男性で約10°，女性で約15°程度と考えられている。Qアングルが大きいと膝関節の外反が生じやすくなるため，いわゆる膝関節の外傷・障害の受傷機転となるknee-in/toe-outのアライメントを形成する。

計測は分度器にゴム紐を通して自作した計測器が安価で便利である（**図4**）。計測方法は，被検者を背臥位とし，膝蓋骨を上方（床面と平行）に向かせる。自作した計測器のゴム紐の終端を上前腸骨棘に当て，分度器の中心軸を膝蓋骨中心に当てる。上前腸骨棘から伸ばしたゴム紐を分度器の基線に合わせ膝蓋骨上で分度器を固定する。次に反対側のゴム紐を脛骨粗面上に当て，分度器上の目盛りと紐の位置が合致した角度がQアングルとなる（**図5**）。

足部アーチ高

足部の内側縦アーチを計測する手技は多く存在する。低アーチを示す扁平足や高アーチを示すハイアーチは，いずれもスポーツ外傷・障害と強い関連性が報告されている。多くの評価法において共通するのは，内側縦アーチの最高点に位置する舟状骨を基準としていることである。navicular drop（ND）は座位と荷重位で床面から舟状骨結節までの距離の差分を求める評価法である。正常では荷重位で約1cm程度の低下を示す。内側縦アーチ高率はアーチの底辺となる足長に対する舟状骨粗面の高さの比で示される。longitudinal arch angle（LAA）は，内果と舟状骨結節を結ぶ線と，舟状骨結節と第1中足骨頭を結ぶ線とのなす角を示す。正常では120～150°となる（**図6**）。再現性（intraclass correlation coefficients：ICC）はNDが

図4 自作した計測器（Qアングル測定用）

分度器の中心軸に50センチほどの長さのゴム紐を通す

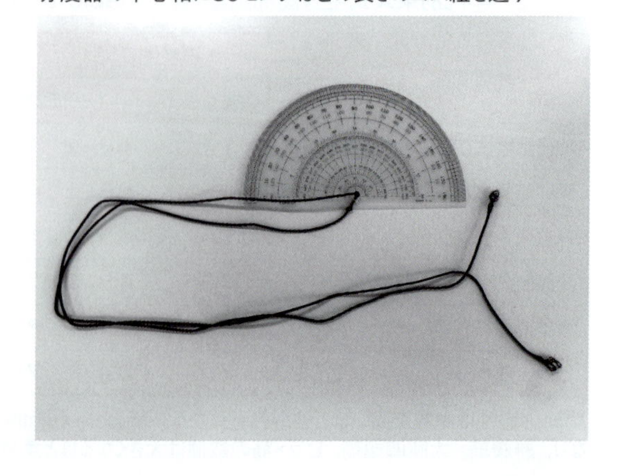

図5 Qアングルの測定方法

❶：膝蓋骨中央と脛骨粗面をマーキング(●)する
❷：分度器の軸を膝蓋骨中央に合わせる。膝蓋骨中央から上前腸骨棘にゴム紐を伸ばし，ゴム紐を分度器の基線に合わせる
❸：反対側のゴム紐を脛骨粗面に当て，合致した分度器の目盛りがQアングルとなる

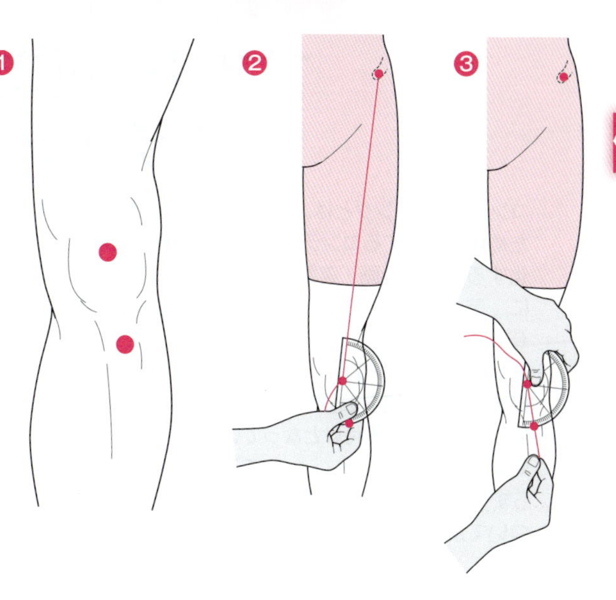

0.73〜0.96，内側縦アーチ高率が0.84〜0.99，LAAが0.72〜0.90と報告されている。

パフォーマンステスト

近年，スポーツ選手に対する評価にパフォーマンステストが多く用いられるようになってきた。パフォーマンステストは高い活動レベルで実施され，最終的なスポーツ復帰への基準や傷害予防を目的として考案されている。しかしながら，競技特性や競技レベルに準じて多様に開発されたため，スポーツ選手一般に普遍的に使用できる手技は少ない。

functional movement screen (FMS)

FMS(図7)は米国の理学療法士によって開発された，スクワットやモビリティなど複数の基本的な身体機能動作を点数化する質的な評価であり，スポーツ選手に対して普遍的に使用できるパフォーマンステストの1つである。FMSとスポーツ外傷・障害との関係は多くの報告があり，獲得した項目および点数からスポーツ外傷・障害との関連が認められている。

図6 足部アーチ高の測定方法

白のマーキング(○)は左から内果，舟状骨結節，第1中足骨頭上を示す。荷重位と免荷位の舟状骨結節から床面に下した垂線の長さの差分がNDの値となる。内果から舟状骨結節と舟状骨結節から中足骨頭を結ぶ線のなす角がLAAの値となる

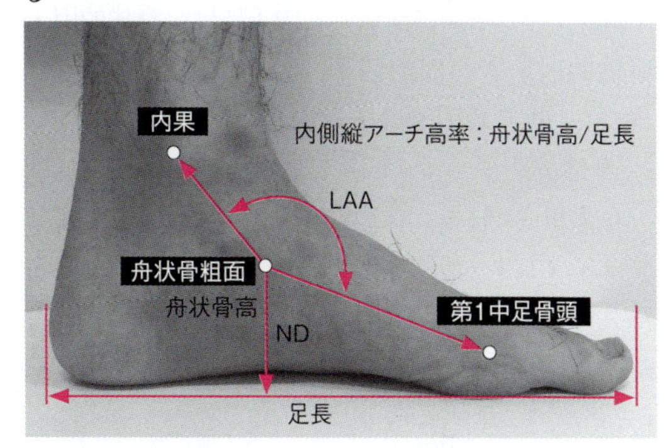

図7 FMSの測定風景

【文献】

1) Motohashi M:Profile of bilateral anterior cruciate ligament injuries:a retrospective follow-up study. J orthop Surg (Hong kong), 12 (2): 210-215, 2004.
2) 阿部 宙，ほか：Muscle Tightness Test の検者内および検者間信頼性．日臨スポーツ医会誌，20 (2): 336-343, 2012.
3) 大江隆史：ロコモの判定方法．THE BONE，31 (3)：299-304, 2017.-Analysis. Medicina (Kaunas)，58 (5): 620, 2022.
4) 黄川昭雄，ほか：機能的筋力測定・評価法－体重支持指数 (WBI) の有効性と評価の実際．日整外スポーツ医会誌，10 (2)：463-468, 1991.

アスリートに共通するコンディショニング

コンディショニングとは，競技のレベルにかかわらず，選手やチームがベストパフォーマンスを発揮するために目標とするコンディションと現在のコンディションとの間の差を，より望ましい状態に向けて最小化するために計画・実践していく過程のことである[1)]。また，よりよいコンディションでプレーするために，ディコンディションの状態に陥らないよう予防することもコンディショニングの範疇ととらえる[2)]（**図1**）。

コンディショニングは，日本スポーツ理学療法学会[3)]ではスポーツ理学療法に包括すべき内容として，日本スポーツ協会公認アスレティックトレーナー[4)]（JSPO-AT）ではコンピテンシーとして明記されており，重要な位置付けとなっている。

対象者がよいコンディションでスポーツ活動に取り組むための働きかけはパフォーマンスの向上のみならず，スポーツ外傷・障害の予防の意味ももつ。本項ではアスリートに共通するコンディショニングについて解説する。

コンディショニングに必要な知識

コンディションに関係する因子

コンディションに関係する因子には，身体的因子，環境的因子，心因的因子，情報的因子がある[5,6)]（**表1**）。次に各因子の主な内容を挙げる。

身体的因子

身体組成（筋量，体脂肪量，骨量など），姿勢・アライメント（静的，動的），行動体力（筋力，筋持久力，全身持久力，協調性，伸張性など），防衛体力（神経系，内分泌系，免疫系），技術的因子（スキル，フォーム）。

環境的因子

競技を実施する環境（暑熱・寒冷，高所，サーフェスなど），移動（時差，長距離移動など），スケジュール，栄養，睡眠，用具・器具。

心因的因子

プレッシャー，不安，緊張，モチベーション。

情報的因子

戦術・戦略，遠征先の競技環境，競技ルール。

コンディションの評価

コンディショニングに当たり，第一に対象者のコンディションの現状やベースラインを把握する必要がある。コンディションチェックには，セルフチェック，プライマリーチェック，セカンダリーチェックがあり（**表2**），各チェックを連携しながら実施することでコンディションを的確に把握することができる。

セルフチェックでは，体重，体温，起床時心拍数，体調，疲労感，食欲，睡眠状況などを自己評価して継続的に記録する。また，オーバートレーニング症候群にも関連する気分の状態を測定する心理検査として，気分プロフィール検査（profile of mood states：POMS）なども用いられている。

例として，ラグビー日本代表では疲労度，睡眠の質，ストレスレベル，体重，栄養摂取状況，水分摂取状況，ふくらはぎの張り，ハムストリングの張り，腰背部の張り，殿部の張り，肩の張りの11項目を主観的に6段階評価しており，外傷を有している選手は疼痛評価としてvisual analog scale（VAS）も実施し，コンディションを把握していた[7)]。

また，U23サッカー男子日本代表では，起床時心拍数，起床時体重，VAS（質問項目：疲労感，

図1 コンディショニング

目標を達成するために必要なコンディションを準備するプロセスである。また，ディコンディションに陥らないための予防もコンディショニングの範疇ととらえる

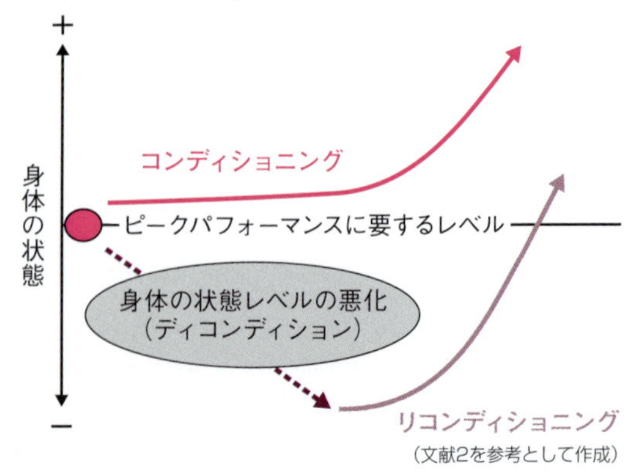

（文献2を参考として作成）

表1 コンディションに関係する因子と代表的な内容

身体的因子	身体組成	筋量，体脂肪量，除脂肪体重，骨量，体水分量
	行動体力	筋力，筋持久力，全身持久力，心拍数，伸張性，敏捷性
	防衛体力	各種ストレスに対抗する抵抗力（神経系，内分泌系，免疫系）
	技術	スキル，フォーム
環境的因子	競技環境	暑熱・寒冷，温度，湿度，高所，サーフェス，遠征先の天候，食事，衛生，治安，医療体制
	移動	時差，長距離移動，航空機内環境
	栄養	栄養状態，栄養管理（食事内容）
	睡眠	睡眠時間，睡眠の質
	用具・器具	ウェア，シューズ，スパイクなどの性能・適合性
	その他	スケジュール，サポートスタッフ
心因的因子		プレッシャー，不安，緊張，モチベーション，悩み，人間関係
情報的因子	戦術・戦略	自チームおよび対戦チームの分析
	環境情報	遠征先の環境（天候，練習環境）
	その他	ドーピングコントロール，競技ルール

表2 コンディションを把握するための検査・測定・テスト

1．セルフチェック ・体重　・体温　・起床時心拍数 ・睡眠時間　・月経 ・自覚的コンディション： 　体調，練習意欲，疲労感，食欲，睡眠状況などを数段階に定量化 ・練習内容：時間，量，強度など ・その他	3．セカンダリーチェック ・既往症：内科，整形外科など ・血液学的検査 ・生化学的検査 ・尿検査 ・安静時心電図検査 ・その他
2．プライマリーチェック ・身体組成：身長，体重，体脂肪率，BMI ・心拍数・心拍変動の測定 ・姿勢，静的アライメントの確認 ・筋力測定：筋力，筋持久力 ・関節可動域計測 ・筋タイトネステスト ・関節動揺性・不安定性テスト ・関節弛緩性テスト	・体力測定： 　有酸素能力（最大酸素摂取量測定など） 　無酸素能力 　敏捷性　など ・コントロールテスト： 　規定のパフォーマンステストの成績とその際の心拍数などの測定 ・動作観察・分析 　動的アライメントの確認，運動連鎖など ・その他

睡眠の質，食事をしっかりとれているか，筋・関節の違和感や体調不良でのプレーへの影響，パフォーマンス，睡眠時間，夜中に尿で起きた回数）を用いて，コンディションを把握していた[8]。

プライマリーチェックは，主に理学療法士やアスレティックトレーナーなどが実施し，セルフチェックでは把握できない内容について確認する。また，スポーツ外傷・障害予防の観点から，動作観察により対象者の動作（フォーム）や動的アライメントの特徴を確認し，スポーツ外傷・障害の発生と関係する動的アライメントの有無と程度を把握する。経時的変化や他者との相違を確認するには，動作分析ソフトなどを用いて関節運動を数値化することで詳細に把握できる。下肢に加わる負荷を推測するには，運動力学的分析も重要となる。全地球測位システム（global positioning system：GPS）から得られる総移動距離や加速度センサーから得られる上下・前後・左右方向の加速度データ，ピッチやストライドの情報などから下肢への負荷を推測できる[9]。

セカンダリーチェックは，医師によるメディカルチェックとして，血液学的検査，生化学的検査，尿検査，心電図検査などを実施する。

コンディショニングの実際

スポーツ外傷・障害予防を主な目的としたコンディショニングの具体例を解説する。

コンディションの評価により，筋力・筋機能の低下や関節可動域制限がみられる場合には，各種エクササイズを実施して改善を試みる。筋力や筋収縮機能が低下している対象者に対しては，筋収縮の学習・改善を目的にウォームアップとして電気刺激療法(筋肉電気刺激)下でエクササイズを実施する。

関節可動域制限に対しては，筋の短縮による場合にはストレッチを実施するが，自動運動と併用することで効果が高まる。ウォームアップでは，筋の伸張性を高めるだけでなく活動性も高めることが重要であり，ダイナミックストレッチが効果的である。また，ストレッチ前にホットパックやワールプール(渦流浴)を使用することで，軟部組織の柔軟性の向上や筋のリラクセーションなどが得られ，ストレッチの効果が高まる。

関節動揺性・不安定性や足部機能の低下に対しては，テーピングやインソールなど補装具が有効である。例えば，後足部外がえし位(回内足)や扁平足などのアライメント不良では，knee-in & toe-outの動的アライメントを呈しやすいため，テーピングやインソールなどを用いてコントロールする(**図2**)。

体力の低下に対しては，対象者が実施している競技・種目における専門的体力(有酸素性の能力，無酸素性の能力など)の考慮が必要となる(**図3**)。

動作(フォーム)や動的アライメントの特徴には，環境的因子[サーフェス，シューズやスパイク(**図4**)など]や心因的因子も影響するため，問題となりうるものを確認しておく。これらの因子はコンディショニングにおいて，疎かになりやすい部分である。

日々の練習後や試合後などでは，疲労回復(リカバリー)を目的としたコンディショニングにより，ディコンディションの状態に陥らないようにすることも重要となる。練習後などには冷水浴(アイスバス)[10]などにより，高くなった体温や筋温を速やかに下げて疲労回復の遅延が起こらないようにしたり，炎症を抑制したりする。交代浴は血液循環を促進し，疲労回復を図るうえで効果的である。クールダウンやプールでのアクティブリカバリーなども有効である(**図5**)。睡眠や栄養(食事)もリカバリーにおいては重要であり，時間や量のみならず，質にも注意を要する。

まとめ

コンディションには多くの因子が関係し，その現状を把握したうえで対応していく。コンディショニングの実施において重要なことは，継続的にチェックし，コンディションを把握・評価することである。継続的に記録することでコンディションと競技成績の関係なども確認でき，各選手の特徴が把握できる。

また，競技・種目により求められる体力や環境などは異なるため，競技・種目特性を考慮したコンディショニングプログラムの検討が必要となる。

図2 足部内側縦アーチの降下防止を目的とした補装具の使用

❶内側縦アーチの降下防止のテーピング(前・中足部タイプ)
❷内側縦アーチの降下防止のテーピング(後足部タイプ)
❸インソール非装着時には，ランニングのmid-support で足部外がえし・外転が強まり，足部内側縦アーチが降下している
❹インソール装着時には，足部外がえし・外転が減少し，足部内側縦アーチが保持されている

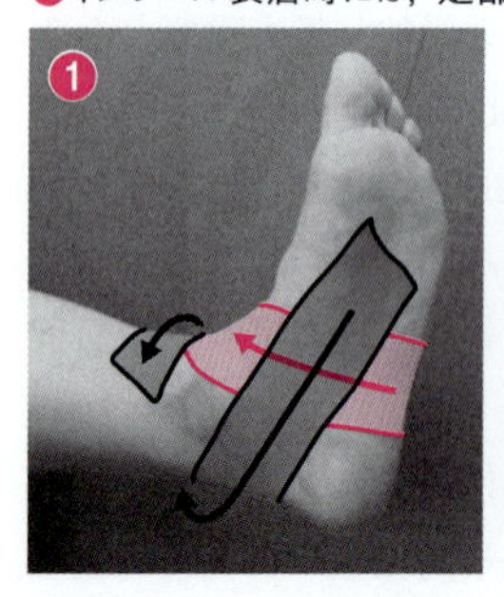

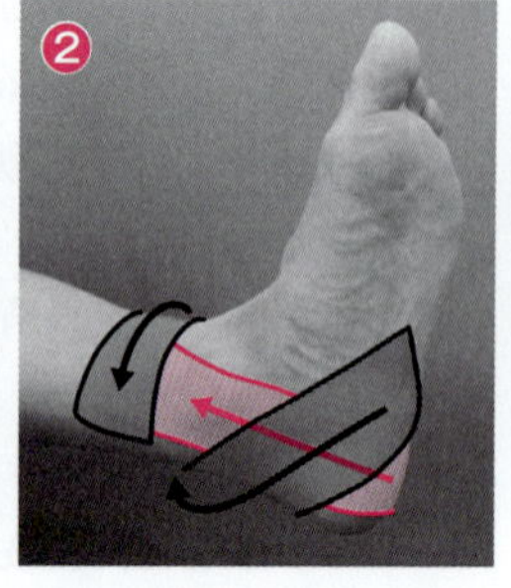

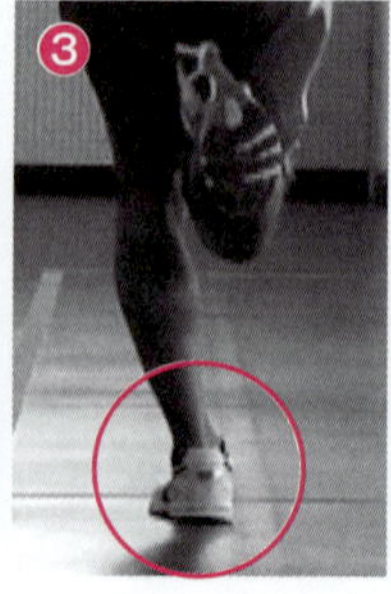

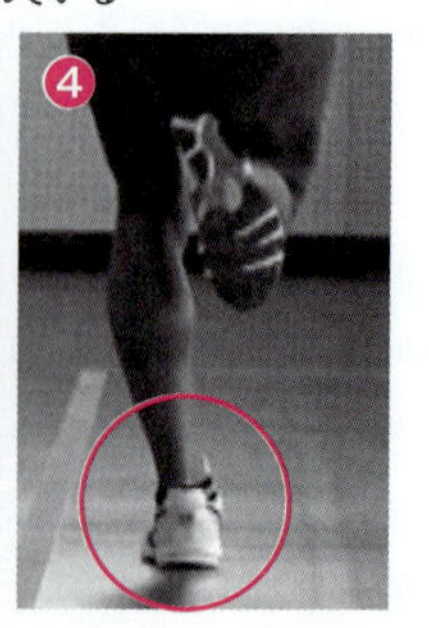

図3 下肢エルゴメータを用いた体力トレーニング

競技・種目特性に応じて，有酸素性の能力（❶）や無酸素性の能力（❷）の維持・向上を図る。その際に，パルスオキシメータを用いて心拍数などを計測することで，運動強度や経時的変化が把握できる（❸）

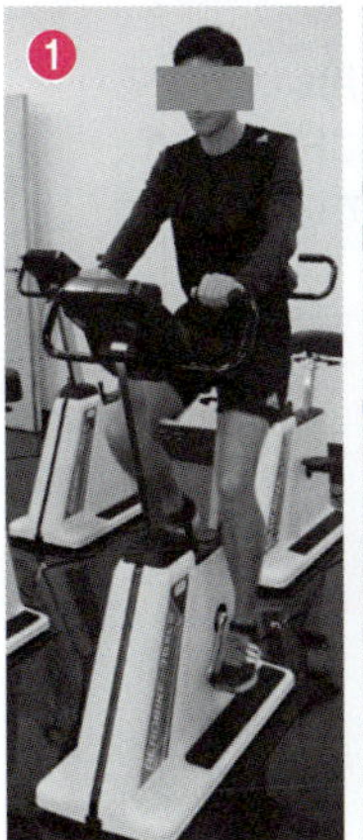

図5 疲労回復を目的としたコンディショニング

❶アイスバス（全身）　❷ アイスバス（下肢）
❸クールダウンでのストレッチ　❹電気刺激療法

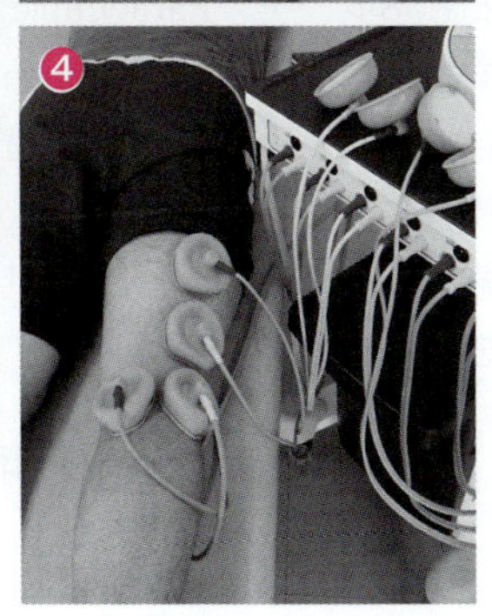

図4 シューズ・スパイクのチェックポイント

❶ワイズ（幅）の程度　❷ヒールカップの形状（ホールド性）　❸内側・外側カウンターの強度　❹トーブレイクの位置と屈曲性　❺ドロップ（傾斜）の程度　❻ミッドソールの厚さ（緩衝性）　❼フレアの程度　❽中足部の特徴（シャンクの強度など）　❾スタッドの形状と位置

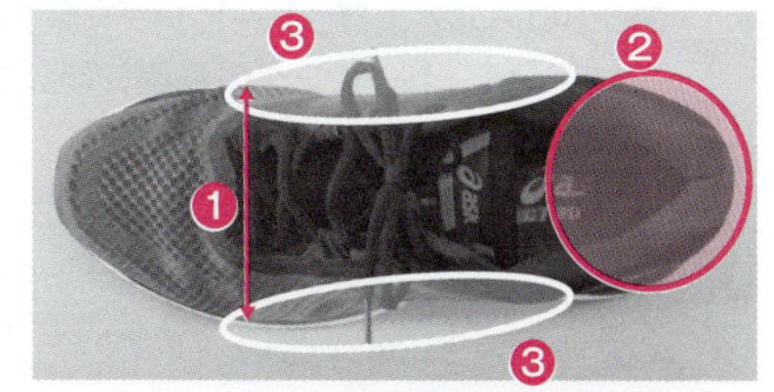

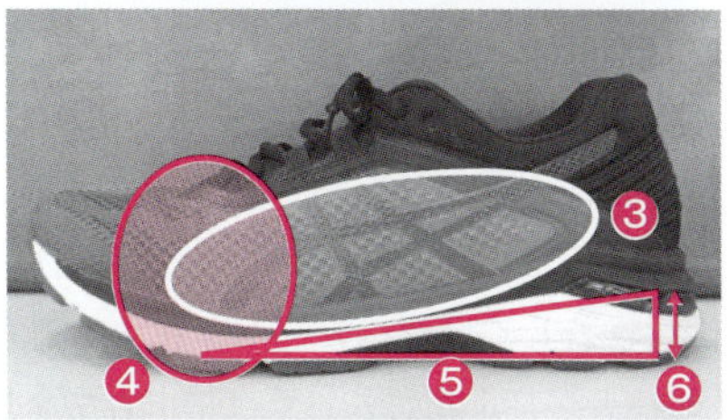

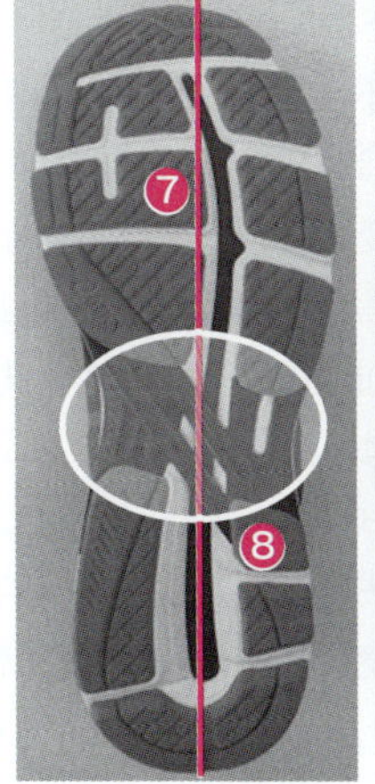

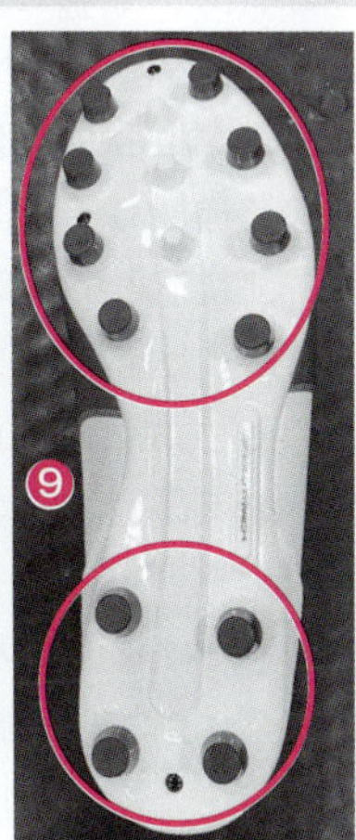

【文献】

1) 日本アスレティックトレーニング学会：コンディショニング．アスレティックトレーニング関連領域用語解説集．https://js-at.jp/info/journal#glossary（2023 年 3 月 14 日閲覧）．

2) 小林寛和：リハビリテーションとリコンディショニング総論．アスリートのリハビリテーションとリコンディショニング 上巻 外傷学総論／検査・測定と評価（小林寛和 編），p.8-15, 文光堂，2010.

3) 日本スポーツ理学療法学会ホームページ：概要．http://jspt.or.jp/jsspt/about/index.html（2022 年 11 月 1 日閲覧）.

4) 片寄正樹：日本スポーツ協会公認アスレティックトレーナー（JSPO-AT）とは．公認アスレティックトレーナー専門科目テキスト第 1 巻 アスレティックトレーナーの役割．pp.2-5, 公益財団法人日本スポーツ協会，2022.

5) 石山修盟：コンディションとは 公認アスレティックトレーナー専門科目テキスト 6 予防とコンディショニング（日本体育協会 編），p.3-5, 文光堂，2007.

6) 清水和弘 ほか：スポーツ医科学領域におけるコンディショニング．臨床スポーツ医学 28（臨時増刊号）：2-10, 2011.

7) 井澤秀典：日本代表チームにおけるメディカルサポート：トレーナー．臨床スポーツ医学 34（2）：122-125, 2017.

8) 中村大輔，ほか：第 31 回オリンピック競技大会（2016 ／リオデジャネイロ）および事前キャンプ中における U23 サッカー男子日本代表チームを対象としたコンディション評価～ External load および Internal load の双方を用いた検討～．J High Perform Sport, 4: 176-187, 2019.

9) 岡戸敦男，ほか：陸上競技選手のリハビリテーションにおける GPS の応用．臨スポーツ医，39（11）：1224-1229, 2022.

アンチ・ドーピングの基礎知識

スポーツ活動において，競技能力を高める目的で不正に薬物を使用したり，不正な方法を用いたりすることをドーピングとよんでいる。一方，採尿（あるいは採血）によるドーピング検査を一般的にドーピング・コントロールとよび，ドーピングを禁止するための一連の活動をアンチ・ドーピングとよんでいる。本項ではアンチ・ドーピングの基礎知識について解説する。

アンチ・ドーピングとは

正確には，世界アンチ・ドーピング規程（World Anti-Doping Code）の第2条1項から10項に違反する場合に，アンチ・ドーピング規則違反となる。第2条1項は「競技者の検体に，禁止物質又はその代謝物若しくはマーカーが存在すること」，2項は「競技者が禁止物質若しくは禁止方法を使用すること又はその使用を企てること」，3項は「検体の採取の回避，拒否又は不履行」，4項は「居場所情報関連義務違反」，5項は「ドーピング・コントロールの一部に不当な改変を施し，又は不当な改変を企てること」，6項は「禁止物質又は禁止方法を保有すること」，7項は「禁止物質若しくは禁止方法の不正取引を実行し，又は不正取引を企てること」，8項は「競技会（時）において，競技者に対して禁止物質若しくは禁止方法を投与すること，若しくは投与を企てること，競技会外において，競技者に対して競技会外で禁止されている禁止物質若しくは禁止方法を投与すること，若しくは投与を企てること」，9項は「違反関与」，10項は「特定の対象者と関わること」，11項は「当局への通報を阻止し，又は当局への通報に対して報復する行為」である[1)]。

世界アンチ・ドーピング機構（WADA）および日本アンチ・ドーピング機構（JADA）

1999年11月に世界アンチ・ドーピング機構（World Anti-Doping Agency：WADA）が設立され，以後，WADAが中心となり世界各国のドーピング根絶とアンチ・ドーピングの標準化，国際的なドーピング検査基準や違反に対する制裁手続きの統一などを行っている[2)]。日本においては2001年9月に設立された日本アンチ・ドーピング機構（Japan Anti-Doping Agency：JADA）が，アンチ・ドーピング活動を担っている[3)]。

禁止表国際基準

前述したように，1999年にWADAが設立され，2003年にスポーツ界の統一規則である世界アンチ・ドーピング規程が策定され，2004年から禁止表国際基準を作成し，禁止物質・禁止方法を公表している。禁止表国際基準は毎年改定されている。2023年禁止表国際基準の抜粋を**表1**に示す[4)]。

世界パラリンピック委員会（IPC）独自の禁止方法

禁止表国際基準は，健常者と障がい者の区別なく運用されるが，障がい者に特有の禁止方法として，世界パラリンピック委員会（International Paralympic Committee：IPC）が独自に規定している“Boosting”がある。意図的に引き起こされた自律神経過反射をBoostingとよぶ。Boostingは，急激な血圧上昇をもたらし健康に害を及ぼすために，IPCとしては競技会において危険な自律神経過反射状態で競技することを禁止している[5)]。

治療使用特例（TUE）

本来であれば，禁止物質・禁止方法を使用した状態でスポーツに参加すればドーピング違反に問われるが，治療使用特例（Therapeutic Use Exemptions：TUE）申請書を指定の審査機関に提出し，TUE付与・承認を得ることで，特例として治療目的で禁止物質・禁止方法を使用することができる制度である[6)]。

ドーピング検査

競技会におけるドーピング検査についての具体的手順に関しては，JADAホームページ内の「https://www.realchampion.jp/what/prove/process/」が参考となる。

表1 2023年禁止表国際基準

2021世界アンチ・ドーピング規程第4条2.2項において，“第10条の適用にあたり，すべての禁止物質は，禁止表に明示されている場合を除き，「特定物質」とされるものとなった。いかなる禁止方法も，禁止表で「特定方法」であると具体的に明示されている場合を除き，特定方法ではないものとする”と明記されている

常に禁止される物質と方法［競技会(時)および競技会外］			
禁止物質		禁止方法	
S0	無承認物質	M1	血液および血液成分の操作
S1	蛋白同化薬		
S2	ペプチドホルモン，成長因子，関連物質および模倣物質	M2	化学的および物理的操作
S3	ベータ2作用薬		
S4	ホルモン調整薬および代謝調節薬	M3	遺伝子および細胞ドーピング
S5	利尿薬および隠蔽薬		
競技会(時)に禁止される物質と方法		特定競技において禁止される物質	
S6	興奮薬	P1	ベータ遮断薬
S7	麻薬		
S8	カンナビノイド		
S9	糖質コルチコイド		

（文献4をもとに作成）

薬物使用・サプリメントにおける留意点

● 一般市販薬使用における留意点

感冒や鼻炎などに対して市販薬を使用する場合には，禁止物質である興奮薬（エフェドリン，メチルエフェドリン，プソイドエフェドリン）を含んでいることが少なくないため注意が必要となる。日ごろから競技者に対して，使用薬物について禁止物質が含まれていないかどうかに関心を払うように教育しておく必要がある。

● サプリメント使用に関する留意点

表示成分に禁止物質の記載がないとしても，必ずしも安全とはいえない。製品ラベルおよび合理的なインターネット上の検索により入手可能な情報において開示されていない禁止物質を含む製品は「汚染製品」とよばれるが，特に輸入品においては「汚染製品」に対する十分な注意が必要である。

使用薬物に関する情報源

使用可能な薬物や禁止薬物について自己で検索する際には，①日本薬剤師会ホームページ内「薬剤師のためのアンチ・ドーピングガイドブック2023年版［https://www.nichiyaku.or.jp/assets/uploads/activities/guidebook_web2023.pdf（2023年6月12日更新）］」，②JADAホームページ内「Global DRO JAPAN（https://www.globaldro.com/JP/search）」が有用である。

【文献】

1) 世界アンチ・ドーピング規程 2021（日本語翻訳）. pp.14-20, 日本アンチ・ドーピング機構, 2021.
2) 森岡裕策：世界アンチ・ドーピング機構の活動. 臨スポーツ医, 20: 135-143, 2003.
3) 河野一郎：日本アンチ・ドーピング機構設立. 臨スポーツ医, 20: 145-150, 2003.
4) 世界アンチ・ドーピング規程 2023 年禁止表国際基準. 日本アンチ・ドーピング機構, 2023.
5) IPC Position Statement on Autonomic Dysreflexia and Boosting. IPC Handbook, 2016.
6) 世界アンチ・ドーピング規程治療使用特例に関する国際基準 2023 年. 日本アンチ・ドーピング機構, 2023.

スポーツ競技を実施するための感染症対策

スポーツとは「心身ともに健康で文化的な生活を営む上で不可欠のもの」（スポーツ基本法前文より）である。競技会に参加し栄誉を得ること，自らを高めるために仲間と切磋琢磨し合うこと，観戦により興奮や感動を共有することなど，人が集まることが必要となるため，感染症の蔓延下では特に感染対策が必要となる。
本項では，競技者や愛好家が安全にスポーツ活動を続けられるように，理学療法士として感染症からスポーツを行う機会をどのように守っていき，どのように行動すべきかについて解説する。

標準予防策と感染経路別予防策

感染対策の基本は，医療現場で行われている標準予防策と感染経路別予防策を参考にするとよい（**図1**）。

標準予防策

標準予防策（スタンダードプリコーション）はアメリカ疾病予防管理センター（Centers for Disease Control and Prevention：CDC）の提唱する感染予防のガイドライン[1)]であり，「すべての血液，体液，分泌物，排泄物（汗を除く），傷のある皮膚，粘膜には伝達性の感染物質が含まれる可能性がある」という考えの下，対象者の感染が確定しているまたは疑われるか，状況にかかわらず，すべての対象者に対して行われるものである。主な標準予防策を**表1**に示す。標準予防策は2019年末から世界的に広がった新型コロナウイルス感染症（COVID-19）のような新興感染症（新しく認知され，局地的または国際的に問題となっている感染症）が流行している状況でなくとも，普段の活動から行うことが重要である。

感染経路別予防策

感染経路別予防策は感染症の流行時や感染が疑われる対象者に対して，標準予防策に加えて行われる感染経路別の対応である。主な感染経路別予防策を**表2**に示す。感染経路には，①空気感染，②飛沫感染，③接触感染の3つがある。①空気感染は，病原体を含む飛沫の水分が蒸発した飛沫核が空気の流れで空中に拡散し，それを吸い込むことで感染する。②飛沫感染は，咳やくしゃみ，会話などにより口や鼻から病原体を含んだ水分の飛沫が飛散し，それを吸い込むことで感染する。飛沫感染における飛沫は空気感染のように水分の蒸発による空中への浮遊はない。③接触感染は感染している人との接触（直接接触感染）や，その人が触れた物品との接触（間接接触感染）により感染する。

競技と感染予防

競技によっては，感染のリスクや症状によって試合の中断や出場の停止が規定されているため，感染予防のための適切な処置や選手の健康管理が重要である。例えば，接触性スポーツにおける出血では，血液を介して感染するB型肝炎，C型肝炎，後天性免疫不全症候群（acquired immunodeficiency syndrome：AIDS）の感染予防が必要であるが，プライバシー保護の観点から参加者全員に検査を義務付けることは困難である。そこで，出血が止まるまたは傷口を完全に覆うことをルールにしている競技も多く，止血処置の際には標準予防策としてディスポーザブル（使い捨て）手袋の着用が必

図1 標準予防策と感染経路別予防策

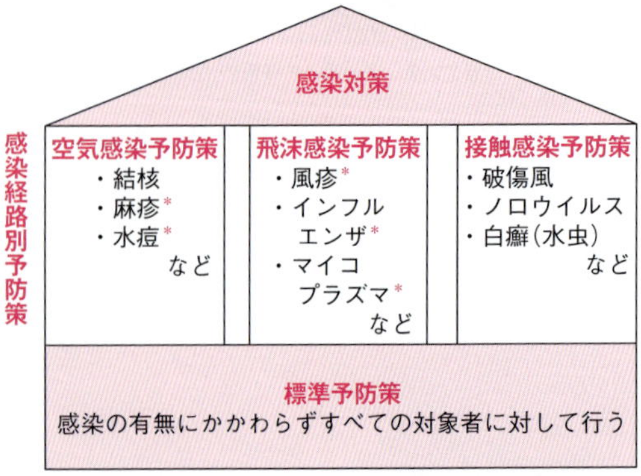

*接触感染予防策も必要

表1 標準予防策

手指衛生		血液，体液，分泌物，排泄物，汚染物に触れた後。手袋をはずした直後。対象者に接触する前後
個人防護具の着用	手袋	血液，体液，分泌物，排泄物，汚染物に触れる場合，粘膜および創傷皮膚に触れる場合
	ガウン	対象者の処置・対応中に対象者の血液，体液，分泌物，排泄物と自分の衣服や皮膚が触れる可能性がある場合
	マスク，ゴーグル，フェイスシールド	血液，体液，分泌物，特に吸引・気管内挿管などの飛沫や噴霧が生じる可能性のある処置・対応中。エアロゾル感染*の可能性がある病気または診断がされている対象者に対しエアロゾルを発生させるような処置を行う場合，手袋，ガウン，顔面・目の保護具に加えてN95マスクまたはそれ以上の基準のマスクを着用する
汚染された器具		病原体が他の人や環境に移るのを防ぐ方法で取り扱う。手指衛生を行い，目に見えて汚染されている場合は手袋を着用する
環境管理		環境表面(特に対象者ケアエリアで頻繁に触れるものなどの表面)の日常的な清掃・消毒手順を整備する
布製品および洗濯物		病原体が他の人や環境に移ることを防ぐ方法で取り扱う
蘇生処置		呼気吹き込み用フェイスシールドや蘇生バッグなどの換気装置を使用し，口や口腔分泌物との接触を防ぐ
対象者の配置		感染している可能性の高い対象者，環境を汚染する可能性のある対象者，適切な衛生状態を保てない対象者は個室対応とする。感染する可能性が高い対象者や感染後に悪化する可能性がある対象者も個室対応とする
呼吸器衛生(咳エチケット)		感染症状のある対象者には，次のことを指導する。くしゃみや咳をする場合に口と鼻をティッシュで覆い，非接触型ゴミ箱に廃棄する。分泌物で手を汚した後は手指衛生を行う。可能であればサージカルマスクを着用するか，他者と3フィート(約0.9m)以上の距離をとる

*エアロゾル感染：通常の飛沫よりも微小な粒子の飛沫による感染。軽いため飛沫のようにすぐに落下せずに空間に漂い，それを吸い込んだり粘膜に沈着したりすることで感染する

(文献1を参考として作成)

表2 感染経路別予防策

空気感染予防策	特別な空気処理と換気能力を備えた個室への隔離。N95マスクかそれ以上の規格のマスクを着用
飛沫感染予防策	個室への隔離が望ましい。隔離ができない場合には，同一疾患の対象者を同室にするか，同室者との相部屋を継続して感染の拡大防止を行う。複数名が同室となる場合には，ベッドの間のカーテンを引き，3フィート(0.9m)以上の距離をとるようにする。マスクを着用して接触し，対象者が部屋の外へ移動する場合には，マスクの着用と呼吸器衛生(咳エチケット)を順守させる
接触感染予防策	個室への隔離が望ましい。隔離ができない場合には，同一疾患の対象者を同室にするか，同室者との相部屋を継続して感染の拡大防止を行う。複数名が同室となる場合には，3フィート(0.9m)以上の距離をとるようにする。対象者または汚染された可能性のある場所との接触時にはガウンと手袋を着用する。入室時に個人防護具を着用し，部屋を出る前に廃棄する

(文献1を参考として作成)

要である。また，皮膚感染症の蔓延防止には理学療法士だけでなく，選手本人が標準予防策と接触予防策を意識する必要がある。武道競技や格闘技系競技においては，特に選手同士が身体を密着させたり素足で競技を行ったりするため，皮膚真菌症(いわゆる水虫，たむし)や単純ヘルペスなどの蔓延リスクが高い。皮膚感染症は，重篤になると発熱や全身倦怠感などによりパフォーマンスが低下する原因にもなる。さらに，レスリングでは計量時のメディカルチェックにおいて皮膚感染症の病変が認められた際は出場停止となる。

各種大会における感染対策

国際大会

新興感染症の蔓延下における国際大会では，開催地へ各国の代表選手や関係者(選手団)，競技役員，メディア関係者，観客が集合する(Column参照)ため，感染拡大リスクを伴う。「バブル方式」はCOVID-19の拡大後に採られた感染症対策の方式で，2021年の東京2020オリンピック・パラリンピック大会(東京2020大会)や2022年の北京2022オリンピック・パラリンピック大会(冬季大会)などで取り入れられた。バブル方式とは，開催国への入国から出国まで選手団を隔離し，開催国の国民と接触させないようにする感染拡大防止策である(**図2**)。選手団は空港から選手村まで大会専用車両で移動し，選手村と大会会場の外に出ないことでバブルの内側にとどまる。東京2020大会では無観客での開催となったが，感染症蔓延下で有観客で国際大会が開催されるような場合には，大会会場内でも観客と選手団のゾーン分けや動線が交わらないようにすることでバブルが維持される。バブル方式のデメリットとして，発症前または無症

図2 バブル方式

選手団，開催会場，宿舎を泡（バブル）の膜で取り囲むようにしている状況からバブル方式とよばれる。選手団側をバブルの「内側（うちがわ）」，開催国側を「外側（そとがわ）」とよぶ

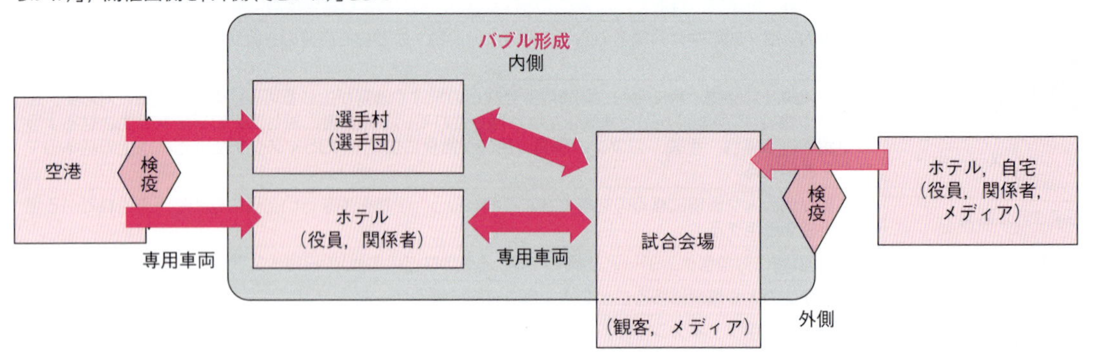

状の感染者がバブル内にいた場合に，バブル内での感染拡大が生じる可能性があることである。そのため，COVID-19蔓延後の国際大会では，空港検疫や大会ごとに決められた感染チェック，感染予防によりバブル内の感染拡大防止が行われた。

東京2020大会の際には，各国の選手団は出発前に感染の確認を行い，さらに日本の空港到着後に空港検疫で感染の有無をチェックし，検査により陰性が認められた後に選手村や事前合宿地への移動が行われた。移動後，自室からの外出は3日間制限された。また，選手村や合宿地では毎日検査を行うことが義務付けられていた。検査により陽性と判定された場合には，バブルの外に隔離され必要に応じて治療が行われた。隔離期間と競技日程が重なってしまった選手は出場できなかった。理学療法士を含む大会関係者も毎日の検査などによる感染対策が行われた。しかし，実際には選手村のポリクリニックや会場医療にかかわるスタッフは，バブルの外側のホテルへ宿泊したり自宅から会場に通ったりしており，厳密にはバブル方式による隔離は行われていなかった。

このような状況のなかで，バブルの内側に感染症を持ち込まないためには個人の感染対策が重要となる。バブルの外側で感染しないために感染リスクの高い場所や行動を避け，体調の管理を行う個々の心がけが安全な大会運営に必要とされた。大会にかかわる医療スタッフの多くが普段医療機関に勤務しているため，医療機関内で自身での感染対策が十分に行えることが安全な大会参加の条件といえる。また，バブルの内側で感染が広がらないために，マスクの着用などの標準予防策やマスクをはずす食事時間をスタッフ間でずらしたり，黙食（マスクをしていない食事の時間には会話をしないこと）をしたりするなどの工夫も行った。

大会ごとに感染対策の規定は変化するため，定められた方法を順守するとともに会場内外の行動を自己管理できることが，スポーツにかかわる理学療法士にとって必須である。

全国大会や地方大会

新興感染症が流行しているなかでの全国大会（日本選手権や国民体育大会など日本全国から代表選手が集まる大会）や地方大会（地方・都道府県・市町村などの地域のなかで参加者が集まる大会。全国大会の予選を兼ねることもある）においても，国の指針や大会独自の指針に準じて感染対策を行う。国内の大会のためバブル方式での感染対策は行わないが，大会前・大会中の検査の実施やマスクの着用，設備の使用人数制限（トレーナーエリア，ウォーミングアップエリアなど），行動制限（プレー外での声出し，身体接触の制限など），検査陽性者の隔離などが規定される。国際大会と同様に大会の規定を順守し，理学療法士自身の会場内外での行動管理を行うことが重要である。

Column

マスギャザリングと医療体制

「一定期間の中で限定された地域において，同一の目的で集合した多人数の集団」をマスギャザリングとよぶ（日本集団災害医学会）。マスギャザリングにおいては医療必要度が高くなると同時に，緊急時への対応が遅れる可能性が高くなる。本項では感染症について執筆したが，大規模国際大会などではテロリズムや災害・事故の発生率も高くなることを念頭に置いて医療体制の構築を行う必要がある。

チーム，部活動などにおける感染対策

練習・大会時

チームスタッフや外部指導者としてかかわる場合，理学療法士がチームのなかで唯一の医療職である場合も少なくない。その場合には，感染対策の管理者としての意識をもち，正しい医学的な知識に基づいた感染対策の教育を行えることが重要である。

環境消毒とは，身体が触れた場所を消毒することで物品を介した間接接触感染の拡大を防ぐことである。消毒薬の効果は感染症の原因となるウイルスや菌の種類，消毒薬の濃度，消毒する物品の材質によって異なり，さらに消毒薬による物品の材質劣化が生じることもあるため，消毒薬を使い分け適切な方法で消毒を行う。消毒薬の使用前には，ガイドラインやメーカーの説明文を読んで濃度や種類，使用方法を選択する。

チームスポーツにおいて練習中や試合中に飲料水のコップやボトルを使いまわす場面が散見されるが，感染防止の観点からは，使い捨てのコップを使用して飲んだら破棄する，コップに名前を記載する，個人用のボトルを用意するなどの対策が必要である。

合宿・遠征時

長距離移動，特に航空機での移動時の際には，かぜ症候群に注意をするべきである。かぜ症候群とは上気道から下気道に至る急性炎症性気道疾患の総称であり，COVID-19同様に飛沫感染・接触感染対策を行う。機内は湿度・温度が低いこともあり，口渇の対策（マスクの着用，水分摂取，キャンディーやチューインガムの携行）や体温調節（長袖の上着やブランケットの準備）を心がける。

合宿や遠征期間が長くなるほど，心身のストレスは高くなり免疫力は低下する。宿泊時の冷暖房調節や湿度調節（加湿器の使用，濡れタオルなどの室内干しなど）を行い，感染が疑われる選手が出てしまった際相部屋での宿泊の場合にはチーム内での感染拡大防止のために，症状がある選手を一人部屋へ隔離するなどの対応を迅速に行う。

海外遠征時に特に問題となるのが旅行者下痢症，いわゆる食中毒である。旅行者下痢症はほとんどが感染性腸炎であり，病原体に汚染されたものを飲食することによって感染する経口感染である。そのため，渡航前に飲食に関する衛生的な行動（**表3**）を選手や関係者に指導することが重要である。

また，地域特有の感染症などにも注意が必要である。中東呼吸器症候群（middle east respiratory syndrome：MERS）は，2012年以降にアラビア半島諸国を中心に発生の報告がある重症呼吸器感染症であり，ヒトコブラクダとの接触やラクダの肉・乳からの感染が報告されている。デング熱やマラリア，黄熱，日本脳炎などは蚊に刺されることで感染するため，これらの感染症が発生している国では虫よけスプレーなどを使用する。狂犬病は動物に咬まれることで感染し，破傷風は主に傷口についた土などから感染する。予防接種が有効な感染症も多いため，渡航前に厚生労働省のホームページ[4]から渡航先の感染症情報を収集する。なお，黄熱のように予防接種証明書がないと入国できない国もあり，予防接種の効果が出るまでに期間を要することもあるため，コンディショニングの計画に合わせて余裕をもった接種予定を組む必要がある。

表3　経口感染予防のための注意点

- 排泄後，調理前，食事前の手洗い
- 生水を飲まない。ペットボトル入りのミネラルウォーターか煮沸した水を飲用する。シャワーや歯磨きの際も注意する。氷も安全な水で作っていることが確認できていない場合には避ける。氷が必要な場合にはミネラルウォーターか煮沸水を使ってつくる
- 生ものは食べない。十分に加熱された食べ物を食べ，調理後時間が経過した食べ物は避ける（特にビュッフェ形式の食事）。魚介類や肉だけでなく，サラダやカットフルーツも水による汚染の可能性があるため生で食べることは避ける（自分で皮を剥いて食べる果物は可）

【文献】

1）Jane DS, et al.: 2007 Guideline for Isolation Precautions: Preventing Transmission of Infectious Agents in Healthcare Settings (2007). https://www.cdc.gov/infectioncontrol/guidelines/isolation/index.html.（2023年3月29日閲覧）.

2）International Olympic Committee, International Paralympic Committee: アスリート・チーム役員公式プレイブック 大会の安全と成功のためのガイド（2021年6月第3版）. https://www.paralympic.org/tokyo-2020/playbooks.（2023年3月29日閲覧）.

3）International Olympic Committee, International Paralympic Committee: 大会スタッフ公式プレイブック 大会の安全と成功のためのガイド（2021年6月第3版）. https://www.paralympic.org/tokyo-2020/playbooks.（2023年3月29日閲覧）.

4）厚生労働省検疫所 FORTH: 海外感染症発生情報. https://www.forth.go.jp/index.html.（2023年3月29日閲覧）.

アスリートの傷害予防

スポーツ医療は「元のスポーツへの復帰」さらに「完全なスポーツへの復帰」を目指してきた。しかし，傷害予防は医療において，最も発展が遅れている分野である。本項では，スポーツ傷害の予防という視点から「医療に頼らない健康獲得法」について考察を加える。

「予防は最大の治療である」ことは，イメージとして皆が知っているような気がする。しかし，現実的には予防は医療において最も発展が遅れている分野である。質の高い医療が当然のように提供され続け，われわれは生まれたときからそれを享受してきた。「病気になったりけがをしたりするのは当たり前」，「病気になっても治してもらえる」。そのような安心感のなかでわれわれは日々生活し，長寿を全うしていく。病気やけがを引き起こさないように予防に重点を置いている人やスポーツ選手は本当に少ない。

スポーツ医療は「元のスポーツへの復帰」さらに「完全なスポーツへの復帰」を目指してきた。スポーツ選手は再受傷の恐怖と闘いながら，競技を行っている。スポーツ医療の満足感を評価すると，受け手である選手側ではなく，必ずそれを与える医療者側の得点が高い。**表1**はスポーツ復帰できる比率と，その満足感を示している[1,2]。スポーツ復帰は80%台であるが，競技レベルのスポーツに復帰できる者はわずか55%である。これがアスリートの傷害予防の必要性の根拠である。「けがをしない」ことが，スポーツを行うための本来の必要条件なのである。

本項ではスポーツ傷害の予防という視点から「医療に頼らない健康獲得法」について考察していく。

予防の始まり

非接触型の膝前十字靱帯（anterior cruciate ligament：ACL）損傷が発見され，再建術に拍車がかかったのは1980年代であった。それに呼応してわが国でスポーツ整形外科が発展し，それにスポーツ理学療法学が追随した。筆者の理学療法士としてのキャリアは，ちょうどその一連の流れと一致していた。

膝ACL損傷の発生はいつも衝撃的である。スポーツ活動中の動作で選手が突然倒れ込み，膝を抱えて苦悶する。なんの前ぶれや激しい接触もなく膝ACLがいとも簡単に断裂することが，筆者には不思議でならなかった。当時の職場であった財団法人日本体育協会スポーツ診療所では，何種類かの膝ACL再建手術の理学療法に携わる機会を得たが，理学療法評価，そして治療法に工夫や考察を凝らした。約30年前のスポーツ理学療法の目標は「スポーツ復帰を可能にすること」であった。

当時から「スポーツ外傷・障害」という区分は明確に行われ，「外傷に陥る理由があり，それを取り去らないと問題は解決しない」と考えられていた。これが，「消極的な予防」の始まりといえるかもしれない。スポーツ傷害の発生機序を考えることで，スポーツ復帰に道筋をつけられると考えたのである。「個体要因」，「トレーニング要因」，「環境要因」というスポーツ外傷・障害を発生させる3つの要因が考えられた。また，**表2**のように「内的要因」，「外的要因」，「誘発的要因」という分類もされる。

画期的だったのは，2004年にノルウェーのグループが主となり，第1回世界スポーツ外傷予防学会が開催されたことである。第1回学会はスポーツ整形外科のレビューのような学会であったが，その後に“IOC prevention”と名称を変え，予防を主に考える2年ごとの学会へと発展していった。

スポーツ理学療法でも，2000年ごろより膝ACL

表1 スポーツ復帰の現状（2011年と2014年の比較）

	2011年	2014年
スポーツ復帰	82%	81%
受傷前のレベルのスポーツ復帰	63%	65%
競技レベルへのスポーツ復帰	44%	55%

（文献1，2をもとに作成）

表2 スポーツ傷害の発生要因

内的要因	
・年齢 ・性別 ・身体組成 ・健康状態 ・関節不安定性 ・関節弛緩性 ・体力(筋力，持久力，パワー，協調性，巧緻性)	・骨格 ・体格 ・アライメント ・姿勢 ・スキル ・神経系の統合 ・疲労 ・心理状態 ・栄養
外的要因	**誘発的要因**
・練習の量と質 ・防具 ・用具 ・シューズ ・ウェア ・環境(天候，気温，湿度，風) ・床面	・プレーの状況 ・チームメイト ・対戦相手や審判 ・競技レベル ・試合の成績

損傷予防プログラムが考案され，少しずつ成果が現れてきた。筆者も，それまでに培ってきた膝ACL損傷からの復帰プログラム＝再損傷予防プログラムのノウハウに新しい考えを加えて膝ACL損傷予防プログラムを実施し，成果を発表した(**図1**)[3)]。膝ACL損傷予防には，筋力エクササイズ，バランスエクササイズ，ジャンプ着地での動的姿勢制御という3つの局面を組み込むことが推奨されている。

Check! 理学療法ガイドライン第2版

「ACL再建術前患者に対する理学療法において筋力トレーニングと可動域練習のいずれが推奨されるか」，「ACL再建術後患者に対する理学療法においてバランス練習は推奨されるか」については，『理学療法ガイドライン 第2版』第13章「前十字靱帯損傷理学療法ガイドライン」[4)]のCQ1，5を参照されたい(https://www.jspt.or.jp/upload/jspt/obj/files/guideline/2nd%20edition/p745-780_13.pdf)。

Web版はこちら

この流れは，足関節捻挫など他のスポーツ傷害の治療や予防にも影響した。**図2**に足関節捻挫の治療内容を調査した内容を示す[5)]。治療では疼痛管理，関節可動域確保，筋力トレーニングの3つが主になるが，それに続くものは，いずれも再発予防を意図したものである。足関節捻挫予防では，これらの要素を常時意識して鍛えておく必要がある。

図1 膝ACL損傷予防プログラムの例

❶バランスディスク(両側立位)

1.バランスエクササイズ(4分間)
① 両脚開眼立位 30秒
② 両脚閉眼立位 30秒
③ 右片脚開眼立位 15秒
④ 左片脚開眼立位 15秒
⑤ 右片脚閉眼立位 10秒
⑥ 左片脚閉眼立位 10秒
⑦ 右片脚フルスクワット5回 15秒
⑧ 左片脚フルスクワット5回 15秒
⑨ 両脚立位ボールドリブル 30秒

❷ノルディックハムストリング

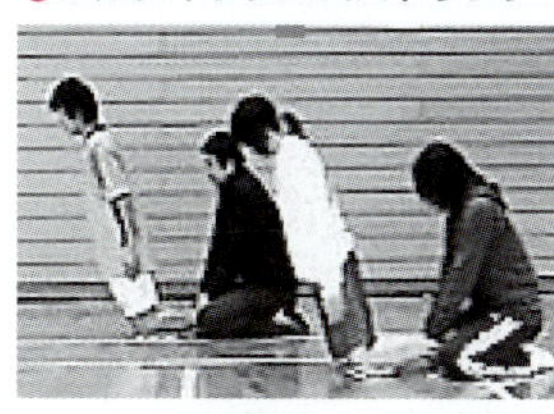

2.筋力エクササイズ(3分間)
①ノルディックハムストリング10回 30秒
② ノルディックハムストリング 10〜20°の傾斜を保持する 30秒
③ ランジウォーク25m× 2本

❸シザーズジャンプ

3.ジャンプエクササイズ(3分間)
① シザーズジャンプ10回 30秒
② 両脚前方連続ジャンプ7歩 20秒
③ 片脚交互前方連続ジャンプ10歩 30秒
④ 側方ジャンプ5往復 30秒
⑤ 180°回転ジャンプ右2周，左2周 30秒

Check! 理学療法ガイドライン第2版

「足関節可動域低下がある足関節内反捻挫の患者に対して，理学療法と関節モビライゼーションの併用は推奨されるか」については，『理学療法ガイドライン第2版』第15章「足関節捻挫理学療法ガイドライン」[6)]のCQ1を参照されたい(https://www.jspt.or.jp/upload/jspt/obj/files/guideline/2nd%20edition/p801-817_15.pdf)。

Web版はこちら

図3に，世界的にスタンダードになっているスポーツ傷害予防の考え方を示す[7)]。この考え方は4つの部分(段階)から形成される。1段階目は問題発見とそのインパクトの測定，2段階目は外傷発生の分析と評価，3段階目は予防プログラムの立案と実践，4段階目は再評価と変更，というような流れである。

ここ25年近く，それぞれの段階に沿って研究が進められた。筆者は，3段階目の予防プログラムの実践を行ってきたが，スポーツ外傷の発生率が最も高い足関節捻挫で1.0/1,000 player hour(1人の選手が練習および試合に参加した1,000時間当たりの傷害発生件数)程度である[3)]。こちらは1段階目

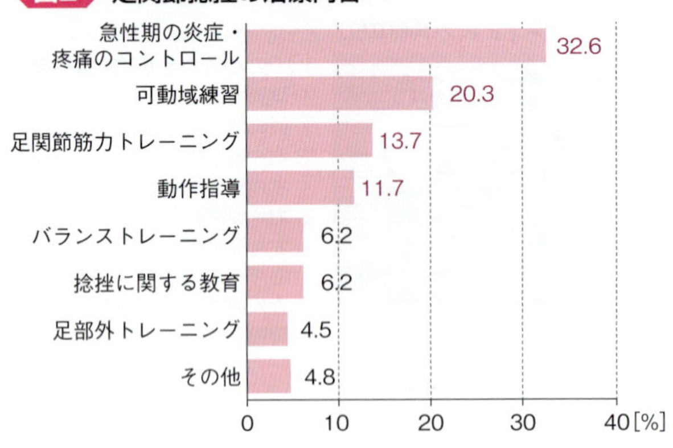

図2 足関節捻挫の治療内容

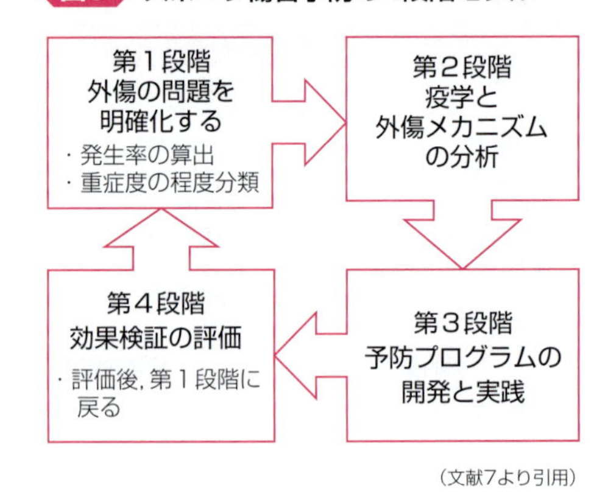

図3 スポーツ傷害予防の4段階モデル

（文献7より引用）

の研究であるが，膝ACL損傷発生は0.2/1,000 player hour程度で，足関節捻挫の1/5程度の発生率である[3]。スポーツ理学療法に携わる多くの人が納得できる値であろう。

「いつ，誰が損傷するか」が予測できないと，本気で予防プログラムには取り組めない。足関節捻挫の発生率は疫学や統計学的には有意なものかもしれないが，膝ACL損傷発生率（0.2/1,000 player hour）はいわゆる「偶然性」に支配される可能性が高い。

そこで，「ハイリスク選手」を選び出すために，2段階目の研究を精力的に行ってきた。膝ACL損傷の発生機序は，膝関節伸展位や外反と後方重心の3点が原則となり，それに接地後早期に断裂することや，下腿内旋，ハムストリングと比較した大腿四頭筋の活動優位が関係すると考えられるようになった。これらの他の要因と変更される可能性がある項目が膝ACL損傷予防のキーであると考え，これらの項目に当てはまる選手をハイリスク選手として，トレーニングすることがベターと考えた。

evidence based medicine（EBM）が定着し，各方面でガイドラインが作成された。標準化した医療は重要であるが，前向き研究やランダム化比較試験（randomized controlled trial：RCT）を客観性のある大規模研究で行うには，時間と大きな労力の投入が不可欠であり，2段階目の研究で終始している現状があることを知っておく必要がある。

今後，予防は進むのか

2018年のIOC prevention で，「膝ACL損傷予定者の特定は困難」とされ，膝ACL損傷予防プログラムに水を差された感じがする。しかし，スポーツ選手全員に当てはまる普遍的な運動がスポーツ傷害を予防するという視点は，やはり必要であるということに変わりはない。

「少車多歩」（乗用車を減らしてたくさん歩く）といった予防法があるとしても，なかなか実行されないということは前述した。体力評価とスポーツ傷害予防プログラムのルーチン化も，今のところはほとんど実践できていない。楽しいこと（スポーツ参加）の多くには危険（リスク）が潜んでいる。リスクマネジメントとして，つまらないこと（予防のためのトレーニング）を日常のなかにどうやって取り入れるか，これが引き続く課題である。

若年層の体力の低下が叫ばれる一方，高いスポーツ技術が現場では求められている。体力の低下に楔を打ち込むような，新しい施策（予防トレーニング）が不可欠である。

【文献】

1) Ardern CL, et al：Return to sport following anterior cruciate ligament reconstruction surgery: a systematic review and meta-analysis of the state of play. BJSM 45(7): 596-606, 2011.

2) Ardern CL, et al：Fifty-five per cent return to competitive sport following anterior cruciate ligament reconstruction surgery: an update systematic review and meta-analysis including aspects of physical functioning and contextual factors. BJSM 48 (21) : 1543-1552, 2014.

3) 浦辺幸夫 ほか：膝前十字靭帯損傷要望プログラムの実践効果．日本臨床スポーツ医学会誌 15(2): 270-277, 2007.

4) 日本スポーツ理学療法学会：第 13 章 前十字靱帯損傷理学療法ガイドライン．理学療法ガイドライン 第 2 版(公益社団法人日本理学療法士協会 監，一般社団法人 日本理学療法学会連合 理学療法標準化検討委員会ガイドライン部会 編）. pp.745-780，医学書院，2021.

5) 浦辺幸夫：足関節捻挫の治療―スポーツ現場の実態調査から―. Sports medicine 201 : 15-24, 2018.

6) 日本スポーツ理学療法学会：第 15 章 足関節捻挫理学療法ガイドライン．理学療法ガイドライン 第 2 版（公益社団法人日本理学療法士協会 監，一般社団法人 日本理学療法学会連合 理学療法標準化検討委員会ガイドライン部会 編）. pp.801-817，医学書院，2021.

7) Mechelen VW,et al：Incidence, severity, aetiology and prevention of sports injuries. A review of concepts. Sports Med 14(2): 82–99, 1992.

外傷の応急処置①：固定・初期評価・搬送

近年，コンタクトスポーツにおける頭部および頸部外傷について，予防法はもとより発生後の適切な対処についてその重要性が注目されつつある。本項では，筆者が実際に行っているスポーツ救命救急コースのなかからラグビーフットボール（ラグビー）を例として，コンタクトスポーツによる頭頸部外傷を受傷した選手への対処法について解説する。

近年，コンタクトスポーツにおいて，頭部および頸部外傷に対する予防法に加えて，発生後の適切な対処についての重要性が注目されつつある。例えば，世界中のラグビーフットボール（ラグビー）を統括しているWorld Rugby（WR）は，国代表同士の試合であるテストマッチ，プロのラグビーのトーナメントやリーグ，7人制ラグビーワールドシリーズ，そしてラグビーワールドカップといったエリートレベル（プロフェッショナル）または国代表レベルの試合においては，その試合をサポートするマッチドクターやチームドクター，チームトレーナーはWRが認めたスポーツ救命救急の資格を必要とする規定を設けている[1)]。つまり，この資格がないと試合中ピッチに入り，（たとえ自国の選手であっても）負傷した選手に対応することができないのである。このようなWRが認めているスポーツ救命救急の資格は，世界各国に存在するスポーツに特化したスポーツ救命救急コースのなかの一部である。しかし，残念ながらわが国にはこのようなスポーツに特化したオリジナルのコースは存在していない。このため，筆者らはWRが作ったコースまたは，海外のコースを日本のスポーツドクターやスポーツトレーナーに向けて開催して有資格者を増やしている。

本項では，筆者が実際に行っているコースのなかから，コンタクトスポーツ後の頭頸部外傷を受傷した選手への対処法について解説する。

救急時の基本原則

頭部外傷時に意識レベルが低下している選手へのアプローチ時の基本原則は次の8つである[1,2)]。この原則に則って対応することにより負傷者の安全をより高いレベルで確保することができる。

①負傷者をそれ以上傷つけない（二次損傷を予防）
②現場の安全を管理する
③必要以上に負傷者を動かさない
④頸部外傷が存在しているものとして対応する
⑤シンプルな技術が命を救う
⑥医師・看護師・救急隊などの経験豊かな救助者が現場にいるかを確認する
⑦処置または検査が必要な箇所を認識する
⑧処置を行ったら再評価する

safe approach[2)]

まずはコンタクトシーンが認められた選手が横たわっている際の初期対応について解説する。アメリカンフットボールまたはラグビー選手がコンタクトした後，または柔道選手が投げ技を受けた後に選手が動かないことが確認されたら，メディカルスタッフは選手に近づき選手の状況を確認する必要がある。

その際に大切なのは周囲の安全確認である。試合が継続されている場合などは，選手のもとに向かう際にプレー中の他の選手に巻き込まれる可能性があるので，十分な周囲の安全確認が必要となる。例えばラグビーでは，メディカルスタッフは試合の中断をレフリーに要請することができる。また，負傷した選手の周囲に危険なものがないか，選手が倒れている場所の状況を確認する必要がある。フィールドのコンディションが悪かったり，雨や雪により地面がぬかるんでいたりする場合などメディカルスタッフの妨げになる環境がある場合には，それぞれの環境に応じて選手に近づく必要がある。例えばアイスホッケーでは，メディカルスタッフはスケート靴を履いていないので，氷上を注意しながら選手に近づく必要がある。

負傷した選手が出血をしている可能性についても考える必要がある。メディカルスタッフは両方の手をグローブで被い，素手で選手の血液を触ることは避けなければならない。

コンタクトシチュエーション後に負傷している選手のもとに到着したら，まずは致死的な外出血がないかを確認する。もし大量の出血が確認された場合は，まず止血を行い，止血後に頭頸部の固定に進む。もし出血がなければすぐに頭頸部の固定に進む。

頭頸部の初期固定[1)]

頭頸部の徒手的な固定について説明する。最初に到着したメディカルスタッフが2名以上いる場合はanterior hold（**図1**）で固定し，その後manual in-line stabilization（MILS，**図2**）で頭頸部を固定する[1)]。また，最初に到着したメディカルスタッフが1名しかいない場合は最初からMILS固定を行う。これは，頭頸部外傷を疑われる負傷者の頭頸部の保護を行うことができるのは，トレーニングされた者に限られるからである。MILS固定後，呼びかけへの反応や自発呼吸の有無などの確認を，固定しながら1人で行う。

本項では最初に到着したメディカルスタッフが2名以上いる場合での対応について図を交えて解説する。

まずは，anterior holdからMILS固定へ移行し終えた段階で初期評価を行う。

初期評価

初期評価において，もし異常が確認され救急搬送が必要と思われる場合や緊急で医療処置が必要であると判断された場合は，評価を担当したメディカルスタッフは**図3**のようにサインを送る必要がある[3)]。このサインはオリンピックで使用されている。緊急性が求められる疾患や外傷が発生し，人手が多く必要な場合に出されるサインである。

初期評価は負傷者の外傷部位や問題を探索することを目的として次に述べる1～5の確認を行う。

1. 気道の確認（A：airway）

気道確保は何よりも優先される。気道が確保されないと肺での換気が行われず，血中の酸素濃度が低下し，やがて死に至る。気道の確認にはまず問いかけをすればよい。問いかけによりなんらかの発声や返答が確認されたら気道が確保されてい

図1 anterior hold

メディカルスタッフが2名以上いる場合に，最初に到達したほうが前頭部と下顎をホールドし，前頭部を保持している側の肘は地面に，下顎を保持している側の肘は胸骨部に置き頸部を固定する

図2 anterior hold からのMILS固定

❶2人目のメディカルスタッフがmanual in-line stabilization（MILS）により頭頸部を固定する
❷anterior holdをしていたメディカルスタッフは，MILS固定が完全に行われていることを確認した後に手を離し，MILS固定のみで頭頸部を固定する

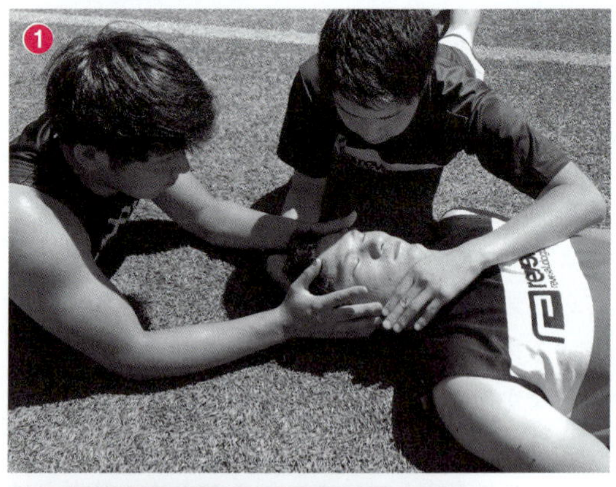

ることがわかる。もし発声が確認されない場合は10秒以内に，呼吸音，呼吸時の胸郭の動き，呼吸を感じて評価する。異常な呼吸音が聴取された場合は，その音に応じて何が気道を閉塞させているか原因を識別し，それぞれについて対応する。頭部外傷後にはよくいびき様の呼吸音が確認されることが多い。その際には頸部外傷（頸椎／頸髄損傷）が合併している可能性が否定できないので，下顎挙上法（**図4**）によって気道を確保する[1]。このときいびき様の呼吸音が消失し通常の呼吸音に戻ったら，気道を維持しなければならない。メディカルスタッフに医師がいる場合はoropharyngeal airway（OPA）[1] またはnasopharyngeal airway（NPA）[1]によって気道の維持を行う（**図5**）。また，コンタクト後の顔面外傷に伴って口腔内出血がある場合は血液により気道が閉塞している可能性がある。その際は携帯用吸引器を用いて血液を吸引する。吐物がある場合も同様に吸引器を用いて気道を確保する。異物が確認された場合は決して指で取り出そうとせずペンライトで口腔内を直視し，マギール鉗子を用いて異物を摘出し気道を確保する。もし呼吸音が消失しており反応がなければ頸動脈を確認し，脈が触れなければ心肺蘇生を開始する。

2. 呼吸の確認（B：breathing）

気道の確保が確認されたら次に呼吸の確認を行う。ここでは呼吸数と胸郭の広がり，圧痛部位の有無を確認する。正常な呼吸数は12～18回／分であるが，アスリートは受傷直後に通常よりも呼吸数が増加していることを考慮する必要がある。次に呼吸時に胸郭拡張の左右差を確認し，同時に圧痛部位を確認する。もし呼吸数が徐々に増加したり，呼吸が浅く乱れたり，胸郭拡張の左右差や圧痛が認められる場合は胸部外傷が疑われるので，至急医務室への搬送が求められる[2]。このような場合に，もし酸素投与が可能であれば投与することを勧める。

3. 循環の確認（C：circulation）

A，Bの確認ができたら次はC（circulation：循環）の確認が必要である。ここでは，まず外出血がないか全身を確認し，選手の顔色や四肢の露出部分の皮膚の色を確認する。また脈拍を確認することは重要で，そこから脈圧，リズム，脈拍数を確認する。外出血がある場合は圧迫止血を行い，皮膚の色や脈を確認する。外出血がなく，選手の皮膚の色が悪くチアノーゼとなり，脈圧が弱く，脈拍数が増加している場合は内部出血によるショック症状の可能性が高いので，右上腹部（肝損傷），左上腹部（脾損傷），左右下腹部（腸損傷），左右背部（腎損傷），骨盤部（骨盤骨折），両大腿部（大腿部骨折）などのショックを誘発する出血部位の圧痛を確認する[1,2]。異常がある場合は医務室へ搬送すると同時に救急隊へ連絡し，医師がいれば補液と酸素投与の準備を行う。

4. 意識レベルの確認（D：disability）

頭部外傷時の意識レベルの確認は**表1**に示すACVPUを用いて時間をかけないで確認を行う[2]。

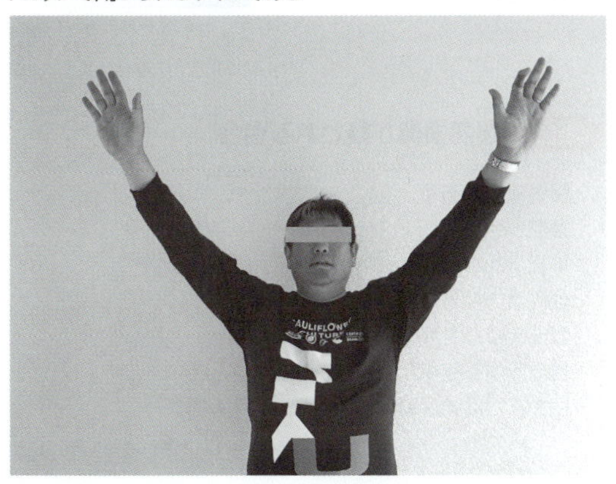

図3 緊急時のサイン
重症外傷や搬送が必要な疾患が発生した場合に，サポートするメディカルスタッフを呼ぶサイン。オリンピックやラグビーワールドカップで用いられるサインである

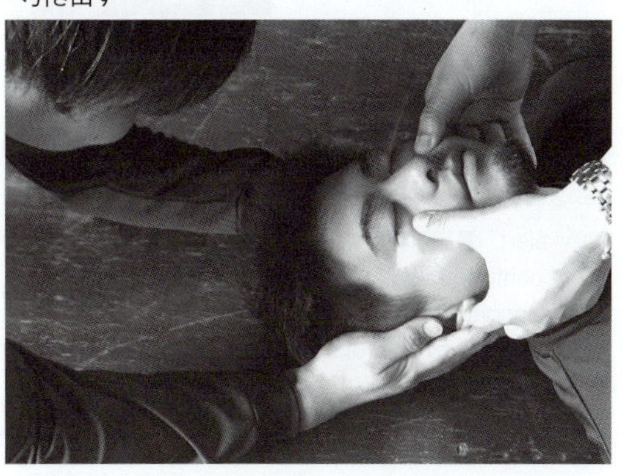

図4 下顎挙上法による気道確保
頸部の外傷が疑われhead tilt/chin liftができない際に用いられる。下顎角を把持し，頬部に母指を押し当てて下顎を前方へ引き出す

意識レベルがV以下の場合は意識レベルが低下していると判断し，医務室への搬送を行う。この際，意識レベルが低下している選手には頸部の外傷が合併しているものとして（**表2**）[1,2,4-6]，頸部をネックカラーで固定して搬送する。また，このとき医師がいて可能であれば酸素投与も行うことを勧める。搬送する際の手順については後述する。

5. 他の外傷部位の確認と搬送 (E：environment control, exposure & extrication)

医務室へ搬送する前に，四肢やその他の部位に見落とした外傷がないか改めて確認を行う[1,2]。もし四肢に外傷がある場合は固定を行い搬送する。四肢の負傷部位を固定する際には，固定する前後に末梢部分の循環動態や知覚，動きについての確認を怠ってはならない。

基本的な搬送の手順[1]

頭頸部外傷の疑いがあり，safe approachからABCDEを確認し，搬送が必要であると判断した場合は次の手順に則って搬送を行う。

本項では搬送の際に頸部へのストレスが少ないsplit board（scoop stretcher：スクープストレッチャー）での搬送について手順を説明する。

①anterior holdからMILS固定を行い（**図1，2，6❶**），ABCDEの評価を行って**図3**のサインを送り，最低でも5名の救助者を要請する。
②ネックカラーの採寸を行う。採寸は下顎の先端（下縁）から僧帽筋上縁までが計測者の指何本分に相当するかを確認し，ネックカラーの長さを決定する（**図6❷，❸**）。
③ネックカラーを装着する（**図6❹，❺**）。
④ネックカラーの採寸の間にスクープストレッチャーの長さを合わせる（いったんスクープストレッチャーのロックを解除して，負傷者の身長より若干長めに設定してから，ロックして適切な長さにセットする，**図7❶**）。
⑤負傷者からストレッチャーを離して，ストレッチャーを左右へ分離させる（**図7❷**）。
⑥負傷者の脇に頭側から背の高い順番に3人並び，**図7❸**のように手を負傷者に置く。
⑦MILS固定担当者からの合図で約15°身体を傾け，分離したストレッチャーを挿入する（**図7❹**）。反対側も同様にしてストレッチャーを挿入し，

図5 気道の確保

❶，❷oropharyngeal airway（OPA）：下顎挙上法で反応がない場合はOPAを使用する
❸，❹nasopharyngeal airway (NPA)：下顎挙上法でなんらかの反応がある場合はNPAを使用する

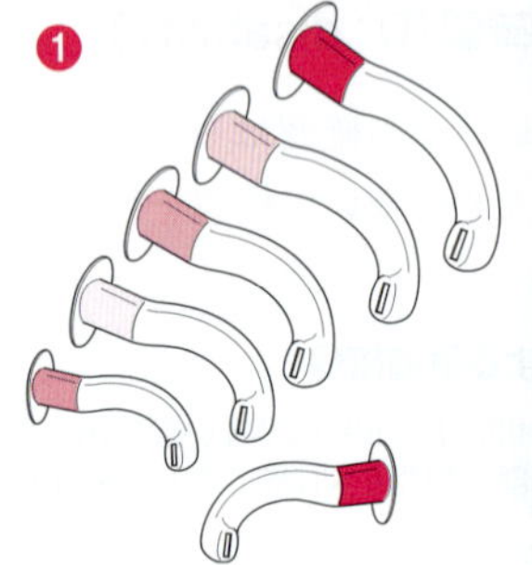
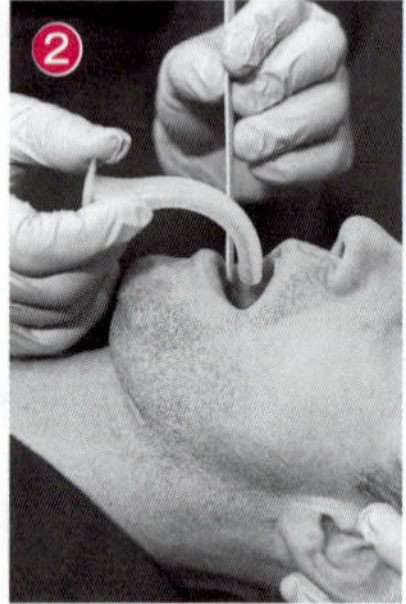
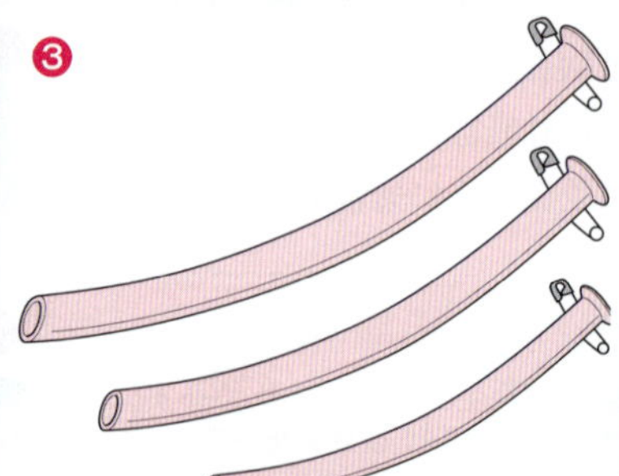
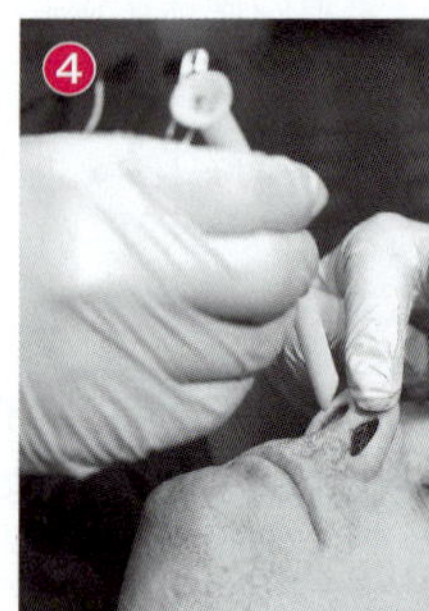

（写真は文献1より許諾を得て転載）

表1 フィールドでのACVPUによる意識レベルの評価

A = alert：意識清明
C = confused：混乱した返答
V = respond to verbal stimulus：呼びかけに反応
P = respond to painful stimulus：痛み刺激に反応
U = unresponsive：反応なし

（文献1をもとに作成）

表2 頸髄損傷が疑われる場合

・受傷機転がある
・意識レベルの低下
・神経学的な所見と徴候
・他に大きな外傷が合併している場合
・頸部の中心を痛がる
・自分で頭部を45°以上左右に回旋できない
・屈曲または伸展時の痛みまたは可動域制限

（文献1，2，4～6をもとに作成）

ストレッチャーの頭側と足側で同時に連結させる（**図7❹**）。

⑧負傷者をストレッチャーに4本のベルトで**図7❺**のように固定する（この固定により，負傷者はストレッチャー上で左右だけではなく前後方向にも固定される）。その際に，図のように上肢は体幹とともにベルトで固定しないようにする（搬送中に点滴などの処置ができなくなるのを防ぐためである）。

⑨anterior holdにしてMILS固定をいったん解除し，ヘッドブロックを肩関節の上方に押し当てて，ヘッドブロックの上から再度MILS固定を行う（**図7❻**）。MILS固定を行ったらanterior holdは解除する。

⑩頭部の固定用ベルトを左右同時に引っ張り固定し（**図7❻**），固定後MILS固定を解除する。

⑪MILS固定を担当していたメディカルスタッフの合図でストレッチャーを持ち上げて，足側の方向へ進行して運び出す（**図7❼**）。

なお，負傷した選手が大柄でストレッチャーの横幅より大きい場合は，頭部側のみスペーサーを使用する（**図7❽**）。医務室や救急車への搬送に関しては，最近では人が運び出す以外に搬送用ストレッチャーやバギーを用いることがある。野球やラグビーでは，ストレッチャーに乗せた後に搬送用バギーに乗せて医務室または救急車まで搬送することがある（**図8**）。また，アイスホッケーではリンクの外まで氷上ストレッチャーに乗せて搬送が行われている（**図9**）。

まとめ

コンタクトによる頭部外傷が選手に疑われた場合においては，まず選手および自身の安全を確認して負傷者に近づき，ABCDE評価の結果で必要な処置を行う。意識レベルが低下していれば頸部の外傷も必ず疑い，ネックカラーを装着した後に搬送用ボード（今回はsplit board）に乗せ，人またはバギーやストレッチャーによって医務室や救急車へ搬送する。

メディカルスタッフは，緊急時にはどのように行動すればよいかについての緊急行動計画を作成しておくことと，搬送の手順を日常的にトレーニングし準備しておくことが重要である。

図6 頸椎固定用カラーの装着について

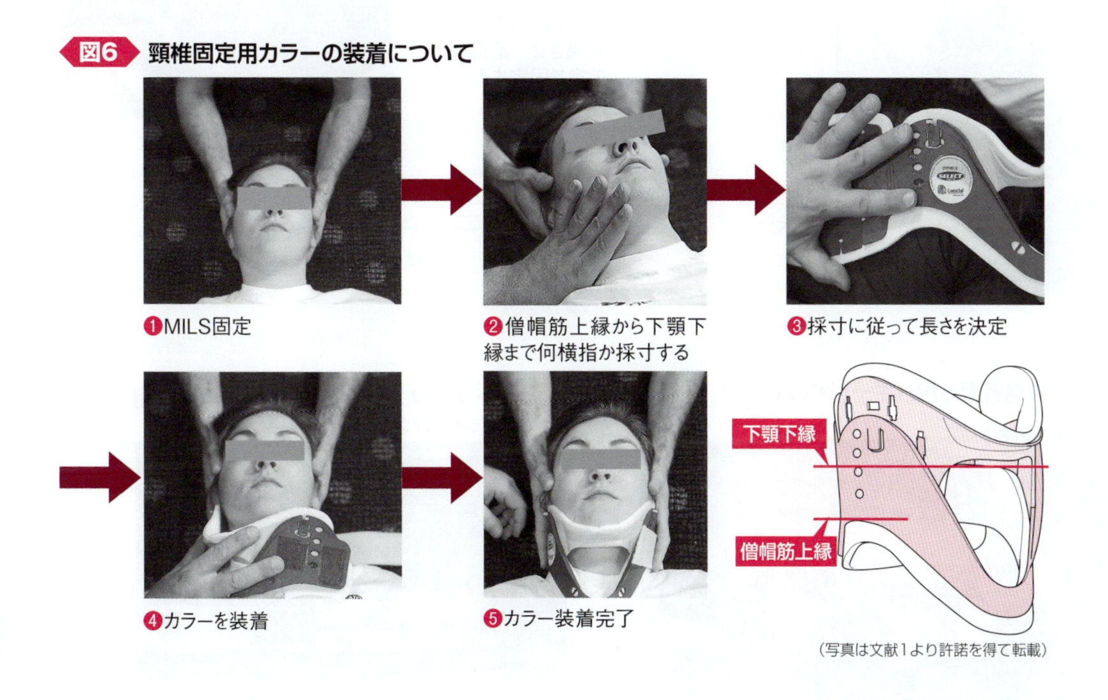

❶MILS固定
❷僧帽筋上縁から下顎下縁まで何横指か採寸する
❸採寸に従って長さを決定
❹カラーを装着
❺カラー装着完了

（写真は文献1より許諾を得て転載）

図7 split board（スクープストレッチャー）の使用方法

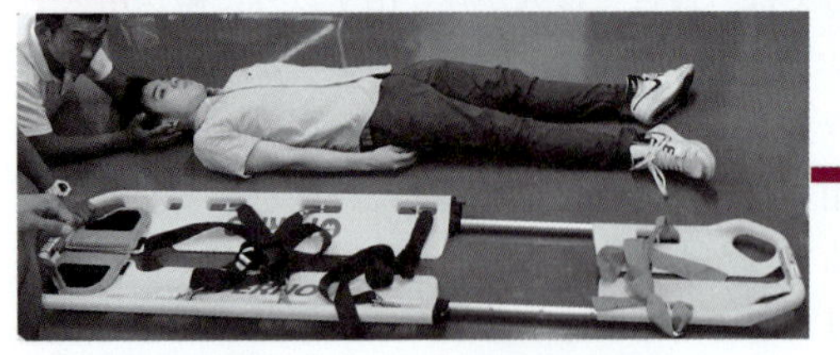

❶負傷選手の横にストレッチャーを置き，若干長めに引き出し，ロックを戻してから適切な長さとする

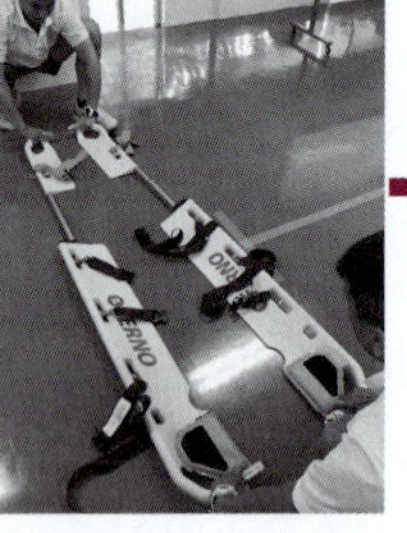

❷ストレッチャーを左右に分ける

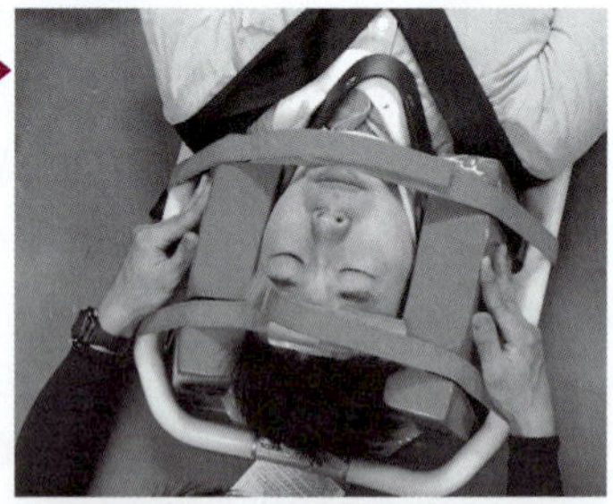

❸負傷選手の片側に頭側から背の高い順に並び，3 over 3 underの位置に手を置く

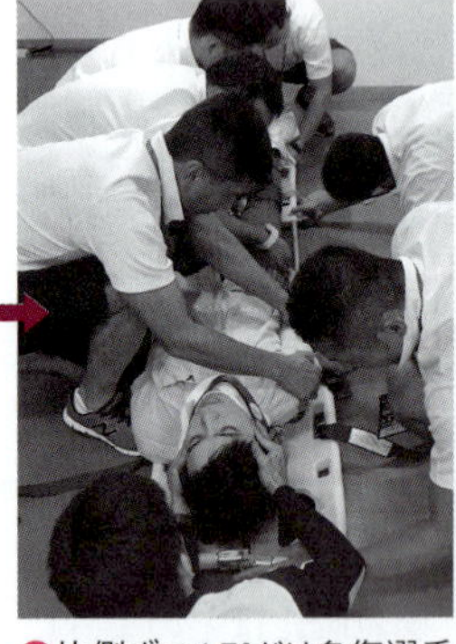

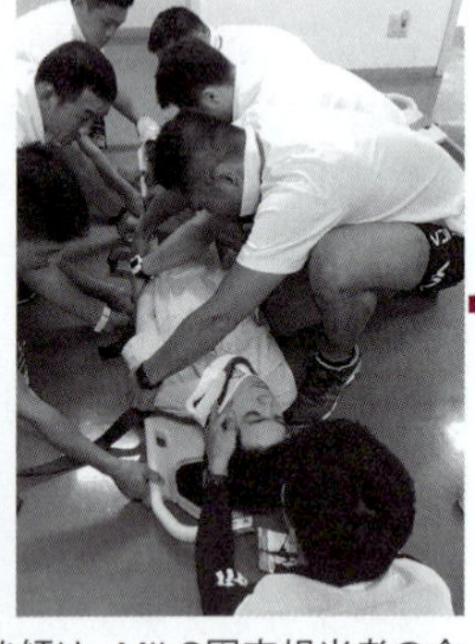

❹片側ずつ15°だけ負傷選手を傾け，MILS固定担当者の合図でストレッチャーを挿入し，頭側と足側にあるロックで連結させる

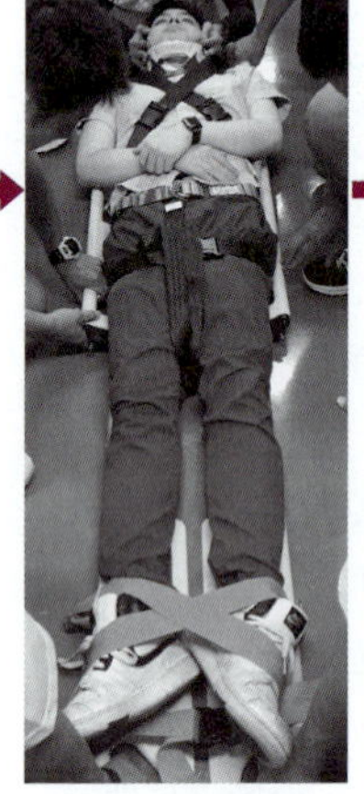

❺ベルトで負傷選手を固定し，上半身のベルトは肩の上方を通過させ，足部は八の字で固定する

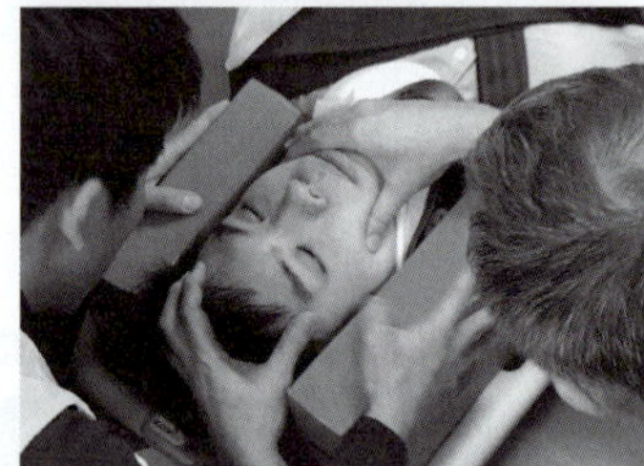

❻ヘッドブロックを装着する

❼MILS固定担当者の合図でストレッチャーを持ち上げ，足部方向へ進み搬送する

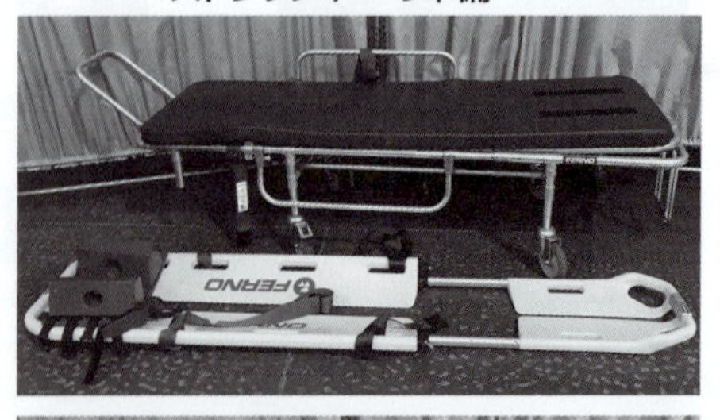

❽split board用のスペーサー：TSL extender scoop EXL（FERNO 社）。頭部の結合部分にこれを挟んで連結する

（文献1，2を参考として作成）

図8 負傷者搬送用バギー（ヤマハ社製）

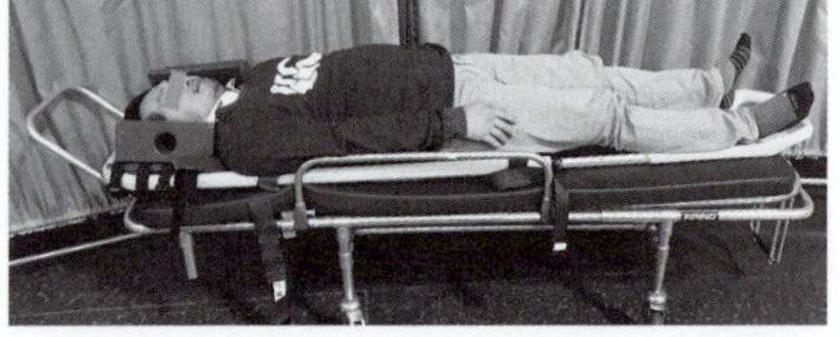

図9 アイスホッケーにおける氷上搬送用ストレッチャーの準備

Treatment

選手が腹臥位の場合[1)]

コンタクトスポーツではいつも選手が背臥位に倒れているとは限らない。選手が腹臥位になっている場合は，airwayの評価が非常に難しいため，まずは背臥位へボディポジションを転換する必要がある。腹臥位から背臥位へ転換する方法について以下に示す。

①負傷者の目の方向（顔面側）にMILS固定担当者の母指を向ける（**図10❶**）。
②負傷者の後頭部側に身長の高い順番に頭部から足部へかけて3人並ぶ。
③**図10❷**のように負傷者に手を添える。
④MILS固定担当者の合図で90° ログロールする（**図10❸**）。
＊このとき，MILS固定担当者は負傷者の頭部を決して回旋させないよう細心の注意を払う。
⑤ログロール担当者は，手を添えている位置を一部変更し（**図10❹**），負傷者を背臥位へ移行させるため後方に少し下がり，スペースをつくる（**図10❹**）。
⑥MILS固定担当者の合図で，さらにゆっくりと90° ログロールして背臥位へする（**図10❺**）。
＊このときもMILS固定担当者は負傷者の頭頸部を動かさないように細心の注意を払ってログロールする。
⑦ABCDE評価へ移り，必要に応じて前述の手順に則りストレッチャーに乗せて医務室または救急車へ搬送する。

図10 負傷者が腹臥位の場合に背臥位へ移行する場合の方法

❶MILSで頭部を固定
このとき，負傷選手の目の方向（顔面側）に，MILS固定担当者の母指の先が向くように頭部を保持

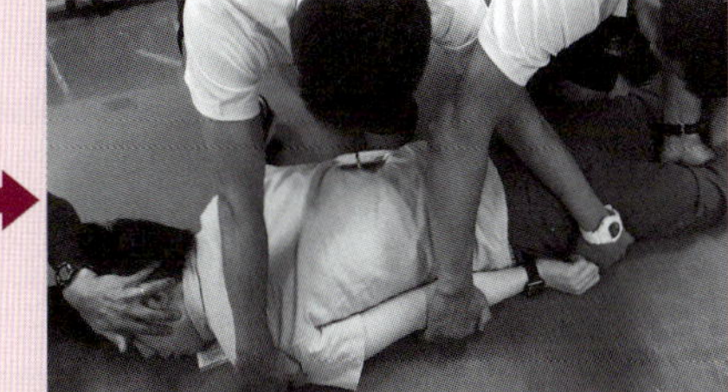

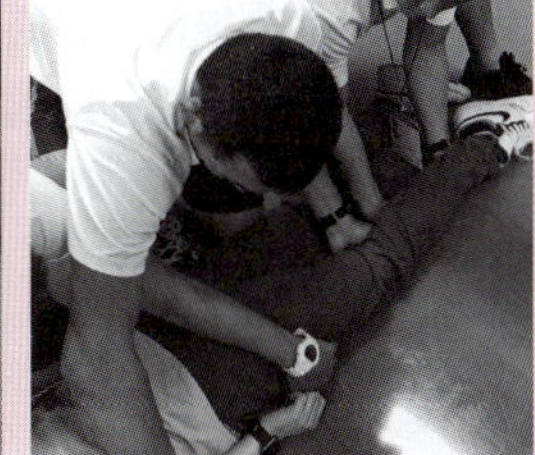

❷ログロールする前の準備
負傷選手の後頭部側に3名，頭部から背の高い順に並び，手を3 over & 3 underの状態で置く

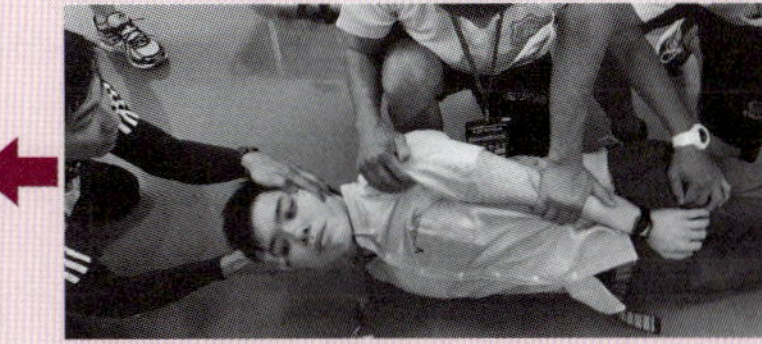

❸90°ログロールする
MILS固定担当者の合図で負傷選手を90°ログロールしてからいったん止めて，負傷選手の背部にスペースをつくるために，ログロール担当者は少し後方へ下がる

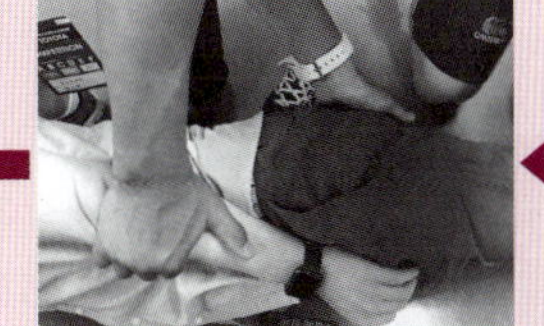

❹一部手の位置を変更
後方へ下がったら3 overをしている一番下の手をunderに変更する

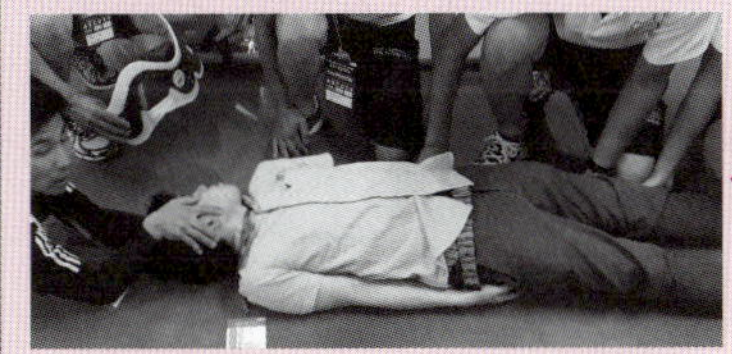

❺さらに90°ログロール
MILS固定担当者の合図でさらに90°ログロールし，背臥位にしてABCDE評価を行う

【謝辞】
この原稿の執筆にあたり，ご協力いただきました公益財団法人日本ラグビーフットボール協会，World Rugby，流通経済大学ラグビー部，北新東病院整形外科島本則道先生に，心より感謝申し上げます。

【文献】

1） World Rugby: Immediate Care in Rugby. World Rugby Player, welfare site. https://passport.world.rugby/player-welfare-medical/immediate-care-in-rugby/（2023年5月24日閲覧）.
2） Whyte GP, et al:ABC of Sports and Exercise Medicine. ed4, p.14-18, John Wiley and Sons, 2015.
3） World Rugby：競技規則 Rugby Union 2018, p.139-140, 2018.
4） Rowland JW, et al：Current status of acute spinla cord injury pathophysiology and emerging therapies:promise on the horizon. Neurosurg Focus, 25（5）：1-17, 2008.
5） Stiell IG, et al:The Canadian C-spine rule for radiography in alert and stable trauma patients. JAMA, 286（15）：1841-1848, 2001.
6） Winkelstein BA, et al:The biomechanics of cervical spine injury and implications for injury prevention. Med Sci Sport Exec 29（7 Suppl）：246-255, 1997.

外傷の応急処置②：皮膚損傷・捻挫・肉ばなれ・靱帯損傷・骨折

スポーツによって外傷を受けた部位に対する応急処置は，損傷した組織を元の状態にできるだけ早く戻すための第一歩の対処である。本項では，擦り傷や切り傷などの皮膚損傷，突き指，足関節捻挫や膝関節内側側副靱帯損傷，大腿部の肉ばなれ，上肢帯や下肢帯の骨折に対する応急処置の基本手技について解説する。

フィールドでの皮膚損傷に対する応急処置

スポーツ活動中，転倒や相手との接触，靴や用具の過使用や不適切な使用によって皮膚に傷ができることがよくある。皮膚損傷の種類には，擦り傷，切り傷，刺し傷，挫創，裂創，割創がある。これらに対する応急処置は，出血に対して止血することおよび開いた傷への感染を予防することが重要である。

皮膚の傷口には地面の土や砂，芝や雑草が付着して汚れていることが多いので，水で洗い流して傷口表面をきれいにする。出血に対してはあらかじめ準備しておいた清潔なガーゼ（滅菌ガーゼ）を患部に当てて，その上から手袋（ビニール手袋などのディスポーザブル手袋）を着用した手で圧迫する（直接圧迫止血法）。止血を確実にするには，ガーゼの上からテーピングや包帯を使って患部を圧迫する。止血が困難な場合は，患部より近位にある動脈を圧迫して血流を一時的に止める方法で対処する（間接圧迫法）。

図1 皮膚保護用ジェル・クッションパッド

市販の皮膚保護用ジェル・クッションパッド（78％精製水，20％ハイドロジェルポリマー，0.99％フェノキシエタノール）を患部に合わせて適度な大きさに切り，アンダーラップとテーピングで保護する

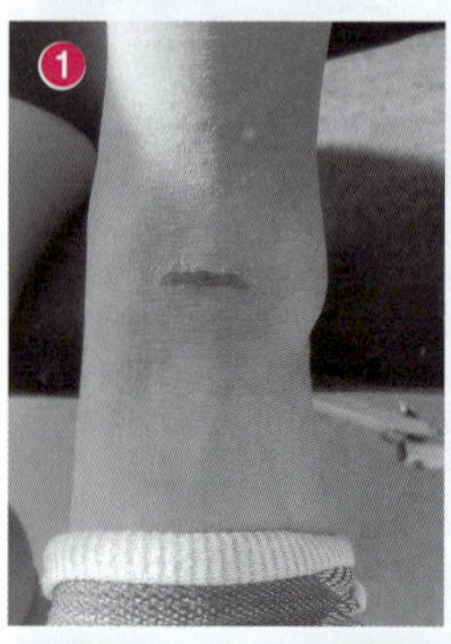

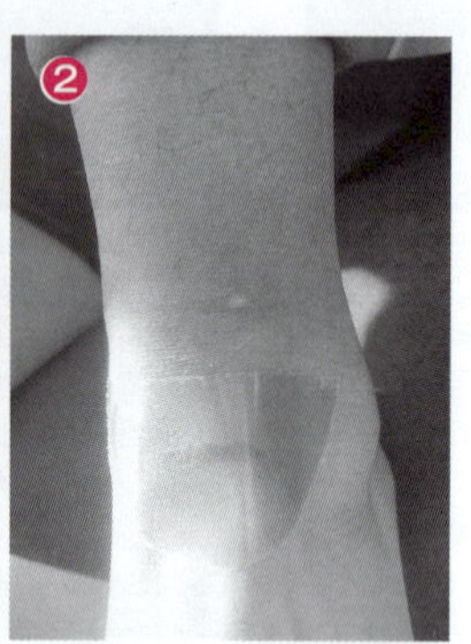

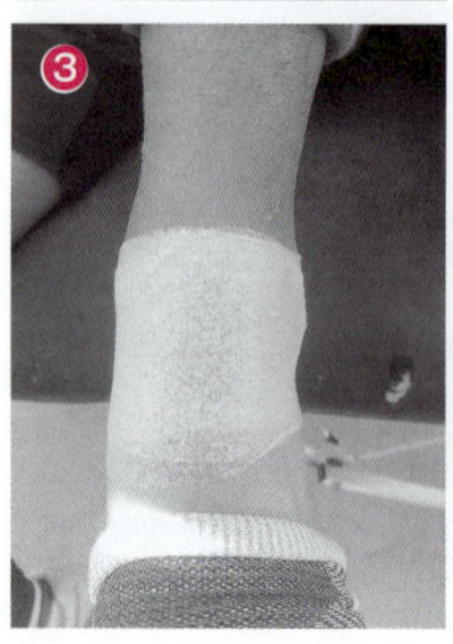

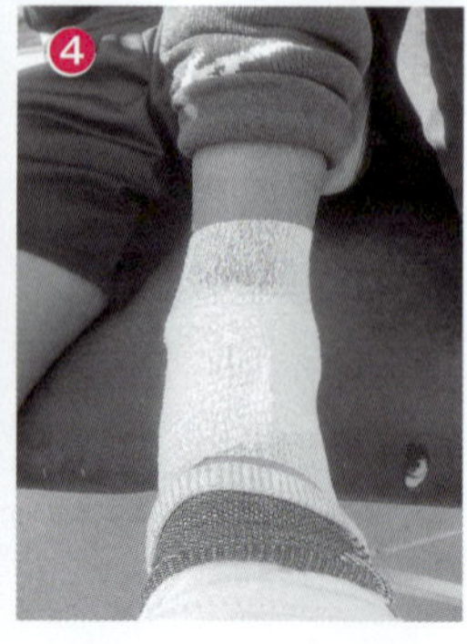

皮膚がめくれていたり，切り傷で傷口が開いた状態になっていたりして，傷口から黄色い脂肪組織が見えることがある[1)]。この場合は，病院で縫合処置を行う必要性があるため，前述の処置で対処するとともに傷口をできるだけ閉じた状態に保持して患部を保護しておく。可能な限り傷の開き口を寄せて傷口に対して直交するように医療用縫合テープ（市販品では，スキンクロージャー用テープ，ステリストリップ™など）を傷口全体に細かく間隔をあけ，複数本に分けて貼付する。その上から傷口に平行にテープを貼付する。

足趾や足部などに水疱がある場合は，患部を保護するために市販のハイドロジェル・クッションパッド（成分の90％以上は水，ジェル自体は極薄）をあてることによって圧迫と摩擦を軽減し，患部の治癒を阻害せずに運動を続けることができる（**図1**）。また，擦り傷や切り傷などの治癒過程で傷口が閉じた状態になった場合でも，上記のようなハイドロジェル・クッションパッドを患部保護として利用することができる。

フィールドでの突き指に対する応急処置

突き指は，主に球技系のスポーツ活動中，ボールが指先に当たったり，相手との接触や相手の衣服に絡まったりすることで手指の関節運動が過度

に強制されて受傷する。従って，受傷時にどの関節がどの方向に過度に強制されたかを聴取しながら，まずはアイシングを施す。1，2本の指の受傷では紙コップに氷水を用意し，そのなかに痛めた指を浸して患部を冷却する（**図2**）。

図2 指節間（interphalangeal：IP）関節の突き指に対する冷却（アイシング）
氷水を入れたコップに示指（❶）や母指（❷）の痛めた関節部を浸す

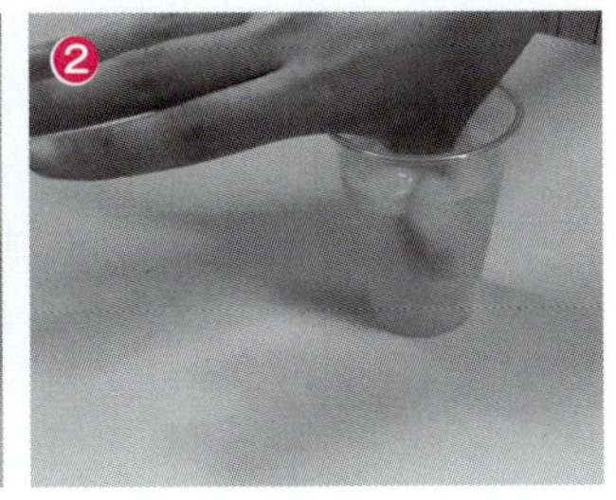

冷却によって患部の感覚が消失したら，患部を固定する。受傷機転から手指関節の側副靱帯，伸筋腱や屈筋腱の損傷，剥離骨折の可能性を想定し，伸展位固定か軽度屈曲位固定かを判断して関節を固定する（**図3**）。

フィールドでの捻挫・靱帯損傷に対する応急処置

足関節捻挫の場合

足関節捻挫はさまざまなスポーツで発生頻度が高く，スポーツ活動中でのジャンプ着地時や方向転換時，相手との接触による転倒時などで発生する。受傷時に足関節がどの方向に過度に強制されたかを聴取しながら，疼痛の軽減と腫脹の抑制を図るためにアイシングと圧迫などのRICE処置を施

図3 示指IP関節の突き指に対する固定
受傷機転が屈曲位の場合，伸筋腱の損傷も疑われるので伸展位で固定する
❶厚紙などの硬いものを用意する。❶の図はテーピングのロールとなっていた厚紙を指のサイズに合わせてカットしたものである
❷厚紙を余った伸縮性のテーピングテープで覆った固定具を作製する
❸IP関節が屈曲しないように患部に固定具を当てる
❹ホワイトテープで固定具と指を固定する。関節の近位部と遠位部の2カ所にテープを巻き固定する

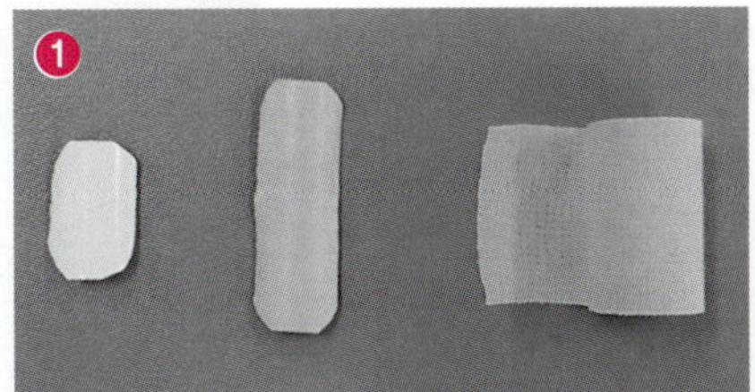
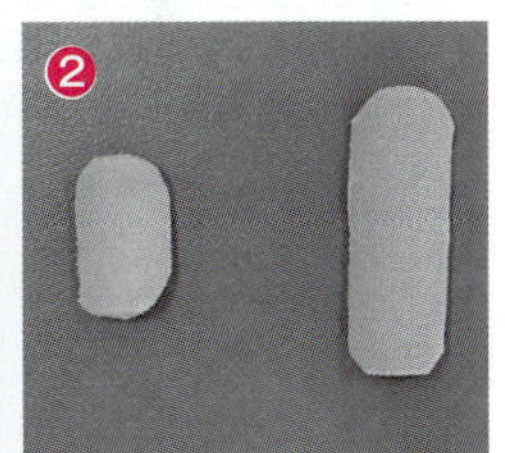
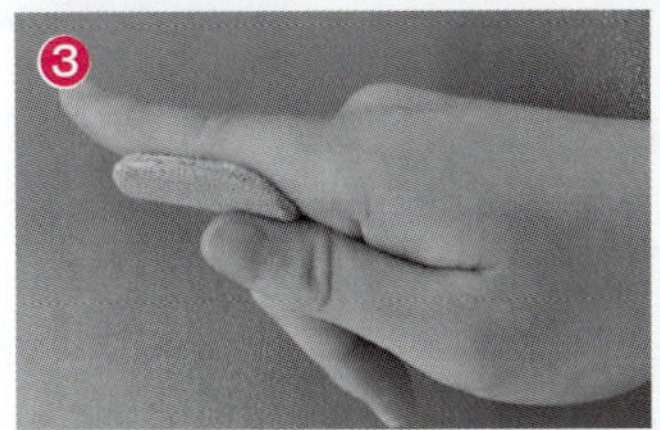
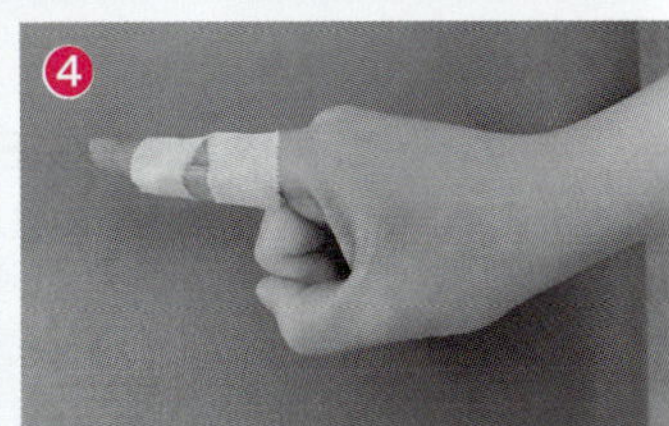

図4 足関節捻挫後未処置の足関節腫脹（右足）
テニスの試合にてサイドステップでの方向転換の際に右足関節が内反強制されて受傷した。応急処置されることなくプレーを続行し，その日の夜に腫脹が顕著となった。右足関節の外果だけでなく，内果も腫脹している。応急処置ではこのような過度な腫脹を最小限にすることが重要である

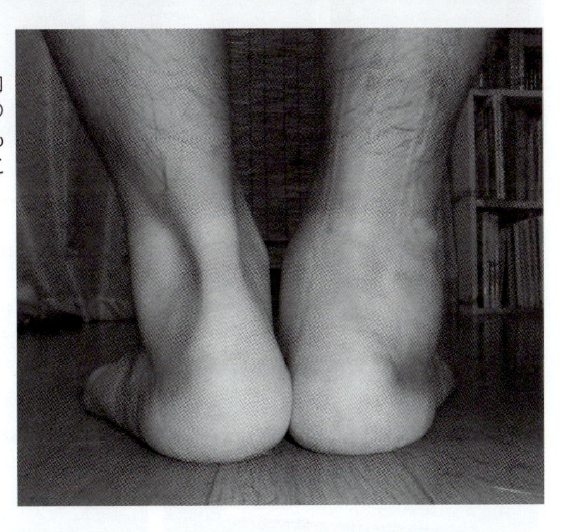

図5 アイシングパックの用意
患部のサイズに合ったアイシングパックを用意する。患部の面に全面接触できるように作る

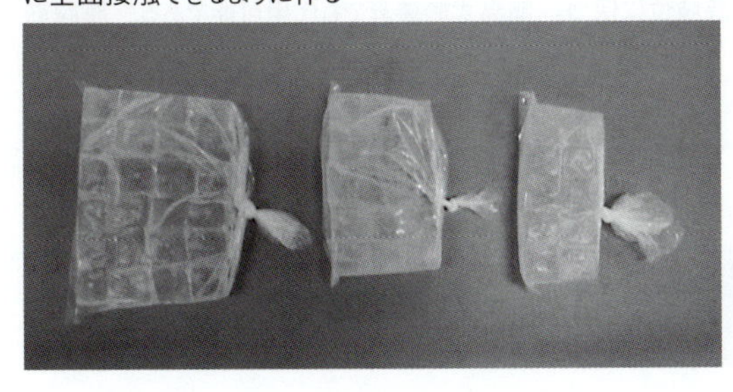

す。手順としては次の①～③のように行う。

①アイシングは適当な大きさのアイシングパックを作って足関節の内側と外側から関節周囲を覆うように施す(**図4～6**)。もしくは市販の氷嚢を使って同様に行う。その際，足関節はできるだけ中間位に保持しておくことが重要である。

②冷却により感覚鈍麻となればアイシングを中断し，圧迫と固定の処置を行う。圧迫は足関節内果や外果といった骨の部分は避け，関節周囲の軟部組織に圧迫のためのパッドを当てて腫脹を抑制させる(**図7**)。

③冷却後1～2時間が経過し，鈍麻した感覚が正常に戻れば圧迫をはずして2回目のアイシングを施す。

①～③を繰り返し，患部からの静脈還流を促すために患部を心臓より高い位置で挙上位にして保持しておく。また，足指の屈伸運動を可動できる範囲内で実施する。

膝関節の靭帯損傷の場合

スポーツ活動中の下肢靭帯損傷で多くみられるものは，膝関節の内側側副靭帯(medial collateral ligament：MCL)損傷や前十字靭帯(anterior cruciate ligament：ACL)損傷が挙げられる。膝関節のMCL損傷やACL損傷もジャンプ着地時や方向転換時に発生することが多く，相手からの接触で大きな外力を受けたときにも受傷する。受傷時に膝関節がどの方向へ過度に強制されたかを聴取しながら，RICE処置のうちまずはアイシングと圧迫を施す(**図8，9**)。

図6 アイシングパックのラッピング

❶足関節内側と外側を覆うようにアイシングパックを当てる
❷アンダーラップと包帯とで圧迫しながら患部の安定化を図る
❸アイシングは靭帯や腱が伸張された部位を優先して当てる

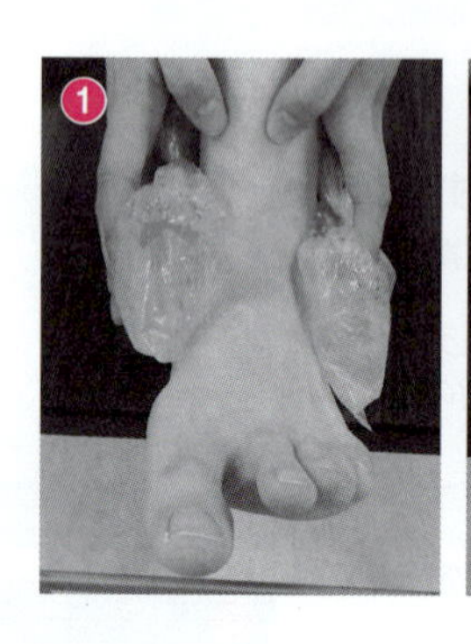
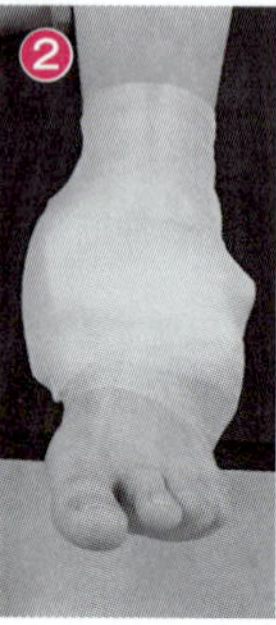
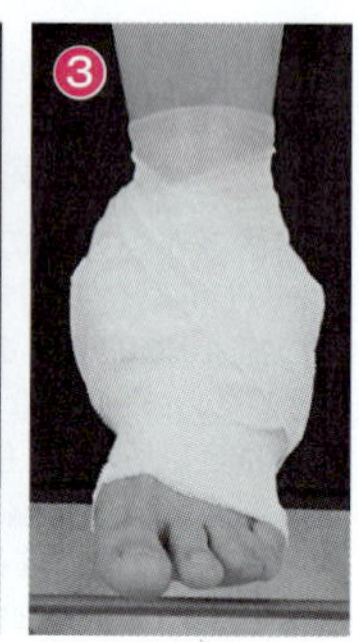

図7 パッドを用いた足関節の圧迫

足関節外側(❶)と内側(❷)の骨は除圧し，骨の周囲の軟部組織にパッドを当てる。パッドを当てたままアンダーラップでパッドを固定し，足関節を安定させるために包帯を用いて適切な圧を加えて圧迫していく(❸～❺)

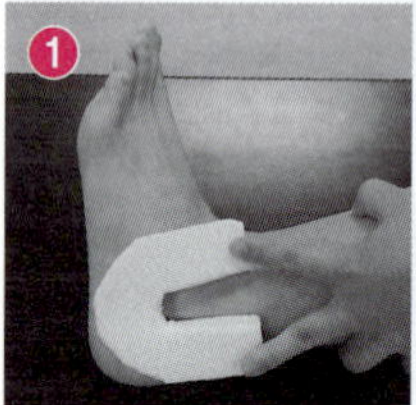

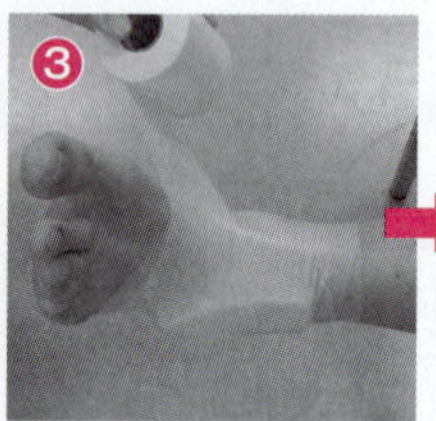
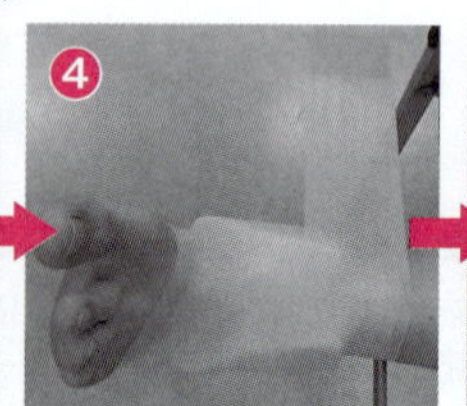
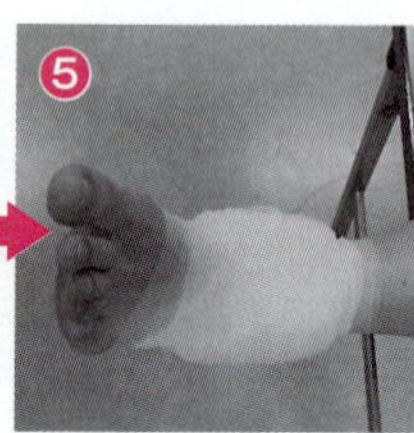

図8 膝MCL損傷におけるアイシング

❶受傷機転が外反強制の場合は膝MCLなどの内側組織の損傷を疑って内側部にアイシングを行う。屈曲角度を調整できるソフラットシーネなどを用いれば，適切な肢位に固定しやすくなる
❷アンダーラップやアイシングラップでアイシングパックを固定させる
❸膝関節を安定させるためにソフラットシーネと包帯を用いて適切な安静肢位に保つ。簡易式膝装具でも代用可能である。腓腹筋の短縮を招かないように足関節は背屈位にしておく

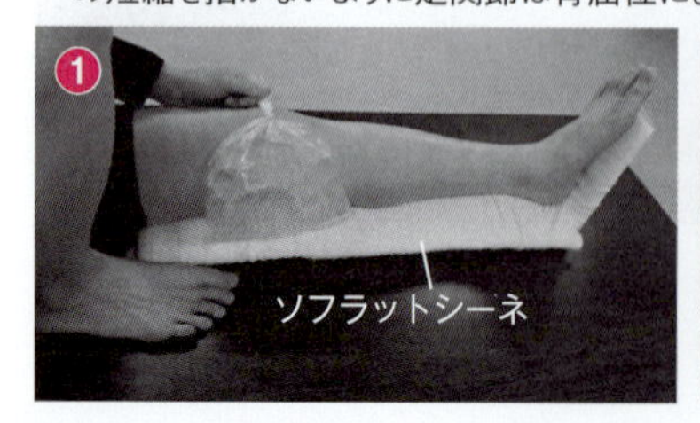

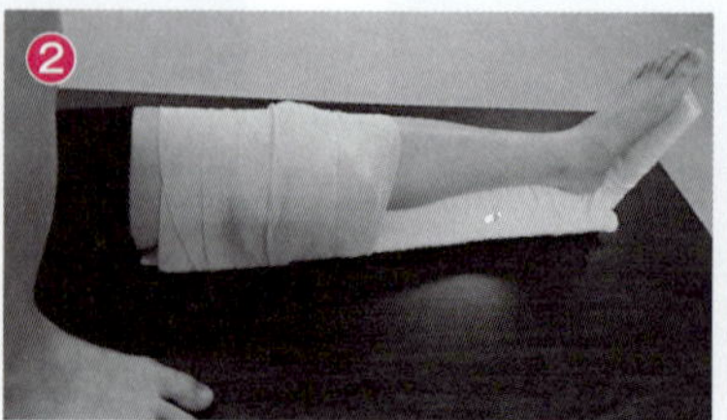
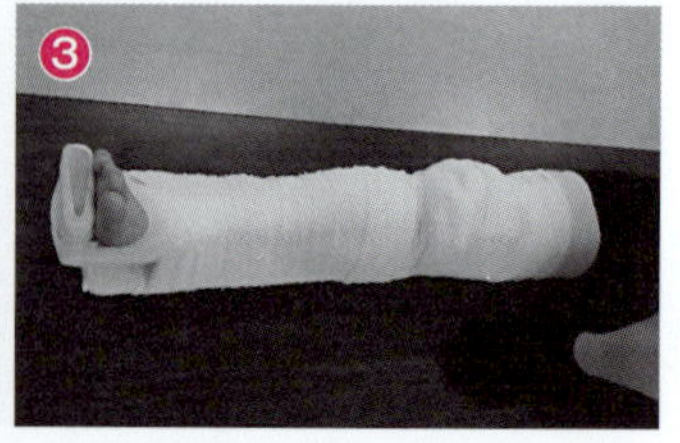

手順は足関節の捻挫と同様であるが，安静位にして膝関節は軽度屈曲位，場合によっては伸展位で固定する。

フィールドでの肉ばなれに対する応急処置

スポーツ活動中の肉ばなれで多くみられるものは，ハムストリングや大腿直筋，腓腹筋など二関節筋の肉ばなれが挙げられる。全力疾走時や急激な方向転換時，キック動作時に発生しやすい[2]。肉ばなれが疑われる場合の応急処置は，捻挫や靱帯損傷と同様にRICE処置を行う。肉ばなれは筋線維の部分的な損傷によって連続性が断たれるため，アイシングをする際の肢位は筋肉を短縮位に近い状態にして患部を固定・保護する（**図10**）。

一方，筋挫傷は打撲を受けた筋が挫滅しているので筋線維の走行が乱れている。そのため，アイシングをする際の肢位は筋肉を伸張位に近い状態にして患部を固定・保護する（**図11**）。しかし，アイシングを行ったままで一定肢位の安静位に保持するよりも，可能な範囲内で自動運動をするほうがよい。例えば，大腿四頭筋の打撲の場合は膝関節を屈曲することが困難であることが多いが，アイシングを当てたまま下腿下垂位での膝関節自動屈伸運動や，可能であれば小股歩行をさせる。

このように，受傷の仕方や受傷した筋肉によって適切な安静・固定肢位にすることが重要である。

フィールドでの骨折に対する応急処置

スポーツ活動中，相手との接触で大きな外力が骨にかかると骨折が生じる。

図9 パッドを用いた膝関節の圧迫

❶膝蓋骨の周囲に腫脹が生じるので，膝蓋骨を除圧してパッドを当てる
❷パッドを当てたままアンダーラップでパッドを固定し，膝関節を安定させるために包帯を用いて適切な圧を加えて圧迫していく
❸膝関節屈曲角度を調整できるソフラットシーネなどを用いて，適切な肢位で固定する

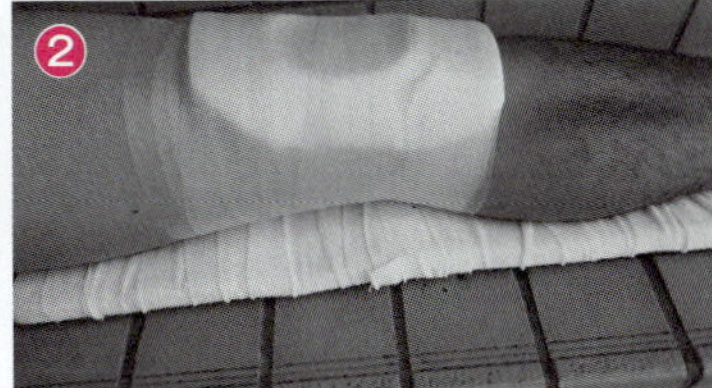

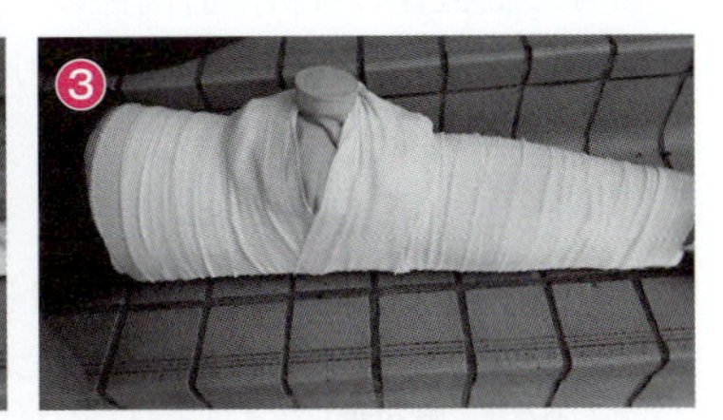

図10 膝関節屈曲位でのアイシングと膝関節屈曲位保持

ランニング中に二関節筋であるハムストリングの肉ばなれが生じた場合には，断裂した筋線維の断端を引き離さないように膝関節を屈曲位にして患部をアイシングし，包帯などで圧迫する（❶）。屈曲角度を調整できるソフラットシーネなどを用いれば，適切な肢位に固定しやすくなる（❷）。腹臥位で膝関節屈曲位を保持させるが，移動時には股関節が屈曲しないように注意する

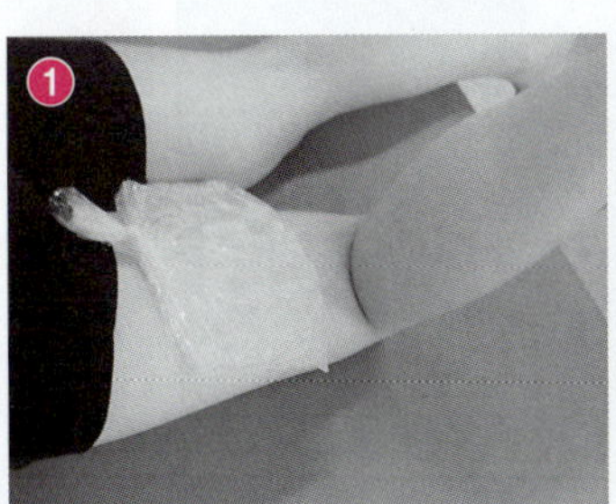

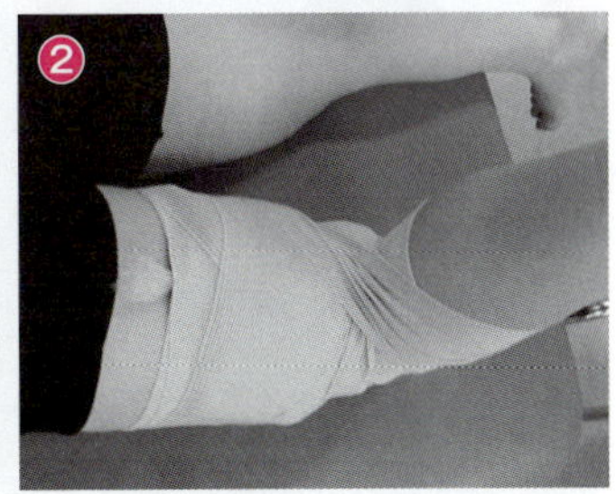

図11 大腿部前面が相手の膝や足などで殴打されて受傷した場合のアイシング

❶大腿四頭筋が挫傷している可能性が高い場合は，大腿四頭筋をできるだけ伸張位に保持できるように膝関節を屈曲位にしてアイシングを施す
❷屈曲角度は疼痛の程度に合わせて加減する

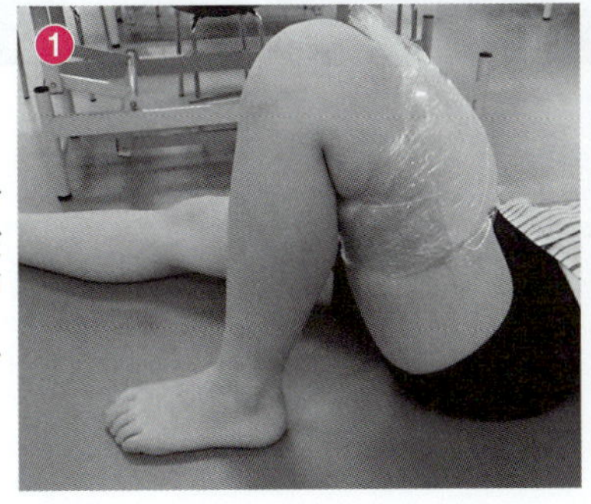

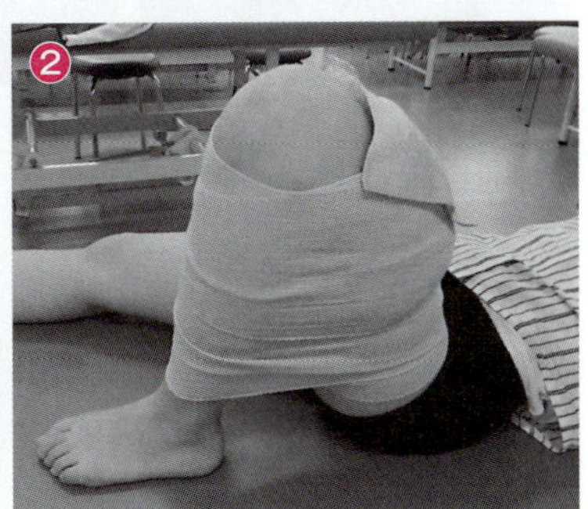

多くの場合激痛となり，わずかな動きでさえも痛みが強くなる。また，骨折部近傍で神経損傷や血管損傷の疑いがある場合には，運動麻痺，感覚障害，血流障害の有無を確認し，できるだけ早く医療機関で適切な処置をしてもらうことが重要である。従って，フィールド現場では，まず骨折部が動かないように固定することが第一である[1)]。骨折部にアイシングを行うとその重みや刺激で激痛となるので当て方には十分注意を要し，ときにはアイシングができない場合もある。

骨折部の固定の目的は，骨折部を転位させないことと苦痛を和らげることである。また，固定処置の原則は，整復しないこと，開放創がみられたらあらかじめ止血しておくこと，骨端部がみられたら消毒したガーゼで覆うこと，骨折部近位側の関節と遠位側の関節の両関節を固定することである。骨折部位によって原則的な固定肢位が決まっている。

上肢の場合

鎖骨と上腕骨の骨折，肘関節の骨折に対しては，肘関節屈曲位で三角巾やアームスリングを利用して固定する[1)]（**図12**）。

前腕や手関節の骨折に対しては，副子やスプリント器材などを使用して固定し，三角巾を利用して安静肢位を保持する[1)]。手指の骨折に対しては，スプリント器材などを使用して固定する[1)]（**図13**）。

下肢の場合

大腿骨と股関節の骨折に対しては，膝関節，股関節，骨盤を固定する。

足関節と下腿骨の骨折に対しては，膝関節と足関節を固定する（**図14**）。

足部の骨折に対しては，足関節と足部を固定するか，弾力包帯を巻いて動かないようにしておく。

頭部・脊椎・胸郭の場合

基本的には救命が最優先であるので，体位変換をせず周囲からの安全を確保することが重要である。

心肺蘇生（cardiopulmonary resuscitation：CPR）が必要な場合，体位変換時に頸髄損傷や脊髄損傷を引き起こさないように頭頸部・体幹を一体化してから体位変換を行う。そして，バックボードや大きな一枚板などの上で頭頸部・体幹を固定する。

図12　鎖骨や上腕骨の骨折における患部の保護

安静肢位を保つために三角巾やアームスリングを用いて適切な肢位で安定化させる。アイシングはこの状態を保ってから施すこともあるが，骨折部にアイシングパックが当たると痛むので施さないこともある

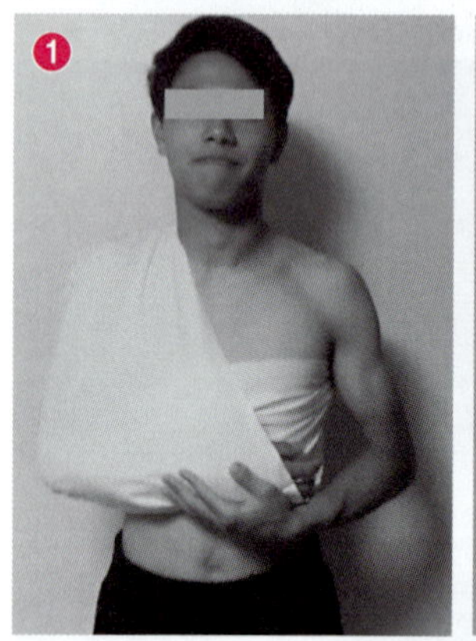

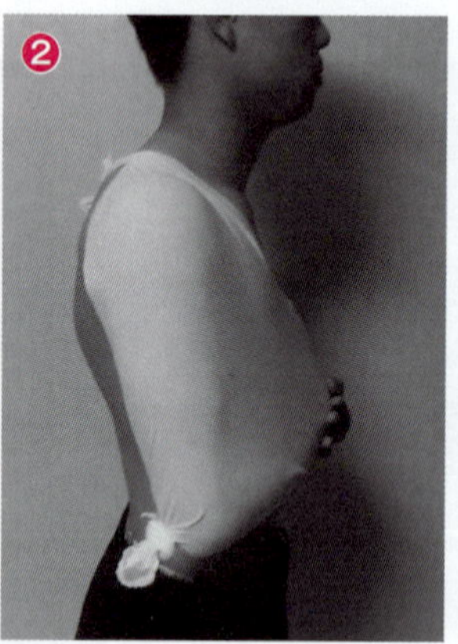

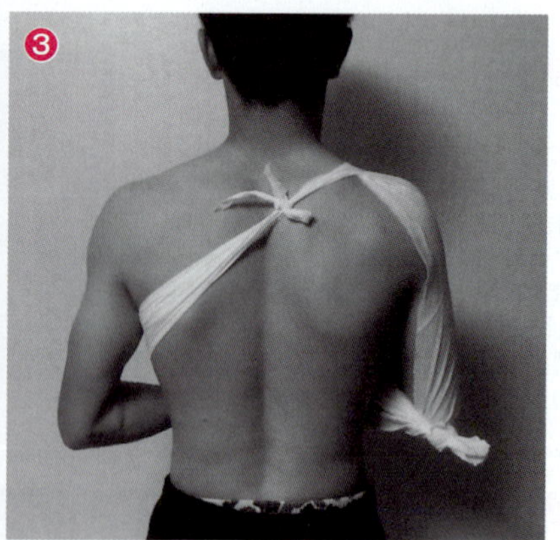

図13 前腕や手関節の骨折における患部の保護

安静肢位を保つためにソフラネットシーネなどを使って前腕・手関節掌中間位，手指屈曲位に保持して安定させる。三角巾などを用いて適切な肢位に保持する。アイシングはこの状態を保ってから施すこともあるが，骨折部にアイシングパックが当たると痛むので施さないこともある

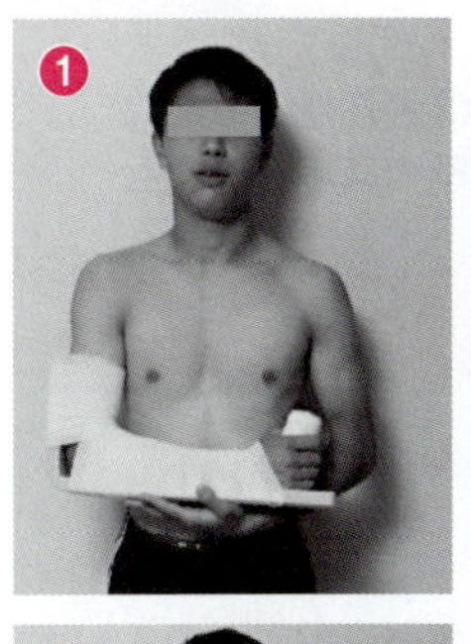

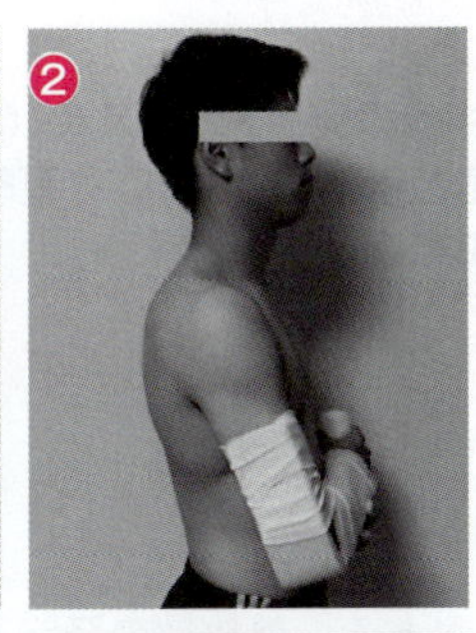

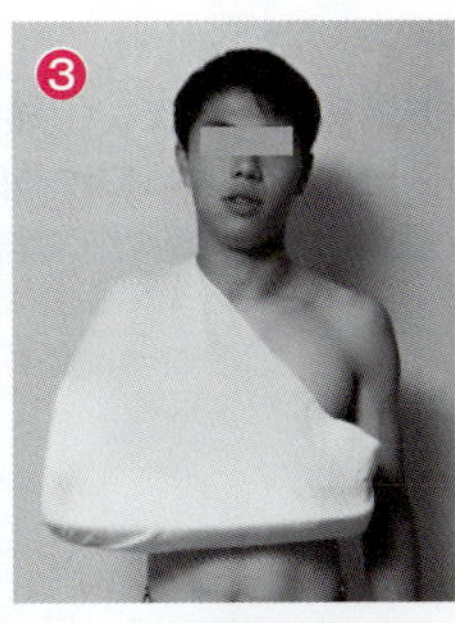

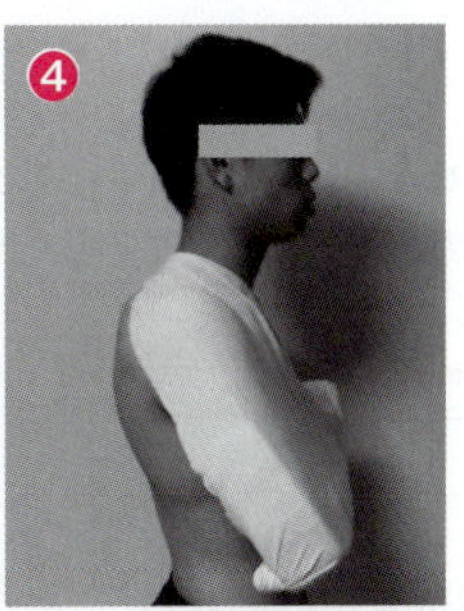

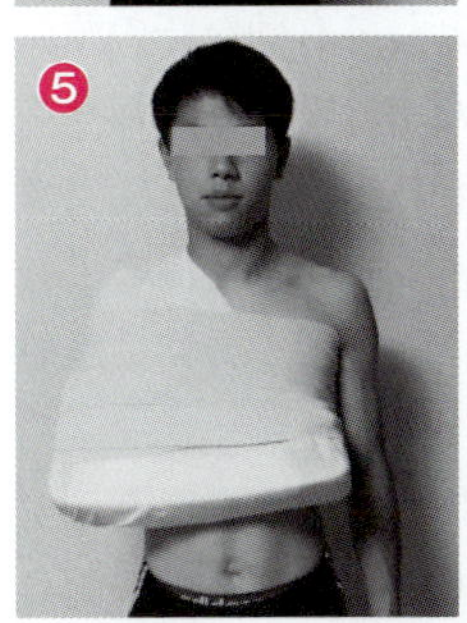

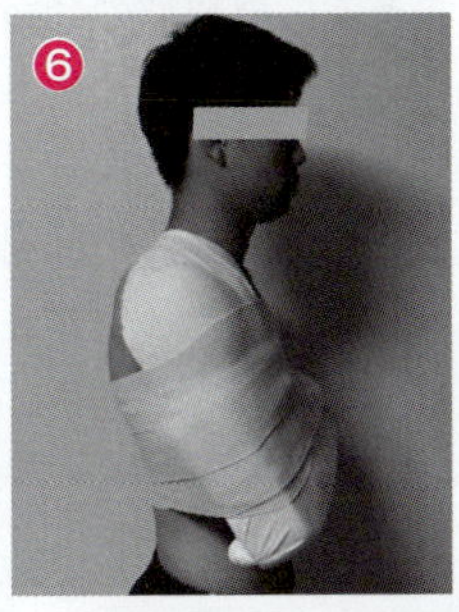

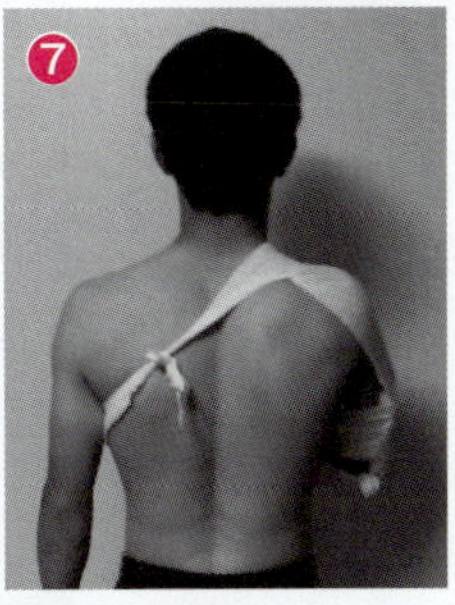

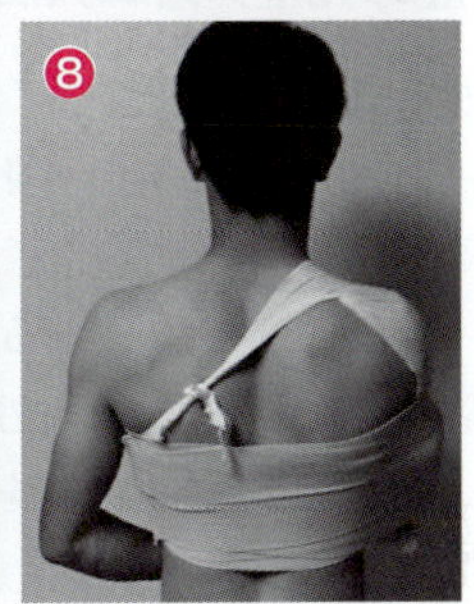

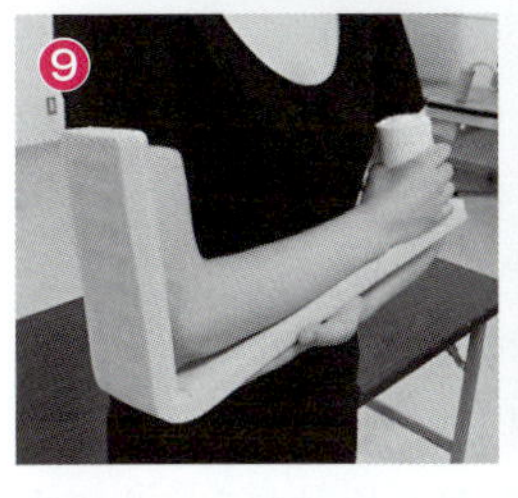

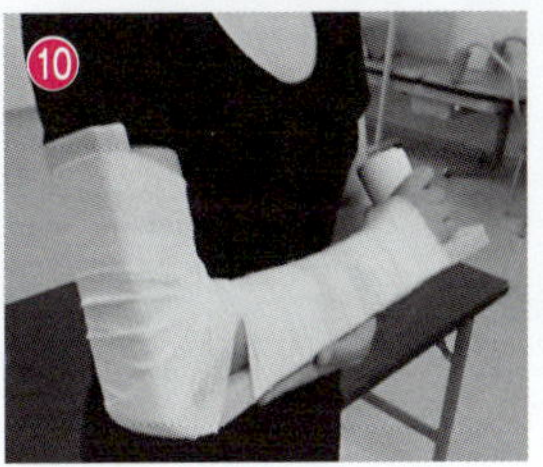

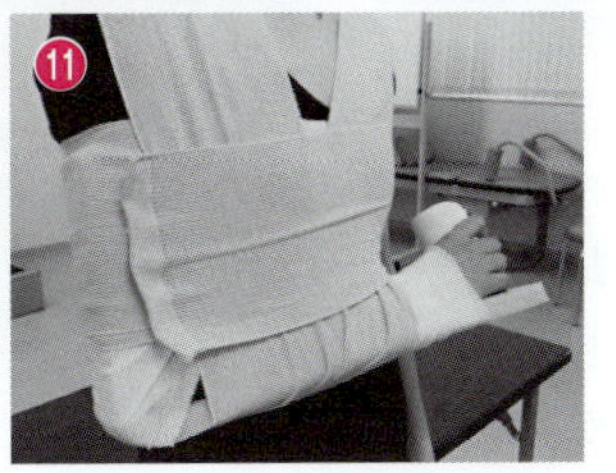

図14 下腿の骨折における患部の保護

安静肢位を保つためにソフラネットシーネなどを使って膝関節と足関節を中間位に保持して固定する。固定の順序は骨折部の近位側と遠位側を交互に固定することが重要である。アイシングはこの状態を保ってから施すこともあるが，骨折部にアイシングパックが当たると痛むので施さないこともある

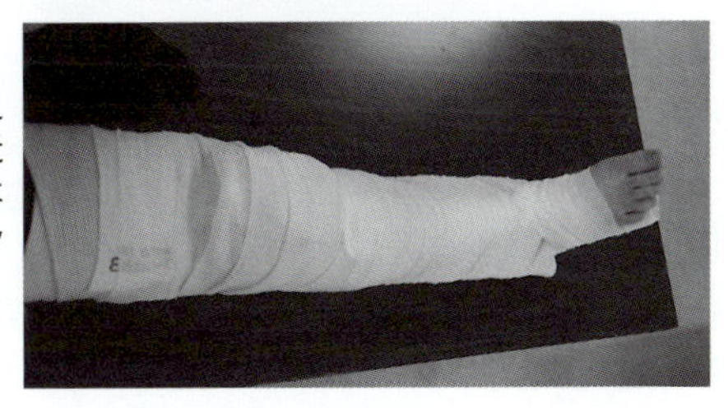

【文献】

1）　河野一郎，福林徹 監：公認アスレティックトレーナー専門科目テキスト第８巻 救急処置，p.47-58, 日本体育協会，2007.

2）　川原　貴 ほか編：競技スポーツ帯同時に役立つ外傷初期治療ガイド - 頻発するスポーツ外傷に対する処置・治療の実際．臨床スポーツ医学，27（臨増）：102--108, 2010.

スポーツ活動における暑熱対策

本項では，スポーツ活動における暑熱対策について，①熱中症の発症メカニズム，②労作性熱中症の評価，③スポーツ現場などのプレホスピタル環境における応急手当，④予防，⑤夏季のスポーツ大会における救護体制を構築する際の留意点の5つに分けて概説する。

労作性熱中症の発症メカニズム

スポーツ活動における熱中症の多くは，運動によって骨格筋から産生された熱量が身体から放熱できる量を超えることによって引き起こされる。熱は温度の高い所から低い所に流れるため，外気温の高い屋外環境では運動による熱生産に加え，放射熱（日光）・対流（温風）からも熱を得る（**図1**）。この場合，有効となる熱放散の経路は蒸発（汗の蒸発）に限られるが，湿度が高くなると蒸発も妨げられる。そのため，高温多湿環境下での高強度運動では，運動量や運動強度の調整を行い熱産生を抑えたり，戦略的に身体冷却を行うことで対流や伝導による熱交換を最適化しなければ，労作性熱中症のリスクが高まることがわかる。外気温や湿度が著しく高くない場合においても，高強度運動を長時間継続した場合や着用している衣服の関係で熱放散が妨げられているような場合には，急激に深部体温が上昇するおそれがある。

運動中に体温が上昇すると，ヒトは皮膚表面の血管を拡張させることで皮膚表面の血流を増加させ，血液の熱が体外に放散されるように促す。このときすでに脱水を伴っている場合は，一時的に血圧の維持が困難になることで熱失神につながる場合がある。熱放散の経路として有効な汗の蒸発についても，運動中に失った水分を十分に補うことができなければ，血漿量が減少することで皮膚血流量の増加や発汗の抑制，さらには体温の上昇や心拍数の増加につながり，熱疲労や労作性熱射病の要因となりうる。

これらを踏まえると，労作性熱中症になりやすい人（**表1**）やなりやすい活動（**表2**）の特徴が明らかになる。暑さや強い疲労感を自覚する前に運動を調整・中断することができれば，理論上多くの労作性熱中症は予防できるはずだが，スポーツ現場においては活動者自身や周りの環境がそれを許さない場面が多い。従って，労作性熱中症が発生するメカニズムとその要因について正しい知識をもつことが，具体的な予防策を検討するうえで重要となる。

図1 運動中の熱交換

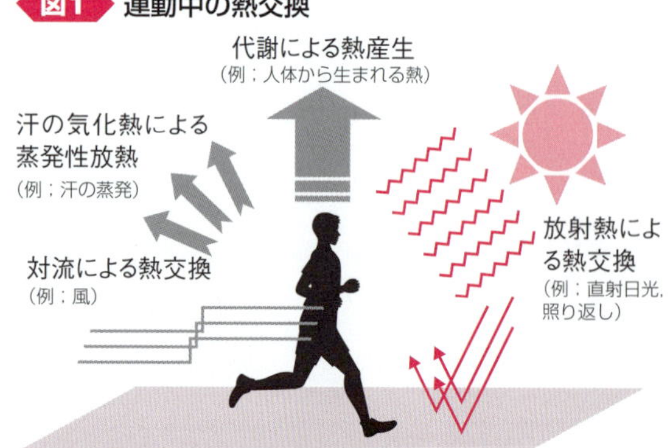

労作性熱中症の評価

わが国では熱中症の評価区分として日本救急医学会が使用しているⅠ度・Ⅱ度・Ⅲ度の区分が広く普及しているが[1)]，本項では前述の熱中症発症メカニズムに着目し，熱中症のタイプ別（運動誘発生筋痙攣，熱失神，熱疲労，労作性熱射病，熱傷害）に評価方法をまとめる。また，熱中症とは異なるが，鑑別疾患として運動誘発性低ナトリウム血症の評価についても紹介する。

運動誘発性筋痙攣（exercise-associated muscle cramp）

運動誘発性筋痙攣では，運動中あるいは運動後に不随意の骨格筋収縮が発生する。文献によっては熱痙攣ともよばれているが[1)]，暑さへの曝露が直接的に骨格筋収縮を引き起こしているわけではないため，近年スポーツ医学の領域においては運

表1 労作性熱中症になりやすい人の特徴

- 既往歴がある
- 体調不良，病み上がり
- 体力不足
- 脱水状態
- 睡眠不足
- 不十分な暑熱馴化
- 高い体脂肪率
- 高い除脂肪体重

表2 労作性熱中症になりやすい活動の特徴

- 高温・多湿環境
- 直射日光
- 二部練習，過密日程
- 通気性の悪い装具やユニフォームの着用
- 急な運動強度の増加
- 不十分な休憩時間
- 罰走，罰トレーニング
- 高いモチベーションあるいはピアプレッシャー

動誘発性筋痙攣と称されている[2]。筋の強い収縮は刺すような痛みを伴うことが多く，競技を一時的に中断しなければならないことがほとんどである。

熱失神（heat syncope）

熱失神は，交感神経による働きで体温調整のために末梢血管が拡張した結果，血圧が一時的に低下することで引き起こされる。症状として，顔面蒼白，脱水，めまい，立ちくらみ（起立性低血圧）などが挙げられる。

熱疲労（heat exhaustion）

熱疲労は，運動実施者が強い倦怠感，口の渇き，めまい，頭痛，苛立ちなどの症状を伴うことで暑熱環境での運動を継続できない状態を指す。高体温を伴うことが多いものの（38～39℃台），疲労に達する閾値には個人差があることから，次に紹介する労作性熱射病のように診断基準となる閾値は存在しない。

労作性熱射病（exertional heat stroke）

労作性熱射病は，熱中症のなかでも最も重症度が高く，命に危険を及ぼす状態である。診断には高体温（深部体温が40.5℃以上）と中枢神経障害の両方を認める必要があり[2]，高強度運動時においては意識障害を伴わない（すなわち労作性熱射病ではない）高体温や，熱ストレスが起因ではない意識障害（例：頭部外傷）が存在することを忘れてはならない。また，中枢神経障害は必ずしも意識消失として現れるわけではなく，ヒステリー状態に陥ったり，傷病者が攻撃的な言動をとったりする様子も報告されている[3]。普段なら安易に理解できる指示に従うことができない，同じ質問を繰り返すなどの見当識障害がみられる場合もあることから，高強度運動後や運動関連性虚脱後に普段と違う言動がみられた場合には労作性熱射病を疑う必要がある。その他の症状は熱疲労と類似しており，大量の発汗により湿った皮膚，脱水，頻脈，嘔吐，下痢などの特徴が挙げられる。

正確な深部体温の評価には直腸体温計（**図2**）を用いる必要があるが，現在のわが国における医療体制においては病院外で直腸体温の測定を実施することは困難であることが多い[4]。しかしながら，腋窩・鼓膜・口腔などから測定された体温は正確に深部体温を反映していないことから[5]それらの解釈には注意が必要であり，たとえ腋窩温度が40.5℃未満であったとしても，その他の所見や状況証拠（高気温環境下で30分以上走った後に倒れたなど）が揃っている場合は労作性熱射病を強く疑い，速やかに必要な応急手当（後述）を実施すべきである。夏季のマラソン大会など労作性熱射病のリスクがきわめて高いと想定される現場においては，担当医師による直腸温度測定が大会の救護所で実施できるように事前に調整するなどの配慮も必要である（詳細は後述する「大会救護における留意点」を参照）。

図2 直腸温度計の例

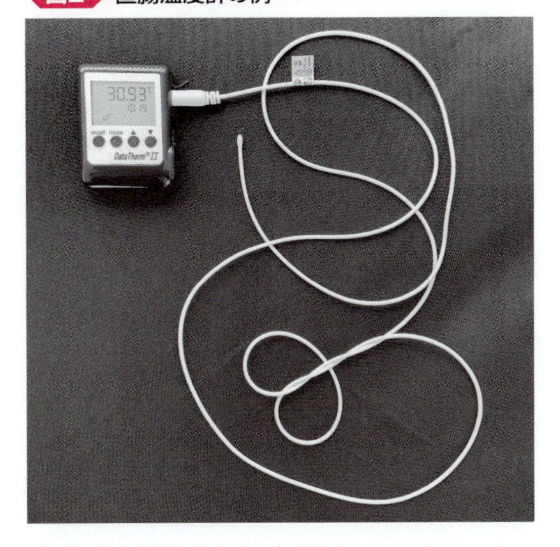

熱傷害（heat injury）

熱傷害は，重症度の高い熱疲労あるいは労作性熱射病によって引き起こされた長時間の高体温を起因とする臓器・組織傷害である。血液マーカーから，肝臓，腎臓，消化管，筋の炎症や機能不全の有無を確認して評価を行うため，プレホスピタルで適切な応急手当を実施し，その後病院で確認されるのが一般的である。重症事例に限らず暑熱環境下における高強度運動後に，血尿，下痢，嘔吐の症状がみられる場合は熱傷害を疑い，病院で血液検査を実施することが推奨される。

運動誘発性低ナトリウム血症（exercise-associated hyponatremia）

労作性熱中症ではないが，発生環境が類似する疾患の1つに運動誘発性低ナトリウム血症がある。運動誘発性低ナトリウム血症はアスリートが必要以上に水分摂取をした場合に発生することが多く，水分摂取が推奨されやすい環境において発生しやすい。代表的な症状である手足のむくみ以外にみられる所見（意識レベルの低下，混乱，筋痙攣，吐き気，嘔吐，めまい）は前述した労作性熱中症と類似しているため，特にマラソンやウルトラマラソン，トレイルランニングなどの競技時間が長く水分摂取の機会が多い競技においては鑑別の必要がある。一般的に135mmol/Lが診断基準として使用されることが多いが，実際には130～135mmol/Lでは無症状の場合が多いので注意しなければならない[6,7]。

プレホスピタルにおける応急手当

運動誘発性筋痙攣の応急手当は，運動や発汗によって失われた水分・電解質・糖質の補給，および筋の収縮と痛みを和らげるためのストレッチやマッサージ，アイシングなどが推奨される[8]。通常，水分補給は経口補水で十分であるが，なんらかの理由で経口補水ができない場合，あるいは痙攣が何度も再発し動けない場合などは点滴の使用を検討する[8]。

熱失神の応急手当では，一時的に低下した血圧を補正する。そのため，まずは冷所に移動し着衣を緩めたら，脚を心臓より高い位置に挙上した状態で仰向けにした状態（ショック体位）で症状が落ち着くまで安静にする。この際も経口補水による水分補給を促し，脱水状態の改善を図る。

熱疲労や労作性熱射病が疑われる場合には，安静や水分補給に加え積極的な全身冷却が必要である[9]。特に労作性熱射病においては，傷病者が倒れてから30分以内に深部体温を39℃以下にすることにより救命の確率が上がり，後遺症が残る確率を最小限に抑えることが数百例以上の症例から明らかになっている[10]。

短時間で効率よく深部体温を下げるためには，氷水に全身を浸けるアイスバス（**図3**）やtarp-assisted cooling（TACo：**図4**），全身を氷水に浸したタオルで覆いそのタオルを絶え間なく交換するアイスタオル（**図5**）を用いる必要がある。その際，傷病者の体格や応急手当開始時の深部体温によっては過冷却（低体温症）のおそれもあることから，医師が同伴しているスポーツ現場であれば，直腸体温計（**図2**）による正確な深部体温の評価を行い，深部体温の推移に合わせて冷却を中断する時間を判断する。この際に用いる体温計は**図2**にあるようなプローブ式（2m以上）のものを使用すると，最初に体温計を挿入したときから持続的にモニタリングすることが可能となる。なお，傷病者によっては震え（シバリング）の徴候が認められる場合があるが，震えが始まるタイミングと直腸温の数値は必ずしも関連しないことに注意したい。

労作性熱射病に対するプレホスピタル対応の一連をまとめたのが**図6**のフローチャートである[11]。このフローチャートは2021年に開催された東京2020オリンピック・パラリンピック競技大会で実際に用いられた内容を一部改変したものであり，ここでは直腸温が40.5℃以上（労作性熱射病）の場合にはアイスバス，40.5℃未満の場合はアイスタオルの使用を推奨している。

なお，アイスバスを用いた場合は一般的に10～15分で危険な高体温の状態を脱するとされているが，実際の冷却の速さには個人差が存在する[12]。傷病者の体格や傷病者が倒れるまでに実施していた活動量から，アイスバスでは過冷却のおそれがあると判断した場合にはアイスタオルを優先的に使用する選択を行う場合（特に医師がいないプレホスピタル環境の場合）もある[13]。また，冷却後に濡れた衣服をそのまま着用していることによって過冷却のリスクを高めるおそれもあることから，応急手当として必要な冷却を終えた後はタオルで身

図3 応急手当としてのアイスバスの使用

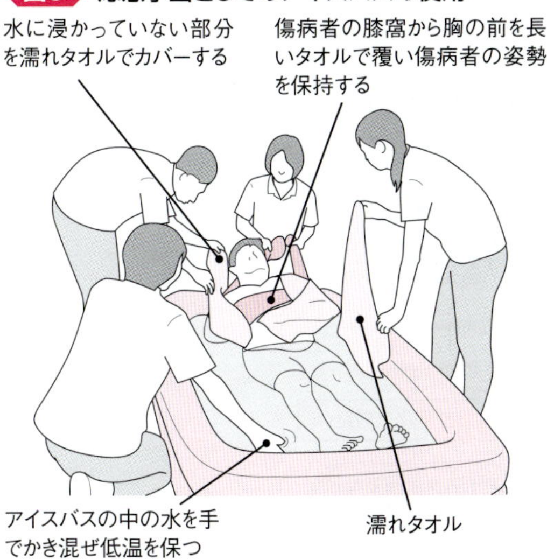
水に浸かっていない部分
を濡れタオルでカバーする
傷病者の膝窩から胸の前を長
いタオルで覆い傷病者の姿勢
を保持する
アイスバスの中の水を手
でかき混ぜ低温を保つ
濡れタオル

図4 応急手当としてのTACoの使用

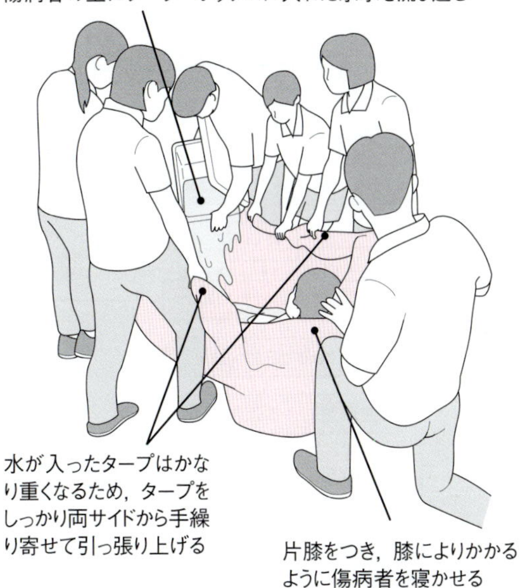
傷病者の上にクーラーボックスに入れた氷水を流し込む
水が入ったタープはかな
り重くなるため，タープを
しっかり両サイドから手繰
り寄せて引っ張り上げる
片膝をつき，膝によりかかる
ように傷病者を寝かせる

図5 応急手当としてのアイスタオルの使用

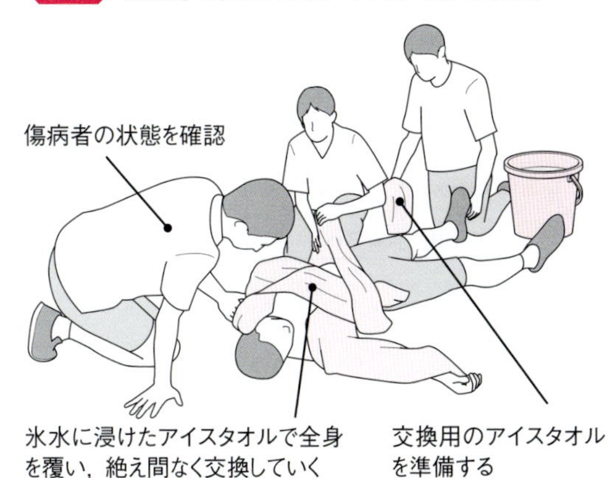
傷病者の状態を確認
氷水に浸けたアイスタオルで全身
を覆い，絶え間なく交換していく
交換用のアイスタオル
を準備する

体を拭き，乾いた衣服に着替える。ただし，前述の通り深部体温を30分以内に39℃以下にすることが傷病者の予後に大きく影響を与えることから，意識レベルの低下が確認されるような（労作性熱射病を疑う）場合は，医療資格をもたない者であっても救急車が到着するまでの間は積極的に全身冷却を実施することが推奨される[14]。氷嚢による身体冷却は冷却範囲が局所的であることから，積極的な全身の冷却方法としては不適切である[13]。

重症例を疑い救急要請をした際は，救急車が到着するまでに実施した応急手当の内容と時間を救急隊に伝えることができるように留意する。傷病者が直前まで行っていた活動についても報告できると，深部体温の測定ができなかった場合でも，どの程度の熱負荷が傷病者にかかっていたかを推測する手がかりとなる場合がある。また，心拍数や呼吸数の記録，意識の状況や全身所見を記録すると，搬送先の医療施設が当該症例の重症度の判断や応急手当の効果について判断する際の重要な情報となる。

予防

労作性熱中症の予防は，まず個人の体調管理から始まる。脱水，睡眠不足，体調不良，最近の感染症罹患の有無などは，運動実施者の活動容量や質そのものに影響を与えることから，労作性熱中症のリスクを高める[2]。また，たとえ健康な状態であっても，活動内容が実施者の競技レベルに合っていること，深部体温の急激な上昇を防ぐために適度な休憩を挟むこと，運動強度の調整，運動前・中・後の身体冷却などの予防策を講じなければ，十分にトレーニングを積んだ強靱なアスリートであっても労作性熱中症に罹患する可能性があることを忘れてはならない[2]。

組織レベルで実践できる労作性熱中症の予防の取り組みの1つに，湿球黒球温度（wet bulb globe temperature：WBGT）に応じて運動内容を調整する方法がある。公益財団法人日本スポーツ協会は熱中症予防のための運動指針として**表3**の基準を示している[14]。近年では，より具体的な活動指針として環境条件のリスクレベルに応じ，運動強度，運動時間，防具の着用制限，1時間当たりの休憩時間の調整を示すガイドラインも存在する（**表4**）[15]。後者のガイドラインでは，地域ごとに危険とされ

図6 労作性熱射病プレホスピタル対応のフローチャート

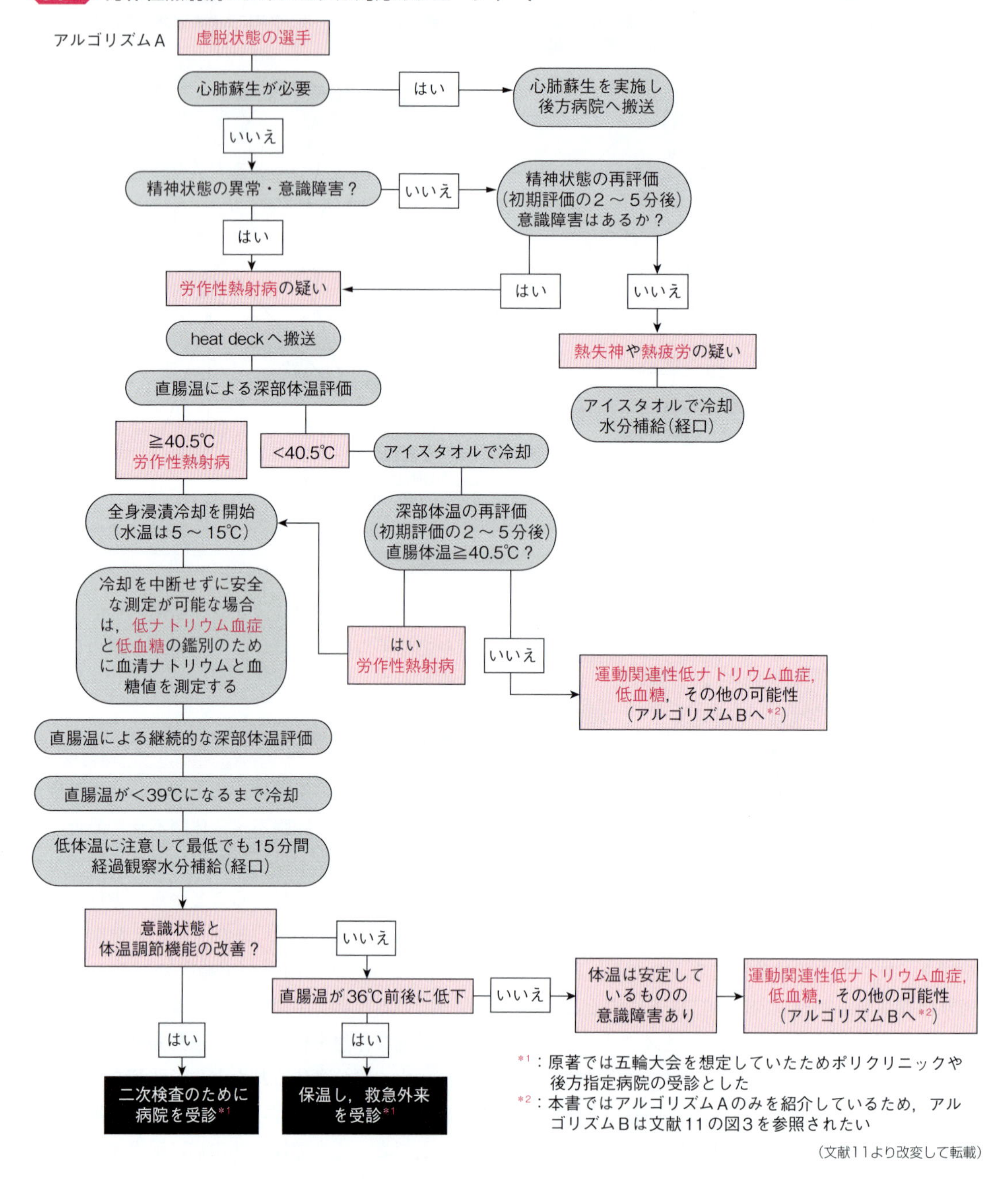

るWBGTの値には差があることを考慮し（例：暑さが厳しい地域においてWBGTが31℃になることは珍しくない，あるいは冷涼な地域において，WBGTが28℃以上になること自体が珍しく，その地域の人にとってはWBGTが28℃前後でも運動を制限すべき，など），あえてWBGTの基準を明記せず，5段階のリスクレベルで段階的な調整を表現している。公益財団法人日本スポーツ協会の活動指針も5段階に分類されていることから，**表4**の対策を**表3**に合わせることで，より具体的な調整を検討することができる。

個人レベルの介入で実践することができる熱中症予防として，深部体温の急上昇を抑えることを目的とした身体冷却がある。深部体温をコントロールすることは熱中症予防につながるだけでなく，暑熱環境下におけるパフォーマンスの維持・向上にもつながることから，競技特性や練習環境に合った身体冷却方法について日頃の練習から検討することが推奨される[16]。

身体冷却は，体表からの冷却（外部冷却）と体内からの冷却（内部冷却）に大別することができる。外部冷却の代表例には，アイスバス，アイスタオル，アイスベスト，氷嚢，アイスパックなどが挙げられる。一度にどれだけの体表面を冷やすことができる手法であるかによって，冷却効果が深部体温まで到達するか，皮膚温の低下にとどまるかが決まる。ただし，最終的にどの手法を用いるかは，①身体冷却に費やすことのできる時間，②水源や冷凍庫の有無，③どの部位を冷却するか，④人数分の物資の確保，⑤冷却に用いる物資の携帯性，などとの兼ね合いも考慮し，各々の現場に合った手法を組み合わせることが望ましい。

内部冷却の手法として，近年多くのスポーツ現場で用いられているのがアイススラリーである[14]。アイススラリーは液体に微細な氷の粒が混ざった状態の飲料で，体内の熱を吸収することで深部体温を下げる効果がある。効果を得るためには，体重1kg当たり1.25g程度（60kgであれば75g）を複数回摂取することが推奨されるが，この目安量では多いと感じる人や，冷たさによる頭痛・胃腸系の不調を報告する人もいることから，アイススラリーを練習や試合とは関係のないタイミングで事前に試したり，練習環境で目安量の摂取に慣れたりする期間を設けることが推奨される。なお，アイススラリーはアイスバスやアイスタオルなどと比べると冷却効果の持続性には制限があるものの，ウォームアップなどで筋温を温めながらも深部体温の急上昇は防げるという点がメリットとして挙げられる。

大会救護における留意点

多くの参加者を募るスポーツ大会においては，労作性熱中症が同時に複数名に発生するリスクがある。季節性あるいは競技特性的に労作性熱中症発症のリスクがあると判断される大会においては，大会救護スタッフが会場内で労作性熱射病のプレホスピタルに対応できるように環境と人員を整える必要がある[9,11]。**図7**は2021年に開催された東京

表3 湿球黒球温度（WBGT）に基づいた熱中症予防運動指針（公益財団法人日本スポーツ協会）

WBGT(℃)	湿球温度(℃)	乾球温度(℃)		
▲	▲	▲	運動は原則中止	特別の場合以外は運動を中止する。特に子どもの場合には中止すべき
31	27	35		
▲▼	▲▼	▲▼	厳重警戒 （激しい運動は中止）	熱中症の危険性が高いので，激しい運動や持久走など体温が上昇しやすい運動は避ける。10～20分おきに休憩をとり水分・塩分を補給する。暑さに弱い人※は運動を軽減または中止
28	24	31		
▲▼	▲▼	▲▼	警戒 （積極的に休憩）	熱中症の危険が増すので，積極的に休憩をとり適宜，水分・塩分を補給する。激しい運動では，30分おきくらいに休憩をとる
25	21	28		
▲▼	▲▼	▲▼	注意 （積極的に水分補給）	熱中症による死亡事故が発生する可能性がある。熱中症の兆候に注意するとともに，運動の合間に積極的に水分・塩分を補給する
21	18	24		
▲▼	▲▼	▲▼	ほぼ安全 （適宜水分補給）	通常は熱中症の危険は小さいが，適宜水分・塩分の補給は必要である。市民マラソンなどではこの条件でも熱中症が発生するので注意

1）環境条件の評価にはWBGT（暑さ指数ともいわれる）の使用が望ましい
2）乾球温度（気温）を用いる場合には湿度に注意する。湿度が高ければ1ランク厳しい環境条件の運動指針を適用する
3）熱中症の発症リスクは個人差が大きく，運動強度も大きく関係する。運動指針は平均的な目安であり，スポーツ現場では個人差や競技特性に配慮する
※：暑さに弱い人：体力の低い人，肥満の人や暑さに慣れていない人など

（文献14より許諾を得て転載）

表4 環境条件に基づいた段階的な活動内容の変更

リスクレベル	運動強度	運動時間	防具の着用制限	活動：休憩 （1時間当たりの休憩時間）
1	制限なし	制限なし	制限なし	5：1（10分）
2	セルフペースの活動を許可する	最大2時間まで	休憩時間中は防具をはずす	4：1～3：1（12～15分）
3	比較的低強度の運動を選択	最大2時間まで	練習やコンディショニング時は防具をはずす	2：1～1：1（20～30分）
4	戦術確認のみ コンディショニングは実施しない	最大1時間まで	防具なし	活動＜休憩 1回に連続して暑熱環境にさらされる時間は30分以内
5	活動禁止			

（文献15より引用）

2020オリンピック・パラリンピック競技大会で導入された，heat deckとよばれる労作性熱射病対応エリアの一例である。競技会場によってはheat deckと一般救護エリアを別々のエリアに設置することが強いられる場合もあるが，傷病者搬送の動線と医療スタッフの分散を防ぐためには可能な限り同エリア内に設置されることが望ましい。

競技エリアまたは一般傷病者対応エリアで労作性熱射病の疑いが強いと判断された者は直ちにheat deckに搬送され，直腸温が測定される。直腸温と中枢神経系の異常から労作性熱射病が明らかとなった場合，または中枢神経系の異常は伴わないものの40.5℃に迫る高体温で一刻も早く全身冷却が必要と判断された場合は，傷病者をアイスバスが設置されているエリアに移動し冷却を開始する[9]。東京2020オリンピック・パラリンピック競技大会では医師が深部体温の測定を行い，看護師がその他のバイタルサインの測定や（必要に応じて）点滴の準備，理学療法士やアスレティックトレーナーはheat deck内の傷病者搬送やアイスバスを用いた全身冷却中の傷病者管理と水温管理を担当した。冷却終了後は最低でも15分間経過観察を行う必要があることから，アイスバスの横にはコット（濡れてもよい簡易ベッド）を準備した。

このように，heat deckを稼働させるためには場所や物品の整備だけでなく，heat deckでの労作性熱射病対応に精通した救護スタッフの事前教育が必要不可欠となる。会場によっては，水道が確保できない，アイスバスを置くスペースがない，アイスバスに使用する多量の氷を保管することができない，などの障壁も珍しくない。そのような場合は，少ないリソースでも全身冷却が可能なTACo（**図4**）やアイスタオル（**図5**）を準備するなどの工夫が必要である。なお，アイスバスを何台準備するかは，対象となる大会で想定される労作性熱中症がどの程度かによって判断するが，使用中に吐瀉物などで汚染された場合には再利用が難しいことから，最低でも2台設置することが推奨される。

図7 heat deckをもつ大会救護所の例

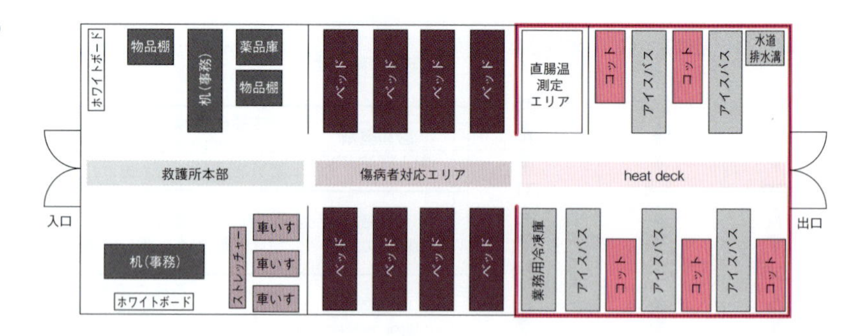

【文献】

1) 日本救急医学会：熱中症診療ガイドライン 2015. https://www.mhlw.go.jp/file/06-Seisakujouhou-10800000-Iseikyoku/heatstroke2015.pdf（2023年3月30日閲覧）.

2) Casa DJ, DeMartini JK, Bergeron MF, et al.: National Athletic Trainers' Association position statement: exertional heat illnesses. J Athl Train, 50 (9) : 986-1000, 2015.

3) Lopez RM, eds: Quick Questions Heat-Related Illness: Expert Advice in Sports Medicine. Slack Inc, 2015.

4) 細川由梨：選手用会場医療における労作性熱射病のプレホスピタル対応：オリンピック・パラリンピックレガシーとして残すために．日本アスレティックトレーニング学会誌，7 (2) : 201-207, 2022.

5) Casa DJ, Becker SM, Ganio MS, et al.: Validity of devices that assess body temperature during outdoor exercise in the heat. J Athl Train, 42 (3) : 333-342, 2007.

6) McDermott BP, Anderson SA, Armstrong LE,et al.: National Athletic Trainers' Association Position Statement: Fluid Replacement for the Physically Active. J Athl Train, 52 (9) : 877-895, 2017.

7) Mears S, Watson P, eds: IIRM Medical Care Manual. International Institute for Race Medicine, 2015.

8) Miller KC, McDermott BP, Yeargin SW, et al.: An Evidence-Based Review of the Pathophysiology, Treatment, and Prevention of Exercise-Associated Muscle Cramps. J Athl Train, 57(1): 5-15, 2022.

9) Sugawara M, Manabe Y, Yamasawa F, et al.: Athlete Medical Services at the Marathon and Race Walking Events During Tokyo 2020 Olympics. Front Sports Act Living, 4: 872475, 2022.

10) Filep EM, Murata Y, Endres BD, et al.: Exertional Heat Stroke, Modality Cooling Rate, and Survival Outcomes: A Systematic Review. Medicina (Kaunas) , 56 (11) : 589, 2020.

11) Hosokawa Y, Racinais S, Akama T, et al.: Prehospital management of exertional heat stroke at sports competitions: International Olympic Committee Adverse Weather Impact Expert Working Group for the Olympic Games Tokyo 2020. Br J Sports Med, 55 (24) : 1405-1410, 2021.

12) Hosokawa Y, Casa DJ, Racinais S: Translating evidence-based practice to clinical practice in Tokyo 2020: how to diagnose and manage exertional heat stroke. Br J Sports Med, 54 (15) : 883-884, 2020.

13) 細川由梨：労作性熱中症の応急処置としての冷却方法．臨スポーツ医，37 (11) : 1272-1277, 2020.

14) 公益財団法人日本スポーツ協会：スポーツ活動中の熱中症予防ガイドブック 第5版．2019.

15) Hosokawa Y, Adams WM, Casa DJ, et al.: Roundtable on Preseason Heat Safety in Secondary School Athletics: Environmental Monitoring During Activities in the Heat. J Athl Train, 56 (4) : 362-371. 2021.

16) Adams WM, Hosokawa Y, Casa DJ: Body-Cooling Paradigm in Sport: Maximizing Safety and Performance During Competition. J Sport Rehabil, 25 (4) : 382-394, 2016.

アスリートに対するテーピングの基礎知識

テーピングは資格がなくても利用できる簡便な技術であることから，レクレーションスポーツに取り組む愛好家からアスリートまで広く使用されている．本項ではテーピング知識と技術の基本的理解と注意点についてまとめた．また，テーピング技術については利用される機会が多いと予想される肩関節，膝関節，足関節のテーピング技術に限定し，手順と方法について紹介する．

テーピングに使用されるテーピング・テープの知識と基本

現在市販されているテーピング・テープは種類も多く，使用目的に応じて選択・購入することが可能である（**図1**）．一般的に用いられるテープは非伸縮性の38mmもしくは50mm幅テープである．手部や手指に用いる場合など，施行する身体部位に適したサイズを選択できる．伸縮性テープは全体長プラス30〜40％の伸縮能をもち，用途に応じて選択が可能である．また，新しいテープと古いテープ，テープの種類やメーカーなどによって粘着力や伸縮強度に違いがあることも知っておきたい．

テーピング・テープ使用における注意点

テーピングにより局所的に循環障害が生じる場合があるため，テーピングを施行した身体部位より末梢に循環障害を生じていないか確認する必要がある．皮膚の変色や感覚異常，麻痺が生じていないか，疼痛症状の増悪などがないか確認する．テーピング施行後は運動実施後までしばらく循環障害が生じていないか確認が必要である．

テープに使用される粘着剤によるアレルギー性接触皮膚炎（allergic contact dermatitis：ACD）や，貼付したテープによる皮膚への機械的刺激が要因となる刺激性接触皮膚炎（irritant contact dermatitis : ICD）を生じることがあり[1]，それらの症状について施行者・指導者は必ず知っておく必要がある．テーピング施行前に，対象者が絆創膏や粘着テープによってアレルギーを呈した経験の有無について聴取する．過去の経験について対象者自身がわからない場合，テープの小片を用いて20分程度貼付しアレルギー反応について評価する．過去にテープによるアレルギーを経験していたり，小片貼布による評価において発赤や腫脹を認める場合には，低アレルギー性テープや皮膚保護テープ，ラッピングテープを用いる（**図2**）．また，過去のアレルギーの有無にかかわらず，テーピング施行時に剃毛した場合には直後のテーピング施行を避ける．剃毛直後は皮膚が過敏症状を示すことがあるため，1日以上間隔を空けるべきである．

テーピングによって期待される効果

テーピングは傷害予防とリハビリテーション援助の手法としてセラピストによって長年広く使われてきた．近年の研究においても，テーピングの有益性について一致した見解は得られておらずい

図1 テープの種類

非伸縮テープ［50mm（❶），38mm（❷）］，伸縮性テープ［ソフト：50mm（❸），38mm（❹），ハード（❺）］

図2 低アレルギー性テープと皮膚保護テープ

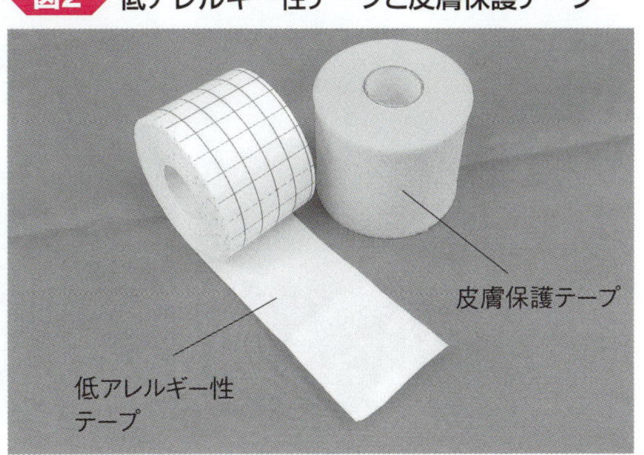

まだ議論されている[2-4]。しかしながらテーピングが正しく適用されれば直接的な効果を認めることも多い[4-6]。一般的に，テーピング使用の目的には疼痛の減少，傷害予防，再発予防，損傷組織および易損傷組織による柔軟性の減少，解剖学的構造の他動的安定性向上，生体工学的修正，運動制御，筋活動の促通，固有受容器の感度の増幅，浮腫の圧迫，リンパドレナージなどが挙げられる。さらに広い意味での潜在的効果には，機械的効果，神経筋への効果，心理的効果が挙げられる[7]。また，関節の過度な動きの制限，傷害部位への物理的ストレスの防止，関節アライメント不良の修正などは，生体力学的，運動学的考慮のもとテーピングによる機械的効果を期待するものである。各関節や身体部位への効果について，筋骨格アライメントの修正が可能かどうかCTやMRIを用いた検証も行われているが，意見は分かれている[8,9]。また，テーピングの持続効果についても練習後まで維持されることはなかったと報告されている[10]。適用する関節や身体部位，それぞれの症状により効果や持続性についてはさまざまな報告があり，テーピング技術を利用する者はこれらのことを知っておくべきである。

テーピングのなかでも，伸縮性テープは筋骨格の修正，筋活動の促進，関節運動の制限，固有受容器感度の増幅など多くの効果が期待されてきた。伸縮性テープが登場した初期には症例検討を通してその効果が広く示された[3]一方で，近年のランダム化比較試験やシステマティックレビューにおいては良好な効果が証明されていない[2,11,12]。

テーピングは簡便で利用しやすいが，その効果に対する過度な期待は避けることが望ましい。前述した調査結果でも示した通り，テーピングは現在のところ完璧な技術ではなく十分なエビデンスが得られていないのが現状である。理学療法士やトレーナーとしては，選手が明らかな熱感や腫脹など医学的症状を呈している場合には必ず医療機関の受診を速やかに促し，適切な診断や治療を受けさせなければならない。

肩関節のテーピング（図3）

肩関節のテーピングは肩峰下インピンジメントや肩関節不安定症の防止が主な目的である。広く一般的に用いられており，症例報告においては良好な結果を示している[13,14]。実際の適用は筋骨格系への機械的効果について論理的に考えて用いられており，投球動作における過度な肩関節外転・外旋運動や外転・内旋運動の制限を目的とする方法や，肩甲上腕関節アライメント修正を目的とする方法などが用いられている。しかし，近年のシステマティックレビューでは，十分なエビデンスが得られていない[15]。筋活動やパフォーマンスの向上には効果がなく，上腕骨の回旋制限や固有感覚の改善に効果があり，肩甲骨に対するテーピングでは上腕骨アライメントおよび肩甲骨運動を変化させる効果について，中程度のエビデンスが示されている[16]。

肩甲骨アライメントに対するテーピング

肩関節（肩甲上腕関節）前方から開始して肩上方を通り（図3❶），第6胸椎レベルまでテープを貼る（図3❷）。この際，肩甲骨アライメントを内転や後傾方向に整えながらテープを貼る（図3❸）。このテープでは胸椎の後弯を改善するとともに[17]，

図3 肩甲骨アライメントに対するテーピング

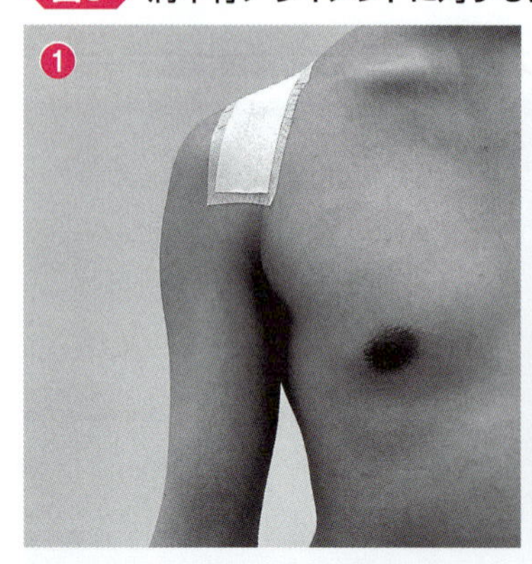

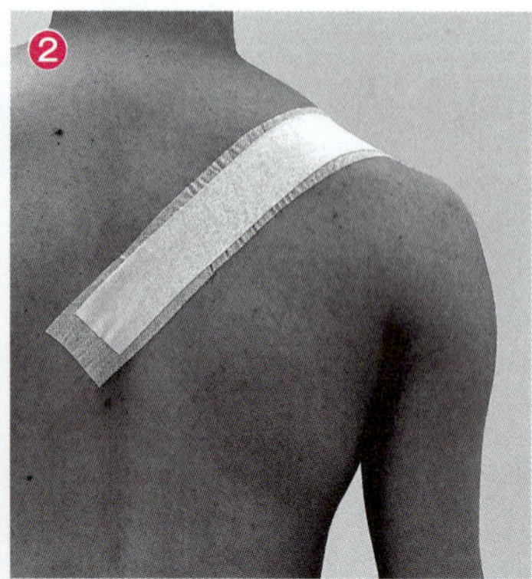

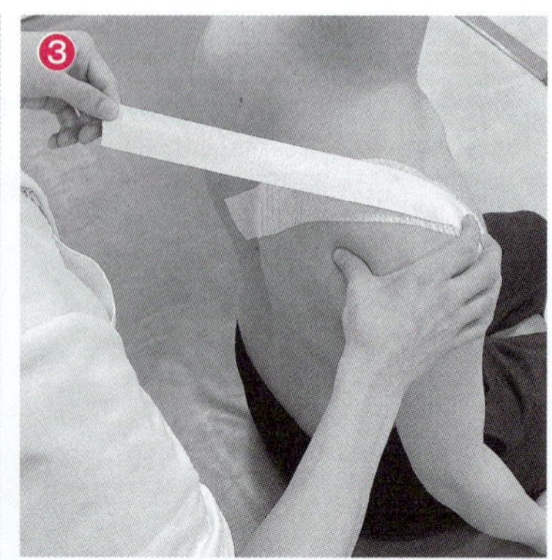

肩に疼痛がみられる場合の僧帽筋上部線維の過剰な活動を抑制する[18]効果について報告されている。

肩峰下インピンジメント防止テーピング

施行側の肩関節外転・肘関節屈曲により手を腰に配置する。血流障害を避けるため上腕筋を収縮した状態でアンカーテープを貼付する（**図4❶**）。乳頭部や腋窩へ直接テープを貼付することは避け，必要に応じてガーゼやコットンなどを使用するとよい。

肩峰下インピンジメント症候群に対するテープとして，Allingham's strap[6]があり，インピンジメント初期に最も役立つとされている。上腕アンカー（**図4❷**）から三角筋中部，前部（**図4❸**），後部（**図4❹**）をそれぞれを覆うように，上腕を肩に向かい牽引しながら引き上げて胸郭アンカーに貼付する。サポートテープを止めるため，それぞれロックテープを貼付する。

- **肩関節の過度な外旋運動制限**

肩関節外転90°とし，上腕内側から肩甲上腕関節後面を通り胸郭のアンカーテープへ止める（**図4❺**）。このテープは数mmずつずらして複数枚使用することでテープ強度を高める。Ringey's strap[6]（**図4❻**）では肩関節90°外転位，90°内旋位でサポートテープを貼付するが，求める外旋制限の強度により貼付時の回旋可動域は調整可能である。

最後にサポートテープを止めるためのロックテープを貼付する。

膝関節のテーピング

膝関節では，側副靱帯，十字靱帯損傷回復後の再受傷予防や過度なストレスの減少，オーバーユースによる軟部組織ストレスを軽減することなどを目的として用いられる。

膝靱帯損傷回復後のテーピング

靱帯の損傷や断裂は専門医により治療が施され，リハビリテーションによる機能回復が図られた後に練習や競技へ復帰する。復帰後も軟性装具やサポーターが使用されることがある。テーピングでは再受傷の予防や心理的不安の軽減も期待して用いられる。

図4 肩峰下インピンジメント防止テーピング

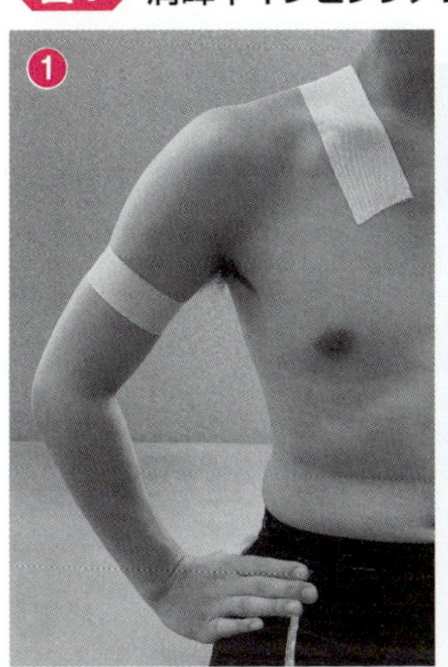

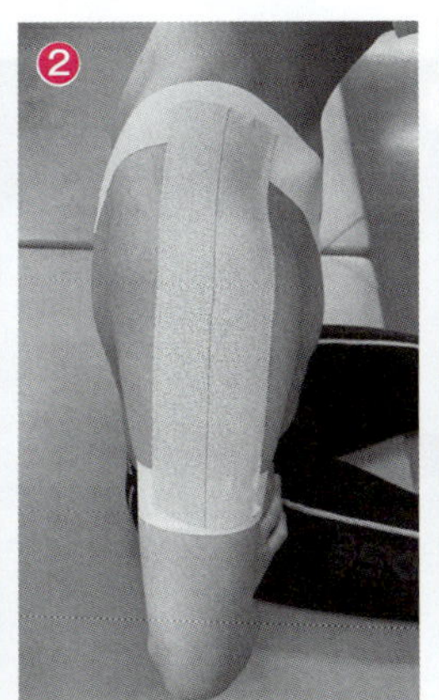

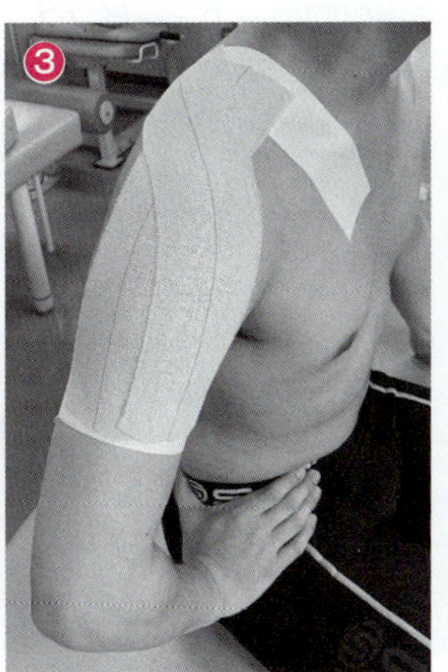

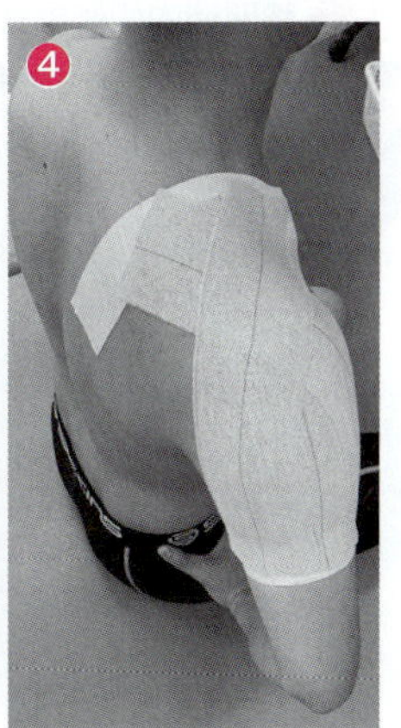

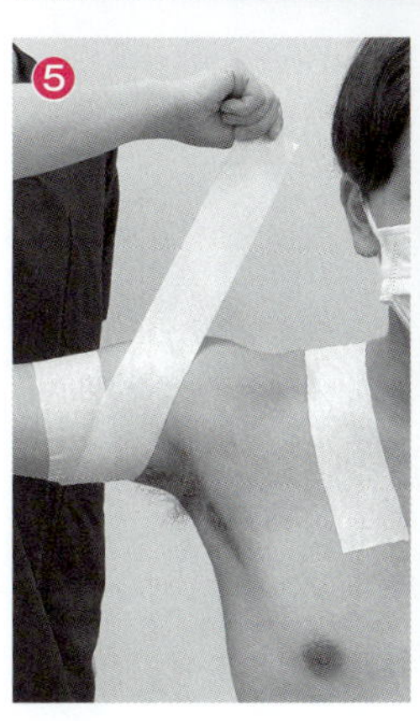

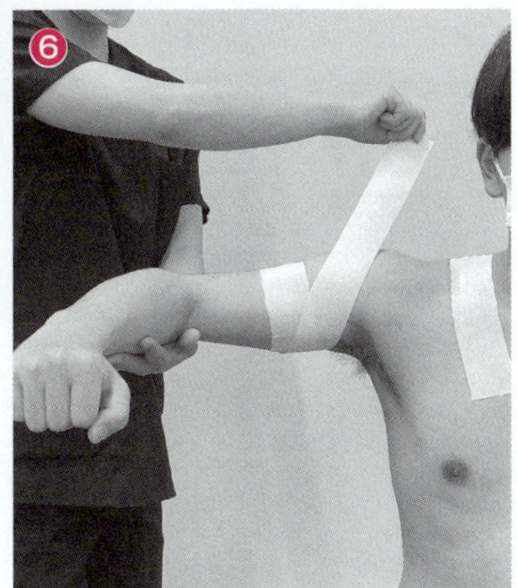

Check! 理学療法ガイドライン第2版

「ACL再建術後患者のスポーツ復帰において，テーピング，装具または両方の併用，いずれが推奨されるか」[19]については，『理学療法ガイドライン 第2版』第13章「前十字靭帯損傷理学療法ガイドライン」のCQ6を参照されたい(https://www.jspt.or.jp/upload/jspt/obj/files/guideline/2nd%20edition/p745-780_13.pdf)。

Web版はこちら

膝関節内側側副靭帯損傷回復後のテーピング(図5)

膝関節は軽度屈曲位とし，余ったテープなどを踵に配置することで屈曲肢位を維持できる。血流障害を避けるために大腿と下腿の筋は収縮した状態でアンカーテープを貼付するか，伸縮テープを用いる(図5❶)。

サポートテープは下腿前面から開始し，膝関節内側の靱帯上を通り大腿外側のアンカーテープまで貼付する(図5❷)。さらにサポートテープを下腿外側から開始し(図5❸)，図5❷のテープと靱帯上で交差するように靱帯上を通り大腿前面のアンカーテープまで貼付する。サポートテープをそれぞれ数mmずらした位置から開始することを3回程度繰り返してサポートテープを貼付することで，テープの強度を増強させることができる。

最後にサポートテープを止めるためのロックテープを貼付する(図5❹)。

膝前十字靭帯損傷回復後，膝関節過伸展防止のためのテーピング(図6)

立位とし，余ったテープなどを踵に配置し屈曲肢位を維持する(図6❶)。体格にもよるが，長めの(男性では70〜90cm)非伸縮性テープを準備する。

テープ長の中間辺りを脛骨粗面前方から貼付する(図6❷)。

下腿後方から膝窩に向かい，らせん状に巻き付け大腿前面に貼付する。逆サイドのテープも同様に膝窩を通り，大腿前面で両サイドのテープが交わるところまで貼付する(図6❸)。貼付後，循環障害や動作による疼痛が生じないか確認する。

図5 膝関節内側側副靭帯損傷回復後のテーピング

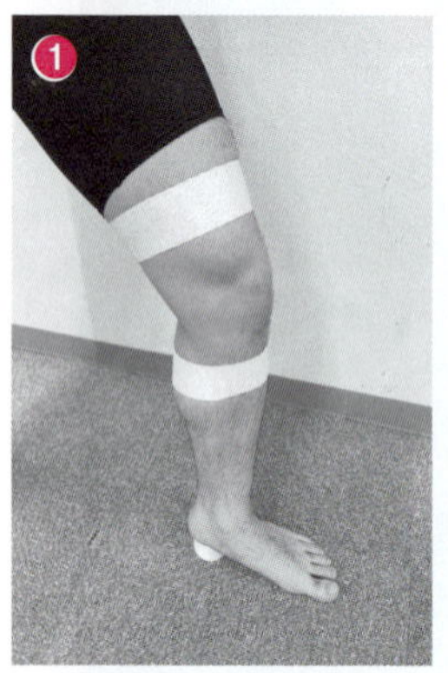

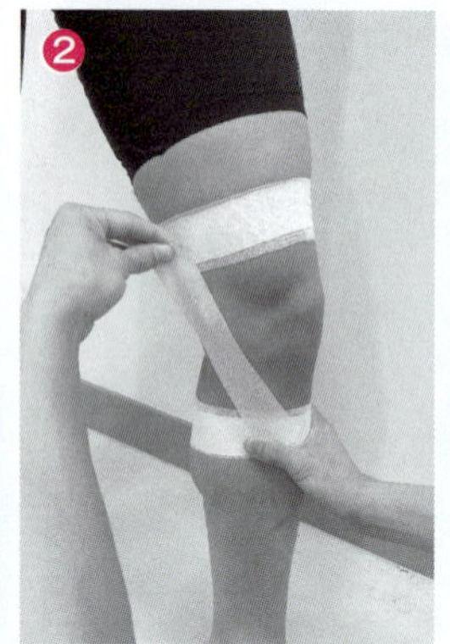

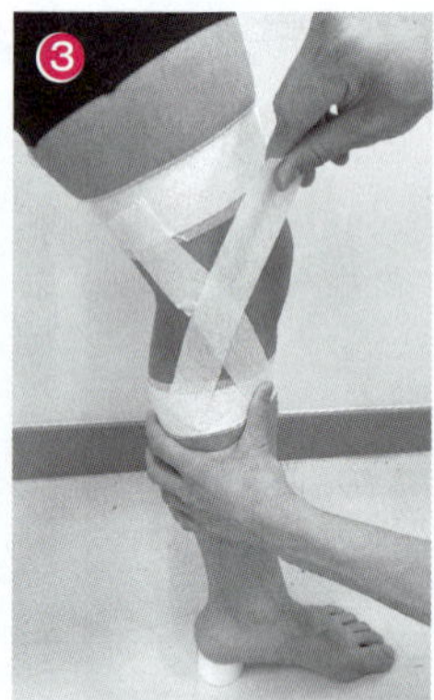

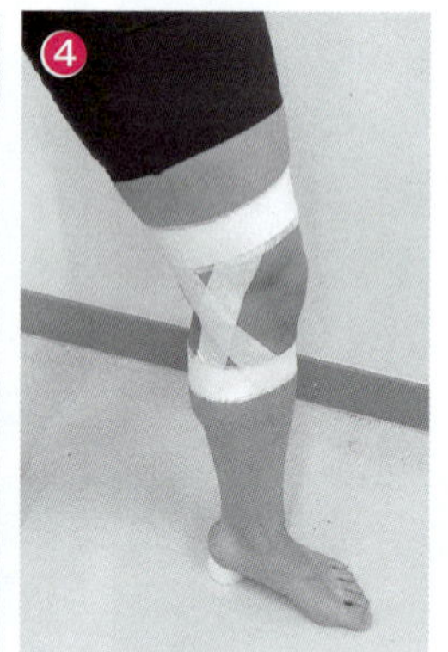

図6 膝関節過伸展防止のためのテーピング

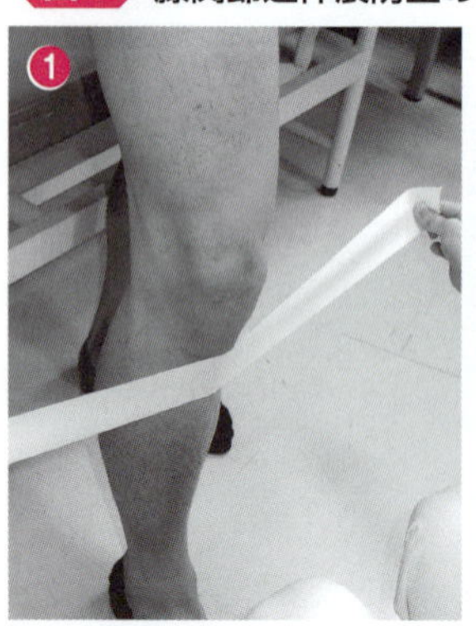

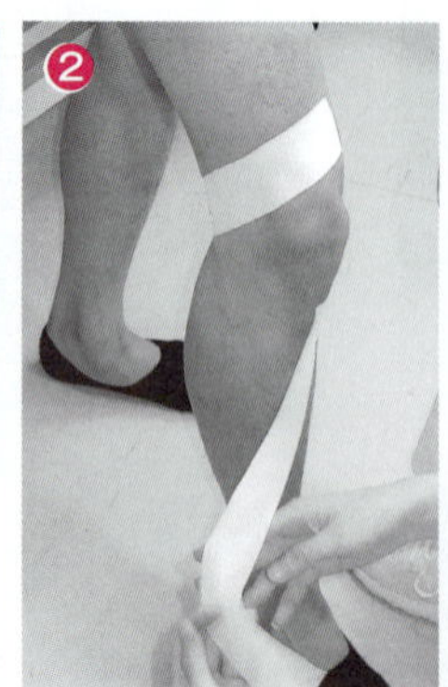

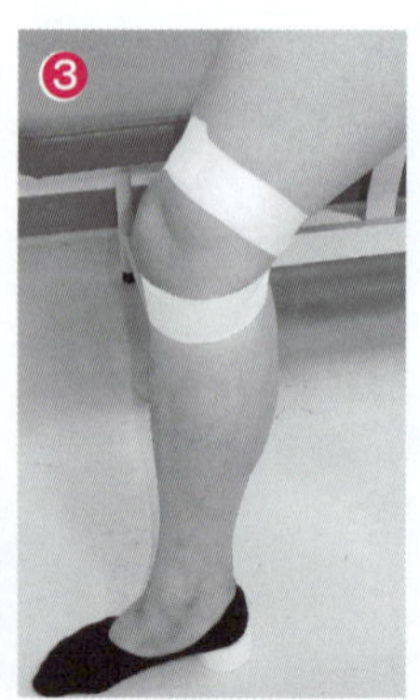

膝蓋大腿関節痛（patella femoral pain syndrome）に対するテーピング（図7）

膝蓋大腿関節痛に対する膝蓋大腿関節位置の修正のためにMcConnell（マッコーネル）テーピングが用いられる[20]。この技術によりテーピングによって膝蓋骨の位置を即時的に変更することができるが，その持続性はないと報告されている[10]。一方で膝蓋大腿関節痛の改善には一定の効果がみられると報告されている[21]。

Check! 理学療法ガイドライン第2版

「運動機能低下がある膝蓋大腿関節症の患者に対して，単独で行う理学療法と，テーピング併用のいずれが推奨されるか」[22]については，『理学療法ガイドライン 第2版』第12章「膝関節機能障害理学療法ガイドライン」の膝蓋大腿関節症CQ4を参照されたい（https://www.jspt.or.jp/upload/jspt/obj/files/guideline/2nd%20edition/p693-743_12.pdf）。

Web版はこちら

皮膚への機械的刺激を低減するために低刺激性テープを使用し，膝蓋骨とその両サイドに貼付する（図7❶）。

サポートテープを膝蓋骨外側に貼付して膝蓋骨を内側へ移動させ，膝蓋骨内側に向かってテープを止める（図7❷）。

より安定性を高めるため，再度同様にサポートテープを重ねて貼付する（図7❸）。

足関節のテーピング

足関節のテーピングでは，足関節捻挫の損傷後の圧迫固定や再受傷の予防を目的として用いられる。McKay（マッケイ）ら[23]は関節捻挫のテーピングは捻挫そのものの予防よりも，再損傷を予防する際に効果を発揮すると報告している。足関節捻挫はスポーツ外傷のなかで最も頻度が高く，テーピング以外にサポーターなども用いられている。

伸縮テープを用いることは推奨されておらず，非伸縮テープの使用を推奨する中程度のエビデンスが存在する[24]。一方で，足関節の慢性不安定性のあるアスリートに対して伸縮性テープを使用することで長腓骨筋活動を減少させ，姿勢における内外側方向への動揺を減少させる[25]とした報告もあり，さらなる調査が必要である。

● 足関節捻挫再発防止のテーピング（図8）

下腿と足部にアンカーテープを貼付する。下腿のアンカーテープは下腿の筋を収縮させた状態で貼付するか，伸縮テープを用いる（図8❶）。

踵部から下腿へのサポートテープ（スターアップ）と（図8❷），踵部後方から足部へのサポートテープ（ホースシュー）を貼付する（図8❸）。これにより，下腿に対する後足部の内外反および後足部に対する中前足部の回旋を制限する。

次のサポートテープは足部不安定性の状況に応じて追加する。

足部の内反を制動するため内側ヒールロックを貼付する。足背外側から足底と踵部内側を通し（図8❹），下腿前方まで貼付する（図8❺）。これにより下腿に対する足部の底屈と内反を制限する。

足部の外反を制動するため外側ヒールロックを貼付する。足背内側から足底と踵部外側を通し（図8❻），下腿前方まで貼付する（図8❼）。これにより下腿に対する足部の底屈と外反を制限する。サポートテープを止めるため，それぞれロックテープを貼付する。

図7 膝蓋大腿関節痛（patella femoral pain syndrome）に対するテーピング

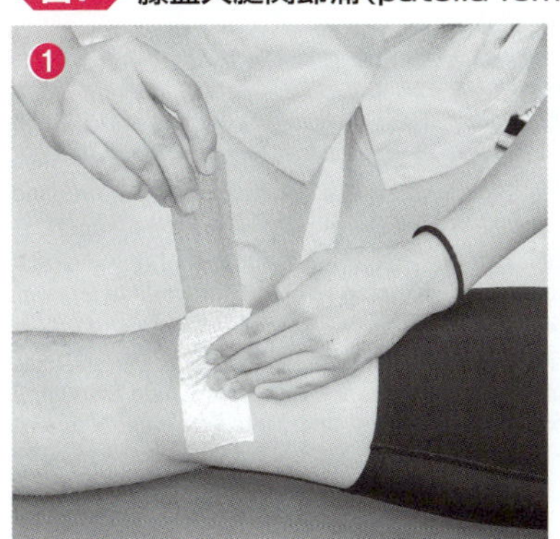

❶

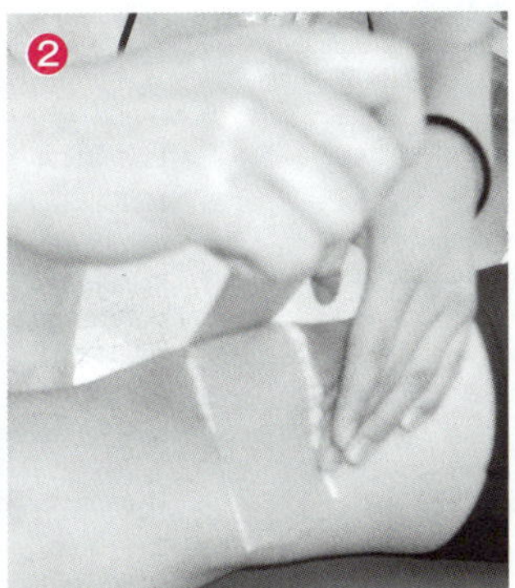

❷

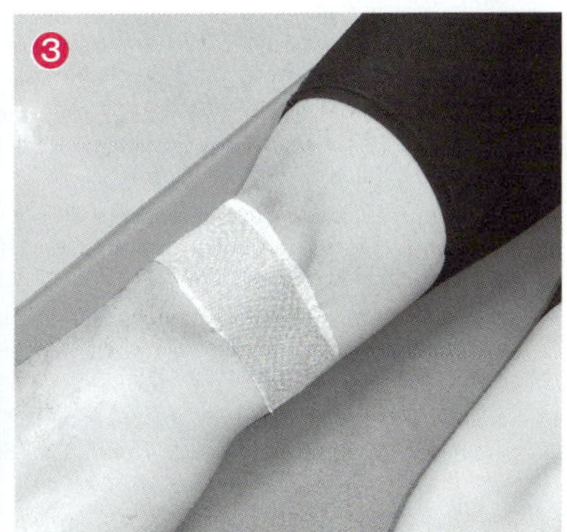

❸

足関節前面から見て8の字を描くように足部から足関節前面を通し（**図8⑧**），下腿後面を回って（**図8⑨**）再度足関節前面を通し足部に止める（フィギュアエイト：**図8⑩**）。これにより下腿に対する足部の前方引き出しを制限し，前距腓靱帯伸張を制限する。

図8　足関節捻挫再発防止のテーピング

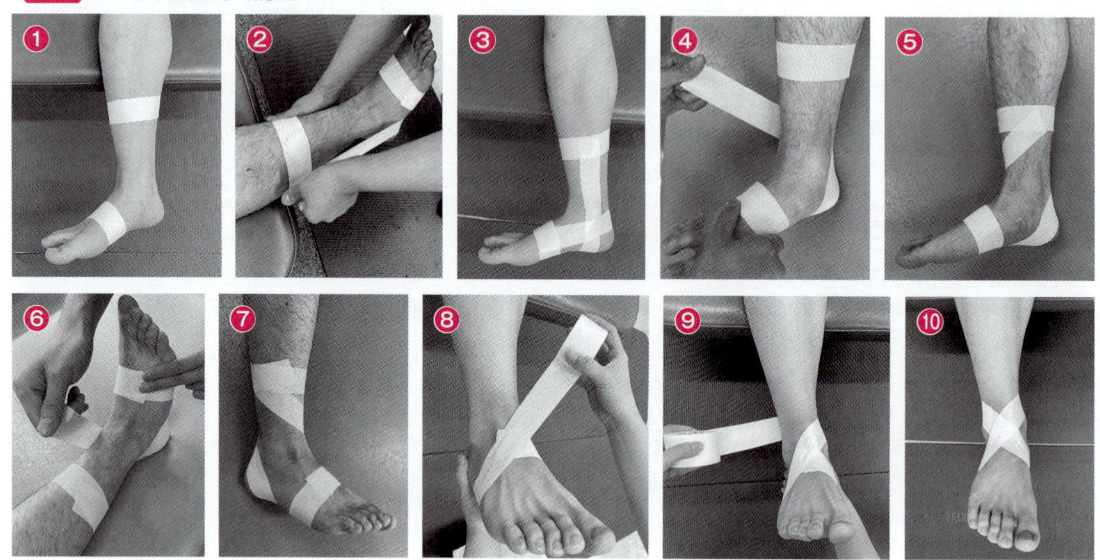

【文献】

1) Wildman T, et al：Allergic contact dermatitis from medical adhesive bandage in patients who report having a reaction to medical bandage. Dermatitis. 2008: 19（1）：32-37.

2) Csapo R, et al：Effects of Kinesio® taping on skeletal muscle strength—A meta-analysis of current evidence, J Sci Med Sport. 2015: 18（4）：450-456.

3) Morris D, et al：The clinical effects of Kinesio® Tex taping: A systematic review. Physiotherapy Theory and Practice, 2013: 29（4）：259–270.

4) Alexander CM, et al：Does tape facilitate or inhibit the lower fibres of trapezius? Manual Therapy. 2003. 8（1）：37-41.

5) Callaghan MJ, et al：The effects of patellar taping on knee joint proprioception. Journal of Athletic Training. 37(1)：19–24, 2002.

6) Kneeshaw D：Shoulder taping in the clinical setting. Journal of Bodywork and Movement Therapies. 6（1）：2–8, 2002.

7) Maria C, et al：Therapeutic Taping for Musculoskeletal Conditions. Elsevier, 2010.

8) Gigante A, et al：The effects to patellar taping on patellofemoral incongruence. A computed tomography study. Am J Sports Med, 29（1）：88-92, 2001.

9) Worrell T, et al：Effect of patellar taping and bracing on patellar position as determined by MRI in patients with patellofemoral pain. Journal of Athletic Training, 33（1）：16-20. 1998.

10) Pfeiffer R, et al：Kinematic MRI assessment of McConnell taping before and after exercise. Am J Sports Med, 32（3）：621-628, 2004.

11) Yu H, et al：The Effectiveness of Physical Agents for Lower-Limb Soft Tissue Injuries: A Systematic Review. JOSPT, 46（7）：523-554, 2016.

12) Parreira PCS, et al.: Current evidence does not support the use of Kinesio Taping in clinical practice: a systematic review. J Physiother, 60（1）：31-9, 2014.

13) Lewis JS, et al：Subacromial impingement syndrome: the effect of changing posture on shoulder range of movement. J Orthop Sports Phys Ther, 35（2）：72-87, 2005.

14) Host HH：Scapular taping in the treatment of anterior shoulder impingement. Physical Therapy, 75（9）：803-812, 1995.

15) Ghozy S, et al.: Efficacy of kinesio taping in treatment of shoulder pain and disability: a systematic review and meta-analysis of randomised controlled trials. Physiotherapy, 107: 176-188, 2020.

16) Turgut E, et al.: Evidence for taping in overhead athlete shoulders: a systematic review. Res Sports Med, 18: 1-30, 2021.

17) Greig AM, et al.: Postural taping decreases thoracic kyphosis but does not influence trunk muscle electromyographic activity or balance in women with osteoporosis. Man Ther, 13（3）：249-57, 2008.

18) Selkowitz DM, et al.: The effects of scapular taping on the surface electromyographic signal amplitude of shoulder girdle muscles during upper extremity elevation in individuals with suspected shoulder impingement syndrome. J Orthop Sports Phys Ther, 37（11）：694-702, 2007.

19) 日本スポーツ理学療法学会：第13章 前十字靱帯損傷理学療法ガイドライン．理学療法ガイドライン 第2版(公益社団法人日本理学療法士協会 監，一般社団法人 日本理学療法学会連合 理学療法標準化検討委員会ガイドライン部会 編）．pp.745-780, 医学書院，2021.

20) Derasari A, et al：McConnell taping shifts the patella inferiorly in patients with patellofemoral pain: a dynamic magnetic resonance imaging study. Journal of the American Physical Therapy association, 90（3）：411–419, 2010.

21) Aminaka N, et al：Systematic review of the effects of therapeutic taping on patellofemoral pain syndrome. Journal of Athletic Training, 40（4）：341-351, 2005.

22) 日本運動器理学療法学会：第12章 膝関節機能障害理学療法ガイドライン．理学療法ガイドライン 第2版（公益社団法人日本理学療法士協会 監，一般社団法人 日本理学療法学会連合 理学療法標準化検討委員会ガイドライン部会 編）．pp.693-743, 医学書院，2021.

23) McKay GD, et al：Ankle injuries in basketball: injury rate and risk factors. Br J Sports Med, 35（2）：103–108, 2001.

24) Zachary A. Cupler, et al.: Taping for conditions of the musculoskeletal system: an evidence map review. Chiropr Man Therap, 28（1）：52, 2020.

25) Biz CN, et al.: Is Kinesio Taping Effective for Sport Performance and Ankle Function of Athletes with Chronic Ankle Instability（CAI）? A Systematic Review and Meta-Analysis. Medicina（Kaunas），58（5）：620, 2022.

アスリートに対する徒手理学療法

近年では，スポーツにおける古典的なコンディショニングとしてのマッサージなどに加えて，徒手理学療法のいくつかの手技がアスリートに対して用いられている。本項では，①スポーツに対するバランスボールを用いたリズミックスタビライゼーション，②筋・筋膜に対する伸張手技や物理療法，マッサージ，③MWM in sportsの3つの手技について解説する。

大会に出場する競技能力が高いアスリートは，強くなればなるほど必然的に試合数が増え，競技時間が長くなることになる。そして試合に勝ち進むことにより，一般的には対戦相手が強くなり自身の競技能力の限界に近いプレーを強いられる。そのことは，ポジティブに考えると自身の競技能力を伸ばすことにつながると考えられる。しかし，自分自身の身体能力の限界に近づくことは，さまざまな身体機能にストレスが生じることになりかねない。例えば，足底部の皮膚が硬くなりまめ（胼胝）ができることや，足底腱膜や下腿三頭筋が緊張して痙攣すること，暑いフィールドで走り回るために下腿がパンパンに腫れて強い痛みが生じることもあるだろう。下肢や体幹の筋肉に疲労が生じ瞬発力が低下することや，筋持久力が著しく低下するとともに関節安定性が低下することさえある。これらの状況が蓄積されながら競技を続けていくことにより，さまざまな筋肉や関節に痛みが生じるアスリートが増加してきている。そして，このような筋肉痛や関節痛がスポーツ特有の動作で生じるだけではなく，安静時においても症状が残った状態で競技を続けているアスリートが増加してきている。近年では，これまでの古典的なスポーツにおけるコンディショニングとしてのマッサージなどに加えて，徒手理学療法のいくつかの手技がアスリートに対して用いられ，まだ弱いエビデンスではあるが結果を出してきている[1-3]。特に米国で野球やバスケットボールのプロアスリートに対する保存療法および術後の理学療法としてのバランスボールと神経筋促通法（proprioceptive neuromuscular facilitation：PNF）におけるリズミックスタビライゼーションを取り入れた手技やエビデンスが十分あるとはいえないものの，欧米では野球選手や水泳競技者などのメダリストを中心により新しい手技が多く取り入れられる傾向にある。その代表例がオイルやクリーム，ステンレス製の道具を用いて筋・筋膜を伸張させる手技，電気刺激や超音波などの物理療法，myofascial decompression，すなわちカッピングなどの適応（**図1**），欧州での徒手療法のmulligan conceptの代表的な治療手技であるmobilization with movement（MWM）を治療ベルトで行いながら，スポーツ特有の運動を行う手技（MWM in sports）などが注目を集めている。これらのスポーツにおける徒手理学療法に共通するのが，セラピストがアスリートに運動を反復させること，さらにその運動に弾性バンドやゴムチューブ，バランスボールなどの弾性体を用いて負荷や不安定性を加えている点である。本項では，近年，スポーツにおける徒手理学療法において実施されることが多くなってきた，①スポーツに対するバランスボールを用いたリズミックスタビライゼーション，②筋・筋膜に対する伸張手技や物理療法，マッサージ，そして③MWM in sportsの3つについて解説する。

図1 myofascial decompression

カップ内部を陰圧にして吸引しながら，肩周囲の軟部組織の柔軟性を出す

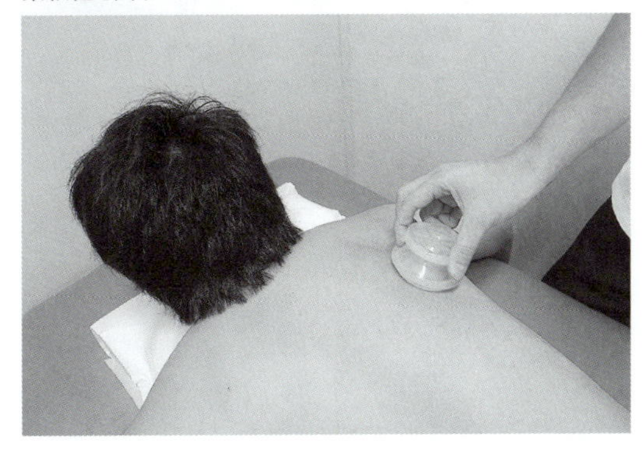

①スポーツに対するバランスボールを用いたリズミックスタビライゼーション

米国では，アスリートがスポーツ外傷により手術を受けることや保存療法が選択された後，スポーツ理学療法を受けて競技に復帰することが一般的になっている。アスリートは競技を続けるために，より多くの臨床経験と高い術後成績があり評判がよいスポーツドクターやスポーツ理学療法士を選ぶようになってきている。インターネットやスマートフォンの普及，スポーツドクターとスポーツ理学療法士の連携，スポーツ競技に特化した施設，MRIなどを含めた患者評価法の充実など，豊富な情報が集まるようになっている。特にプロアスリートは選手生命と収入に直接関連するため，自身の身体機能の回復とスポーツ理学療法士に対するマッチングを重視するようになっている。

アスリートに対するリズミックスタビライゼーションで有名なスポーツ理学療法士は，アラバマ州バーミングハムにあるChampion Sports Medicineにてassociate clinical directorとして働くKevin Wilk氏である。同氏は野球選手の肩関節機能と理学療法のバイブルとして考えられている『The Athlete's Shoulder』[4]やアスリート全般の外傷・傷害の評価と理学療法についてまとめられている『Physical Rehabilitation of the Injured Athlete』[5]の著者である。体幹だけではなく四肢関節における関節安定性を向上させるため，関節の深部に近い深部筋を強化することを目的とした自動運動を反復させるリズミックスタビライゼーションによる治療を理学療法に取り入れている。さらに，競技復帰を目指すアスリートでは体幹筋や下肢などの安定性が低下していることが多いため，バランスボールなどの不安定な支持装置を利用して体幹筋や下肢筋とともに関節不安定性に対する深部筋の強化運動が行われる（**図2**）。抵抗や反復速度，方向などについては，アスリートの機能改善に合わせて徐々に負荷を高め，複雑化させていくことが原則となる。

図2 バランスボールを利用したリズミックスタビライゼーション

不安定な支持面における肩関節深部筋に対して行う

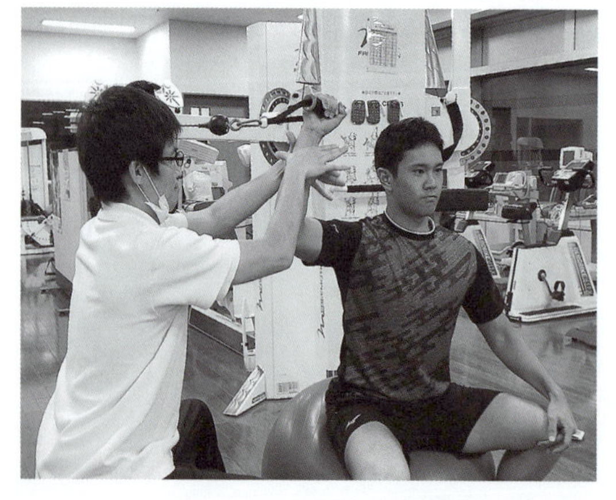

②アスリートに対する道具や物理療法などを応用した軟部組織へのアプローチ

一流のアスリートにおいて，練習の積み重ねによる筋疲労が生じることや，筋緊張が高くなることがある。このことは，筋・筋膜や関節に対するインバランスの原因となり，安楽な姿勢より身体にストレスが加えられた状態になることがある。これら筋・筋膜および関節のインバランスや不良姿勢に対する負担を軽減させるため，筋・筋膜の柔軟性の改善や関節の運動性と協調性の向上を図り，姿勢調整の改善を目的として，それほど十分なエビデンスが集約されていない新しい治療法が用いられることがある。筋・筋膜の柔軟性改善に対しては理学療法士の肘や前腕などさまざまな身体部位が使用されることがあるが，近年では道具を用いた軟部組織モビライゼーション（instrument assisted soft tissue mobilization：IASTM，**図3**）[6]や，オリンピック金メダル選手がmyofascial decompression（筋・筋膜の除圧）としてカッピング療法（**図1**）を受けていたことが有名になった。しかし，十分なエビデンスによる治療手技の選択よりも選手の感覚を優先した治療が用いられることがある（**図3**）。また，ポータブル機器での電気刺激や超音波などがアスリートの疼痛および筋疲労の管理治療の手技として用いられることがある。このようにアスリートに適応される徒手理学療法に関連する道具や機器は多岐にわたり，今後それぞれの治療効果についてアスリートの主観的評価から集約されることが望まれる。

③MWM in sports

徒手理学療法の領域で，他動運動だけではなく対象者の自動運動を反復させるMWMに関連して，弾性バンドやゴムチューブとケーブルを組み合わせた道具を用いて単純な身体運動を行わせる方法，

図3 道具を用いた軟部組織モビライゼーション(IASTM)

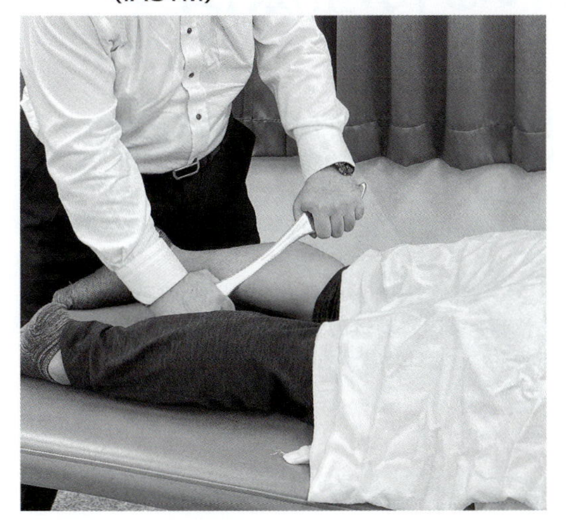

図4 MWM in sportsの一例

バレーボールのスパイク動作に対してケーブルによって負荷が加えられ，疼痛緩和を目的として肩関節には上腕骨頭を後下方に牽引する治療ベルトが用いられている。選手はスパイク動作を反復運動しながら痛みが生じないことを確かめつつ強化している

スポーツ特有の運動パターンを用いると同時に関節に対して関節モビライゼーションを行う方法が，ヨーロッパや中東で行われるようになってきている。例えば，バレーボールのスパイクでは，ジャンプ動作に加えて腕を振る動作があるが，そのときに肩の痛みがある場合，手や前腕の遠位に弾性バンドやケーブルを用いて肩関節の運動に抵抗を加えながら，肩の痛みに対して治療ベルトなどによって上腕骨を後下方にグライドを加えつつスパイク動作を反復させるような動作が，このようなカテゴリーに該当する（**図4**）。また，他の例では，フットボール選手がボールを蹴るときに支持側下肢の股関節に痛みがある場合を想定してほしい。理学療法士は選手の支持脚外側に立ち，治療ベルトを大腿近位部から外側方向に牽引を加えながら，両手で骨盤を固定する。その姿勢を保持しながらボールを蹴る動作をゆっくりと小さな振幅で行い，徐々に蹴る動作のスピードと振幅を増大させながら，疼痛緩和が進んでいることを確認する。一般的に，MWMは背臥位などの非荷重位で治療が行われる。非荷重位で痛みなどの症状が改善した場合には，部分荷重位や全荷重位による立位や片脚立位などの姿勢におけるMWMに進められる。

まとめ

アスリートに対する理学療法の介入は，疼痛管理やコンディショニングからアスレティックリハビリテーションなど多岐にわたる。練習時間や練習量が多いアスリートの身体的な治療手技として，徒手理学療法が求められる機会は今後さらに拡大していくものと考えられる。

【文献】

1) Abbott JH, et al：The initial effects of an elbow mobilization with movement technique on grip strength in subjects with lateral epicondylalgia. Manual Therapy, 6(3): 163-169, 2001.
2) Desmeules F, et al：Therapeutic Exercise and Orthopedic Manual Therapy for Impingement Syndrome: A Systematic Review. Clinical Journal of Sport Medicine, 13(3): 176-182, 2003.
3) Bang MD, et al：Comparison of Supervised Exercise With and Without Manual Physical Therapy for Patients With Shoulder Impingement Syndrome. Journal of Orthopaedic & Sports Physical Therapy, 30(3): 126-137, 2000.
4) Andrews JR, et al：The Athletes' Shoulder 2nd ed, Churchill Livingstone, 2008.
5) Andrews JR, et al：Physical Rehabilitation of the Injured Athlete 4th ed, Saunders, 2011.
6) 赤坂清和：アスリートに対する理学療法．運動器リハ，29 (4)：404-410, 2018.

アスリートに好まれる物理療法

物理療法に用いられる手段には，電磁エネルギー，音響エネルギー，力学的エネルギーなどが含まれ，健康の維持・最適化に寄与する生理学的効果や臨床効果を得るために，生物物理学的効果を細胞，組織，臓器，そして全身レベルにおいて生み出すことを目的に用いられると定義されている[1)]。治療だけでなく，コンディショニング・リカバリーのために物理療法を併用することで，徒手療法や運動療法の効果を高めることも可能である。

ここ数年で，急性期とそれ以降の対応方針についての提案や拡散型圧力波の新たな活用，遠征時のコンディショニングについてなど，アップデートされている情報も多い。直近の報告やスポーツ競技現場での活用例を踏まえ，アスリートによくみられる症状や目的別に，より効果があると考えられる物理療法について述べていく。

受傷後から競技復帰・コンディショニングまでの経過と物理療法

受傷後急性期の対応として，これまでは炎症と二次的な損傷を防ぐことを目的としたRICE［Rest（安静），Ice（冷却），Compression（圧迫），Elevation（挙上）］が重要視されることが多かった。近年，より早い回復を目指すために急性期だけでなく亜急性期や慢性期も含めてPEACE and LOVE［Protect（保護），Elevate（挙上），Avoid anti-inflammatory drug（抗炎症薬を避ける），Compress（圧迫），Education（教育），Load（負荷），Optimistic（楽観思考），Vascularization（血流を増やす），Exercise（運動）］が提唱された[2)]。過去の概念と異なるポイントは，特に急性期において，炎症は治癒過程に必要なものとして抗炎症薬の服用やアイシングを避けること，アスリート（患者）への教育の必要性を説いていることである。Frenchら[3)]の腰痛に対するレビューでは，急性・亜急性腰痛に対する温熱療法が疼痛と機能障害を軽減させ，運動療法との併用によりその効果が増すため寒冷療法の効果について結論は出ていないとした。一方で，過度なアイシングは治癒促進のために必要な過程である炎症を阻害してしまう可能性があるが，重度または急性増悪する可能性のある熱感や腫脹を伴うケースでは，瘢痕化や過度な炎症による治癒遅延も考慮に入れ，アイシングも選択肢の1つとなりうる。また，受傷後安静時に痛みがあるケースでも，疼痛軽減を目的としたアイシングを実施するケースも考えられる。

圧迫や保護が必要な急性期が過ぎた後は，速やかに適切な負荷をかけていく。どの程度の負荷をかけるかがスムーズな復帰へのポイントとなる。患部の保護のみに主眼を置くと不動により可動域制限や筋力低下などが起こり，競技パフォーマンスの低下につながりやすい。また，過度な炎症症状がないにもかかわらずアイシングを続けることは，患部の治癒過程を阻害してしまうので避けるべきである。患部の回復度合いを超える負荷をかけてしまうことも患部の治癒遅延に結び付きやすい。動作中に痛みがあると，たとえその動きが好ましい動作であるとしても痛みを避けるために代償動作が出現したり，痛みが出ないよう無意識のうちに加速・減速動作を避けたりするおそれがある。そのような状態が長く続くと患部が回復した後もダイナミックな動きを行いにくくなり，その後の競技人生に重大な影響を与えることにもつながりかねない。そのため，負荷量や痛みのコントロールは特に注意が必要である。患部に徐々に負荷をかけ，安心してプレイできるように，電気刺激療法や温熱療法などをはじめとする物理療法のエネルギーを利用し，患部の治癒促進だけでなく痛みのコントロールや患部周囲の可動性，筋発揮を補助する形で物理療法を利用することで，スムーズな復帰を支えることが可能である。

復帰後のコンディショニングにおいても物理療法の活用の場は多数ある。患部や全身への負荷が増えることで一時的に筋痛や筋の張り，全身の疲労などが出てくることがある。電気刺激療法では，筋痛を軽減し[4)]，収縮を促したい筋へ刺激を入れることで[5)]，練習前に患部に過剰な負担をかけない動作ができるようになり，好ましいコンディションで身体を動かすためのサポートが可能となる。その他にも，温浴や冷浴，コンプレッション機器の利用は運動後のリカバリーや時差，暑熱環境，長時間のフライトによる下肢の浮腫などに対する遠征時の積極的なコンディショニングにも活用され，障害予防やパフォーマンス向上の一助となりうる。

エネルギーの特徴と選択

使用する目的と対象とする組織に最も合致したエネルギーを選択できるように，代表的なエネルギーの特徴を述べる。

電気刺激

干渉波電流刺激（interferential current stimulation：IF），高電圧パルス電気刺激（high voltage pulsed current：HVPC），経皮的電気刺激（transcutaneous electrical nerve stimulation：TENS），微弱電流（microcurrent electrical neuromuscular. stimulation：MENS），神経筋電気刺激（electrical muscle stimulation：EMS）などの種類がある。

IFは，疼痛制御を目的として2種類の中周波を干渉させて低周波を生成するもので，皮膚への刺激が少なく広範囲に適応可能である。HVPCは，瞬間的に高電圧をかけることで皮膚の電気抵抗が少なくなり組織の深達度が高くなるため，タンパク質の血管外への移動を遮断したり微小血管径を縮小したりすることによる組織修復や浮腫軽減効果が得られる。TENSは，ゲートコントロール理論*や内因性オピオイドの産生による疼痛の抑制効果がある。IF，HVPC，TENSは電流の作用によりそれぞれ到達深度が異なる。MENSはほぼ無刺激で，組織損傷時に生まれる損傷電流と同様の電流を利用することでATP生成やタンパク質合成の促進が期待でき，組織修復による創傷の治癒や，創傷後の疼痛の制御などにも利用可能である。EMSはα運動神経の刺激により筋の促通や筋力増強効果が得られる。

＊身体的な痛みの感覚を説明する理論の1つで，非侵襲受容線維の活動が高まるとゲートが閉じた状態となり，疼痛が軽減されるといわれている。

超音波

温熱作用として，血管拡張，血流促進，神経伝達速度の上昇，組織代謝の促進，疼痛閾値の上昇，疼痛制御，結合組織の伸展性増大による軟部組織の柔軟化の効果が得られる。超音波の温熱作用による組織温の上昇効果は2〜3分で少なくなるとされており[6,7]，超音波療法実施直後に運動療法を用いるか，超音波療法と運動療法を併用しながらの使用が望ましい。

非温熱作用として，細胞内カルシウムの増加，細胞膜・血管透過性亢進，層構成因子とヒスタミン遊離の増加，マクロファージの反応性増加，線維芽細胞・腱細胞のタンパク質合成率の増加による組織治癒促進，浮腫軽減作用がある。低出力パルス超音波（low-intensity pulsed ultrasound：LIPUS）は，急性期や骨折だけでなく慢性アキレス腱障害[8]といった慢性期の炎症症状改善にも効果がある。

ラジオ波（高周波温熱機器）

分子を振動させるときの摩擦熱（ジュール熱）を利用した機器で，電気抵抗が高い部分がより加温されやすい。治療モードは，導子直下を加温するモードと深部を加温するモードの2つがある。深部加温モードでは，水分量が低下し電気抵抗が高くなると考えられる軟部組織の損傷部位や硬結，癒着がある部位を選択的に加温することができる。ラジオ波と徒手療法との併用により施術者が手技を加えている部分を加温できたり，運動療法との併用により動作時に張りが出やすい箇所を選択的に加温したりすることも可能である。超音波と同様に，出力を調整して非温熱作用を狙った利用も可能である。

拡散型圧力波

エネルギーが一点に集束される集束型と異なりエネルギーが広がりながら伝わるもので，慢性的な筋・腱障害の疼痛軽減や治癒促進のために使われることが多かった。近年，急性期に使用しても効果があるとした報告もある[9]。

光線

スポーツ分野で治療に用いられることの多い光線療法として，近赤外線と半導体レーザーがある。近赤外線による治療では温熱作用による血流改善や鎮痛効果，創傷部の治癒促進効果がある。半導体レーザーでの低反応レベルレーザー治療(low level laser therapy：LLLT)では，組織をほとんど温めることなく疼痛の改善と創傷治癒の効果がある。光線療法はピンポイントで患部を狙いたいときや皮膚の凹凸面でも使用しやすいこと，非接触でも利用できることが利点である。

コンディショニング分野では，2,500lux以上の高照度LED光を深部体温が最も低くなるタイミングから2〜3時間後に浴びることで，睡眠・覚醒リズムを調整することができる。試合の時間帯が早朝や深夜のときや，時差の大きい海外遠征の際に活用され始めている[10]。

● 温熱と冷却

温熱効果は，軟部組織の伸張性向上，血管拡張・血流改善による循環改善，疼痛軽減，治癒促進などがある。電気刺激療法を実施する前に温熱療法を実施することで，その効果を高めることも可能である。超音波(温熱)やラジオ波，近赤外線などの物理療法機器やハイドロセラピー(温浴)により温熱効果が得られる。

寒冷刺激による効果は，炎症抑制や痛みに関連する神経の伝達速度を遅延させることによる疼痛軽減などである。氷や冷水，コールドスプレーや液体窒素を用いた冷却療法がある。

加温は，超音波やラジオ波を用いることで選択的に深部まで到達させることも可能であるが，冷却は皮膚表層からの冷却刺激か冷たい飲料を摂取することによる内部冷却に頼るしかなく，深部をピンポイントで冷却することは難しい。

● ハイドロセラピー

水中では重力だけでなく浮力も作用することで，抗重力筋の活動低下と静水圧による静脈還流増加の効果が得られる。水は空気より比熱が高いため身体により早く温冷の熱を伝えることが可能であり，凹凸があるところでも熱が伝わりやすいという特徴がある。水の特性を生かしたリカバリー方法として，温浴と冷浴を交互に数回実施する交代浴がある。身体の温熱と冷却を繰り返すことは，温浴のみよりも循環改善効果が高いと考えられる。温浴時，温水に二酸化炭素が溶け込んだ高濃度人工炭酸泉を用いることで温熱効果が得られやすくなる。

● コンプレッション機器

コンプレッション機器は，持続的な圧迫による循環の改善を狙うものであり，激しい運動による末梢の代謝産物滞留や飛行機など長時間の不動による一時的な循環不全に対して，早期に改善する方法として用いられる。急性外傷後で圧迫が必要なときに寒冷療法と併用して使用されることもある。水中でも循環の改善は図れるが，コンプレッション機器は自室やベッド内で休んでいる間でも利用可能である。

● 振動刺激

全身振動刺激(whole body vibration：WBV)は振動しているプレートに荷重をかけてエクササイズやストレッチをするもので，筋力向上やパワー向上，柔軟性の改善[11]，遅発性筋痛軽減[12]の効果がある。局所振動刺激(local body vibration：LBV)は球体や筒状，ピストル状の物などさまざまな形の機器がある。

● 吸引治療器

コンプレッション機器のような圧迫刺激ではなく，体表の皮膚や皮下組織に陰圧をかけ吸い上げる吸引作用により，疼痛軽減や機能障害改善効果が得られる[13]。術後の癒着をはじめとする軟部組織の伸張性改善にも効果があると考えられる。

症状・目的別の活用例(**表1，2**)

● 急性期，受傷直後

外傷後や術後の安静時痛，過度な炎症・熱感

急性期の寒冷療法は組織の治癒に必要な過程である炎症を抑制してしまうが，MENSとアイシングを併用することでMENSのみと比較して損傷した筋の再生効果が高い[14]との報告があり，寒冷療法とMENSを併用して使うことが推奨される(**図1**)。

関節内腫脹と疼痛

寒冷療法で股関節や膝関節などの深部にアプローチするのは困難である。深部にはHVPCや超音波(非温熱)，ラジオ波(非温熱)で対応する。**図2**は膝関節の浮腫(腫脹)軽減と鎮痛を目的としたHVPC実施時の様子である。

表1 急性期・慢性期の物理療法

	急性期	慢性期
疼痛緩和	・TENS(浅層) ・IF(表層) ・HVPC(深層) ・MENS ・寒冷療法 ・LIPUS，超音波(非温熱)	・温熱療法 ・LIPUS，超音波(非温熱) ・拡散型圧力波
浮腫軽減	・LIPUS，超音波(非温熱) ・HVPC	・温熱療法 ・コンプレッション機器 ・ハイドロセラピー
治癒促進	・MENS ・HVPC ・LLLT ・LIPUS，超音波(非温熱) ・拡散型圧力波	・拡散型圧力波 ・温熱療法 ・光線療法(レーザー)

TENS(経皮的電気刺激)，IF(干渉波電流刺激)，HVPC(高電圧パルス電気刺激)，MENS(微弱電流)，LIPUS(低出力パルス超音波)，LLLT(低反応レベルレーザー治療)

表2 病態とよく使われるエネルギー例

軟部組織の伸張性改善	温熱療法 ・温浴：広範囲 ・超音波：ピンポイント ・ラジオ波：拘縮部位，深層 吸引治療器：浅層
筋収縮	・EMS：浅層の筋群 ・HVPC：深層の筋群 ・WBV：全身
筋弛緩	・MENS ・IF ・温熱療法：筋緊張 ・寒冷療法：筋痙縮 ・LBV

EMS(神経筋電気刺激)，WBV(全身振動刺激)，LBV(局所振動刺激)

図1 急性期の外傷，術後のアプローチ例(アイシングマシンとMENS)

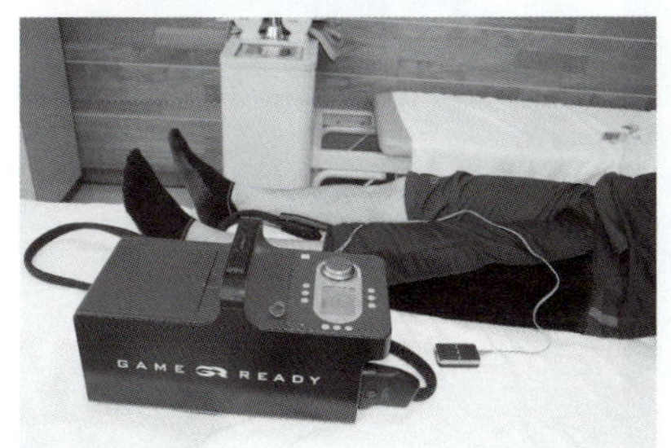

図2 深部の浮腫軽減と鎮痛のためのHVPC

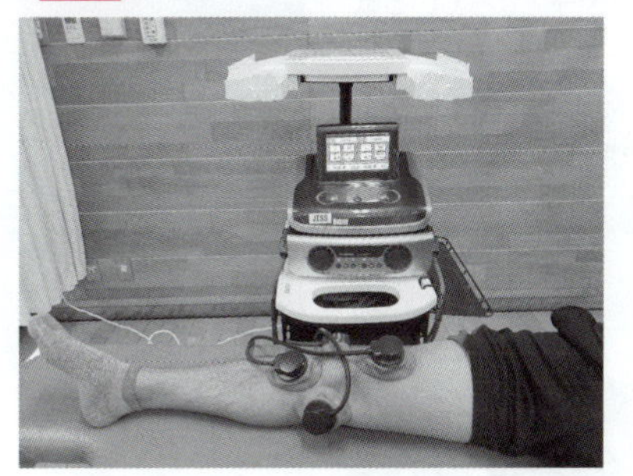

ハムストリング肉ばなれ後の疼痛

超音波(非温熱)による鎮痛・浮腫軽減のほかに，ドイツのサッカーチームで急性期においても拡散型圧力波を用いることで復帰時期が早く再受傷率も低かった[9]との報告があり，今後さらなる拡散型圧力波の活用が期待される(**図3**)。

術創部や創傷部の治癒促進

不織布の付いていないドレッシング材で覆われている傷は，上から超音波を加えられることもある。不織布などが付いている場合や傷がまだ乾いていない場合は，その部位を挟み込むようにしてMENSを加えるか(**図4**)，LLLTを使用する。

疲労骨折による疼痛，治癒促進

超音波(非温熱)やLIPUS(**図5**)以外に，拡散型圧力波を使用しているケースも散見される。どのエネルギーを用いると最も効果が高いかは，2023年現在まだ報告されていない。

筋痙縮

特に暑熱環境下で発生する下腿の筋痙縮では，寒冷療法を用いると即時的に筋弛緩を図れることが多い(**図6**)。飲水なども並行して実施する。

● 慢性期によくみられる症状に対する物理療法

肉ばなれ後，受傷部位の疼痛・筋硬結と可動域制限

筋硬結部を選択的に加温するとともに可動域制限となっている部位へ温熱刺激を加えるため，ストレッチや関節運動をしながらラジオ波の深部加温モードで温熱刺激を与える(**図7**)。

筋挫傷後の慢性疼痛と可動域制限

組織温上昇に伴う循環改善，骨格筋のリラクゼーション，軟部組織の伸張性改善のための温浴(高濃度人工炭酸泉浴：**図8**)，その後の吸引治療器による癒着改善(**図9**)により慢性疼痛と可動域制限の改善を目指す。

下肢のスティフネス

MTSSに付随してみられるような下腿のスティフネスでは，下腿の筋膜や筋線維の弛緩を目的としたMENSを選択する。シート型のゴム電極を用いることで広範囲にアプローチ可能である(**図10**)。

腱炎とそれに伴う可動域制限

例として，アキレス腱炎による患部の圧痛や足関節の可動域制限では，アキレス腱付着部周囲の

図3 肉ばなれ急性期の拡散型圧力波による対応

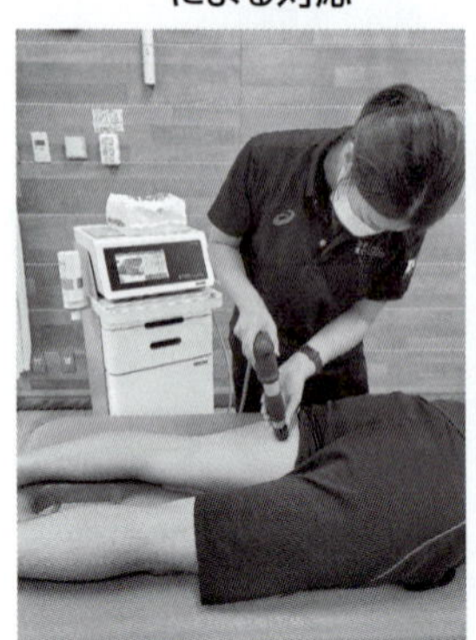

図4 術創部の治癒促進を目的としたMENS

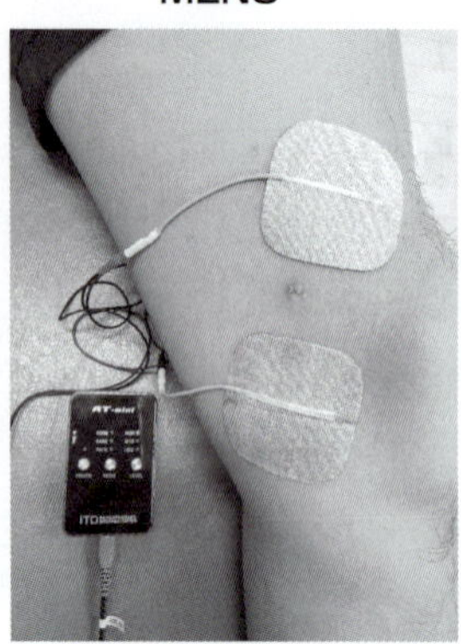

図5 疼痛軽減と治癒促進のための超音波（非温熱）

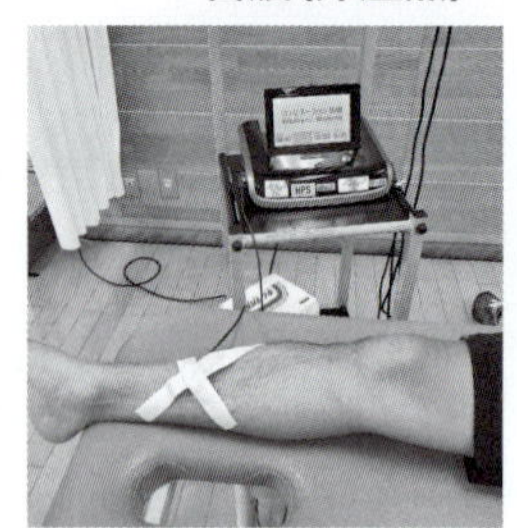

図6 下腿三頭筋の筋痙縮に対する寒冷療法

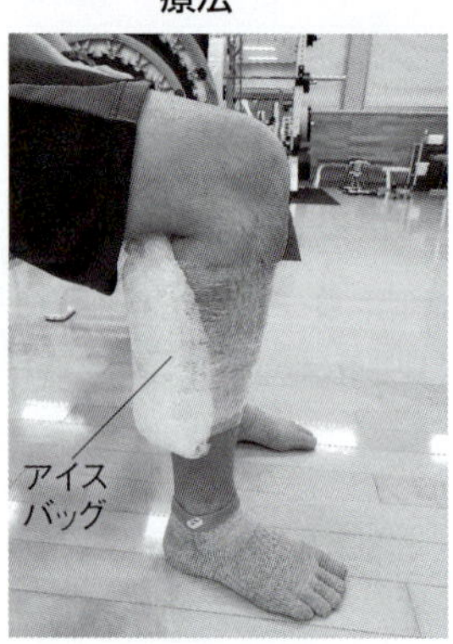

図7 ラジオ波を用いた温熱療法

ハムストリング肉ばなれ硬結部位と可動域制限の因子となっている軟部組織に対してアプローチしている

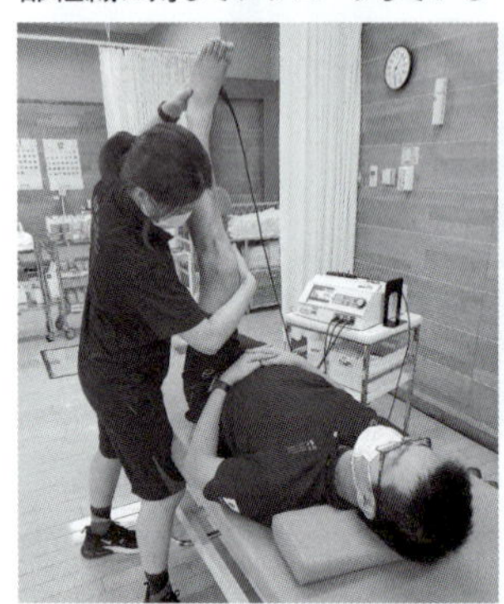

図8 高濃度人工炭酸泉浴

温熱により軟部組織の伸張性改善を図る

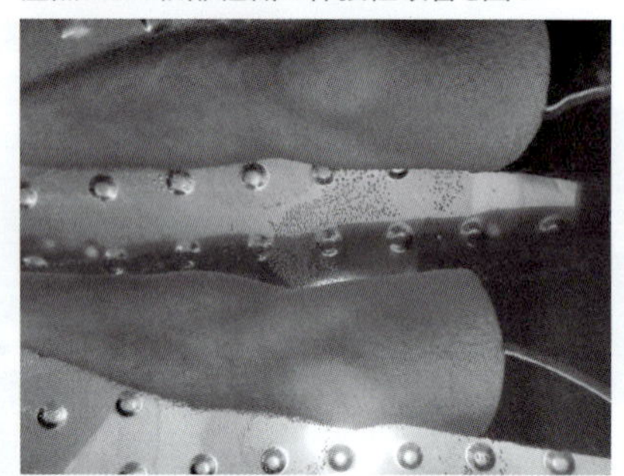

図9 吸引治療器による癒着改善

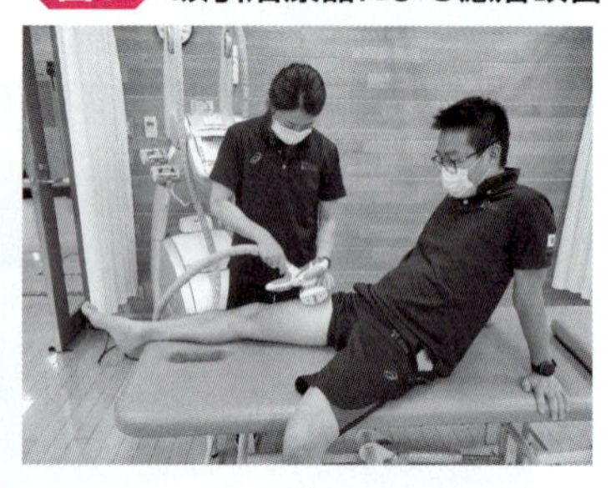

図10 下腿後面の緊張緩和を目的としたMENSを用いた電気刺激

タオルの下にゴムシート型電極を貼付している

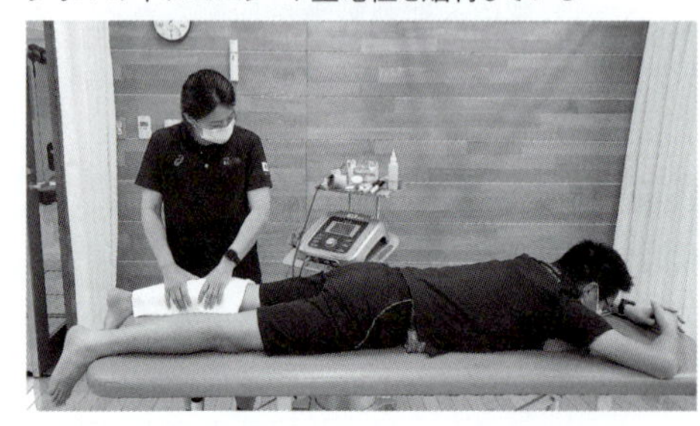

疼痛箇所と，下腿三頭筋内で背屈時に特に緊張が高くなる部位に拡散型圧力波を実施する。足関節底背屈運動を行いながら当てるとより効果が出やすい（**図11**）。

コンディショニングに用いられる物理療法

筋収縮を促すための EMS

EMSはベッド上静止位で使用するだけでなく，筋収縮を促したい動作を実施しながら使用するとよい。**図12**にスクワット動作時の内側広筋に対するEMSを示す。

動的バランス能力向上のための WBV

WBVは筋力やパワー向上以外に，動的バランス能力向上の効果もあるとされている[15]。片脚ルーマニアンデッドリフトなど，通常実施しているエクササイズをWBV機器上で実施することでより効果が増す。**図13**に片脚動的バランス安定化のためのWBVを例示する。

筋力増強効果向上のための温浴

高強度の筋力トレーニング後，全身を加温すると最大筋力の向上効果が増す[16]との報告がある。温水に入浴することでより短時間で筋力増強効果が得られやすくなると考えられる（**図14**）。

リカバリーに用いられる物理療法

全身の疲労改善を目的とした交代浴

温浴による血管拡張と冷水による血管収縮を交互に数回繰り返すことで，循環改善が期待できる（**図15**）。

図11 アキレス腱炎に対する拡散型圧力波

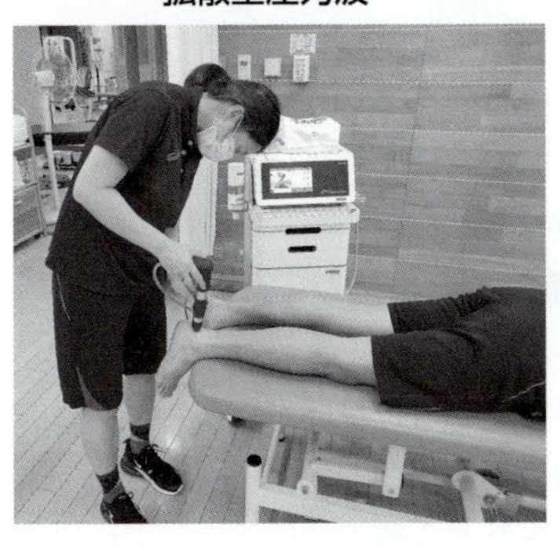

図12 EMSを用いた電気刺激

スクワット動作時に電気刺激を加えることで内側広筋の筋収縮を促通している

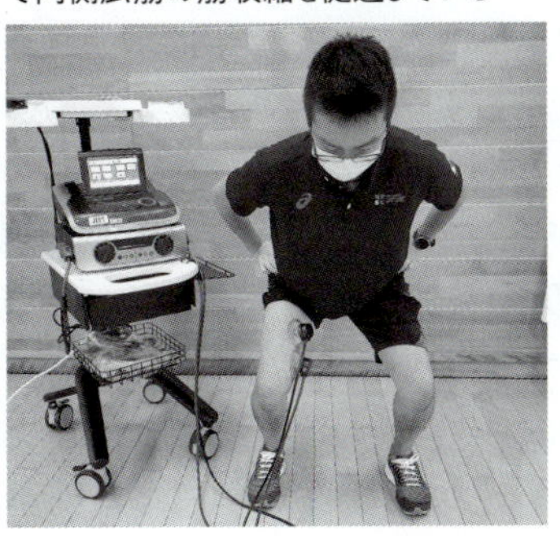

図13 片脚動的バランス能力向上のためのWBV

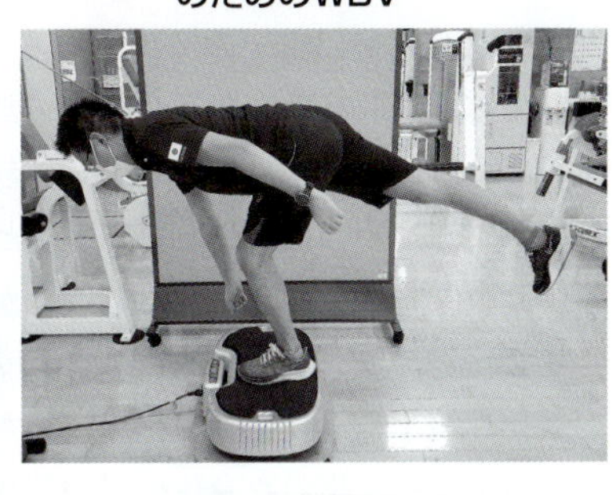

図14 トレーニングによる筋力増強効果をより高めるための高濃度人工炭酸泉浴

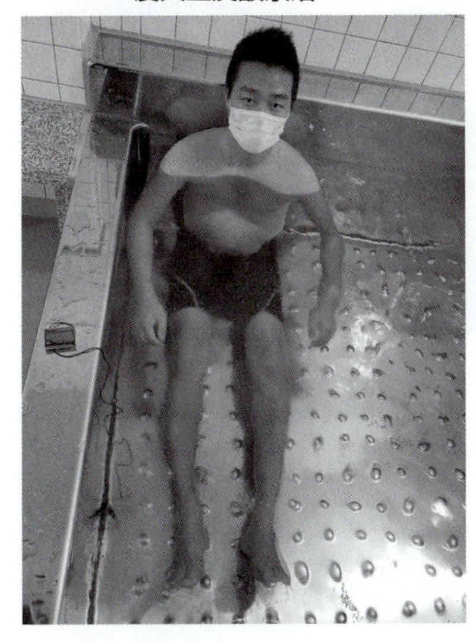

図15 全身の疲労回復を目的とした交代浴装置

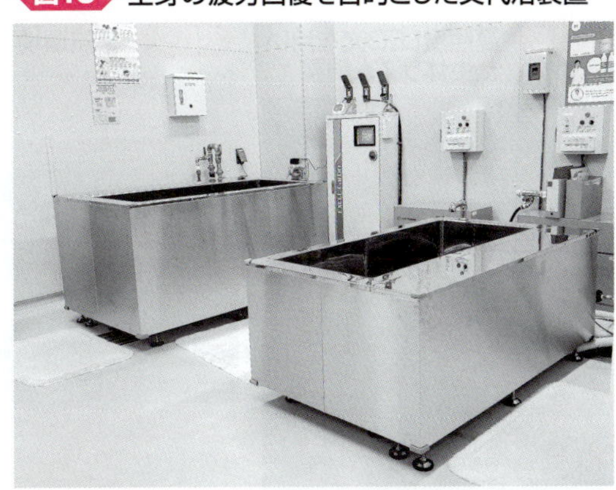

図16 コンプレッション機器

高強度運動後の遅発性筋痛軽減や遠征時の下肢循環改善を図る

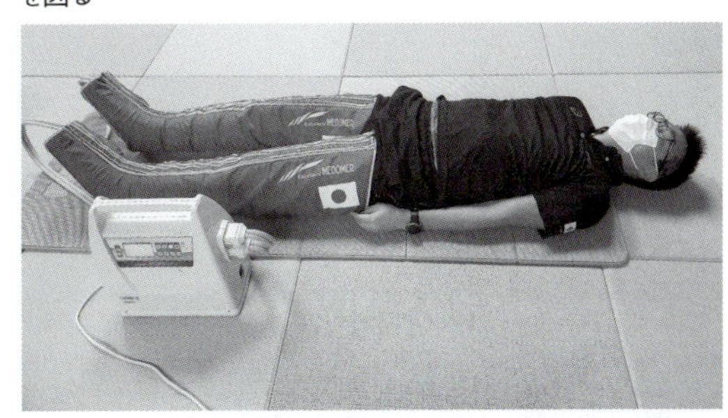

図17 LBVによる腸脛靭帯マッサージ

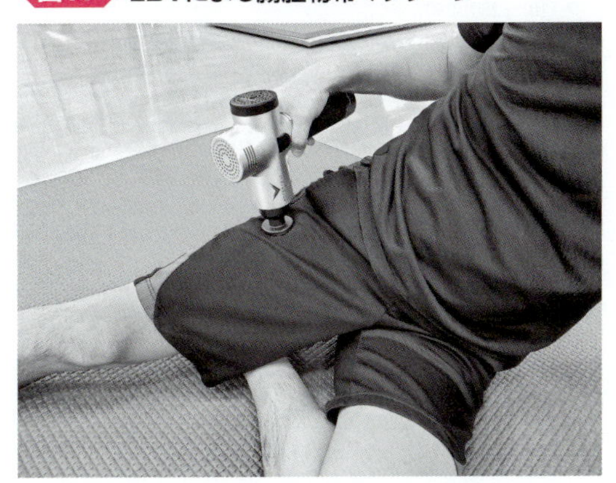

高強度運動後の遅発性筋痛軽減を狙ったコンプレッション機器

高強度の遠心性収縮トレーニング後，疼痛と腫脹を軽減し，筋力の回復が促進されるとの報告がある[17]（**図16**）。

マッサージ，フォームローラーによるリリース，LBV

マッサージは運動後の筋損傷や遅発性筋痛，疲労感の軽減効果があり，フォームローラーによるリリースは運動パフォーマンスの回復効果がある[18]。LBVを用いることで同じような効果が得られると考えられる（**図17**）。

● 特殊な環境での活用

生体リズム調整のための高照度LED光

普段の競技活動時間と異なり，早朝や深夜などに実施される試合に向けて生体リズムを調整するためには高照度LED光が有用である（**図18**）。例として普段より早い時間帯に向けて調整する際は毎日30分程度を目安に早く起床し，起床後すぐに1時間ほど高照度LED光を浴びることで生体リズムの調整を行い，試合に備えることができる。

パフォーマンス向上・改善のための身体冷却

暑熱環境下で競技活動を行うにあたり，運動前の冷水浴などを用いた身体冷却が持久性パフォーマンス向上につながる。また，運動後の冷水浴はパフォーマンス改善効果が期待できる（**図19**）。

下肢の循環障害改善のためのコンプレッション機器

遠征時の飛行機移動など，長時間移動時での不動による下肢の循環障害改善にはコンプレッション機器（**図16**）が有用である。

携帯型物理療法機器の活用

合宿・遠征時は物理療法を実施する環境がまだまだ整備されていないことが多い。持ち運びが容易な携帯型の物理療法機器（**図20**）や，シール貼り付け型のMENSなども積極的に活用していきたい。

図18 高照度LED光を用いた生体リズム調整

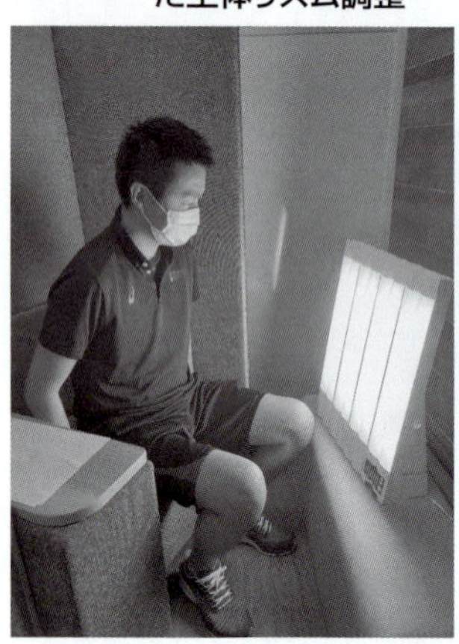

図19 暑熱環境下での運動後の冷水浴

図20 持ち運びが容易な携帯型物理療法機器の例

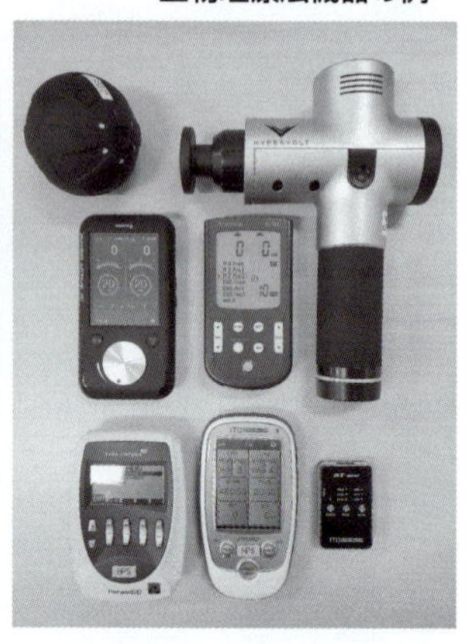

【文献】

1) Goh A-C, 阿部裕一：物理療法の新しい潮流：新しい時代に向けて．物理療法科学，22（1）：4-14, 2015.
2) Dubois B, Esculier JF: Soft-tissue injuries simply need PEACE and LOVE. Br J Sports Med, 54（2）：72-73, 2020.
3) French SD, Cameron M, et al.: A Cochrane review of superficial heat or cold for low back pain. Spine（Phila Pa 1976），31（9）：998-1006, 2006.
4) Babault N, Cometti C, et al.: Does electrical stimulation enhance post-exercise performance recovery？ Eur J Appl Physiol, 111（10）：2501-2507, 2011.
5) Paillard T: Combined application of neuromuscular electrical stimulation and voluntary muscular contractions. Sports Med, 38（2）：161-177, 2008.
6) Draper DO, Castel JC, et al.: Rate of temperature increase in human muscle during 1 MHz and 3 MHz continuous ultrasound. J Orthop Sports Phys Ther, 22（4）：142-150, 1995.
7) Rose S, Draper DO, et al.: The Stretching Window Part Two: Rate of Thermal Decay in Deep Muscle Following 1-MHz Ultrasound. J Athl Train, 31（2）：139-143, 1996.
8) Hsu AR, Holmes GB: Preliminary Treatment of Achilles Tendinopathy Using Low-Intensity Pulsed Ultrasound. Foot Ankle Spec, 9（1）：52-57, 2016.
9) Morgan JPM, Hamm M, et al: Return to play after treating acute muscle injuries in elite football players with radial extracorporeal shock wave therapy. J Orthop Surg Res, 16（1）：708, 2021.
10) 星川雅子：アスリートの睡眠と時差調整．生体の科学，71（3）：243-248, 2020.
11) Alam MM, Khan AA, et al.: Effect of whole-body vibration on neuromuscular performance: A literature review. Work, 59（4）：571-583, 2018.
12) Lau WY, Nosaka K: Effect of vibration treatment on symptoms associated with eccentric exercise-induced muscle damage. Am J Phys Med Rehabil, 90（8）：648-657, 2011.
13) Salemi MM, Gomes V, et al.: Effect of Dry Cupping Therapy on Pain and Functional Disability in Persistent Non-Specific Low Back Pain: A Randomized Controlled Clinical Trial. J Acupunct Meridian Stud, 14（6）：219-230, 2021.
14) Yoshida A, Fujiya H, et al.: Regeneration of Injured Tibialis Anterior Muscle in Mice in Response to Microcurrent Electrical Neuromuscular Stimulation with or without Icing. Journal of St. Marianna University, 6（2）：159-169, 2015.
15) Chang WD, Chen S, et al.: Effects of Whole-Body Vibration and Balance Training on Female Athletes with Chronic Ankle Instability. J Clin Med, 10（11）：2380, 2021.
16) 稲見崇孝，伊藤要子，ほか：マイルド加温（温熱ストレス）が筋力増強訓練の短期効果に及ぼす影響．日臨スポーツ医会誌，18(3)：428-434, 2010.
17) Kraemer WJ, Bush JA, et al.: Influence of compression therapy on symptoms following soft tissue injury from maximal eccentric exercise. J Orthop Sports Phys Ther, 31（6）：282-290, 2001.
18) 伊藤大永：積極的なリカバリー介入の効果と回復メカニズム．トレーニングとリカバリーの科学的基礎 第1版(平山邦明 編)．pp.202-217, 文光堂，2021.

アスリートに対するパフォーマンスエンハンスメント

スポーツ理学療法においては，各スポーツ種目に特異的なパフォーマンスを最大化するための知識とスキルが求められる。スポーツ復帰に不可欠なパフォーマンスエンハンスメントは，国際スポーツ理学療法連盟によりスポーツ理学療法のコンピテンシーの1つとして明記されている[1)]。本項では，改善すべき身体能力を特定するための競技パフォーマンス要素の測定と，その結果に基づいて計画される栄養戦略，各種エクササイズ・トレーニングについて解説する。

競技パフォーマンス要素の測定と評価

改善すべき身体能力を特定し，具体的な指導やトレーニングを計画するために競技パフォーマンス要素を測定する[2)]（**表1**）。パフォーマンス要素の評価は，競技能力の客観化やアスリートタレントの発掘にも役立つ。テストは，環境，安全性，スポーツ種目特性（エネルギー代謝機構，バイオメカニクス），妥当性，再現性，経験などを考慮して選択・実施し，基準値との比較を含めて分析する。テストは個人やチーム・集団の単位で定期的に実施し，目標値を設定しながら経過と達成度合を確認する。データ分析の結果はアスリート本人やスタッフと共有し，アプローチについて議論する。テストで用いる運動課題はトレーニングとしても活用できる。

パフォーマンスエンハンスメントのための一般的な指導

パフォーマンスを最大化するための一般的な指導としては，①栄養戦略，②レジスタンストレーニング，③プライオメトリックトレーニング，④スピードトレーニング，⑤アジリティトレーニングが挙げられる。エクササイズ・トレーニングの計画では，競技特異性，様式，強度，継続時間，回復，漸増負荷，ウォームアップ，安全面，実践経験を考慮する。

栄養戦略

試合前や試合中に飲食するものは生理・心理学的にパフォーマンスに影響し，試合後に飲食するものはリカバリーに影響しうる。高強度の運動前には適切な水分状態と血中グルコースおよび貯蔵グリコーゲンレベルを維持し，筋疲労の抑制，疲労困憊までの時間延長，無酸素性パフォーマンス向上のために水分や高炭水化物，タンパク質を摂取する[2-4)]（**表2**）。有酸素性持久系競技のアスリートでは，筋分解の抑制，免疫および神経系の機能維持の効果があるカーボローディングによってランニング能力向上を図る[5,6)]。カーボローディングとは競技の数時間前に高炭水化物食を摂取することや，競技前の数日間に高炭水化物食を摂取しな

表1 競技パフォーマンス基本要素とテスト

要素	テスト
最大筋力 **（低速度での最大筋力）**	・ベンチプレス ・ベンチプル ・バックスクワットの1RM ・等尺性筋トルク ・等運動性筋トルク
無酸素性最大筋パワー **（高速度での最大筋力）**	・パワークリーン ・プッシュジャークの1RM ・垂直跳び高 ・立ち幅跳び距離 ・反応筋力指数（コンタクトマットシステムや床反力計を使用） ・階段駆け上がり時間 ・自転車エルゴメータでのウィンゲート無酸素性テスト
無酸素性能力 **（30～90秒の動作テストで発揮される最大パワー）**	・274mシャトルランテスト
局所筋持久力 **（特定の筋の反復収縮能力）**	・一定負荷レジスタンストレーニング（懸垂，ディップ，プッシュアップ，カールアップ，ベンチプレスなど）の反復回数
有酸素性能力 **（有酸素性パワー，エネルギー源酸化によるエネルギー最大生産速度）**	・最大酸素摂取量 ・1.6km以上のランニングテスト（2.4km走，12分間走，最大有酸素性スピードテスト，Yo-Yo間欠性リカバリーテスト
アジリティ **（素早い方向転換およびスピード変換能力）**	・Tテスト ・ヘキサゴンテスト ・505アジリティテスト ・プロアジリティテスト
スピード **（単位時間の移動能力）**	・9.1m，18.3m，36.6mの直進スプリント時間
バランスと安定性 **（静的・動的平衡を保つ能力）**	・動的バランス計測装置 ・スターエクスカーションバランステスト

1RM（one-repetition maximum）：エクササイズ課題を1回行うことができる最大挙上重量

がらトレーニング量を減らす手法である。試合中や時間間隔が狭い試合の間にはナトリウムやカリウムが含まれた水分を摂取し，液体やジェル状の炭水化物やタンパク質を摂取する[7-9]。試合後は，水分やナトリウムの補給，グリコーゲンの貯蔵により筋組織修復や遅発性筋痛抑制を手助けし，次の活動の準備につなげるために炭水化物や電解質を含むドリンクやタンパク質を摂る[10]。

薬理学的にパフォーマンス向上効果が期待できるサプリメントや補助食品があるが，使用が禁止されているものや，禁止されていなくとも有害な副作用が生じうるものがあるため選手や関係者とともに十分に注意し，日本アンチドーピング機構（Japan anti-doping agency：JADA）などの専門機関（http://www.playtruejapan.org/）やスポーツファーマシスト（https://www.sp.playtruejapan.org/）などの専門職に適時確認する。

Training

試合参加前の栄養摂取

栄養戦略を誤るとパフォーマンスが下がる可能性もある。例えば，消化に時間がかかりやすい脂質や食物繊維は胃痙攣などの原因となりうるため試合前の多量摂取は控えるように指導する。いずれの食品も練習前に試して症状や自覚的パフォーマンスを確認してから試合前に摂取するよう指導する。

レジスタンストレーニング

特異性，漸進性，過負荷の原則を考慮したレジスタンストレーニングによって，中枢および運動単位の適応や筋の肥大・タイプ移行・増殖などが促され，無酸素性パフォーマンスが向上する。レジスタンストレーニングには体脂肪率の軽減を含めて体組成をコントロールする効果もある[11]。グリップ，姿勢，関節運動範囲・速度，呼吸を考慮して，適切なフリーウエイトやマシーンを使用したトレーニングを指導する。レジスタンストレーニング中は運動する関節をより大きな範囲で動かすことで筋力増強や筋肥大の効果が高まりやすく，パフォーマンス向上にもつながりやすい[12]。ベンチプレス，ショルダープレス，レッグエクステンションなどの部位別のトレーニングと，パワークリーンやスナッチなどの全身のパワー向上を目的としたトレーニングがある[1,13]（**図1，2，表3**）。フリーウエイトトレーニングによる傷害リスクは低くないため，安全かつ効果的な方法についてストレングス＆コンディショニング専門職とともに指導することが理想である。レジスタンストレー

表2 アスリートのための試合前の飲食物摂取の一例

試合までの時間	推奨される食物（体重1kg当たり）	推奨される飲料（体重1kg当たり）	飲食例（体重68kgの場合）
1時間以上	炭水化物0.5g	―	炭水化物34g（小さなバナナ1本，スポーツドリンク240mL）
2時間	炭水化物1g	3〜5mLを少量ずつ	炭水化物68g，200〜360mLの飲料（ボイルトマト1個，ミートベーグル1個，ジャム大さじ1杯，スポーツドリンク240mL）
3時間	炭水化物1〜4g タンパク質0.2〜0.3g	5〜7mLを少量ずつ	炭水化物68〜280g，タンパク質10〜17g（卵白サンドウィッチ2個）

図1 ハングパワークリーン

❶開始姿勢：足を腰幅から肩幅に開き足底全体を接地させる。手の幅を肩幅より少し広めにし，バーを前腕回内位で握る。脊柱を中間位に保ち，肘を伸展したままバーを下腿部まで挙げて保持する
❷，❸上方へのプル動作：股関節，膝，脚を素早く伸展させ，バーを体幹に沿わせて引き上げる
❹キャッチ：下肢が伸展した後にバーの下に身体を引き込み，三角筋部と鎖骨部にバーを乗せる

図2 ハングパワースナッチ

❶開始姿勢：足を腰幅から肩幅に開き足底全体を接地させる。手の幅は両肩を外転したときの両肘の距離とし，バーを前腕回内位で握る。脊柱を中間位かやや伸展位に保ち，肘を伸展したままバーを大腿部まで挙げて保持する
❷，❸上方へのプル動作：股関節，膝，脚を素早く伸展させ，バーを体幹に沿わせて引き上げる
❹キャッチ：下肢が伸展した後にバーの下に身体を引き込み，肘を伸展したまま頭上の耳のやや後方でキャッチする

ニングは適切なピリオダイゼーションによって最大筋力がより増大しやすくなる[14]。

プライオメトリックトレーニング

プライオメトリックトレーニングは「ストレッチショートニングサイクルを含む予備伸張や反復動作を用いた素早くパワフルな動作」と定義される。このトレーニングの目的は筋腱が伸張されるときに蓄積された弾性エネルギーと，筋紡錘による伸張反射を利用してその後の動作における筋力やパワーを増大させることである。下肢には，その場ジャンプ，連続ホップ，ボックスドリル，デプスジャンプなど（**図3**）が，上肢および体幹には，プッシュアップ，メディシンボールスローなどが有用である[2]（**図4**）。ジャンプを含めたプライオメトリックトレーニングは神経筋機能を向上させ，スプリント能力を高める[15]。ジャンプを含めたプライオメトリックトレーニングは神経筋機能を向上させ，スプリント能力を高める[15]。

スピード・アジリティトレーニング

スピードやアジリティは動作速度を向上させ，刺激に反応して動作の方向・速度・様式を急激に変化させるためのスキルと能力を指す。力の立ち上がり速度や力積を向上させるためにスプリントやレジスタンストレーニングを行い，さらに知覚・認知能力，方向転換能力，減速後再加速能力を向上させることでアジリティパフォーマンスを高める。トレーニングは，インターバル，順序，頻度，量，強度，セット，回復時間，反復回数などを考慮して計画する。スピードトレーニングとして，Aスキップドリル（**図5**），ファストフィートスピードドリル，インクラインスプリント（**図6**）などを指導し，アジリティトレーニングとして，減速ドリル（**図7**），Zドリル（**図8**）などを指導する[2]。

表3 レジスタンストレーニング

部位	種目
腹部	・ベントニーシットアップ ・アブドミナルクランチ ・アブドミナルクランチ（マシーン）
背部	・ベントオーバーロウ ・ワンアームダンベルロウ ・ラットプルダウン ・シーテッドロウ ・ロープーリーシーテッドロウ（マシーン）
胸部	・フラットバーベルベンチプレス ・インクラインダンベルベンチプレス ・フラットダンベルフライ ・バーティカルチェスト（マシーン）
肩	・ショルダープレス（マシーン） ・シーテッドバーベルショルダープレス ・アップライトロウ
殿部，大腿部	・ヒップスレッド ・バックスクワット ・フロントスクワット ・フォワードステップランジ ・ステップアップ ・デッドリフト ・ルーマニアンデッドリフト
大腿部	・レッグエクステンション（マシーン） ・レッグカール（マシーン）
下腿部	・スタンディングカーフレイズ（マシーン） ・シーテッドカーフレイズ（マシーン）
全身	・プッシュジャーク ・パワークリーン ・パワースナッチ

Training

ピリオダイゼーション

ピリオダイゼーションとは，パフォーマンスを適切な時期にピークに到達させるために行われるトレーニングを，順序立てて統合する論理的かつ体系的な過程を意味する。

図3 ダブルレッグタックジャンプ

足を肩幅に開いた楽な立位（❶）から両腕のスウィングとともに反動動作で爆発的に垂直ジャンプし（❷），空中で膝を胸に引き付けて両手で膝を抱え込む（❸）。着地後（❹）は可能な限り早くジャンプし，連続して行う

図4 シットアップチェストパス

膝立て臥位から体幹を45°起こした姿勢（❶）でパートナーが投げた1～3 kgのメディシンボールを両手でキャッチし（❷），すぐに前方にプッシュスローする（❸）。体幹が後傾しないように注意させる

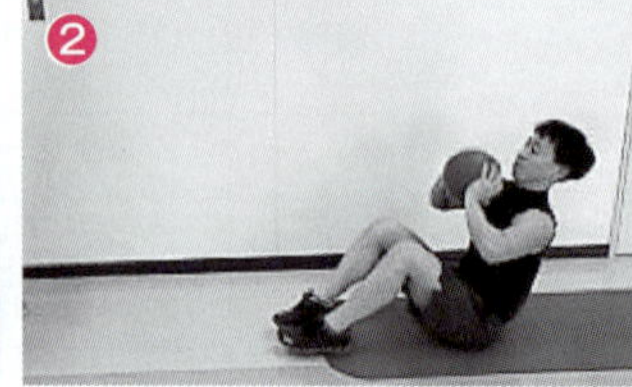

図5 Aスキップドリル

体幹直立位を保ち，大腿を地面と平行になるまで素早く引き上げながらスキップする（❶）。挙上した下肢を伸展する際は足関節の背屈を維持する（❷❸）

図6 インクラインスプリント

前脚から1～2足分後方に後ろ脚を接地し体幹を前傾させた状態（❶）から，後ろ脚の膝を下方に引き下げ下腿を床に平行にしながら体重を前方に素早く移動する（❷）。その後，前脚で爆発的に地面を押し下げて上肢を力強く振りながらさらに前方に推進する（❸）。体幹と頭部は中間位を保ち，後ろ脚の踵部が過度に後上方に振れないように注意する

● 有酸素性持久力トレーニング

長距離走，自転車，水泳のアスリートでは，最大有酸素性能力，乳酸性作業域値，運動経済性を高めることが特に重要になる。心拍数，自覚的運動強度，代謝当量を指標にして，運動様式，頻度，強度，時間，漸増を調整する。トレーニングプログラムとしては，long slow distance（LSD），ペース・テンポ，インターバル，ファルトレクがある。ジョギングや走行が最も一般的な方法であり，自転車エルゴメータ，トレッドミルマシーン，ロウイングマシーン，ステアステッパー，エリプティカルトレーナーなどの機器を用いることも多い（**図9**）。

パフォーマンスを最大化するための試合直前の指導

あるタイプのコンディショニング活動を最大に近い強度で実施し，十分な回復時間を与えるとその後の競技パフォーマンスが即時的に向上することがある。これは活動後増強（postactivation potentiation：PAP）とよばれ，バックスクワット[16]，パワークリーン[17]，バウンディング，デプスジャンプ（**図10**）のようなプライオメトリック

エクササイズ[18]により，ジャンプやスプリントの能力の即時的な向上が期待できる。

図7 減速ドリル

素早く加速した後に，設定した歩数で着地衝撃を吸収しながら減速する。体幹が過度に後傾しないように注意する

図8 Zドリル

肩幅より広いスタンスで下肢を屈曲した準備態勢から次のコーンに向けてダッシュ・減速し，素早い方向転換で次のコーンに向かう。コーンの位置や間隔を調整することで加速，減速，方向転換の課題が変わる

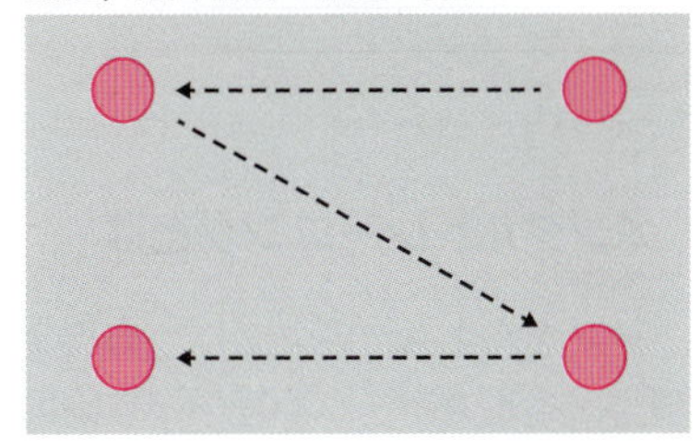

図9 ステアステッパーを用いた有酸素性持久力トレーニング

頭部と体幹は中間位を保ち，左右の上肢と下肢を矢状面上で交互に屈伸する

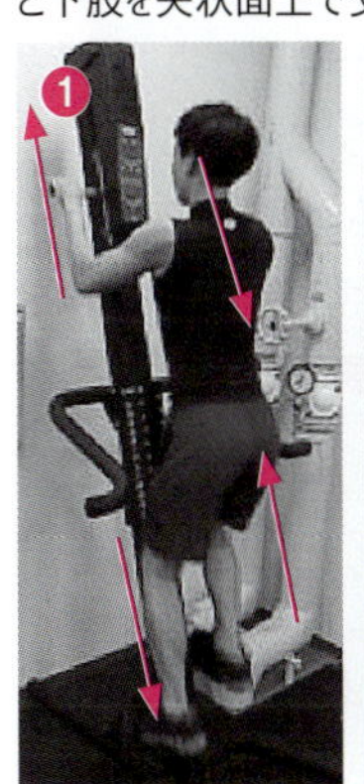
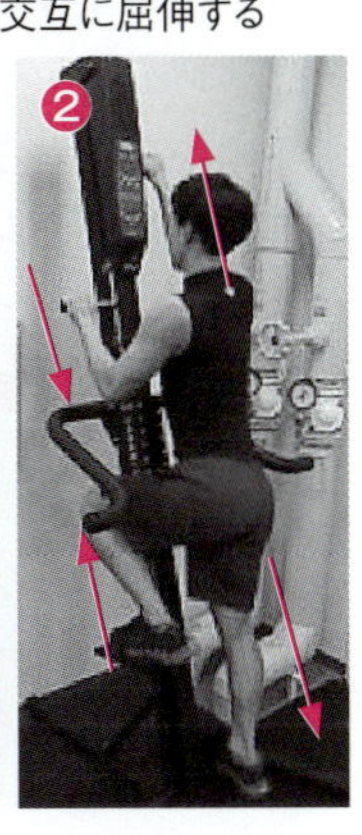

図10 デプスジャンプ

ボックス上に足を肩幅に開いて楽に立ち，つま先をボックスの縁に合わせる(❶)。片方の足を踏み出し，両脚で着地した直後(❷)に両腕のスウィングを利用しながら(❸)垂直にジャンプする(❹)

【文献】

1) IFSPT ホームページ:IFSPT スポーツ理学療法のコンピテンシーとスタンダード, https://ifspt.org/ja/competencies/（2022 年 12 月 5 日閲覧）
2) Haff GG, Triplett NT：Essentials of strength training and conditioning ed4. Human Kinetics, 2016.
3) American College of Sports Medicine, et al：Joint Position Statement: nutrition and athletic performance. American College of Sports Medicine, American Dietetic Association, and Dietitians of Canada. Med Sci Sports Exerc 32（12）：2130-2145, 2000.
4) Jensen J, et al：The role of skeletal muscle glycogen breakdown for regulation of insulin sensitivity by exercise. Front Physiol 2: 112, 2011.
5) Burke LM:Fueling strategies to optimize performance: training high or training low? Scand J Med Sci Sports 20（Suppl 2）：48-58, 2010.
6) Chryssanthopoulos C, Williams C：Pre-exercise carbohydrate meal and endurance running capacity when carbohydrates are ingested during exercise. Int J Sports Med 18(7): 543-548, 1997.
7) American College of Sports Medicine, et al:American College of Sports Medicine position stand. Exercise and fluid replacement. Med Sci Sports Exerc 39（2）：377-390, 2007.
8) Saunders MJ, et al:Consumption of an oral carbohydrate-protein gel improves cycling endurance and prevents postexercise muscle damage. J Strength Cond Res 21（3）：678-684, 2007.
9) Haff GG, et al：Carbohydrate supplementation and resistance training. J Strength Cond Res 17（1）：187-196, 2003.
10) Millard-Stafford M, et al：Recovery from run training：efficacy of a carbohydrate-protein beverage? Int J Sport Nutr Exerc Metab 15（6）：610-624, 2005.
11) Wewege MA, et al.: The Effect of resistance training in healthy adults on body fat percentage, fat mass and visceral fat: A systematic review and meta-analysis. Sports Med, 52（2）：287-300, 2022.
12) Pallarés JG, et al.: Effects of range of motion on resistance training adaptations: A systematic review and meta-analysis. Scand J Med Sci Sports, 31（10）：1866-1881, 2021.
13) Morris SJ, et al.: Comparison of weightlifting, traditional resistance training and plyometrics on strength, power and speed: A systematic review with meta-analysis. Sports Med, 52(7)：1533-1554, 2022.
14) Moesgaard L, et al.: Effects of periodization on strength and muscle hypertrophy in volume-equated resistance training programs: A systematic review and meta-analysis. Sports Med, 52（7）：1647-1666, 2022.
15) Ramirez-Campillo R, et al.: Effects of plyometric jump training on repeated sprint ability in athletes: A systematic review and meta-analysis. Sports Med, 51（10）：2165-2179, 2021.
16) McBride JM, et al：The acute effects of heavy-load squats and loaded countermovement jumps on sprint performance. J Strength Cond Res 19（4）：893-897, 2005.
17) Seitz LB, et al：The back squat and the power clean: elicitation of different degrees of potentiation. Int J Sports Physiol Perform 9（4）：643-649, 2014.
18) Turner AP, et al：Postactivation potentiation of sprint acceleration performance using plyometric exercise. J Strength Cond Res 29（2）：343-350, 2015.

メンタルトレーニング

スポーツメンタルトレーニングは，競技力や実力を発揮できる可能性の向上，さらにライフスキルやウェルビーイングの向上なども目的とした科学的なメンタル面のトレーニングである。メンタル面をトレーニングするためには，認知と行動をトレーニングする必要がある。本項では，認知と行動を変えるためのさまざまなメンタルトレーニング技法を解説する。

メンタルトレーニングとは

メンタルトレーニングは，心理学，スポーツ心理学，応用スポーツ心理学が理論的根拠となっている。それぞれを簡潔に説明していく。

心理学の定義

心理学とは，人間の心と行動を扱う学問である。対象分野は，生理，知覚，学習，言語，認知，感情，性格，臨床，社会，教育，発達，産業など多岐にわたる[1]。

スポーツ心理学の定義

スポーツ心理学とは，スポーツや運動に関する心理的な問題を扱う学問である[2]。

応用スポーツ心理学の定義

応用スポーツ心理学とは，アスリートのパフォーマンスの向上や維持に関する問題を扱う学問である[3]。

メンタルトレーニングの定義

メンタルトレーニングは，メンタルスキルズトレーニングまたはサイコロジカルスキルズトレーニングという。スキルとは技能という意味である。技能とは，トレーニングによって向上させることが可能な能力という意味である。メンタル面は技能であり，トレーニングによって向上させることができるという考えが理論的根拠になっている。スポーツ心理学を中心とした多種多様な心理学の研究で効果があることが示唆された方法を用いて，計画的にメンタル面をトレーニングしていく[4]。

メンタルトレーニングの目的は，競技力向上と試合や大会で本来の実力を発揮できる可能性を高めることである。近年は，競技力向上や実力発揮だけでなく，ライフスキルやウェルビーイングの向上など，より広い解釈が用いられることもある[5]。

メンタルトレーニングプログラムの理論的根拠

メンタルトレーニングプログラムの理論的根拠は，認知行動理論が中心となっている。認知行動理論を理解しないと，何をトレーニングしたらメンタル面が向上するのかがわからなくなる。

図1は認知行動理論を示したものである。メンタルという抽象的な事象を構成するのが，認知，感情，身体反応，行動であり，**表1**はそれぞれの定義を示したものである。

認知

認知とは，思考やイメージである。思考とは，本項では「頭のなかにセリフを思い浮かべること」

図1 認知行動理論のモデル

メンタルは，認知，行動，感情，身体反応に分類される。認知と行動はコントロールが可能だが，感情と身体反応はコントロールが難しいので，認知と行動をコントロールすることによって，感情と身体反応をコントロールする

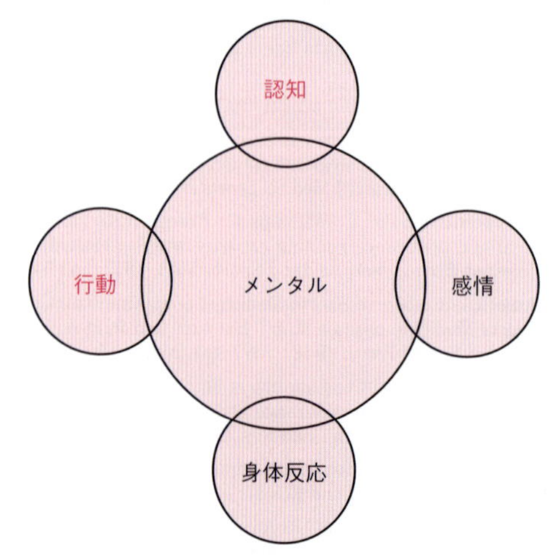

表1 認知，感情，身体反応，行動の定義

認知	思考やイメージ
感情	気持ち(例：喜怒哀楽)
身体反応	自律神経系の反応
行動	他人から見てわかりやすい動き

(文献6をもとに作成)

と定義する。思考しているときは一瞬ではあるが，頭のなかでセリフを思い浮かべている。寝ているとき以外は，セリフが出ては消えてが絶えず繰り返されている。このセリフのことをセルフトークという。イメージとは，頭のなかで五感を使って思い出したり作り出すことである。イメージを使って競技力を高めたり，実力を発揮しやすい状態にしていくことをイメージトレーニングという。

感情

感情とは，短い言葉で表される気持ちである。気持ちを表現する言葉の特徴は，形容詞，二字熟語，比喩表現が多いことである。例えば喜怒哀楽などを表す，うれしい，悲しい，楽しい，怒りに加えて，焦り，つらい，うきうき，わくわく，そわそわ，強気，弱気，集中，自信，緊張，不安，目が泳いでいる，目が死んでいる，心が折れるなどが挙げられる。主観的には胸の辺りで感じることが多い。

身体反応

身体反応とは，自律神経系の反応である。手足が震える，おなかが痛くなる，手足が硬くなるなどがある。緊張は，感情と身体反応の両方を含むことがある。

行動

行動とは，他人から見てわかりやすい身体の動きである。歩く，走る，打つ，投げる，泳ぐなどが挙げられる。

何をトレーニングすればメンタルをトレーニングできるのか

メンタル面をトレーニングするためには，認知と行動をトレーニングする必要がある。感情や身体反応を直接コントロールすることはできないため，認知と行動をコントロールすることによって，感情と身体反応をコントロールしていく。アスリートに対して「認知，感情，身体反応，行動，コントロールできるものを2つ選んでください」とクイズにして出題すると，正解率はいつも20％くらいである。アスリートがメンタル面をトレーニングするためには，認知と行動をコントロールすることを最初に理解することが重要である。多くのアスリートは，経験的に認知や行動を変えることによって感情や身体反応をコントロールしている。

表2は，感情や身体反応をコントロールするために認知や行動を変えている例である。このように，認知や行動を変えることによって，感情や身体反応を変えることがメンタル面をトレーニングすることの基本になる。

メンタルトレーニングの進め方の例[7)]

メンタルトレーニングの紹介

メンタルトレーニングは教育的スポーツ心理学に分類され，原則メンタル面が健常なアスリートのメンタルを向上させることを目的とする[8)]。摂食障害やうつなどのメンタル面の疾患を有する場合は臨床スポーツ心理学に分類され，精神科医，公認心理師，臨床心理士が担当することが望ましい。メンタルトレーニングは万能ではないことを理解する。

メンタル面の疾患を抱えていないことを確認したら，メンタルトレーニングの説明を進めていき，メンタル面がどれほど重要かを次のように説明する。

説明例
メンタルコーチ：試合でメンタルは重要だと思いますか？

表2 認知や行動を変えている例

感情や身体反応	認知や行動
焦り	ルーティン(行動)
不安	口角を上げて笑顔(行動)
怒り	腹式呼吸(行動)
心臓のドキドキ	この緊張感を楽しもうと言い聞かせる(認知)
手足が震える	「よーし，試合モードに入ってきた」と言い聞かせる(認知)

選手：メンタルは重要だと思います。
メンタルコーチ：ではメンタルを普段トレーニングしていますか？
選手：……していません。

メンタルコーチは，メンタルはスキルであり，トレーニングが可能であることを説明する。

情報収集

同時進行または事前に競技種目などクライエントに関する情報収集を行う。例えば，競技の種類，競技の特徴，競技の歴史，クライエントのプロフィール（氏名，年齢，所属，経験，練習時間など），大会までの期間，対象はチームか個人か，選手かコーチか家族か，クライエントが来談するのか，メンタルコーチが行くのか，オンラインかなどを確認する。

アセスメント

クライエントのメンタル面に関する長所・課題を分析する。メンタルトレーニング成功のポイントはアセスメントである。メンタルトレーニングがうまくいかないときは，アセスメントが間違っていることがほとんどである。アセスメント方法には，心理テスト，質問用紙，質疑応答などがある。筆者が使用している主な心理テストは，

・心理的競技能力診断検査（DIPCA.3）
・試合前の心理状態診断検査（DIPS-B.1）
・試合中の心理状態診断検査（DIPS-D.2）
・スポーツ特性－状態不安診断検査（TAIS.2 & SAIS.2）

である（すべて徳永幹雄 作成，株式会社トーヨーフィジカル）。心理テストを使用する際は手引書を熟読して複数のテストを実施し，アセスメントの結果について専門家のアドバイスを受けることが望ましい。

メンタルトレーニングプログラム作成

アセスメントの結果，クライエントの要望や好みに基づいてメンタルトレーニングプログラムを作成する。試合前に不安を訴えるクライエントには，目標設定，セルフトーク，イメージトレーニングが効果的な可能性がある。試合前に筋緊張を訴えるクライエントには，腹式呼吸，漸進的筋弛緩法などのリラクセーションが有効な可能性がある。

メンタルトレーニングプログラムの実施・修正

アスリートやチームはメンタルトレーニングを実施してみる。メンタルトレーニングは競技に選手として携わる間は継続することが理想である。メンタルトレーニング実施中はアセスメントや話し合いを重ねながら，プログラムを適宜修正していく。

評価

定期的に，心理テストやアンケート，アスリートに直接聞くことによってメンタルトレーニングの効果を評価していく。

メンタルトレーニング技法

メンタルトレーニングプログラムにさまざまなメンタルトレーニング技法を組み込んでパッケージ化する。技法は複数組み込んだほうが相乗効果が生まれる。

目標設定

筆者は目標設定を最も重視している。目標設定というと多くのアスリートは，優勝，ベスト4，全国大会出場，自己ベスト更新，過去最高順位などの結果を目標に掲げる。このような目標を結果目標という。結果目標のメリットは，一次的にモチベーションが上がることである。しかし，試合前や試合開始直後にプレッシャーがかかるデメリットもある。

結果目標とセットで設定すると効果的な目標がプロセス目標である。プロセス目標とは，行動に重点を置いた目標である。例えば，投げる前に腹式呼吸，口角を上げて笑顔で相手と声をかけ合う，毎回ルーティンを行うなどである。

プロセス目標を重視すると不安やプレッシャーをコントロールしやすくなり，実力がありながら不安を強く感じてしまうアスリートに効果的である[9]。

セルフトーク

セルフトークは自己会話ともいい，自分に言い聞かせる技法である。セルフトークの注意点としては，紙に書いてセルフトークを自覚し，事前にセルフトークを決めておくことである。鏡に映った自分にセルフトークすることも効果的である。

表情をチェックできるだけなく，自分を客観視できるようになる。自分を客観視している状態をメタ認知という。メタ認知は実力を発揮するうえで重要なスキルの1つである。セルフトークはできるだけ声に出したほうがよい。思うだけでは認知のみの変化であるが，声に出せば認知と行動の両方を変えたことになる。セルフトークは，したくないことよりしたいことを声に出したほうがよい。したくないことの例として「手打ちにならない」，「腰高にならない」などが挙げられる。これらは，パフォーマンスに悪影響を与える単語を声に出すことになるため避ける[10]。

多くのアスリートは試合前に不安を感じたことがあるはずである。不安は心配と同義語であり，重要な試合や大会で感じやすいネガティブな感情である。不安をコントロールするには，後述するリラクセーションも重要であるが，不安をどう解釈するかが重要である。不安に対して「失敗したらどうしよう」と思うか，強がりでよいので，「この緊張感が試合の面白さだ」と思うかでパフォーマンスに違いが出ることが報告されている[11]。

イメージトレーニング

イメージとは，頭のなかで五感を使い経験を作り出す，または思い出すことと定義される。経験を作り出すとは，まだ実際にはやったことがない技術や戦術を頭のなかでイメージすることである。経験を思い出すとは，過去の自分のベストプレーを思い出すことである。イメージトレーニングの理論的根拠としては，「psychoneuromuscular理論」が有名である[12]。イメージトレーニングを行っているときは，安静にしているときよりも大脳皮質の前運動野，前頭前野，小脳などの領域が活動することが報告されており，微細な筋活動が起こることも報告されている。イメージトレーニングでは，イメージのリアリティーを高めることが重要であり，**表3**に示すPETTLEPモデルを参考にしてイメージに取り入れることで，イメージトレーニングの効果が上がる[13]。

内的イメージとは，自分自身がプレーしているように思い出すことであり，外的イメージとは自分がプレーしている姿を映画やテレビを見るように客観的に思い出すことである。内的イメージのほうが望ましいとされるが，アスリートに対するアンケートでは，どちらも行っているという報告が多い。

イメージトレーニングの注意点としては，他のメンタルスキルと同様に技術練習や体力トレーニングを補うものであり，それらに変わるものではないということである。また，試合直前に深くイメージしてしまうと疲労してしまい，実際のプレーに悪影響を与える可能性がある。加えて，眼を閉じてイメージするとイメージが深くなりやすいので，試合直前には眼を開けて短時間実施するにとどめる。

イメージトレーニングの方法

イメージトレーニングはさまざまな方法が開発されているが，本項では手軽にできるものを挙げる。イメージする前は，腹式呼吸を行い，リラックスすることが望ましい。

- **シャドーイメージ**

練習の合間に短時間身体を動かしながらイメージする。長時間行うと飽きてしまうので短時間でよい。野球を例に挙げると，PETTLEPモデルを取り入れて素振りや捕球を本来のスピードの70％くらいのスピードで実施する。本来のスピードでイメージしても，イメージが追いつかないからである。ユニフォームを着てバットやグローブを持って実施すると，イメージのリアリティーが向上する。

練習以外で実施するときも，できるだけ試合や練習で使う衣服や道具を身につけるとイメージが鮮明になりやすい。

- **練習日誌**

練習日誌を書いているときは頭のなかでイメージしていることが多い。文字だけでなくイラスト

表3 PETTLEPモデル

physical	呼吸，心臓の動きなどの生理的反応を思い出す
environment	会場などの環境を思い出す
task	思考，動きを思い出す
timing	リズム，時間を思い出す。タイムを競う競技ではストップウォッチでタイムを計りながらイメージするとよい
learning	技術レベルによりイメージを変える
emotion	感情を思い出す
perspective	内的イメージか外的イメージか？

を描くとよい。

• **動画視聴**

近年，スマートフォンの普及により動画をいつでもどこでも視聴することが可能になった。競技の動画を視聴しているときは主に外的イメージを行っているので，視聴後に自分自身がプレーしている内的イメージに変換するとよい。

覚醒水準の調整

覚醒水準

覚醒とは，睡眠以外の起きている状態である。覚醒水準とは，起きている状態のレベルである。眠いときや退屈なときなどは低い覚醒水準となり，興奮しているときや緊張しているときは高い覚醒水準といえる。高い覚醒水準を下げる技法がリラクセーションであり，低い覚醒水準を上げる技法がサイキングアップである。

リラクセーション技法 1：腹式呼吸

不安なときに呼吸のテンポを遅くしたり，呼気を長めにすると主観的な不安を減らすことができる。プレッシャーを感じているときに呼気を長くすると，覚醒水準が高くなりすぎることを防ぐことが可能である。不安を感じる場面の画像や動画を見ながら腹式呼吸を行うと，実際に緊張するような場面でも自然に腹式呼吸ができるようになる効果が期待される[14]。吸息：呼息の割合は1：2～1：5が多く，個人差が大きい[15]。吸息の2倍以上の時間を呼息に使うようにして，各人のペースで練習する。

リラクセーション技法 2：漸進的筋弛緩法

漸進的筋弛緩法は，Jacobson（ジェイコブソン）によって開発されたリラクセーション技法であり，身体各部位の筋を意図的に約5秒間緊張させ，その後一気に弛緩させる[16]。緊張させる力感は50～70％で実施する。本来は，1回40分以上で実施するため時間がかかるが，短縮版が多数開発されている。漸進的筋弛緩法は初回実施時からリラックス感を得られる。

漸進的筋弛緩法は，身体感覚増幅にも効果がある[17]。身体感覚増幅とは，わずかな身体感覚の変化に過剰に反応してしまい，その感覚を重大なものと判断して不安になってしまうことである[18]。アスリートは身体感覚を増幅させやすい傾向があるが，筋をリラックスさせることによって過剰な身体感覚増幅を減少させられる。

サイキングアップ

リラクセーションの反対の技法であり，緊張感を高めたいときに使用する。サイキングアップ方法としては，呼吸数を増やす，激しく動く，セルフトーク，音楽を聴くなどが挙げられる。特にルーティン（後述）に音楽を組み込むと効果的である[19]。

随意的ため息[20]という野球のピッチャーがロジンバッグを使って実施している方法もある。深く息を吸い込み，ため息をつくように音を立ててロジンバッグに向かって息を吐き出すことで呼吸を整え，普段の精神状態に戻す効果が期待できる。

集中力

集中力とは，重要なターゲットに意図的に注意を向けてそれを持続するスキルである。集中力は「外的」，「内的」と「広い」，「狭い」を組み合わせた4種類に分類される[21]。**表4**に4種類の集中力を示す。

練習中は，プレーやフォームについて考える必要があり，内的集中を行う必要がある。しかし試合中に内的集中，特にフォームを考えすぎてしまうと，パフォーマンスの調整にずれが生じるおそれがある[22]。試合中はフォームのことを考えすぎないようにするために，イメージやオノマトペ（かけ声）が効果的である[23]。

ルーティン

集中力を高める代表的な技法はルーティンである。プレパフォーマンスルーティンとは，特定のプレーを行う前にある一定の行動と認知を実行して集中力を高め，雑念や余計な行動を排除する技法である[24]。ルーティンは**表5**に示す3種類に分けられる[25]。

表4　4種類の集中力

外的で広い集中	会場全体，チームメイト，相手チーム全体を見渡しているときの集中。アスリートは緊張すると視野が狭くなり，外的で広い集中力を使えなくなる傾向がある
外的で狭い集中	ボールに集中しているときの集中
内的で広い集中	身体全体または考えを巡らせているときの集中
内的で狭い集中	身体の一部分や決断したときの集中

表5 ルーティン

プレパフォーマンスルーティン	試合前や特定のプレー前のルーティン
インパフォーマンスルーティン	ミスした後の気持ちの切り替えで使うルーティン
ポストパフォーマンスルーティン	試合後の振り返りや次の試合に向けての準備

ルーティンの作り方

有名選手のルーティンを参考にするとよい。ルーティンはすぐには完成しないため，試行錯誤して作る必要がある。

ルーティンは練習が必要である。ルーティンをいきなり試合で使うとルーティンが気になり，パフォーマンスの邪魔をしてしまう。儀式や習慣とは違うことを認識する。

メンタルトレーニング指導の実際

筆者が実際に行っているメンタルトレーニング指導の内容は，種目，競技レベル，競技歴，性別，主訴などによってすべて異なる。種目ごとのメンタルトレーニング指導の詳細は，成書[26]を参考にしていただきたい。

【文献】

1) 藤永　保 監：最新心理学辞典 . pp.388-399, 平凡社 , 2015.
2) 日本スポーツ心理学会 編：最新スポーツ心理学 その動向と展望 . pp.10-12, 大修館書店 , 2004.
3) ファンデンボス GR 監：APA 心理学大辞典 . pp.86, 培風館 , 2013.
4) 高妻容一：今すぐ使えるメンタルトレーニング コーチ用 . p p.9-18, ベースボール・マガジン社 , 2003.
5) 日本スポーツ心理学会 編：スポーツメンタルトレーニング教本 三訂版 . pp.7-11, 大修館書店 , 2016.
6) 伊藤絵美：ケアする人も楽になる 認知行動療法入門 BOOK1. pp.30-47, 医学書院 , 2014.
7) Robert S. Weinberg, Daniel Gould, eds: Foundations of sport and exercise psychology Seventh edition. pp.260-283, Human Kinetics, 2019.
8) マートン R: コーチング・マニュアル メンタルトレーニング . pp.77-78, 大修館書店 , 1991.
9) Mullen R, Hardy L: Conscious processing and the process goal paradox. J Sport Exerc Psychol, 32 (3) : 275-297, 2010.
10) 田中美吏 , 柄木田健太：運動パフォーマンスへの皮肉過程理論の援用－皮肉エラーと過補償エラーの実証とメカニズム－ . スポーツ心理研 , 46 (1) : 27-39, 2019.
11) Jones G: More than just a game: Research developments and issues in competitive anxiety in sport. Br J Psychol, 86(Pt 4): 449-478, 1995.
12) Borah B, Yadav A: Effect of psychoneuromuscular theory and visualization technique in reducing anxiety level of soccer female players in competition situations. International Journal of Behavioral Social and Movement Sciences, 6 (2) : 1-6, 2017.
13) Wakefield C, Smith D: Perfecting practice: Applying the PETTLEP model of motor imagery. Journal of Sport Psychology in Action, 3: 1-11, 2012.
14) 深見将志 , ほか：バーチャルリアリティを伴った呼吸法が心理・生理的な反応に及ぼす影響 . 応用心理学研究 , 40 (3) : 203-212, 2015.
15) 佐藤和彦：リラクセーション手法としての呼吸法 . 心身健康科学 , 5 (2) : 93-101, 2009.
16) 秋葉茂季 , ほか：競技者における漸進的筋弛緩法の継続的実施が心身に与える影響－心理状態と筋電位による検討－ . 日本体育大学スポーツ科学研究 , 2: 40-47, 2013.
17) 秋葉茂季 , 角田直也：競技中の身体感覚体験が発達課題に及ぼす影響 . 国士舘大体育研報 , 36: 109-112, 2018.
18) 中尾睦宏 , ほか：身体感覚増幅尺度日本語版の信頼性・妥当性の検討：心身症患者への臨床的応用について . 心身医学 , 41 (7) : 539-547, 2001.
19) Middleton T, et al.: Regulating pre-performance psychosocial states with music. The Sport Psychologist, 31 (3) : 227-236, 2017.
20) 井上佳奈 , ほか：ため息はやる気を高める－随意的嘆息が安堵と動機づけに与える効果－ . 心理学研究 , 87 (2) : 133-143, 2016.
21) Nideffer R: Test of attentional and interpersonal style. J Pers Soc Psychol, 34 (3) : 394-404, 1976.
22) Gabriele W 著：注意と運動学習－動きを変える意識の使い方 . pp.27-60, 市村出版 , 2013.
23) 藤野良孝 著：「一流」が使う魔法の言葉 . pp.48-51, 祥伝社 , 2011.
24) Hardy L, et al, eds.: Understanding Psychological Preparation for Sport: Theory and Practice of Elite Performers. pp.129-130, Wiley, 1996.
25) Schumacher J, Cuccaro M: How to Teach Routines. 第 35 回国際応用スポーツ心理学会発表資料 .
26) 笠原　彰 著：最新決定版！ 誰でもできるスポーツメンタルトレーニング . 学研プラス , 2022.

アスリートと栄養学

アスリートはパフォーマンスの維持・向上のために，コンディションを良好に保ち，トレーニングを継続することが必要となる。スポーツ栄養学はアスリートにとって競技力に直結する学問である。また，アスリートの目的達成のためには，スポーツ栄養学を活用し，栄養管理を行うことが重要となり，理学療法士と公認スポーツ栄養士，管理栄養士との連携が必須となる。本項ではスポーツ栄養学の概要を解説する。

生きることと栄養素の関係

われわれの身体は「生命維持」のために，酸素，水，栄養素を使って化学反応を行っている。酸素は絶え間なくエネルギーを産生するために必要不可欠であり，水は体内の化学反応が物質を水に溶かして進行すること（溶解作用）に加えて，その濃度によって化学反応の進行に影響を受けることから必要不可欠な物質である。また，水は体内の物質の運搬作用や体温調節にも関与する。栄養素は，体内における化学反応の材料として使われる。栄養素が体内の化学反応で使われるうえで，次の3つのルールがある。

① 栄養素の質と量が適切なときには，化学反応によって必要なものを必要な量だけ作る。例えば，糖質・脂質からエネルギーを産生する化学反応の場合，産生が必要なエネルギーの分だけ糖質・脂質とビタミンB群が必要となる。

② 栄養素が適切な量よりも多すぎるときには，化学反応後に余った栄養素はそのまま排泄したり，別のものに加工（化学反応）して貯蔵・排泄したりする。例えば，糖質・脂質からエネルギーを産生する化学反応の場合，糖質・脂質とビタミンB群が必要以上に存在していても，エネルギー産生量が多くなることはない。必要のない糖質は脂質に合成したり，ビタミンB群は尿中に排泄したりすることになる。

③ 栄養素が必要量に足りないときには栄養素量の範囲内で化学反応を行い，化学反応が十分にできなかったことで産生されなかった物質にかかわる機能などを節約したり，他の物質を加工して補充したりする。例えば，糖質・脂質からエネルギーを産生する化学反応の場合，糖質・脂質は必要量だがビタミンB群が少ないときには，ビタミンB群の量に応じたエネルギーを産生することになる。そのため，余った糖質を脂肪に作り変えて貯蔵したりする。必要な量のエネルギーが産生されなかったことで，体内でエネルギーを節約（代謝を落とすなど）する。一般的には「太る」ことはエネルギーの過剰摂取として認識されているが，糖質・脂質の摂取が適切であっても，ビタミンB群の摂取不足が太る原因となることもある。

われわれの身体は，状況に合わせて化学反応を行っている。そのため，酸素，水，栄養素の必要量は常に変動する。酸素は呼吸数を多くすることで瞬時に調整できるが，水と栄養素は摂食行動によって調整している。水は，飲食で摂取した量で足りない場合には，口渇感から飲水を促して調整している。栄養素については，定期的な食事により摂取し，足りない場合には空腹感などで調整することになる。水と栄養素の摂取に関しては，酸素のように自律神経と直結していないため，身体活動状況，環境，嗜好や心理・精神的な要素などが加わり摂食行動を形成している。

結論としては，栄養素の補給なくして生きていけないことから，食べることは必須である。

通常，栄養素の補給は食事からの摂取により行われているが，栄養素の質と量を適切に摂取するための方法論の1つとして，主食・主菜・副菜などの食事構成から「バランスよく食べる」を教育することが，日本の標準的な食事の考え方となっている。この方法は，日本の食文化や食環境，食生活を考えると，食事構成から栄養素を適切に摂取できることから推奨されている。

食事は，栄養素の摂取だけを目的にしているわけではない。「美味しさや五感から得られる心の潤い」や「コミュニケーションツール」などの役割もある。これらの役割（その他の役割）は，人によって

表1 トレーニング量別の糖質の摂取目安量

トレーニング量	状況	体重1kg当たりの糖質摂取の目安量(g/日)
軽い，少ない	低強度運動や技術練習	3～5
適度	1日1時間程度の適度な運動	5～7
多い	1日に1～3時間程度の中～高強度の持久的な運動	6～10
とても多い	1日に少なくとも4～5時間かそれ以上の中～高強度の過度な運動	8～12

(文献8をもとに作表)

表2 身体活動別，体重1kg当たりのタンパク質摂取量

身体活動状況	体重1kg当たりのタンパク質摂取量(g/日)
軽度の運動をしている人	0.8～1.0
高齢期で軽度の運動をしている人	1.0～1.2
中等度の運動をしている人	1.0～1.5
高強度の運動をしている人	1.5～2.0

(文献9をもとに作表)

考えや思いが異なる。

身体活動に応じた栄養素の摂取

糖質，タンパク質，脂質の摂取量は，身体活動量，種類，強度，時間などから決定するが，同時にエネルギーも補給しなければならない。ビタミンとミネラルは，身体活動の量が多くなれば必要量も多くなる。また，栄養素の摂取量は広い範囲の数値でエビデンスが示されているが，これは対象者の身体活動の状況に応じて適切に設定する必要があることを意味している。

糖質の摂取

糖質は身体活動量の増加に伴い摂取量が増加する。**表1**にトレーニング量別の糖質摂取量の考え方を示した。『日本人の食事摂取基準(2020年版)』において，炭水化物はタンパク質と脂質の摂取量から得られるエネルギーの残量を基に摂取すると記載されているが，アスリートのように身体活動量が多い場合には炭水化物源である主食は嵩が多いことから，計算通りには食べきれなくなることもある。このような場合には，脂質の摂取量が食事摂取基準の30％以上になることもある。糖質の摂取タイミングは，運動中に筋グリコーゲンの利用が進むことと，運動時間が長くなると肝グリコーゲンの利用も多くなることから，グリコーゲンの再補充のため運動後に摂取を行う。

タンパク質の摂取

タンパク質は身体活動量やトレーニングの種類に応じて，体重当たりで摂取量を設定する。**表2**に身体活動別の体重当たりのタンパク質摂取量の考え方を示した。

『日本人の食事摂取基準(2020年版)』では，成人や高齢者においてタンパク質摂取量は体重1kg当たり2g未満にとどめることが適当という考えもあるとしている。また，エネルギー摂取量当たりでのタンパク質摂取量が示されている。しかし，アスリートのようにエネルギー摂取量が多い人は，エネルギー摂取量当たりでタンパク質摂取量を設定することで体重1kg当たり2g以上となる場合，その方法は適切ではない。摂取タイミングは食事からの摂取を基本とするが，練習時間が長いとき，練習や試合中に摂取したいとき，特定のアミノ酸の摂取が必要なときなどでは，アミノ酸のサプリメントを利用して摂取することもある。

ビタミンの摂取

身体活動量の増加に伴って，エネルギー代謝過程で必要なビタミンB群の摂取量が増加する。また，運動によって体内への酸素摂取量が増加するに従って，活性酸素の生成も増加する。アスリートは，活性酸素の発生を起こさないように酸素の摂取量を減らしてトレーニングすることができないため，抗酸化物質を積極的に摂ることや，抗酸化物質を摂取するためにバランスの整った食事を摂り，種実(ナッツ)類や果物，野菜の摂取量を意識するとよい。ただし，抗酸化物質の補給がパフォーマンスを高めるという報告はほとんどみられない。ビタミンDはカルシウムとリンの吸収と代謝を調節している脂溶性ビタミンであり骨代謝に強く関係するが，最近ではビタミンDとパ

フォーマンスに関する研究成果も多く目にするようになったが，食事摂取基準においても必要量は提示されていない状況である。

ミネラルの摂取

ミネラルの働きは多岐にわたり，身体活動の増加に伴いミネラルの必要量も高まる。また，減食や偏った食事によってミネラルの摂取量が少ない場合や消化・吸収の効率が下がった場合には欠乏状態（必要量が満たされない状態）となり，パフォーマンスに影響を与えることもある。ミネラルの摂取量は，『日本人の食事摂取基準（2020年版）』の「推奨量」と「目安量」を参考にして，食事からの摂取を基本に組み立てるとよい。

アスリートにおけるスポーツ栄養の意義

アスリートにおけるスポーツ栄養の意義は，下記の2つである[1)]。

試合や練習に合わせた栄養素の補給

パフォーマンスの維持・向上を目的に，試合や練習に合わせたエネルギーや栄養素などを摂取する。具体的には，エネルギーや栄養素などを効率よく効果的に摂取する必要があることから，試合や練習の開始時刻，継続時間，種類，強度を考慮して食事内容を設定する。その際，規則正しく食事を摂ることができなかったり，トレーニング強度が高いことから食べることができる質や量に制限があったり，パフォーマンスの向上のためにエビデンスを基に栄養素の摂取量やタイミングを調整したりすることがある。また，食事だけではエネルギーや栄養素の摂取が充足されない場合には，補食やサプリメントを活用する。そのためには，公認スポーツ栄養士や管理栄養士によるエビデンスに基づくアスリート個人に調整した栄養管理が必要となる。

身体活動量に伴う栄養素の補給

身体活動量の増加に伴うエネルギーや栄養素の摂取量の増加に対応した栄養管理を行う必要がある。具体的には，身体活動量の増加に伴う栄養摂取の問題点は次の3つにまとめることができ，この問題点を解決するために食事内容やサプリメントを活用した栄養管理が必要となる。

①身体活動量に伴って食べる量を多くしてエネルギーや栄養素の必要量を摂取するが，身体活動量の増加に対して食べることで必要量を補いきれない状況になることがある。
②身体活動（骨格筋の運動）によって自律神経の交感神経が優位な状況となり，身体活動中に効率よく消化吸収ができない。
③1日のうちに占める身体活動の時間が長くなれば，効率よく消化吸収することができる副交感神経が優位な時間は短くなる。

ウエイトコントロールと栄養

ウエイトコントロールには体重の増量と減量だけではなく，体重の維持がある。ウエイトコントロールは計画的に実施する必要があるため，公認スポーツ栄養士や管理栄養士による栄養管理が必須となる。

体重維持

エネルギー消費量は事前に正確に把握することはできない。そのため，エネルギーの摂取量が消費量と同等であったかは，体重測定から結果として評価することになる。特に身体活動量の多いアスリートは，練習量の違いなどから毎日のエネルギー消費量の差が大きく，体重維持のための栄養管理が必要となる。

増量

増量は，主に筋肉を増加させる増量と，筋肉と体脂肪の両方を増加させて体重を増加させる増量の2種類がある。目標となる筋肉量や体重が，実現可能な増加量であるかトレーナーなどの関係者と十分に検討する必要がある。

筋肉による増量

筋肉を増加させる場合は，増加させるためのトレーニングが必要となり，トレーニング量の増加に応じたエネルギーや栄養素の補給を行う。運動強度の増加により，消化吸収が抑制されたり食欲が減少したりすることもあるので，アセスメントを定期的に行い栄養補給計画に反映させるようにする。

体重の増量

スポーツの現場では，競技種目やそのポジションによって「重さ」が必要な場合があり，筋肉と体脂肪を増加させ，体重の増量を行う。エネルギーは，設定した期間内に目標体重を達成させるために，消費量よりも摂取量が多くなるように栄養補給計画を立てて実施する。

減量

減量は，目標体重を期間内に達成するためにエネルギーの消費量よりも摂取量が少なくなるように計画し，実施する。レスリングや柔道のように体重による階級がある競技種目では，試合に合わせて短期間での減量（急速減量）を行うこともある。

アスリートの栄養の問題

運動量の多いアスリートは，栄養補給の不足による問題を抱えることがある。ここでは，相対的エネルギー不足，女性アスリートの三主徴，スポーツ貧血について説明する。

相対的エネルギー不足（利用可能エネルギー不足）

アスリートは，運動によってエネルギーや栄養素の必要量が多くなるにもかかわらず，それらを効率よく補給できない状態となることがある。そのような状況が長期間続くことで相対的エネルギー不足となる。また，エネルギー摂取量を極端に減少するような減量をした場合にもエネルギー不足が起こる。相対的エネルギー不足は，生きるためや生活するために使うエネルギー量を節約している状態であるといえ，栄養障害と位置付けられる。国際オリンピック委員会（International Olympic Committee：IOC）では，2014年に「スポーツにおける相対的エネルギー不足（relative energy deficiency in sport：RED-S）」により症状が出る組織や機能を**図1**のように示した[2)]。

女性アスリートの三主徴

「女性アスリートの三主徴（female athlete triad：FAT）」は，アメリカスポーツ医学会から1997年[3)]に続いて2007年に「女性アスリートの三主徴」に関するposition stand[4)]が発表された。**図1**に「三主徴」と記載されている相対的エネルギー不足の際，女性アスリートに特に強調して現れる症状を示したものである。FATは**図2**に示すように，相対的エネルギー不足により視床下部性無月経と骨粗鬆症を引き起こし，特に無月経による女性ホルモンの低下から骨粗鬆症のリスクが高まることを示している。FATは栄養障害であるため，エネルギー摂取量の増加による治療なしに改善はできない。

スポーツ貧血

アスリートに多い疾病として貧血がある。そのため，アスリートが貧血になった場合はスポーツ貧血ということが多い。アスリートの貧血の主な原因は次の3つがある。

鉄の摂取不足

アスリートは，運動中の消化管からの出血や，発汗量が多くなることによって鉄をはじめとするミネラルの損失が多くなるため鉄の必要量が多くなる。必要量が摂取できない場合には貧血の原因となる。

相対的エネルギー不足

エネルギーが不足することにより，エネルギーを節約するためにヘモグロビン濃度を下げて酸素

図1 相対的エネルギー不足（RED-S）によって引き起こされる健康問題

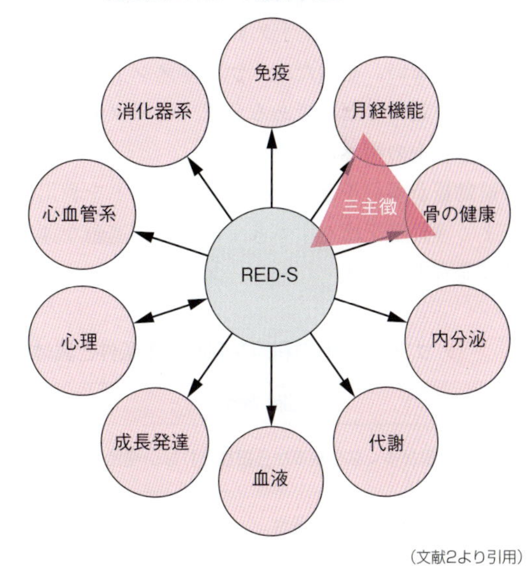

（文献2より引用）

図2 女性アスリートの三主徴

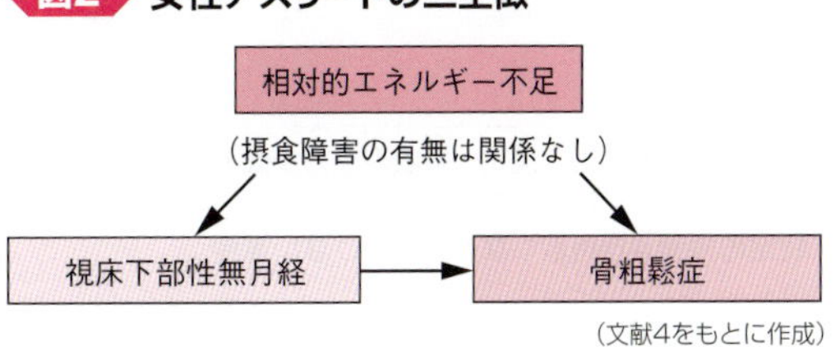

（文献4をもとに作成）

の供給を減少させようとすることが貧血の原因となる。

希釈性貧血

トレーニングの初期の時期などに，末梢まで血液を運ぶために血漿量を多くして血液を薄くした状態にして循環させる現象を指す。この現象によって，循環血漿量が増加し，一時的にヘモグロビン濃度が低くなるため貧血の状態となる。しかし，一時的なものでありヘモグロビンが増加すれば貧血が改善するので貧血として問題視する必要はなく，栄養状態との関係を考える必要もないといわれている。

栄養補助食品の利用

サプリメントとは

サプリメントは，食事だけでは栄養素を必要量摂取できないときに足りない分を補う目的で利用する。アスリートがサプリメントの利用を判断する条件とその具体例について**表3**にまとめた。サプリメントを利用する際には，食事からの栄養素の摂取量をある程度把握したうえでなければ，「サプリメントの利用の可否」，「必要な場合に摂取する栄養素の種類と量」，「タイミング」を決定することはできない。そのため，サプリメントの利用に際し，栄養の専門職である公認スポーツ栄養士や管理栄養士の指導が必要である。

運動量が多い子どもは，サプリメントを利用してまで運動量を増やすべきではない。過剰な運動量は発育不良やオーバーユース症候群のリスクが増大することから，サプリメントの利用よりも運動量の軽減を優先するべきであり，サプリメントの利用は慎重に検討する必要がある。

エルゴジェニックエイド（スポーツサプリメント）とは

競技力向上を目的に，栄養素以外の成分をサプリメントとして摂取することをエルゴジェニックエイドという。最近では，アスリートに限らず「より健康になるため」の目的でサプリメントを摂取することもある。エルゴジェニックエイド利用の際には，その成分の作用が科学的な根拠に基づいているか，そのエビデンスを導いている研究の実験条件が妥当であるか，どのような評価指標によって効果があると認めているのか，自分が摂取する必要があるか，を確認したうえで摂取することが重要である。この点においても，エルゴジェニックエイドの摂取について公認スポーツ栄養士や管理栄養士の指導が必須である。

サプリメントとドーピングの関係

サプリメントは，栄養素，あるいは栄養成分であることから，原則，禁止物質が入っていないはずのものである。しかし，最近はサプリメントのコンタミネーション（contamination：コンタミ）によるドーピング違反の事例が頻発しており，大きな問題となっている。コンタミは本来「汚染」を意味する言葉で，原材料に含まれてないはずの禁止物質が何かの拍子に紛れ込んでしまうことをいう。

サプリメントに禁止薬物のコンタミが生じる原

表3 サプリメントの利用を判断する条件と具体例

判断の条件	具体的な例
身体活動量が多くなり食事から摂りきれない場合	身体活動量が多くなるのにともない，エネルギー・栄養素の必要量が多くなり食事量が増加するのに，必要量を食べきれないとき
消化・吸収の時間が短い場合	食事時間や食後の休憩時間が十分に取れないなど，エネルギーや栄養素の必要量を摂取できないとき
食事に偏りがある場合	好き嫌い，食物アレルギー，合宿・遠征などで食環境が悪いとき
食事の制限により摂取量が少なくなる場合	減量中や病気のとき
食欲がない場合	緊張していたり，疲労していたり，予定している食事をすべて食べることができないとき
胃腸が弱っていて，消化・吸収の能力が低下している場合	胃腸の状態が悪いとき
特定の栄養素を摂取しなくてはいけない場合	増量・トレーニングの状況によって，増やさなければならない栄養素があるとき

（文献10より引用）

因には，次の3つが考えられる。

①近くの製造ラインで合法ステロイド入りのサプリメントなどを製造しており，何かの拍子で微量が混入してしまう。

②原材料の保管場所での管理が十分ではなく，他の原材料から禁止物質が混入してしまう。

③製造釜がきちんと洗浄されておらず，以前に製造していた禁止物質が残っていた。

アスリートがサプリメントの選択で最も重視すべきは，製品に禁止薬物が混入しないという「安全性」である。サプリメントの安全性について，日本アンチ・ドーピング機構（Japan Anti-Doping Agency：JADA）が2019年4月3日に「サプリメント認証枠組み検証有識者会議によるガイドライン」を公表した。サプリメントを製造する企業には，このガイドラインに準拠した製品であることが求められている。

試合期の食生活

試合に向けた「最高のパフォーマンスをするために必要な栄養管理」とは，「食」に関する不安材料を解消する栄養管理ともいえる。試合期とは，試合に向けた準備期間となる「試合前」，「試合当日」，「試合後」の3つを指す。試合期の食に関する不安材料には，緊張・興奮による消化・吸収の抑制，食欲不振あるいは亢進，試合中のエネルギー不足（俗にいう「ガス欠」），脱水がある。これらの不安材料を解消するための栄養管理が必要不可欠である。

試合当日は試合の開始時刻を中心に，食事・補食の計画を立てる。

水分・電解質補給

運動による身体活動に伴い体温が上昇することでヒトは発汗する。発汗量の増加は脱水を引き起こし，その脱水レベルによりさまざまな症状が引き起こされる。熱中症に至らない状態でも，この症状は良好なパフォーマンスの維持に影響を与える。そのため，運動中に水分の補給が必要となる。体重の2％の脱水で，強い渇き，めまい，吐き気，胸の息苦しさ・圧迫感，食欲減退，血液濃縮，尿量減少という身体的な症状だけではなく，ぼんやりするという判断能力にも影響する[5]ことから，運動中は2％以内の脱水レベルに抑えることが必要となる。**表4**に脱水の種類とその主な原因，ナトリウム（Na）濃度と水の損失状況，血漿浸透圧，循環血液量を示した。

運動による脱水は高張性脱水である。高張性脱水の特徴には，一次的な血漿浸透圧低下のため抗利尿ホルモン（antidiuretic hormone：ADH）が分泌され，尿濃縮による尿量減少と口渇感が引き起こされる。そのため，口渇感が出現したときには脱水していることになる。脱水状態を判断する方法としては，運動前後の体重を測定して脱水率［脱水率（％）＝（運動前体重－運動後体重）/運動前体重×100］を求めることや，尿の色と量から判断することができる。

運動時の水分補給は，0.1～0.2％の食塩と4～8％の糖質を含むものが適切である。

健康・スポーツ分野における栄養管理システム「スポーツ栄養マネジメント」

健康・スポーツ分野では，「スポーツ栄養マネジメント」[6,7]を用いて栄養管理を実施している。**図3**にはその流れを示した。

スポーツ栄養マネジメントの流れについてアスリートを例にして簡単に説明すると，最初にマネジメントの目的と期間を決め，目的を達成する必要があるアスリートを抽出（スクリーニング）して個人サポートを行う。個人サポートはスクリーニ

表4 脱水の種類とその主な原因，ナトリウム（Na）濃度と水の損失状況，循環血液量

	主な原因	Na［血清濃度（mEq/L）］と水の損失状況	細胞液の移動と状況	血漿浸透圧	循環血液量
高張性脱水（水欠乏性脱水）	発汗，水分摂取の低下，嘔吐，下痢	Na（150以上）<水	内液→外液 細胞内液の減少	上昇	維持
等張性脱水（混合性脱水）	出血や下痢，熱傷など急速に細胞外液が失われるとき	Na（130～150）＝水	内液・外液の変化なし	変化なし	減少
低張性脱水（Na欠乏性脱水）	嘔吐・下痢，副腎機能の低下など基礎疾患がある場合，利尿剤使用時	Na（130以下）>水	外液→内液 細胞外液の減少	低下	減少

図3 スポーツ栄養マネジメントの流れ

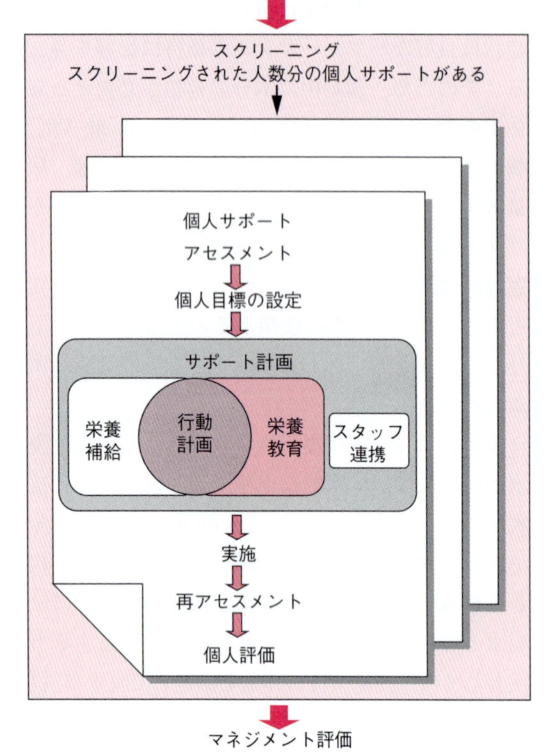

（文献6より許諾を得て転載）

ングされた人数分行うことになる。個人サポートは，アセスメントによって現状を把握して目的達成のための課題や問題点を明らかにし，その結果を用いて個人目標を定める。個人目標が定まった後にアセスメントを根拠として栄養補給計画を立て，その計画を達成するためにアスリートが実行する目標（行動計画）を立てる。また，行動計画を実行する際に必要な知識やスキルを教育する（栄養教育）。さらに，スムーズかつ確実にサポートを進めるために，アスリートの周りの人たちとの連携についての計画も立てる。すべての計画を立てた後にサポートを実施する。サポート実施中は，計画通りに進んでいるかを面談などで確認して支援を続け，もしも目標や計画に不具合が起こった場合には変更を加えて進めていく。サポート期間終了時に再アセスメントを行ってサポート後の現状を把握し，個人目標の達成状況を確認する。再アセスメントの結果から，個人目標の達成状況，個人サポート中のプロセスや競技力の変化などを総合的に評価（個人評価）する。1つの目的でマネジメントの対象者としてスクリーニングされたアスリート全員分の目的の達成状況や成果（個人評価），プロセス・構造上の評価をまとめたものが，マネジメントの評価となる。この評価には競技成績も含まれる。

アスリートの栄養管理は，スポーツ栄養学の高い専門性を必要とする場合が多く，公認スポーツ栄養士の資格取得者が適任であり，スポーツ栄養学をはじめとするさまざまなエビデンスを理解するとともに，エビデンスを基に対象者に合わせてアレンジしてマネジメントを実施することで，確実に成果を上げることができる。

【文献】

1) 鈴木志保子：ジュニアアスリートの栄養．臨スポーツ医，34(6)，622-630, 2017.
2) Mountjoy M, et al.: The IOC consensus statement: beyond the Female Athlete Triad--Relative Energy Deficiency in Sport（RED-S）. Br J Sports Med, 48（7）: 491-497, 2014.
3) Otis CL, et al.: ACSM position stand: the female athlete triad. Med Sci Sports Exerc, 29（5）: i-ix, 1997.
4) Nattiv A, et al.: American College of Sports Medicine position stand. The female athlete triad. Med Sci Sports Exerc, 39（10）: 1867-1882, 2007.
5) 山本孝史：基礎栄養学．pp.227, 南江堂，2012.
6) 鈴木志保子：スポーツ栄養マネジメントの構築．栄養学雑誌，70(5): 275-282, 2012.
7) 日本スポーツ栄養学会 監：エッセンシャルスポーツ栄養学．pp.16-25, 市村出版，2020.
8) Burke LM, Hawley JA, Wong SH, et al.: Carbohydrates for training and competition. J Sports Sci, 29（S1）: S17-27, 2011.
9) Kreider RB, Wilborn Cd, Taylor L, et al.: ISSN exercise and sport nutrition review: research and recommendations. J Int Soc Sports Nutr, 7: 7, 2010.
10) 鈴木志保子 著：理論と実践 スポーツ栄養学．pp.71, 日本文芸社，2018.

女性アスリートの特性

女性アスリートはスポーツを実施するうえで，男性とは異なる身体の特性により問題を抱えることがあり，月経に関連する症状，身体的特徴より発生しやすい外傷・障害などが挙げられる。また，近年では女性アスリートの三主徴が問題視されており，対策も講じられている。
本項では，女性アスリートの特性について，問題点やその対策も含めて解説する。

月経[1,2]

月経とは「約1カ月の間隔で起こり，限られた日数で自然に止まる子宮内膜からの周期的出血」である。

月経に関連する問題

無月経

初経発来がない原発性無月経と，運動によるストレスにより後発的に生じる視床下部性無月経がある。

月経困難症

いわゆる月経痛が強いものを指し，「月経に随伴して起こる病的症状で，日常生活に支障をきたすもの」とされている。症状としては，下腹部痛，腰痛，腹部膨満感，吐き気，頭痛，疲労・脱力感，食欲不振，イライラ，下痢，憂鬱などがある。子宮や卵巣に異常がみられないものを機能性月経困難症，子宮内膜症や子宮腺筋症，子宮筋腫などの疾患に伴うものを器質性月経困難症という。

月経前症候群

「月経前3～10日の黄体期にみられる精神的・身体的症状で，月経発来とともに減退ないし消失するもの」とされている。精神的症状として，イライラ，怒りっぽくなる，落ち着きがない，憂鬱などがあり，身体的症状として，下腹部膨満感，下腹部痛，腰痛，頭重感，頭痛，乳房痛，のぼせなどがある。このうち，精神的症状が主でさらにその症状が強い場合を月経前不快気分障害という。

過多月経

経血量過多のものを指し，目安としては「夜用のナプキンが1～2時間ごとに交換が必要な量」とされる。過多月経による鉄欠乏性貧血となるケースもあるため，経血量の多さを自覚していない場合は注意が必要である。

女性アスリートの三主徴[1-5]

女性アスリートにみられる健康問題は，1990年代より国際的に問題視されてきた。アメリカスポーツ医学会は2014年に，女性アスリートの三主徴（三主徴）として，摂食障害の有無によらない利用可能エネルギー不足，視床下部性無月経，骨粗鬆症の3つの疾患（**図1**）を提唱[3]した。この3つが相互関係をもちながら影響して健康を害し，選手生命を失う結果につながることもある。

三主徴の始まりは，利用可能エネルギー不足と考えられている。特に激しいスポーツ活動や低体脂肪率，低体重が原因となることが多く，競技レベルの高いアスリートや体脂肪率が低い持久系競技，審美系競技のアスリートに多くみられる。

摂食障害の有無によらない利用可能エネルギー不足

利用可能エネルギー不足とは，「運動によるエネルギー消費量に見合ったエネルギー摂取量が食事から確保されていない状態」を示す。この状態になると代謝やホルモン機能の異常をきたし，月経異常，骨粗鬆症の発症，パフォーマンスの低下，健康状態への悪影響を引き起こす可能性があるとい

図1 女性アスリートの三主徴

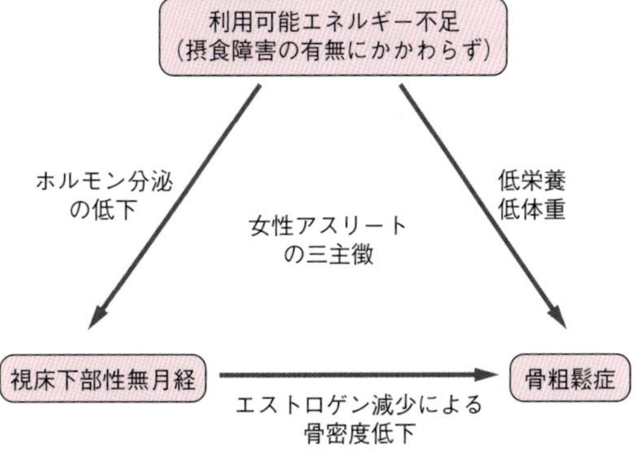

（文献3を参考として作成）

われている。低体重が望まれたり，減量が必要な競技種目では摂食障害を併発することがある。

視床下部性無月経

初経を経験した後に視床下部－下垂体系の異常により3カ月以上の無月経となるものを続発性無月経という。女性アスリートが視床下部性無月経に至るパターンは，慢性的な低体重，短期間での極端な体重減少，急激なトレーニング量や強度の増加の3つが挙げられる。

骨粗鬆症

無月経による低エストロゲン状態が続くことで，骨密度が低下して骨粗鬆症や疲労骨折のリスクが高くなる。通常，女性は20歳ごろに最大骨量を獲得するがその後の骨量増加は乏しく，閉経後に急激に骨密度が低下する。しかし，無理な減量や食事制限などにより10歳代で適切な体重やエストロゲン分泌がないまま20歳を迎えると，骨量が少ない状態で生涯を過ごすことになってしまう。そのため，骨密度の増加率が最も高くなる10歳代で十分な骨量を獲得しておくことが重要である。

対策

婦人科および精神科のスポーツ専門医，心理士，栄養士などの専門家による対応と，指導者，家族，トレーナーなどの協力が不可欠である。エネルギー摂取量を増やし，トレーニングによるエネルギー消費を減らすことが第一であるが，無月経や骨密度の状態によっては薬物療法も必要となる。

三主徴を予防するために，婦人科医を中心にアスリートや指導者，学校関係者，家族などへの啓発活動が推進されている[5]。日常的な取り組みとしては，三主徴に関するスクリーニングの実施，基礎体温の測定，バランスのよい食事の摂取，運動量の管理などが勧められる。

女性の身体的特徴

女性の身体的特徴は男性と異なり，スポーツを実施するうえで，さまざまな影響を及ぼす。女性の特徴としては，男性と比較して関節弛緩性が高い[6-8]，関節可動域が広い[9]，脂肪量が多い[10,11]，筋力が弱い[12]，筋量が少ない[12]などが挙げられる。一般的には，身体が軟らかい(柔軟性が高い)ほど，スポーツ外傷・障害の発生頻度は低いと考えられるが，関節の可動性が大きい(関節弛緩性が高い)場合も，外傷が発生しやすくなる[12]。

関節弛緩性は，先天的なものとスポーツ活動などによる同じ動作の反復によって生じる後天的なものがある[13]。スポーツの競技種目特性や，スポーツ外傷・障害との関連も報告されている[11]。検査方法にはCarter(カーター)法[14]，Beighton(ベイトン)法[15]，関節弛緩性テスト(東大式[13]，**図2**)などがある。一方で，月経周期と関節弛緩性の関係は長年議論がなされているが，一定の見解は得られていない。Maruyamaら[16]は，反張膝を有する女性にのみ排卵期に膝関節の弛緩性が増大することを確認している。Parkら[17]は，排卵期には黄体期と比較して膝関節の弛緩性が増大することを確認しているが，個人差があるため一般化できないと結論づけている。能瀬[18]は，月経前の「関節の緩さ」を訴えて婦人科を受診するアスリートがいることや，経口避妊薬により「関節の緩さ」の改善を自覚するアスリートがいることを報告している。これらのことから，月経周期や「関節の緩さ」などの自覚症状の把握が，女性アスリートの外傷・障害予防につながる可能性がある。

構造的な特徴

女性は男性と比較して，骨盤幅が広い[19]，腰椎前弯が増強している[20]，骨盤前傾が大きい，大腿骨前捻角やQアングルが大きいなどの特徴[21,22]が挙げられる。これらの特徴は女性アスリートがスポーツ動作で呈しやすい膝が内側へ入る現象(knee-in)を引き起こす要因となる。骨盤幅が広く，Qアングルが増大すると，膝関節外反・下腿外旋(大腿部に対して)が増大しやすい。骨盤前傾は股関節を内旋させる[23]。また，大腿骨前捻角が大きいと股関節は内旋する[24,25]とされ，これらの要因によりknee-in(**図3**)を呈しやすい。さらに，関節弛緩性が高い者は足部内側への負荷が増大する[26]ことから，足関節外がえしによる遠位からの運動連鎖によりknee-inを呈しやすい。一方で，必ずしも静的アライメントが動的アライメントに影響するとはいえず，神経筋制御系の影響を受けるとの報告もある[27]。このように，動的アライメントは複数の要因により構築される。

加齢により骨盤後傾や膝内反も大きくなると報

図2 関節弛緩性テスト（東大式）

❶肩関節（背中で指を握ることができる），❷肘関節（肘の過伸展≧15°），❸手関節（母指が前腕につく），❹脊柱（立位体前屈で手掌が床につく），❺股関節（立位で股関節を外旋してつま先が180°開く），❻膝関節（膝の過伸展≧10°），❼足関節（足の背屈角度≧45°），以上の7項目について，陽性の場合を1点，左右がある場合はそれぞれ0.5点とし，7点中4点以上で全身の関節弛緩性があると判定する

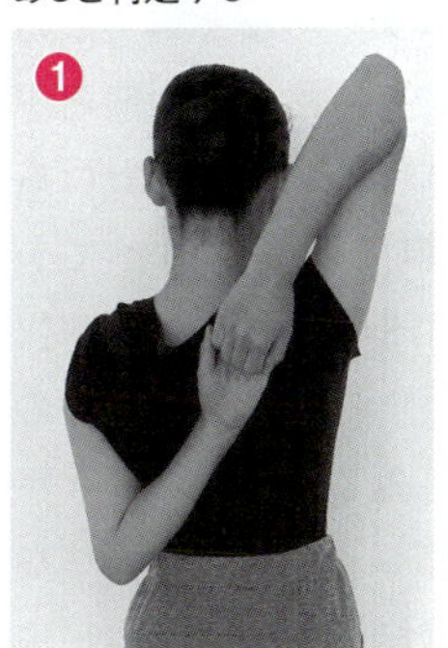

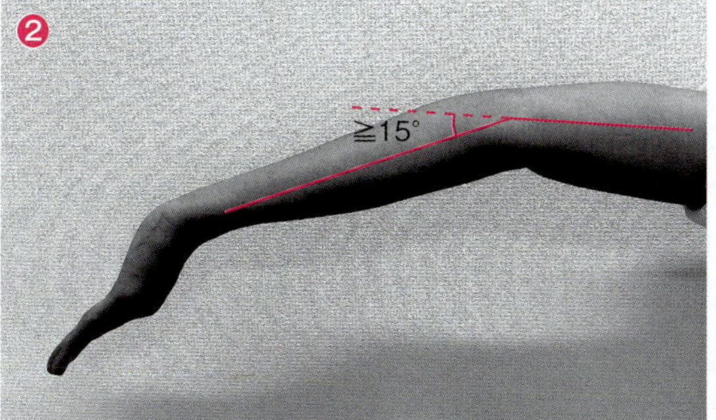

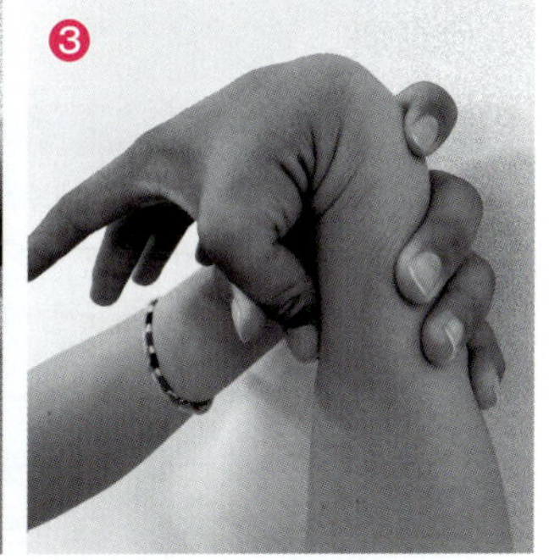

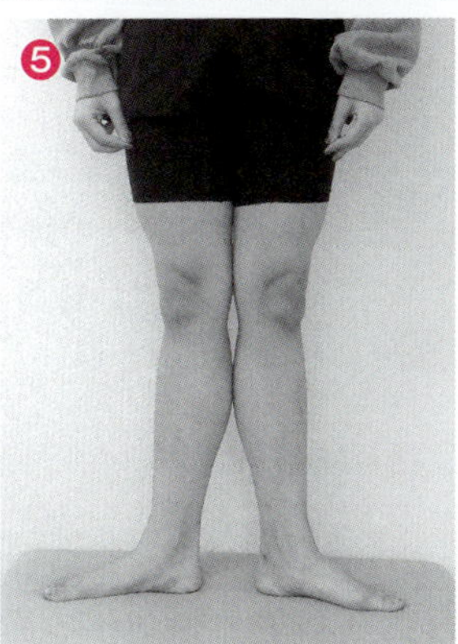

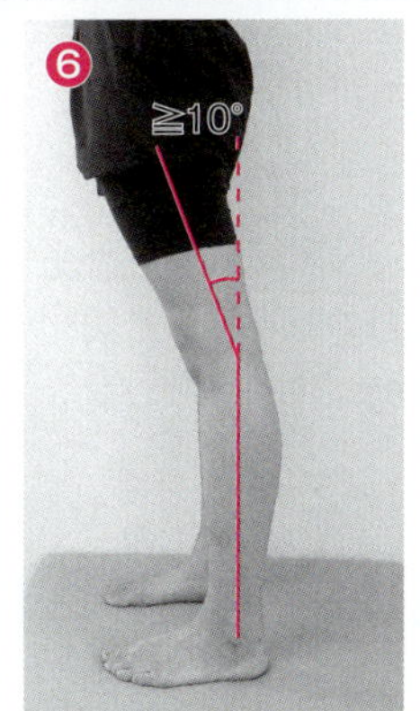

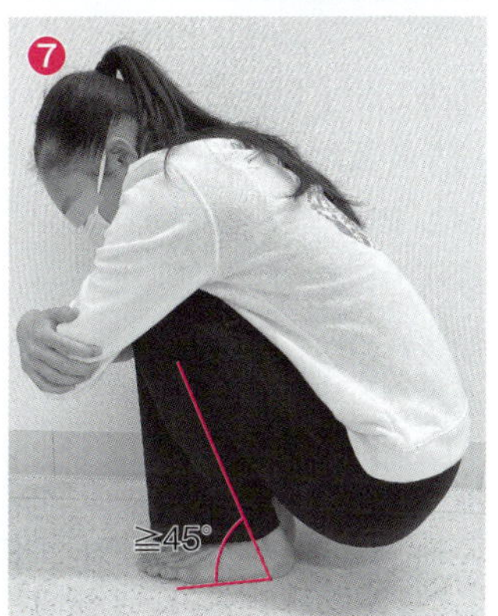

（文献13を参考として作成）

図3 スポーツ動作における knee-inの例

❶バスケットボールディフェンス動作
❷バスケットボール着地動作
❸バレーボールスパイク踏切動作

告されており[21]，年代別の特徴も把握する必要がある。

その他に，寛骨臼が浅い[28]，脛骨後方傾斜角が大きいなどの特徴も挙げられる[29,30]。球関節である股関節は，肩関節と同様に骨頭を寛骨臼に対して求心位に保持するための機能が求められ，寛骨臼が浅く関節弛緩性も高い場合には，さらにその機能を要する。肩関節は股関節に比べて骨頭の被覆率が小さく自由度が大きい関節のため，求心位保持には軟部組織への依存度が高い。そのため，関節弛緩性が高い女性アスリートでは，外傷・障害リスクが高いことが推測される。

女性アスリートに発生しやすい外傷・障害

女性アスリートは，競技種目特性，不良動作と

その要因，女性アスリートの特性により，発生しやすい外傷・障害がある。なお，各外傷・障害の詳細については，他項を参照していただきたい。

疾患別

膝前十字靱帯損傷

非接触型の膝前十字靱帯(anterior cruciate ligament：ACL)損傷は男性と比較して女性の発生頻度が高く，急激なストップやジャンプ，切り返しなどが多いバスケットボールやハンドボール，サッカー，体操競技などで発生しやすい[31,32]。直立に近い姿勢であると大腿四頭筋の収縮が優位となり，膝関節外反強制を伴うことで膝ACL損傷が発生しやすいと報告されている[32-35]。女性は身体的な特徴によりknee-inを呈しやすく，機能的要因としては，骨盤後傾が大きい[34]，股関節外転・外旋筋力の低下[36]，膝関節伸展筋力の低下[37]，足関節背屈制限[38]および足部アーチ機能の低下[38,39]などが挙げられる(**図4**)。

その他のリスクファクターとして，膝ACLの長さ，断面積，体積が小さいこと，弾性率やコラーゲン線維の占める割合が小さいこと，膝ACLや筋に女性ホルモンの受容体が存在するために月経周期の影響を受ける可能性があることなどが報告されている[18,32,40]。

対策としては，受傷機転に多くみられるknee-inの改善が必要であり，knee-inを構築する機能的要因の改善は，各動作のスキル改善と並行して対応する。各競技種目特性に応じた動作のポイントについては他項を参照していただきたい。

疲労骨折

低体重や細身の体格が有利とされる長距離陸上競技，新体操やフィギュアスケートなど審美系の競技において発生頻度が高く，三主徴との関連が指摘されている[1,2]。三主徴のうち1つを認めれば疲労骨折のリスクが2.4～4.9倍高まり，3つすべてを認めればそのリスクが6.8倍にまで上昇すると報告されている[3]。多部位に発生する例は三主徴との関連がある。ジャンプや切り返しが多いバスケットボールやハンドボール，バレーボール，卓球などでも多くみられ[41]，不良動作(knee-inなど)により患部に繰り返しのストレスが加わり発生することが多い。

対策としては，三主徴がある場合には「女性アスリートの三主徴」への対策を，動的アライメントへの対策については「膝前十字靱帯損傷」の対策を参照していただきたい。

部位別

腰部

アスリートにおける腰痛は多くみられ，男性と比較して女性で多くみられる[42]。新体操や器械体操，フィギュアスケート，バレエなどの大きな関節可動域が必要となる競技では，過度な腰椎伸展運動が求められる。審美系競技における腰痛発生率の男女差はなく，関節弛緩性と腰痛との関連も認められないと報告されている[43-45]。一方で，女性は腰椎前弯・骨盤前傾角度が大きい，関節弛緩

図4 knee-inに関係する機能的要因と運動連鎖

❶neutral　❷足関節背屈制限　❸膝関節伸展筋筋力低下　❹股関節外転筋筋力低下

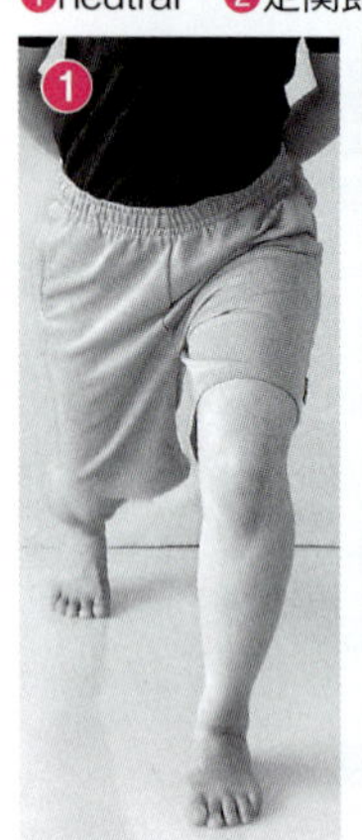

前額面上で膝と足部の向きが一致

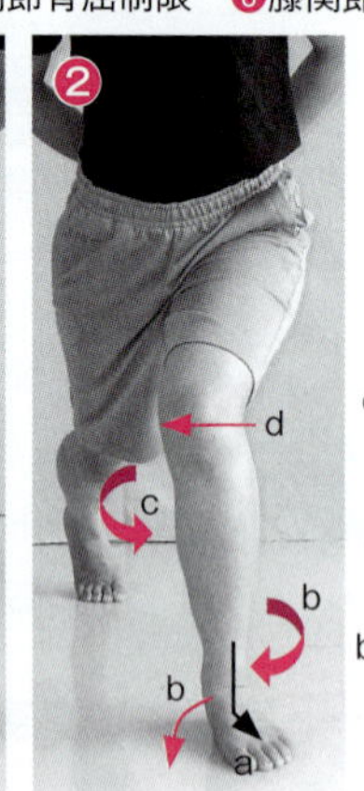

d：膝関節外反
↑
c：下腿内旋(足部に対して)
↑
b：足部外がえし
↑
a：足関節背屈制限

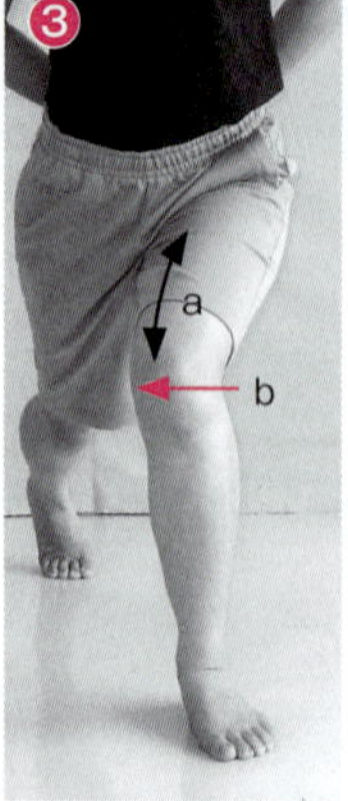

a：膝関節伸展筋筋力低下
↓
b：膝関節外反

a：股関節外転筋筋力低下
↓
b：骨盤外側偏移傾斜
↓
c：股関節内旋
↓
d：膝関節外反

性が高いなど，「軟らかい」がゆえに腰椎のみの運動に依存した動作（**図5**）によって腰痛が発生する例もある。

肩関節

投球障害肩において，男性は肩関節2nd内旋可動域制限を有している者が多いが，女性は肩関節の機能低下よりも，体幹や股関節など他部位の柔軟性や筋力が影響していると報告されている[46]。女性の肩関節可動域は男性よりも大きい[9]が，投球時の肩関節最大外旋角度は小さく，肩関節外旋に対する肩甲骨後傾が大きいことが指摘されており[47]，投球時の肩関節へのストレスは男女で異なることが推測される。

足関節

審美系競技ではつま先立ち（ルルベ）での動作が多く，さらにクラシックバレエではトゥシューズを履くため足関節の過度な底屈運動を強いられる。足部アーチ機能や足関節底屈機能が低下していると，足関節後方が衝突して三角骨障害や距骨後突起障害が発生しやすい[48,49]。

その他

女性アスリートは，各年代において発生頻度の高い外傷・障害があるため，各年代における問題

図5 腰椎の過可動性に依存したスポーツ動作の例

❶バスケットボール：シュート動作
❷バレーボール：スパイク動作
❸クラシックバレエ：後方への反り

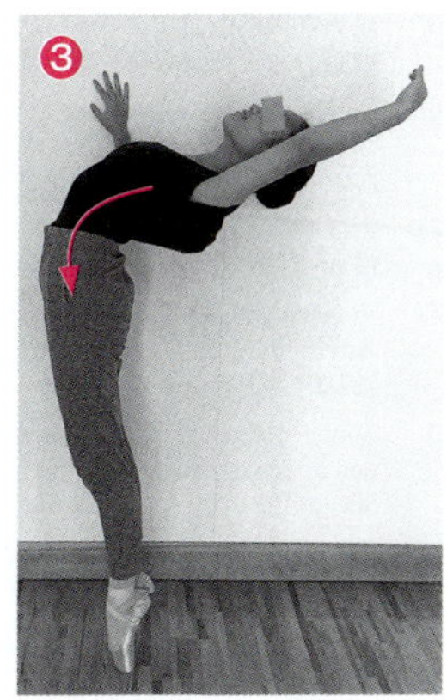

図6 年代別女性アスリート特有の問題

●月経に伴う問題：女性アスリートの三主徴，月経随伴症状などが挙げられ，コンディションに影響する。無月経により子宮が成育不良となり不妊，骨粗鬆症となり成人以降の骨密度低下，閉経後の骨粗鬆症の悪化へとつながる
●妊娠・出産に伴う問題：母乳による栄養不足は，妊娠前の相対的なエネルギー不足と相まって骨折，出産に伴う骨盤帯の機能変化や低下が腰痛や尿漏れへとつながる
●閉経に伴う問題：骨密度低下に伴う骨粗鬆症や，筋力低下やアライメント変化が相まって骨折へとつながる

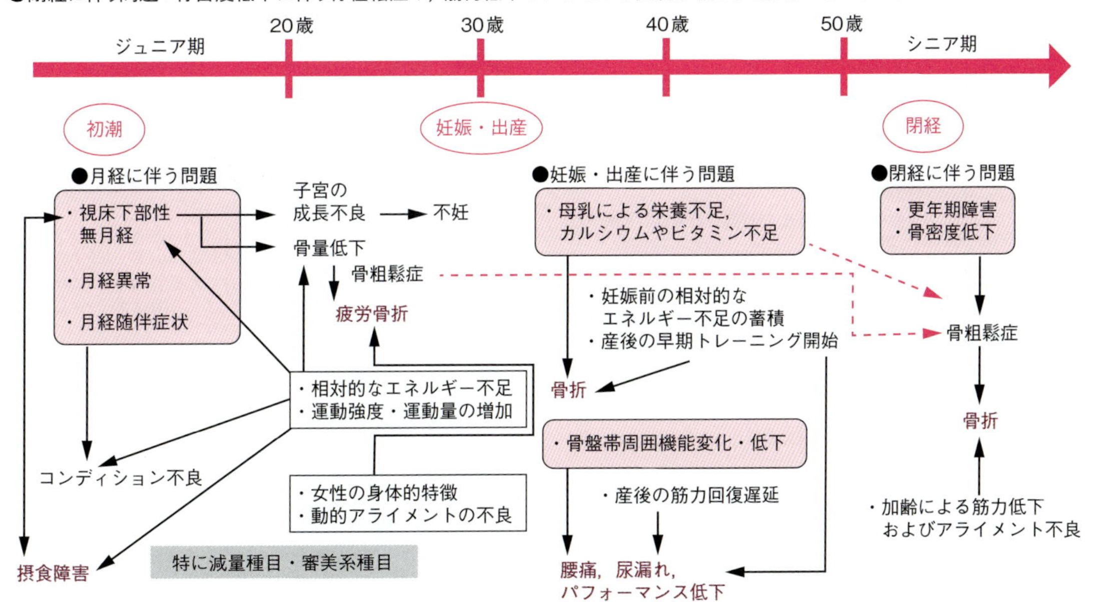

（**図6**）と合わせて把握しておく。近年は，出産後に競技復帰して元のレベルで活躍する女性アスリートや，健康増進目的で運動習慣のある中高年～高齢期のスポーツ愛好者も増加し，幅広い知識・技能が必要となる。

【文献】

1) 中村寛江，平池　修・能瀬さやか 編著：女性アスリートの三主徴．女性スポーツ診療ハンドブック．pp.43-64, 中外医学社，2020.

2) 東京大学医学部附属病院 女性診療科・産科：Health Management for Female Athletes Ver. 3 －女性アスリートのための月経対策ハンドブック－．2018.

3) Mallinson RJ, et al.: Current perspectives on the etiology and manifestation of the “silent” component of the Female Athlete Triad. Int J Womens Health, 6: 451-467, 2014.

4) 内閣府男女共同参画局：女性における骨量の推移．https://www.gender.go.jp/about_danjo/whitepaper/h30/zentai/html/zuhyo/zuhyo01-00-11.html（2023年4月3日閲覧）．

5) 順天堂大学女性アスリートの戦略的サポート事業：女性アスリート戦略的強化支援方策レポート．廣済堂，2013.

6) Jansson A, et al.: General joint laxity in 1845 Swedish school children of different ages: age-and gender-specific distributions. Acta Paediatr, 93（9）：1202-1206, 2004.

7) 古後晴基，ほか：身体柔軟性と関節弛緩性における性差および関係性．ヘルスプロモーション理療研，4（4）：189-193, 2015.

8) Velasco CB, et al.: Joint Hypermobility and Sport: A Review of Advantages and Disadvantages. Curr Sports Med Rep, 12（5）：291-295, 2013.

9) Soucie JM, et al.: Range of motion measurements: reference values and a database for comparison studies. Haemophilia, 17（3）：500-507, 2011.

10) 原田脩平，ほか：体組成計による筋肉量・脂肪量の測定報告－性別による違いと加齢変化－．理療臨研教，25（1）：98-102, 2018.

11) 公益財団法人日本スポーツ協会：女性とスポーツ／身体的特徴について．https://www.japan-sports.or.jp/Portals/0/data0/publish/pdf/h24_seigo2_24.pdf（2023年4月3日閲覧）．

12) 相澤杏莉，ほか：身体の柔らかさはスポーツ障害・外傷の発生にどう影響するか？ 理療科，37（1）：123-128, 2022.

13) 廣橋賢次：スポーツと関節弛緩性．鹿屋体育大学研紀，12: 111-115, 1994.

14) Carter C, et al.: Persistent joint laxity and congenital dislocation of the hip. J Bone Joint Surg Br, 46（1）：40-45, 1964.

15) Beighton P, et al.: Articular mobility in an African population. Ann. rheum. Dis, 32: 413-418, 1973.

16) Maruyama S, et al.: Relationship Between Anterior Knee Laxity and General Joint Laxity During the Menstrual Cycle. Orthop J Sports Med, 9（3）：1-7, 2021.

17) Park SK, et al.: Relationship between knee joint laxity and knee joint mechanics during the menstrual cycle. Br J Sport Med, 43（3）：174, 2009.

18) 能瀬さやか：月経周期と前十字靱帯損傷．HORM FRONT GYNECOL, 24（3）：55-58, 2017.

19) 新井正治：日本人骨盤の研究 其の五 新鮮靱帯性骨盤．人類學雜誌，48（6）：317-347, 1933.

20) 藤原勝夫，ほか：若年成人における骨盤傾斜に伴う脊柱弯曲変化の性差の三次元分析．Health Behavior Sci, 19（1）：17-23, 2020.

21) 松村将司，ほか：骨盤・下肢アライメントの年代間の相違とその性差－20-70代を対象とした横断研究－．理療科，29(6): 965-971, 2014.

22) Nguyen AD, et al.: Sex differences in clinical measures of lower extremity alignment. J Orthop Sports Phys Ther, 37（7）：389-398, 2007.

23) 安藤正志：骨盤傾斜角と下肢回旋連鎖の検証．日スポーツリハ会誌，11: 9-13, 2022.

24) 近藤　淳，ほか：健常成人における計算式に基づく大腿骨頸部前捻角と股関節回旋可動域との関係の予備的検討－性別と肢位の違いによる比較．理療ジャーナル，45（1）：81-84, 2011.

25) Khamis S, et al.: Effect of feet hyperpronation on pelvic alignment in a standing position. Gait Posture, 25（1）：127-134, 2007.

26) Kim D, et al.: Generalized joint laxity associated with increased medial foot loading in female athletes. J Athl Train, 44（4）：356-362, 2009.

27) Harty CM, et al.: Intertask comparison of frontal plane knee position and moment in female athletes during three distinct movement tasks. Scand J Med Sci Sports, 21（1）：98-105, 2011.

28) 中村　茂：変形性股関節症 X 線計測．日本人股関節の臼蓋・骨頭指数－400股の計測値．整形外科，45（8）：769-72, 1994.

29) Endo Y, et al.: Difference in sex and the effect of a dominant lower extremity in the posterior tibial slope angle in healthy Japanese subjects. Asia Pac J Sports Med Arthrosc Rehabil Technol, 23: 8-12, 2021.

30) Hashemi J, et al.: The geometry of the tibial plateau and its influence on the biomechanics of the tibiofemoral joint. J Bone Joint Surg Am, 90（12）：2724-2734, 2008.

31) 岩本　潤：女性アスリートの整形外科的サポート．臨スポーツ医，30（2）：161-166, 2013.

32) Shultz A J, et al.: ACL Research Retreat VI: An Update on ACL Injury Risk and Prevention. J Athl Train, 47（5）：591-603, 2021.

33) Quatman CE, et al.: The anterior cruciateligament injury controversy: is “valgus col-lapse” a sex-specific mechanism ？ Br J Sports Med, 43: 328-335, 2009.

34) 福山友見，ほか：前十字靱帯損傷患者の股関節形態が股関節筋力および膝関節外反角度に及ぼす影響．理療科，37（1）：65-70, 2022.

35) Kobayashi H, et al.: Mechanisms of the anterior cruciate ligament injury in sports activities: A twenty-year clinical research of 1,700 athletes. J Sports Sci Med, 9（4）：669-675, 2010.

36) Kobayashi H, et al.: Lower extremity biomechanics during single-leg drop jump in female basketball players with dynamic knee valgus alignment. J Phys Fitness Sports Med, 2（4）：501-508, 2013.

37) Shultz SJ, et al.: Thigh strength and activation as predictors of knee biomechanics during a drop jump task. Med Sci Sports Exerc, 41（4）：857-866, 2009.

38) Lima YL, et al.: The association between restricted ankle joint dorsiflexion and dynamic knee valgus. Phys Ther Sport, 29: 61-69, 2018.

39) 島本大輔，ほか：動的膝外反に影響する下肢身体因子－大学女子サッカー選手での検討－．日臨スポーツ医会誌，28（3）：423-430, 2020.

40) Lee H, et al.: Do oral contraceptives alter knee ligament damage with heavy exercise ？ Tohoku J Exp Med, 237: 51-56, 2015.

41) 半谷美夏：女性アスリートの外傷・障害 競技種目特性も踏まえて．臨整外，55（12）：1291-1296, 2020.

42) 村井楓子，ほか：大学運動選手の腰痛に関する競技種目別の検討．東海大スポーツ医誌，31: 21-27, 2019.

43) 横尾直樹，ほか：クラシックバレエダンサーの腰痛・第2報－アンケート調査による男女の比較－．日本腰痛会誌，10（1）：100-106, 2004.

44) 大坪俊矢，ほか：新体操競技におけるスポーツ傷害の実態調査－2018年度のユース世代選手を対象として－．日臨スポーツ医会誌，30（1）：248-253, 2022.

45) 村井楓子，ほか：大学運動選手の腰痛に関する競技種目別の検討．東海大スポーツ医誌，31: 21-27, 2019.

46) 平本真知子，ほか：女子プロ野球選手における身体機能とパフォーマンスおよびスポーツ障害の関係．京都滋賀体育研，32: 3-14, 2016.

47) 太田健一郎，ほか：大学女子野球選手における投球動作時の方外旋運動の特徴：日臨スポーツ医会誌，30（2）：453-460, 2022.

48) 平石英一，ほか：バレエダンサーの足関節後方インピンジメント症候群．別冊整形外，69: 239-242, 2016.

49) Wikkiam G, et al. : Pain in the Posterior Aspect of the Ankle in Dancers. THE J Bone Joint Surg Am, 78（10）：1491-1500, 1996.

国際総合競技大会における日本代表選手団メディカルの活動と理学療法士のかかわり

本項では，日本代表選手団が派遣される夏季の国際総合競技大会のうち，本部トレーナーの派遣実績がある「オリンピック競技大会」，「アジア競技大会」，「ユニバーシアード競技大会」の三大会について，メディカルスタッフの派遣状況を示す。また，筆者が帯同した直近の大会における本部トレーナーの活動を紹介し，日本代表選手団における理学療法士の活動実績についても触れる。

国際総合競技大会における日本代表選手団メディカルについて

国際総合競技大会の開催時には日本代表選手団が構成され，メディカルスタッフとして，ドクターやトレーナーが派遣される。大会期間中のメディカルスタッフは中央競技団体（national federation：NF）付きとなり，そのNFを支援するNFメディカルと，日本代表選手団本部に属して選手団全体を支援する本部メディカルに大別される。NFメディカルは各NF日本代表の活動全般（合宿や遠征，練習など）に帯同し，大会期間に限らず支援を行っている場合が多い。一方，本部メディカルは各大会の開催に合わせて構成され，原則として大会期間中のみの活動となる。

大会別の選手数とメディカルスタッフの派遣について

オリンピック競技大会（**図1**）では，第23回大会（1984/ロサンゼルス）で選手数231名に対し，ドクターとトレーナーはともに7名が派遣された。それ以降，選手数は300名を超え，自国開催の第32回大会（2020/東京）では過去最多の583名の選手数となった。また，ドクターの派遣数は第26回大会（1996/アトランタ）まで増加傾向を示し，以降は第31回大会（2016/リオデジャネイロ）までほぼ横ばいで推移したが，自国開催の第32回大会は19名であった。一方，トレーナーは回ごとに増加傾向を示し，第31回大会では第23回大会の約5倍となる34名が派遣され，第32回大会（2020/東京）では過去最多の67名が派遣された。

アジア競技大会（**図2**）では，第9回大会（1982/ニューデリー）で選手数355名に対し，ドクター6名，トレーナー7名が派遣された。選手数は自国開催の第12回大会（1994/広島）で600名を超え，第16回大会（2010/広州）以降は700名を超えた。これに対し，メディカルスタッフの派遣数は，ドクターは第12回大会をピークに第18回大会（2018/ジャカルタ・パレンバン）までやや減少傾向である。一方，トレーナーは第12回大会に第9回大会の約5倍となる37名，第17回大会（2014/仁川）は約8倍の57名が派遣されるなど，選手数に比例して増加傾向で推移している。

ユニバーシアード競技大会（**図3**）では，第21回大会（2001/北京）で選手数210名に対し，ドクター9名，トレーナー17名が派遣された。選手数は第27回大会（2013/カザン）での411名をピークに，第30回大会（2019/ナポリ）まで減少傾向である。メディカルスタッフの派遣数は，ドクターは第21回大会から第30回大会までほぼ横ばいであった。トレーナーの派遣数は選手数の推移と類似の傾向を示し，第28回大会（2015/光州）をピークに減少傾向である。

以上の3つの国際総合競技大会におけるメディカルスタッフの派遣について，本部メディカルとNFメディカルを各々みてみると，本部メディカルは全30大会でドクター数が2～5名，トレーナー数が1～4名と変動が大きくないことがわかる。つまり，メディカルスタッフ数の増減はNFメディカルの派遣数に影響を受けていることになる。

NFドクターの派遣数を競技種目別に**表1**に示す。NFドクターにおける延べ派遣人数はサッカー（50名），競泳（34名）の順に多く，1大会当たりの派遣数でも1.85と1.13となり，1大会に1名以上の頻度でドクターが派遣されていた。次の競技種目における1大会当たりの派遣数では，柔道，ハンドボール，バレーボール，ラグビー，バスケットボール，自転車，陸上競技，野球において，2大会に1名以上のドクターが派遣されていたことになる。

図1 オリンピック競技大会における日本代表選手団の選手数とメディカルスタッフ数

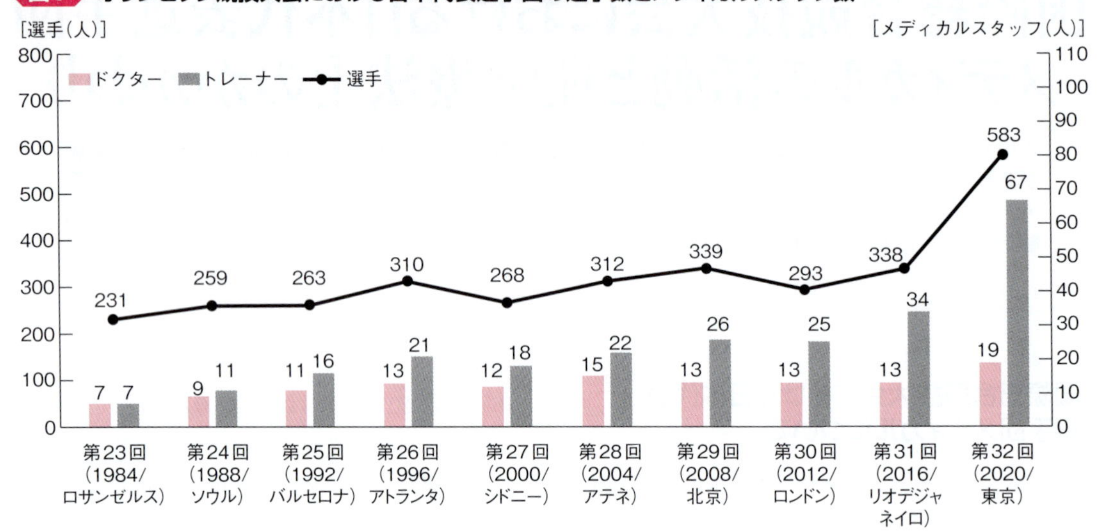

(文献1~10をもとに作成)

図2 アジア競技大会における日本代表選手団の選手数とメディカルスタッフ数

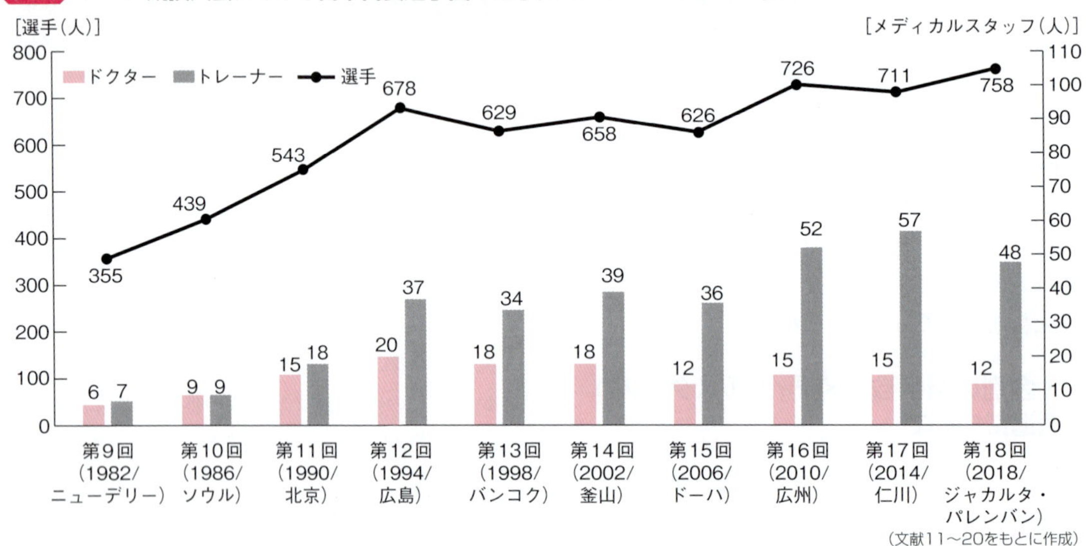

(文献11~20をもとに作成)

図3 ユニバーシアード競技大会における日本代表選手団の選手数とメディカルスタッフ数

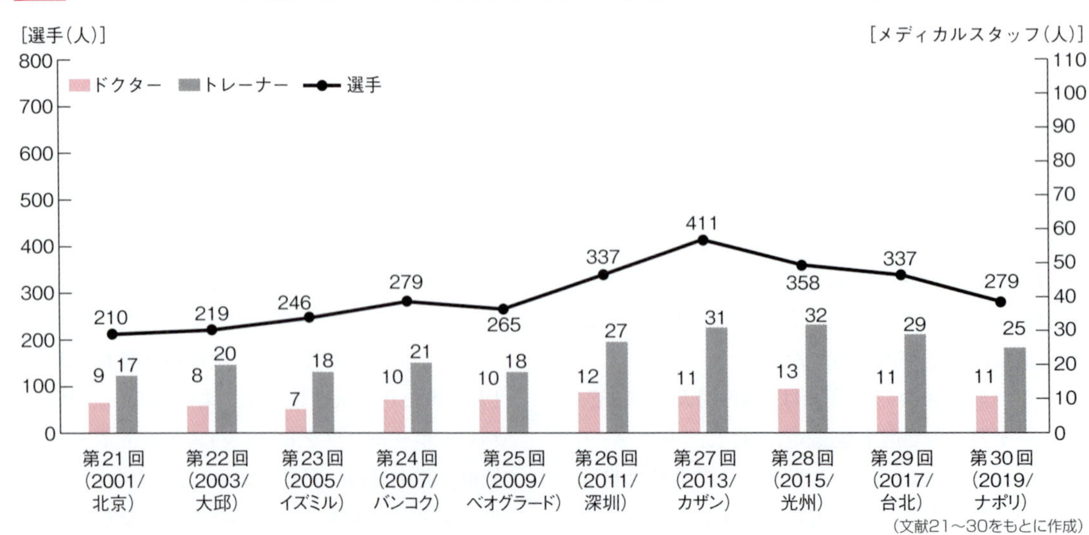

(文献21~30をもとに作成)

同様に**表2**にNFトレーナーの派遣一覧を示す。延べ派遣人数では，競泳（74名），陸上競技（60名），サッカー（59名）の順で多かった。1大会当たりの派遣人数でみると，競泳，サッカー，ラグビー，陸上競技，バスケットボールは1大会に2名以上，バレーボール，柔道，体操競技，野球，ソフトボール，ホッケー，ハンドボール，テニス，自転車，アーティスティックスイミングは1大会に1名以上，ソフトテニス，レスリング，新体操，水球，卓球，トランポリン，空手は2大会に1名以上のトレーナーが派遣されていたことになる。

表1 競技種目別NFドクター（NF-DR）の派遣状況一覧（本項の全30大会）

競技種目	NF-DR 派遣数［名］	大会出場［回］	一大会当たりの派遣人数［大会］
サッカー	50	27	1.85
競泳	34	30	1.13
柔道	25	27	0.93
ハンドボール	12	14	0.86
バレーボール	24	29	0.83
ラグビー	8	10	0.80
バスケットボール	16	24	0.67
自転車	14	21	0.67
陸上競技	18	30	0.60
野球	9	15	0.60
ライフル射撃	10	25	0.40
柔道	9	27	0.33
ソフトボール	4	14	0.29
ホッケー	3	16	0.19
レスリング	4	22	0.18
ビーチバレー	2	11	0.18
セーリング	3	22	0.14
空手	1	8	0.13
体操競技	2	30	0.07
カヌー	1	16	0.06
ボート	1	22	0.05
テコンドー	1	24	0.04
フェンシング	1	28	0.04

表2 競技種目別NFトレーナー（NF-TR）の派遣状況一覧（本項の全30大会）

競技種目*	NF-TR 派遣数［名］	大会出場［回］	一大会当たりの派遣人数［大会］
競泳	74	30	2.47
サッカー	59	27	2.19
ラグビー	21	10	2.10
陸上競技	60	30	2.00
バスケットボール	48	24	2.00
バレーボール	57	29	1.97
柔道	48	27	1.78
体操競技	53	30	1.77
野球	25	15	1.67
ソフトボール	21	14	1.50
ホッケー	24	16	1.50
ハンドボール	18	14	1.29
テニス	33	30	1.10
自転車	21	21	1.00
アーティスティックスイミング	18	18	1.00
ソフトテニス	7	8	0.88
レスリング	19	22	0.86
新体操	18	27	0.67
水球	15	23	0.65
卓球	17	27	0.63
トランポリン	5	10	0.50
空手	4	8	0.50
ボート	10	22	0.45
カヌー	7	16	0.44
バドミントン	10	23	0.43
セパタクロー	2	5	0.40
フェンシング	11	28	0.39
ウエイトリフティング	6	23	0.26
近代五種	3	13	0.23
セーリング	5	22	0.23
アーチェリー	4	27	0.15
飛込	4	30	0.13
ゴルフ	2	16	0.13
カバディ	1	8	0.13
ボウリング	1	8	0.13
ビーチバレー	1	11	0.09
テコンドー	2	24	0.08
ライフル射撃	2	25	0.08

*国際総合競技大会30大会中5大会以上出場した競技種目

日本代表選手団本部メディカル（トレーナー）の活動について

本部トレーナーとして帯同した国際総合競技大会の経験から，各大会共通の業務として次の役割が求められる。

・本部トレーナールームにおける選手のケアやコンディショニング
・競技会場における選手のケアやコンディショニング
・NFトレーナー（選手村外NFトレーナー含む）の後方支援
・メディカルミーティング（大会組織委員会）への参加
・その他の本部業務

このうち，選手対応の実績は**表3**の通りである。また，各大会の開催環境などにより，別の役割も生じることがあるため，各大会の概要と合わせて次に示す。

第18回アジア競技大会（2018/ジャカルタ・パレンバン）[20]

大会期間は2018年8月18日～9月2日，開催国はインドネシアで選手村はジャカルタとパレンバンに設置される分村開催であった。

日本代表選手団は総勢1,092名（選手数758名）で，そのうちメディカルスタッフはドクターが13名（本部：5名，NF：8名），トレーナーが48名（本部：3名，NF：45名）派遣された。以降は筆者が派遣されたパレンバンにおける本部トレーナーの活動について述べる。パレンバンでは11競技65種目に134名の日本代表選手団選手が参加した。メディカルスタッフは本部にドクター2名（外科系1名，内科系1名）とトレーナー1名（理学療法士兼アスレティックトレーナー），NFはドクター1名（サッカー女子）とトレーナー6名（サッカー女子1名，テニス3名，カヌースプリント1名，ボウリング1名）が派遣された。

本部トレーナーは開会式の10日前に先発隊としてパレンバン選手村に入村し，日本代表選手団宿

表3 過去3大会における本部トレーナーの選手対応実績

大会名	第18回アジア競技大会*（2018/ジャカルタ・パレンバン）	第30回ユニバーシアード競技大会（2019/ナポリ）	第32回オリンピック競技大会（2020/東京）
活動日数［日間］	23	17	27
本部トレーナー数［名］	1	2	3
延べ対応人数（男女別）	158名（男子71名，女子87名）	96名（男子18名，女子78名）	144名（男子23名，女子121名）
競技別対応数（延べ人数）	ビーチバレーボール（56），カヌー（40），セパタクロー（36），クレー射撃（15），ライフル射撃（5），ソフトテニス（2），ボウリング（2），スポーツクライミング（1），ローラースポーツ（1）	テコンドー（34），水球女子（34），卓球（16），クレー射撃（4），ライフル射撃（4），セーリング（3），競泳（1）	ホッケー女子（31），バスケットボール3×3（22），競泳（17），ビーチバレーボール（13），ハンドボール女子（12），クレー射撃（10），バレーボール女子（8），テコンドー（8），トライアスロン（5），アーチェリー（3），馬術（3）
活動場所（延べ人数）	本部トレーナールーム（152），試合会場（6）	試合会場（61），本部地区以外の選手村（26），本部トレーナールーム（6），練習会場（3）	本部トレーナールーム（135），試合会場（9）
対応部位［件数］	腰部・体幹（68），肩関節（43），頸部（32），手関節・手指（21），下腿（4），大腿（3），足関節・足部（3），膝関節（2），骨盤・股関節（1）	肩関節（21），骨盤・股関節（20），頸部（18），大腿（17），足関節・足部（16），腰部・体幹（13），手関節・手指（12），下腿（11），上腕・肘・前腕（9），胸背部（3），頭部・顔（1）	骨盤・股関節（50），足関節・足部（46），胸背部（36），腰部・体幹（34），肩関節（28），下腿（23），膝関節（22），頸部（16），頭部・顔（14），大腿部（9），手関節・手指（8），上腕・肘・前腕（4）
対応内容［件数］	徒手療法（106），電気療法（93），テーピング（16），光線療法（14），アイシング（10），超音波療法（7）	徒手療法（65），アイシング（24），テーピング（21），電気療法（7）	徒手療法（128），電気療法（51），超音波療法（31），テーピング（8），拡散型圧力波（4），光線療法（1）

*パレンバンのみ集計

泊棟の1階に本部トレーナールーム(**図4**)を設営した。本部ドクターが活動する本部メディカルルーム(**図5**)と同室であったため，連携の取りやすい環境であった。**表3**に示した通り，全23日間に本部トレーナー1名で延べ158名の選手対応を行った。各試合会場が徒歩またはカート移動圏内であったため，試合前のコンディショニングやテーピングを含め，ほとんどの選手対応は本部トレーナールームで実施した。また，本部トレーナールームに隣接して設置したセルフケアスペース(**図6**)は多くの選手の利用があった。

第30回ユニバーシアード競技大会(2019/ナポリ)[30)]

大会期間は2019年7月3～14日，開催地はナポリ(イタリア)であった。選手村は3つの地区(ナポリ，サレルノ，カセルタ)の7箇所(Naples Port, Fesiano Campus, Gland Hotel Salerno, Golden Tulip Plaza Caserta, Novotel, Vanvitelli, Marina Resort)に設置される分村開催であった。

日本代表選手団は総勢416名(選手数279名)で，そのうちメディカルスタッフは本部にドクター4名(外科系2名，内科系2名)とトレーナー2名(ともに理学療法士兼アスレティックトレーナー)，NFはドクター8名(陸上競技，競泳，サッカー男子/女子，バレーボール女子，バスケットボール女子，柔道，ラグビー男子，各1名)，トレーナー23名(陸上競技3名，競泳3名，飛込・水球男子各1名，サッカー男子/女子各1名，テニス1名，バレーボール男子/女子各1名，体操競技男子/女子各1名，新体操1名，バスケットボール女子2名，フェンシング1名，柔道男子/女子各1名，ラグビー男子/女子各1名)が派遣された。

本部メディカルスタッフ(**図7**)はすべてナポリ地区に派遣され，2隻のクルーズ船が選手村となり，日本代表選手団はそのうちの一隻である「Costa Victoria」を利用した。本部のメディカルルームおよびトレーナールーム(**図8**)は同地区の乗船場“Stazione Marittima”をパーテーションで区切って設置した。**表3**の通り，全17日間に本部トレーナー2名で延べ96名の選手対応を行った。本大会は分村開催であり，本部トレーナールームを設置したナポリ地区よりもカセルタ地区からの派遣要請が多く，トレーナーが不在のテコンドー，水球女子，卓球(**図9**)，クレー射撃，ライフル射撃の選手サポートを行った。そのため，本部トレーナーの活動場所はカセルタ地区の試合会場，選手村，練習会場が大半を占め，本部トレーナールー

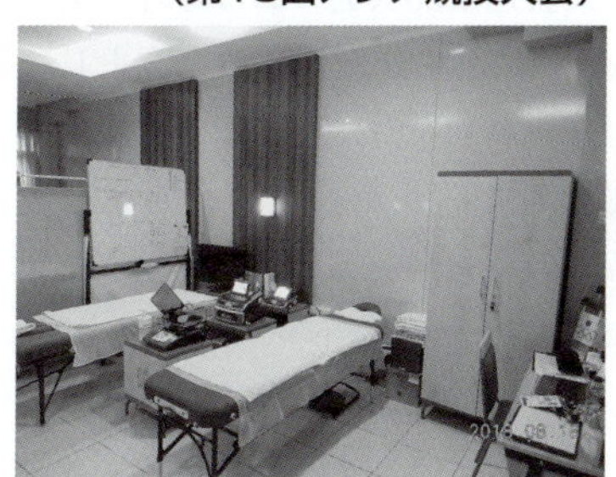

図4 本部トレーナールーム(第18回アジア競技大会)

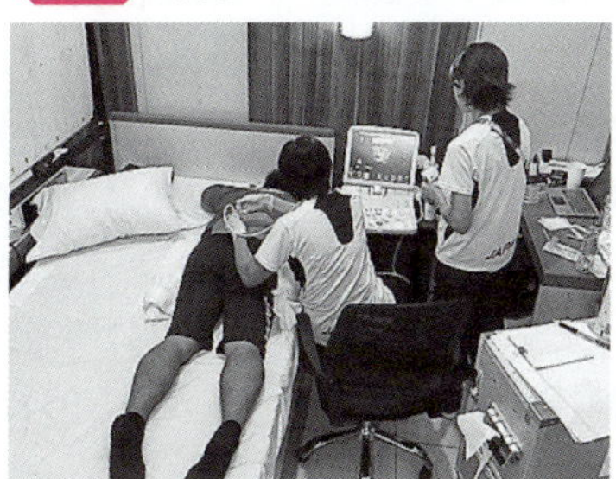

図5 本部メディカルルーム

図6 セルフケアスペース

図7 本部メディカルスタッフ

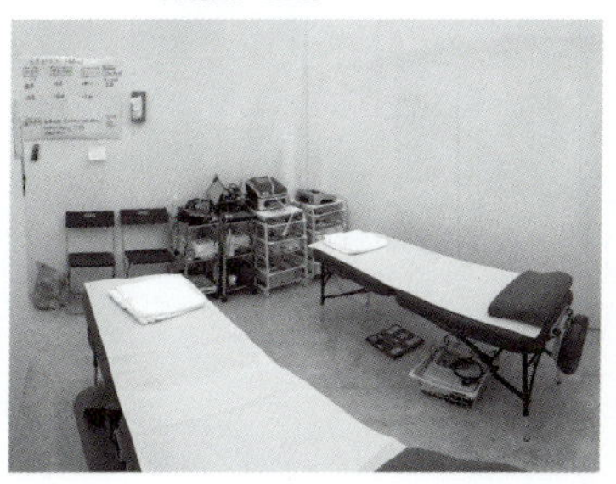

図8 本部トレーナールーム(第30回ユニバーシアード競技大会)

図9 卓球試合会場での対応

ムでの対応はわずかであった。このことから，対応内容でも本部トレーナールームに設置していた物理療法機器の使用は少なかった。

第32回オリンピック競技大会（2020/東京）[10)]

57年ぶりの自国開催で大会期間は2021年7月23日～8月8日，選手村はメインの晴海選手村とサテライトビレッジ2箇所（セーリング：江ノ島，自転車：伊豆）であった。

日本代表選手団は総勢1,058名（選手数583名）で，そのうちメディカルスタッフは本部にドクター5名（外科系3名，内科系2名）とトレーナー3名（いずれも理学療法士兼アスレティックトレーナー，**図10**），NFはドクター14名（陸上競技2名，競泳2名，サッカー男子/女子各1名，ホッケー男子1名，ハンドボール男子/女子各1名，自転車1名，柔道2名，ラグビー男子1名，ソフトボール1名），トレーナー64名（陸上競技4名，競泳4名，マラソンスイミング1名，飛込1名，アーティスティクスイミング1名，水球男子2名/女子1名，サッカー男子/女子各1名，テニス2名，ホッケー男子1名/女子2名，バレーボール男子2名/女子1名，体操競技男子2名/女子1名，新体操3名，トランポリン1名，バスケットボール男子2名/女子2名，バスケットボール3×3 1名，レスリング3名，ハンドボール男子2名/女子1名，自転車トラック1名，自転車マウンテンバイク1名，柔道2名，バドミントン1名，近代五種1名，ラグビー男子2名/女子2名，カヌースプリント1名，野球3名，ソフトボール2名，スポーツクライミング1名，空手3名，スケートボード2名）が派遣された。

晴海選手村の日本代表選手団宿泊棟1階の各部屋に，本部のメディカルルームおよびトレーナールーム（**図11**）を設営した。本部トレーナールーム（65.22m^2）は選手のケアを行うエリアにベッドと物理療法機器（電気，光線，超音波，拡散型圧力波など），隣接するマットスペースにコンディショニング用具を配置して運用した。感染対策を徹底し，**表3**の通り，全27日間に本部トレーナー3名で延べ144名の選手対応を行った。このうち延べ9名は試合会場で対応し，テコンドーでは試合のセコンドトレーナー，クレー射撃では試合前と試合間のケアを行った。また，同宿泊棟の地下に設置したアイスバスを村外サポートスタッフとともに管理し，延べ72名（男性53名，女性19名）の選手（陸上競技，競泳，テニス，ボート，ホッケー，ボクシング，バレーボール，ビーチバレーボール，バスケットボール，バスケットボール3×3，ハンドボール，自転車，馬術，テコンドー）の利用があった。加えて，同宿泊棟3階にNFトレーナーが利用するケアルームを合計3室貸出運用し，バレーボール女子，ホッケー男子，バスケットボール3×3，スケートボード，空手のトレーナーが合計47件利用した。この他本部員として，国際オリンピック委員会（International Olympic Committee：IOC）委員（PT representative）の訪問対応や試合会場の視察を行い，閉会式（**図12**）に参加した。

日本代表選手団で活動する理学療法士

国際総合競技大会過去30大会における理学療法士の派遣一覧を**表4**に示す。派遣された全トレーナー823名のうち149名（18%）が理学療法士で，男性119名，女性30名であった。このうち本部トレーナーは全77名のうち54名（70%）が理学療法士で，男性39名，女性15名，NFトレーナーは全746名のうち95名（13%）が理学療法士で，男性80名，女性15名が派遣された。本部トレーナーの割合として理学療法士が多く含まれるのは，「医師との業

図10 本部メディカルスタッフ

図11 本部トレーナールーム

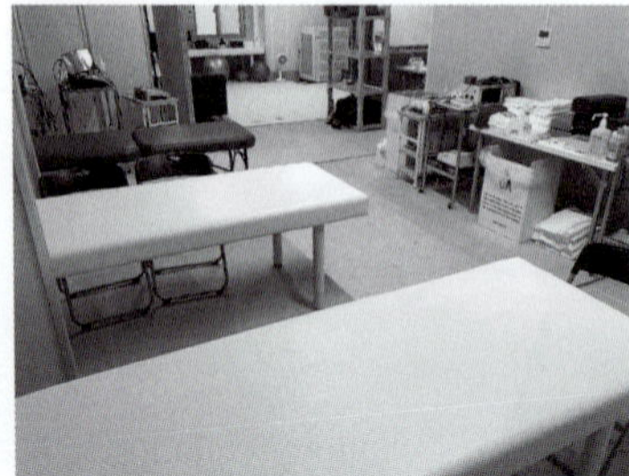

図12 閉会式

表4　国際総合競技大会（本項の全30大会）と理学療法士の派遣数一覧

国際総合競技大会名	開催回，開催年，開催地	本部トレーナー				NFトレーナー				全トレーナー			
		総数	理学療法士（PT）			総数	理学療法士（PT）			総数	理学療法士（PT）		
			総数	男性	女性		総数	男性	女性		総数	男性	女性
オリンピック競技大会（夏季）	第23回（1984/ロサンゼルス）	3	2	2	0	4	0	0	0	7	2	2	0
	第24回（1988/ソウル）	3	3	3	0	8	0	0	0	11	3	3	0
	第25回（1992/バルセロナ）	3	3	2	1	13	0	0	0	16	3	2	1
	第26回（1996/アトランタ）	3	3	3	0	18	0	0	0	21	3	3	0
	第27回（2000/シドニー）	3	3	2	1	15	2	2	0	18	5	4	1
	第28回（2004/アテネ）	3	1	1	0	19	3	2	1	22	4	3	1
	第29回（2008/北京）	3	1	1	0	23	3	3	0	26	4	4	0
	第30回（2012/ロンドン）	2	1	0	1	23	3	3	0	25	4	3	1
	第31回（2016/リオデジャネイロ）	2	1	0	1	32	6	6	0	34	7	6	1
	第32回（2020/東京）	3	3	2	1	64	10	8	2	67	13	10	3
アジア競技大会（夏季）	第9回（1982/ニューデリー）	4	0	0	0	4	0	0	0	8	0	0	0
	第10回（1986/ソウル）	4	2	2	0	5	1	1	0	9	3	3	0
	第11回（1990/北京）	4	4	4	0	14	1	1	0	18	5	5	0
	第12回（1994/広島）	3	3	2	1	34	3	3	0	37	6	5	1
	第13回（1998/バンコク）	4	4	3	1	30	3	3	0	34	7	6	1
	第14回（2002/釜山）	3	1	1	0	36	2	1	1	39	3	2	1
	第15回（2006/ドーハ）	3	1	1	0	33	3	3	0	36	4	4	0
	第16回（2010/広州）	3	1	1	0	49	5	3	2	52	6	4	2
	第17回（2014/仁川）	3	1	0	1	54	3	3	0	57	4	3	1
	第18回（2018/ジャカルタ・パレンバン）	3	3	1	2	45	5	4	1	48	8	5	3
ユニバーシアード競技大会（夏季）	第21回（2001/北京）	1	1	1	0	16	2	2	0	17	3	3	0
	第22回（2003/大邱）	1	0	0	0	19	5	5	0	20	5	5	0
	第23回（2005/イズミル）	1	0	0	0	17	1	1	0	18	1	1	0
	第24回（2007/バンコク）	1	1	1	0	20	3	3	0	21	4	4	0
	第25回（2009/ベオグラード）	1	1	0	1	17	4	3	1	18	5	3	2
	第26回（2011/深圳）	2	2	2	0	25	5	4	1	27	7	6	1
	第27回（2013/カザン）	2	2	1	1	29	8	6	2	31	10	7	3
	第28回（2015/光州）	2	2	1	1	30	4	3	1	32	6	4	2
	第29回（2017/台北）	2	2	1	1	27	6	3	3	29	8	4	4
	第30回（2019/ナポリ）	2	2	1	1	23	4	4	0	25	6	5	1
合計		77	54	39	15	746	95	80	15	823	149	119	30

務連携がスムーズ」なこと，NFメディカルを後方支援するなどの「マネジメント能力を有している」こと，そして，期間中のみ対応する選手が多いなかで対応内容を「学術的に判断できる」こと，などが総合的に評価された結果であると推察される。一方，NFトレーナーに理学療法士の割合が高くないことは，現状評価として受け入れる必要がある。今後は理学療法士の特性を生かして，各々のスポーツ現場から求められる存在になることが重要である。

国際総合競技大会で活動するスポーツ理学療法士の資質

国際総合競技大会で本部トレーナーとして活動するための「スポーツ理学療法士の資質」について，筆者の経験を踏まえて考察する。

● 多競技・種目の諸症状に対応する臨床経験とスキル

本部トレーナーは大会期間中に多くの競技と種目の選手を担当し，不定主訴を含むさまざまな症状に対応するため，相応の対応経験と臨床スキルが必要である。常に本部ドクターと連携して活動するため医療機関の実務でもその経験が積めるが，トップアスリートへの対応経験はスポーツ専門の医療機関やスポーツ現場で研鑽する必要がある。

● NFを統括して後方支援するマネジメント能力

大会組織委員会からの医療情報をNFメディカルに伝達共有するほか，NFに対するケアルームの貸出管理なども行う。また，NFの後方支援として，本部トレーナールームの活用や本部トレーナー派遣要請に応じるなど，NFを統括するマネジメント能力が必要であり，理学療法士が医療機関などで行っているチームマネジメントが生かされる。

組織内での協調性とハードワークに耐えうる心身

日本代表選手団という一組織での活動となり，さらにその中枢である本部員でもあることから，組織内での協調性は最も重要な資質の1つであるが，この点は理学療法士が一定のアドバンテージを有する。そして，本部トレーナーとして活動している期間は連日対応となるため，その活動は「医療」というより「スポーツ」の一種ととらえ，タフな心身で従事する必要がある。

臨機応変かつアスリートファーストな対応力

選手からの要望は時間や場所，内容を問わず，すべて応え切るスタンスで対応することが求められる。想定しない内容であっても臨機応変に対応する能力も重要で，常にアスリートファーストを心がける。理学療法士はこの点については医療機関よりもスポーツ現場などに従事することで経験を重ね，身につけることが必要である。

学術能力と語学力

大会期間中に初めて接する選手も多いことから，学術的に根拠があり本人やNFスタッフが納得する内容を提供することが必要である。また，必要に応じ，その経験をアウトプットする能力が求められることから，理学療法士養成教育に加え，大学院教育を受けることが推奨される。さらに，国際大会での活動であるため，語学力が必要なことはいうまでもない。

周囲環境の協力

各大会により多少の差はあるものの，原則海外の開催地において大会組織委員会が提供する選手村に滞在し，数週間から約1カ月間は日本代表選手団の業務に専従することになる。そのため，一定の不在期間に関する職場や家庭の理解と協力が必須であり，この点も重要な資質といえる。

謝辞

国際総合競技大会本部メディカル（トレーナー）として，日々「日の丸」を背負ってその役割を全うするという任務は，アスリートにかかわるスポーツ理学療法士として他の何者にも変え難い大変貴重な経験であり，そのような機会を与えてくださった松田直樹氏，関係者の皆様にこの場を借りて深謝いたします。

【文献】

1) 財団法人日本体育協会 日本オリンピック委員会：第23回オリンピック競技大会報告書．1984.
2) 財団法人日本体育協会 日本オリンピック委員会：第24回オリンピック競技大会報告書．1989.
3) 財団法人日本オリンピック委員会：第25回オリンピック競技大会報告書．1993.
4) 財団法人日本オリンピック委員会：第26回オリンピック競技大会報告書．1997.
5) 財団法人日本オリンピック委員会：第27回オリンピック競技大会（2000/シドニー）報告書．2001.
6) 財団法人日本オリンピック委員会：第28回オリンピック競技大会（2004/アテネ）報告書．2004.
7) 財団法人日本オリンピック委員会：第29回オリンピック競技大会（2008/北京）報告書．2008.
8) 公益財団法人日本オリンピック委員会：第30回オリンピック競技大会（2012/ロンドン）日本代表選手団報告書．2013.
9) 公益財団法人日本オリンピック委員会：第31回オリンピック競技大会（2016/リオデジャネイロ）日本代表選手団報告書．2017.
10) 公益財団法人日本オリンピック委員会：第32回オリンピック競技大会（2020/東京）日本代表選手団報告書．2022.
11) 財団法人日本体育協会 日本オリンピック委員会：第9回アジア競技大会報告書．1983.
12) 財団法人日本体育協会 日本オリンピック委員会：第10回アジア競技大会報告書．1987.
13) 財団法人日本オリンピック委員会：第11回アジア競技大会報告書．1991.
14) 財団法人日本オリンピック委員会：第12回アジア競技大会報告書．1995.
15) 財団法人日本オリンピック委員会：第13回アジア競技大会(1998/バンコク）報告書．1999.
16) 財団法人日本オリンピック委員会：第14回アジア競技大会（2002/釜山）報告書．2003.
17) 財団法人日本オリンピック委員会：第15回アジア競技大会（2006/ドーハ）報告書．2007.
18) 財団法人日本オリンピック委員会：第16回アジア競技大会(2010/広州）報告書．2011.
19) 公益財団法人日本オリンピック委員会：第17回アジア競技大会（2014/仁川）報告書．2015.
20) 公益財団法人日本オリンピック委員会：第18回アジア競技大会（2018/ジャカルタ・パレンバン）日本代表選手団報告書．2019.
21) 財団法人日本オリンピック委員会：第21回ユニバーシアード競技大会（2001/北京）報告書．2001.
22) 財団法人日本オリンピック委員会：第22回ユニバーシアード競技大会（2003/テグ）報告書．2003.
23) 財団法人日本オリンピック委員会：第23回ユニバーシアード競技大会（2005/イズミル）報告書．2005.
24) 財団法人日本オリンピック委員会：第24回ユニバーシアード競技大会（2007/バンコク）報告書．2007.
25) 財団法人日本オリンピック委員会：第25回ユニバーシアード競技大会（2009/ベオグラード）報告書．2009.
26) 公益財団法人日本オリンピック委員会：第26回ユニバーシアード競技大会（2011/深セン）日本代表選手団報告書．2011.
27) 第27回ユニバーシアード競技大会（2013/カザン）日本代表選手団報告書．公益財団法人日本オリンピック委員会，2013
28) 公益財団法人日本オリンピック委員会：第28回ユニバーシアード競技大会（2015/光州）日本代表選手団報告書．2015.
29) 公益財団法人日本オリンピック委員会：第29回ユニバーシアード競技大会（2017/台北）日本代表選手団報告書．2017.
30) 公益財団法人日本オリンピック委員会：第30回ユニバーシアード競技大会（2019/ナポリ）日本代表選手団報告書．2019.

理学療法士によるホストとしての国際競技大会サポート活動

2021年夏，東京において1964年以来の夏季のオリンピック競技大会（オリンピック）およびパラリンピック競技大会（パラリンピック）が開催された。本項では東京で行われた両大会（2つの大会を合わせて東京2020大会）における理学療法サービスの概要について紹介し，国際競技大会における理学療法士に求められるスキルや役割について概説する。

オリンピック・パラリンピックの基本事項

オリンピックおよびパラリンピックでは，大会施設(競技会場，練習会場，選手村など)において，すべての大会参加者(ステークホルダー)に対する医療サービスの提供が求められた。ステークホルダーは以下の7種類に分類される。

- 選手および各国オリンピック委員会（National Olympic Committee：NOC)，各国パラリンピック委員会(National Paralympic Committees：NPC)
- マーケティングパートナー
- オリンピックファミリー，パラリンピックファミリーおよび要人
- 大会運営スタッフ（大会職員，大会ボランティアおよび委託事業者など)
- メディア関係者(放送事業者)，メディア関係者（プレス)
- 国際競技連盟(International Federation：IF)の役員および事務局員・競技役員
- 観客

上記のうち観客を除くステークホルダーは個人が登録され，公式な登録証であるアクレディテーションカード(ADカード)を提供される。ADカードには，各個人の役割を特定し，それぞれの役割に必要な大会施設や施設内での各区域のアクセス権を付与する目的がある。つまり，ADカードによってアクセス可能区域が明確に区分けされる。例えば，競技会場においては観客が通行可能な区域（front of house：FOH）と観客が通行できない区域（back of house：BOH）に区分される。また，BOHのなかでも競技エリア（field of play：FOP）は，当該競技を行う選手や関連するNOC/NPCスタッフ，そして当該競技の運営に必要な役割を有するステークホルダーのみが通行できる。そのため，オリンピックおよびパラリンピックの医務体制は，大会施設内の各区域に対して必要な医療サービスを提供できるように整備される。

大会における医療サービスの考え方

オリンピックおよびパラリンピックの大会施設内における医療は，競技大会に参加する各選手団(NOC/NPC)が自国の選手やスタッフに対して行う医療と，大会運営の一部として大会組織委員会が整備・運営する医療サービスに分けられる。

NOC/NPCによる医療は，各国の判断と責任において自国の選手・スタッフのために提供され，各国が準備・提供する内容はそれぞれの事情で異なる。例えば，NOC/NPCスタッフ用に割り当てられるADカードの枚数は選手団の規模によるため，公式に登録する医療スタッフの職種や人数などの構成は全体のスタッフ構成のなかで選択される。また，各選手団が使用する医療機器・資材や各種トレーニング機材などは，輸送・運搬や調達にかかわる負担が伴うため，必要性と負担を勘案して決定される。規模の大きな選手団では，各種トレーニング機材やコンディショニング用具，アイスバス関連機材などを自ら持ち込む一方で，規模の小さな選手団では最低限の物品で済ませる場合もある。各NOC/NPCは，自国の医療体制で不足する医療資源については大会が提供する医療サービスで補完する。組織委員会からは，NOC/NPCが医療を行う環境を整備するため，選手団規模に応じた広さの諸室，ベッドやクーラーボックス，冷蔵庫，各種家具など，所定の物品が提供される。また，さまざまな用途で大量に必要となるタオルも組織委員会が提供する。さらに，追加のベッドや一部コンディショニング用機器，冷蔵庫

などについては，各選手団の要望に応じて大会組織委員会が発注・搬入を行うレートカードシステムにより調達が可能となっている。なお，東京2020大会では法令に従って，医療機器に分類される機材の組織委員会によるレンタル・販売は行われなかった。

大会運営として提供する医療サービスは，国際オリンピック委員会（International Olympic Committee：IOC）と国際パラリンピック委員会（International Paralympic Committee：IPC）の指示監督下で，大会組織委員会が大会施設内で必要なサービスを提供できる環境と体制を計画・整備して運営する。原則，パラリンピックで必要な医療サービスはオリンピックに準じた体制を整備することが前提であり，パラリンピックで必要となる施設や設備の仕様を見越してオリンピックの準備を行う。開催にあたり必要とされるサービスは開催都市契約によって規定されており，実際のサービスは開催国の法令に沿った方法で，当該サービスの専門性を有する医療分野の国家資格者によって提供する必要がある。大会前の準備段階で提供内容や実施方法についてIOC/IPCと協議を重ね，合意を得た内容に基づき施設・設備や医務体制，資機材を整備する。大会施設内で提供できないサービスについては，救急車による搬送や周辺病院との連携により補完する。大会運営としての医療サービスは，競技中の傷病に対する救急処置や搬送，あるいは選手村総合診療所（ポリクリニック）における画像検査や歯科など，いずれの選手団においても必須の医療を提供する側面と，十分な機材や医療スタッフを帯同できない選手団に対して必要な医療サービスを提供する側面がある。

国際大会における理学療法サービスの考え方

大会における医療サービスのうち，選手に対する医療サービスについては競技パフォーマンスを発揮するためのサポート全般を含み，理学療法サービスはその中心的な役割を担う。また，競技会場における救急対応についても理学療法士がかかわることが求められる。すなわち，日本国内で想定される「医療」の範囲に収まる理学療法を超えるサービスを「理学療法サービス」として整備する必要がある。例えば，オリンピックおよびパラリンピックにおいて提供される理学療法サービスは，IOCの定義によれば，従来の理学療法で提供する外傷後の治療，リハビリテーションに加えて，疲労回復，外傷予防，アスリートのパフォーマンスを支えるさまざまな介入をすべて含む[1,2]。また，理学療法サービスは“physiotherapy & physical therapies”と表現され，その内容は理学療法士が行う理学療法（physiotherapy）にとどまらず，徒手的・物理的介入によりアスリートのパフォーマンスを支えるその他の分野（physical therapies）も含めた，さまざまなスキルを有するスタッフによるチームを構成することで選手への包括的なアプローチが可能とされている[1,2]。わが国では一般的にコンディショニングとして医療の範囲外で提供される内容の多くについても，国際大会ではアスリートのパフォーマンスを支えるサービスとして医療サービスに含まれる。

IOCの定義する理学療法サービスの考え方に沿って，2012年ロンドン大会ではphysiotherapy以外に，physical therapiesとしてスポーツマッサージ，鍼療法，オステオパシー，カイロプラクティックが提供された[3]。一方で，東京2020大会のポリクリニックでは，理学療法士による理学療法，あん摩マッサージ指圧師によるスポーツマッサージ，はり師による鍼療法を提供した。またテーピングについては，身体への物理的介入として医療サービスの一環として理学療法士が提供した。理学療法士は医療的な問題の解決，すなわち急性期症状への治療や，痛み・違和感を伴う不調に対する機能改善によって症状を緩和することで，パフォーマンスを回復することに専門性を発揮した。

東京2020大会の選手村では医療施設外のフィットネスセンターにアスレティックトレーナーなどの専門性を有するスタッフを配置し，症状のない選手に対するコンディショニングやトレーニングのサポートを提供した。競技に向けたハイパフォーマンスのためのコンディショニングについては，わが国のアスレティックトレーナーに専門性があるため，医療外のサービスとして主に選手からの相談に対するトレーニングの提案や実際の運動指導を行った。さらに，わが国のアスレティックトレーナーの役割にはスポーツ現場における救急処置があるが，オリンピックおよびパラリンピックにおける救急対応は医療サービスとして位置付けられ，アスレティックトレーナーは直接救急処置にかかわるのではなく，FOPやウォームアップエリアの監視・連絡・搬送補助などの役割を担う医療スタッフのアシスタントとして活動した。

大会全体の医務体制の概要

大会中の医療サービスの組織体制を**図1**に示す。大会中の医療サービス全体，および活動する医療スタッフを取りまとめる本部機能としてメディカル本部（MED FCC）が大会本部内に設置された。MED FCCは医療サービスの総責任者であるチーフメディカルオフィサー（CMO）を中心に，医療サービスが提供される各会場と密に連携し，全体を統括した。競技会場や選手村などの主要な非競技会場には医療責任者として医師が必ず配置され，各会場に設置される医務室を中心に提供される医療サービスを統括した。また，競技会場においては競技ごとの特性に応じた医療サービスを展開するために，選手用医療統括者が配置された。選手村のポリクリニックでは診療科や部門ごとの分野別に責任者としてチーフを任命し，各分野が専門的な診療を提供したり，さらに他分野と学際的に連携をとれるよう運営を行った。

大会における医療サービスの全体像を**図2**に示す。各競技会場ならびに主要な非競技会場には，医務室などの医療施設を整備した。また，晴海選手村や各競技会場では緊急事態に迅速に対応できるように，専用の救急車が配置された。各会場で提供する医療サービスの内容を超える治療や検査が必要な場合は，大会指定病院などの周辺病院に搬送を行う体制を整えた。競技会場におけるFOPには，主に競技中の選手の傷病に対する応急処置や搬送を行うための救急体制が準備された。FOPや競技会場外の練習会場も含めて競技に関連して発生した傷病は，競技別に配置された選手用医療統括者により統括された。

選手村における医療サービス

東京2020大会では，中央区晴海にメインとなる選手村が整備された。またオリンピック期間には，遠方で行われた競技のためのセーリング村（神奈川県大磯），サイクリング村（静岡県修善寺）が整備された。パラリンピック期間では，同じく遠方でのサイクリング競技のためのトラックサイクリング競技選手用宿泊施設（静岡県修善寺），ロードサイクリング競技選手用宿泊施設（山梨県河口湖）が

図1 東京2020大会医療サービス組織体制

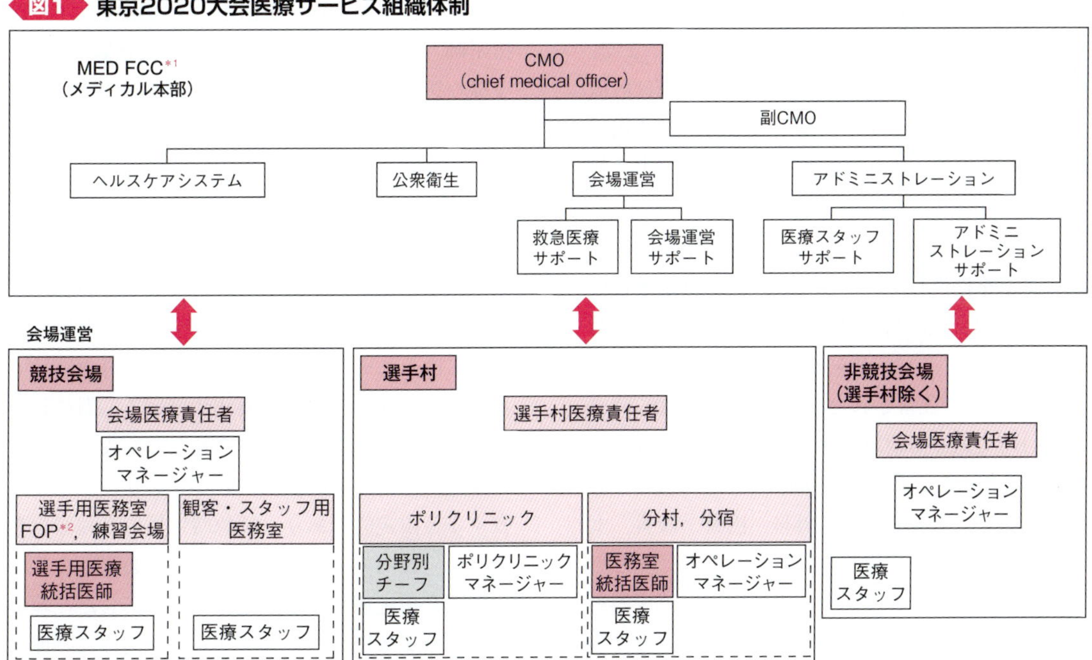

*1 MED FCC：medical function area command/coordination center
*2 FOP：field of play（競技エリア）

図2 東京2020大会医療サービス体制の全体像

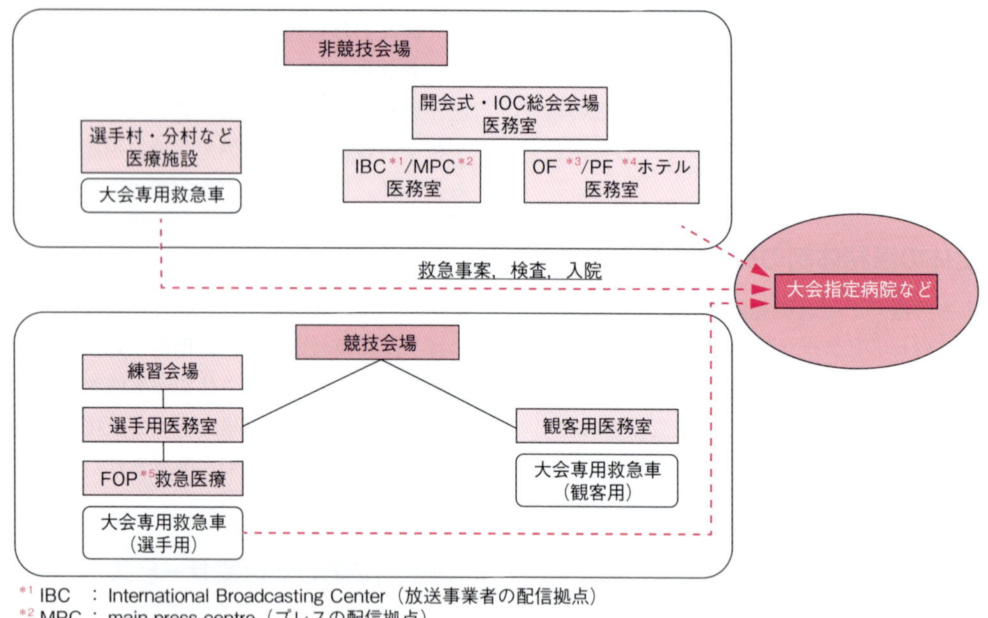

*1 IBC : International Broadcasting Center（放送事業者の配信拠点）
*2 MPC : main press centre（プレスの配信拠点）
*3 OF : olympic family
*4 PF : paralympic family
*5 FOP : field of play（競技エリア）

設置された。各施設には医療施設を設置し，各施設内で医療サービスを提供するための人員体制を整備した。

晴海選手村では選手団の宿泊エリア中心部に整備された複合機能施設（multi-function complex：MFC）1階にポリクリニックが設置された。また，前述したフィットネスセンターは同施設3階に設置された。ポリクリニックは選手村に居住する選手，NOC/NPCスタッフを対象とし，その他の選手村内で活動する大会運営スタッフなどについては，宿泊エリア外に整備されたビレッジプラザ内医務室で医療を提供した。ポリクリニックは選手村開村時から閉会式3日後（オリンピック：2021年7月13日～8月11日，パラリンピック：2021年8月17日～9月8日）まで運営された。診療時間は午前7時～午後11時であり，救急サービスと発熱外来は24時間対応であった。敷地は3,800m^{2}と非常に広く，診療科として，救急科，整形外科，内科，眼科，女性アスリート科，皮膚科，精神科，歯科，発熱外来が設置され，パラリンピック期間中は泌尿器科も追加で設置された。加えて，臨床検査，画像検査，調剤薬局，理学療法の提供が可能な体制も整備された。入院施設はなく，施設内で提供できない高度専門医療については外部医療機関への搬送により対応した。

運営に参加した医療職種は，医師，看護師，歯科医師，歯科衛生士，歯科技工士，視能訓練士，診療放射線技師，理学療法士，あん摩マッサージ指圧師，はり師，薬剤師，臨床検査技師であり，多様な医療職種が連携してサービスを提供した。ポリクリニックのマネジメントは，医療スタッフのトップであるクリニカルチーフと事務スタッフのトップであるポリクリニックマネージャーを中心に，各分野のチーフを含めて構成されたオペレーションマネジメントチームにより行われた。

地方に設置された競技用の選手村や選手用宿泊施設にはそれぞれ医務室が設置され，傷病に対するプライマリケア，理学療法サービス，調剤薬局の提供体制が整備された。これらの施設における医療サービスは晴海選手村のポリクリニックと比較すると限定的であり，救急時以外にも画像検査などの施設内で提供できない医療が必要となる場合は大会指定病院への搬送により対応した。理学療法サービスについては晴海選手村同様に，理学療法，スポーツマッサージ，鍼療法を提供したが，アイスバス（後述）は設置しなかった。また，各施設にはトレーニング機材を配置したトレーニングルームが整備された。

選手村における理学療法サービス体制と実際の提供内容

理学療法サービスの組織体制はchief physiotherapist(PT)が競技会場も含めた理学療法サービス全体を統括し，特にオリンピック期間中はIOC PT責任者との連携・調整を中心的に行った(**図3**)。chief PTの代行およびポリクリニック理学療法サービスの統括を行うdeputy chief PT, 競技会場との連携を担うMED FCC PT担当者がchief PTを補佐する体制で運営された。実際の診療運営は，理学療法およびスポーツマッサージ・鍼療法の各分野に配置したコアスタッフが，選手の初期対応，医師との仲介，予約対応，スタッフ管理を行うことで全体を統率し，各診療スタッフが治療に専念できる環境を構築した。コアスタッフを含めたスタッフのシフト当たりの人数は，理学療法士がピーク時17名，あん摩マッサージ指圧師ならびにはり師がピーク時10名の体制であった。

理学療法は，世界的には医師から独立して診療の提供が可能なシステムである国も多く，理学療法を直接利用可能だと認識する選手は多くいる。一方で，日本では理学療法の提供は医師の指示の下で行うことが前提であり，グローバルな認識とギャップがある。前述の通り，サービス提供の方法は開催国の法令に従うことが原則であり，東京2020大会で提供する理学療法サービスはすべて医師の処方に基づき提供を行った。一方で，選手村ポリクリニックでは理学療法エリア内で医師と連携し，さらに理学療法再利用時に同じ部位・疾患・目的であればダイレクトアクセスを可能とする体制を整備し，利用に際する選手の利便性向上を図った。

理学療法部門では，徒手療法，物理療法，運動療法，テーピングを提供する理学療法を中心に，スポーツマッサージ，鍼療法を提供した。また，循環式水温・水質管理システムを備えた9台のアイスバスも理学療法部門の管理下で提供された。物理療法としては，電気刺激療法，超音波治療，ラジオ波などの温熱療法，拡散型ショックウェーブなどの各種物理療法機器が配置された(**表1**)。物理療法機器は，症状に応じて理学療法士が使用機器を提案するケースと，選手が特定の物理療法機器の利用を希望して来院するケースがあった。また，ときにはNOC/NPCが持ち込むことができなかった機器を利用する目的で来院する場面も散見された。アイシングコンプレッションシステムやアイスバスはリカバリーを目的とした利用が多く，競技や練習後の夕方以降に多くの利用者が訪れた。運動療法は，理学療法士が処方する運動プログラムを中心にサービスが提供された。大会では抗重力トレッドミルマシンも設置され，大会期間中に下肢への過負荷を避けながらランニング運動を行う目的で利用する陸上競技選手の姿が多くみられた。スポーツマッサージは，海外で一般的なオイルマッサージを中心としてサービス提供を行った。

利用目的としては，理学療法では過去の既往あるいは試合前の期間で発症した症状の解決を求めて訪れるケースが多く，スポーツマッサージや鍼療法ではリカバリーを目的として訪れるケースが

図3 ポリクリニック理学療法サービスおよびフィットネスセンターの組織体制と相互連携

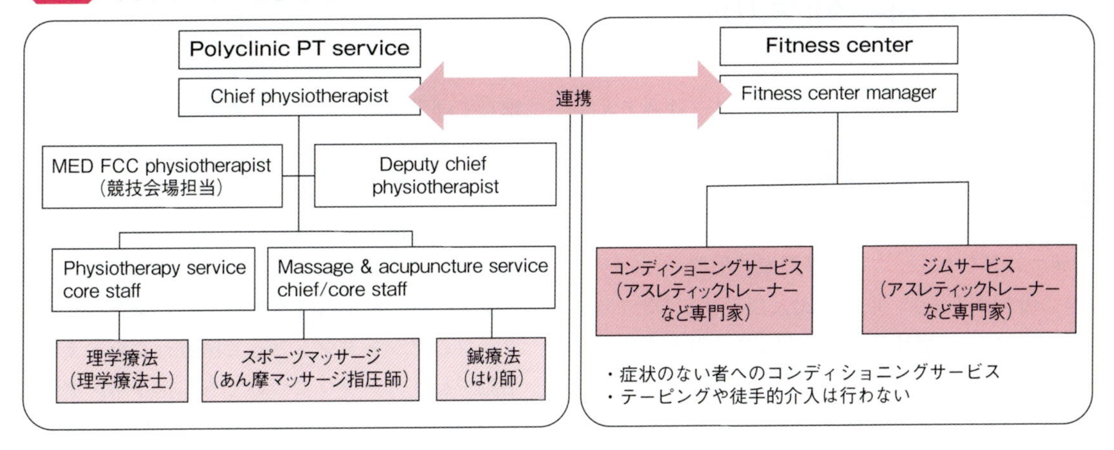

表1 晴海選手村ポリクリニックで設置された物理療法機器によるエネルギーの種類

分類	種類
高周波(温熱)	高周波温熱(ラジオ波)
圧力波	圧力波
赤外線	赤外線レーザー
電気刺激	微弱電流
	干渉型電流
	TENS
	高電圧
	EMS
	中周波電流
	立体動態波
超音波	温熱
	非温熱
	低出力(骨折治療用)
コンビネーション刺激	超音波+電気刺激(+赤外線)
温熱	乾式ホットパック
寒冷	アイシング+圧迫システム

TENS：transcutaneous electrical nerve stimulation
EMS：electrical muscle stimulation

多かった。また，種目別ではオリンピック期間では陸上競技選手の利用件数が選手利用件数のうち約1/4を占め，以下水泳，ホッケー，ハンドボール，柔道，テコンドー，ボクシングの競技選手の利用が多くみられた。パラリンピック期間でも陸上競技選手の利用件数が選手全体の利用件数のうち約1/2を占め，以下パワーリフティング，水泳，テコンドー，車いすバスケットボール，5人制サッカー(ブラインドサッカー)，卓球の競技選手の利用が多くみられた。

選手村におけるトータルアスリートサポート

東京2020大会のフィットネスセンターは過去大会と比較して，ポリクリニックと同じ施設への設置による円滑な連携，選手が自由に運動を行えるトレーニング機器選定と空間デザイン，コンディショニングやトレーニング専門家の配置，という3つの特性がある[4)]。東京2020大会ではこの3つの特性を背景に，ポリクリニックとフィットネスセンターが連携し，医療とコンディショニングを一体的に提供できる包括的なアスリートサポートを計画した(**図3**)。具体的には，症状を有する選手に対し，ポリクリニック利用後にハイパフォーマンス発揮に向けたコンディショニングサポートがフィットネスセンターで提供された。また，フィットネスセンター利用者に症状の訴えがあった場合にはポリクリニックを紹介した。さらに傷病の発生などの緊急時には無線により医師と連絡をとり，対応を行う緊急時対応計画(emergency action plan：EAP)も整備された。その他にも，両施設は同一建物内であったことから必要に応じてスタッフが往来して円滑な情報共有を図り，選手の状態に即した円滑なサポートを行った[4)]。このような連携により，スポーツ分野に携わる医療職とアスレティックトレーナーのそれぞれの長所を生かして相互に補完することが可能となり，医療からコンディショニングまで切れ目のないトータルアスリートサポートを，オリンピック・パラリンピックのサービスのなかで実現した。

競技会場および練習会場における医療サービス

東京2020大会においては，オリンピック期間中に42競技会場57練習会場で33競技が，パラリンピック期間中に21競技会場16練習会場で22競技が開催された[5)]。各競技会場では，選手および選手団を対象とする医療サービス(選手用医療サービス)と，観客を中心とした選手・選手団を除く大部分のステークホルダーを対象とする医療サービス(観客用医療サービス)を明確に区別して整備した。また，練習会場では選手用医療サービスを中心に提供を行った。選手用医療サービスは，選手用医務室の運営，FOPに配置する医療チームによる救急体制，救急車による選手の救急搬送体制が必要となる。競技会場における理学療法士は主に選手用医療サービスの提供を役割とし，医師と連携して理学療法サービスを展開した。

選手用医療の医療体制は，各会場の競技ごとに配置された選手用医療統括者の下に，医師，看護師，理学療法士が配置された。各会場での理学療法サービスをマネジメントするため，大会時は各会場にvenue chief PTを配置した。また，医療スタッフのアシスタントとして医療行為を含まない活動を行うスタッフについても，選手用医療統括者の判断によって配置された。これらは医療資格の有無を問わず，各競技の現場におけるサポート活動に精通した人材が役割を担った。

競技会場で提供されるサービスは競技ごとに異なり，IOC/IPCおよびIFと事前に提供する医療サービスの内容を調整したうえで，国内競技団体（national federation：NF）と連携してスタッフの医務体制や人員配置，運営方法などの会場医療計画（venue medical plan：VMP）を策定し，大会期間中の運営を行った。搬送用器材，救急処置物品，医薬品，情報通信機器などが，提供する医療サービスに応じて準備された。

国際大会で求められる理学療法士のスキル

これまでに述べた東京2020大会の実例に基づき，国際大会で求められる理学療法士のスキルを考えると，次の4つに分類できる。

臨床スキル

まず，高い専門性を発揮できる臨床スキルである。選手は過去の既往あるいは試合前の期間で発症した症状の解決を求めて理学療法部門を訪れるケースが多く，理学療法士は選手の急性期症状への治療や痛み・違和感に対する症状緩和のための高い専門性のあるスキルが求められる。国際大会の臨床においては，症状の原因を特定する評価，症状を緩和するための直接的な徒手的介入，物理療法の適応と選択の判断に関する知識と経験，競技活動に対応したテーピング施術などのスキルなどが重要である。

競技パフォーマンス・救急対応に関するスキル

次に，競技パフォーマンスや救急対応に関するスキルも重要である。これらはグローバルなスポーツ理学療法で求められるコンピテンシーであるが，わが国の理学療法教育には含まれていない。特に国際大会において対応する選手は高い競技力を有し，大会では結果や満足のいく競技遂行が最終的な目標となっていることから，治療から競技パフォーマンス発揮のためのコンディショニングまで円滑に提供されることが望ましい。東京2020大会では，アスレティックトレーナーとの連携により治療からパフォーマンス強化まで幅広く対応するトータルアスリートサポートを実現したが，大会時の体制によっては自らが競技パフォーマンスまで支援する可能性もある。いずれの場合も，理学療法士自身が競技パフォーマンスのためのコンディショニングやトレーニングに関して理解しておくことは必須といえる。また，競技会場における活動の場合，主に救急対応への参加が中心的な役割となる。個別には，一次救命処置（basic life support：BLS）研修の受講によりスキルを保ち，競技会場でのチーム医療で力を発揮できるように備えておく必要がある。

コミュニケーションスキル

上記の専門性を発揮するうえでは，言語力やプレゼンテーション力を含むコミュニケーションスキルが重要となる。国際大会においては英語を中心に多言語での対応が求められる。国際大会での選手対応については，リスク管理を徹底して選手の満足感を高めるために，十分な説明と確認が必要となる。セラピストとしては簡単でも構わないので，英語による問診・評価とそれに基づく治療方針の説明，考えうるリスクの確認を行えることが望ましい。また，東京2020大会においては英語以外にも，フランス語圏，スペイン語圏，アラビア語圏の選手が多く訪れ，特にパラリンピックでは選手団が帯同できる人員に限りもあり，英語以外での対応が非常に多くなる。こうした場面では電子翻訳機を使用したが，不慣れな言語は機器による翻訳結果が意図した内容であるかの確認もしづらい。できれば，基本的かつ汎用的なコミュニケーション内容について，事前にシートなどで閲覧可能な状態にしておくとよい。

マネジメント能力と協調性によるチーム医療

最後に，サービスを円滑に提供するためにはマネジメント能力と協調性によるチーム医療の提供が重要である。東京2020大会では理学療法士を3つの階層に分けて役割を分担した。まずは治療を行い選手に対応するセラピスト，セラピストを指揮して理学療法サービスの提供をマネジメントするリーダー（コアスタッフ），そして理学療法サービスと他の医療職種や他のサービスとの連携をマネジメントするマネージャーである。国際大会は想定外のトラブルや特殊な状況に対して判断が求められるケースがあるが，問題が起こった場合でもこのような体制をとることでセラピストはリーダーやマネージャーに相談して解決を任せ，治療に専念することができる。大会前にこうした体制を構築し，構成員が運営体制と役割分担を理解できるチームビルディングを行い，本番直前では実際の運営シミュレーションを行っておくことが肝要である[5)]。

おわりに

本項目は『日本アスレティックトレーニング学会誌』7巻2号[5)]にて筆者が執筆した「選手村および競技会場における医療サービス 理学療法サービス，コンディショニングサービスに着目して」を基に許諾を得て執筆した。

謝辞

東京 2020 大会の理学療法サービス提供のための計画・運営にご尽力いただいた片寄正樹先生，遠山美和子先生，溝口秀雪先生，鈴木　岳先生，理学療法サービスコアスタッフ，マッサージ・鍼サービスコアスタッフ，venue chief PT，理学療法サービスコーディネーターの先生方，ならびに大会に参加いただいた多くの理学療法士の先生方にこの場を借りて改めて深謝いたします。

【文献】

1) Ashton H: Sports physiotherapy advancing in New Zealand. Br J Sports Med, 49 (14) : 903, 2015.
2) Grant ME, Steffen K, Palmer D: The usage of multidisciplinary physical therapies at the Rio de Janeiro 2016 Olympic Summer Games: an observational study. Braz J Phys Ther, 25(3) : 262-270, 2021.
3) Grant ME, Steffen K, Glasgow P, et al.: The role of sports physiotherapy at the London 2012 Olympic Games. Br J Sports Med, 48 (1) : 63-70, 2014.
4) 鈴木　岳：選手村フィットネスセンターにおける活動．日本アスレティックトレーニング学会誌，7 (2) : 183-187, 2022.
5) 玉置龍也，ほか：選手村および競技会場における医療サービス 理学療法サービス，コンディショニングサービスに着目して．日本アスレティックトレーニング学会誌，7 (2) : 175-181, 2022.

Ⅱ

競技動作にかかわる外傷・障害と理学療法

陸上競技

本項では，陸上競技における走動作，跳躍動作，投てき動作とそれに関連する外傷・障害について理解を深め，理学療法に必要な評価と治療について解説する。なお，本項で解説するルール，種目などは，オリンピック競技大会で開催される種目を基準とする。

陸上競技の種目

オリンピック競技大会（オリンピック）で行われる陸上競技種目は，①トラック競技，②フィールド競技，③その他，④道路競技の11競技，男子24種目，女子23種目に分類される（**表1**）。それらは「歩」「走」「跳」「投」の基本動作をより特化したものである。

走動作の特徴

位相

走動作の位相はサポート期とリカバリー期の2期，さらにそのなかで3相に分類される。

矢状面

サポート期

足底が地面に接触している位相をサポート期とよび，次の3相に分類される（**図1❶～❸**）。

- フットストライク（**図1❶**）
  足底の一部が地面に接地する瞬間の位相。
- ミッドサポート（**図1❷**）
  足部が地面に接地して体重を支持し，踵部が地面から離れる直前までの期間。
- テイクオフ（**図1❸**）
  踵部が地面から離れて足趾が地面を離れるまでの期間。

リカバリー期

足底が地面から離れている位相をリカバリー期とよび，次の3相に分類される（**図1❹～❻**）。

- フォロースルー（**図1❹**）
  足底部が地面を離れて下肢の後方への運動が止まるまでの期間。
- フォワードスイング（**図1❺**）
  下肢が後方から前方に移動する期間。
- フットディセント（**図1❻**）
  足底部が接地する直前。

表1 陸上競技で行われる種目

種目 ＼ 区分		一般（オリンピック種目） 男子	女子
トラック競技	短距離	100m	100m
		200m	200m
		400m	400m
	中距離	800m	800m
		1,500m	1,500m
	長距離	5,000m	5,000m
		10,000m	10,000m
	障害	3,000mSC	3,000mSC
	ハードル	110mH	100mH
		400mH	400mH
	リレー	4×100mR	4×100mR
		4×400mR	4×400mR

種目 ＼ 区分		一般（オリンピック種目） 男子	女子
フィールド競技	跳躍	走高跳	走高跳
		棒高跳	棒高跳
		走幅跳	走幅跳
		三段跳	三段跳
	投てき	砲丸投	砲丸投
		円盤投	円盤投
		ハンマー投	ハンマー投
		やり投	やり投
その他	混成競技	十種競技	七種競技
道路競技	競歩	20km	20km
		50km	－
	マラソン	42.195km	42.195km

SC：steeplechase（障害競走）　H：hurdle（ハードル）　R：relay（リレー）

図1 走動作の位相（矢状面）

右脚の位相を示している
サポート期：❶フットストライク　❷ミッドサポート　❸テイクオフ
リカバリー期：❹フォロースルー　❺フォワードスイング　❻フットディセント

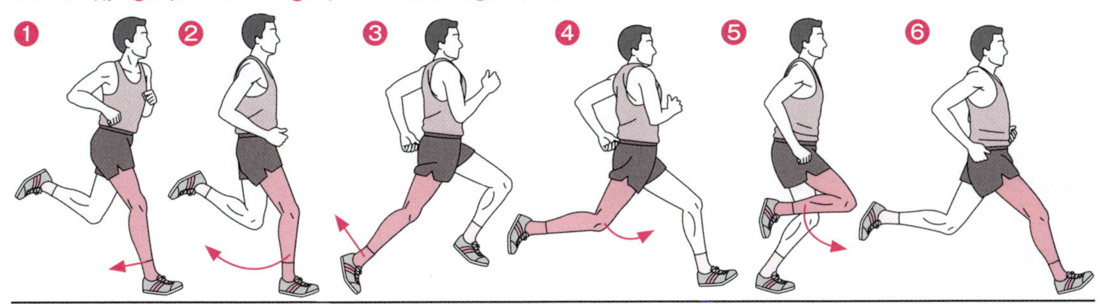

図2 走動作の位相（前額面）

右脚の位相を示している
サポート期：❶フットストライク　❷ミッドサポート　❸テイクオフ
リカバリー期：❹フォロースルー　❺フォワードスイング　❻フットディセント

走動作は循環運動であるため，それぞれの動きが次の相に関係してくる。

前額面

各関節の内転・外転運動の変化をみてとれる。矢状面での位相とリンクして分析する。

サポート期

- フットストライク（図2❶）

足底の一部が地面に接地する瞬間，足部は正中位寄りに接地する傾向にある。個人差はあるが股関節は内転位になる。

- ミッドサポート（図2❷）

足底が全面接地している状態で，このとき，3つに分類されるダイナミックアライメント[1)]のいずれかがみられる。その多くはいわゆるknee-in/toe-outとよばれるアライメントを呈している。

- テイクオフ（図2❸）

小趾側での離地や母趾での離地など個人差がみられる。

リカバリー期

- フォロースルー（図2❹）

足底部が地面を離れて下肢の後方への運動（股関節伸展）が止まるまでの間に，個人差が大きいものの股関節が内転し，膝が正中位に寄って行く。

- フォワードスイング（図2❺）

下肢が後方から前方に移動するとき，図のような状態であれば足部が大腿部に隠れる。しかし，股関節の内旋が大きい場合は足部が大腿部より外側に位置し，また下腿の外旋が大きい場合は足部がtoe-outしてつま先が大腿部の外側にみえることがある。

- フットディセント（図2❻）

足底部が接地する直前のダイナミックアライメントがみられる。足部接地した後と比べて足部がより正中位に位置していることが多い。

テイクオフ後，リカバリー期を通じて股関節内転や外転，足部のtoe-inやtoe-outが変化していく様子がみられ，前額面の評価だけでなく水平面での回旋の変化もみることができる。

走速度の規定要因

走速度は，脚を速く動かす能力（ピッチ）に1歩の距離（ストライド）を乗じることで表すことができる。記録向上を図るには，この2つの要素を高めることが重要になるが，相反する要素であり，バランスよく向上させることが重要である。

よいランニングフォーム

腕振り

腕振りはキックのタイミングが重要である。腕は力まず前後に振るのがよく，テイクオフまでの股関節伸展運動と対側腕振り（最後位）で同期するのがよい。正中線で交差する腕振り（左右への横振り）は，見た目の動きの大きさに対して肩甲骨の動きが小さく体幹のねじれにつながらないため，推進力を得るには不適である。

肘の曲げ方によって，自分のピッチとバランスをとる。肘を鋭角に屈曲して腕を短く使うと，早いピッチを作るのに有利である。反対に肘を伸ばして腕を長く使うと，ピッチは遅くなる。

体幹

体幹は軽度前傾位で，身体は腰から曲げるのではなくやや前方に体重を維持して足首から傾く状態がよい。

足部接地と床反力

足部接地の方法は大きく分けて，矢状面から見て後足部接地（rearfoot strike：RFS），中足部接地（midfoot strike：MFS），前足部接地（forefoot strike：FFS）の3種類がある（**図3上段**）。

RFSは歩くときと同じように踵から着地してつま先側に抜けていく走り方で，長距離種目やマラソン選手に多い接地方法である。過去には長距離種目ではRFSがよいとされ,「つま先走り（前足部接地）はしない」とされていた[2]。床反力の垂直成分の模式図（**図3下段左**）をみると，RFSのピークは第1のピークである踵接地による衝撃によるものと，第2のピークである足底接地後の荷重から蹴り出しによるものの二峰性である。

MFSとは足裏全体を使って着地する走り方である。中長距離のトラック選手などに多くみられる走り方で，マラソン選手にもみられる走り方である。RFSのような明らかな第1のピークはなく，緩やかではあるが2段階でピークに上り詰めていく波形となる。RFSと比べて脚への負担が少ないといわれている（**図3下段中央**）。

FFSはつま先から着地する走り方である。フットストライクでつま先からの接地になり，サポート期を通じて前足部で支持し一度も踵を接地しない。短距離種目の走り方がこれに相当する。アフリカ勢の一部の長距離選手やマラソン選手にもみられたが，近年はFFSでフルマラソンを走りきる選手が多く現れている。2017年に発表された，いわゆる厚底シューズ（Sports Gear, Equipment参照）とよばれるシューズの登場によりFFSで走りやすくなり，FFSに注目が集まるようになった。国内外のエリートランナーだけでなく，一般市民ランナーでもFFSでマラソンを走る人が増えている。FFSは単峰性で滑らかにピークを迎え（**図3下段右**），接地時間も他の接地方法よりも短くなるといわれている。マラソン中の足部接地方法の違いによる脛骨への衝撃の比較をみた研究では[3]，1km 8分20秒あたりのペースではFFS, MFS, RFSの順に脛骨への衝撃が大きい。しかし，1km 5分10秒あたりから走速度が上がるとRFSとFFSの衝撃度は逆転し，走速度が上がるほどRFSの脛骨への衝撃はどんどん増していくのに対して，FFSの脛骨の衝撃度はほぼ一定のままであったと報告している。MFSはFFSに近い衝撃の小さい接地方法と考えられていたが，この報告ではRFSと比べて脛骨への衝撃は小さいものの走速度の上昇とともに衝撃が増していくので，RFSに近い接地方法だということがわかった。

走速度が速い場合や，トップアスリートは

図3 足部接地の仕方と床反力（模式図）

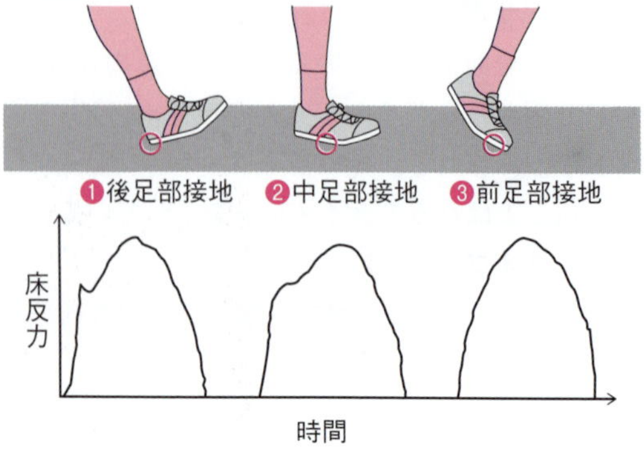

❶後足部接地　❷中足部接地　❸前足部接地

床反力

時間

Sports Gear, Equipment

陸上長距離界を席巻する厚底シューズの登場

2017年5月6日，42.195kmを2時間以内で完走することに挑戦するため，アスリート，科学者，デザイナーたちが一丸となり2時間の壁に挑んだナイキのプロジェクト「Breaking2」が開催された。エリウド・キプチョゲ選手（2023年現在マラソン世界記録保持者）ら3名が，このプロジェクトのために開発された「ナイキ ズーム ヴェイパーフライ エリート」を着用して記録に挑んだ。2時間切りはならなかったが，エリウド・キプチョゲ選手が非公認記録ながら2時間0分25秒という驚異的なタイムで42.195kmを走りきった。そして2017年6月に，「Breaking2」で使われたシューズをベースとした「ナイキ ズーム ヴェイパーフライ 4%」が発売された。それまでのレース用シューズは軽量で底が薄いシューズというのが常識であったが，海外のあるマラソン大会出場者の上位5名がナイキの厚底シューズを履いていたことで話題になった。また，国内では2020年の箱根駅伝における着用率は驚異の84.3%となり，区間賞全10名のうち9名（そのうち6区間が区間新記録）の選手が着用していた。国内外でマラソン世界記録，日本記録，大会記録の更新など好記録が続出した。発売後6年が経過し，国内外多くのメーカーから厚底シューズが発売され，マラソンをはじめとするロードレースでは厚底シューズが主流となっている。

厚底シューズの特徴は，**図4**に示す通りフルレングスのカーボンファイバー製プレートがミッドソールでサンドイッチのように挟み込まれており，つま先上がりのアウターソールになっている。カーボンファイバー製プレートは踵から前足部に向かって前下がりに傾斜しており前足部へ重心移動しやすく，つま先上がりのソールになっていることから履くだけで自然と前傾姿勢になる。これにより身体を斜め上に推進させる力を得ることができ，前足部接地の走り方になる。現在は長距離用厚底シューズだけでなく，そこで培ったテクノロジーを生かした短距離用・中距離用のシューズも発表されている。

図4 厚底シューズ

ミッドソールの間にカーボンファイバー製プレートが挟み込まれており，接地後の反発力により推進力が増す。プレートは踵から前足部に向かって前下がりに傾斜し前足部へ重心移動がしやすく，さらにつま先上がりとなるカタカナの「ソ」の形状になっており，自然に踏み返しやすく前に進む構造となっている

FFSで走るほうが脛骨への衝撃は小さいといえる。走速度が遅い，またはパフォーマンスの低い選手や市民ランナーは無理にFFSで走るのではなく，RFSやMFSで走るほうが脛骨への衝撃が少なく，下腿や足部の障害の予防にもなると考えられる。

筋活動

足関節底屈筋群は，フットディセントからミッドサポートにかけて接地した身体を遠心性収縮によって受け止め，ミッドサポートからテイクオフでは求心性収縮によって身体を前上方に送り出す働きをしている。トップスプリンターでは，足関節と膝関節の角速度が小さい。底屈筋群は大きな力を発揮しているものの，足関節と膝関節を固定するような働きがみられる。

テイクオフ後も脚は後方へスイング（フォロースルー）されるが，股関節屈筋群はそれを止めて，大腿を前方へ引き出す（フォワードスイング）。股関節屈曲の主動作筋は腸腰筋で，スプリントにおいて強化すべき筋として重要視されている。

前方に振り出した脚（フォワードスイング）を後方に振り戻すとき（フットディセント）は，膝関節屈筋群（ハムストリング）が遠心性収縮をしている。さらにこのとき，股関節では伸展トルクが発揮されている。股関節伸展筋でもあるハムストリングは，膝関節伸展を減速する作用とともに股関節伸展を加速しており，この作用が走りに重要な役割を果たしている。

短距離競技[4,5]

短距離競技は，100m・200m・400m競争が該当する。動作局面としては，①スタート（**図5**），②加速，③中間疾走（**図6**），④フィニッシュの4つの局面に分けられる。

スタート～加速

400m競争より短い距離の種目ではスターティングブロックを使用し，地面に手をついた低い姿勢からのスタートが特徴の1つである。クラウチングスタートは**図5**のように大きく体幹を前傾した状態から飛び出すが，一気に体幹を伸展していく（上

体を起こす）5～6歩辺りまでは低い姿勢を保ち，徐々に上体を起こしていく。

中間疾走

100m競争の場合，スタート後30m付近で最高速度に達し，その後の最高速度または等速の区間を中間疾走（**図6**）という。いわゆる走動作の位相（**図1**，**2**）は，中間疾走でみられるような安定した走りの状態で分類されている。

フィニッシュ

ゴール前の最後の20～30mはスピードが落ちてくる。減速を最小限にとどめながら，よりリラックスすることを意識する。ゴールラインを意識せずに走り抜けることがポイントになる。

中・長距離競技

中距離は800mおよび1,500m競争，長距離は3,000m以上としてとらえられているが，オリンピックでは5,000mおよび10,000m競争が行われている。ポイントは基本的に短距離と同様である。スタートが立位で行われるところが大きな違いである。

走動作における外傷・障害[6)]

外傷・障害は，前述の地面と接するサポート期での関節運動とのかかわりが大きい。特にランニング動作における推進力は，股関節伸展運動が重

図5 クラウチングスタートの瞬間の解剖図

体幹を前傾した状態での動き出しは，二関節筋である大腿二頭筋長頭，半腱様筋，半膜様筋，に大きな遠心性負荷がかかる

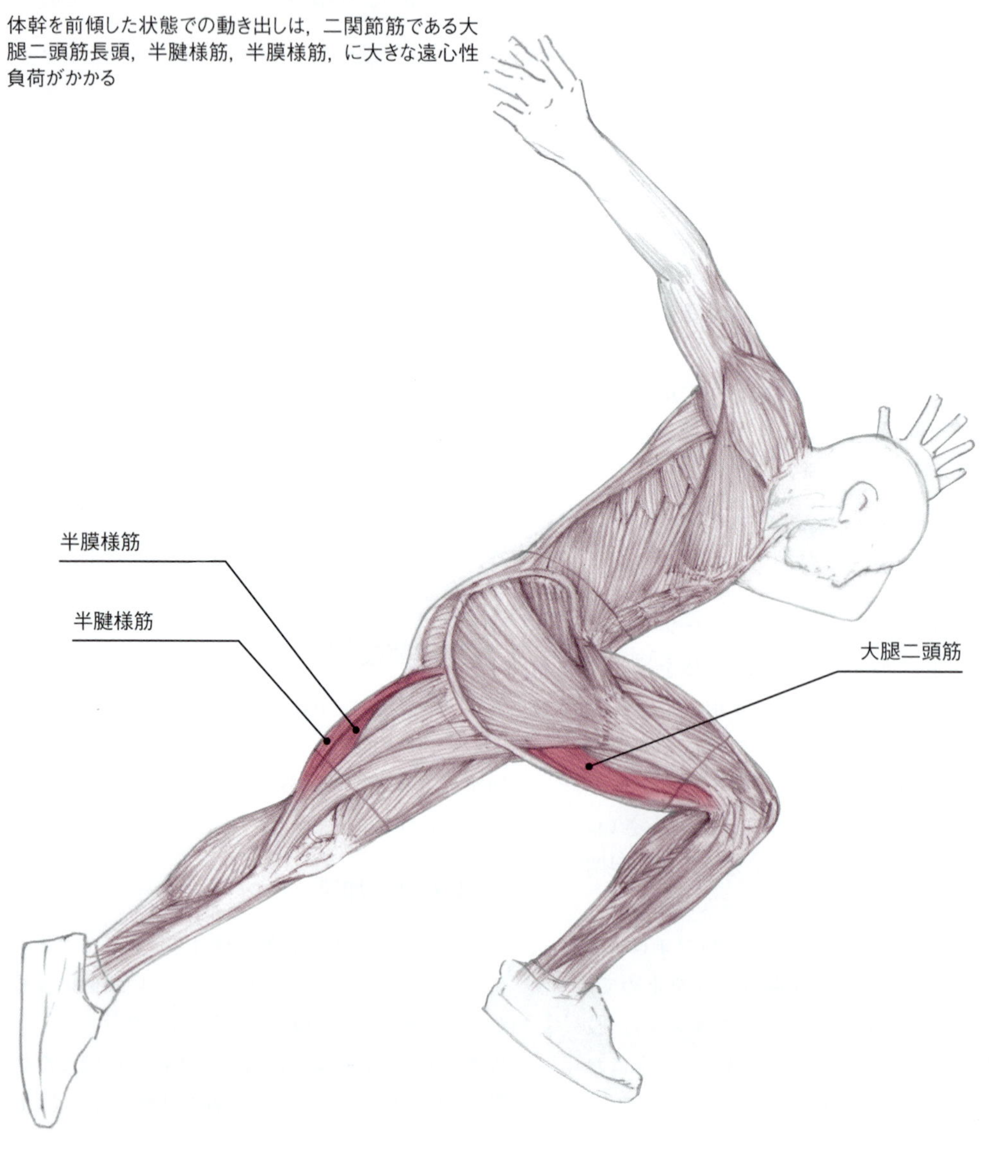

要である。股関節伸展運動を中心に，膝関節屈曲や足関節底屈運動との連動により的確に地面をとらえることで推進力が得られている。しかし股関節伸展運動が不十分な場合，腰椎の伸展など多くの関節運動の補償・代償によって前方推進力が維持され（**図7**），過用となる関節周囲に障害が生じていることが多い。

走動作改善・障害予防のための股関節機能の強化

股関節伸展運動の改善・強化がパフォーマンスの向上につながると考えられており，より円滑に伸展運動を行わせるためにも下記の観点から股関節全方向の可動性と支持性の両立を目指すのがポイントとなる（**表2**）。

矢状面の動き（屈曲伸展）への対応

よいランニングフォームの一要因として，サポート期のミッドサポートで足部が骨盤直下にあることとされており，このタイミングで足底が地面をとらえるような股関節伸展運動が行われる必要がある。股関節伸展運動は股関節屈曲域から伸展域にわたり行われる（**図8**）ため，関節角度によって変化する筋トルクの発揮特性[7]を考慮して股関節周囲筋のトレーニングを行うことが重要である。股関節屈伸筋群のストレッチに始まり，筋力強化として股関節屈曲域での屈筋（腸腰筋），伸筋（ハムストリング）の筋力発揮と股関節伸展域での屈筋（腸腰筋，大腿直筋），伸筋（大殿筋下部線維）の筋力発揮を意識し強化していく。

図6 中間疾走の解剖図

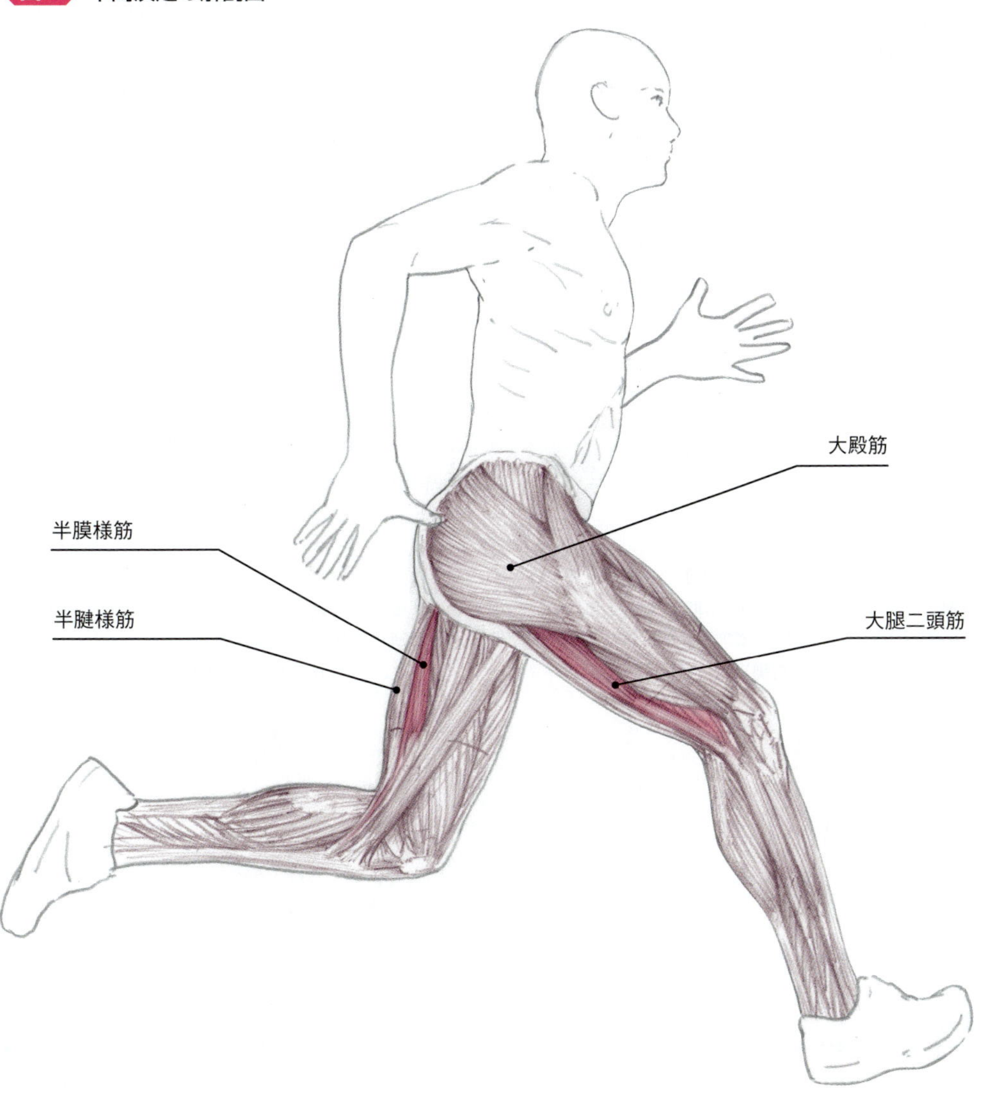

前額面の動き（内転・外転）への対応

サポート期における過剰な股関節内転運動はknee-in/toe-outに関連する。股関節内転筋群の伸張性が低下していることと，外転筋群の筋力が低下していることが多い。片脚支持したときに支持脚側へ過度に体幹が傾斜する場合や遊脚側へ骨盤が下降したりするのを改善し，かつ上記の矢状面でのミッドサポートのタイミングに同期させることが重要である。

水平面の動き（内旋・外旋）への対応

フットストライクでの接地後，股関節内転とともに内旋を伴い，膝の外反，下腿外旋，内側縦アーチ低下などダイナミックアライメントの変化を認めることが多い。これは股関節の内旋運動がダイナミックアライメントに影響しており，抑止するには股関節外旋筋の強化が重要と思われる。

上記3点にポイントを置いて，後述するような股関節以外の障害の理学療法でも股関節周囲筋の伸張性改善のためのストレッチやセルフマッサージ，筋力トレーニングを一律に基礎トレーニング（**表2**）として行う。ランニングフォームの改善にもかかわるため長期的にフォローしていく必要があり，競技復帰後も補強としての筋力トレーニングやコンディショニングのメニューとして継続していくことが重要である。

図7 走動作における股関節伸展運動とそれを補償・代償する運動（矢状面）

前方推進力に重要な股関節伸展運動が不十分な場合，他の関節運動（破線矢印）がそれを補う

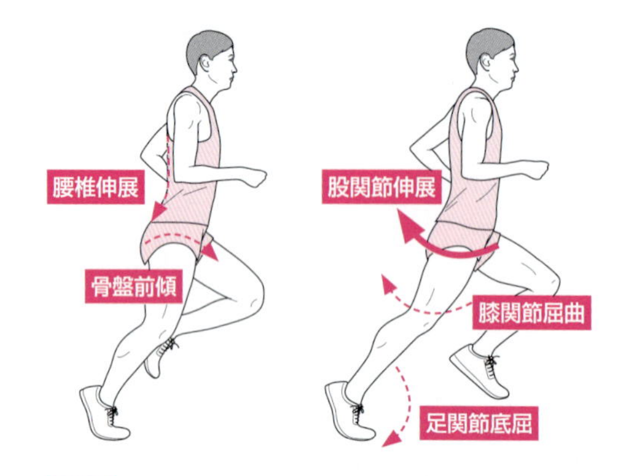

ハムストリング肉ばなれ

動作に関連した受傷機転・要因

ハムストリングの肉ばなれは，スタートダッシュ時の体幹を深く前傾しながらの加速時や，中間疾走におけるフットディセントからフットストライクにかけて，ハムストリングの筋腹から筋腱移行部に発症しやすい（**図9**）。その要因として，

①体幹よりも前方，より遠くへの足部接地（オーバーストライド）に伴うハムストリングのオーバーストレッチ（**図10❶**）

②骨盤の前傾運動によるハムストリングのオーバーストレッチ（遠心性負荷の増大，**図10❷**）

③ハムストリングの伸張性低下

が考えられる。

要因①に挙げたように，印象としてストライド走法の選手に多い。飯干ら[8]の報告によれば，肉ばなれ経験者の走動作として，

図8 走動作での股関節屈曲伸展運動

股関節伸展運動はフットストライクからサポート期すべてとリカバリー期のフォロースルーまで続く。この間，関節角度の変化に伴い筋力発揮特性を考慮してトレーニングすることが，走動作において股関節伸展運動を強化することにつながる

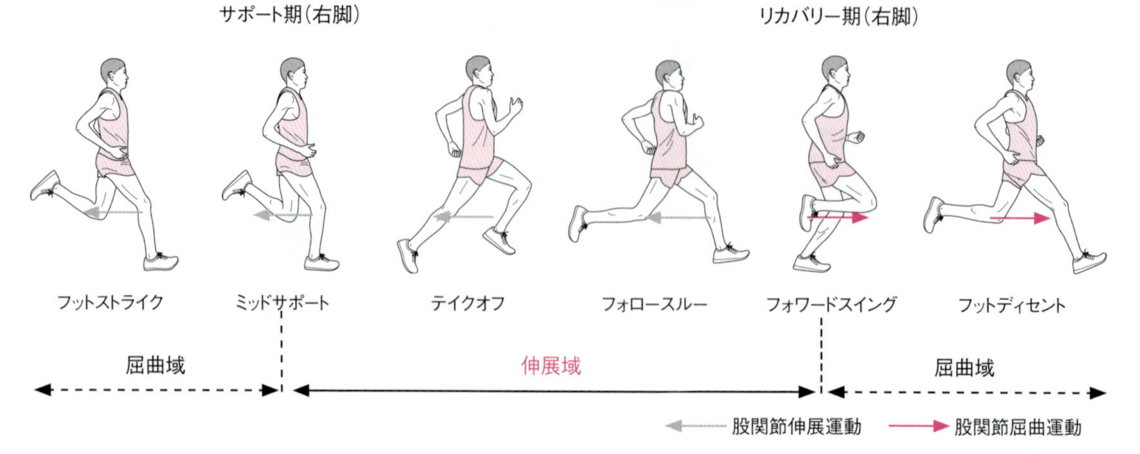

表2 走動作改善のための股関節周囲筋の筋力トレーニング

	開始・終了肢位	動き(途中肢位)
股関節屈曲域からの伸展運動 0°以上の股関節伸展は行わない。腹圧を高め腰椎の伸展を行わないように意識する。		
股関節伸展域からの伸展運動 0°以上の股関節伸展を行う。腹圧を高め腰椎の伸展を行わないように意識する。	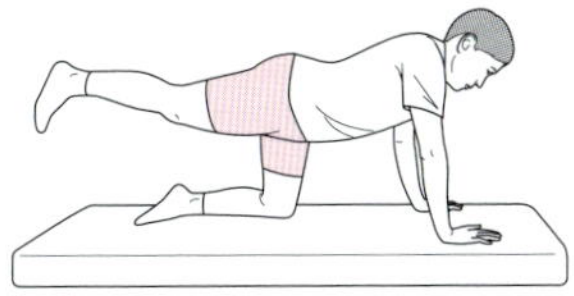	
股関節伸展域からの屈曲運動 腰椎前弯部にタオルを入れ，対側下肢の膝を抱えるようにして骨盤を固定する。腹圧を高めながら運動側(右)は股関節最大伸展位から屈曲する。	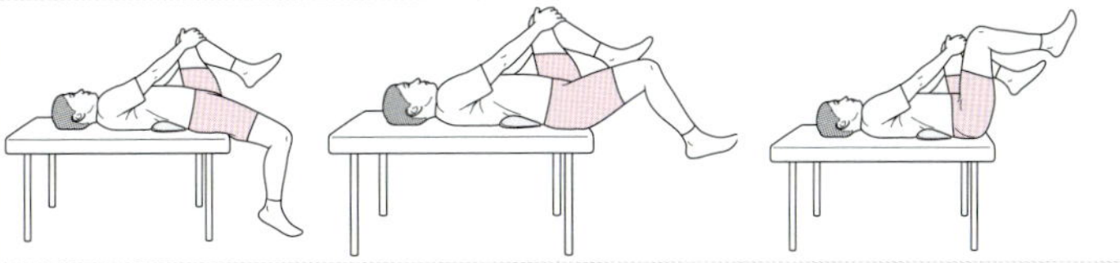	
股関節屈曲域からの屈曲運動 座位で腹圧を高めながら股関節を屈曲する。体幹ならびに骨盤が後傾しない状態での股関節最大屈曲を行う。	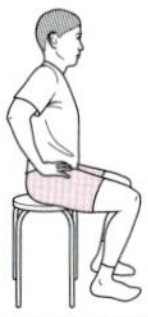	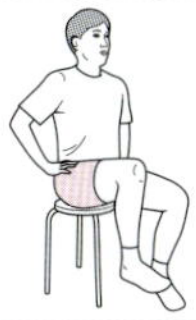
股関節外転運動(股関節軽度屈曲) 前額面上でのサポート期において過剰な股関節内転運動はknee-in/toe-outに関連する。FStの体幹より前方での足部接地を意識して外転運動を行う。大腿筋膜張筋を強化する。		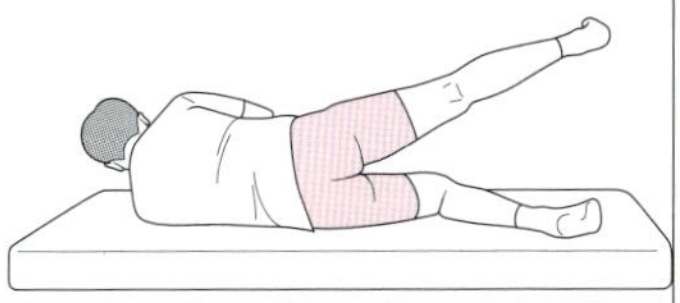
股関節外転運動(股関節屈伸中間位) MSの股関節屈伸中間位での下肢の支持性改善を目的に行う。 中殿筋を強化する。	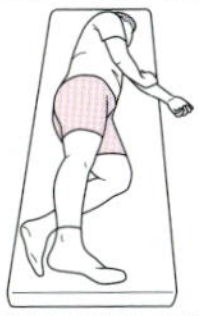	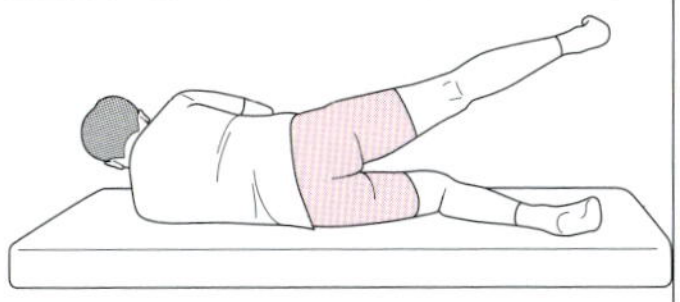
股関節外転運動(股関節軽度伸展) TOの股関節伸展位での下肢の支持性改善を目的に行う。本来の股関節外転筋の中殿筋を強化する肢位である。		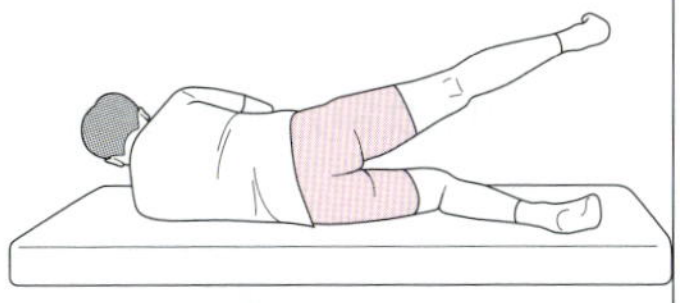
股関節外旋運動 前額面上でのサポート期において過剰な股関節内旋運動はknee-in/toe-outのダイナミックアライメントに関連しており，それに拮抗するべく股関節外旋筋の強化を行う。	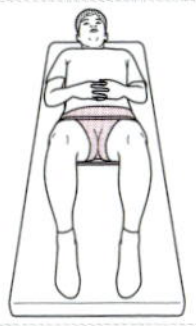	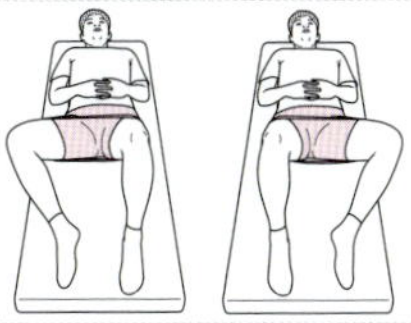
片脚スクワット MSを意識し，骨盤直下に足部が位置するように立ちスクワットを行う。膝関節を屈曲するときはゆっくり行い大腿四頭筋の遠心性収縮を意識する。	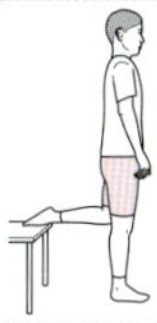	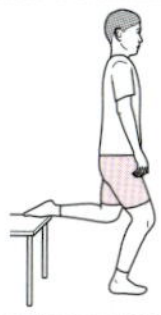
前方ステップランジ 右脚に注目するとサポート期のMS〜TOでの下肢の支持性を，左脚に注目するとリカバリー期のFSw〜FDの振り出しを強化する。	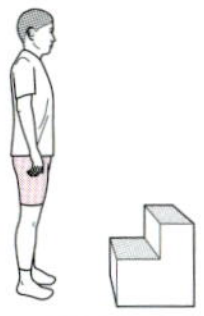	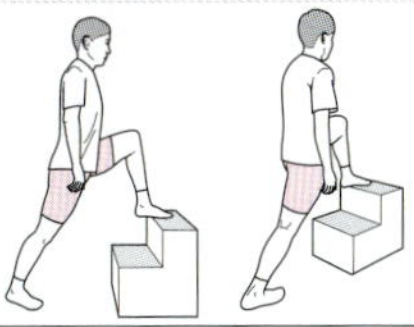

FSt：フットストライク，MS：ミッドサポート，TO：テイクオフ，FSw：フォワードスイング，FD：フットディセント

①下腿の振り出しが大きく，接地までの距離が長い
②体幹の前傾角度が大きい
③接地中の膝関節の屈曲角度が大きい
という特徴が述べられている。

ハムストリングの筋力回復がないまま，遠心性負荷への対応力が低い状態でランニングを再開してストライドを広げていくと，再発または違和感が継続して復帰が遅れる。また，近位へ痛みが移動し，坐骨結節付着部の痛みへ移行して慢性化することもある。

評価

疼痛は，安静時痛，運動時痛（求心性収縮，遠心性収縮），伸張時痛とその出現する関節角度（股関節），圧痛の部位を確認しておく。

理学療法

治療方針としては，患部であるハムストリングの伸張性を遠心性負荷に耐えうるまで改善させ（**図11**），拮抗筋である股関節屈筋群の伸張性も改善させて股関節伸展方向へのスムーズな可動性を獲得させる。

筋力強化として，ハムストリングの強化（**図12**）を行う。また，二関節筋であるハムストリングには股関節伸展筋としての作用もあるため，その負担を軽減させるために大殿筋などの股関節伸展筋群を強化する（**図13**）。さらに，骨盤前傾位を保持する体幹筋の強化を行う（**図14**）。骨盤の前傾位を保持できなければ前後傾運動が起こり，後傾から前傾位に変化するときに，ハムストリングの坐骨結節付着部での遠心性負荷が増大する。骨盤を安定させることは，ハムストリングへの遠心性負荷を減弱するために重要である。

また，骨盤前傾位を保持しながらの膝関節伸展運動（**図15**）は，大腿四頭筋の強化と相反抑制によるハムストリングのストレッチを意識したトレーニングになるとともに，ランニング時にストライドを広げていくときのハムストリングの伸張感を再現できるため，それに慣れることも重要である。閉鎖性運動連鎖（closed kinetic chain：CKC）のトレーニングとして，レッグランジやランジウォーク（**図16**）は，病院内の廊下などでも簡単に行えるトレーニングとして有効である。

ランニング開始当初の指導ポイントとして，走路は平坦な場所を基本とする。短距離種目であれば，初めはクラウチングスタートを避ける。短距離および中・長距離種目ともに，ストライドは広げすぎないようにする。また，中・長距離ではピッチ走法を意識して行うように指導する。

図9 ハムストリングの肉ばなれの好発部位

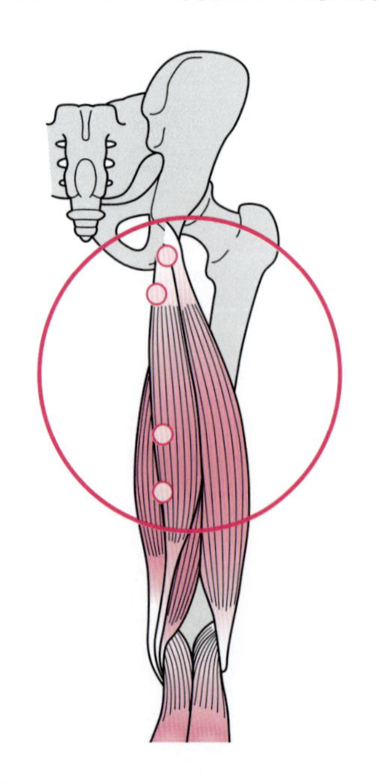

図10 ハムストリングの肉ばなれが生じる要因

❶ストライドが広がって距離が大きくなるほど，ハムストリングへの遠心性負荷が大きくなる
❷骨盤の前傾運動によるハムストリングのオーバーストレッチが，遠心性負荷を増大させる
❷
❶

腸脛靱帯炎

動作に関連した受傷機転・要因

腸脛靱帯炎は，長距離種目で多くみられる障害である。ランニングフォームの特徴として，ミッドサポートからテイクオフにかけて下肢全体が内旋し，第3〜5趾辺りの足部外側からテイクオフして，フォロースルーでは下腿が内旋する。このとき，股関節内転・内旋が強くなると（**図17❶〜❸**），より腸脛靱帯を伸張する肢位のまま，さらにフォワードスイングからの膝関節の屈曲に伴い下腿が外旋していく（**図17❹〜❻**）。この下腿外旋しながらの膝関節屈曲によって，腸脛靱帯が大腿骨外側上顆部で後方へ移動する際に炎症を起こすと考えられる。

アライメントとして安静立位では，O脚や日本人に多い内反脛骨がみられ，toe-inでの立位姿勢で

図11 ハムストリングのストレッチ

下肢伸展挙上（straight leg raise：SLR）：❶患側　❷健側
股関節屈曲位での膝関節伸展：❸患側　❹健側

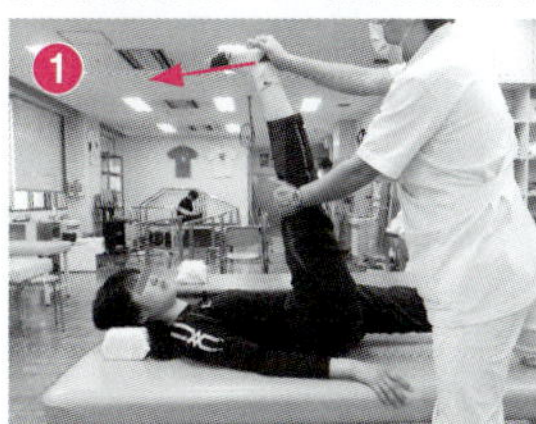
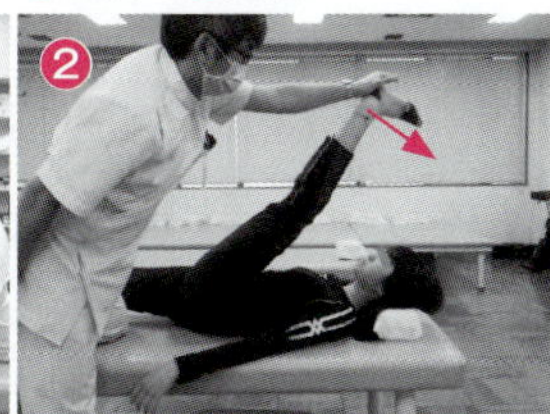
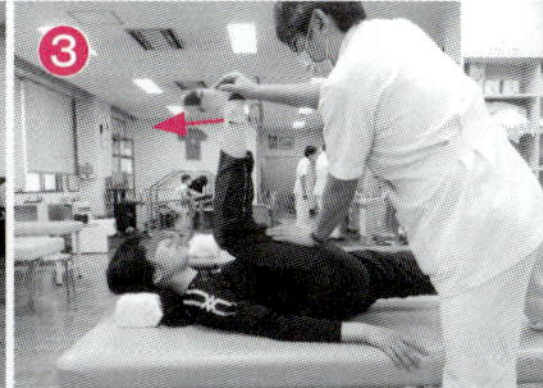
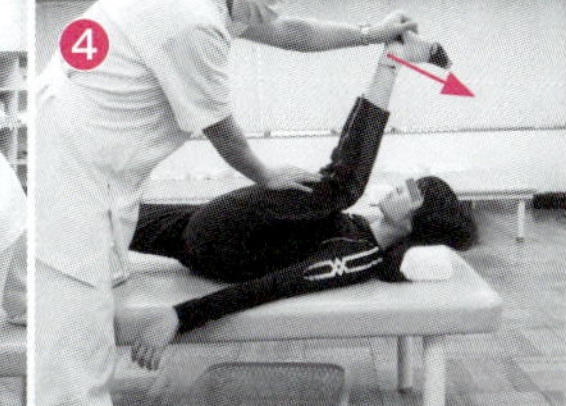

図12 レッグカール

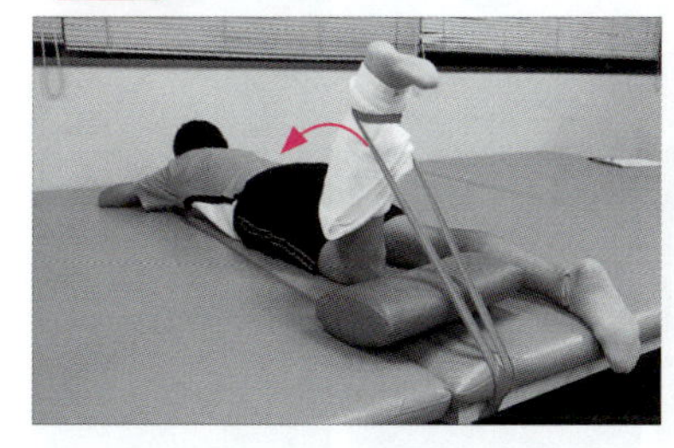

図13 股関節伸展筋群の強化

❶うつ伏せ足挙げ（逆SLRエクササイズ）　❷，❸ヒップリフト　❹バックキック

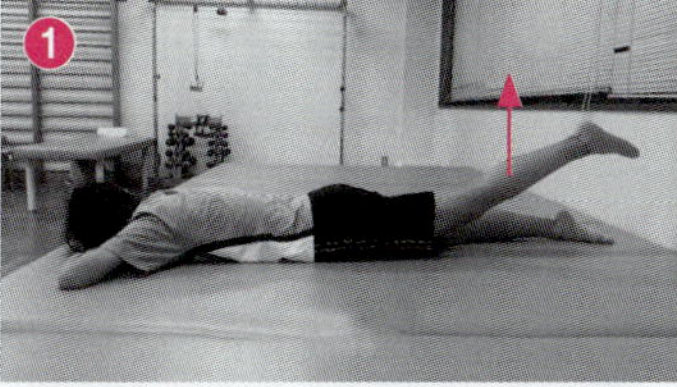
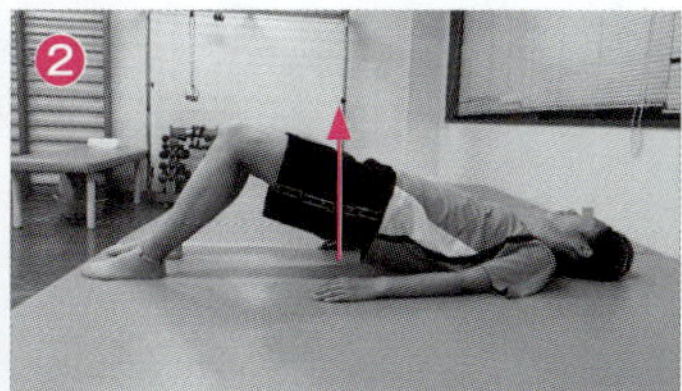
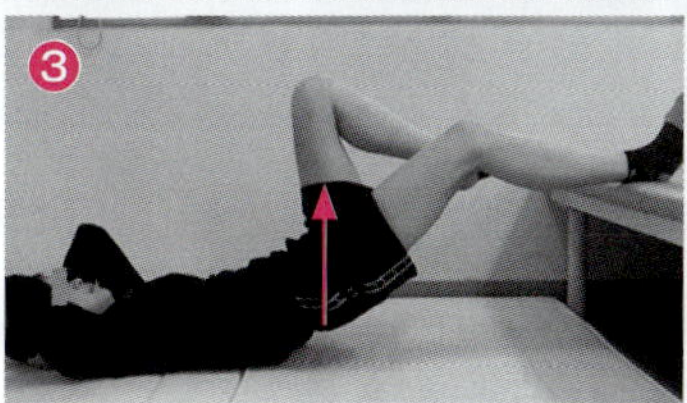

図14 体幹筋エクササイズ

図15 骨盤前傾位で行うレッグエクステンション

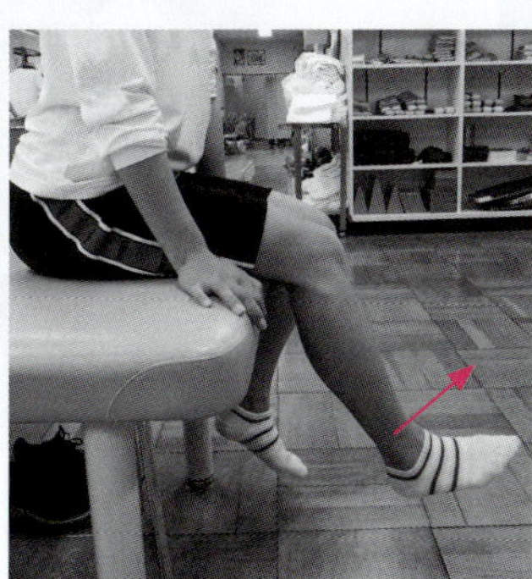

図16 ランジ

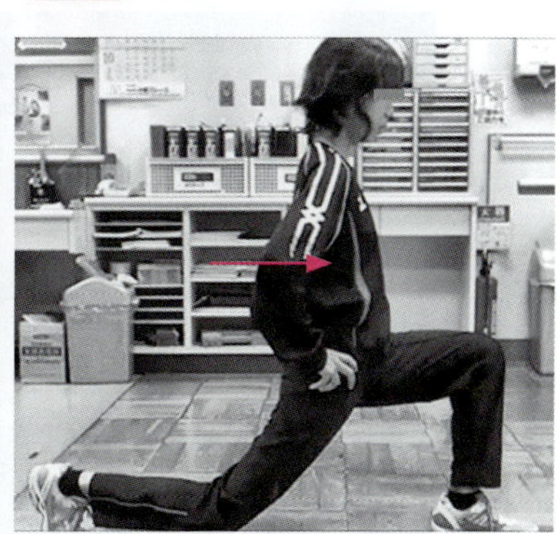

あることが多い(**図18**)。脛骨の内反があると，距腿関節運動軸が内反しているため足部は小趾側から接地しやすい。フットストライクでの小趾側からの接地やtoe-inでの接地を回避するため，toe-outでの接地になることが多い。このためには下腿の外旋運動が必要になり，過剰な水平面でのねじれが起こる(**図19**)。股関節の内旋可動域が大きい(**図20**)のも特徴的である。

評価

grasping test[9](腸脛靱帯を外側上顆部でおさえ，膝を伸展させると痛みが誘発されるかをみる)とOber(オーバー)テスト(大腿筋膜張筋，腸脛靱帯の拘縮・短縮をみる)で陽性となる場合は高緊張型，grasping testで陽性だがOberテストで陰性，膝関節内反動揺テストで陽性となる場合は低緊張型と分類している。

理学療法

臨床上では，腸脛靱帯ならびに下肢全般の筋緊張が高い高緊張型と，それに対する低緊張型に分類している。高緊張型は腸脛靱帯を中心に下肢全般のストレッチや可動性の改善を目的とした徒手療法を行い，低緊張型では筋力強化を中心に行う。リハビリテーションプログラムは次に示す通りである。

- リハビリテーションプログラム

高緊張型，低緊張型ともに，患部の疼痛管理として，患部の安静と物理療法を行う。物理療法では温熱療法と，運動(理学療法)後にアイシングを行う。

高緊張型は大腿筋膜張筋や腸脛靱帯を中心に下肢全般の筋緊張が高いため，伸張性改善を目的と

図17 腸脛靱帯炎の原因となる走動作の特徴

❶～❸テイクオフ後のフォロースルーにおける股関節内転内旋，下腿内旋により，腸脛靱帯が伸張される
❹～❻フォロースルー後のフォワードスイングにおける膝関節屈曲しながらの下腿外旋

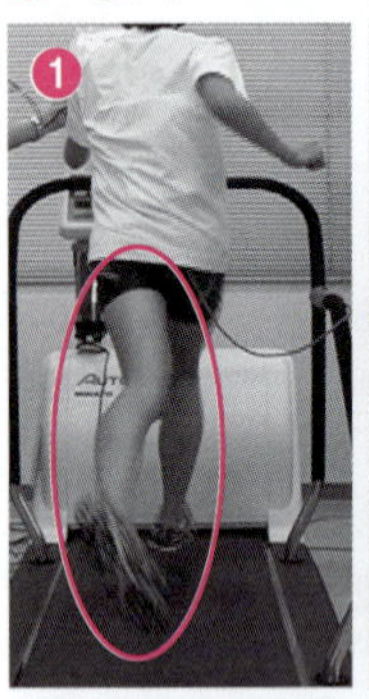
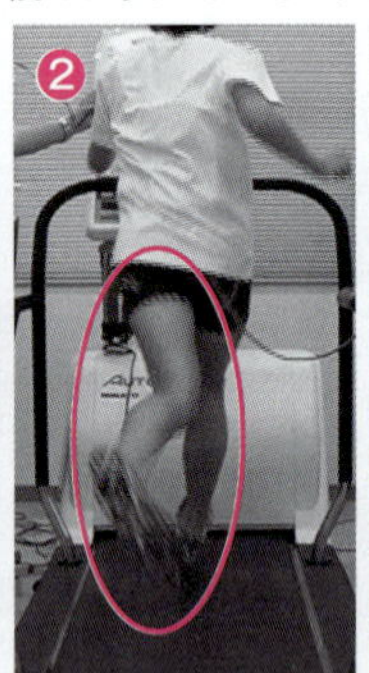
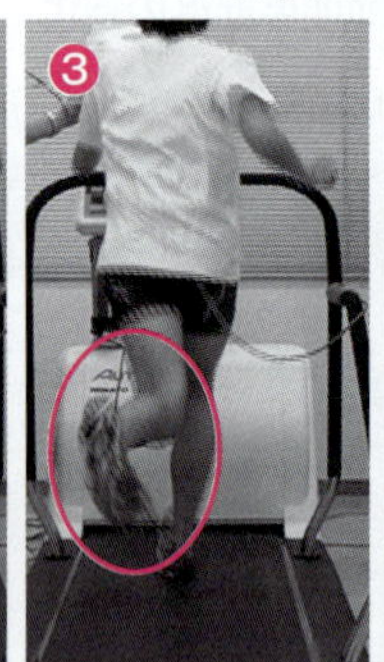
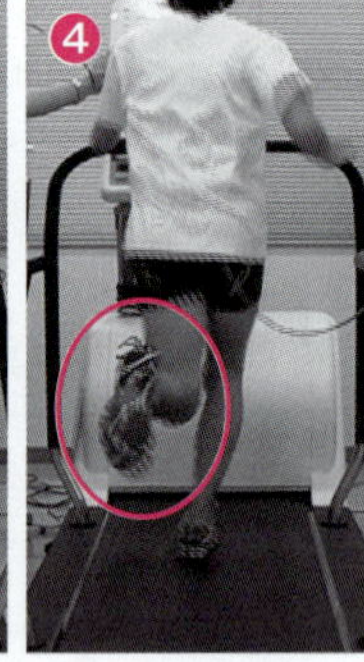
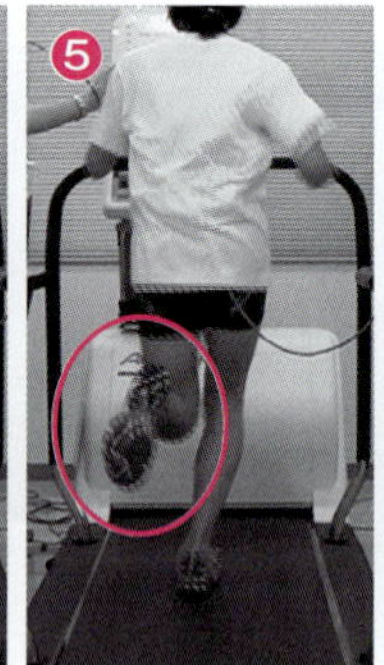
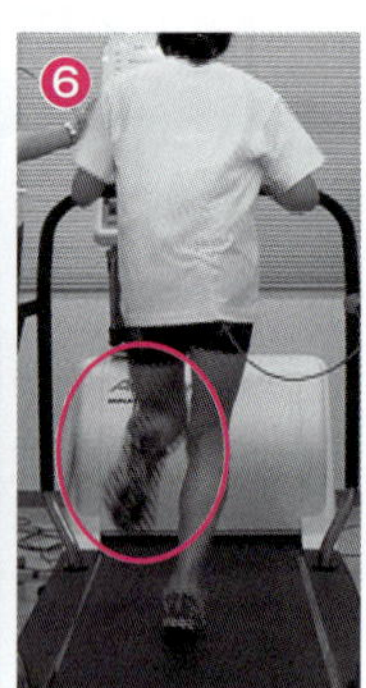

図18 腸脛靱帯炎の患者の立位における下肢アライメント

何気なく立った姿勢がO脚のように見えるが，脛骨が内反(❶)していることが多い。toe-in(❷)で，膝は過伸展気味に後外側に向かって張った(❸)立ち姿勢であり，女性に多くみられる。股関節内旋を伴っていることが多い

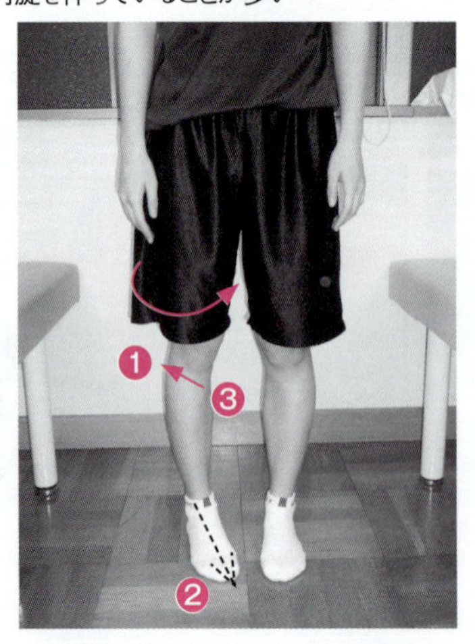

図19 下腿回旋の可動性

下腿の回旋可動性が大きく，左右差を伴うことがある。患側で大きい傾向にある(❸の右脚)

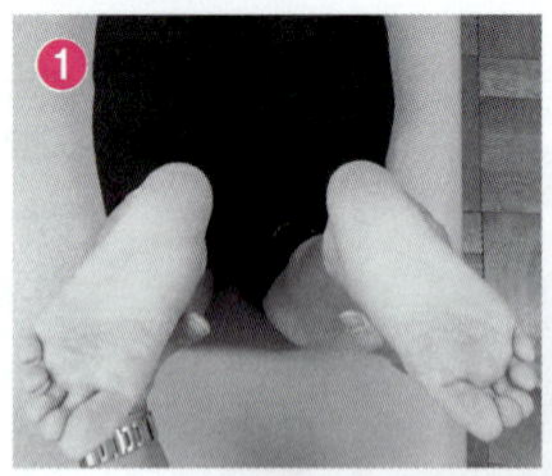
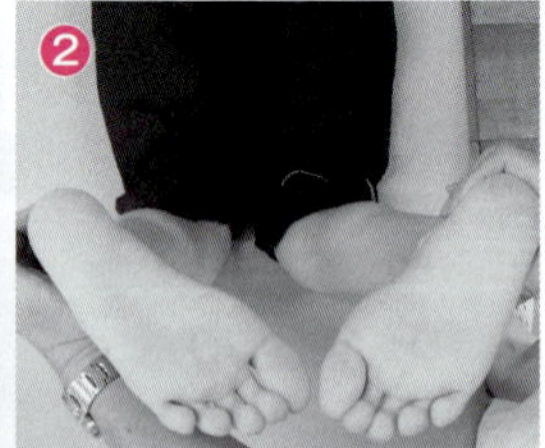
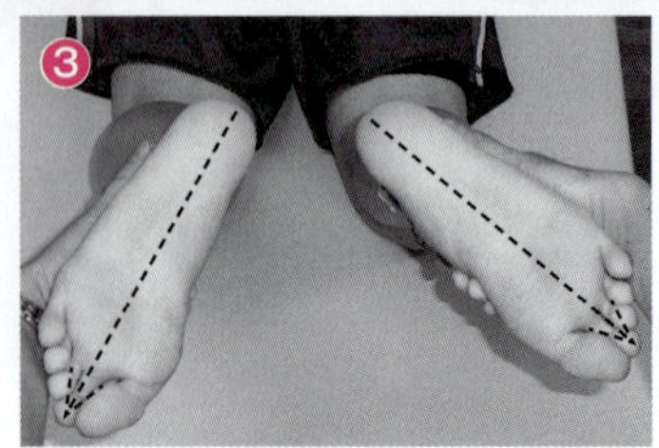

図20 股関節内旋可動域の増大および外旋可動域の制限

股関節の回旋可動域は通常，内外旋合わせて約90°の可動性を有するが，内旋の可動性が増大していることが多い

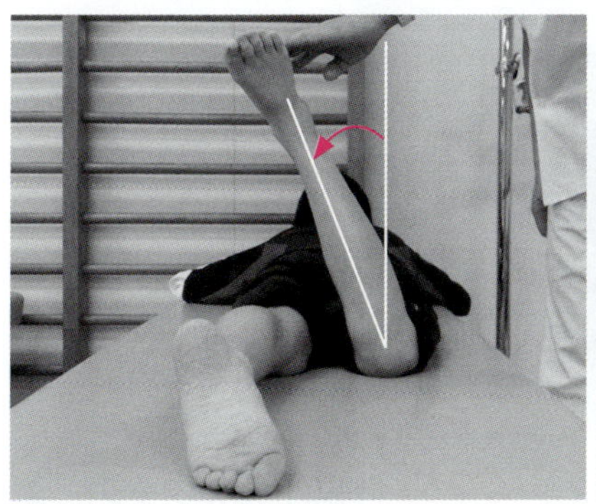

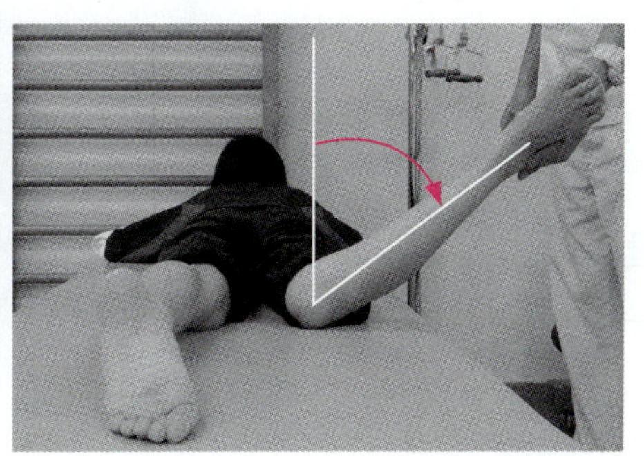

したストレッチ（**図21**）を行う。患部の疼痛増悪を避けるために，日常生活で膝関節屈伸を多用する動作（痛みの出やすい動作）を最小限に抑える。膝関節屈伸を多用する動作には，歩行，階段昇降（特に下り），自転車の駆動（ペダリング動作），平泳ぎ，ランニングがある。その結果，大腿部（特に大腿内側）の筋力低下が起こりやすいため，膝関節屈伸運動を伴わない等尺性収縮によって，内側広筋，股関節内転筋群の筋力維持を図る（**図22，23**）。また，この時期の心肺機能の維持には，上肢エルゴメータによるトレーニングを行う。

疼痛が消失したらウォーキングやジョギングを開始していくが，その際の注意点として，股関節からの下肢内外旋中間位を意識すること，周回コースで行う場合は患側がインコース側になるようにすることなどが挙げられる。インコース側の下肢は，コーナーにおいて下腿が外旋へ誘導されやすく，腸脛靱帯の緊張が高まりにくいためである。ジョギング開始後も走行距離や走速度を十分

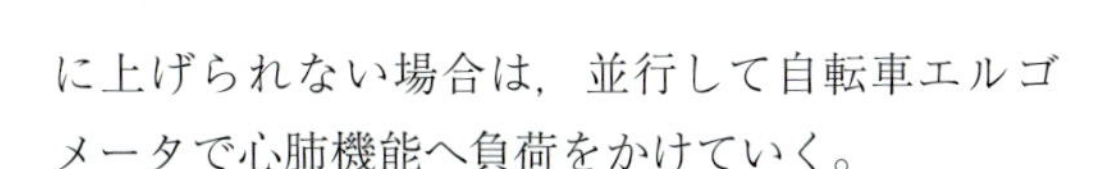

に上げられない場合は，並行して自転車エルゴメータで心肺機能へ負荷をかけていく。

再発予防とフォーム修正を目的として，テーピングを用いてダイナミックアライメントがneutral，または軽度のknee-in/toe-outとなるように誘導する（**図24**）。

アキレス腱炎・アキレス腱周囲炎

動作に関連した受傷機転・要因

アキレス腱（周囲）炎は好発するランニング障害である。アキレス腱（周囲）の内外側，あるいはどちらか一方の圧痛や運動時痛を呈する。原因としては，走動作の矢状面上において過剰に足関節を底屈するケースと，前額面上における距骨下関節の過回外・過回内によるケースがある。上位関節の機能不全から発症していることが多い。これに加え，足部構造の問題点として，柔軟な構造による前額面上の不安定性から発症している場合がある。

図21 大腿筋膜張筋・腸脛靱帯のストレッチ

❶は左脚，❷と❸は右脚のストレッチを行っている

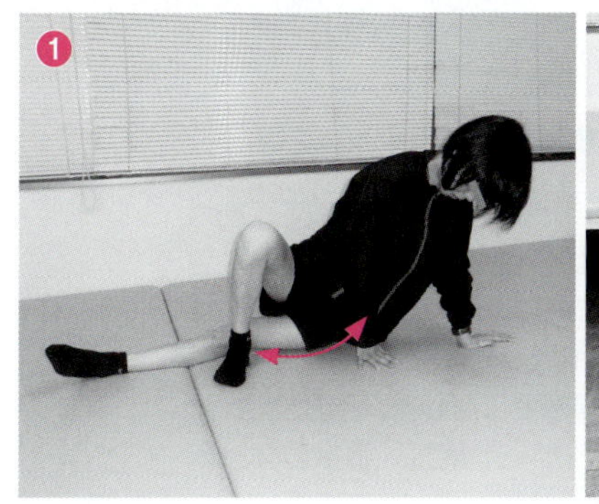

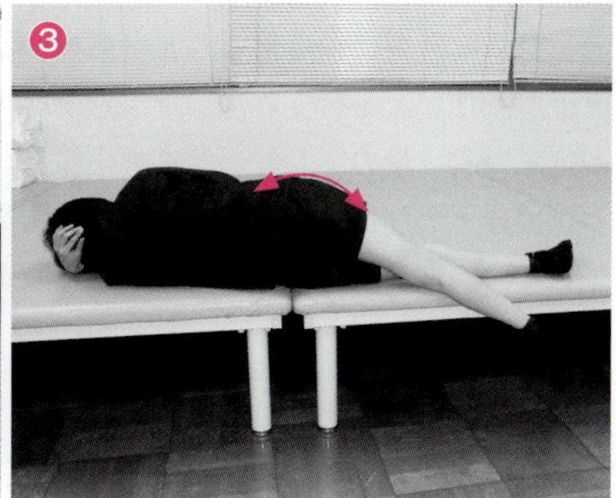

図22 内側広筋への機能的電気刺激(❶)と側臥位でのSLRエクササイズ(❷)

膝関節の屈伸を行うと疼痛が増悪するため，内側広筋の萎縮予防と大腿内側の筋緊張を保つことを目的に行う

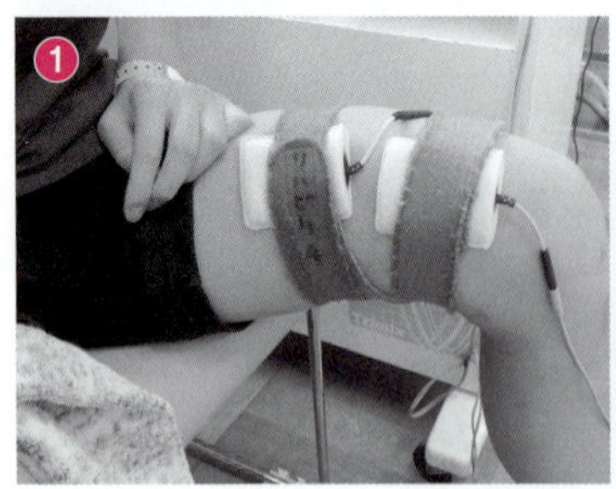

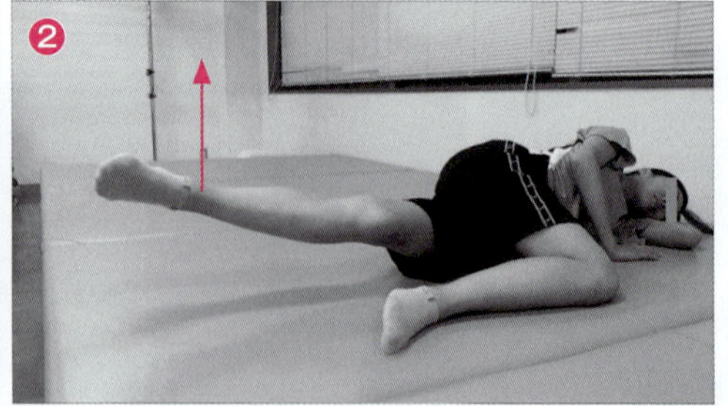

図23 股関節内転筋群のセッティング

股関節の内転筋を中心に，大腿内側の筋力低下を予防する。両下腿を軽度外旋して腸脛靱帯の緊張を緩めた状態で，ボールやクッションを膝の間に挟むようにして5秒間保持することを繰り返す

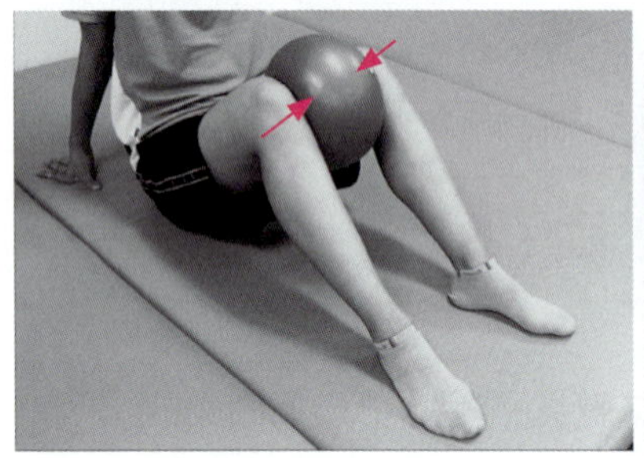

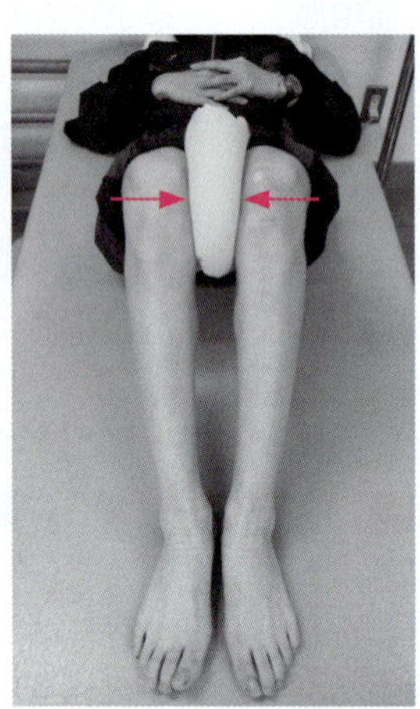

図24 下腿外旋誘導テープ

下腿を外旋し，腸脛靱帯の緊張を減少させる

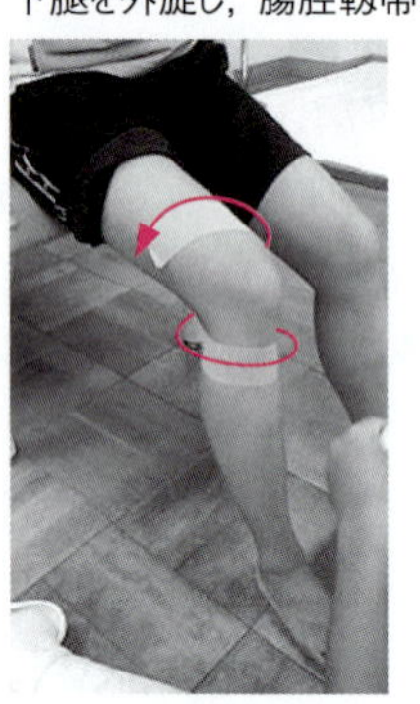

発症して，疼痛を伴いながらも走れたり，走っている間に痛みが徐々に消失していったりすることがあるため練習を継続し，痛みが長期化してしまうことがある。

長期化すると，アキレス腱に硬結を認める場合がある。これは，十分な安静・治療が行われず，腱実質部の微細損傷が修復しきれない状態でトレーニングが繰り返されたことによるものである。このような状態になってからの完治は困難で，運動時の疼痛が完全になくなることは少ない。また，アキレス腱断裂につながることもあり，跳躍やステップ動作などを行うときには注意が必要である。安定した質・量のトレーニングを継続して行うことが困難となり，パフォーマンスや記録の向上は難しく，競技レベルの低下や，ときには競技生活を断念することもある。

評価

疼痛部位の確認，後脛骨筋腱炎との鑑別，後足部の回内・回外の可動性，アライメントの確認を行う。

理学療法

物理療法を主体としたアキレス腱(周囲)の疼痛管理を行う。下腿および足部筋群の伸張性改善と筋力強化(**図25～29**)を行う。患部そのものだけではなく，隣接関節や上位関節に可動域制限や不安定性ならびに筋力低下が生じる場合があり，患部外の股関節伸展筋・外転筋・外旋筋の筋力強化やテーピング・足底板などの補助具療法を行うと効果的な場合がある。

Check! 理学療法ガイドライン第2版

「アキレス腱障害患者に対して，筋力強化運動は推奨されるか」，「アキレス腱障害患者に対して，ストレッチング，徒手療法のいずれが推奨されるか」，「アキレス腱障害患者に対して，物理療法(超音波，レーザー，電気，拡散型体外衝

撃波)は推奨されるか」,「アキレス腱障害患者に対して，装具療法，テーピングのいずれが推奨されるか」[10]については，『理学療法ガイドライン 第2版』第14章「足関節・足部機能障害理学療法ガイドライン」のCQ1～4を参照されたい(https://www.jspt.or.jp/upload/jspt/obj/files/guideline/2nd%20edition/p781-800_14.pdf)。

Web版はこちら

● 外反母趾

動作に関連した受傷機転・要因

特徴的な症状は，足の母趾が第2趾のほうに「くの字」型に曲がり，付け根の関節の内側に突き出したところが痛む(図30❶)。その突出部が靴に当たって炎症を起こし，重症化すると靴を履いていなくても痛むようになる。

図25 足関節周囲筋の筋力強化：後脛骨筋

❶後脛骨筋のセッティング(内外反中間位)：ボールを両足の間に挟み，足関節を内反させる
❷ボールを足で挟んだ状態で内外反中間位を保持しながら，足関節を底背屈させる
❸後脛骨筋の強化：ラバーバンドを用いて負荷をかけた状態で，足関節内反方向へ動かす

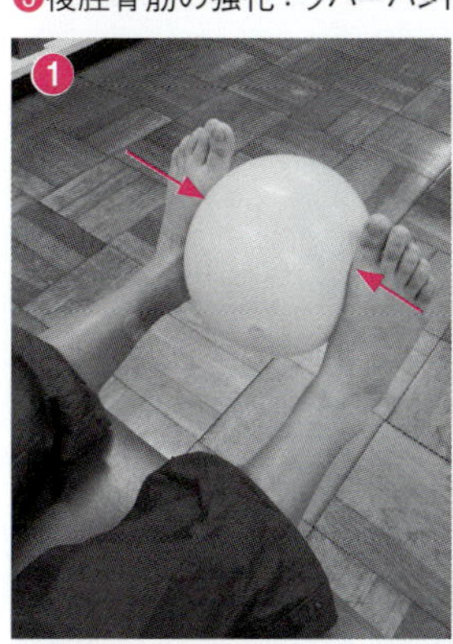

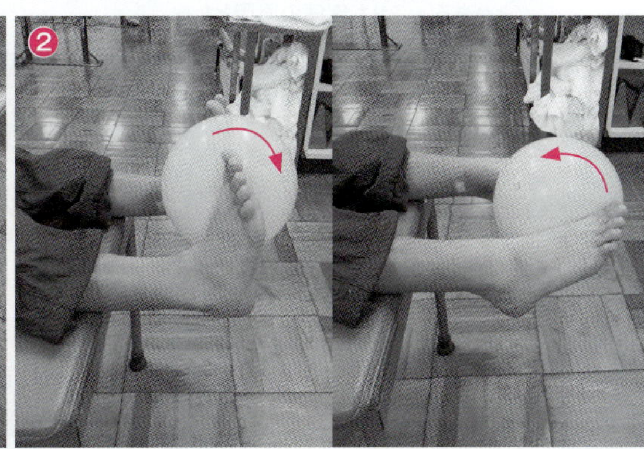

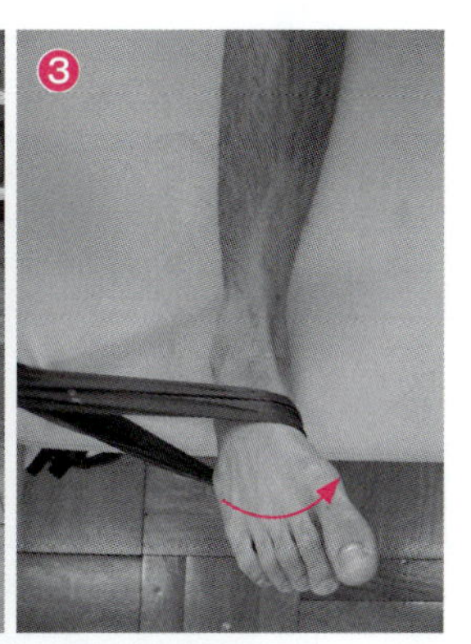

図26 足関節周囲筋の筋力強化：下腿三頭筋

❶プローン・カーフレイズ［膝関節屈曲位：近位負荷(ヒラメ筋)］ ❷プローン・カーフレイズ［膝関節伸展位：近位負荷(下腿三頭筋)］ ❸シーテッド・カーフレイズ(ヒラメ筋) ❹スタンディング・カーフレイズ(下腿三頭筋)

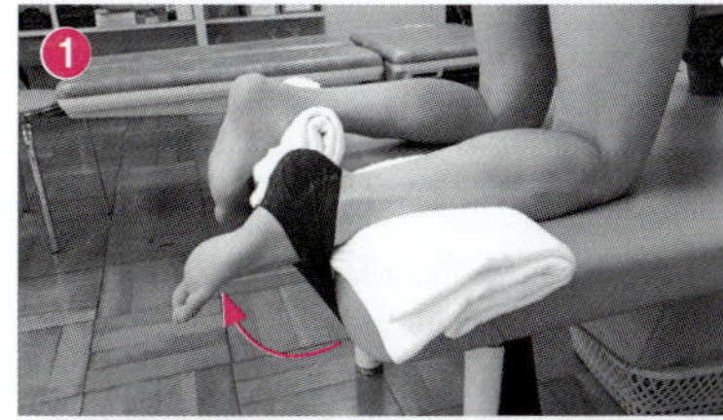

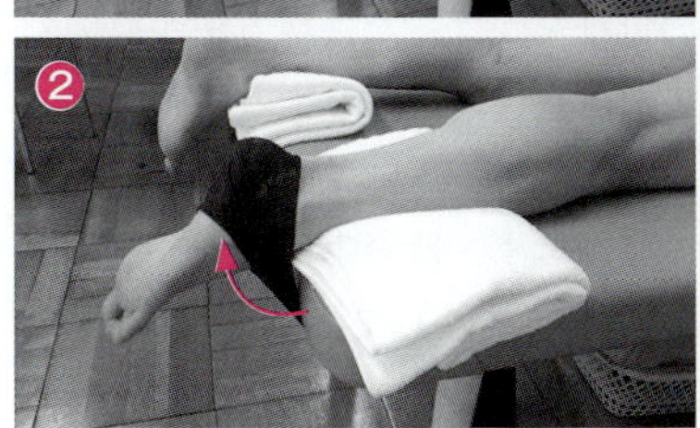

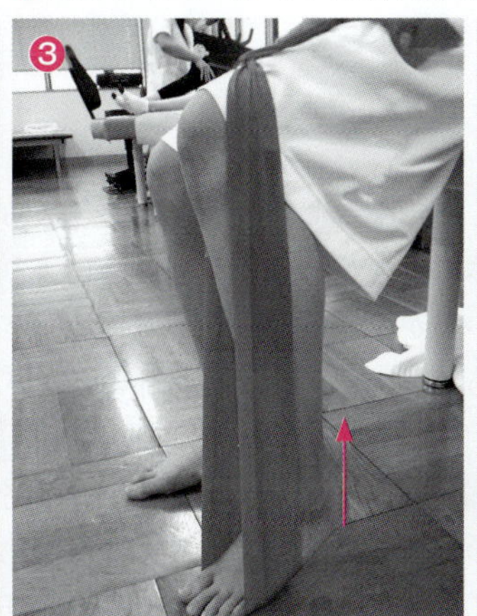

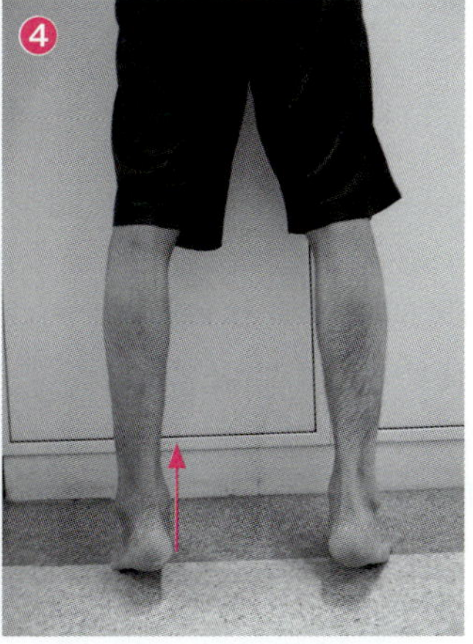

図27 足関節周囲筋の筋力強化：前脛骨筋

❶膝関節屈曲位 ❷膝関節伸転位

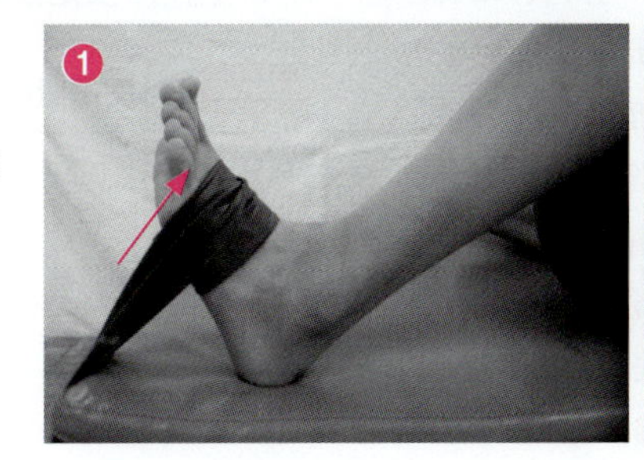

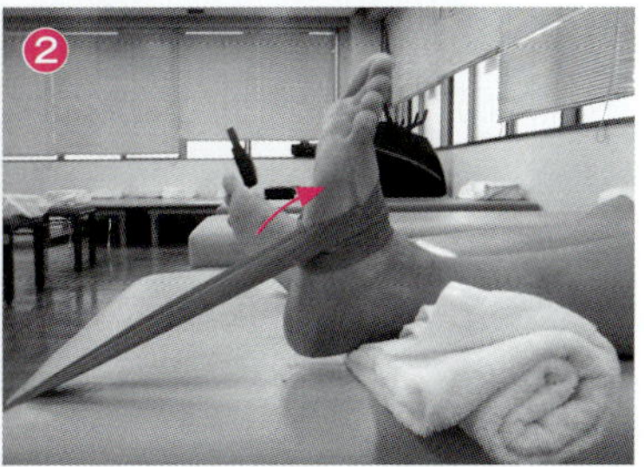

図28 足関節周囲筋の筋力強化：腓骨筋

❶腓骨筋群の強化(足関節背屈0°)　❷，❸腓骨筋群の強化(足関節底屈位)

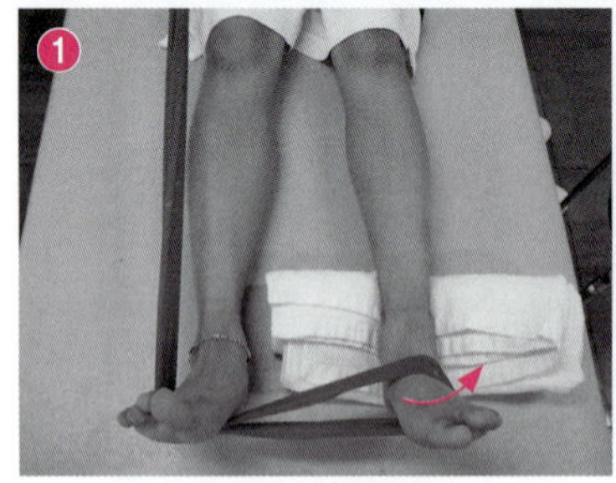

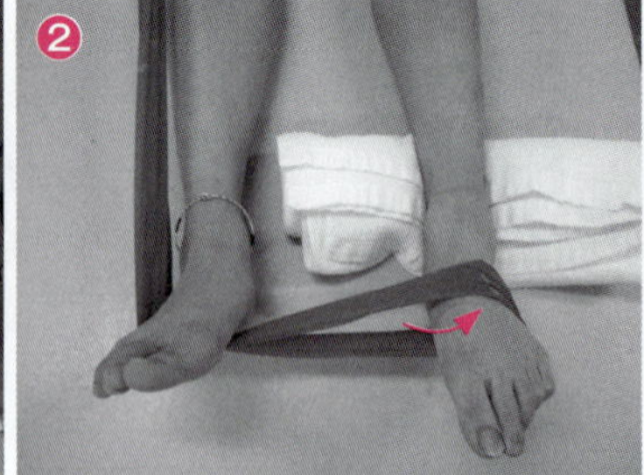

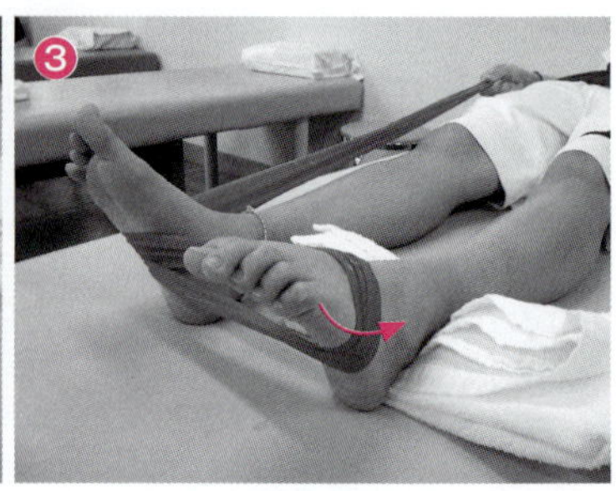

図29 足関節周囲筋の筋力強化：足趾屈伸筋群の把持運動

パウダービーズ入りのクッションなどをつかむように，足趾を大きく屈伸する

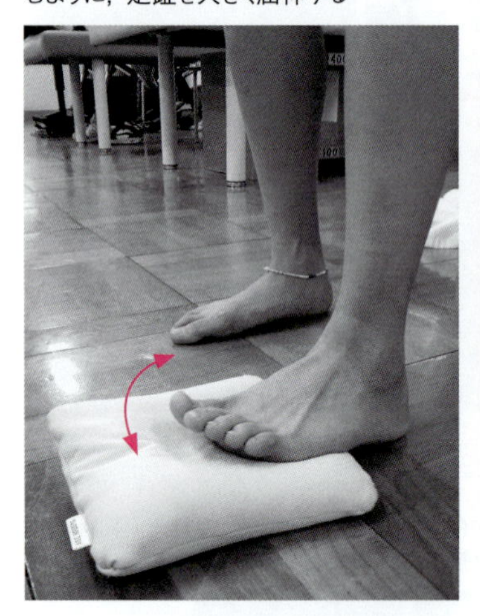

図30 外反母趾

横アーチの低下により，第2中足骨頭部の足底に胼胝(❷，❸の囲み部分)を形成することがある。これも疼痛の原因となる

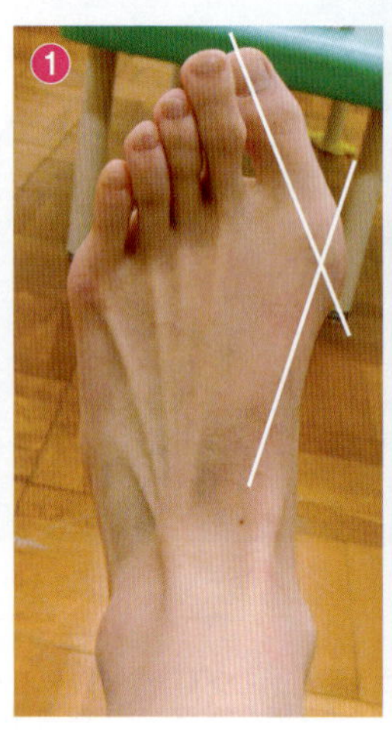

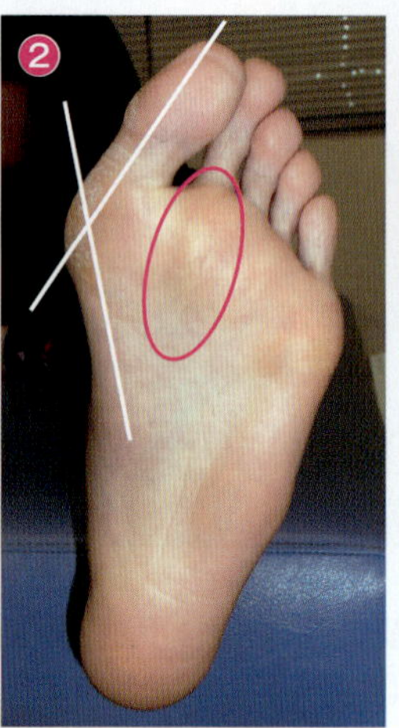

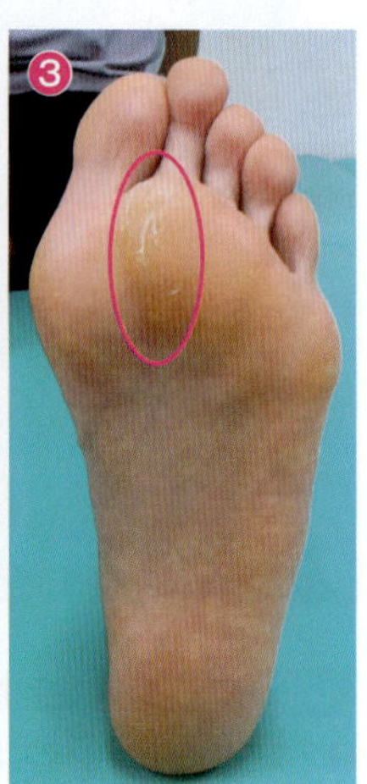

母趾が第2趾の動きを妨げることで，第2趾および第3〜5趾の動きまで制限し，趾全体の動きが阻害されて足趾筋群全体の筋力低下につながる。多くの症例で，足趾中足趾節間(metacarpophalangeal：MP)関節からの屈曲が困難である。

評価

外反母趾は，母趾の長軸線と，その母趾と関節を構成している第1中足骨の長軸線とのなす角度である外反母趾角(hallux valgus angle：HVA)により判断されるが，足の輪郭から外反母趾のおおよその評価ができる。正確な計測は医療機関での単純X線撮影にて行われる。単純X線像を用いてその角度が15°以上を外反母趾とよぶ[11](**表3**)。また，外反母趾では開張足(中足骨同士の間が扇状に開く変形)を伴い，横アーチの低下・消失がみられる。第2中足骨頭部の足底に胼胝(**図30❷**，**❸**)を形成することもあり，これも疼痛の原因となる。

疼痛により母趾への荷重を避けるようになり，外側接地などの母趾をかばった接地方法が原因で，足部のさまざまな障害につながることが多い。

理学療法

母趾外転筋の筋力低下・低緊張に対して，母趾外転筋の筋力強化(**図31**)やelectrical muscle stimulation(EMS)による刺激(**図32**)などを行っていく。開張足がみられる場合は，足趾の屈伸

表3 外反母趾の重症度

重症度 正常値	外反母趾角(HVA) 9°〜15°
軽度の外反母趾	15°以上20°未満
中程度の外反母趾	20°以上40°未満
重度の外反母趾	40°以上

(文献11より引用)

図31 母趾外転筋＋足趾筋群の強化

ラバーバンドで母趾を外転位に保持し，足部全体を緊張させながら足趾を屈伸させる

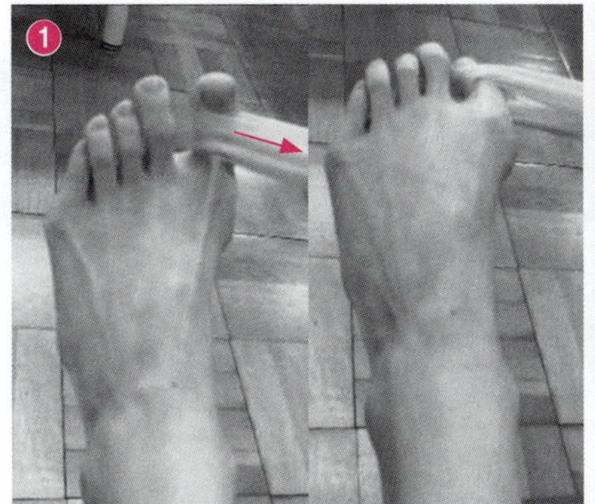

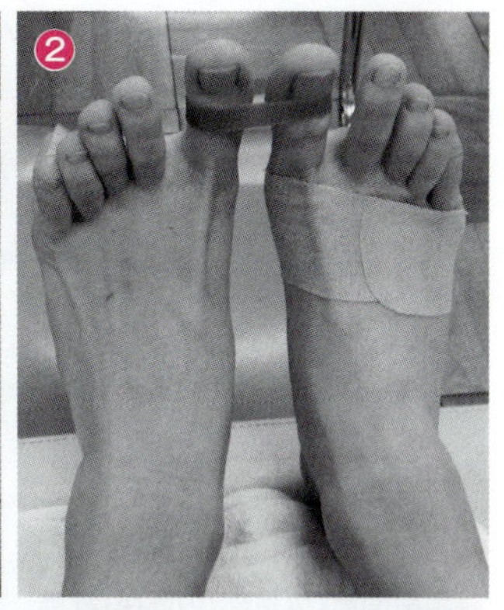

図32 母趾外転筋へのEMS

❶のように電極を貼付して通電する。通電すると，❷→❸のように母趾が外転する。随意的に母趾を外転することは難しいため，EMSを使用して収縮感覚をフィードバックする

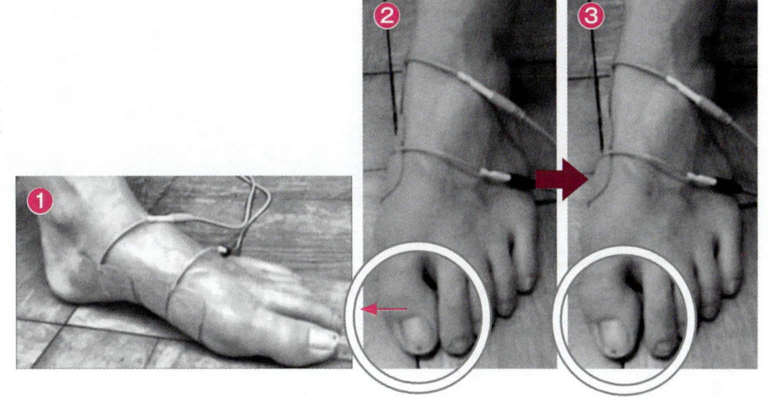

（グーパー）運動などの筋力強化を行っていく。同時に，母趾内転筋の短縮・高緊張に対してマッサージなどを行い，さらにテーピングでアライメントの修正（**図33**）を行いながらトレーニングするとよい。

足関節・足趾の動きからみた足部障害との関連

いわゆる足関節底屈（**図34**）は次の3パターンに分類される。本来は，距腿関節（後足部）の動きと近位筋の作用が中心だが，距腿関節（後足部）の動きが不良の場合，また足背部筋群の短縮や下腿三頭筋の筋力低下がある場合は，腓骨筋，後脛骨筋および足趾の屈筋（前足部）による代償運動となり，その底屈運動パターンからさまざまな障害につながる。

- 距腿関節（後足部）の底屈（狭義）：下腿三頭筋による運動（**図34❶**）
- 中・前足部による底屈：（下腿三頭筋の機能不全，距腿関節の拘縮などから）腓骨筋，後脛骨筋，足趾屈筋群の代償・過用による後脛骨筋腱炎，腓骨筋腱炎（**図34❷**）
- 足関節（後・中・前足部）の底屈（**図34❸**）

理学療法

近位筋である下腿三頭筋の強化（**図26**），距腿関節の可動性の改善を図っていく。

ウィンドラス機構

「ウィンドラス」とは釣りのリールやテニスのネットなどに使われている「巻き上げ機」のことである。

人間の足は運動時，足の着地寸前に趾が上に反り返ることで関節の下側にある筋や腱を巻き上げ，土踏まず部のアーチを強固にし，蹴り出しのばねの力を高めている。このことをウィンドラス機構（**図35**）という。

ウィンドラス機構の過用による機構不全（図36）

足趾を伸展することで足部の剛性を高めるが，持続的な足趾伸展は足底部の持続的なストレッチとなる。このため，足趾を過伸展しても足底筋膜の緊張が得られなくなり，足部構造を弱化させることがある。これにより，後脛骨筋，足底腱膜，足趾屈筋群への伸張ストレスが増大し，扁平足障害などの発症の要因になる。

図33 外反母趾矯正テーピング

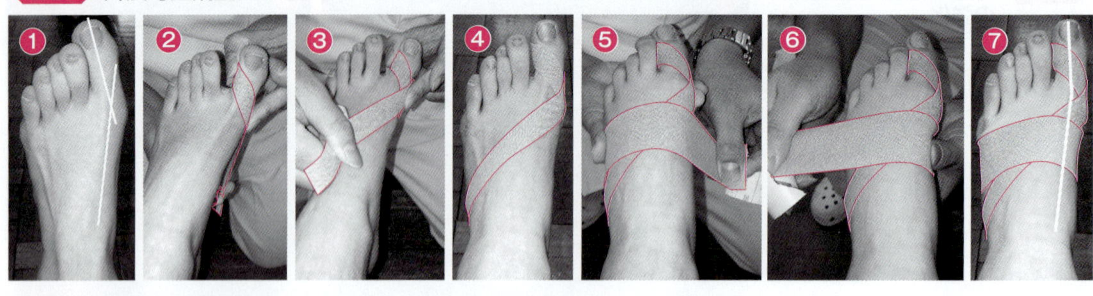

図34 足関節底屈運動

❶距腿関節（後足部）の底屈（狭義）　❷中・前足部による底屈　❸足関節（後・中・前足部）の底屈

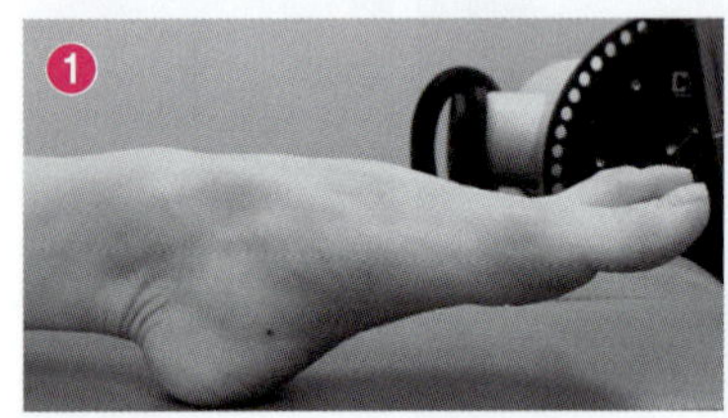

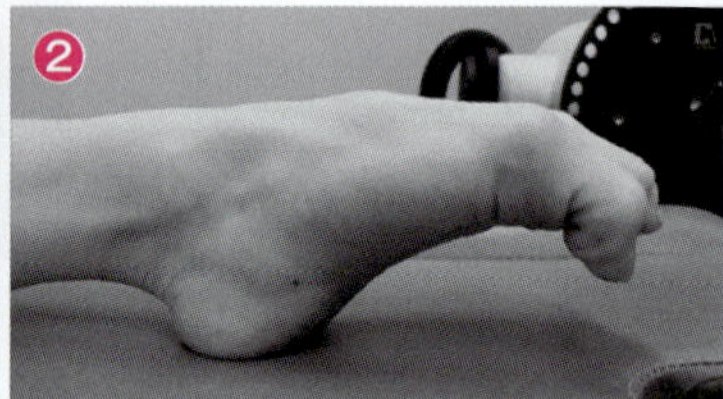

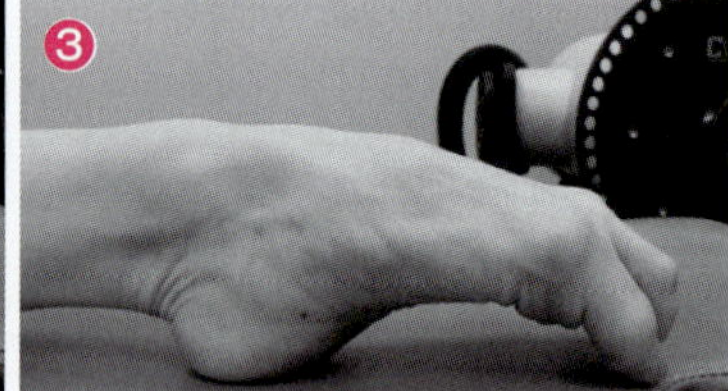

図35 ウィンドラス機構

MP関節の伸展時に足底腱膜が緊張し，踵骨が前方に引き寄せられてアーチ高が高くなる（❷）。この一連の運動はウィンドラス機構とよばれている。踏み返し動作の際に足趾が伸展（背屈）することで，足底腱膜が巻き上げられて足のアーチが挙上する。挙上したアーチは元に戻ろうとする力を生み出し，これが前に進むための推進力となり，踏み返し動作を容易にしている

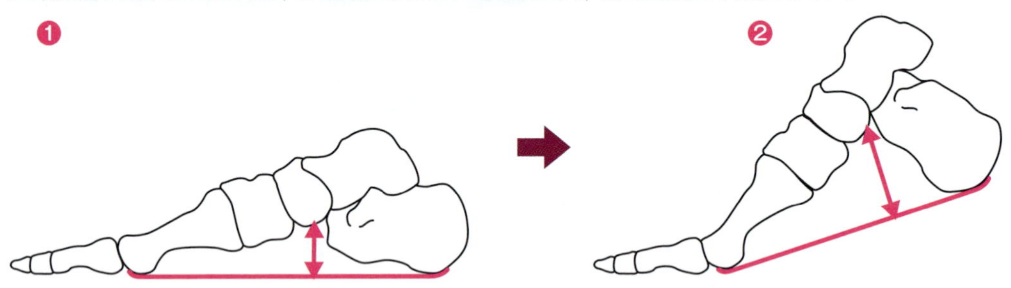

図36 ウィンドラス機構の機能不全

足趾を過剰に伸展※してもアーチ高にほとんど変化がみられないため，ウィンドラス機構の機能不全状態である（❷）。裸足でこの状態であれば，靴を履くと足趾の伸展は制限されるため，ほとんどウィンドラス機構は使えていない状態にあるといえる

※正常可動域は，母趾中足趾節（metatarso-phalaugeal：MTP）関節伸展60°，足趾MTP関節伸展40°

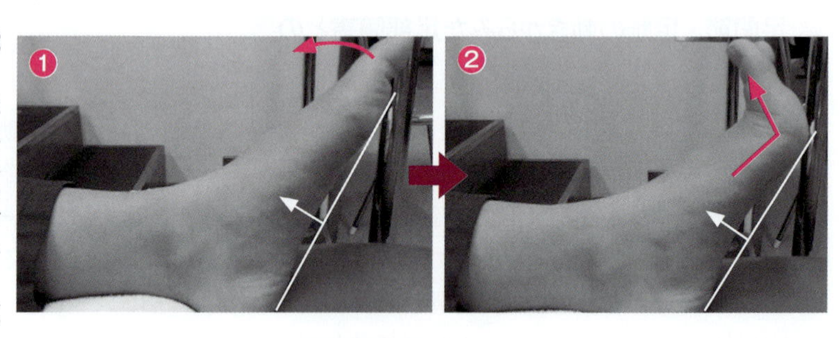

理学療法

足底筋群の強化（**図37**）を行い，足底筋群の低緊張を改善する。アーチサポートなどの足底板を用いる。いずれもウィンドラス機構を働きやすくさせ，足部の剛性を高める。

跳躍動作の特徴[12)]

跳躍動作は，大きくは跳躍距離を競う「走幅跳」と「三段跳」，跳躍高を競う「走高跳」と「棒高跳」に分類される。

跳躍種目の位相は共通して，助走，踏み切り準備～踏み切り，空中動作，着地と大きく4つに分類できる（**図38**）。本項では走幅跳と走高跳について述べる。

図37 足底筋群の強化

距腿関節(後足部)の底屈を行い(❶)，中足骨でボールをおさえつける(❷)。さらに足趾を屈曲し，5秒ホールドする(❸)

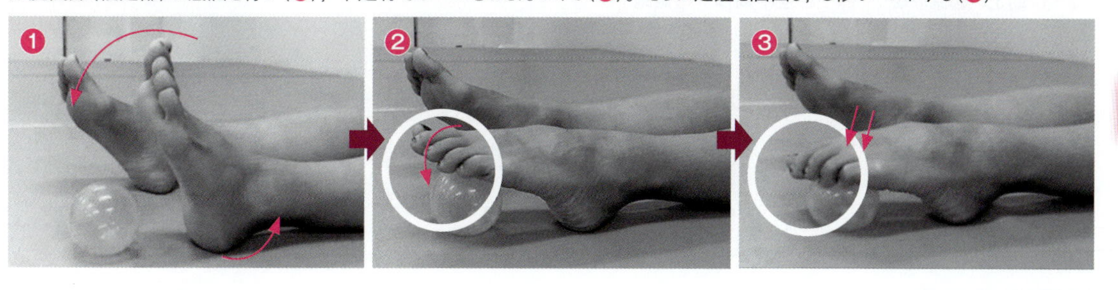

図38 跳躍種目の位相

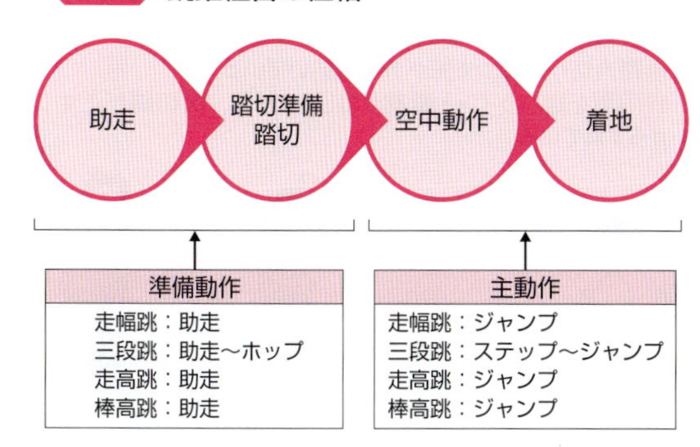

● 走幅跳位相(図39)

走幅跳は，スピードに乗った助走から1回の踏み切りでどれだけ遠くへ跳んだかを競う種目である。

走幅跳では，助走ならびに踏み切り時に地面からの反力を逃がすことなく受け止めて，身体を空中に浮かせることが重要になる。このため，体幹は正中位に保持し，膝とつま先が正面を向いて一致しているのがよい(図40)とされている。

助走

助走のスタートから踏み切りにかけてスピードが上がるようなイメージで走る。一流競技者は助走の歩数が20歩以上で，距離は40m以上にもなるが，踏み切り時に減速してしまうような長い助走距離は遠くへ飛ぶためには不適である。自分の能力に見合った助走距離にすることが重要である。

踏み切り準備〜踏み切り

踏み切り時の跳躍角度は20〜24°が適切(図39❻)といわれている。前に高く飛ぶという意識で踏み切る。踏み切り脚から頭部まで1本の軸ができていて，骨盤が踏み切り脚の上にあり，体重がしっかり乗っている状態がよい。

助走スピードを効率よく上昇力に変換するためには，踏み切りでの衝撃に負けないように踏み切り脚を突っ張ると同時に，腕と振り上げ脚をしっかり振り込む。高く飛ぶことを意識するあまり身体が後傾しすぎる，踏み切り脚のつま先が外を向いている，踏み切り脚が正中位からずれている(図41)，踏み切りを合わせるために目線が下になり腰が引けた状態で踏み切るなど，踏み切り脚を突っ張るときに外傷・障害が発生しやすい。

空中動作

走幅跳の空中動作には，踏み切りの際にリード脚(前脚)の引き上げを強調して空中での腕の回転に合わせて1，2歩の走行に似た運動を行う「はさみ跳び」と，身体を大きく空中で反らせる「反り跳び」がある。空中動作は着地動作に入りやすい姿勢が大切であり，どちらの跳び方でも問題はないが，空中での滞空時間が長い一流競技者は「はさみ跳び」で跳ぶ傾向にある。

着地

両脚を揃えて前に放り出すイメージで踵から着地すると，跳躍距離をロスせずに着地できる。

● 走高跳位相(図42)

走高跳は，定められた跳躍場(ピット)から助走を行い，片脚で踏み切って跳躍し，バーを越えた高さを競う競技である。現在の跳躍フォームは背面跳びが主流になっている。

走高跳の位相は，助走，踏み切り準備(内傾動作)，踏み切り，空中動作，着地の5期に分類される。

助走

背面跳びの助走は，走路が曲線を描く独特のものである。曲線助走では身体が内傾し，踏み切り時にバーに近付きすぎないため直線助走よりも有利に踏み切りを行うことができる。

図39 走幅跳位相

❶〜❺助走　❻踏み切り　❼〜⓯空中動作　⓰着地

図40 走幅跳のよい踏み切り姿勢

❶矢状面　❷前額面：体幹は正中位に保持し，膝とつま先が正面を向いて一致している姿勢がよい

図41 走幅跳の悪い踏み切り姿勢

❶後傾しすぎており後方重心である
❷踏み切り脚のつま先が外側を向いている
❸両肩を結ぶラインと腰部がねじれており，踏切脚が正中位からずれている

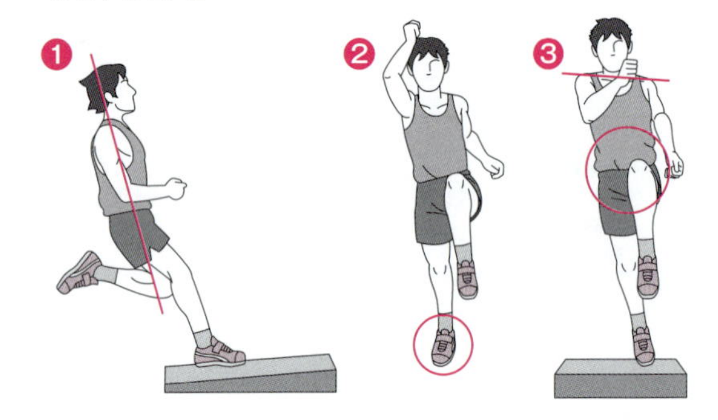

図42 走高跳位相

❶〜❺助走（❸〜❺踏み切り準備）　❻踏み切り　❼〜⓬空中動作，⓭着地

Sports Gear, Equipment

トラックのサーフェスの材質と色が記録を伸ばす？

陸上競技場のトラックは，クレー（粘土または赤土と細かい砂を混合したもの），シンダー（石炭の燃えがらと混合土砂を混ぜたもの），アンツーカー（土を一定の温度で焼いたもの）という土のサーフェスと，合成樹脂を貼り付けた全天候型のサーフェスに分類される。

現在はほとんどが全天候型トラックであるが，初期の全天候型は表面に小さな合成樹脂の粒がトッピングされており，表面が軟らかく接地やキック時に足のブレが生じて力をロスする傾向にあった。近年は，表面が硬くスパイクがしっかりと地面をとらえてキックを有効に利用できるため大きな推進力を得られるようになり，短距離や跳躍種目で好記録が出やすく，「高速トラック」とよばれている。その反面，脚への負担が大きくなり外傷・障害も増加傾向にある。

近年，サーフェスの色も変わりつつある。以前はいわゆる土を連想する赤茶色であったが青色に変わってきた。あるスポーツ用品メーカーの話では，青のほうが注意点（走者が競技中に見ている場所）の安定性が20%ほど増し，注意点の左右のブレがなくなるため集中力が高まるといわれている。青は脈拍や呼吸数を抑え，リラックスへと導く色であるため集中力がアップするという。

踏み切り準備（内傾動作）〜踏み切り（図43）

水平移動から垂直移動へと変換する踏み切り2〜3歩前の踏み込み動作時に，両手を下げて低く構える。

身体を大きく後傾し，踏み切り時に踏み切り脚で強く地面を押すとともに，両腕と振り上げ脚を素早く振り上げると身体が高く持ち上げられる。

身体が大きく後傾・内傾することから股関節には内転と屈曲方向に負荷がかかるため，それに拮抗する股関節外転筋と伸展筋群の強化が重要である。

また，踏み切り時に一時的に膝関節の屈曲が生じ，大腿四頭筋の伸張性収縮を強いられる。踏み切り脚には荷重に耐えられる脚力を備えることが求められ，抗重力筋を中心に下肢全般の筋力強化が重要になると考えられる。

空中動作

理想的な背面跳びの姿勢は，跳躍の最高点で身体の多くの部分がバーよりも下にある逆U字型の姿勢がよい。殿部がバーを越えた後にジャンパーは身体を折って両足を上げ，完全に身体がバーを越えることになる。

着地

殿部がバーを越えた後に身体を折って両足を上げる動作は，頭が下にある上半身を起こす反作用として働き，V字型の着地となる。

図43 走高跳の踏み切り

走高跳の踏み切りでは，支持脚側への身体の大きな内傾・後傾を伴うため，股関節内転と足関節外反が生じる
❶股関節内転　❷足関節外反

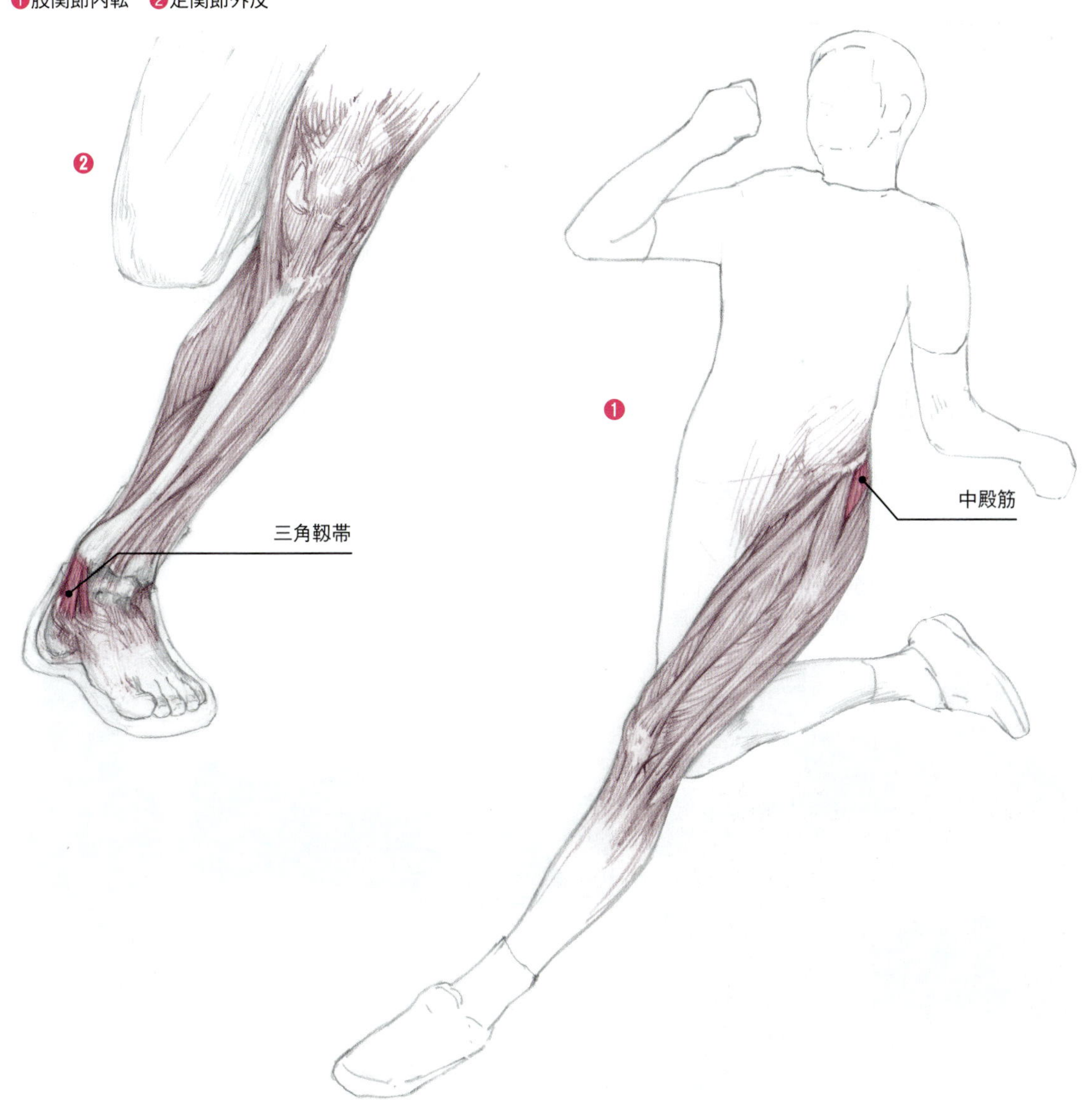

跳躍における外傷・障害

● ジャンパー膝

動作に関連した受傷機転・要因

ジャンパー膝は，ジャンプ動作などを繰り返し行う跳躍種目に多く発生し，具体的には膝蓋靱帯炎および大腿四頭筋腱付着部炎のことを指す。

跳躍動作での踏み切り時に，身体全体が過剰に後傾（**図41❶**）して腰が引けた状態（後方重心）で踏み切ると，その際の前額面上での下肢アライメント不良（**図41❷**）により，膝伸展機構（大腿四頭筋〜膝蓋骨〜膝蓋腱）へのストレスが大きくなり疼痛が生じる。

評価

圧痛点の確認，大腿四頭筋への求心性・遠心性負荷による疼痛再現性の確認，大腿四頭筋の伸張性や膝蓋骨の可動性をチェックする。

可能であれば，踏み切り時のダイナミックアライメントを確認しておくとよい。踏み切り時に足関節の背屈制限があると下腿が前傾せずに後方重心になりやすいため，足関節の可動性も確認しておく。

理学療法

まず，疼痛改善を目的とした微弱電流や超音波，アイシングによる物理療法を行う。

必ずしも全症例で大腿四頭筋の伸張性が低下しているとはいえないが，大腿四頭筋の短縮がある場合は疼痛に応じてストレッチを実施する。

また，足関節の背屈制限が存在する場合は可動域の改善を行う。

大腿四頭筋を中心とした下肢全般の筋力強化と，踏み切り時の片脚支持におけるアライメントを改善する。

● 外反捻挫

動作に関連した受傷機転・要因

跳躍競技では足関節の捻挫と靱帯損傷が多い。外反捻挫は内反捻挫に対して多く発生するものではないが，走高跳の背面跳びでの踏み切りでは曲線助走を行うため，踏み切り時に支持脚の股関節は内転して足部は身体の正中位に位置し，足関節は外反する（**図43**）。このため，足関節内側にある三角靱帯が引き伸ばされて損傷する。また，足関節の外側に外果と距骨の骨性の衝突による痛みを訴える場合がある。

評価

受傷肢位の聴取と，三角靱帯に沿った疼痛部位の確認，後脛骨筋の炎症との鑑別を行う。

理学療法

損傷の程度にもよるが，一定期間の安静固定後に，関節可動域練習に加えて筋力強化を行う。

外反捻挫を予防するためには，足関節周囲筋の強化（**図25〜29**）だけではなく，踏み切り時の支持脚の股関節外転筋の強化（**図44，45**）も行う。それによって過度の股関節内転位を予防すると，足関節の過度な外反を防止し，外反ストレスの軽減につながる。

図44 股関節外転筋の筋力強化

❶横から見た図　❷上から見た図。股関節伸展位かつ内外旋中間位で行う

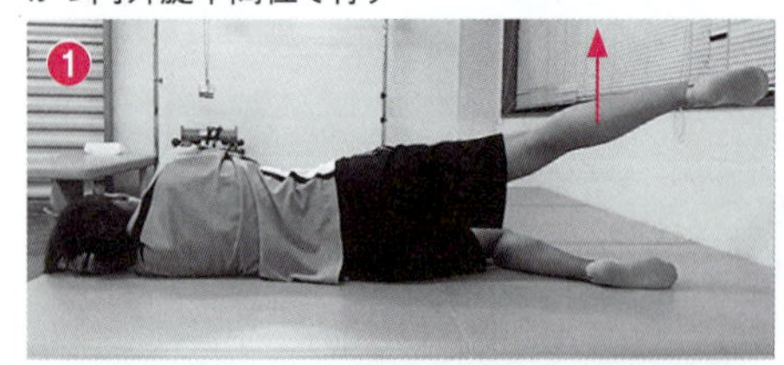

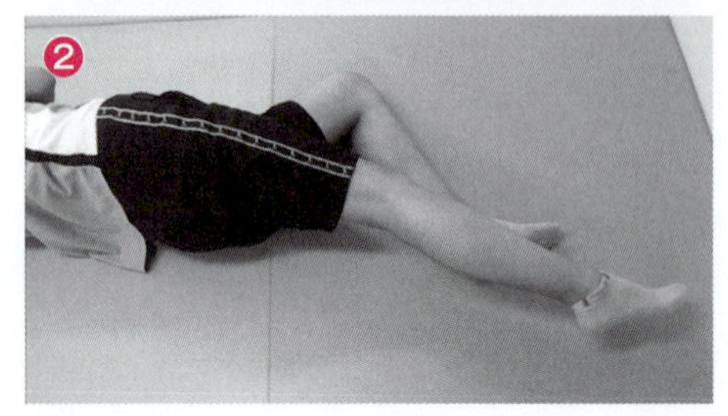

図45 股関節外旋筋の筋力強化

❶股関節屈曲・膝関節屈曲位で行う。梨状筋を中心とした外旋筋を強化する
❷股関節伸展0°・膝関節伸展位で下肢全体を股関節から外旋させる。ここでは下肢を台の上に乗せて行っている

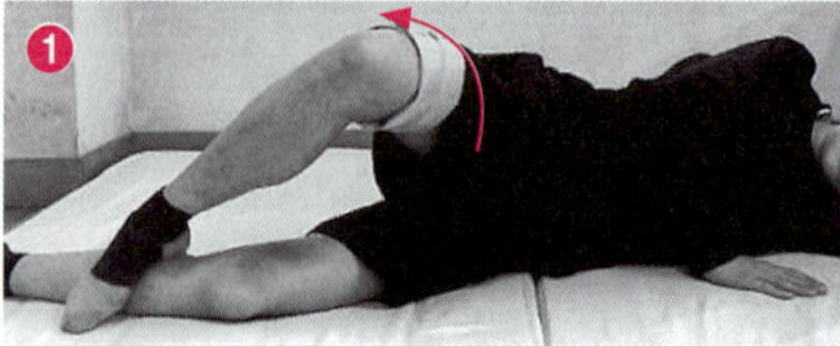

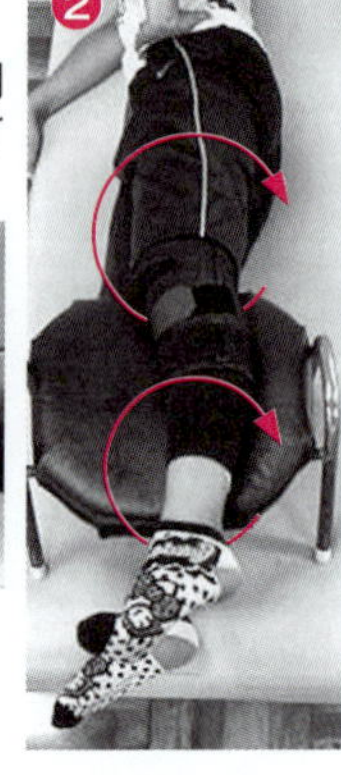

投てき動作の特徴[13)]

投てき種目には「やり投」「砲丸投」「円盤投」「ハンマー投」の4種目があり，投てき物の飛距離を競う。投てき前の準備動作において，直線的な助走を行う種目と回転運動を行う種目に分けられる。やり投は直線的な助走からの投げで，円盤投とハンマー投は回転運動による準備動作からの投げになる。砲丸投は，直線的な準備動作からの投げ（グライド投法）と回転運動による準備動作からの投げ（回転投法）の2つがある（**図46**）。ここでは，やり投について述べる。

● やり投位相（図47）

男子は約800g，女子は約600gの重量のやりを，定められた投てき場から助走をつけて投げ，その飛距離を競う競技である。

やりに限らず，投てき物の飛距離を決定する要因は，初速度，投射角度，投射高である。一般に，体格に恵まれ筋力に優れている選手が有利とされている。身長は投射高に関連するため身長が高いほど有利といわれるが，実際の飛距離への影響はわずかである。

やり投の一連の動作は準備動作と主動作に大きく分かれ，さらに準備動作は助走とクロスステップに，主動作は投げとリカバリーに分けられる。

助走

やり投では，30m程度の助走が許されている。理論上，助走スピードが速いほど飛距離は長くなるが，いかにスムーズにクロスステップに移行するかが重要であることから，余裕をもって移行できるスピードがよい。

クロスステップ～投げ

助走から投げへの準備動作として，クロスステップと投げの構えがある。助走によって身体は加速するが，踏み込み脚接地による助走速度の減速が大きいほど体幹の屈曲速度が高いといわれている。投てき時の踏み込み脚が身体の質量と助走速度の積である運動量を急激に減少させることで，運動エネルギーを体幹－上腕・前腕－やりへと伝え，初速度を高めることができる。下肢から順に体幹を回旋し，上腕・前腕を止めてエネルギーをやりに伝えていくため，それに耐えうる下肢筋力が必要となる。

クロスステップには，引っかき型と突っ張り型がある。右手投げの場合，引っかき型では左膝を軽く曲げた状態で接地し，投げ出しとともに強く蹴ることで自分の身体も大きく前方へ投げ出す。すなわち，助走速度を維持したまま投げ出す方法である。突っ張り型は，左膝を伸ばしたまま接地して身体の進行を止めることで，上体を前方へ素早く倒すことを狙う方法である。スプリントやジャンプ系の強い選手は助走速度を生かす引っかき型を，脚筋力の高い選手は突っ張り型がよいといえる。

やりの構えは，リニア型とローテーショナル型に分けられる。リニア型は，やりを投てき方向の真後ろに引いてそのまま投げ出す。肩関節の可動性と体幹伸展可動性の大きい選手は，リニア型のスローイングがよいといえる。ローテーショナル型は，やりがやや横を向くように斜めに引いて，体幹の大きなひねりを使って投げ出す。体幹の回旋筋力と回旋可動性の大きい選手は，ローテーショナル型のスローイングがよいといえる。

リカバリー（フィニッシュとリバース）

やりを投げた後は体幹が前方に回転しているため右足を重心よりも前に踏み出し，身体全体の水平方向への移動にブレーキをかける。ファウルラインを越えないように，ライン際で行う。

図46 投てき種目の位相

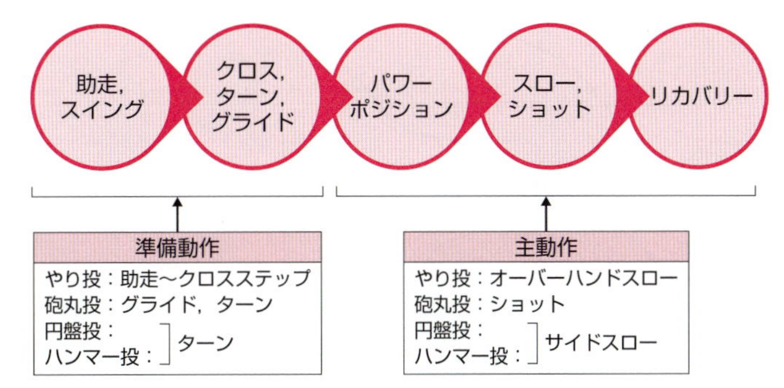

図47 やり投位相

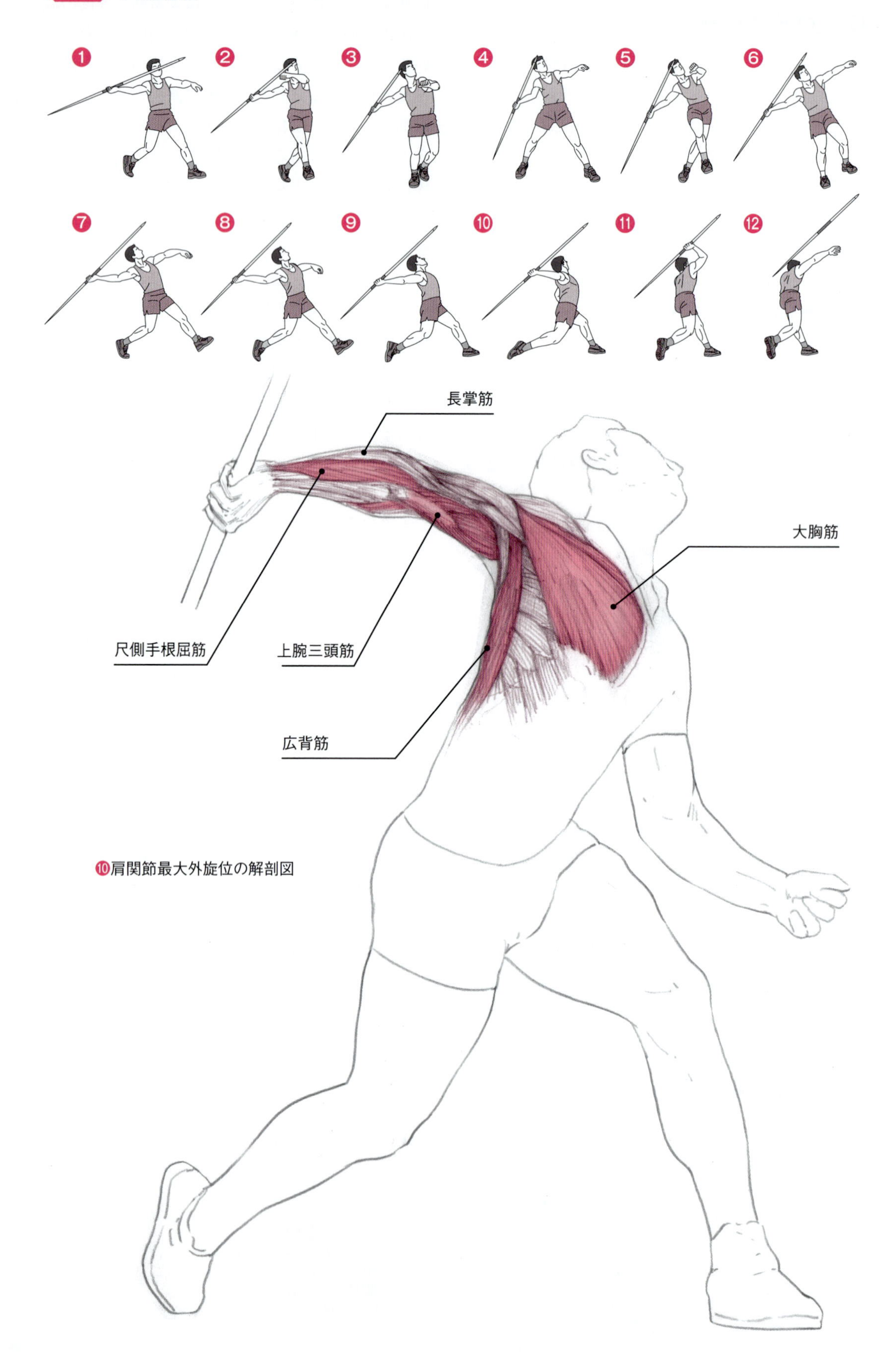

❿肩関節最大外旋位の解剖図

Sports Gear, Equipment

やりの長さ・重さ

・男子：2.6〜2.7m，805〜825g
・女子：2.2〜2.3m，605〜625g

やりの持ち方（図48）

親指と人差し指でグリップの端を握り，ほかの指はグリップ中央を握る。手のひらは上に向け，握っている手はリラックスさせる。

図48 やりの持ち方

❶母指側から見た図　❷小指側から見た図

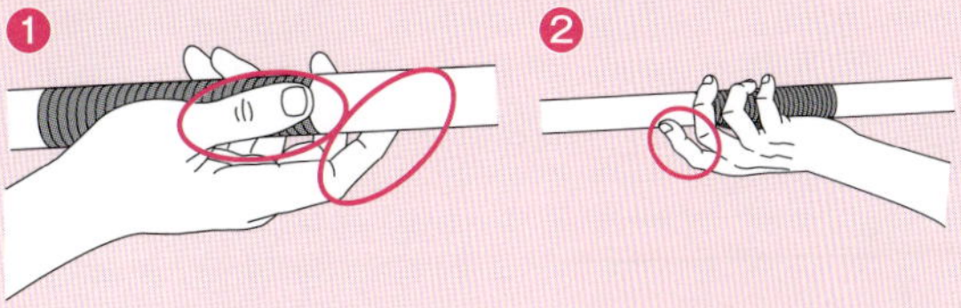

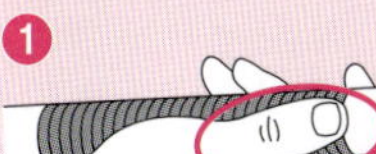

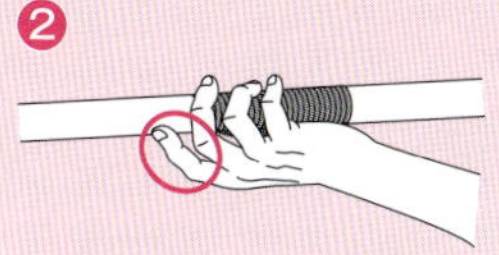

投てき動作における外傷・障害

● やり投肘

動作に関連した受傷機転・要因

やり投肘とは，やり投選手にみられる肘の障害の総称である。やり投のスローイング時に，肘下がりや手先だけでの投げといった不適切なフォームにより肘関節に外反ストレスがかかり，橈側・尺側手根屈筋腱あるいは上腕骨内側上顆や内側（尺側）側副靱帯に痛みが生じる。内側側副靱帯が緩むと，橈骨と上腕骨外側上顆の骨同士の衝突により肘外側に痛みが出現することがある。やり投肘は繰り返される投げの練習によるもので，**図47**に示した投げ動作の❽，❾の位相で腰痛を伴う場合などで体幹の伸展や回旋が使えず上肢だけの投げになると，肘への負担も大きくなる。下肢から腰－肩－肘－手へとつながる運動連鎖と，その可動性の総和（**図49**）によって肩・肘への負担が軽減されると考えられるため，身体各部の柔軟性と筋力が重要になる。

評価

肘関節アライメント（**図50**）で外反肘の有無の確認，外反ストレステストによる不安定性と疼痛の確認，手関節背屈，前腕回外，肘関節伸展時の筋の伸張痛や可動性の滑らかさをチェックする。

理学療法

初めに，患部の安静と物理療法を主体とした消炎鎮痛処置を行う。患部周囲の筋（上腕骨内側上顆に起始する尺側手根屈筋，長掌筋，浅指屈筋，橈側手根屈筋，円回内筋など）の伸張性を改善させるように，ストレッチを行う。肘だけではなく隣接関節の手，肩ならびに体幹の可動性も改善させる。

● 腰痛

動作に関連した受傷機転・要因

腰痛は投てき競技で多いが，陸上競技全般でも多い障害である。腰痛の原因は，骨や靱帯，椎間板などの器質的な変化による問題や筋の疲労などさまざまであるが，腰痛の出現には，殿筋群やハムストリングの柔軟性低下によって股関節の動きが制限され，腰部に負担がかかっていることが考えられる。投てき種目における腰痛は，一側に偏った体幹の回旋を行うことと，重量物を体幹の回旋力によって投げることが原因といえる。やり投では，上肢の可動性に制限がある場合，それを補おうとして体幹の伸展や回旋に頼った投げになっていると発症しやすいと考えられる。

体幹筋のみならず四肢の筋力も重要になる。しかし，筋の伸張性と，やり投肘と同様に下肢から腰－肩－肘－手へとつながる運動連鎖とその可動性の総和が各関節への負担を軽減させると考えられるため，腰痛の改善と再発予防には十分な関節可動域の獲得が必要である。

評価

体幹の前屈・後屈・側屈と回旋の可動性（**図51，52**），その動作時の疼痛の部位，疼痛出現の経過，下肢痛やしびれの有無，放散痛，安静時痛の有無を確認する。また，SLRテストによる坐骨神経症状の有無の確認をしておく。骨盤の前後傾に影響を及ぼす骨盤帯に付着する筋群の伸張性をみる。さらに，肩関節の可動性も確認しておく（**図53**）。

腸腰筋（L1-3），大腿四頭筋（L3，4），前脛骨筋（L4，5），長母趾伸筋（L5，S1），長母趾屈筋（S1）など，腰椎神経根の支配する主要筋の筋力評価や知覚鈍麻がないかを確認しておく。

図49 やり投動作における右半身のしなり

左脚ブロックと同時にやりを一気に前方へ投げるために，下肢ー腰ー肩ー肘ー手の可動性の総和によるしなり（図中の逆Cカーブ）が必要になる

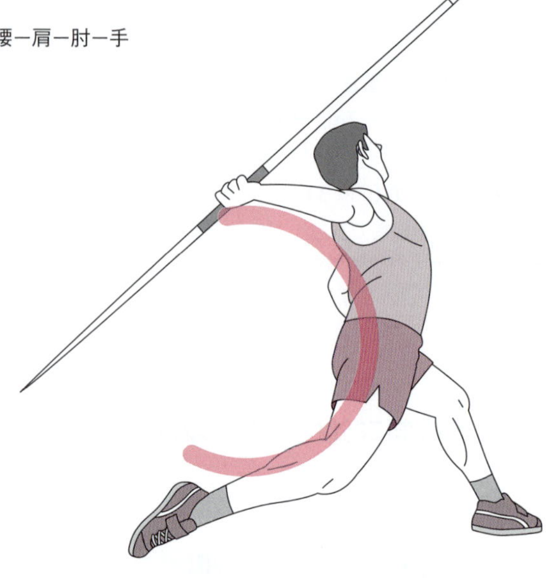

図50 肘関節のアライメント（右投げの選手）

❶キャリングアングルの左右差を確認する　❷，❸肘の過伸展

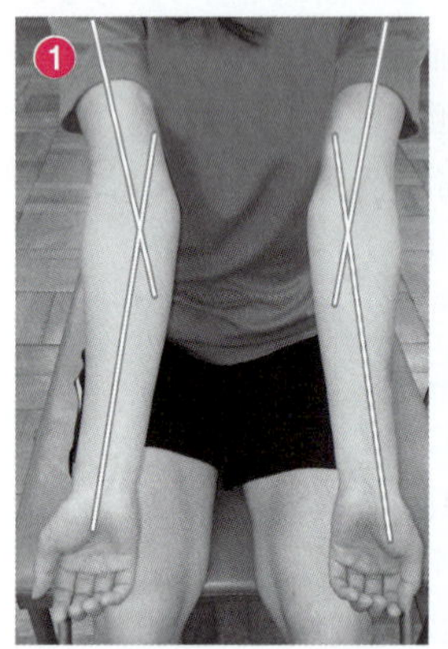

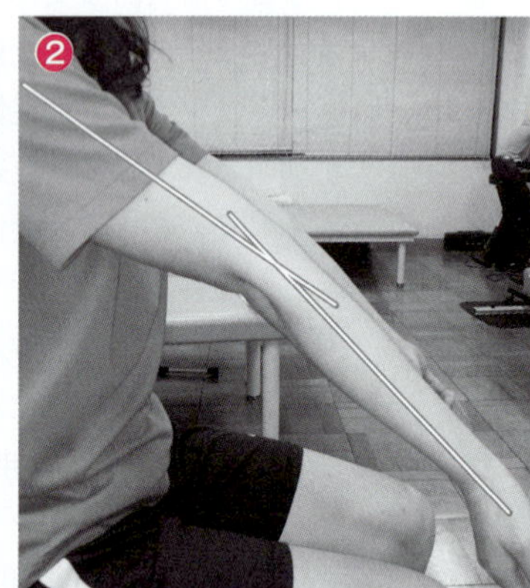

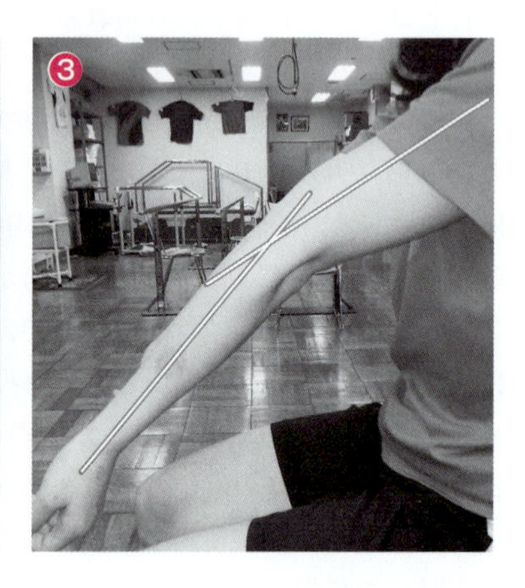

理学療法

疼痛管理とともに，関節可動域や筋の伸張性が低下している部位の可動域拡大，マッサージ，ストレッチングなどによる伸張性の改善を目指す。また，低下している筋力を強化する。

● 膝前十字靱帯損傷

動作に関連した受傷機転・要因

陸上競技では靱帯損傷は多いとはいえない。膝前十字靱帯（anterior cruciate ligament：ACL）損傷は，当院においても過去の膝ACL損傷患者全体の約1％（10名）と少ない。短距離選手のハードルなどの跳び越え，バウンディング練習中のつまずき，走幅跳・走高跳の踏み切り・着地での失敗といった跳躍動作に絡んだ受傷と，スキップを伴うやり投競技に多い。やり投選手の場合，受傷した選手から聴取した受傷機転としては，右投げの場合は助走から左脚のクロスステップに入ったとき（**図47❹〜❻**），またはブロック動作時（**図47❾**）に受傷している。

クロスステップ時に受傷した症例では，助走からクロスステップに移る際，右後方にやりを引くことで体幹は右回旋して左下肢も右側（内旋方向）に向かおうとするが，膝は進行方向に向けるため外側（外旋方向）に開こうとする。下腿は内旋位で大腿骨は外旋位となり，クロスステップで地面を引っかく際に膝関節が亜脱臼しようとする。このときに膝ACLが断裂してしまったと考えられる。

評価

膝ACL損傷の評価の詳細は他項（p.183参照）に譲るが，前方引き出しテスト，Lachman（ラックマン）テスト，Nテストなどがある。

図51 体幹の可動性

体幹の前屈・後屈・側屈では，後屈が脊柱の可動性を含め，股関節と膝関節も使い後方への反りが大きく両脚の支持のみで安定している

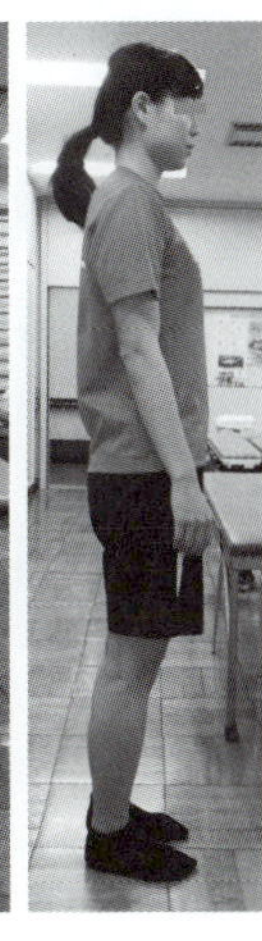
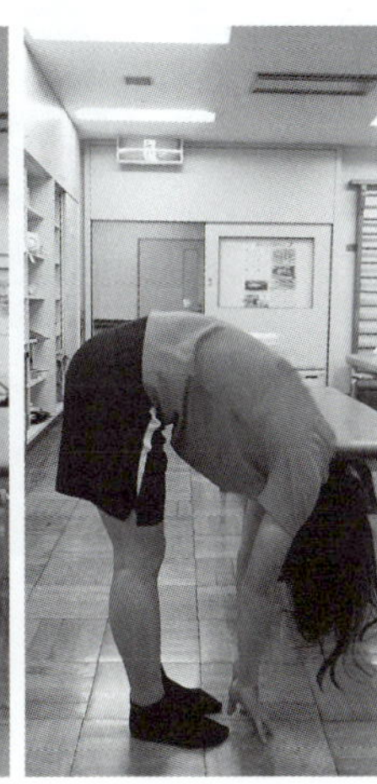
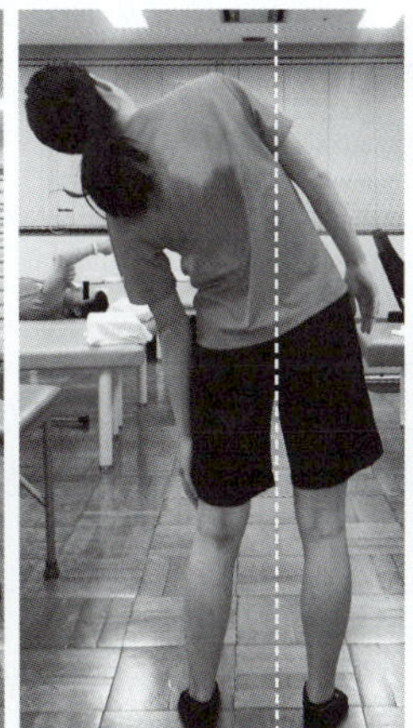
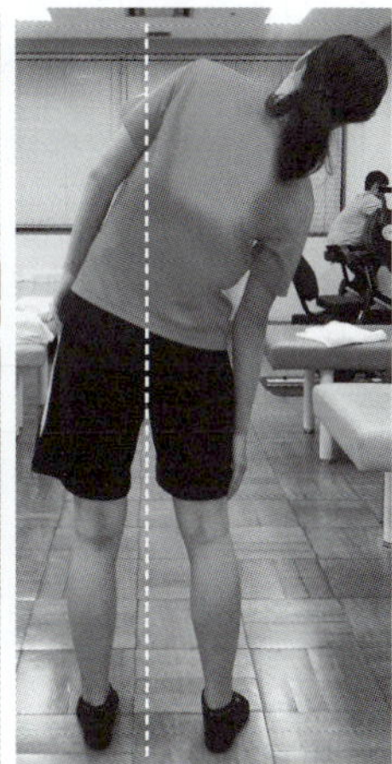

図52 体幹回旋可動性の確認

右投げの場合，右回旋が大きい傾向にある（❷，❹）

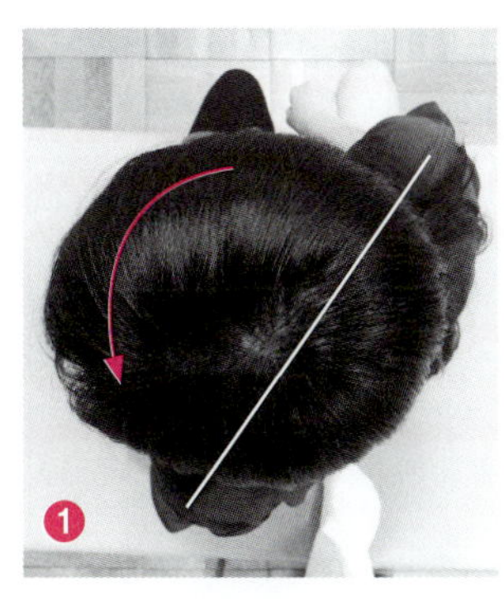

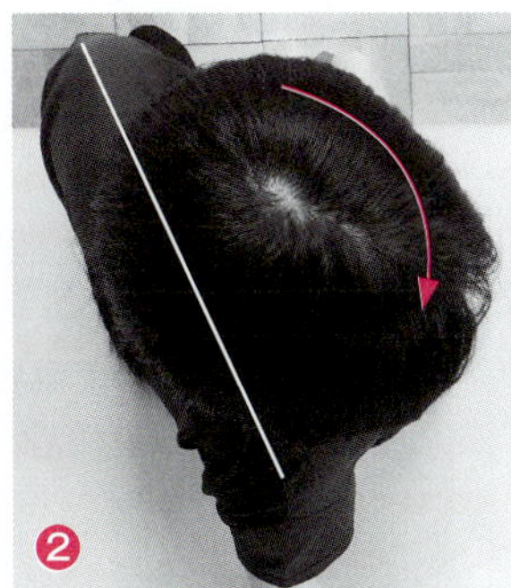

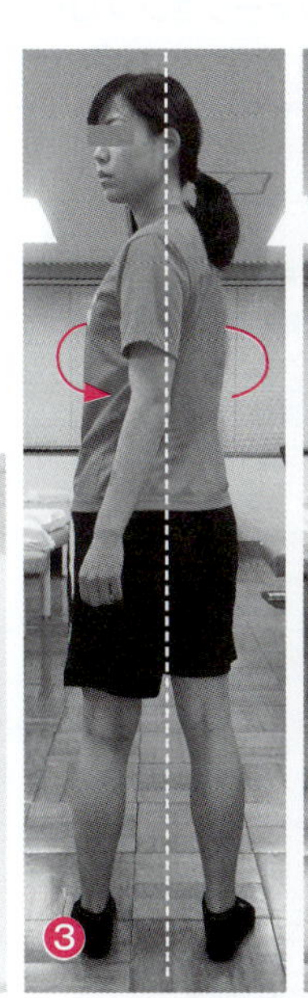

図53 肩関節可動域の確認（右投げの選手）

右投げの場合，肩関節屈曲と外旋の可動域が大きい傾向にある（❷，❸）

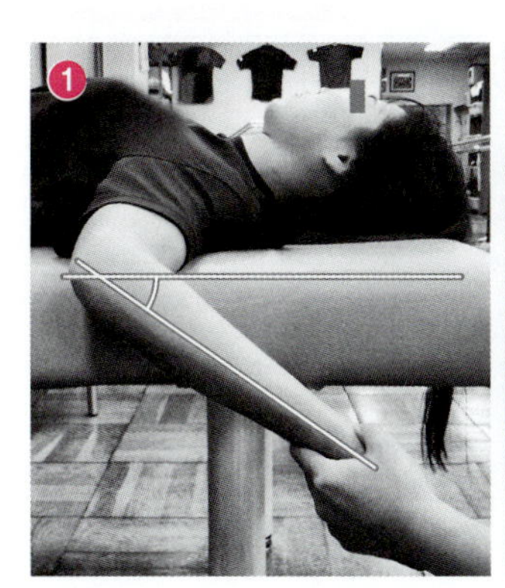

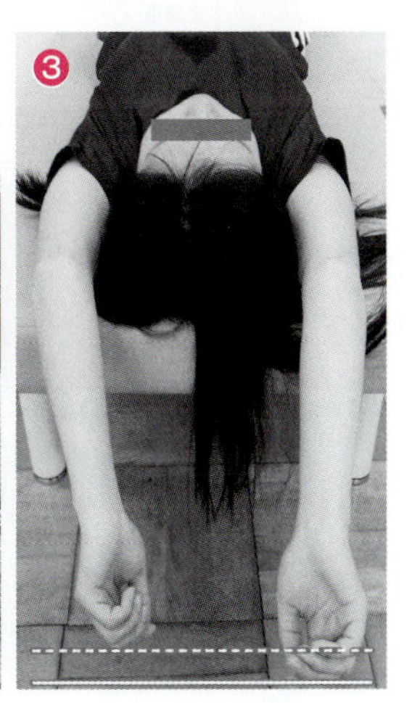

理学療法

当院での膝ACL再建術後リハビリテーションプロトコルを**表4**に示す。膝ACL損傷後の理学療法の詳細は他項(p.183参照)に譲る。

やり投選手の受傷機転から理学療法プログラムに反映するものとして，クロスステップに入る際に骨盤帯や下肢との連動は必要としながらも，分節的な回旋動作をつくることを意識している。体幹の回旋可動性改善，股関節外旋の可動域改善，筋力強化(**図45**)を積極的に行う。体幹の回旋を伴ったスクワットやランジウォーク(**図54**)，股関節の外旋を意識した下肢ダイナミックアライメントのニュートラルポジションを保持する練習などを行っている。

図54 ツイストランジウォーク

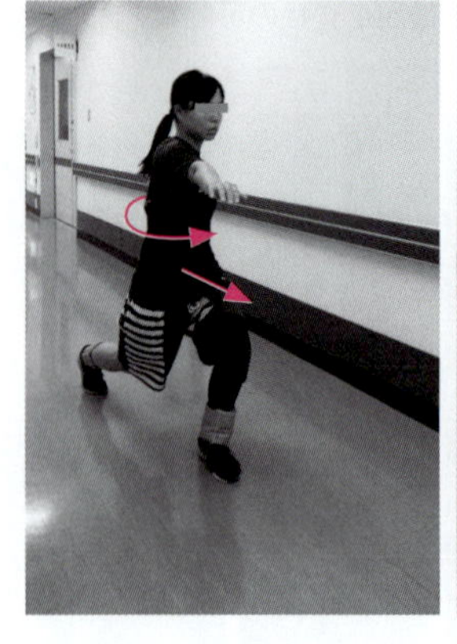
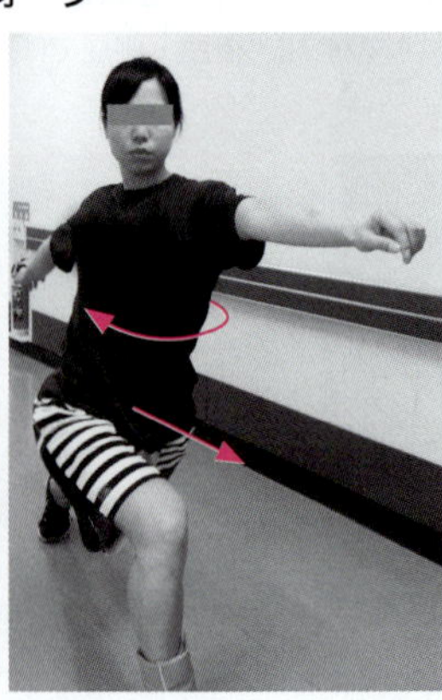

表4 膝ACL再建術後リハビリテーションプロトコル

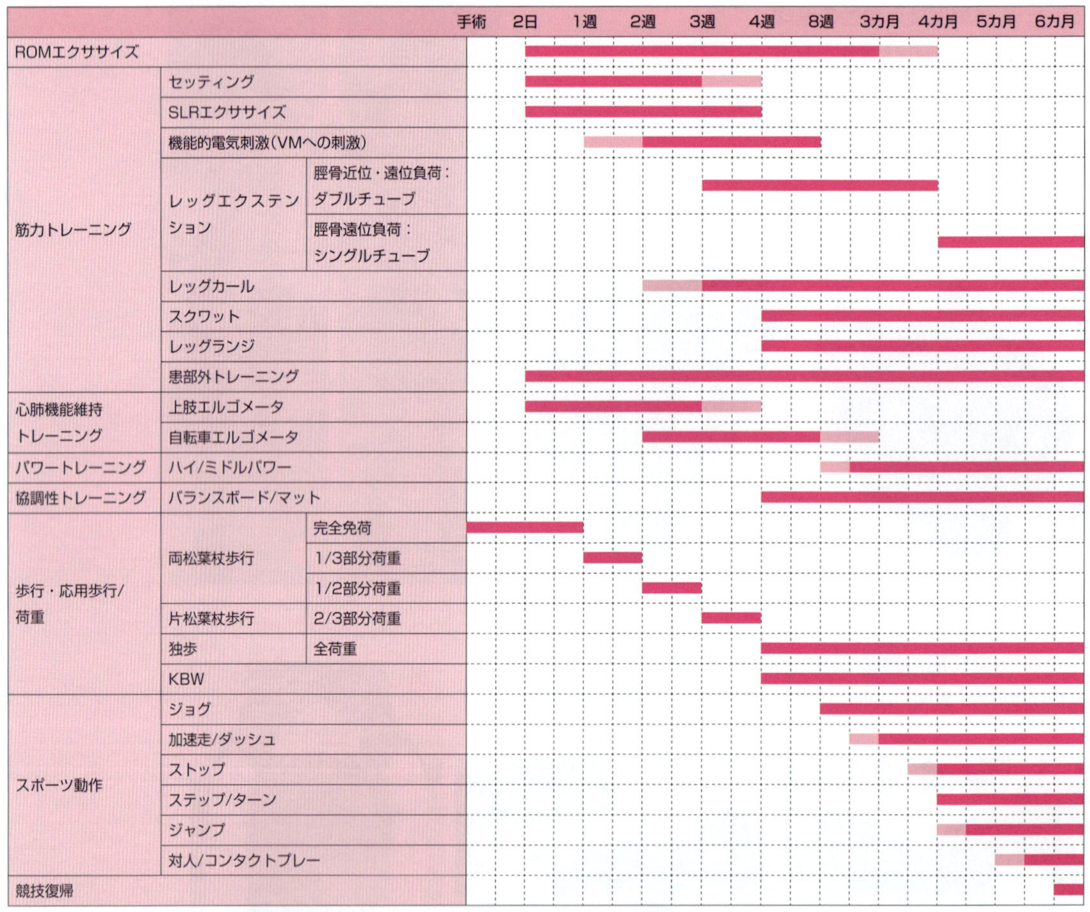

			手術	2日	1週	2週	3週	4週	8週	3カ月	4カ月	5カ月	6カ月
ROMエクササイズ													
筋力トレーニング	セッティング												
	SLRエクササイズ												
	機能的電気刺激(VMへの刺激)												
	レッグエクステンション	脛骨近位・遠位負荷：ダブルチューブ											
		脛骨遠位負荷：シングルチューブ											
	レッグカール												
	スクワット												
	レッグランジ												
	患部外トレーニング												
心肺機能維持トレーニング	上肢エルゴメータ												
	自転車エルゴメータ												
パワートレーニング	ハイ/ミドルパワー												
協調性トレーニング	バランスボード/マット												
歩行・応用歩行/荷重	両松葉杖歩行	完全免荷											
		1/3部分荷重											
		1/2部分荷重											
	片松葉杖歩行	2/3部分荷重											
	独歩	全荷重											
	KBW												
スポーツ動作	ジョグ												
	加速走/ダッシュ												
	ストップ												
	ステップ/ターン												
	ジャンプ												
	対人/コンタクトプレー												
競技復帰													

ROM：range of motion(関節可動域)　SLR：straight leg raising　VM：vastus medialis(内側広筋)　KBW：knee bent walking
表中のバーで色が薄い部分は，移行期間を示す

Sports Gear, Equipment

スパイクの特徴

シューズのスパイクピンが長いほど，地面に引っかかるためブレーキがかかりやすい。一方，ピンが短いとブレーキがかかりにくい(**表5**)。スパイクピンの長さや形は，筋力レベル，疲労度，天候などの条件で選択して変更する。

走高跳用スパイクは，左踏切脚用は左の内側が，右は外側が補強されている(**図55**)。やり投用スパイクは左右非対称に作られており，右投げ用は左足首がサポートされるようにハイカットになっている(**図56**)。

表5 陸上競技のスパイクピンの長さ(ゴム製トラックの場合)と数

	短距離	中距離	長距離	走幅跳，三段跳，棒高跳，走高跳	やり投，ハンマー投，円盤投，砲丸投
標準のピンの長さ(mm)	8	7	5	9	–
ピンの数(本)	7	6	7～9	11	0

図55 走高跳用スパイク

❶囲みはスパイクピンの位置　❷囲みは補強部分　❸外側から見た右足のスパイク

図56 やり投用スパイク

❶囲みはスパイクピンの位置　❷囲みはハイカット部分

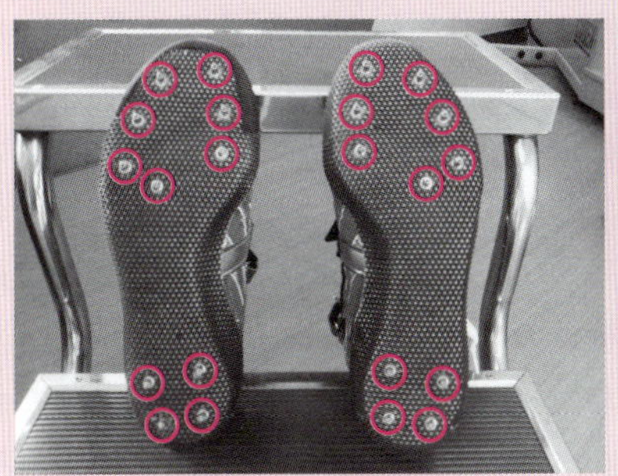

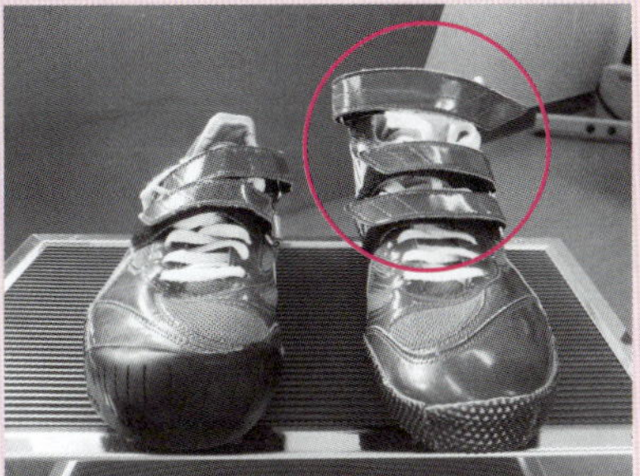

【文献】

1) 川野哲英：ファンクショナル・テーピング．ブックハウス HD, 1988.

2) アーサー・リディアード 著，小松美冬 訳：リディアードのランニング・バイブル．大修館書店，1993.

3) Davis I: Midfoot Strikers Are Different from Forefoot Strikers, but Similar to Rearfoot Strikers: Lessons from a Marathon. AOFAS Annual Meeting 2018 Abstracts.

4) Ecker T: 基礎からの陸上競技バイオメカニクス（澤村　博 監訳）. pp.66-77, 110-117, 186-195, ベースボール・マガジン社, 1999.

5) 日本陸上競技連盟 編：陸上競技指導教本アンダー 16・19 上級編 レベルアップの陸上競技．大修館書店，2013.

6) 舌　正史：アスレティックリハビリテーション前期．第 26 回日本陸上競技連盟トレーナーセミナー資料，2018.

7) 小栢進也，ほか：関節角度の違いによる股関節周囲筋の発揮筋力の変化 数学的モデルを用いた解析．理学療法学，38 (2): 97-104, 2011.

8) 飯干　明，ほか：スタートダッシュフォームと肉離れのバイオメカニクス的研究．体育研，34 (4): 359-372, 1990.

9) 福林　徹，萱谷啓之，編：運動器の徒手検査法．文光堂，2012.

10) 日本運動器理学療法学会：第 14 章 足関節・足部機能障害理学療法ガイドライン．理学療法ガイドライン 第 2 版（公益社団法人日本理学療法士協会 監，一般社団法人 日本理学療法学会連合 理学療法標準化検討委員会ガイドライン部会 編）. pp. 781-800, 医学書院，2021.

11) 高倉義典，北川　力：図説足の臨床．pp.110-119, メジカルビュー社，1991.

12) 飯干　明：走高跳のバイオメカニクス．バイオメカニクス 身体運動の科学的基礎（金子公宥 ほか 編）. pp.223-227, 杏林書院，2004.

13) 若山章信：やり投のバイオメカニクス．バイオメカニクス 身体運動の科学的基礎（金子公宥 ほか 編）. pp.261-262, 杏林書院，2004.

体操競技

本項では，体操競技の医科学サポートを担当する理学療法士やトレーナーに向けて，まず競技動作を「みる，考える」ことについて，倒立および体操競技の特徴的な技術を例に説明を行う。次いで，選手の傷害対応として，上肢，腰部，下肢に対する観察・評価のポイント，および具体的なアプローチのいくつかを提示し，その考え方を示していく。

体操競技をみる・考える

倒立はすべてに通ず

体操の基本中の基本は「倒立」である。ほぼすべての種目にその局面をみることができる。男女の床，男子のあん馬，つり輪，平行棒，鉄棒，女子の平均台，段違い平行棒はもちろん，男女の跳馬でも「つき手」という技術に倒立姿勢を認める。倒立はすべての種目に通ずるのである。体操選手の生命線は美しい倒立姿勢であり，われわれ医科学サポートを行う立場の者は，選手のコンディショニングや障害管理および競技復帰指導において，倒立姿勢の管理に最も力を注ぐべきであるといえる。

倒立をみて体操競技を考える

倒立と逆立ち

体操競技の大きな特徴は，上肢で体重をコントロールする点と，競技動作が非日常的な点である。**図1❶**に体操選手の倒立を示した。選手の倒立は脊椎の弯曲を抑制し，支持する手幅が比較的狭い。一方，体操未経験者の倒立，いわゆる「逆立ち」（**図1❷**）は，体操選手に比べ支持する手幅が広く，脊椎を大きく弯曲させ，体幹の質量を広くついた手の間，すなわち広い支持基底面上でコントロールしている。

Rulebook

わが国の全国中学校体育大会において，男子の平行棒とつり輪種目は演技種目に含まれていない。また，男子のあん馬，女子の段違い平行棒の採点は，個人総合のみとなっている。男子6種目，女子4種目で，団体・個人総合がともに競われるのは全日本ジュニア体操競技選手権大会（Aクラス以上），全国ブロック選抜U-12体操競技選手権大会および高校生大会以上である。

力学的に考えると，未経験者が無意識にとるこのポジションは，人の身体が無意識で行う効率的なポジションといってよい。すると選手の倒立は意識的であり，一般に比べ非効率的な姿勢といえる。しかし，それこそが体操競技にとって合目的的な姿勢なのである。

両者の姿勢は，基本的に頭部と足部の位置が重力に対して通常時とは逆位にあり，**図1**，**2**はどちらも外観上の観察（kinematics）においては同じ肢位といえるが，身体内部に作用する力学的作用（kinetics）を「みる，考える」と，両者は大きく異なることが容易に想像できる。

体操競技はとにかく特殊だといえるが，現場で行う観察や分析作業における「みる，考える」は通常のことといえる。体操競技の医科学サポートでは外観の派手な動きに惑わされず，身体内部にかかる力学的な作用を丁寧に考える力が大切なのである。残念ながら現場で頼りにできるものは最新の分析機械ではなく（もしあるなら使えばよいが），われわれの「みる，考える」力である。体操だから，特殊だからとあまり身構えず，われわれの立場から普通にみて，丁寧に考えればよいのである。

「倒立」と「逆立ち」の違いを足掛かりに，理学療法士として，トレーナーとしての普通の目で考えていけば，選手の外傷や障害に向き合う「みかた，考え方」が養われていく。

体操競技の倒立について

倒立の特徴を考える

選手の倒立の手幅は比較的狭い。広い選手もいるが，基本的には支持基底面は狭いのである。

種目によっては，鉄棒や平均台のように器具が一方向に長く，もう一方向が極端に短い制約があ

図1 体操選手(❶)および体操未経験者(❷)の倒立姿勢

❶体操選手の倒立は，脊椎の弯曲を制限し，肩甲骨を極端に上方回旋して肩甲上腕関節面を床面に向ける(❶右下の単純X線像中の矢印)操作が行われている

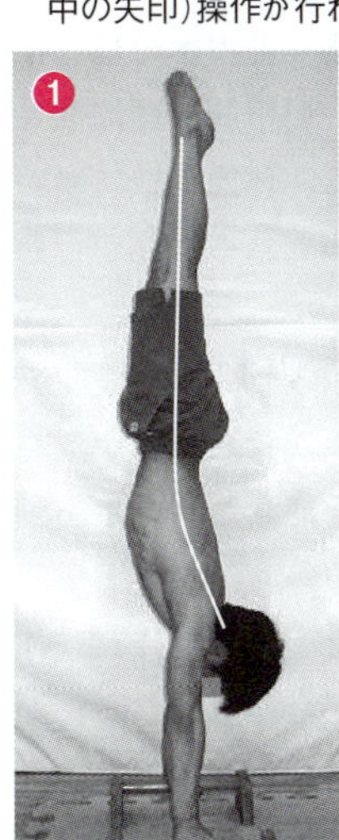
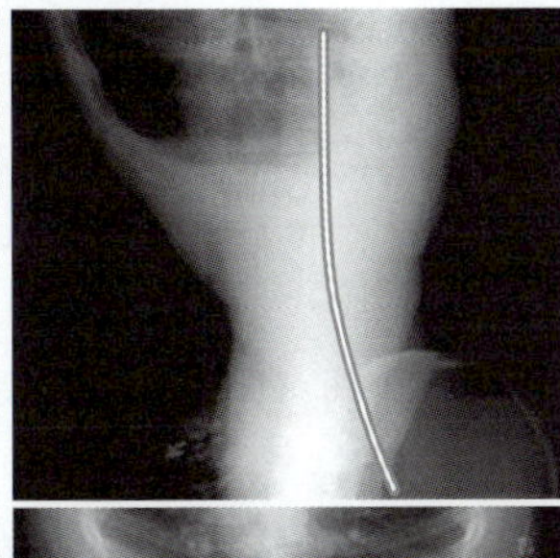
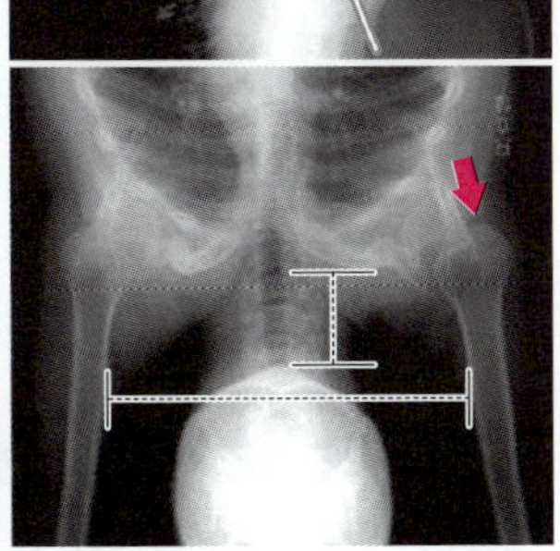

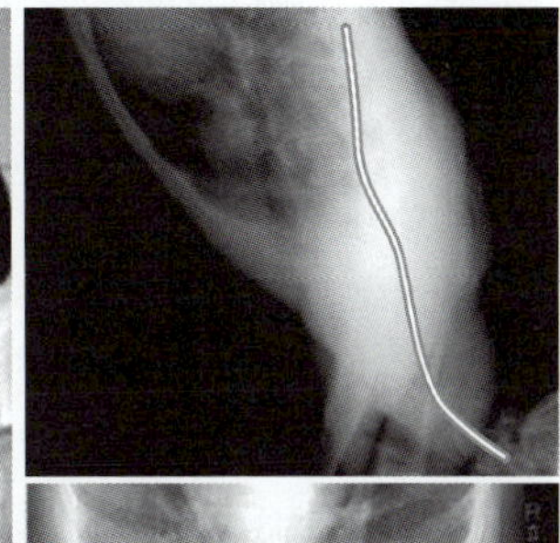
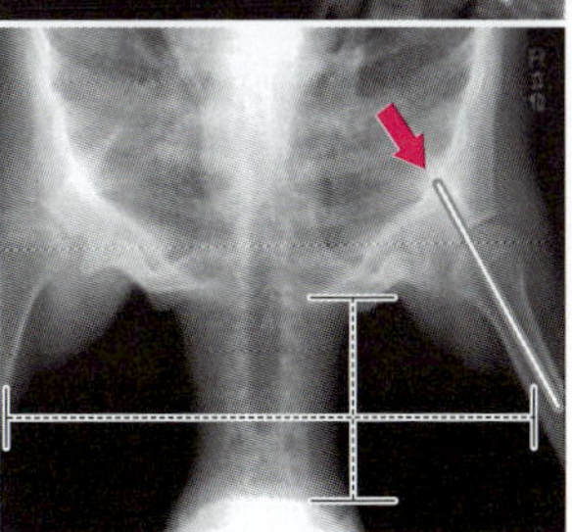

る。選手は種目器具が制限された環境下で，できるだけ脊椎の弯曲をなくすように頸部の後屈もコントロールし，体幹をできるだけまっすぐに伸ばした姿勢で倒立を作っている。

荷重負荷は，上肢，肩甲上腕関節，肩甲胸郭関節でコントロールされ，最も重要な特徴は，まっすぐに伸びた倒立姿勢が美しいことといえる。この特徴から着目すべき点は，肩甲骨のポジションであるといえる。

倒立姿勢の肩甲骨をみる

体操未経験者の倒立時の単純X線像(**図1❷**)をみると，肩甲骨は胸郭に貼り付くように大きく外転し，肩甲上腕関節はゼロポジションに近い位置にある。頸部の後屈も大きく，脊椎は胸椎中央部付近で強い前弯を呈し，ちょうど四つ這い位から体幹と下肢を強引に持ち上げた状態といえる。また，肩甲骨周囲部と頭部の間隔が広いことがわかる。これは，体幹の質量が，肩甲胸郭関節面上で床面に滑り落ちている状態と考えることができる。つまり未経験者の「逆立ち」は，背側上部や肩関節周囲筋群に伸張性収縮(eccentric contraction)様に作用していると考えられる。

一方，選手の倒立時単純X線像(**図1❶**)をみると，肩甲骨を極端に上方回旋し，肩甲上腕関節面を床面に可能な限り向けて，まるで関節面を荷重面としているかのようである。頭部と肩甲骨部の間隔は未経験者とは違って狭い状態である。体幹の質量は，上背部や肩甲胸郭関節周囲筋群において，伸張性というよりも短縮性収縮(concentric contraction)様に作用している様子がうかがえる[1]。

体操選手の特徴的な肩甲胸郭機能

選手の肩甲骨の操作状態は未経験者とは異なり，胸郭に対する肩甲骨の挙上や下制のコントロールが自在に行われているといえる。この特徴的な肩甲骨や胸郭の関係性は，視点を変えれば胸郭が肩甲骨面上を可動していると考えることができる。選手はこの肩甲胸郭関節の機能によって，床や跳馬などで行う上肢でのプライオメトリック(plyometric)的な技術を発揮している。

倒立の技術について

• 倒立に必要な肩甲骨と上肢の機能

選手の倒立姿勢では，肩甲骨が胸郭上で頭側に上方回旋した挙上位にあることを示したが(**図1❶**)，通常，肩甲骨の最大上方回旋を伴う上肢の挙上では連鎖的に上肢全体も内旋方向に誘導されやすい(**図2**)。しかし，倒立姿勢における手掌部は連鎖的な内旋や回内位ではなく，倒立姿勢では体幹背側方向や器具の握りの方向に合わせた肢位となる。つまり，上肢は単に連鎖に任せた動きとは異なる肢位の調整能力が必要となるのである。

さまざまな競技技術の実施時に上肢はときに強固な，ときに柔軟な支持機能を発揮しなければならない。そのためには，単に肩甲骨の位置関係に付随した連鎖的な上肢肢位ではなく，協調的また

は分離的に上肢全体の回旋操作を巧みに行える能力が必要となるのである。倒立時であれば肩甲骨は最大上方回旋位を維持しつつ，前腕部のみではなく上肢全体として連鎖作用と異なる回旋操作が行われる。この点が競技特性となる。

未経験者の倒立では，肩甲骨が下制・内転し，上肢全体は連鎖的な外回旋作用が誘導され，むしろ前腕部は内旋傾向の操作が行われている状態といえる。この姿勢で肘関節を伸展位でロックすれば，突っ張った強固な支持肢位が作りやすい。未経験者にとっては支えやすい状態といえるが，競技的な微調整ができないうえに脊椎が弯曲した美しくない倒立となる。

- **倒立における「しめ」の技術**

倒立時の肩甲骨は可動性と操作性が重要だと述べたが，よい倒立は全身が1本の棒状に締まっていることが要求される難しさもある。倒立姿勢で全身の筋を緊張させ，身体を棒状に締め固める技術を体操競技においては「しめ」という。体操競技の倒立は，体幹部をしっかりしめ，そのうえで肩甲胸郭関節機能は十分に機能すること，という一見矛盾している状態を作ることが重要なのである。

- **倒立時のコントロール技術**

倒立において，床面に接している手指・手掌はセンサー的な役割を果たしている。その情報から，肩関節よりも肩甲胸郭関節で姿勢保持のコントロールを行っている。倒立時の肘関節の屈伸動作は減点対象である。背側，つまり前方への崩れは肩甲上腕関節の操作ではなく，肩甲胸郭関節部と脊椎部の可動で対処されている。体操競技において肩をひく，または入れるといわれる動作が行われる。

腹側への崩れは，骨盤・股関節周囲の機能で入れやひきというコントロールが行われるが，バランスを崩して股関節に角度ができたり，手を動かしたりすることも減点となる。

倒立は脊椎全体のまっすぐな姿勢を意識し，体幹が一塊となるようにしめながらも微調整が行われている。

図2 肩甲骨の回旋と上肢全体の回旋

❶肩甲骨の上方回旋は上肢全体の内側への回旋を促す
❷肩甲骨の下方回旋は上肢全体の外側への回旋を促す

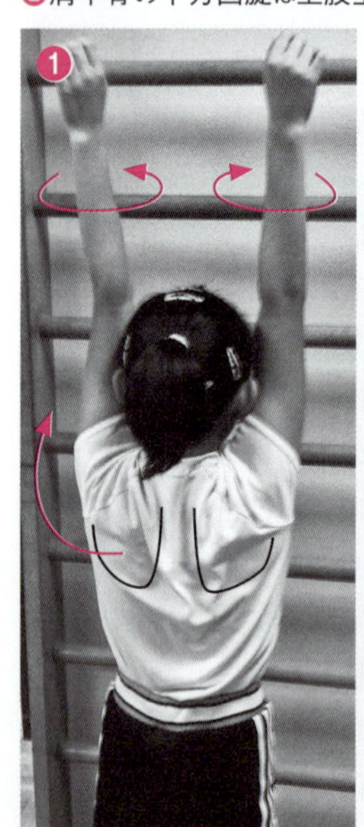

倒立をみること・考えることから始まる

- **気付いてほしい「気付けない倒立」**

「気付けない倒立」とは何か。多くの選手，特にベテランの選手ではまったくの無意識で美しい倒立姿勢がつくれる。表現を変えれば，自分の身体の姿勢が無意識にわかっており，長い期間をかけてつくり上げた運動学習は完全なるオートマチックとなっているのである。

しかし，これが落とし穴になる。仮に選手が問題を発生させ，競技にブランクができてしまった後に倒立を再開したとする。その際の倒立姿勢に変化が生じていても，それを選手は自覚できず，自分は以前のとおりに美しい倒立を行っていると思い込んでいる場合がある。この「気付かない倒立」を繰り返し，選手は新たな問題を発生・増悪させている。

もちろん治療期間中に，患部外のトレーニングとして倒立は行うべきである。しかし，選手は患部をかばって倒立をしている。この崩れた姿勢を自分の倒立として学習してしまうことに注意しなければならない(**図3**)。

- **体操選手の倒立をまずはみること**

前述のとおり倒立は複雑な運動であるが，まずは選手の倒立をじっくりみてほしい。基本として，選手が病院を受診した際は，可能な限り院内でも倒立姿勢を見せてもらってほしい。注意深く観察すれば，上肢の回旋操作不足や左右差，体幹や下肢の歪みに気付ける。しかし，選手本人はやはり「気付いていない」。選手の身体からのサインをわれわれが受け止めなければならないのである。

選手の管理では，単に関節が硬い，ルーズであるということよりも，こうした体操の基本姿勢をみることで，身体ストレスのコントロールがうまくできずに問題を発生させているのではないだろうかと，じっくり考えることが必要である。

観察において問題を発見した場合，まずは選手に向き合い，「手のつき方に左右差がある」，「倒立がねじれていて美しくないのでは」，「つま先がずれている」と率直に伝えればよい。身体のどの部分をどのように動かしているつもりなのか，その選手の体操にはどのような姿勢が必要であるのかを，直接素直に本人に確認する。その情報から，必要な姿勢がとれているかどうかをさらに観察してフィードバックを行う。

選手は，われわれの情報を基に自ら倒立姿勢の再調整を試みる。そこから本人のイメージと身体機能がうまく一致しない部分を再度評価し，その原因が関節可動域（range of motion：ROM）の問題なのか筋機能の問題なのか，操作性や本人のイメージからくる問題なのかを考察し，われわれがサポートする。体操への対応は，選手の動作姿勢を注意深く観察し，その様子を指摘することが第一歩となるのである。

体操競技の特殊な技術

車輪ディアミドフ

男子平行棒に「車輪ディアミドフ」という技がある。技の経過において，支持手上肢の内側への回旋可動域は200°に迫る瞬間がある。平行棒の車輪ディアミドフは，開始姿勢の倒立から車輪動作を行い，その最中に一側の把持手を離し，支持側上肢を軸に体幹を1回転，車輪回転の縦方向に横のひねりを加え，また倒立姿勢に戻る技である。

上肢の各関節，特に支持側肩関節にひねりが加わる瞬間に関節内に大きな軸圧がかかれば，外傷が発生しても不思議はない。しかし，車輪動作の遠心力が関節への軸圧を軽減させる。また，上肢全体にかかる過度な内側への回旋も，体幹を空間に振り上げ，一側支持肢がバーから離れることによって回旋時の抵抗を軽減させることで，技を実施している（**図4**）。

大逆手

男子の鉄棒と女子の段違い平行棒でみられる「逆手背面車輪」という技がある。逆手背面車輪時にみられる「大逆手握り」の上肢全体の内側への回旋角度は，複合的に270°に及ぶとされている[2]。これは

図3 歪んでいることに気付けない倒立

❶倒立の重心が左上肢に偏っている。選手には右肘関節痛がある
❷左肘関節の過伸展と腰部による重心のコントロールがみられる。脚長にも見かけの差が出ている
❸撮影時，選手自身はなんの問題もないとのことであった。しかし，倒立の重心は比較的よいが肩甲帯が回旋し，左右肩甲骨の位置が大きく歪んでいて不良である。手をついている位置にも明らかな左右差がある

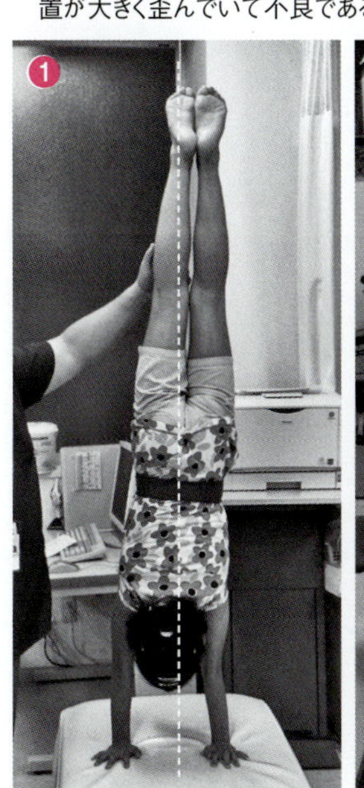
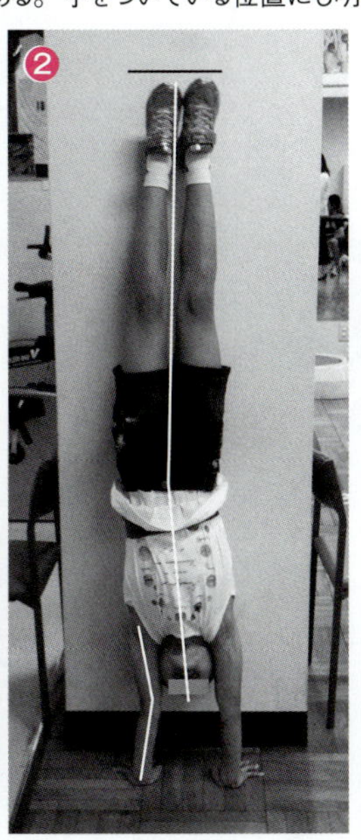

体操競技

もちろん単関節の可動性ではなく，肩甲骨の可動性，上腕部，前腕，手関節，手指までの協調的な可動性がなければ成立しない肢位である。

大逆手握りでの器具のバーの把持は，「アドラー」(**図5**)という逆手背面車輪の前に行う技で逆手握り→大逆手握りへと移行したり，鉄棒・段違い平行棒の車輪動作中に一側の把持手を離し，車輪動作の縦方向の回転に横方向のひねりを加えて把持手を持ち替えるという技によって完成される。

アドラーからの大逆手握り

アドラーという技では，肩関節の「肩転移」(**図6**)といわれる技術を行って大逆手握りに移行する。アドラー時の肩甲上腕関節の動きを運動学的に表現すると，器具のバーを逆手握りにて体幹背面で把持し，肩関節外転・外旋位から肩関節最大伸展を行い，最大伸展位に到達する瞬間に肩関節を外旋位から内旋位に変換させるという技術である。このときにアドラー技術が未熟であると，肩甲上腕関節における回旋ストレスが増大し，外傷が発生する。

アドラーからの逆手背面車輪は平行棒の車輪ディアミドフとは異なり，両把持手は器具から離

図4 車輪ディアミドフの解剖図

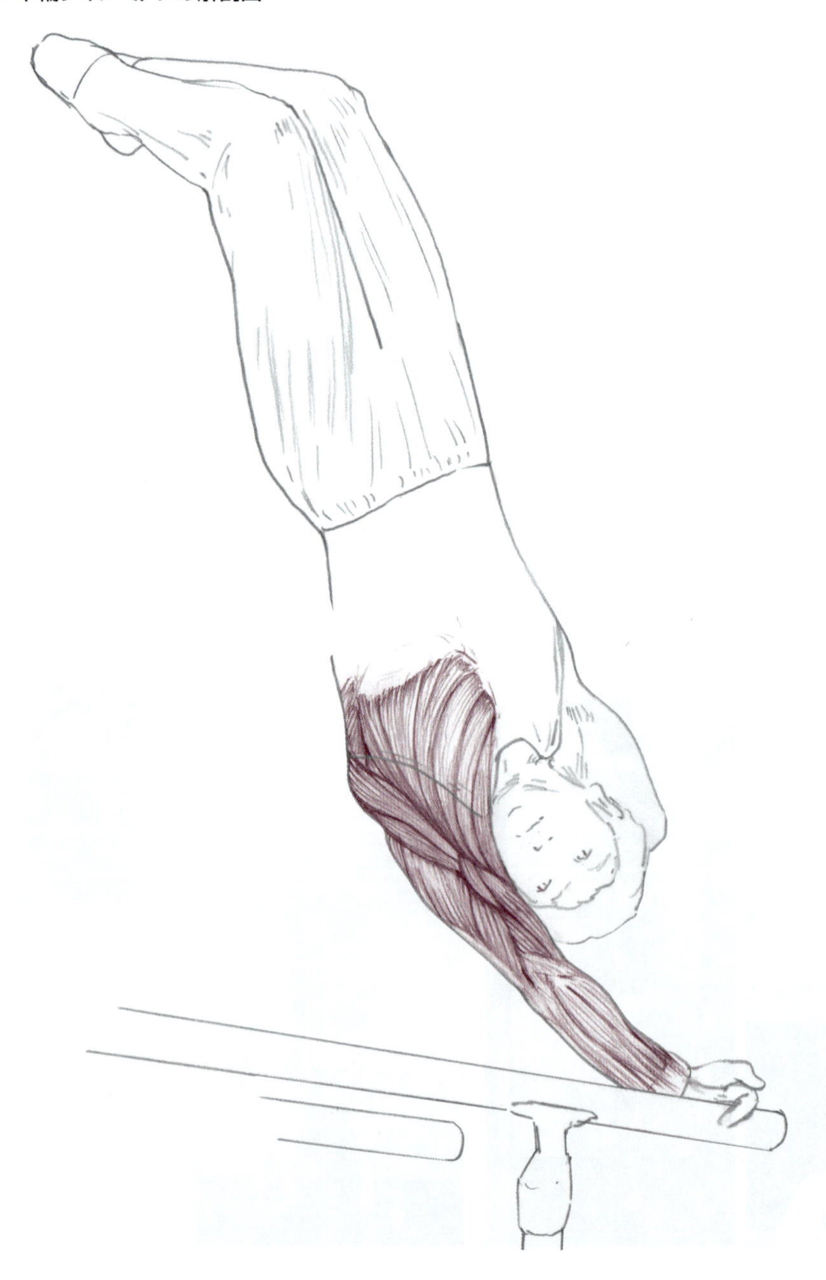

れることがない。また，平行棒の車輪ディアミドフは肩関節角度がほぼ一定であるのに対し，アドラーでは肩関節の回旋操作を伴った伸展動作が行われる。そのため，技の遠心力で肩関節内への圧を軽減するというよりも，アドラーの際に行われる「つぶし」技術で車輪運動の回転軌道を変え，肩関節を操作しやすい鉄棒・段違い平行棒の直上付近で「肩転移」を実施する。そうしなければ，体幹が負荷となって選手本人の操作能力を超えたスピードで肩転移が起こり，関節内にストレスが発生してしまう。

体操競技の上肢の肢位

前述の車輪ディアミドフや逆手背面車輪のほかにも，体操競技では支持手に多くの種類がある（**図7**）。これらは，指・手掌の状態と，上肢全体の回旋方向で分けられている。

また，器具の把持には，全手掌把持と，男子平行棒の棒下系技術や女子の段違い平行棒でみられる指手掌把持があり（**図8**），さらに上肢の肢位が複雑に組み合わされる。

これらの上肢肢位は，頻繁に切り替えが行われる。体操競技特有の上肢の肢位や操作は，日常的な連鎖というよりも体操独自のパターンがあることを理解するのが重要といえる。

図5 アドラーからの大逆手握り

逆手車輪は矢印の方向に回転している
❶，❷逆手車輪から体幹を屈曲し，両手と鉄棒の間に下肢を通して回転する
❸，❹回転の後半に体幹を屈伸姿勢から開き，肩関節の伸展・内旋で「肩転移」を行う
❺鉄棒直上で大逆手の倒立姿勢となるのが理想である
❻大逆手握りの解剖図

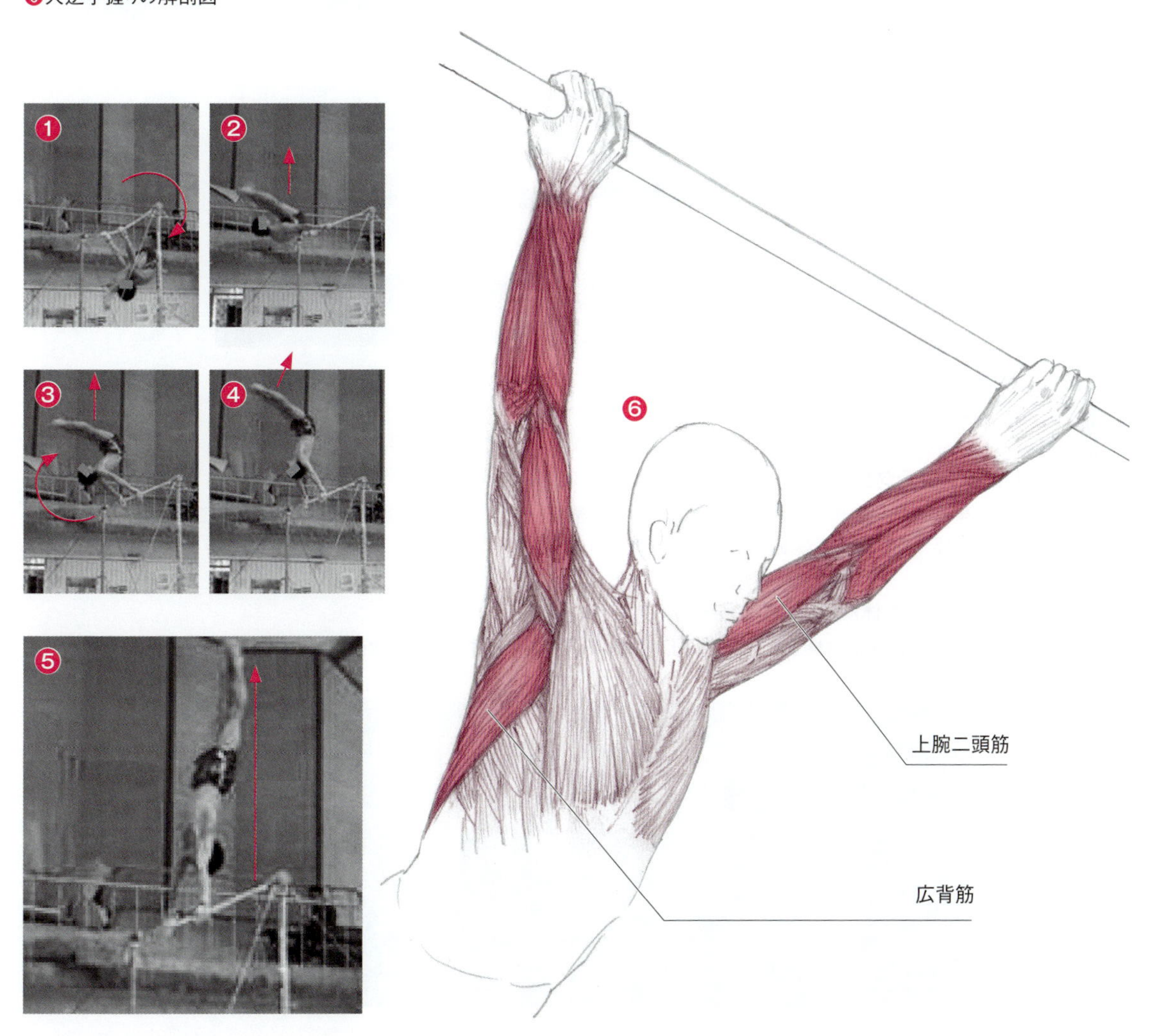

図6 肩転移

❶，❷握りの形は逆手握り ❸バーが頭上にきたときに大逆手握りとなる ❹大逆手握りを正面から見た図 ❺，❻上肢は複合的な内側への回旋でこの肢位をとっている

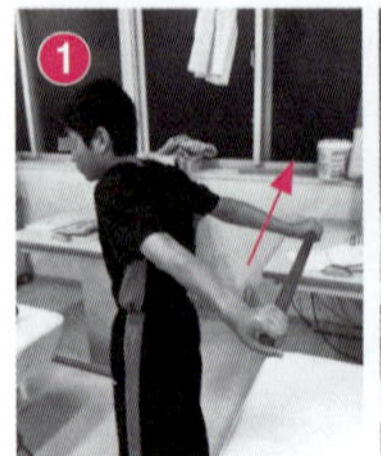

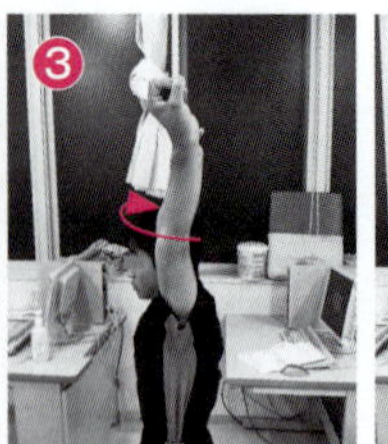

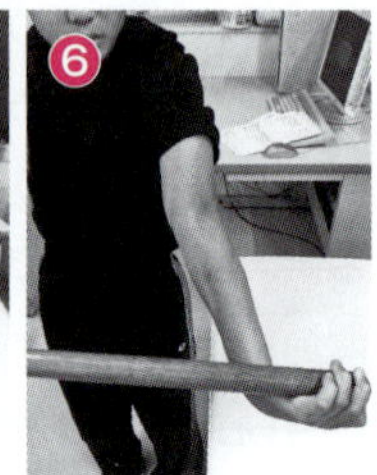

図7 体操競技における支持手・握り方の種類

❶支持，つき手
❷支持，握り
❸懸垂，握り

順手

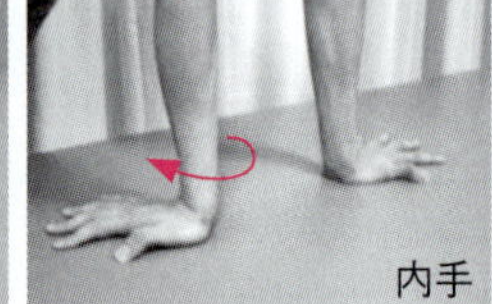
内手

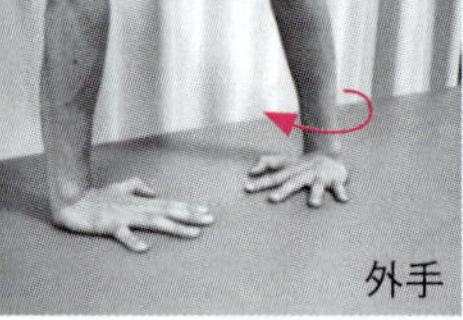
外手

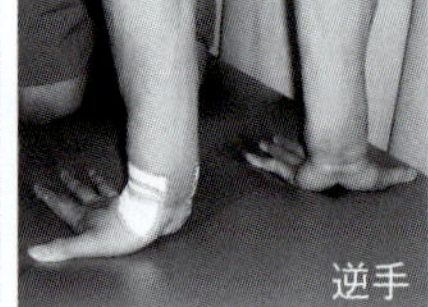
逆手

内手握り

外手握り

順手握り

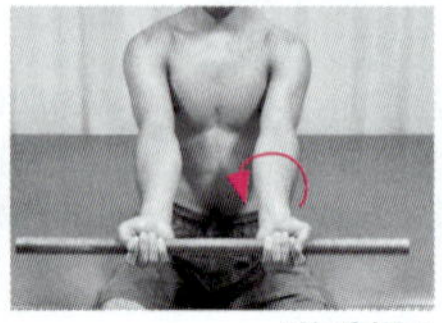
逆手握り

大逆手握り

図8 把持手の種類

❶全手掌把持（握り）
❷指手掌把持（握り）

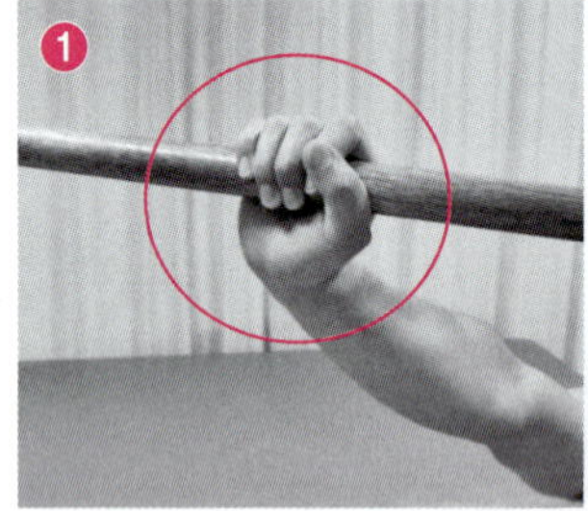
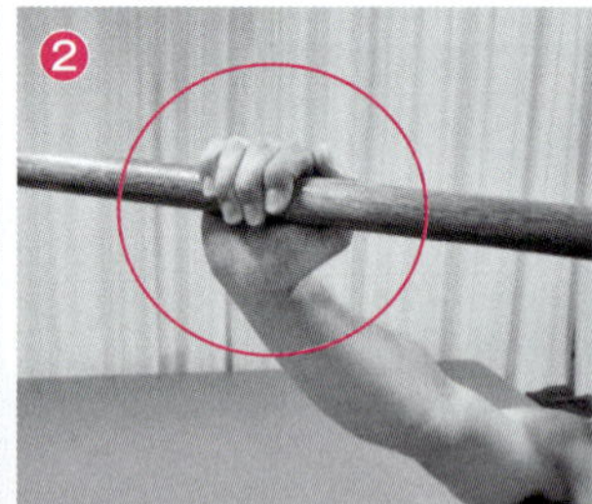

Sports Gear, Equipment

体操競技のプロテクター

男子のつり輪と鉄棒，女子の段違い平行棒では手に装着するプロテクターを用いる。選手は，プロテクターの作用を用いて車輪動作でかかる大きな遠心力をコントロールしている（図9）。

図9 体操競技のプロテクター

男子はつり輪と鉄棒で使用し，女子は段違い平行棒で使用する。三つ穴タイプ（❶）と二つ穴タイプがある（❷）

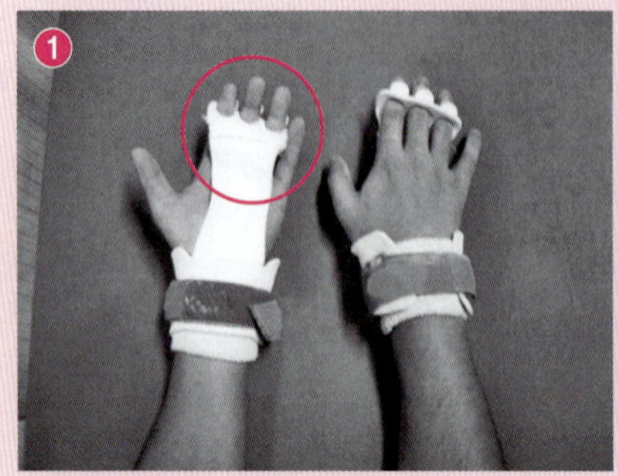
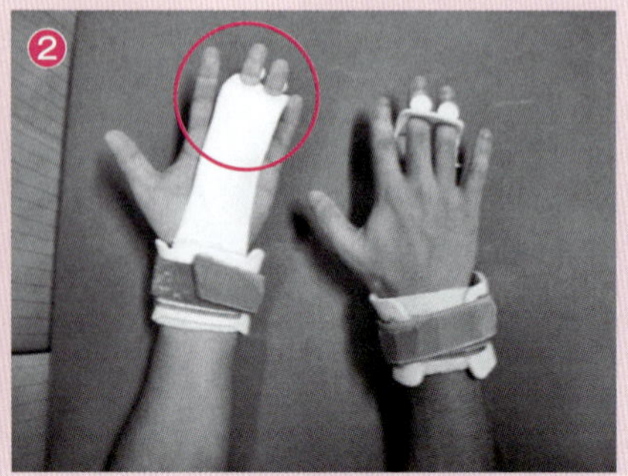

体操選手の上肢の外傷・障害への対応

手関節障害

gymnast's wrist

体操競技の特徴的な障害として，gymnast's wristと表現されるものがある。選手に発生する手関節痛の総称であるが，その病態は複雑で，競技特性としての上肢荷重に要因があると簡単にいえるものではない。

関口[3]は「その病名はさまざまであり，特有な画像所見を認めない症例が多い。われわれはgymnast's wristのなかでも手関節橈側から中央部痛の生じている手関節は背屈柔軟性の低下に伴う橈骨手根関節の可動性低下と手根中央関節の可動性増大が生じ，手関節痛のない体操選手においても一般健常者と比較して橈骨手根関節の可動性が低下していた」と報告している。このように選手の手関節の状態は広義の手関節の可動性というよりも，手関節を構成する各手根骨間の可動性へも注意を向ける必要がある。

また，選手の手関節痛は体操競技においては一般的なこととの認識からか選手の自己管理に委ねられ，われわれに相談が来るときはすでに，遠位橈尺関節の不安定症や尺骨の高位不良，三角線維軟骨複合体（triangular fibrocartilage complex：TFCC）損傷や，骨端線損傷，さらに尺骨茎状突起の剥離骨折や手関節の変形などに至ってしまっている選手に遭遇することは少なくない。

体操選手の手

体操選手の手には，一見して体操選手であるとわかる特徴がある。まず，手関節近位部，すなわち一般にいう手首の皮膚に，プロテクターが擦れてできた皮膚のむけ跡がある。また，手掌部もやはり皮膚のむけが繰り返され，厚く肥厚している（**図10**）。さらに，手関節部を側方から観察すると，尺骨遠位端の隆起を認める。手首や手掌の皮膚の状態は体操界の常識として取り上げる必要はないが，尺骨遠位端の隆起は遠位橈尺関節の不安定性を示唆しているため注意が必要である。

遠位橈尺関節のピアノキーサイン（piano key sign test）

手関節障害の有無にかかわらずピアノキーサインを確認しておくことを推奨する（**図11**）。ピアノキーサインが陽性であることが問題なのではなく，遠位橈尺関節の状態として不安定性の程度を認識しておくためである。

体操の技における上肢の回旋は，一般的には過可動の状態であるが，これは上肢全体の複合的な回旋操作である。なんらかの原因で上肢の回旋機能が低下した場合，どこかの部位の過可動で補わなければならず，その役割は近位部の大きな関節より，遠位部の小さな関節が担う場合が多い。さらに，回旋可動時の負担は遠位部ほどストレスを多く受けることとなり，その結果，遠位橈尺関節の不安定性が出現してしまうといえる。

このような手関節の状態は，ある意味，体操選手の身体特性といってもよい。この評価で検討すべきは，手関節痛の有無のみではなく，遠位橈尺

図10 体操選手の手の皮膚における特徴

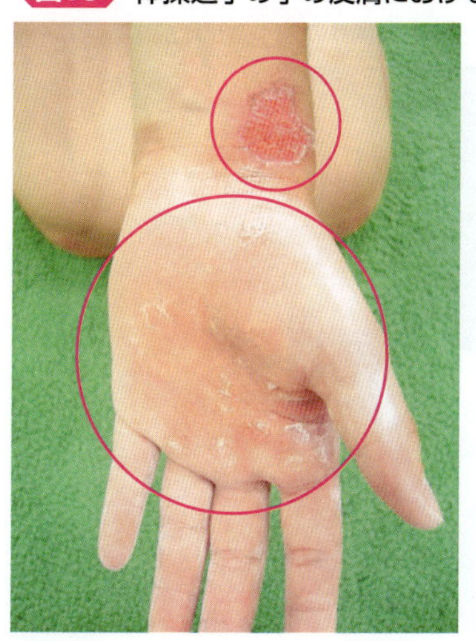

図11 ピアノキーサインと手関節の観察

❶遠位橈尺関節のピアノキーサイン　❷遠位橈尺関節の安定性をみる。関節の不安定性が強い場合は尺骨が浮き上がってみえる　❸橈骨手根関節の不安定性も確認しておく

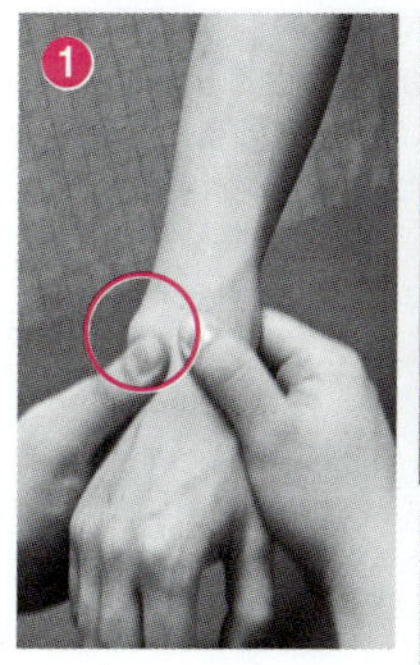

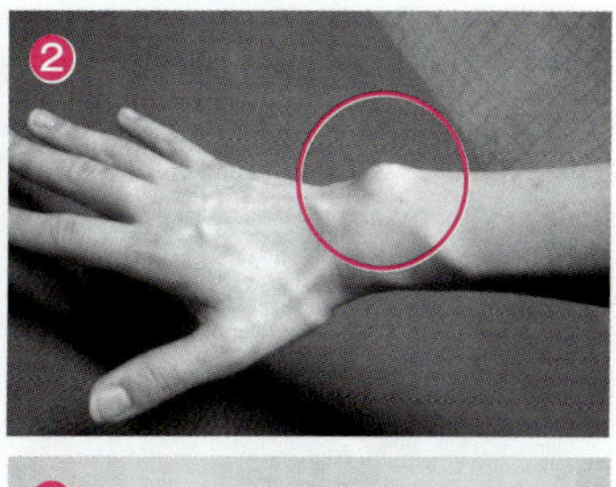

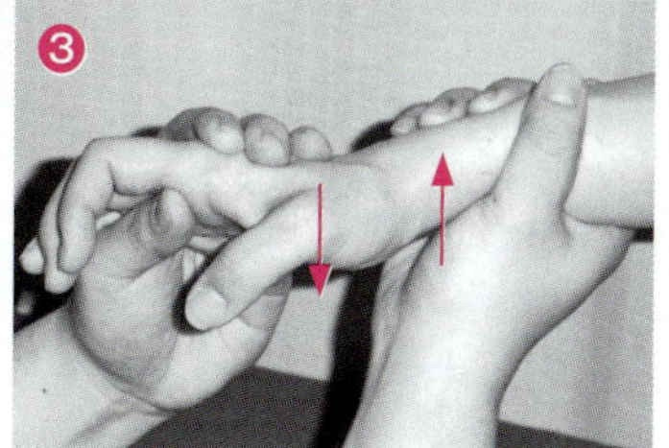

体操競技

関節の不安定性が大きいために近位の前腕や肘関節，肩関節に可動域の低下が起こったり，問題が潜んでいたりする可能性についてである。

gymnast's wristの発生では，単なる関節不安定性とみるのではなく，体操の動作によって，どのような機械的ストレスが手関節にどう伝わるのかを考えることが必要である。

手関節への機械的ストレスを考える

手関節橈側への機械的ストレス

選手の手掌支持姿勢において，上肢全体の回旋の方向と手関節へのストレスについて考える。

図12の順手支持では，右上肢全体には内側への回旋傾向がみられ，左上肢全体には外側への回旋傾向がみられる。右手関節部は橈側への回旋ストレスと手関節の背屈が発生し，橈骨手根関節への圧縮力が増加している様子がうかがえる。このような選手は，橈側部から手根中央関節周辺の疼痛を訴えることが多い。

さらに，手根アーチを観察すると，両手部ともに低下を認める。こうした手部では手指の機能発揮が不良となり，倒立のコントロールはもちろん荷重に対する耐久性も低下する。

手関節尺側への機械的ストレス

図12の左側上肢全体をみると，外側への回旋傾向がみられる支持姿勢である。この状態では，手関節部の背屈ストレスはやや軽減するものの，遠位橈尺関節部を離解するストレスが増加する。

体操選手の手関節痛の評価では，実際の支持動作における上肢の回旋傾向や，手部と前腕のアライメントに注意して考えなければならない。理想は，手部と前腕部の長軸がそろっていること，つまり橈尺骨回内外中間位が保持されている支持アライメントが望ましいといえるが，現実的には技の実施でこのアライメントは瞬時に変化してしまう。

肘関節の状態と手関節

肘関節の状態も手関節に対する影響が大きい。肘関節の過伸展があれば橈側への圧力が増加し（**図12**），伸展障害がある場合は尺側への圧力が高まると予測できる（**図13**）。

手関節障害への理学療法アプローチ

競技復帰のアプローチを考える

手関節障害の対応は，一般的な治療，理学療法手順に準じることが基本である。スポーツ外傷・障害であっても，器質的な損傷の修復，周辺組織の炎症状態の改善，基本的な機能改善に差はない。

特殊な競技であっても，人間の正常な発育発達および運動学習のうえに，競技独自の運動学習が付加されている。つまり，まずは基本的な身体の連鎖的機能の回復を行うことが重要であり，そこに競技特性となる動作を再構築するという段階を踏むべきと筆者らは考えている。

上肢の荷重トレーニング

上肢への荷重トレーニングは下肢疾患同様，漸増的な荷重量増加を実施する。おおむね四つ這い位での荷重からとなるが，さらに免荷が必要な場合は，バルーンやテーブル，壁を用いて荷重をコントロールする（**図14**）。

図12 順手での四つ這い支持姿勢

右肘関節は過伸展傾向で上肢全体は内側への回旋傾向，手関節では橈側に圧がかかっている様子がうかがえる。一方，左肘関節は伸展位，上肢全体は外側への回旋傾向，手関節は尺側に圧力がかかっている様子がうかがえる

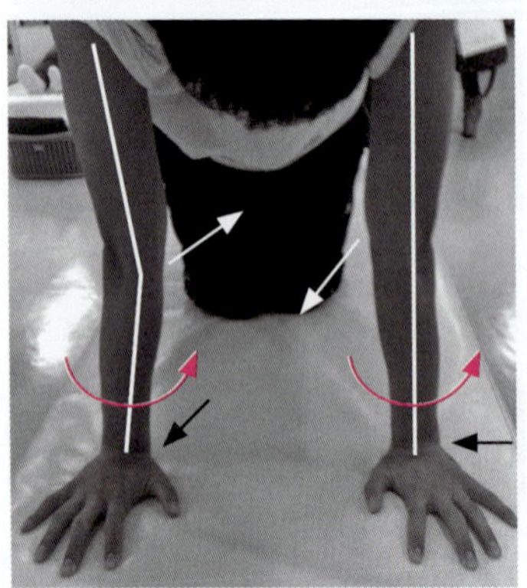

図13 倒立時の支持姿勢

肘関節の伸展障害時も尺側へのストレスが増加する

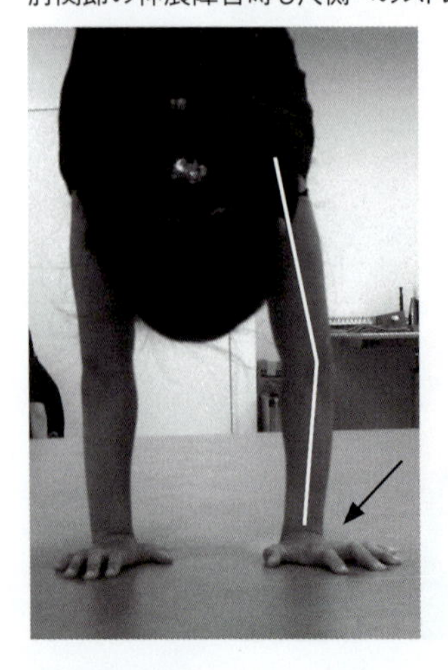

四つ這い位の上肢の荷重は，体操で用いられる倒立バーという練習器具を使用すると選手も受け入れやすいうえに，上肢の閉鎖性運動連鎖（closed kinetic chain：CKC）作用，さらに内手握りでバーを握ることで橈尺骨回内外中間位が促される。

倒立バーの把持を段階的に順手姿勢へ進める際には，前腕部の回内外で調整するのではなく，橈尺骨の回内外の位置関係を意識させ，肩関節の内旋でこの肢位をつくれるように練習することがポイントである（**図15**）。

支持は四つ這い位から段階的に腕立て伏せ姿勢に，その後，徐々に足部を高くしながら倒立姿勢に移行させる（**図16**）。倒立バーを使用せず手掌支持で行う四つ這い位は，無意識的には肩甲骨内転位傾向となるため，選手には体操の支持姿勢としての肩甲骨の外転位と上肢全体の外回旋操作を意識させるように指導する必要がある。

上肢荷重は段階的に倒立姿勢へと進めるが，手関節など患部の状態が安定した段階から積極的に上肢全体の内外回旋操作の練習を行わせ（**図17**），倒立や体操に必要な支持の準備を行う。複雑ではあるが，上肢全体の回旋操作性向上を選手自身にもしっかり自覚させることがポイントである。

逆手支持に対しては手関節での回旋トルクの発生を予防するため，上肢と肩甲上腕関節での外旋が特に重要なことに留意してほしい。

上肢荷重評価について

選手の上肢荷重の段階付けは，部分荷重から全荷重までの段階として四つ這い位，腕立て姿勢，倒立，片手倒立を行う。最終的には，体重計や下肢荷重分析器などを活用して，左右上肢の荷重量や倒立時の重心の確認を行うべきである（**図18**）。

手関節障害に対するテーピング

ここで，gymnast's wristに対する手根骨のマルアライメントの修正を目的としたテーピングを紹介する。日々の練習や競技会の場でも選手自身で簡易的に用いることができるが，治療法ではないこと

図14 バルーンを用いて行う腕立て伏せ

骨盤から大腿部をバルーン上に乗せ，免荷を図る（❶，❷）。段階的に上肢への荷重を増やしていく。❸ではベッドを高くして荷重を増やしている

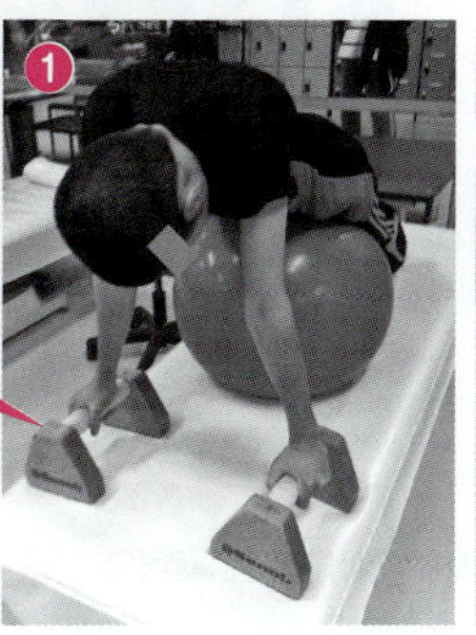

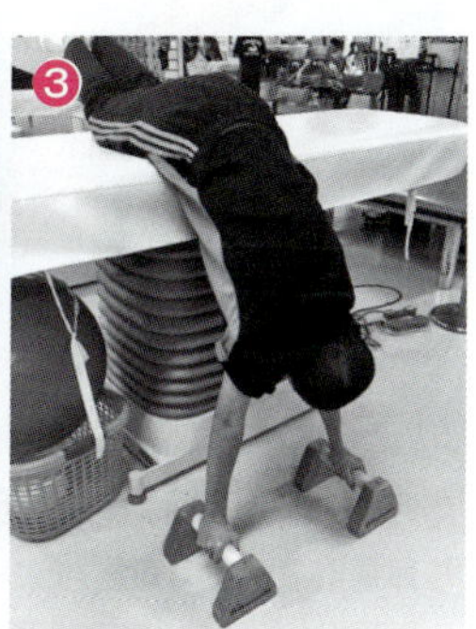

図15 倒立バーを用いた支持から順手支持への移行

❶倒立バーを用いた内手支持。橈尺骨のラインが重要である　❷倒立バーを用いた順手支持。上肢全体で橈尺骨の回内外の位置をコントロールする　❸倒立バーを使わず，ベッドまたは床上での順手支持へと移行する

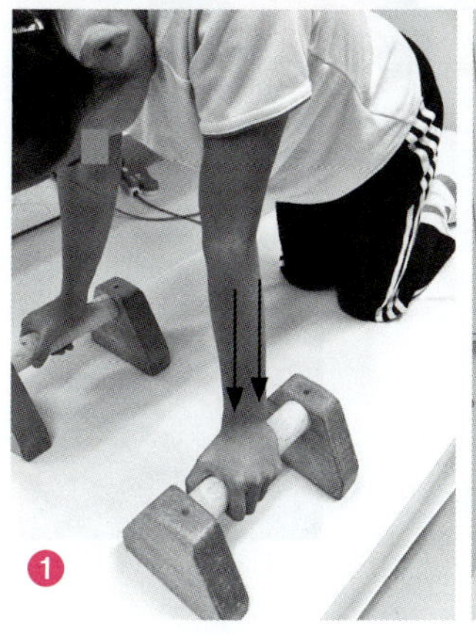

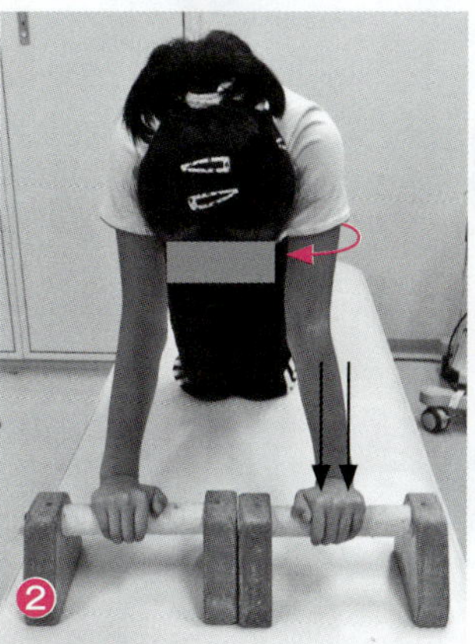

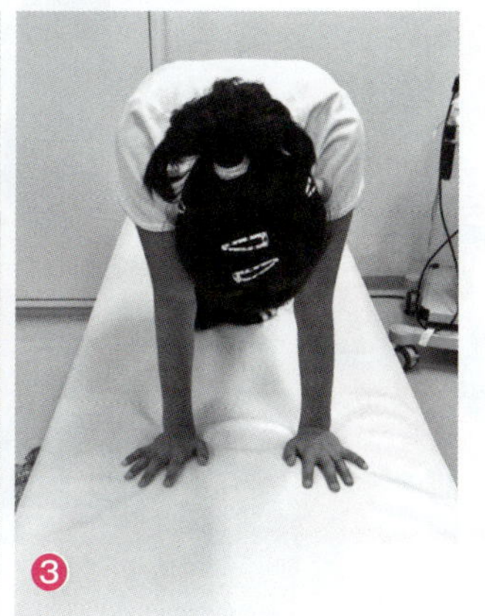

図16 段階的な上肢荷重

腕立て伏せ姿勢から段階的に足部を高くして倒立に移行する。荷重負荷は台上に乗せた体幹・下肢の割合で調節する

図17 四つ這い位における胸のつり・落とし動作での上肢の回旋操作

四つ這い位で胸椎および肩甲胸郭関節を動かして屈曲・伸展を反復する

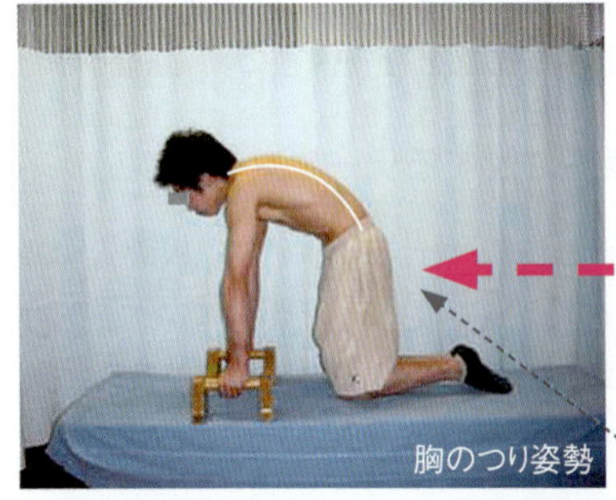

動作に合わせた上肢の内側への回旋

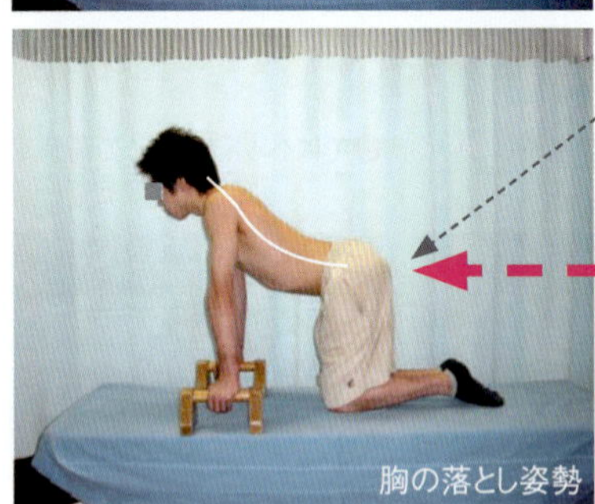

動作に合わせた上肢の外側への回旋

図18 上肢荷重の評価

❶体重計で左右の荷重バランスをみる　❷下肢重心動揺検査機器を活用して評価する　❸手指の荷重分布と重心を評価する

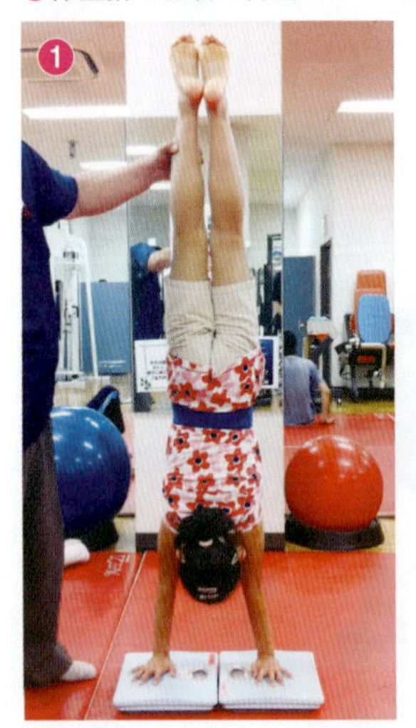

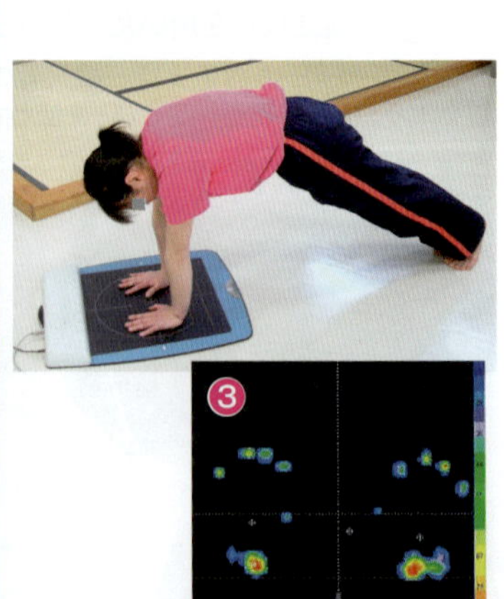

は理解してほしい。さらに競技としての外観上の美的配慮としても使用には慎重であるべきである。

テーピングの目的は，皮膚などの受容器刺激によるフィードバックや，関口ら[4]が提唱している手根骨のマルアライメントの修正に対する効果を期待しているといえるが，最大の目的は選手との傷害管理の意識共有である。

手関節「背側部痛」の病態とテーピング

関口ら[5-7]が行ったgymnast's wristにおける手根骨のキネマティクスの解析では**図19**に示すように，機能的問題として橈骨に対する月状骨の背屈可動性低下と掌側偏移量の増大に伴う手根中央関節の過背屈がその病態の1つであると報告している。これを根拠として手関節背側部痛に対して，「橈骨に対する月状骨の掌側偏移量の増大の制動」を目的としたテーピングが有効と筆者らは考えている[4]（**図20，21**）。

手関節「尺側部痛」の病態とテーピング

競技動作時，前腕に過度な回内外の回旋ストレスが加わることで，手関節尺側の疼痛を訴える選

図19 手関節背部痛を有する体操選手の手根骨の異常なキネマティクス

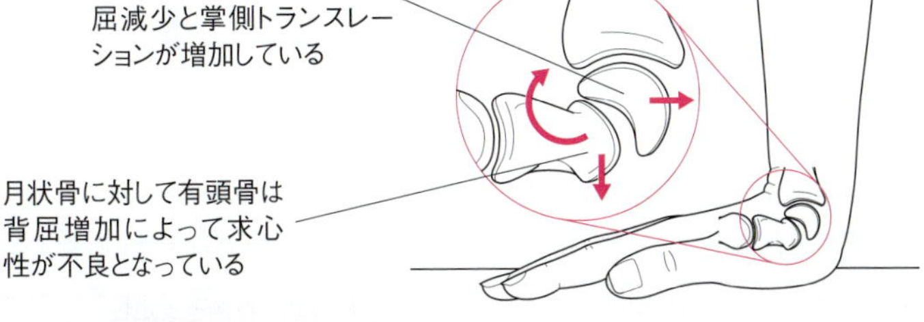

図20 gymnast's wristのキネマティクスの特徴とテーピング施行のイメージ

gymnast's wristの特徴として，手関節背屈時に月状骨の背屈角度低下と月状骨の掌側移動増大が生じる。テーピングは月状骨の掌側移動を制動する目的で施行する

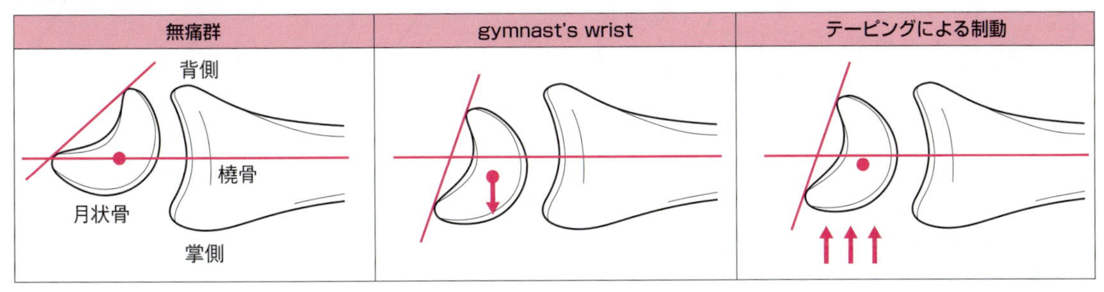

図21 手関節背側部痛に対するテーピング

目的：橈骨に対する月状骨の掌側へのすべりを制動する
使用テープ：50mmあるいは75mm幅伸縮テープ，38mm幅非伸縮テープ
肢位：前腕中間位
❶アンカー：伸縮テープで手関節部に1周アンカーを巻く
❷～❹月状骨サポート：非伸縮テープで手関節掌側に圧力が加わるように尺骨背側から橈骨背側にサポートテープを巻く。3/4程度重ね合わせて近位にずらし，3～4回サポートを巻く。注意点として，サポートテープが手根骨（月状骨）の位置に当たるように施行する。また，圧力を逃し，背屈可動性を阻害することがないようにテープは手関節を全周させず背側部を2～3cmあける
❺アンカー：目的となる❷～❹のテープが剥がれないように伸縮テープで手関節部に1周アンカーを巻く

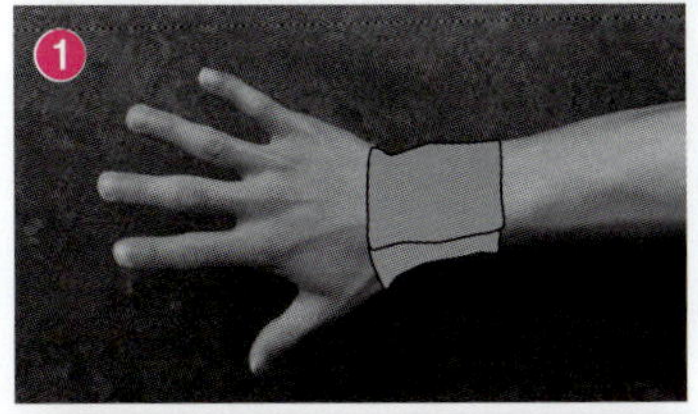

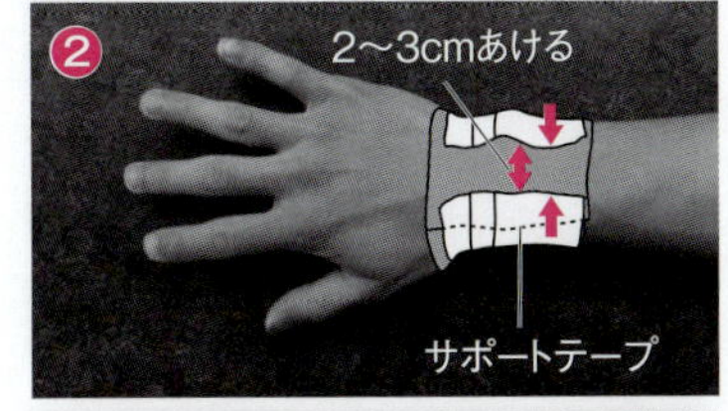

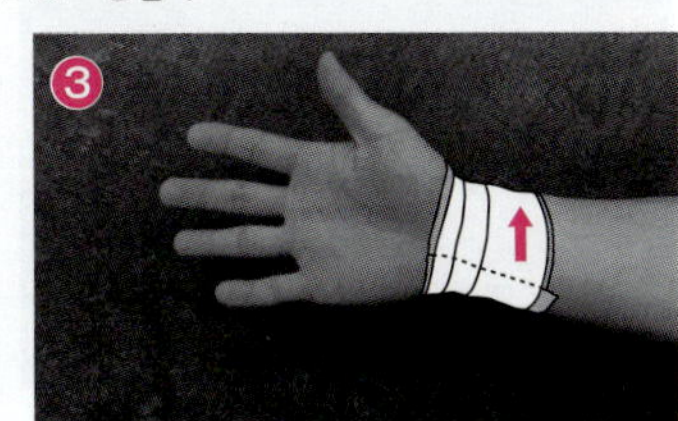

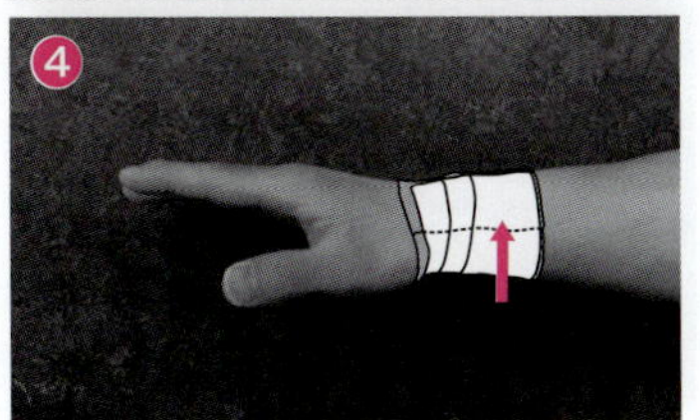

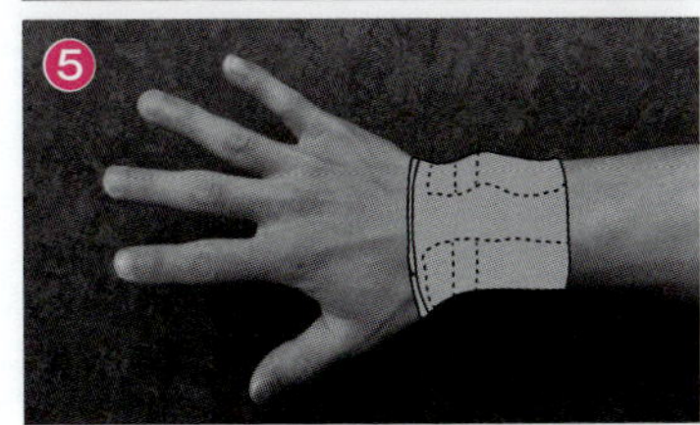

手の多くは，TFCC小窩付着部損傷や尺側手根伸筋(extensor carpi ulnaris：ECU)腱鞘炎，TFCC実質部損傷であると推測できる。TFCC小窩付着部損傷による主な訴えは不安定性と疼痛であり，加えて遠位橈尺靱帯付着部の破綻によるピアノキーサインが陽性となり，回内位での尺骨頭の背側不安定性を認めることが多い。また，尺側部痛のなかで頻繁に認められるECU腱鞘炎も，TFCC小窩付着部損傷などによる遠位橈尺関節(distal radioulnar joint：DRUJ)の不安定症状の続発症状と考えられる。これらを踏まえ，手関節尺側部痛に対するテーピングは「尺骨頭の背側不安定性の制動」が目的となる(**図22**，**23**)。

肘関節障害

肘関節離断性骨軟骨炎(OCD)

体操選手の肘関節障害として，離断性骨軟骨炎(osteochondritis dissecans：OCD)が挙げられる。

Training

体操においては受動的握力がポイント

懸垂動作に対しては，つり輪，鉄棒，段違い平行棒などの競技動作からみても，能動的な把持機能より，回転動作時の遠心力をコントロールするための受動的な握力が発揮されている。そのため，手指機能の遠心性エクササイズを加えることがポイントである。

図22 手関節尺側部痛の病態とテーピング施行のイメージ

TFCC小窩付着部損傷など，特に回内位における尺骨頭の背側不安定性を制動する目的でテーピングを施行する

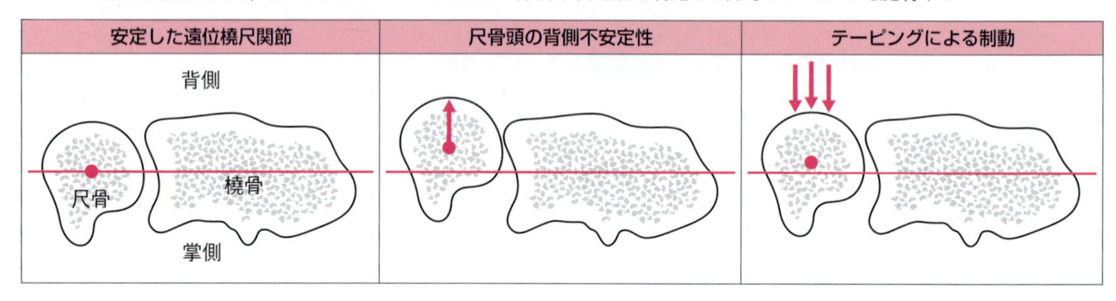

図23 手関節尺側部痛に対するテーピング

目的：尺骨頭の背側不安定性を制動する
使用テープ：50mmあるいは75mm幅伸縮テープ，19mm/38mm幅非伸縮テープ
肢位：前腕回内位が望ましい
❶アンカー：伸縮テープで手関節部に1周アンカーを巻く
❷，❸尺骨頭サポート：非伸縮テープで橈骨背側から尺骨頭を掌側におさえ込むように，橈骨掌側にかけてサポートテープを巻く。3/4程度重ね合わせて近位にずらして3〜4回サポートを巻く。注意点として，母指の外転や長母指外転筋の機能を阻害しないよう，また圧力を逃すためにもサポートテープが手関節を全周することがないように橈側を2〜3cmあける
❹，❺：❷，❸で荷重時の疼痛の軽減が得られにくいTFCC実質部損傷などの場合は，19mm幅非伸縮テープで手根骨位置に❷，❸同様の圧迫を加えるサポートテープを巻く
❻アンカー：目的となる❷，❸のテープが剥がれないように伸縮テープで手関節部に1周アンカーを巻く

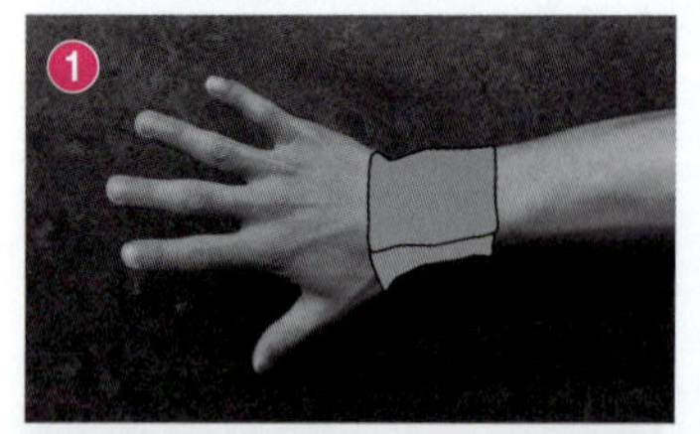

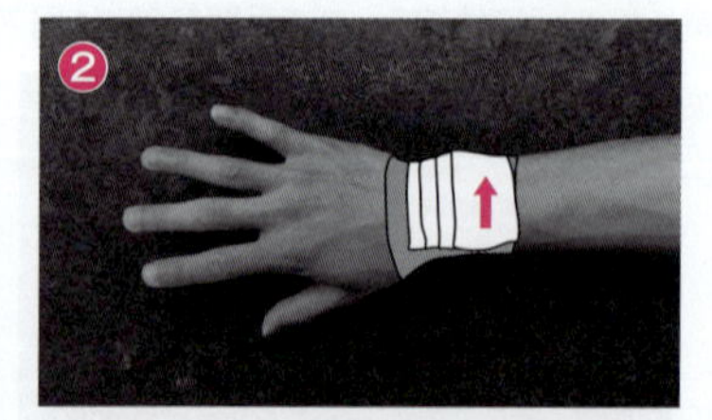

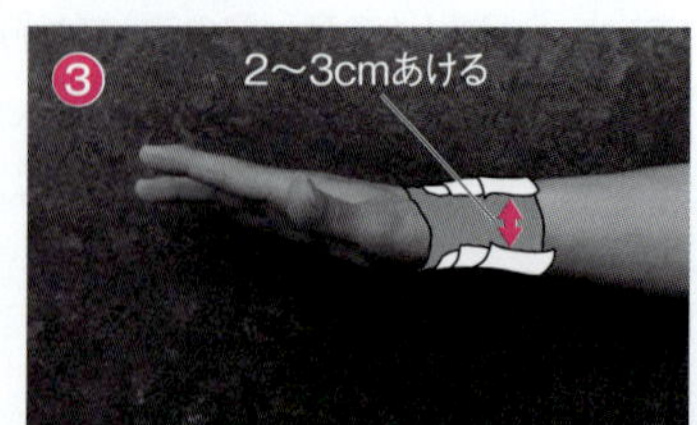

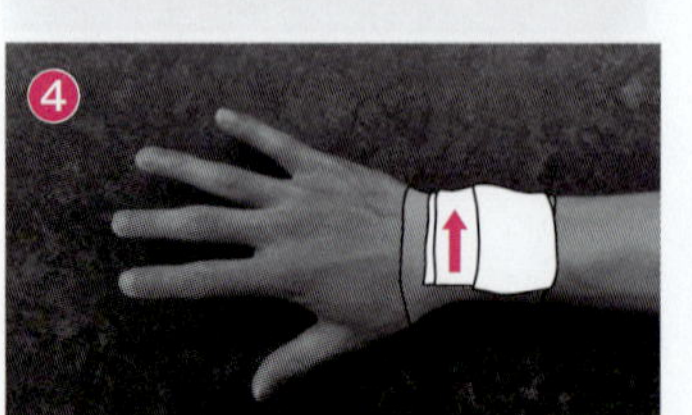

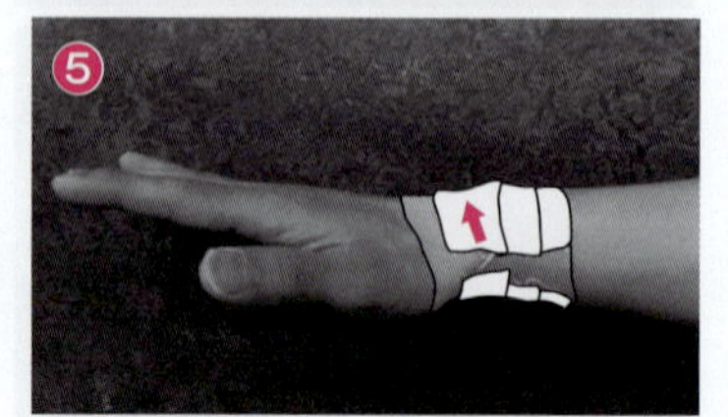

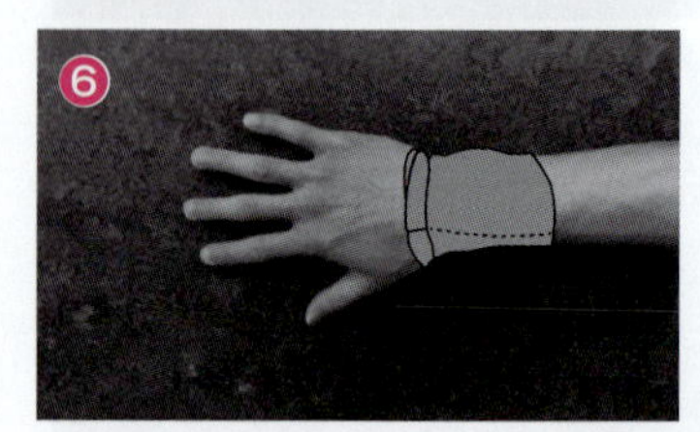

体操選手のOCDは野球選手のOCD発生部位に比べ，上腕骨小頭下面部に発生し，体操競技の支持動作の特徴を反映している（**図24**）。関節の違和感の後に可動域低下と関節腫脹，さらに支持・懸垂時の疼痛を訴え，明らかな受症機転はほぼ申告できない。

医師のOCD確定診断により，保存療法または観血的治療の方針が選択される。われわれからも回復に必要な支持・懸垂動作の制限などを現場に丁寧に伝え，骨の回復環境を整えることが重要である。

OCD の競技復帰アプローチ

競技復帰への許可後，段階的な荷重アプローチは十分な肘関節のROMが確保されていればスムーズに開始できるが，多くの選手で支持姿勢における肘関節伸展機能の低下を認める（**図25**）。他の肘関節疾患でもみられることだが，自動伸展や他動伸展が良好なケースでも，支持姿勢で伸展不全が発見される。

選手は肘関節の伸展不足を，無意識に肩甲骨の上方または下方回旋を強調して補おうとする。この肩甲骨の補償的な動きの改善も含め，四つ這い位での「つり」と「落とし」のエクササイズが有効である。倒立バーを使用し，つりと落としの姿勢を反復させ，つりでは胸郭部の後弯と肩甲骨の外転および上方回旋を意識させることで，上肢全体の内旋傾向が誘導される。落としでは，胸郭部の伸展に合わせた肩甲骨の内転と下方回旋により，上肢全体の外旋傾向が誘導される。

肘関節伸展機能の改善が得られてからは，上肢の回旋操作を逆のパターンで行う。つまり，つり姿勢での上肢全体の外回旋と，落とし姿勢での上肢全体の内旋操作を行わせて機能向上を目指す（**図17**）。

図24 野球選手と体操選手のOCDの違い

野球選手のOCD発生部位（❶）に比べ，体操選手では上腕骨小頭下面（❷）にOCDが発生しやすい

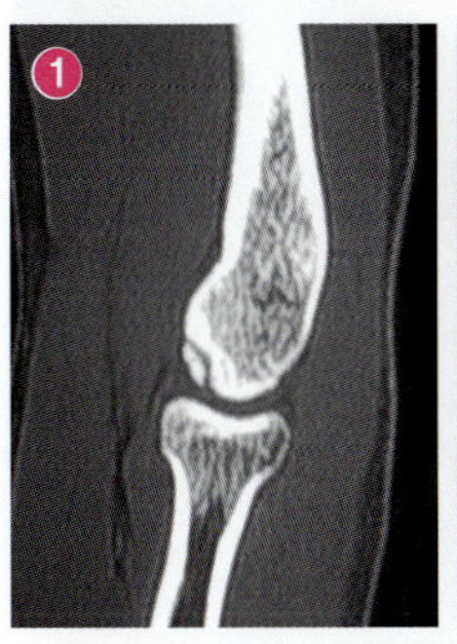

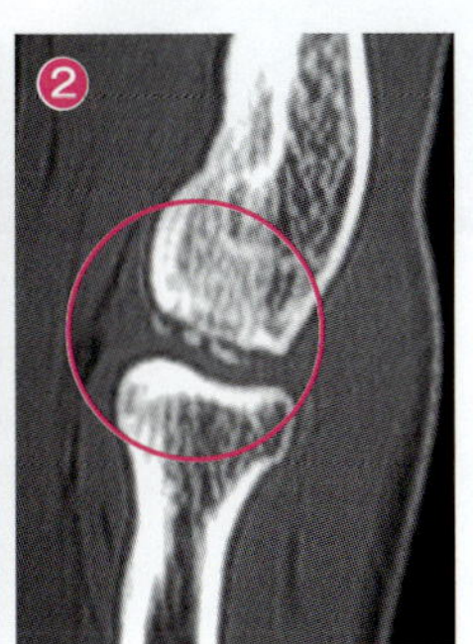

図25 肘関節伸展制限

自動・他動のROMは制限なしだが，体操の姿勢では制限がみられることが少なくない

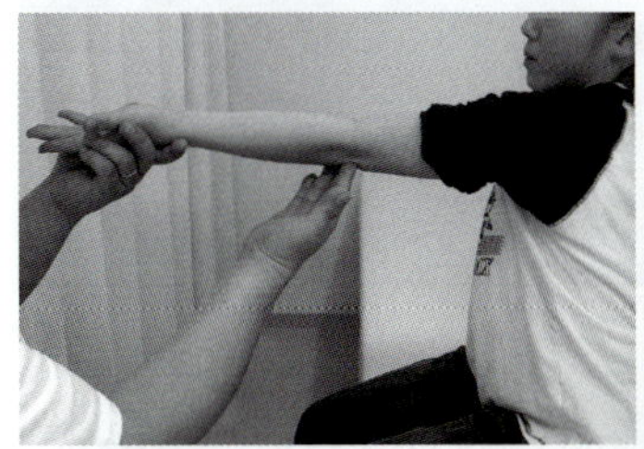

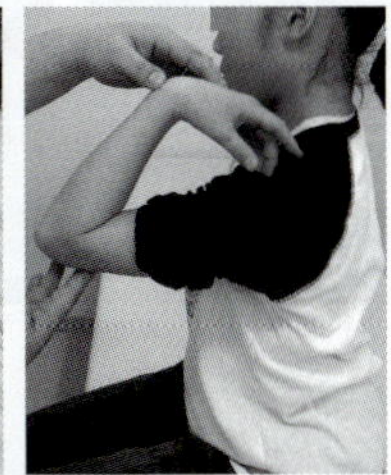

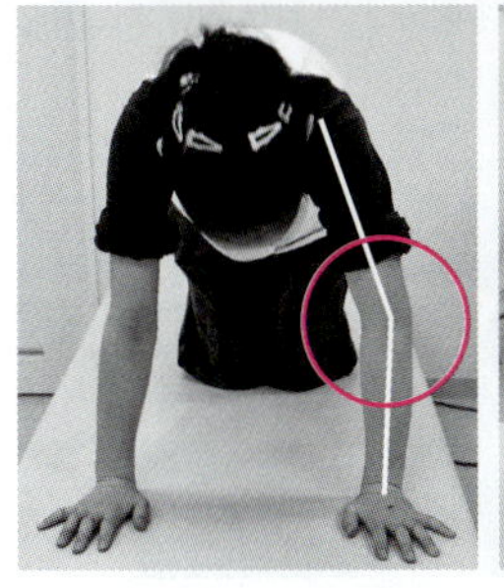

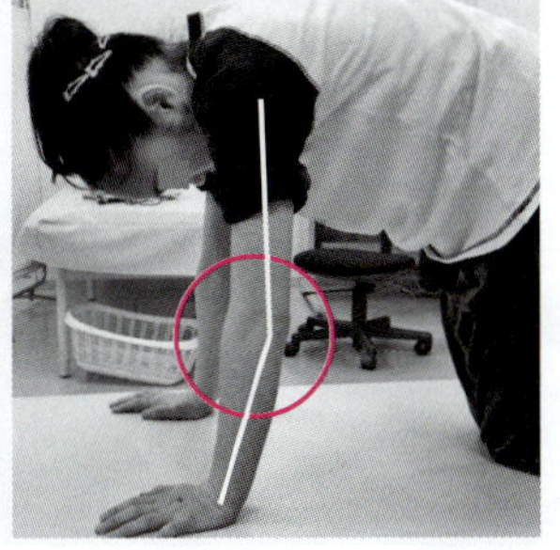

懸垂の準備

懸垂動作の準備は，床から足を離さずに荷重量をコントロールして肋木などのバーを把持させ，非荷重や部分荷重の状態で上肢の回旋エクササイズを行う（**図26**）。

上肢障害の種目復帰と予防

種目復帰の順番

上肢障害における種目復帰の順番は，器具を把持する種目で外手や順手の支持・懸垂系の技から開始する。男子は鉄棒のスイングと支持，平行棒のスイングと支持および棒下でのスイング，つり輪のスイングと支持，女子段違い平行棒のスイングと支持，平均台の支持などの各種目で順次進める。

支持の開始では，あん馬は馬端部の動作以外の握り（ポメル）部の動作から（**図27**），旋回技は全荷重と回旋ストレスが複雑に負荷されるため技術的に分割し，段階を設けるなどの工夫が必要である。床・跳馬のつき手やあん馬の馬端動作は十分な準備を整えた後に臨み，最後に男子つり輪の力技を再開する流れが望ましいと考えている。

予防としての肩甲胸郭関節機能の維持

肩甲骨は胸郭上にあるので，一般的に胸郭上で肩甲骨が動くイメージが強いのではないだろうか。

しかし，上肢での支持や倒立を行う体操では，肩甲骨面を胸郭が移動するという発想のほうがよい。

筆者らが選手に指導する肩甲胸郭関節のエクササイズは，背臥位にて肩甲骨部と上腕部，さらに下肢で床面を軽く支え，わずかに体幹部を浮かせて可動させる。つまり，肩甲骨上を胸郭が上下にスライドするというエクササイズを指導している。難しい動作ではあるが，体操の競技特性に合ったエクササイズであると考えている(**図28**)。

その他のエクササイズパターンを**図29**に示す。また，体操競技で行われる「つり」「落とし」のエクササイズは，肩甲胸郭関節の可動性向上のために，最も選手に推奨すべきエクササイズであると考えている。

図26 懸垂の準備としての上肢の回旋操作

❶足を床につけた免荷の状態で懸垂姿勢をつくる

図27 ポメルと馬端

ポメルは把持動作，馬端は支持動作となる

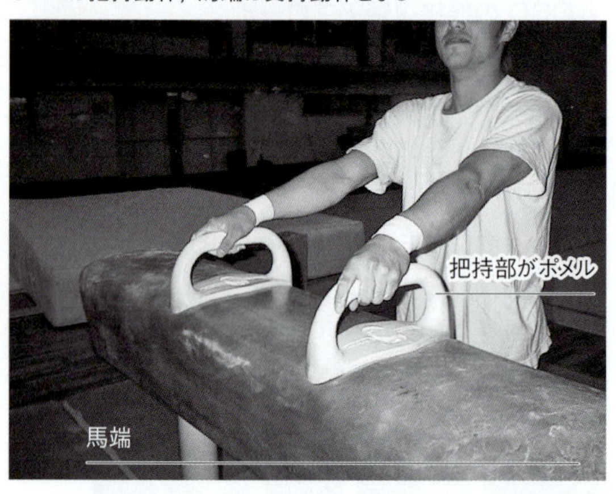

図28 背臥位エクササイズ

❶肩甲骨と上肢，足部で床をおさえつけ，背部を少し浮かせた状態をつくる　❷，❸肩甲骨面上で胸郭を頭側にスライドさせる(❷)。肩甲骨面上で胸郭を尾側にスライドさせる(❸)。❷，❸のスライドを繰り返す

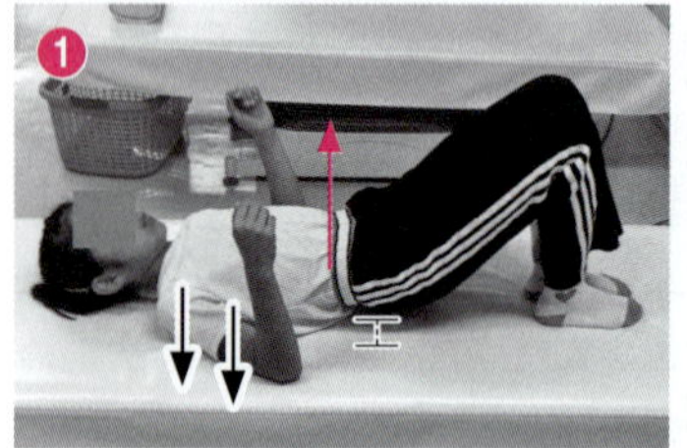
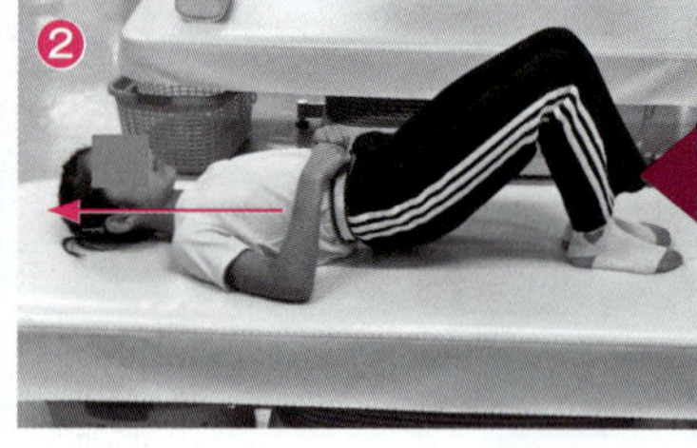
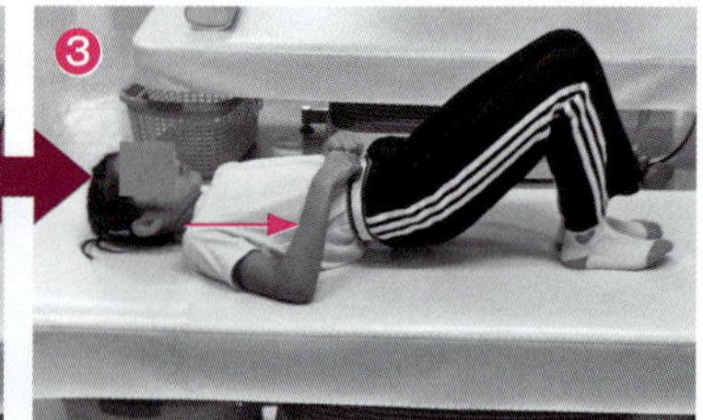

図29 その他の肩甲胸郭関節エクササイズ

❶サイドエルボー(肘立て姿勢)　❷肘立てではなく，手の支持で行うパターン　❸肩甲胸郭関節のスライドエクササイズ。平行棒やベッドの間にバルーンを入れてその上に座り，両サイドの台を支持しながらバルーンを殿部で押すように体幹を動かす。肘は曲げずに肩をすくめるような意識で行うとよい

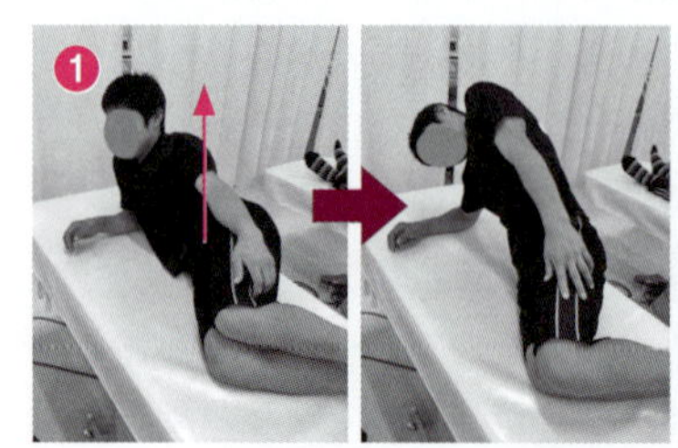
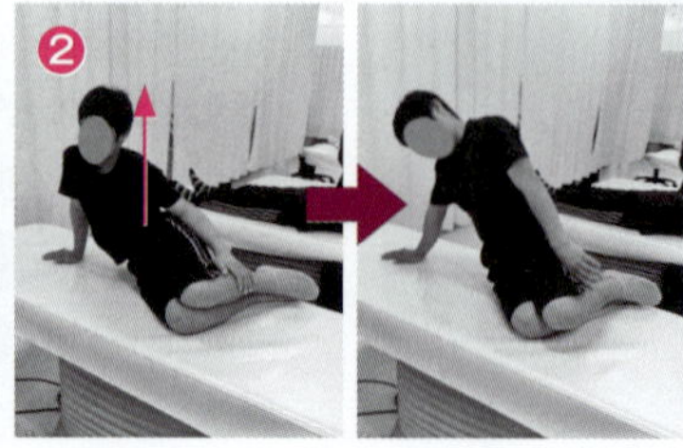
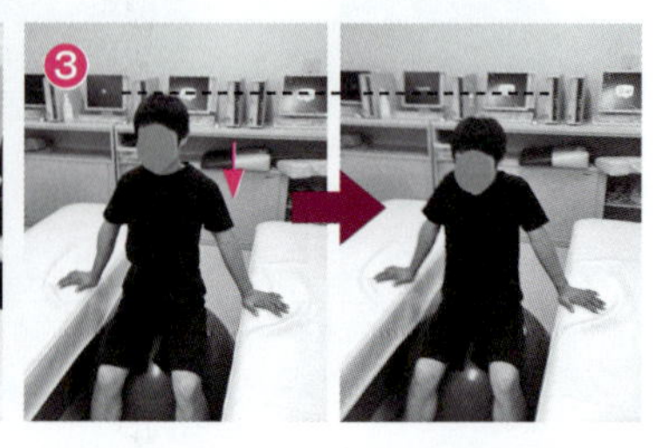

Treatment

体操界の常識

男子の鉄棒，女子の段違い平行棒の練習では，手掌部や手首の皮膚の表皮がむける。つまり，まめがむけるのである。出血を伴い痛みが強いが，現場ではこれを外傷ととらえる関係者はいない。
水道水でしっかり洗浄し，感染予防を行いながら，夜間の就寝前に白色ワセリンで保湿して改善を試みる。そして翌日は，顔をしかめながらまた鉄棒に飛びつくのである。

体操選手の腰部の外傷・障害への対応

● 体操選手の腰部の問題を考える

腰痛は反り動作が原因なのか

体操選手の腰痛は，筋筋膜性や腰椎椎間板障害・腰椎椎間板ヘルニア，腰椎捻挫，椎体圧迫骨折，腰椎すべり症，若年者では腰椎分離症，椎体隅角解離など多岐にわたり，さらに重篤な問題の発生もしばしばみられる。

一般に体操は，よく身体を反らせるために腰を痛めることが多いスポーツというイメージがあるだろう。しかし，技術的な要求としての基本姿勢は，伸身（まっすぐな）姿勢であり，伸展（反る）姿勢ではない。一般に認知度の高い後方転回（いわゆるバク転）やブリッジ技が腰を反っている印象を強めていると思うが，ダンスやジャンプの空中姿勢や女子選手の着地後の腰部を反らせたアピールポーズはあくまで表現姿勢であり，競技技術として極端なストレスが腰部にかかるものとは考えにくい。実際には，体幹伸展動作は思いのほか少ないのである。

しかし，腰部の問題が多いことは事実である。どの競技動作が問題となっているのか選手の動作を観察して丁寧に考えなければ，体操＝反る＝腰部傷害という短絡的な発想になってしまう。

腰のストレスとなる技術を考える

選手の体幹動作は，伸展・屈曲の動きに加え，腰部に発生する力学的なストレスに注目しなければならない。表現的な動作はむしろストレスは少なく，場合によっては実施を制限することも容易である。しかし，技のために行われる動作，つまり技術としての体幹動作は，それを制限してしまうと技が成立しない。さらに，その専門技術を動きのなかで観察することは，非常に難しい。

観察すべき技術は，体幹が伸展される男子のつり輪，平行棒，鉄棒，女子の段違い平行棒でみられる「落とし（ぬきともいう）」や「あて」といわれる技術である。屈曲動作は，大逆手の項で述べたアドラーの際に行われる「つぶし」という技術である。

「落とし（ぬき）」は振動系種目といわれる男子のつり輪，支持系種目の男子平行棒，懸垂系種目である男子の鉄棒，女子の段違い平行棒などでみられるが，技の回転方向により体幹の伸展・屈曲のどちらの姿勢でも行われる技術である。落とし（ぬき）は車輪技術や離れ技，降り技を行う際の車輪運動の軌道を切り替える技術であり，この動作による強い反動を得るために腰部は脱力的に操作され，過負荷がかかりやすい特徴的な技術である。

「つぶし」とは，男子の平行棒，鉄棒，女子の段違い平行棒にみられる浮き腰回転技や前述のアドラー系の技術で，技の回転力を得るために車輪運動中に体幹を勢いよく屈曲する。

「あて」は代表的な技として，鉄棒，段違い平行棒で行われるトカチェフ飛越の際にみられる技術である。後方車輪から両手を離して車輪の回転運動を一気に切り替え，背面でバーを飛び越える際に行われる強い体幹の伸展である。この際，落とし（ぬき），つまり脱力的に体幹が伸展された後，その反動で一度体幹は屈曲し，すぐさま伸展となる「あて」が行われる。

体操選手が技術的に行う体幹の伸展や屈曲は回転力や遠心力が強制的に加わる動きであり，注意が必要である（**図30**）。

伸身姿勢を伸展してしまう選手

体操の伸身宙返りは，伸身であり伸展ではないことを強調したい。弧を描くように反った宙返りは確かに美しい。これは選手の技の見せ方，表現技術なのである。宙返りに余裕がある場合，より空中姿勢を美しく見せるために，基本の伸身姿勢から一番美しく見える瞬間に体幹を反らせ，見せ場をつくる表現である。

技術的に未熟な選手や特にジュニア選手では，とにかく宙返りを回転させたいと思って体幹を反ってしまうことがある。この回転させたいという強い意思が，選手自身にも伸展と伸身を混乱させ，「伸身宙返り」が，実際には「伸展宙返り」となってしまうのである。

図30 落とし・あて・つぶし

トカチェフ飛越の「落とし」と「あて」技術

❶車輪運動の軌道を変え，「落とし」の準備　❷「落とし」の瞬間。腰部は脱力的に伸展する　❸再度振り込む。すなわち腰部は屈曲する　❹「あて」の瞬間。ここから手を離す。腰部は爆発的伸展位となる

開脚浮き腰回転「エンドウ」の「つぶし」技術
腰部の屈曲ではなく，股関節の屈曲である

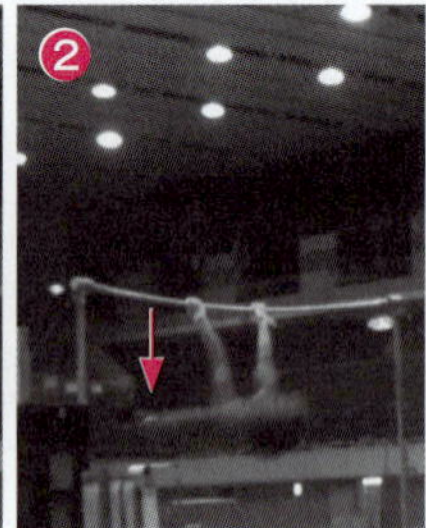

「アドラー」の「つぶし」技術

> **Sports Skill**
>
> 体操競技には体幹の伸展・屈曲に加え，ひねり技もある。体操競技におけるひねり技術は1軸性のものであり，倒立姿勢と同様に，しめ姿勢をつくってひねっていることを理解してほしい。

注意すべき腰部の動きは何か

腰部障害の原因を考える

競技的な技術を理解すれば，体幹の伸展はそれほど多くないことがわかる。しかし，選手における腰部の問題は少なくない。実は，選手のジレンマといえるそれをしなければ技ができないという腰に強いストレスのかかる技術がある。

「一瞬だから我慢してしまおう」と，選手と現場は練習を繰り返してしまう。選手は腰痛の余韻を感じながら，疼痛を回避する歪んだ姿勢で練習を継続してしまう。歪んだ姿勢で覚えた技は歪んだままであり，技のストレスが局所に集中的にかかることになる。本来であれば，それほどストレスにならないはずの表現的な反り動作でも腰痛を感じ，「腰を反ると痛みます」と訴える。その結果，選手は「腰部を反ることで腰痛を発生させている」という判断になってしまうのである。しかしそれは，単なる反りではないと考えなければならない。

われわれが現場で行うべきことは，体幹の伸展・屈伸の動作におけるストレス分散が十分に行われているかどうかを見極めることである。特にストレスのかかる「落とし・あて・つぶし」の技術動作時に動かすべきところが動いて，歪んでいない状態に導くことがわれわれの第一歩といえる。しかし，選手はやはり自分の状態を認識しきれていないのである。

選手自身に腰部の歪みに気付いてもらうために

選手は，自分の体幹伸展・屈曲動作時の歪みを認識できていないといわざるをえない。実際に選手の動作を観察すると，多くの選手に動作時に歪みとねじれを認める（**図31**）。

こうした基本姿勢の修正は，技のストレス分散に重要なことといえる。これには現場が気付かなければならないが，現場は技が成功することが重要であって，細部を見逃しているのである。そこをうまく補うことが，われわれ医科学サポートを行う者の仕事である。選手の動作観察では指導者にも一緒に確認してもらい，両者に理解を促すことが重要である。

図31 歪んだ反りの確認

❶，❷体幹の伸展が歪んでいるが本人は気付いていない　❸頸部・胸部はよく伸展しているが，体幹下部はあまり動いていない　❹脊椎はほぼまっすぐである　❺全体で美しく反る(伸展する)

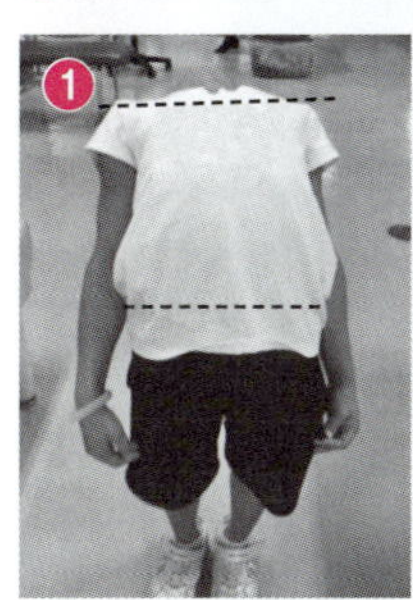
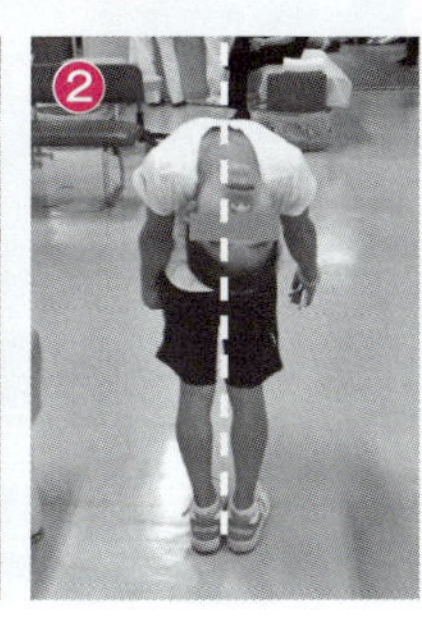

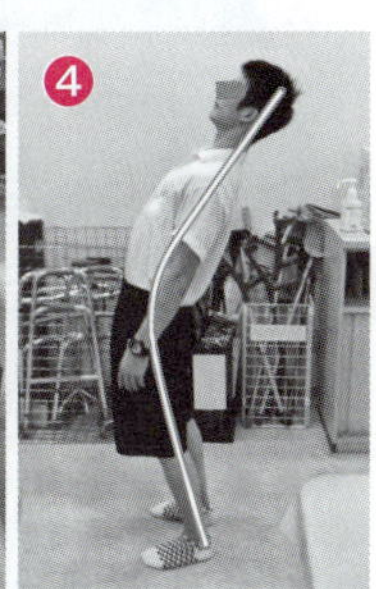

また，姿勢は時々刻々と変化するということも忘れてはならない。前日はまっすぐであっても，当日もまっすぐとは限らない。まずは選手や指導者と理想の動作を確認し，変化することを前提に，毎日・毎回確認するように指導することが重要である。

歪みの評価の注意点

腰部に問題を抱えている選手の多くが，体幹の動作姿勢に問題がある。歪みの確認は端的にその動作を見ることであるが，その際には選手の技のひねり方向，競技動作の軸手・踏切足が左右どちらであるかを確認する。技のひねり方向は選手ごとに異なるため，技の習慣によって動作や姿勢に影響が出ている場合がある。

つまり，歪みは問題であるが，競技の癖によるものなのか，筋力やROM，柔軟性の低下などの要素によるものかを判断し，競技動作への影響を考慮しながらコントロールしなければならない。

腰部の評価

腰部屈曲の評価

体幹の屈曲では，立位，座位，抱え込み動作を観察するべきである。

立位での体幹前屈を体操選手に指示すると，指床間距離の測定様の屈身姿勢をとる選手が多い。これは技の姿勢と同様であるため選手は得意だが，脊椎の屈曲ではなく，むしろ脊椎は伸展位で股関節の屈曲姿勢をとってしまう。背中を丸めるように指示を出さなければ，脊椎の屈曲可動性が評価できない。そのため，座位にしたうえで体幹屈曲を指示し，脊椎の可動性を確認するとよい。

さらに，抱え込み姿勢をとらせ，脊椎，骨盤，股関節の協調的な動きを確認する(図32)。

体幹伸展の評価

伸展の評価は，脊椎全体できれいに伸展が行えているか確認する。伸展角度よりも，むしろ脊椎全体が協調的にきれいな弯曲で伸展できているか観察する。すなわち，伸展動作の中心軸が胸椎上部や下部腰椎付近に偏っていないかよく観察することである。

評価は立位と四つ這い位，さらに腹臥位にて行う。伸展動作での腰痛を訴える選手では，それぞれの肢位における痛みの違いを評価する(図33)。もちろん，歪みの観察も重要である。動作が歪ん

図32 体幹屈曲の評価

❶体幹の前屈を指示すると，脊椎はむしろ伸展位となるので注意する　❷動作時の歪みの有無は慎重に観察する　❸端座位で屈曲を評価する　❹背臥位での抱え込み姿勢を評価する

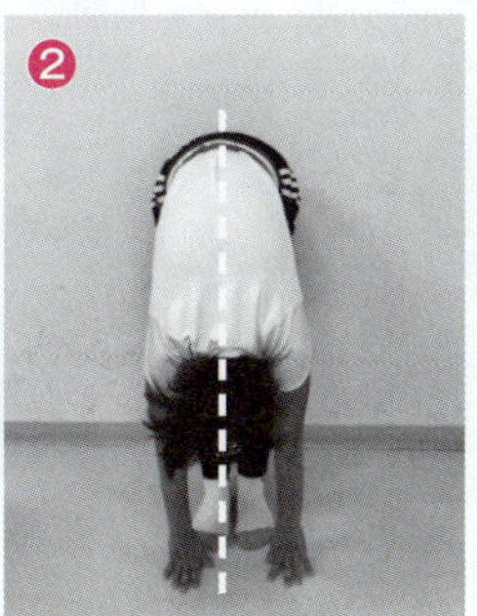

図33 反りの評価

❶全体的なラインを評価　❷，❸伸展動作と運動の軸，痛みを各ポジションで評価する

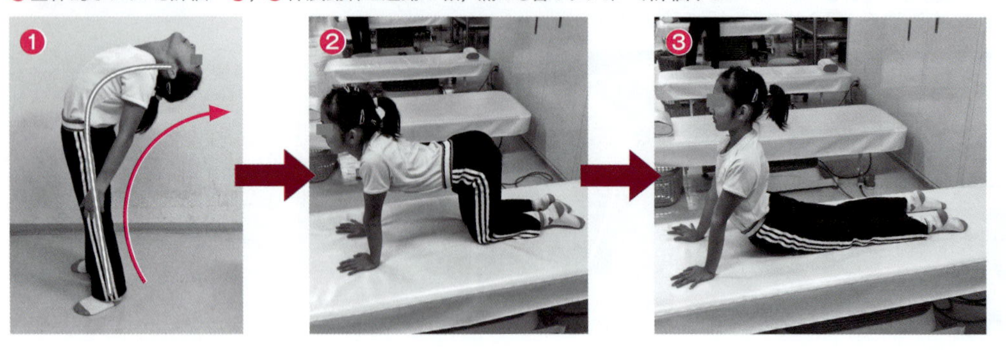

でいれば，椎間関節周囲にストレスが発生してしまう。

腹筋の評価

選手の体幹筋の評価としては，腹筋の評価が重要である。腹筋の評価は筋力というよりも，筋の緊張度合いやこわばり，タイトネスの評価であり，関連する肋骨の可動性を確認することである。選手の腹筋は実際，よく張っているのである。

抱え込みや屈身宙返り姿勢をとる際に上体や下肢を引き付ける動作を頻繁に行うため，股関節屈筋群と腹直筋にストレスがかかる。腹直筋のタイトネス評価では，特に上部の筋線維の状態を確認することが重要である。特殊な評価は必要なく，触診で十分である。腹直筋を触診し，部分的な筋のこわばりを確認する（**図34**）。

腹直筋の作用は体幹の屈曲である。腹直筋の張りは体幹の屈曲動作を行う技にはよいが，体幹の伸身姿勢や伸展動作を行う際には十分な柔軟性で，肋骨，すなわち胸郭全体の可動性が十分でなければ，きれいな動作が行えない。腹直筋上部の柔軟性低下は体幹伸展の制限因子となり，動作時の偏った運動軸の発生や歪みの原因となるのである。

腰部と股関節と下肢の連動を考える

腰部管理としての股関節評価

選手の腰部の管理においては，股関節機能を十分にみておく必要がある。股関節の可動性の低下は，腰部の代償動作を助長してしまう。股関節の可動性評価時に，合わせて骨盤の補償的な動きを丁寧に観察することが重要である。一般的な屈曲，伸展，回旋可動性に加え，Gaenslen（ゲンスレン）テスト，FABERテスト，FADIRテストなどを実施し，評価肢位に下肢を誘導する際の骨盤の追従性と，その左右差を観察する（**図35**）。

選手の身体は意識的・無意識的に代償・補償動作を巧みに行っている。例えば，股関節の伸展可動域が低下している選手の下肢伸展を他動的に評価する際，通常は股関節の伸展制限による不足分は骨盤の前傾や腰部の伸展によって代償するだろう。つまり，遠位から近位への力の伝達に連動し

図34 腹直筋の触診部位と腹筋のストレッチ

❶腹直筋上部のタイトネスや左右差を確認し，ストレッチを行う

❷，❸図のようにバルーン上に背臥位で上半身を乗せ，上体の姿勢を保持したまま殿部をバルーンの下に滑り込ませるようにすると腹直筋部がストレッチされる

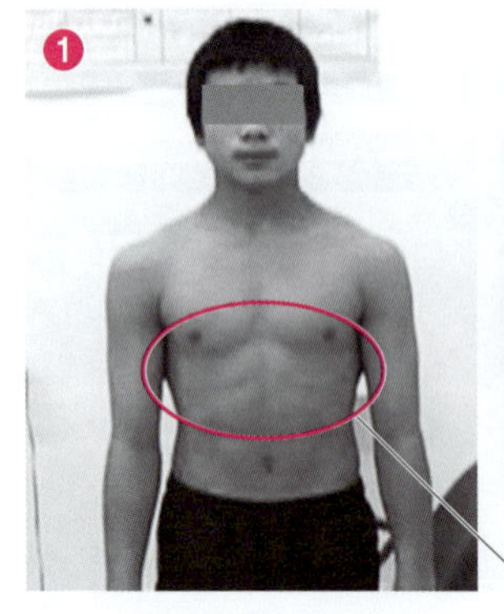

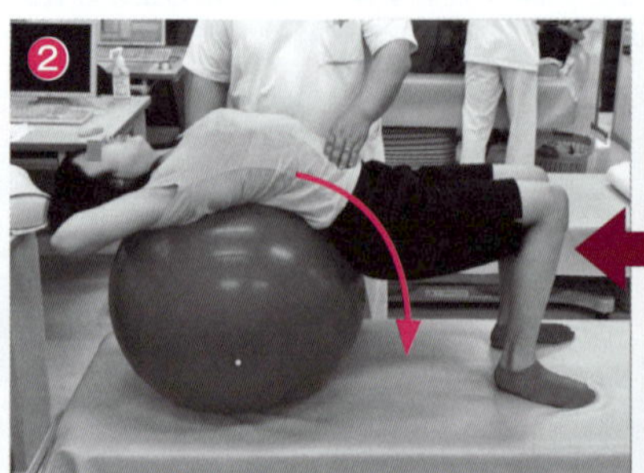

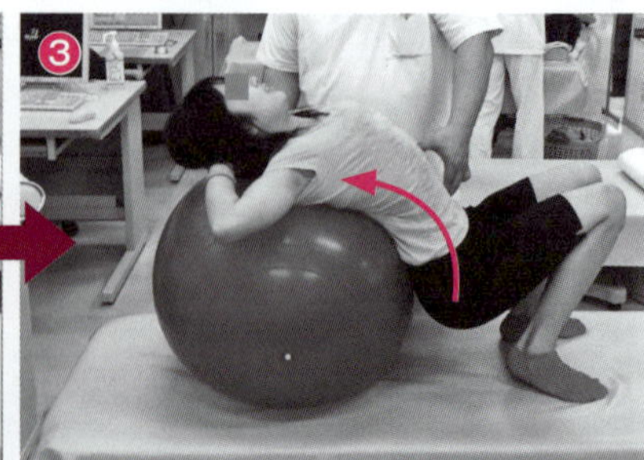

図35 Gaenslenテスト(❶), FABERテスト(❷), FADIRテスト(❸)時の骨盤の補償的な動き

体操選手の身体は巧みで，無意識に補償的な骨盤の動きが出る。Gaenslenテスト(❶)は，一般的な検査肢位への誘導に加え，検査側の股関節伸展位を先に行ってから対側股関節の屈曲を行う方法，さらに両下肢を同時に動かして最終評価肢位をとらせる方法で行い，股関節周囲から腰椎までの動きを観察する。FABERテスト(❷)，FADIRテスト(❸)は，一般的な評価に加え，一連の下肢操作として両検査を行い，大腿骨の内外旋，内外転，大腿骨の屈曲・伸展に対して骨盤が連動して動きはじめる(補償・代償含め)タイミングの左右差と，骨盤の動きから起こる体幹部への動きの連鎖の状況を観察する

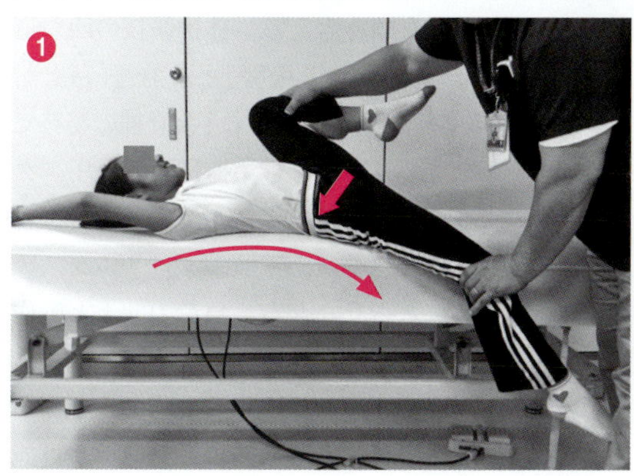
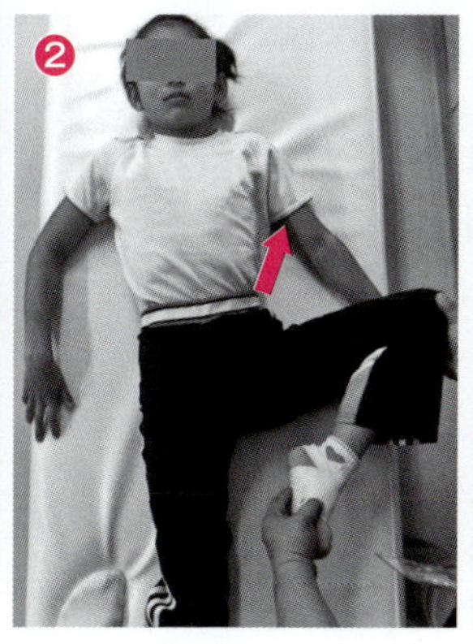
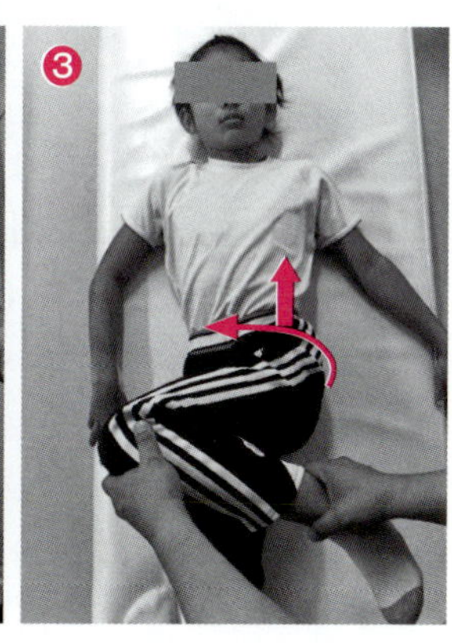

た代償・補償である。しかし，体操選手の場合は無意識的に股関節の伸展動作が行われると察知した瞬間に，先読みして腰部の前弯をつくることで股関節の伸展制限をカバーする場合がある。代償・補償のパターンが特殊であり，この動きを十分に観察することが重要である。

下肢の動きと骨盤の補償的な動き

選手の下肢の柔軟性が高いことは周知の事実であろう。選手は，骨盤および下部腰椎と，下肢の複合的かつ協調的な連動によって大きな柔軟性を発揮している。

下肢伸展挙上(straight leg raising：SLR)の評価の実施時も，選手の骨盤の後傾と側屈，回旋による補償的動作を十分観察する必要がある。機会があれば，SLR評価時に選手が許容する範囲で，最大限まで下肢を挙上してみてほしい。選手は当たり前のように，頭側の床に足部がつくほど下肢が挙上する。この際，骨盤では挙上した下肢に連動するように回旋しながら側屈が発生する。体操の柔軟姿勢である前後開脚は純粋な股関節の屈曲ではなく，骨盤の側屈回旋が連動した動きである。この骨盤の動きは問題の有無にかかわらず確認し，理解しておくべきである(**図36**)。

Sports Skill

宙返りの回転と体幹筋の作用

体操の宙返り姿勢は，前方系，後方系ともに，①抱え込み姿勢，②屈身姿勢，③伸身姿勢がある。この宙返り姿勢と体幹筋の作用がうまく連動しないと，宙返りができない。前方系では回転力が得られる前に下肢を抱え込んでしまう。後方系では上体を引き付けてしまうと単なるその場抱え込みジャンプとなるか，宙返りが途中で止まって真っ逆さまに落ちてしまう。

腰部障害からの競技復帰アプローチ

腹圧向上と体幹の可動性改善

腰痛改善については，通常の治療，理学療法の

図36 SLR時の骨盤の補償的な動き

SLRの最大挙上は体操の前後開脚と同じ姿勢であり，骨盤の回旋と側屈で補償されている

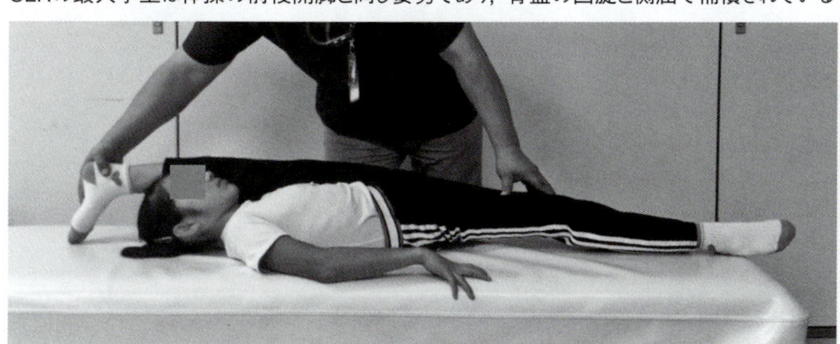
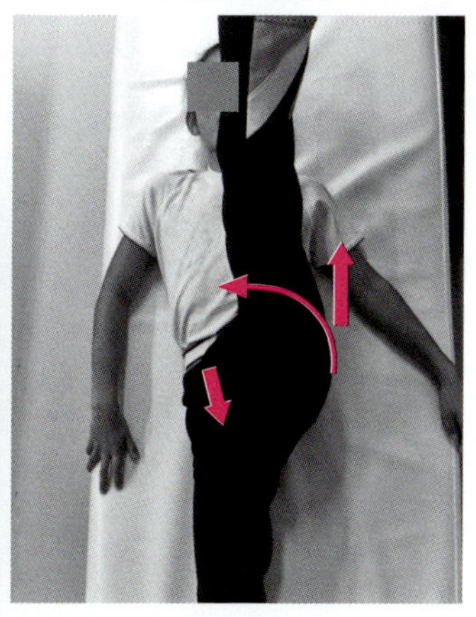

手段を用いるべきである。しかし，選手の特徴として，腹直筋の緊張が高く腹圧コントロールがうまく行えない選手は少なくない。アプローチの結果，腰背部筋群の筋緊張がなかなか改善しない選手に対しては，まず腹直筋の緊張改善を行うことを勧める。

筆者らは**図34**に示したように，バルーン（ときにはフォームローラー）を用いてストレッチを指導するが，腰痛が強い場合には徒手的な方法や物理療法の選択も有効と考えている。

ゆりかごエクササイズ

競技にはもともと，ゆりかごエクササイズという競技トレーニングがある。**図37❶**のように手足を伸ばして体幹部を緊張させ，前後に揺れる運動である。しかし，このエクササイズはやはり腹直筋優位となりやすい。そのため，選手にはまず，膝を抱えたゆりかご姿勢をつくらせ，腹直筋ではなく腹横筋を意識させる。腰背部痛がなければ，できるだけ背部を丸めさせる。抱え込んだ大腿部と体幹部に空間ができるようなイメージである。その姿勢で，さらに選手には腹横筋の収縮（ドローイン）を意識させる。この姿勢を保持したまま前後に揺れるゆりかご動作を反復させる（**図37❷**）。このゆりかごで腹横筋の収縮が意識できるようになった段階で，上下肢を伸ばした体操のトレーニング姿勢のゆりかごに戻すとよい（**図37❸**）。

腹横筋のエクササイズとしては，四つ這い位でのドローインも有効と考える。体操競技の四つ這い位での脊椎の後弯「つり姿勢」と，前弯「落とし姿勢」の中間位を保たせ，まっすぐな脊椎の姿勢でドローインを行わせる。脊椎中間位での腹圧エクササイズが進めば，腹圧を保持した状態でのつりと落とし動作の反復や，上下肢のクロスエクステンション姿勢をとらせながら，負荷の向上と動作時の腹圧維持を目指す。

ゆりかごエクササイズや四つ這い位エクササイズでいろいろな姿勢での腹横筋の機能発揮が可能となれば，次は腹臥位体幹伸展位でのドローインを行わせ，体操特有の体幹伸展位での腹圧コントロールを学習させる。腹圧コントロールが意識できるようになった段階で，立位での動作練習を行う。筆者らはバルーンを用いたウォールスクワットや体幹上部の伸展練習などを行わせている（**図38**）。

競技復帰時には，落とし，つぶし，あて動作の確認が必要である。つぶしに関しては，男女とも

図37 ゆりかごエクササイズの指導の工夫

❶体操競技のゆりかごエクササイズ。腹直筋優位となりやすい　❷膝を抱えたゆりかごエクササイズ。腹横筋を意識させる
❸腹横筋の収縮を意識できるようになったら，上下肢を伸ばして行う

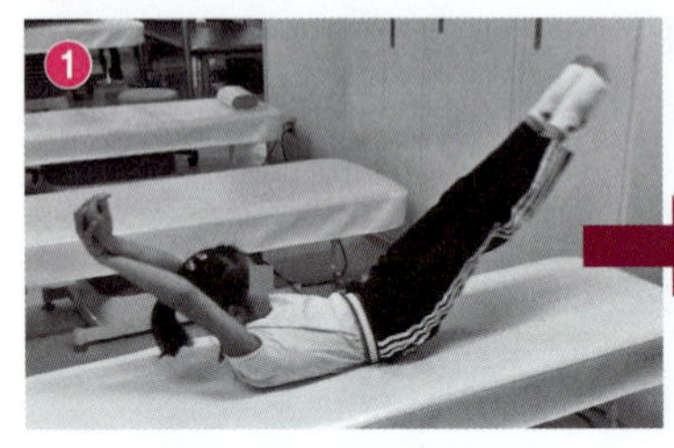

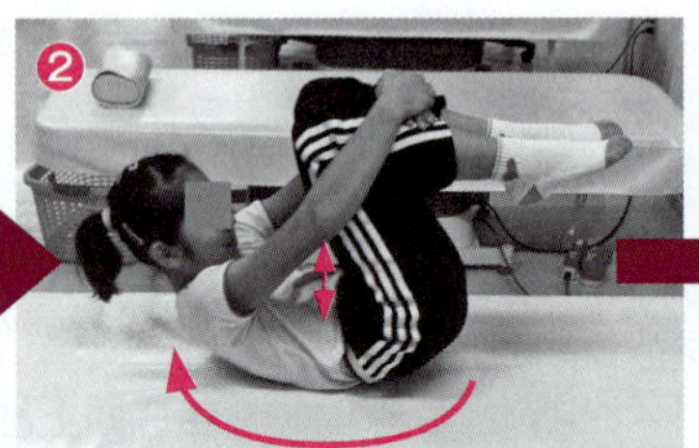

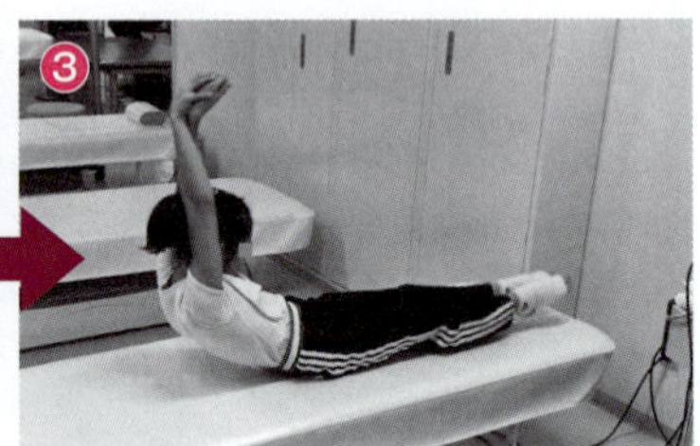

図38 立位での腹圧コントロールを意識したスクワット・体幹伸展動作

❶，❷壁のバルーンをおさえながら腹圧を維持したままスクワットを行う。背部がボールから離れないようにする

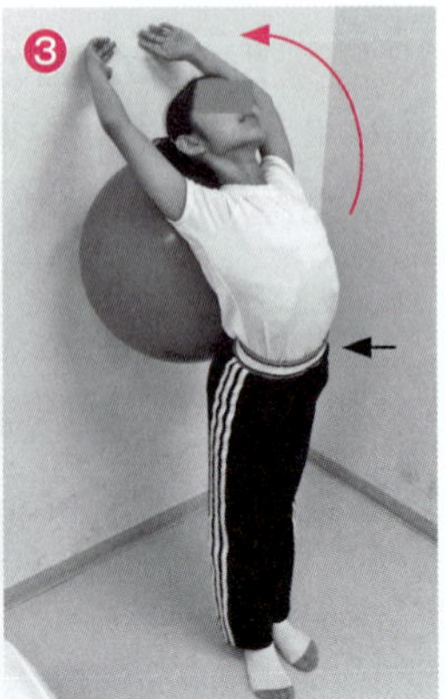

男子の平行棒を使用して動作確認を行うとよい。落としとあては，トランポリンを使って体幹の屈曲・伸展の切り替え動作を確認しておくことが有効といえる。

腰部のテーピング

腰部のテーピングは，あくまで予防的使用である。**図39**に示すように，腰椎棘上靱帯へのサポートと，傍脊柱起立筋群に対して尾側から頭側に向かってサポートを行っている。

腰部骨盤帯の評価から全身への影響を予測する

体幹の評価は単なる腰部の問題に限らず，その他全身的な競技動作の問題の予測につながることを忘れないでほしい。当たり前だが人の身体はつながっている。局所と全身，全身と局所のつながりが重要なことはいうまでもない。まさに腰は要である。

体幹の伸展・屈曲動作の観察は，宙返りの着地姿勢への切り替えの能力を予測することができる。後方伸身宙返りの技術が未熟な選手が，伸展姿勢で宙返りを行っているため腰痛を訴えてきたとする。選手の体幹の観察・評価において股関節周囲の機能低下を認めれば，空中の伸展優位の宙返り姿勢から，着地に必要な屈曲姿勢へと切り替える動作において腰へのストレスが強く働くばかりか，着地時の下肢へのストレスも大きくなることが予測できる。選手は腰痛のみならず下肢の問題を抱えているかもしれない。逆に，下肢の問題を訴える選手の要因は腰に潜んでいるかもしれないのである。

選手の観察と評価において体幹の機能低下が疑われた場合には，単なる腰部の問題として思考を止めず，着地時の下肢や上肢機能の発揮にも何か影響がみられないかと，考えを広げることが重要である。

体操選手の下肢の外傷・障害への対応

選手の下肢をみる

ひねり技と膝前十字靱帯（ACL）損傷

競技のひねり系の技の進化は著しく，「ひねり王子」という言葉も生まれた。体操の膝前十字靱帯（anterior cruciate ligament：ACL）断裂は，おおむねこのひねり系の技術の着地時に発生している。注目すべきは，ひねりの回数ではなく着地時の状況である。内之倉ら[8]は，2005～2020年に当院を受診し，膝ACL損傷と診断された女子体操選手83名，平均年齢17.2歳（11～25歳）の受傷種目と受傷時のひねり技の方向，受傷側について調査を行った。種目は床，次いで平均台が多く。受傷側は，ひねり技のひねり方向とは反対側の膝ACL断裂が，つまり左ひねりの場合，右側膝ACL断裂が多く，また，ひねり技では膝ACL損傷の他にも合併症発生の懸念を報告している[9]（**図40**）。ひねりを伴わない技と比べ，ひねり技の着地時には膝関節内および周辺組織へ加わる複合的なメカノストレスにより，ACLに限らずその他の膝関節構成体の複数箇所に重篤な損傷を発生させることを念頭に置き，初回損傷の予防のみならず，復帰後再断裂や反対側膝ACL断裂への予防意識を十分にもっておかな

図39 腰部のテーピング

❶体幹屈曲姿勢をとらせ，腰椎棘突起上に，尾側から頭側方向へ伸縮性テープを伸張しながら貼る
❷傍脊椎起立筋群に対し，仙腸関節部付近より頭側，肩甲骨下角まで貼る
❸完成図
*伸縮性テープを使用する

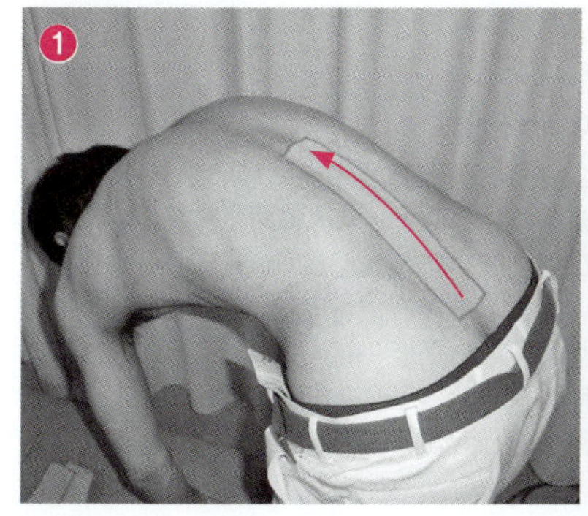

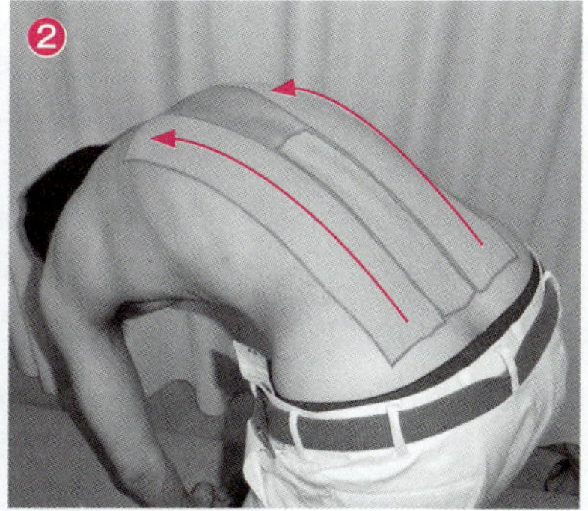

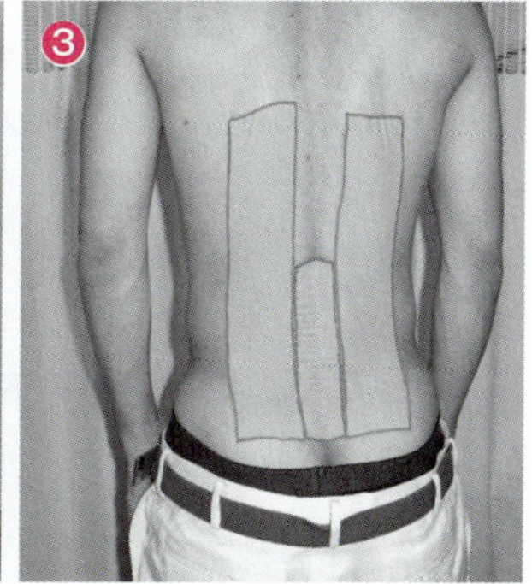

ければならない。

Check! 理学療法ガイドライン第2版

「ACL再建術後患者に対する理学療法においてバランス練習は推奨されるか」[10)]については，『理学療法ガイドライン 第2版』第13章「前十字靱帯損傷理学療法ガイドライン」のCQ5を参照されたい（https://www.jspt.or.jp/upload/jspt/obj/files/guideline/2nd%20edition/p745-780_13.pdf）。

Web版はこちら

図40 ひねり方向と受傷側

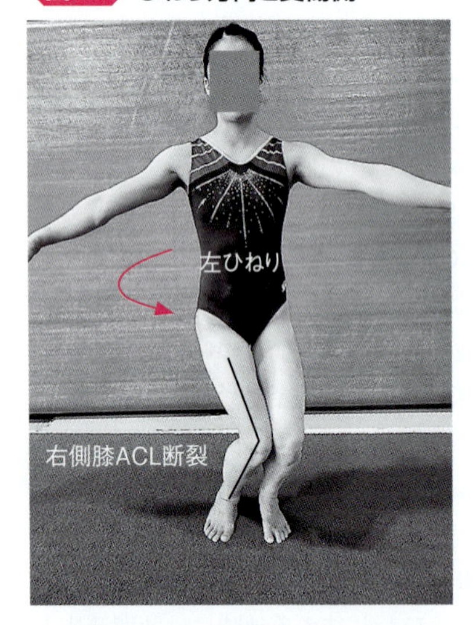

予防・競技復帰に向けた運動療法

着地は基本，足をそろえた姿勢といえるが，技の出来不出来により脚が閉じているとは限らない。選手個々人でも違いがある。選手一人ひとりのさまざまな場面を想定した着地動作の対応力向上を考え，両足スクワットジャンプなどは開脚や閉脚などのバリエーションをもたせ，ひねり技の着地対応としても選手のひねり方向のみではなく反対のひねり，180°や360°ターンジャンプなどを実施させ，ひねり後の着地の下肢制御力をひねり方向側・反対側ともに十分機能させられるように促すことが必要といえる。もちろんひねりの着地は膝のみではなく，体幹・骨盤帯を含めた全身の動的コントロールであることを意識させることも忘れてはならない。

下肢のしめ（体操選手の下肢閉脚姿勢）

もちろん下肢もしめてコントロールされていなければならない。

選手の宙返りの空中姿勢やその他の技の姿勢において，両足のつま先をピンと伸ばし，足をそろえた姿勢になっている。基本的に体操で膝を曲げて行う演技は，助走と着地，表現動作，抱え込みで行う技である。開脚技でないかぎり，不用意に下肢が開いたり，膝が曲がっても減点となる。

下肢のしめ姿勢の特徴

選手が行う下肢操作は，技の途中でもしっかりと閉じていなければならない。美しい下肢のしめ姿勢は，下肢回旋の中間位が理想であるが，選手は閉じた下肢に隙間ができることを嫌うのである。下肢の内旋操作による閉脚姿勢では，踵部がつきにくく隙間ができやすい。踵部をつけることを意識すると，自然に外旋位で閉じることとなる。下肢の各部位の筋ボリュームによって，隙間が埋まってみえるのである（**図41**）。

下肢のしめ姿勢とジャンプ動作

下肢のしめ姿勢は空間での姿勢だけではなく，競技動作のあらゆる面にも影響する。床運動のけり動作，つまりロンダートからバク転を行い，そこから月面宙返り（抱え込み後方2回宙返り1回ひねり）を行う際の床を蹴る瞬間においても，やはり下肢の外旋傾向が認められる選手がいる。着地時においてもその傾向がみられる（**図41**）。

● 着地動作の足関節コントロール

下肢操作でみられる外旋傾向は，空中姿勢から着地の際にスムーズかつ適切なタイミングで肢位変換を行わなければ，容易に外傷の要因となる。競技現場での指導においては，股関節から下肢の筋力強化と下肢の操作能力の向上に努める必要がある。

体操選手の体幹は，空中で伸身や伸展または屈身や抱え込み姿勢となる。抱え込み宙返りであれば下肢操作は着地姿勢に対応しやすいが，伸身系

Training

体操選手の身体特性

体操選手は意外と股関節周囲筋力が弱い。下肢の閉脚や片脚バランスなど，多くの下肢操作を行う体操選手であるが，純粋な股関節の筋力は思いのほか低い。さらに，競技現場では下肢の柔軟性獲得に対する情熱は，下肢の筋力トレーニングを凌駕してしまっている。現場に出る機会があれば，ぜひ下肢の筋力強化を奨励してほしい。

図41 下肢外旋位のしめが着地姿勢に及ぼす影響

宙返りからの着地姿勢に，下肢外旋位が残っている場合がある

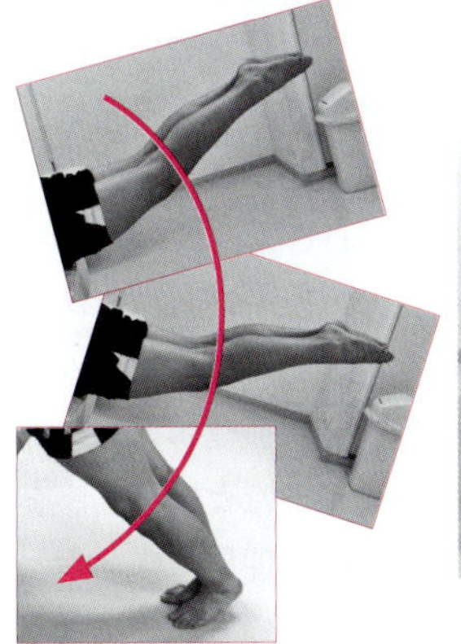

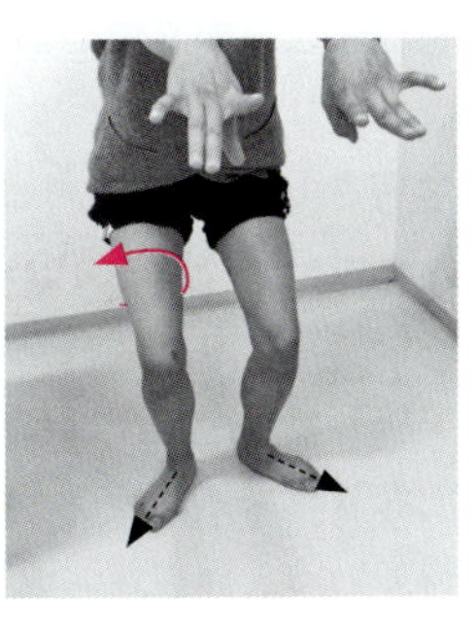

では意識的・無意識的に体幹伸展姿勢保持のために背面部筋群が強く作用し，着地対応の前面部筋群の発揮に切り替えなければならない。

前方宙返りであれば足底部から着地面に向かいやすく，足部・下肢の操作や筋力発揮も行いやすいと考えられる。さらに，勢いが余れば前方に転がって難を避け，勢いが足りなければ尻餅で済むこととなる。しかし，後方宙返りは頭部から，つまり着地地点の目視の後，上体から順に着地姿勢が準備されることとなる。体幹部の回転の後から着地に向かう下肢部の加速は思いのほか早く，準備が間に合わないという場合が出てくる。

前方系では，足関節の底屈位を解放して背屈位をつくり，着地面を感知して体幹の質量と床からの反力をコントロールしての着地が可能であるが，後方系では，空中の足関節底屈位を足部が床面に到達する前に背屈位に切り替え，次の瞬間には着地の大きな負荷をコントロールしなければならない。さらに，接地は前足部からとなり，着地に対する準備としての足関節背屈筋群の作用と，床反力の衝撃を抑えるための下腿後面筋群の出力発揮を切り替えるタイミングが合わなければ，着地が止まるどころか，その負荷により足関節は強制背屈させられることとなる。

体操選手の足関節の特徴

足関節の過可動性

選手の足関節は，内反・外反捻挫などの経験に限らず，美的表現の底屈姿勢や着地動作の背屈（ときに強制背屈）を繰り返すことで不安定性が生じている。もちろん，内反捻挫の経験者は多いが，選手・コーチは競技に必要とされる足関節の底屈柔軟性獲得のために，必死に底屈の柔軟トレーニングを繰り返している。できるだけきれいな底屈位をつくるために一生懸命に行われる柔軟は，結果的に距骨を前方に引き出し，前脛腓靱帯部に離解する力を加えて関節を緩ませてしまう（**図42**）。

そこに着地の強制背屈が加わる。手関節同様に競技特性といえるが，足関節の尋常ではない底屈位は体操に必要な可動性でもあり，これこそ体操選手の足なのだという業界の常識がある。緩い不安定な関節ではなく過可動的ではあるが，しっかりコントロールできる関節，筆者らの個人的な感覚で表現するなら，体操競技的な機能的関節という状態にすることが重要と考えている。

Treatment

体操選手は後方系宙返りの着地で，足関節の強制背屈が起きた状態を，足首が「つまる」「つまった」と表現する。選手が「足首がつまりました」と訴えてきたら，宙返りの着地で強制背屈が起きて足部を痛めたと解釈すればよい。

図42 足関節の柔軟

❶，❷体操競技の世界では，このようにして足関節底屈柔軟性を高めている
❸体操選手によくみられる柔軟姿勢だが，踵部で固定すると，足関節に前方引き出し様の外力が加わってしまう

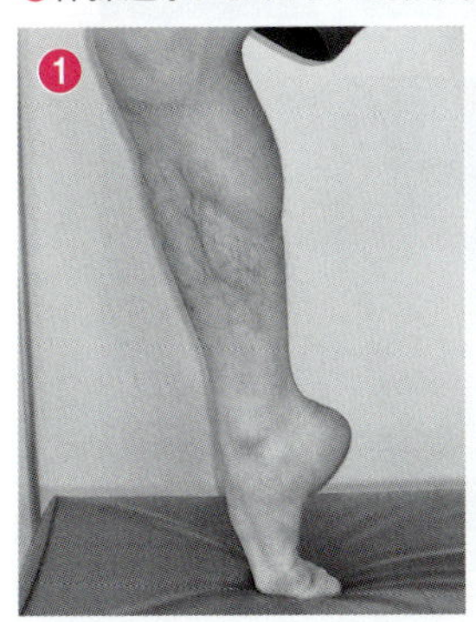

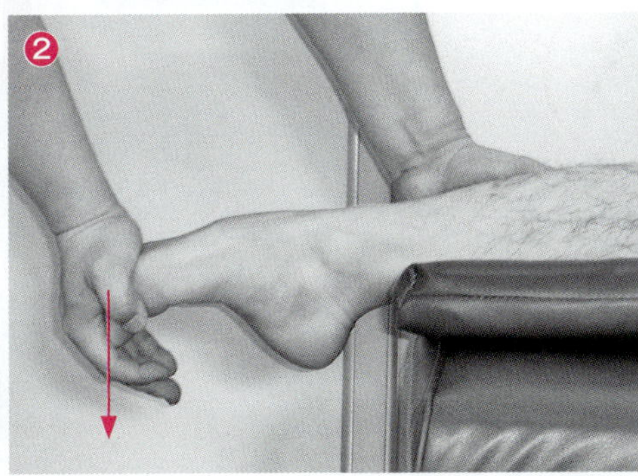

足関節の評価

選手の足関節傷害は，足関節靱帯損傷，靱帯損傷後の不安定症，足関節周辺部の骨折，腓骨筋腱脱臼，足関節離断性骨軟骨炎，変形性足関節症などさまざまである。

一見，アクシデントにみえる足関節捻挫であっても，前述のような選手の技術や身体操作性が要因となる場合がある。選手の足部は関節の不安定性を認めるため，徒手的な内外反ストレステストや前方引き出しテストを実施し，選手の現状を理解する。加えて，繰り返される着地の負荷で足部アーチの低下や足趾の機能低下が認められるため，現場や臨床で簡易的に評価できる，フットプリントの活用は有益といえる（**図43**）。開張足の程度，外反母趾や内反小趾の有無，前足・内側・外側のアーチの評価を行う。筆者らは，各足趾の接地状態と開きの程度を観察している。体操の動作において，床面の状態をセンサー的にキャッチして一早く状況に対応するためのフィードバックには，足趾の機能が重要なためである。

● 足関節へのアプローチ

足部の機能回復における注意点は，長年の競技生活で足関節の底屈姿勢保持が無意識に行われることである。例えば足関節障害の保存加療時に，下肢の筋機能低下の予防として大腿四頭筋セッティングを指導したとすると，選手達は基本的に足関節底屈位でのセッティングを行う。膝関節の伸展と足関節の底屈があまりにも自然に組み合わされており，選手本人もわれわれも気付かないほどである（**図44**）。

図43 フットプリント

体操選手にはアーチの低下を認める者が少なくない。また，足趾の機能低下がある。選手や現場と状況を視覚的に認識するツールとして，フットプリントは有益である

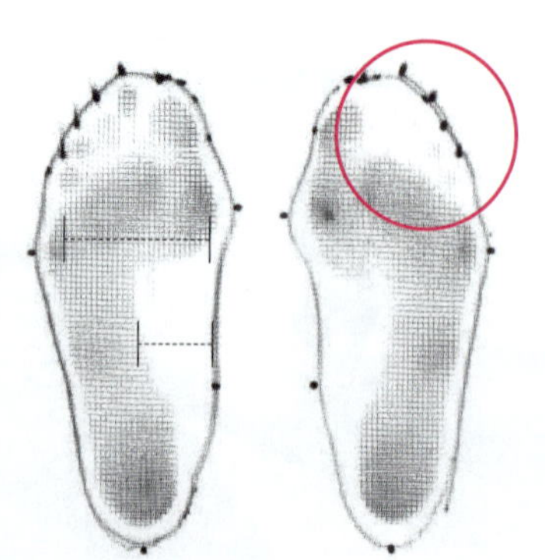

回復のための運動指導は，競技的な特殊な身体の連鎖機能の出現がかえって運動を阻害していないかを確認して基本的な連鎖へ修正を行い，回復を促すことが必要である。競技の特殊な連鎖機能を一度リセットし，患部の改善後に競技特性を再学習させる。筆者らはこれまで数百例の選手をフォローしてきたが，やはり「急がば回れ」である。受傷早期より，競技動作を意識してプログラムを実施しても，結果的に生理的な機能改善には基本的な身体の連鎖機能が最も効果的だという実感を得ている。回復後，改めて膝関節伸展・屈曲のどちらにもオートマチックに足関節の底屈が出現し，さらにその状態で下肢から全身の筋力が最大に出力できるようにすることが必要なのである。

● 足部傷害の競技復帰時に重要と考える評価

関節位置覚

傷害による関節位置覚への影響は見逃せない点と考えている。選手の競技復帰時に筆者らはブラインドの関節位置覚検査を行っているが，明らかな左右差を認めることは少なくない（**図45**）。選手自身は回復したと自覚していても，競技中の着地にはこのぐらいの背屈角度が適当だろうと操作

図44 足関節の自動的で無意識的な底屈の出現

❶足関節底屈は，体操選手には当たり前すぎて本人は意識できない。しっかり指導しなければ，すぐに底屈してしまう
❷大腿四頭筋セッティング時の足関節底屈を意識的に修正した状態

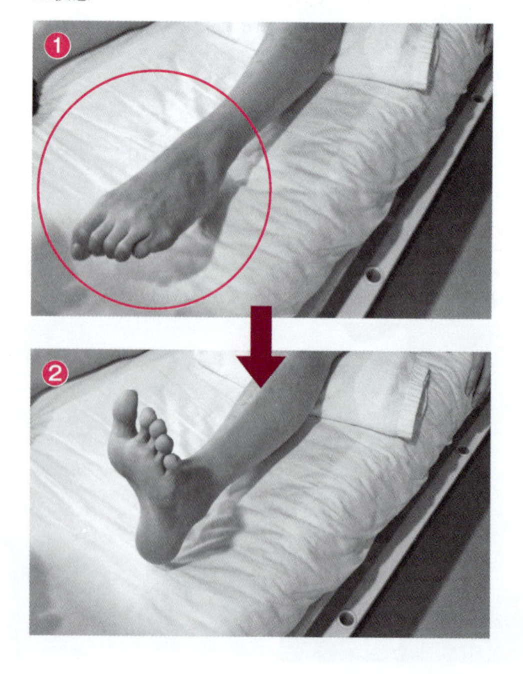

図45 足関節の関節位置覚のずれ

ブラインド（目を閉じる）における足関節の関節位置覚評価で左右差を認める。位置のずれは，不足もあれば過剰もある
❶背屈　❷底屈

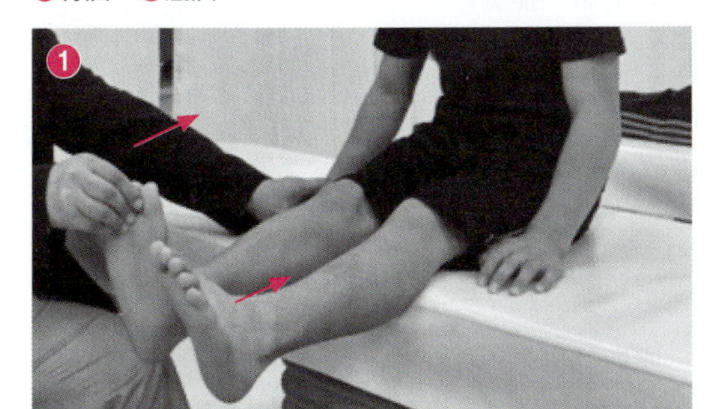

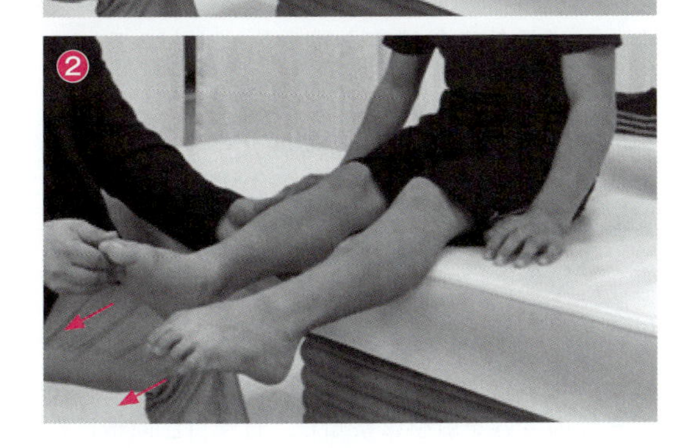

した角度に不一致があれば，われわれの前に選手はすぐに戻ってきてしまう。長年のけりや着地動作により，足関節の過可動性を有する選手であっても，その可動範囲を機能的に扱えるように再教育をすることが必要である。

関節位置覚のエクササイズ

関節位置覚の改善エクササイズは，左右の関節位置覚の差を自覚させ，その制御を実施することで選手は容易に感覚の回復を示す。筆者らはどの足部外傷においても，競技復帰直前の選手に対してはこの評価を行い，選手自身の関節コントロールの精度を高めておくように指導している。競技的に，足部を目視しながらコントロールすることはできないため，まさにオートマチックに再発が予防される状態へと促さなければならない。

● 下肢障害に対する競技復帰直前の指導

下肢障害への指導エクササイズ

足関節・足部の競技動作の再学習は，下肢姿勢に伴うオートマチックな足関節の底屈位や，内外旋位から適切なタイミングで着地に必要な肢位に切り替えられるように促すことである。

筆者は台上からの着地動作などを行わせる際に，下肢全体の内外旋位からジャンプを行わせ，着地は中間位で行う練習や，その場ジャンプのけり動作時に足関節底屈を強調させてから素早く切り替え着地を行うなど，競技的なシチュエーションを意識した指導を行っている。

非荷重位においても，足関節底背屈の切り替えや，下肢の回旋操作を素早く行わせるエクササイズなどの実施が有効である（**図46**）。

図46 競技姿勢を意識したジャンプ着地練習と下肢操作練習

❶外側への回旋傾向の姿勢　❷内側への回旋傾向の姿勢　❸下肢回旋中間位の姿勢で着地　❹，❺下肢の内・外側への回旋操作練習　❻足関節の底背屈操作練習

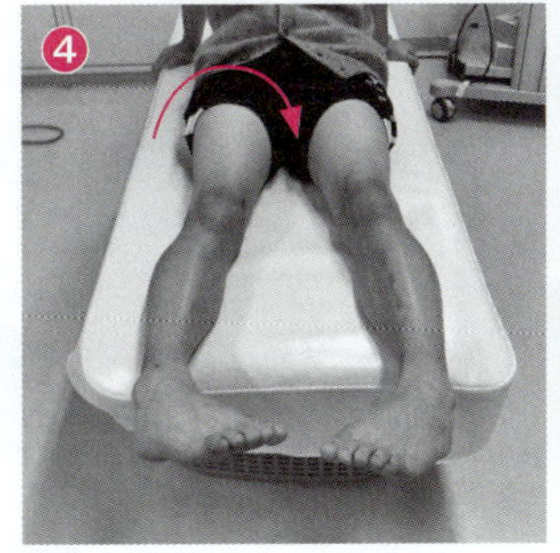

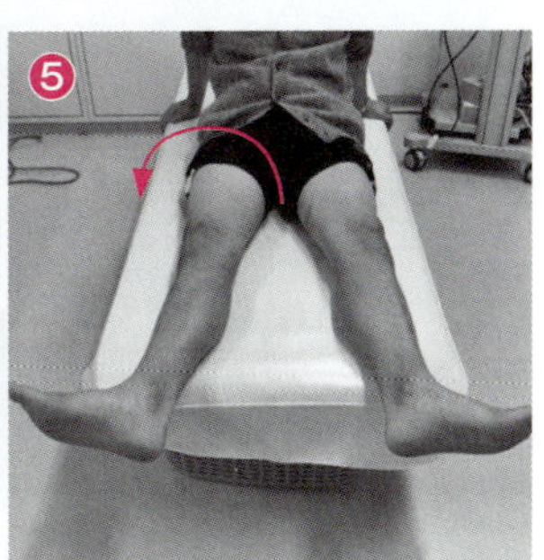

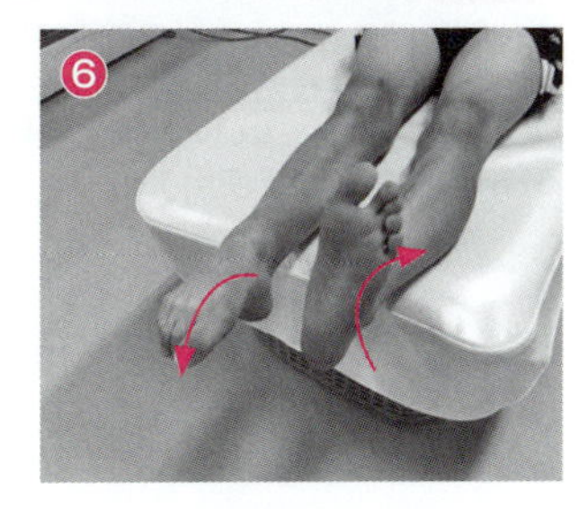

足関節周囲筋の強化としては，通常のスクワットやカーフレイズのほか，床のけり動作を意識して足関節の角度を調節した踵上げ状態をキープさせる等尺性エクササイズや，足関節の最大底屈位から最大背屈角度までゆっくりと踵を落とすエクササイズなどを実施させている（**図47**）。

足関節部のテーピング

足関節のテーピングは，着地の過背屈予防のために，遠位脛腓関節前面に非伸縮性のテープを用いて関節固定を行う方法を主に筆者らは指導している。このテーピング法は，テープを貼る際の底屈角度の調節で背屈制限の程度が変わる。また，競技姿勢に必要とされる足関節底屈操作に対しては影響が少ない方法として有効と考えている（**図48**）。

- **選手の管理，フィジカル「セルフ」チェック**

選手の傷害に向き合うことの第一義は競技力向上であり，むしろ傷害予防は付帯的なこととも考えるが，予防への取り組みは容易ではない。競技現場にかかわるわれわれは，体操の傷害や身体特性を土台にし，常に予防へのセンサーを張り巡らせておかなければならない。**図49**に示す「フィジカルセルフチェックシート」は，ジュニアナショナル代表トレーナーの室井聖史氏が考案し，ジュニアナショナルの合宿・遠征帯同時に実施してきたものである（2021～2022年の男子U-15・U-18ナショナル強化指定選手小・中学生14名，高校生16名に実施・推奨）。

シート表面にはチェック項目を記載し，裏面には選手へのワンポイントアドバイスが記載できるように工夫されている。特にジュニア期の選手にとって，何よりも選手自身が自分の身体特性や状態を把握するための働きかけを行うことが未来につながるといえる。

- **頭頸部傷害への気構え**

体操の頭頸部外傷は毎年数件の発生報告を認め，なかには重篤な後遺症を残すケースもある。スポーツ医科学サポートスタッフとしてわれわれが現場で活動する際には，頭頸部外傷の発生に対する適切な応急処置と，固定手技の実施が求められることを理解しておかなければならない。さらに近年，脳振盪に対するチェックや，回復段階におけるリカバリープログラム遂行のサポートの必要性が高まってきている。われわれの守備範囲とその責任の変容を敏感に察知し，日々自己研鑽に励まなければならない。

体操競技の傷害管理にかかわること

スポーツリハビリテーションという言葉は，日常生活動作とスポーツ活動を区切ることになる。

図47 足関節トレーニング

❶台の端などにつま先で立ち，キープする　❷，❸このポジションからゆっくり踵を落としていく

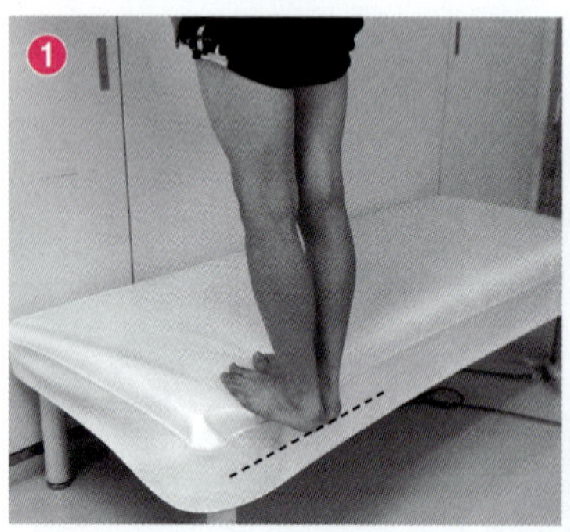

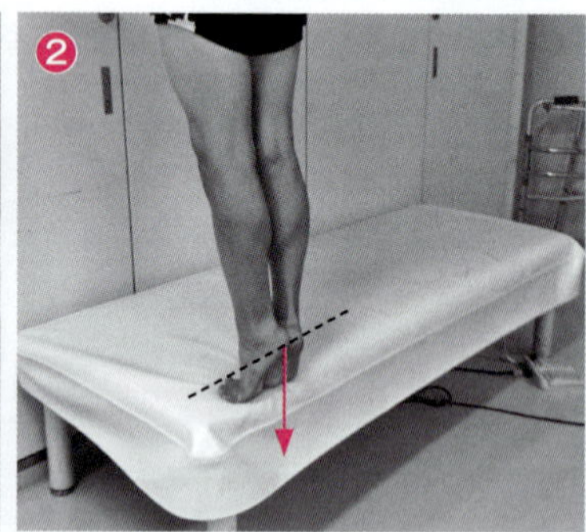

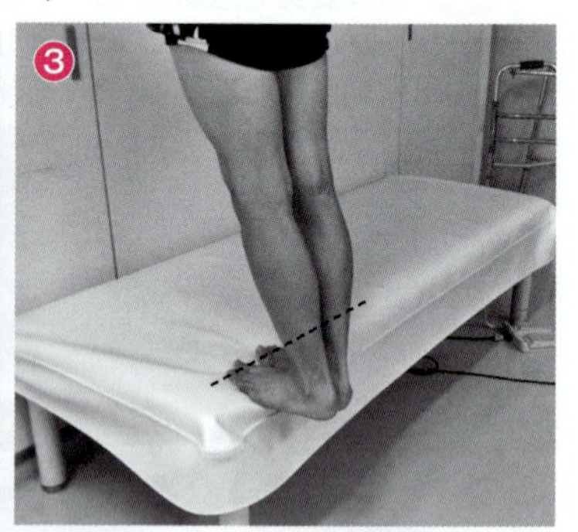

図48 過背屈予防のための脛腓関節の固定テーピング

遠位脛腓関節部で内・外果間を圧迫，固定する方法。強度を増す場合には複数枚貼る。図のように下腿から足部前面部のみに貼り，後方部には貼らない。腓骨を脛骨側に寄せて圧迫するように貼る（非伸縮性テープを使用する）

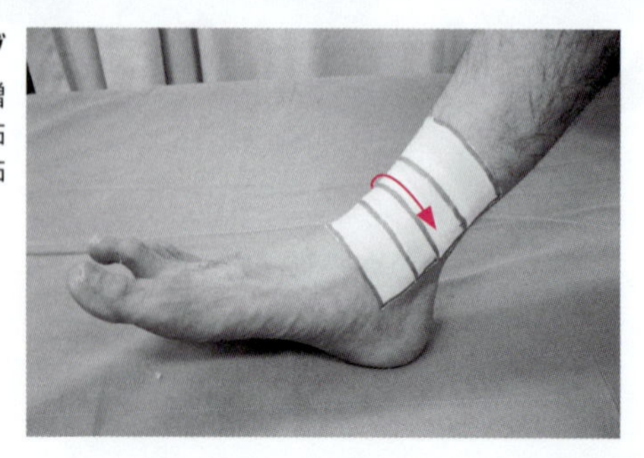

図49 フィジカルセルフチェックシート

❶表面 ❷裏面

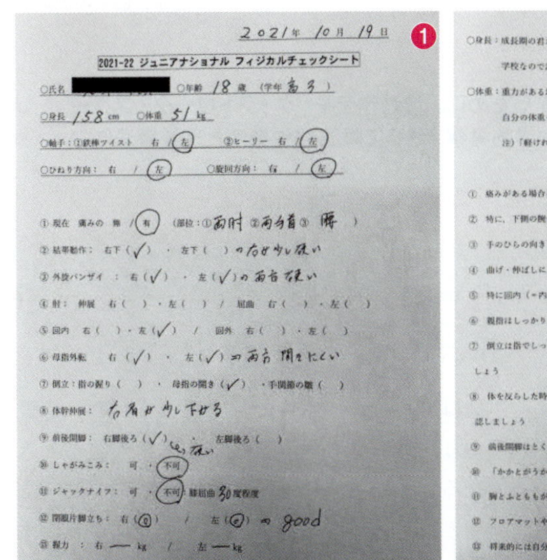

2021年 10月 19日

2021-22 ジュニアナショナル フィジカルチェックシート

○氏名 ▇▇▇▇ ○年齢 18 歳 (学年 高3)

○身長 158 cm ○体重 51 kg

○軸手：①鉄棒ツイスト 右 / (左) ②ヒーリー 右 / (左)

○ひねり方向： 右 / (左) ○旋回方向： 右 / (左)

① 現在 痛みの 無 / (有) (部位：①両肘 ②両手首③ 腰)

② 結帯動作： 右下 (✓) ・ 左下 ( ) → 右が少し硬い

③ 外旋バンザイ ： 右 (✓) ・ 左 (✓) → 両方硬い

④ 肘： 伸展 右 ( ) ・左 ( ) / 屈曲 右 ( ) ・左 ( )

⑤ 回内 右 ( ) ・左 (✓) / 回外 右 ( ) ・左 ( )

⑥ 母指外転 右 (✓) ・ 左 (✓) → 両方 開きにくい

⑦ 倒立：指の握り ( ) ・ 母指の開き (✓) ・手関節の罹 ( )

⑧ 体幹伸展： 右肩が少し下がる

⑨ 前後開脚： 右脚後ろ (✓) 少し硬い ・ 左脚後ろ ( )

⑩ しゃがみこみ： 可 ・ (不可)

⑪ ジャックナイフ： 可 ・ (不可) 膝屈曲 30 度程度

⑫ 閉眼片脚立ち： 右 (◎) / 左 (◎) → good

⑬ 握力 ： 右 ― kg / 左 ― kg

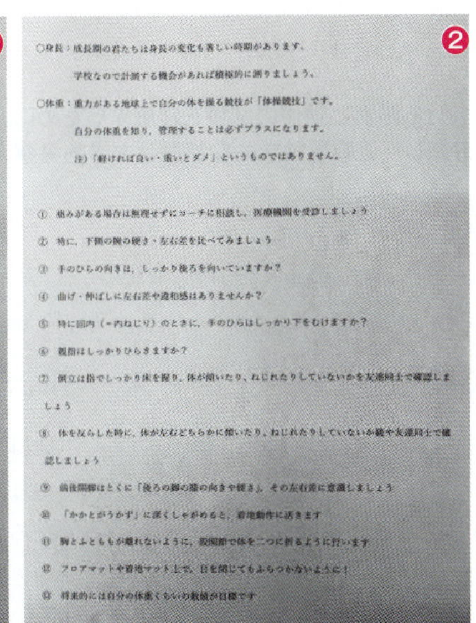

○身長：成長期の君たちは身長の変化も著しい時期があります。

学校などで計測する機会があれば積極的に測りましょう。

○体重：重力がある地球上で自分の体を操る競技が「体操競技」です。

自分の体重を知り，管理することは必ずプラスになります。

注)「軽ければ良い・重いとダメ」というものではありません。

① 痛みがある場合は無理せずにコーチに相談し，医療機関を受診しましょう

② 特に，下側の腕の硬さ・左右差を比べてみましょう

③ 手のひらの向きは，しっかり後ろを向いていますか？

④ 曲げ・伸ばしに左右差や違和感はありませんか？

⑤ 特に回内（＝内ねじり）のときに，手のひらはしっかり下をむけますか？

⑥ 親指はしっかりひらきますか？

⑦ 倒立は指でしっかり床を握り，体が傾いたり、ねじれたりしていないかを友達同士で確認しましょう

⑧ 体を反らした時に，体が左右どちらかに傾いたり，ねじれたりしていないか鏡や友達同士で確認しましょう

⑨ 前後開脚はとくに「後ろの脚の膝の向きや硬さ」，その左右差に意識しましょう

⑩ 「かかとがうかず」に深くしゃがめると，着地動作に活きます

⑪ 胸とふとももが離れないように，股関節で体を二つに折るように行います

⑫ フロアマットや着地マット上で，目を閉じてもふらつかないように！

⑬ 将来的には自分の体重くらいの数値が目標です

暗黙的に，日常生活動作の活動性が低く，スポーツ活動は高いという価値観を包含していることに危惧を感じる。

体操も同様に特殊であると一言でいわれる。体操だから，他の競技だから，一般だからと一線を引かず，対象者の動きを自分の目でしっかり見て考えることが重要である。

体操は体を操ると書く。その人がどう操りたいかを聞いて，一緒に考え，サポートすることは，アスレティックリハビリテーションから一般対応まですべてに通じること，つまり誰にでもできることだと考えている。

体操を理解することをきっかけに，ぜひ視野と考え方を広げてほしい。

【文献】

引用文献

1) 岡田 亨，脇元幸一：各論 -2（種目別）体操．MED REHABIL, 33: 63-74, 2003.
2) 太田昌秀：平行棒の「Felge」と「Felaufschwung」における握りの表記に関する一考察．順天大保健体育紀，24: 1-11, 1981.
3) 関口貴博：手のスポーツ外傷・障害 競技特性別アプローチ 体操競技 - 手関節痛．臨スポーツ医，35 (3) : 286-291, 2018.
4) 関口貴博，ほか：手関節へのテーピングによる手根骨アライメントの変化−第 2 報−．臨バイオメカニクス，36: 235-240, 2015.
5) 関口貴博，白土英明，ほか：スポーツ選手における手関節障害と柔軟性の関係−体操競技選手の競技復帰−．日臨スポーツ医会誌，20(3): 446-448, 2012.
6) 関口貴博，岡田 亨，ほか：手関節背屈時における手根骨可動性と背屈柔軟性の関係について．専門リハ，4: 38-42, 2005.
7) 関口貴博，ほか：手関節痛を有する体操競技選手における手関節背屈時の手根骨動態解析．日臨スポーツ医会誌，21 (1) : 27-35, 2013.
8) 内之倉真大，ほか：女子体操競技選手における膝前十字靱帯損傷の発生状況．理学療法学．48: 490-496, 2021.
9) 内之倉真大，ほか：女子体操競技選手の膝前十字靱帯損傷に伴う合併症．専門リハ，20: 45-50, 2021.
10) 日本運動器理学療法学会：第 13 章 前十字靱帯損傷理学療法ガイドライン．理学療法ガイドライン 第 2 版（公益社団法人日本理学療法士協会 監，一般社団法人 日本理学療法学会連合 理学療法標準化検討委員会ガイドライン部会 編）．pp.745-780, 医学書院，2021.

参考文献

11) 阿部和雄：体操競技 基本を学ぶために 9. ベースボール・マガジン社，1993.
12) Dobyns JH, Gabel GT: Gymnast's wrist. Hand Clin, 6(3) ;493-505, 1990.
13) 桜庭景植：若年の体操選手における上肢障害−あん馬における手関節障害を中心に．J Clin Rehab, 15 (6) ; 568-573, 2006.
14) 関口貴博，室井聖史，ほか：体操競技選手における肘・手首のケガ．トレーニング・ジャーナル，30 (12) : 26-33, 2008.
15) 室井聖史，岡田 亨，ほか：競技特性からみた肘関節離断性骨軟骨炎−野球と器械体操競技の病巣部位の比較−．専門リハ，7 ; 46-50, 2008.
16) 今田英明：若年スポーツ選手における手関節障害（Gymnast's wrist を中心に）．臨スポーツ医，26 (5) : 575-580, 2009.
17) 岡田 亨：競技特性に応じたコンディショニング 体操競技．臨スポーツ医，28（臨増）: 433-439, 2011.
18) Neumann DA: 筋骨格系のキネシオロジー 原著第 2 版(嶋田智明，ほか 監訳)．pp.390-391, 医歯薬出版社，2012.
19) 関口貴博，土屋明弘：Gymnast' s wrist における橈骨手根関節のキネマティクス．臨バイオメカニクス，34: 115-121, 2013.
20) 岡田 亨：女子ジュニア体操選手の傷害と障害予防．女子ジュニア選手のためのトレーニングのてびき（日本体操協会コーチ育成委員会 編）．pp.36-38, 日本体操協会，2013.
21) Gans I, et al.: Epidemiology of Recurrent Anterior Cruciate Ligament Injuries in National Collegiate Athletic Association Sport: The injury Surveillance Program, 2004-2014. Orthop J Sport Med, 6 (6) : 2325967118777823, 2018.

競泳

本項では競泳競技における障害と動作の関係を理解するために，泳動作をキック・ストローク・スタート/ターンの3動作に分類し，その運動学的な特徴と力学的考察，さらに障害発生機序と理学療法について解説する。

競泳の身体運動の特徴

競泳競技は，自由形（主にクロール），バタフライ，背泳ぎ，平泳ぎという4泳法（**図1**）と，個人メドレーからなる競技である。これらの泳法は，それぞれに大きく異なる推進メカニズムを有しており，上肢による推進力の依存率も自由形（クロール）が60～80％，背泳ぎが60～70％，バタフライが50～60％であるのに対し，平泳ぎは30～40％とされ，泳法により推進力の発揮システムが大きく異なる。しかし，水中を進む競技であるという観点からいえば，いかに水の抵抗を減らした状態で進むかが重要であることは共通している。

浮心，重心

水泳は支点のない水中で浮いたまま行われる競技であり，他のスポーツ競技と比べ，性質が大きく異なる。

浮力とは，流体中の物体に対して流体が及ぼす上向きの力であり，浮力の中心が浮心である。水中で浮いている状態での身体の位置は，重心と浮心の位置関係により規定される。陸上の立位での重心は第2仙骨高位，浮心は重心の位置から2～3cm頭側に位置する。

けのびの姿勢（ストリームライン）では上肢挙上位となるため，重心の位置は若干頭側に移動する。

図1 競泳競技の4泳法

❶クロール　❷バタフライ　❸背泳ぎ　❹平泳ぎ

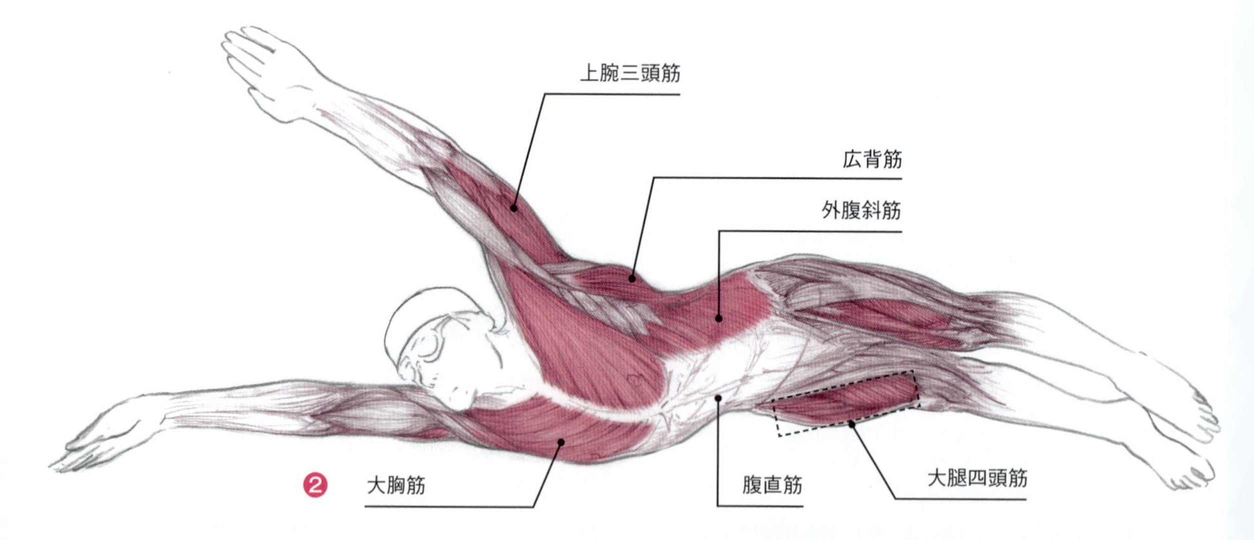

すなわち，重心と浮心の距離が近付くことで水中でのバランスが向上し，長時間ストリームラインを維持した状態で水面に浮くことが可能になる（**図2**）。一方，浮心と重心の距離が遠ければ回転が生じることになり，足が沈む状態となってストリームラインを維持することが困難となる（**図3**）。浮心と重心の位置に差が生じる原因としては，次の点が挙げられる[1]。

- 上半身に対して下半身の筋量が多い場合，重心は浮心に対して尾側に離れるため，回転が生じて足が沈みやすい状態となる。
- 両手を頭上で組んだ際（**図4**），上肢を頭側に伸ばすことで重心の位置をわずかに頭側へ移動することが可能になる（**図4❶**）。逆に上肢が伸びていない場合は重心が浮心に近付かないため，ストリームラインの維持は困難となる（**図4❷**）。

● 抵抗（造波抵抗，摩擦抵抗，圧力抵抗）

水泳中に泳者に働く抵抗にはいくつかの種類がある。主な抵抗としては，泳者が水面と衝突することで生じる造波抵抗，泳者の表面と水の間に生じる摩擦抵抗，そして圧力抵抗の3種類がある（**図5**）。

このなかで最も影響が大きいといわれるのが，泳者の身体フォルムの不均等によって水の流れに乱れが生じて発生する圧力抵抗である。この影響を最小限にするためには，泳ぐときの姿勢の凹凸を減らして滑らかにする必要がある。そのため，競泳競技では最も抵抗の少ないフォームの獲得と維持が重要視される[2]。

競泳競技における外傷・障害発生状況

浮力の影響を受ける水泳競技は，陸上と比べ重力の影響が少ないため急性スポーツ外傷の頻度は少ないが，競技力の高い選手では練習量の多さから慢性スポーツ障害の頻度が高い。

半谷ら[4]は国立スポーツ科学センター・スポー

Sports Skill

泳姿勢で重心を上げる方法として，ドローインが有効であるとする研究結果が報告された[3]。腹部引き込みにより内臓の位置が頭側へ偏位することで，重心の位置も頭側へ移動するため泳姿勢で下肢の沈みを抑制できるとされ，エリート選手の泳姿勢保持技術を示唆する結果であると考えられる。

図2 重心と浮心が近いストリームライン

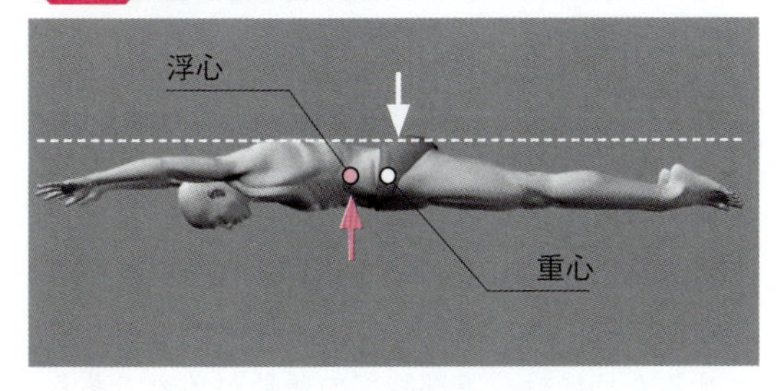

図3 重心と浮心が離れているストリームライン

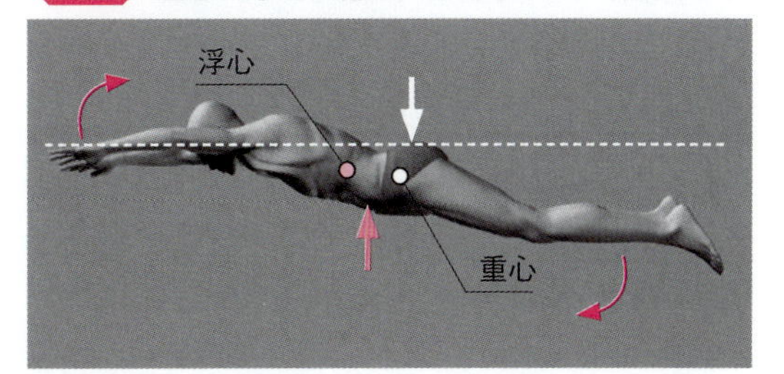

図4 ストリームラインと重心の位置

❶上肢を頭側に伸ばすと重心の位置がわずかに頭側へ移動する
❷上肢が伸びていないと重心が浮心に近付かないため，ストリームラインの維持は困難となる

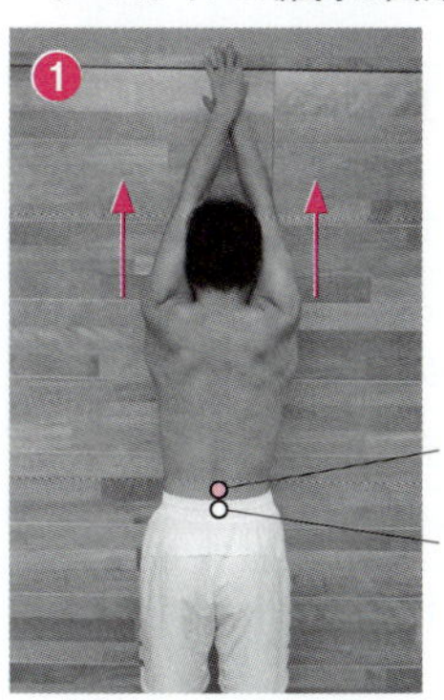

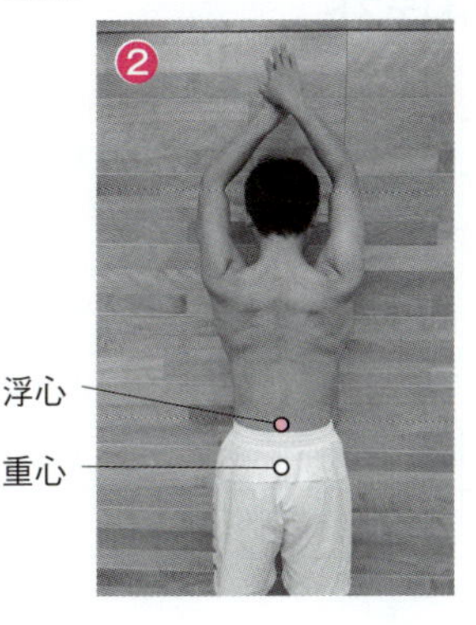

Rulebook

2008年の北京オリンピック前後に起きた，いわゆる「高速水着問題」を経て，国際水泳連盟（FINA）では2010年1月1日より，ラバー皮膜やポリウレタン皮膜などの非透水性素材を使用した水着を全面禁止にすることとし，素材は布地製に限定されることになった。水着が覆ってもよい範囲は，男子は臍から膝まで，女子は首を覆わない範囲から膝までに限定され，さらに素材の厚みや浮力についての規制も強化された。現在，公式大会では，FINA規格承認バーコードが付着していない水着の着用は禁止されている。同様の理由により，競泳競技ではテーピングやサポーター類の使用も禁止されている。

図5 泳者に作用する流体抵抗

❶抵抗の種類　❷抵抗が小さい姿勢　❸抵抗が大きい姿勢

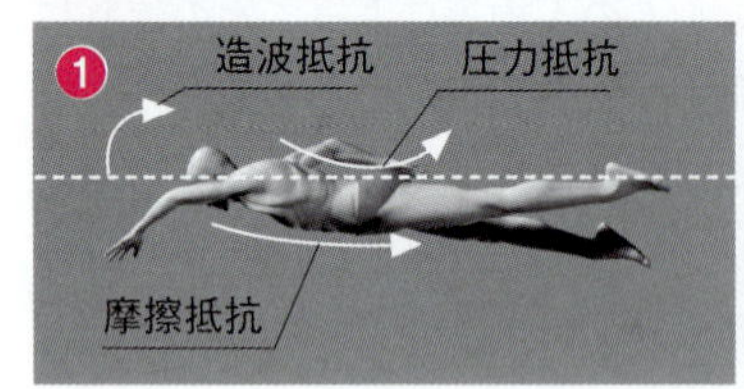

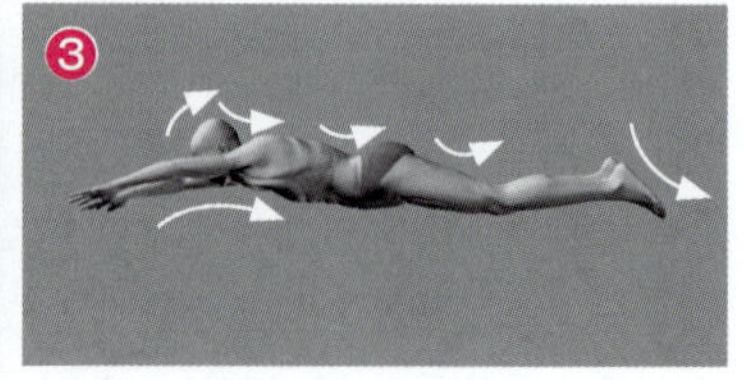

ツクリニックを受診した水泳選手の外傷・障害罹患部位を種目別に比較検討し，競泳では腰・肩・膝の順で発生数が多く，その内容は慢性障害が主であると報告している。また，部位別に比較すると，腰部では非特異的腰痛が最も多く，肩部ではインピンジメント症候群が多い結果となっている。

このように，わが国における競泳競技の外傷・障害に関する報告では，腰・肩・膝の3部位が多いとの報告が散見され[5, 6]，それぞれの発生要因として泳動作におけるマルユースとの関係が推察される（**表1**）。

ストリームラインの評価（図6）

水泳の基本姿勢は，前述の「けのびの姿勢」（ストリームライン）である。ストリームラインは，水中において最も抵抗の少ない姿勢であり，すべての泳法において重要である。ストリームラインの抵抗が少なければ泳速も上がり，かつ運動の効率がよいことから障害発生のリスクも低下する。しかし，疲労や筋のアンバランスによって，望ましいストリームラインが阻害される場合も少なくない。

図6❷のように，股関節が伸展制限によって軽度屈曲位にある場合，骨盤は前傾位となって腰椎の前弯が強制されたストリームラインとなる。また，**図6❶**のように胸郭の可動性が低下している場合，胸椎は後弯して肩甲骨内転位を保持できず，上肢を挙上することは困難となる。

いずれの場合も，滑らかで抵抗の少ないストリームラインの構築を妨げるものであり，非効率的なフォームによって腰痛発生の要因になりうる。このように，陸上でのストリームラインの姿勢を確認することにより，障害発生のリスクが推察可能である[7]。

安定したストリームラインを獲得するためのエクササイズ

下部胸郭拡大エクササイズ

一般に，浮力は肺内に空気を蓄えることにより増加するため，重心に対して浮心が頭側に存在する。しかし，一流競技者のストリームラインは常に足が上がっていることが多く，逆に初心者は足が沈んだ状態で泳ぐ傾向が認められる。すなわち，熟練者は浮心の位置を尾側に移動する技術を会得していると考えられる。

肺の容積は，胸郭の運動により変化する。上部胸郭は前後径が増加し，下部胸郭は左右径（横径）が増加する。重心位置に近い場所の空気量を増加させるためには，下部胸郭の運動が必要である。すなわち，下部胸郭における内腔の体積を増大させることにより，限りなく浮心の位置を尾側へ移

表1 競泳で多くみられる障害と動作・関節運動・整形外科テスト

障害名	疼痛発生状況	関連する水泳動作	原因となる関節運動	整形外科的テスト
水泳肩	インピンジメント症候群	リカバリー キャッチ	ローリング不足 肩関節過屈曲	Neer（ニア）インピンジメントテスト ペインフルアーク
	上腕二頭筋腱炎	リカバリー キャッチ	ローリング不足 肩関節過内旋	speedテスト Yergason（ヤーガソン）テスト
腰痛	伸展時痛	キック動作	骨盤前傾	Kemp（ケンプ）テスト
	屈曲時痛	スタート・ターン	股関節屈曲制限	SLRテスト
平泳ぎ膝	MCL損傷	ウィップキック	股関節内旋制限	外反ストレステスト

SLR：straight leg raising（下肢伸展挙上）　MCL：medial collateral ligament（内側側副靱帯）

図6 ストリームラインの例

❶胸郭前方の短縮を伴ったストリームライン　❷骨盤前傾を伴ったストリームライン　❸理想的なストリームライン

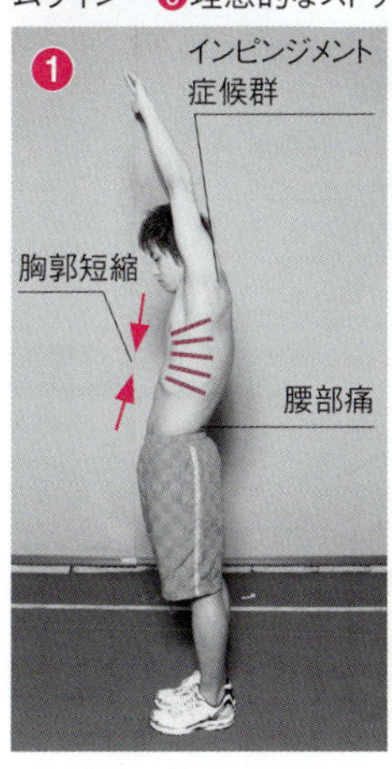

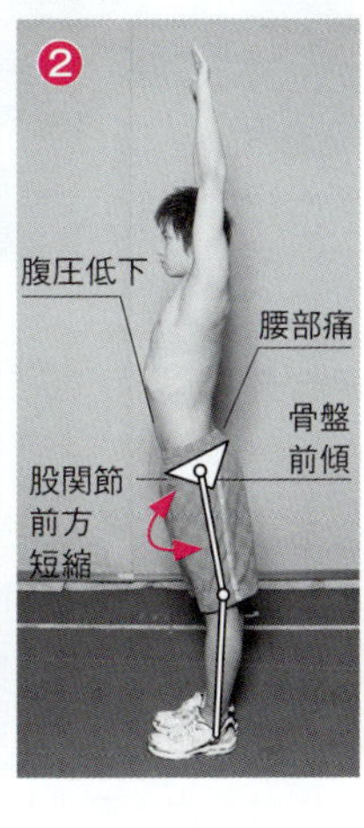

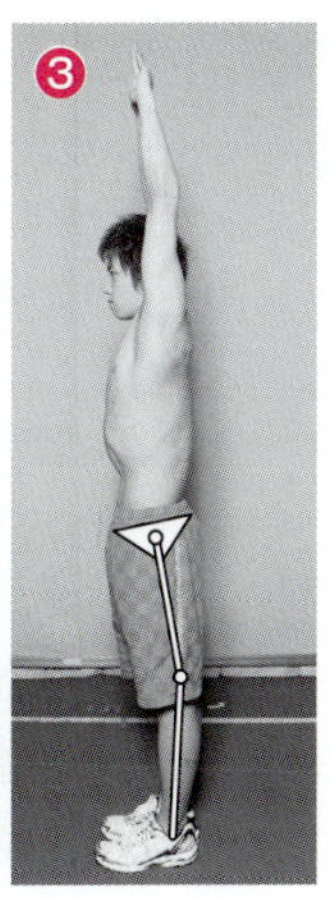

図7 下部胸郭横径拡大エクササイズ

下部肋骨にゴムチューブを巻き，ゴムチューブの抵抗に抗するように胸郭の横径を広げる

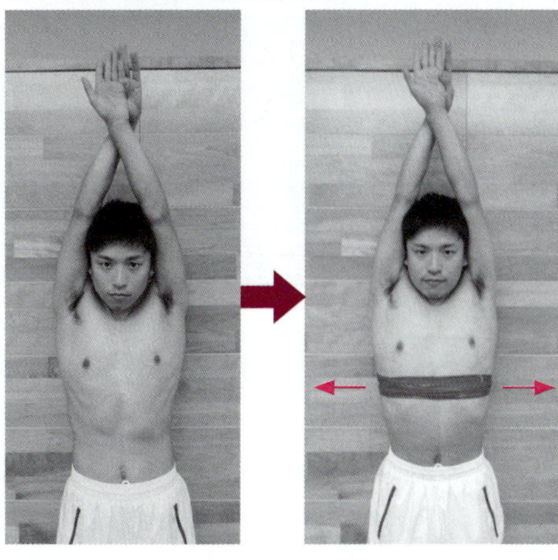

動させることが可能となる。

下部胸郭の横径を拡大するためには，下部肋骨にゴムチューブを巻き，ゴムチューブの抵抗に抗するように横径を広げるエクササイズを行うことが有効である（**図7**）。エクササイズ開始初期は吸気と同時に横径を広げる傾向があるが，慣れると呼吸とは無関係に横径を拡大することが可能になる。下部胸郭の横径を広げることにより，体幹のフォルムも水面に浮いている状態で回旋しにくい平板形状になり（**図8**），泳動作を安定させるために有利となることが予想される。

キック動作の機能解剖（下半身）

● 動作分析

ダウンキックとアップキック

通常，クロールのキック動作は，ダウンキック（下方向）とアップキック（上方向）に大別される（**図9**）。

主に推進力が発揮されるのはダウンキックであり，アップキックは戻しの意味合いが強いが，長距離選手ではアップキックも推進力として有効に作用している。

足背面による水のとらえ方

ダウンキックの際，膝関節と足関節が伸展位で固定された状態ではキックの水平分力の揚力成分が大きくなり，推進成分が低下する。一方，適度に膝関節屈曲・足関節底屈が行われることで推進成分が増加し，有効な推進力として作用することになる[8]（**図10**）。先行研究によると，キックによる泳速は膝関節伸展筋力とは相関が認められず，足部の柔軟性に相関が認められる[9]。実際，一流スイマーには足部フィンのように軟らかく過剰な底屈可動域を有する選手も多い（**図11**）。

しかし，前述のように泳法によってキック動作が推進力として発揮される割合は異なり，泳動作中のストリームラインと高いボディポジションを維持するためのバランサーとしての機能も重要なキック動作の役割である。クロールでは，上肢のプル動作のみで泳ぐ場合に，ねじれや歪みが生じてまっすぐ進むことができない選手が少なくない[10]（**図12**）。このような選手は，キックの作用によって上半身のアンバランスを是正し，ストリームラインを維持していることが考えられる。

図8 下部胸郭の形状による回転安定性の差

水面に浮いている状態では，頭側から見て丸い形状の胸郭は回旋しやすく，平たい形状の胸郭は回旋しにくい

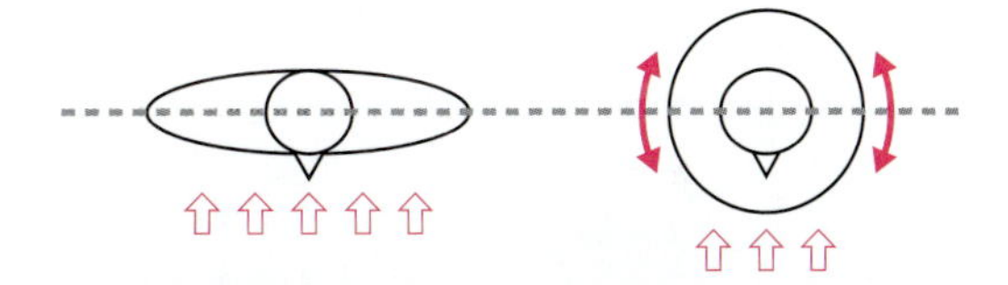

図9 クロールでのキック動作

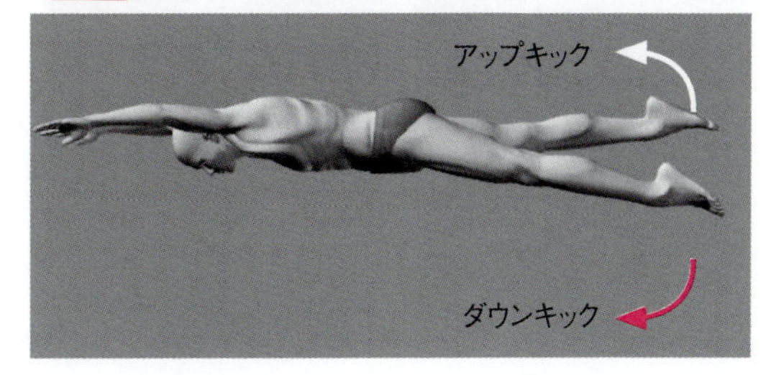

図10 キックにおける推進力発揮メカニズム

揚力：流体（液体や気体）中におかれた板や翼などの物体（競泳競技の場合は下腿～足背）に働く力のうち，流れの方向に対して垂直な成分

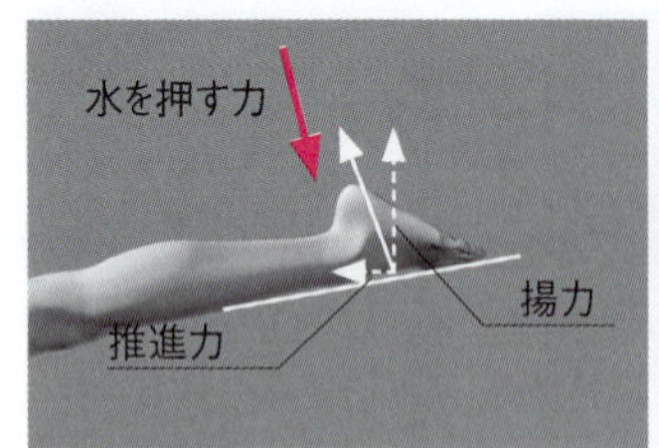

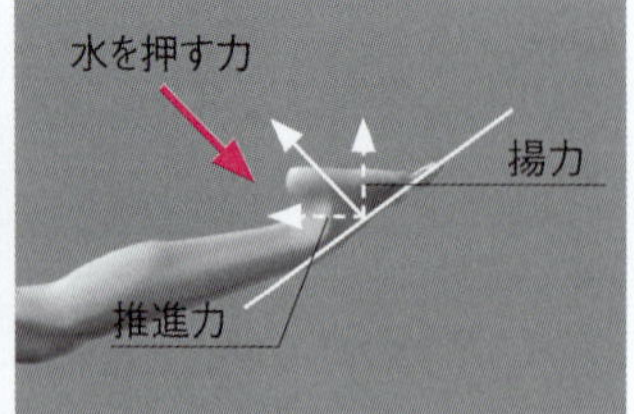

図11 一流スイマーの足関節底屈可動域

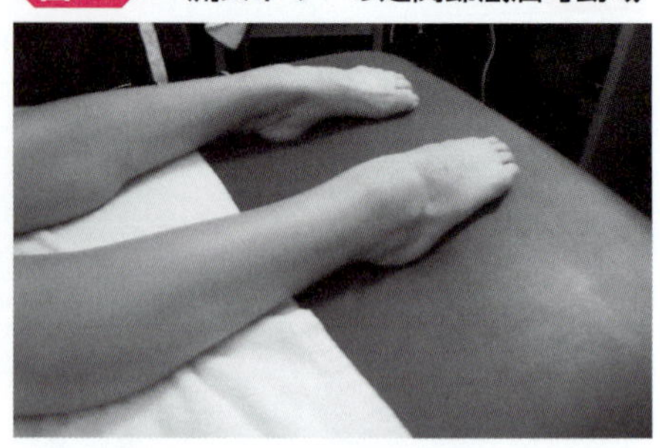

平泳ぎキック

平泳ぎのキックは，ウェッジキックとウィップキックの2種類に分類される（**図13**）。以前はウェッジキックが主流であり，両脚を広げた状態から水を挟みこむことで推進力を得るテクニックであった。しかし，脚を外に広げるため抵抗が増える点や，膝に外反ストレスが生じて膝内側に痛みが生じるリスクが大きい点などから，近年の一流スイマーではウィップキックが主流となっている。

ウィップキックは膝を広げず，股関節内旋によって下腿を外に広げ，足底を進行方向の反対側に向ける。足底で水を後方へまっすぐ押し，ジャンプするような感覚で推進力を得る。

キック動作による障害

伸展型腰痛

キック動作時に腰痛症状が認められる場合，腰椎から骨盤にかけて伸展ストレスが生じている可能性が考えられる。**図14❶**は，骨盤が安定した状態でのキック動作を示している。一方，**図14❷**は，骨盤が不安定な状態でのキック動作である。股関節の屈曲伸展運動と同時に骨盤の前後傾運動が過剰に生じ，腰椎の過伸展が強制され，L5-S1間に伸展ストレスが生じる。

中島ら[11]は三次元筋骨格系モデルを用いてキック動作時の腰椎挙動をシミュレーションし，キック動作時には腰椎椎間関節に伸展ストレスが生じるが，体幹深部筋の活動が増加することにより椎間ストレスが軽減することを確認している。

また，Hangaiら[12]は，水泳選手の椎間変性割合が他のスポーツ種目と比較して有意に多いと報告している。泳動作は腰椎伸展ストレスの誘因となり，伸展型腰痛のリスクを有している動作といえる。そのため，キック動作時には体幹筋による骨盤固定作用が求められる。

平泳ぎ膝

平泳ぎ膝は平泳ぎのキック動作が誘因とされ，膝内側部の伸張ストレスによって膝内側側副靱帯付近に炎症が生じる。また，同様の機序により鵞足炎，タナ障害，膝蓋骨亜脱臼症候群，内転筋付着部炎などが生じる場合もある。

近年，平泳ぎのキック動作の主流であるウィッ

図12 キックの有無によるプル姿勢の違い

❶プルとキックのコンビネーション
❷プルのみ・キックなし

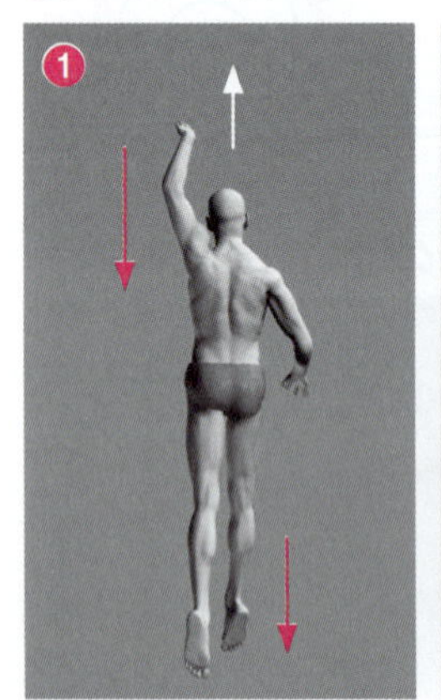

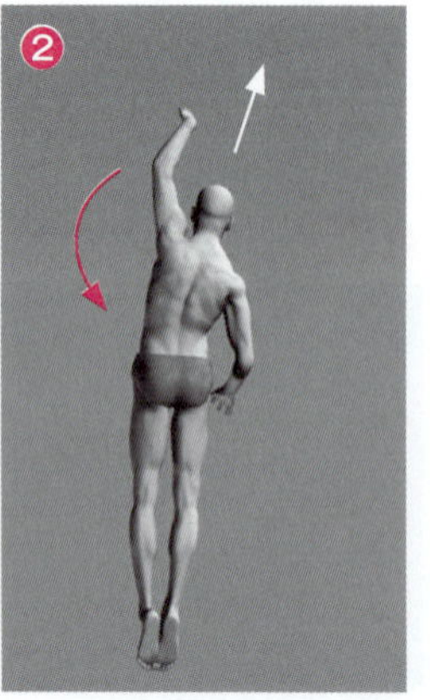

図13 平泳ぎキック

❶ウェッジキック：以前の主流。水を挟んで進む
❷ウィップキック：近年の主流。水を押して進む

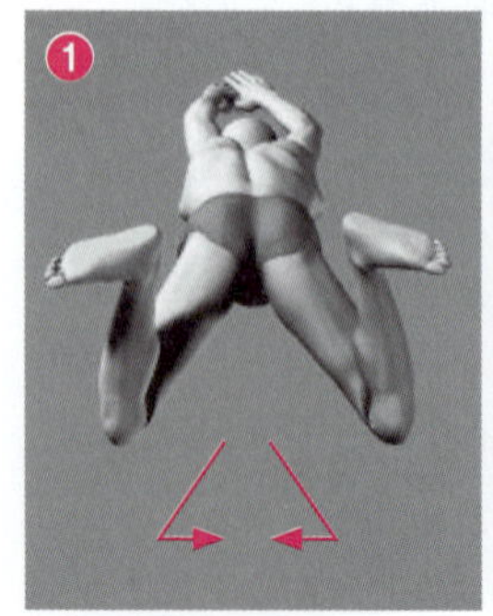

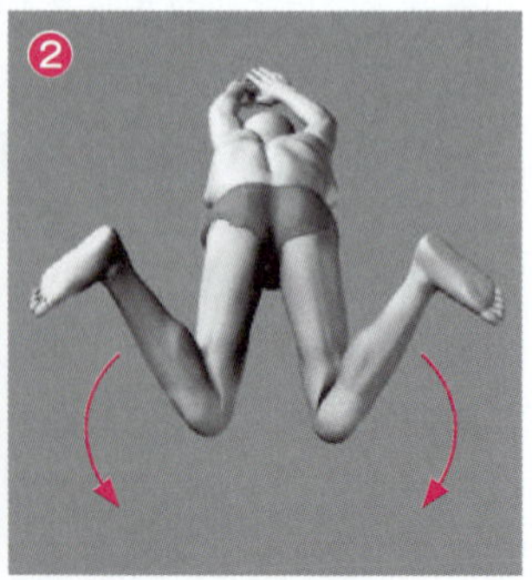

図14 骨盤の安定性とキック動作の関係

❶骨盤が安定した状態でのキック動作
❷骨盤が不安定な状態でのキック動作

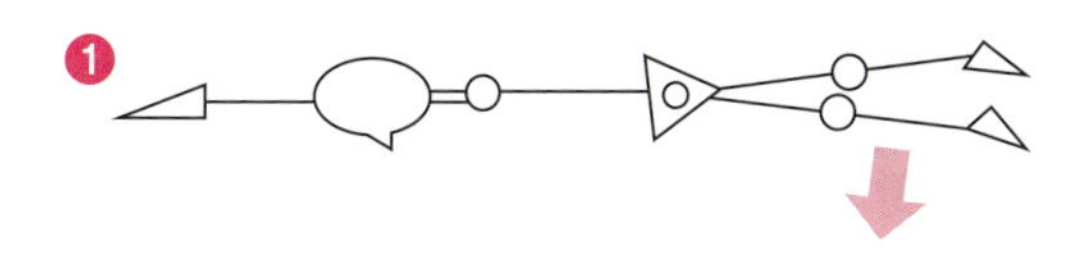

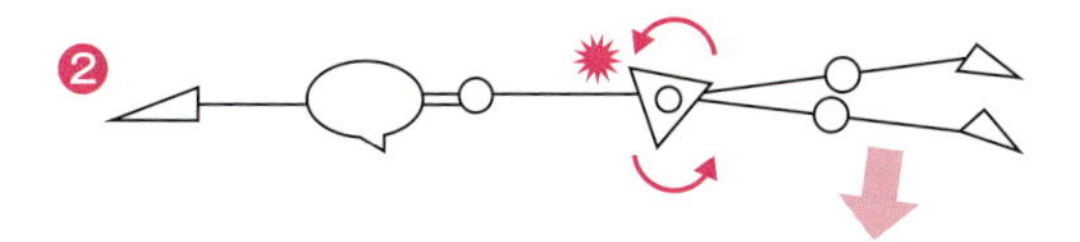

背泳ぎのキック方向と作用

クロールとバタフライでは，ダウンキックは前側に蹴るフロントキックであるが，背泳ぎではフロントキックがアップキックとなる。そのため，背泳ぎではアップキックが推進力として主に作用することになり，さらに上肢のキャッチ動作と連動することで身体の位置を高く維持することにも寄与する。また，一流背泳ぎ選手は，ダウンキックも推進力として効率よく作用するといわれる。

プキックでは，膝をあまり開かずに股関節内旋・膝関節外旋し，足底で水を押す際，下腿を鞭のようにしならせてキックする（図15❶）。本来はウェッジキックに比べて膝へのストレスは少ないテクニックであるが，股関節回旋可動性が低下した場合には膝関節の過外旋が生じ，膝内側への伸張ストレスが増大することになる（図15❷）。

有痛性三角骨障害

前述のように，スイマーの足部はキック動作により底屈が強制されることから，バレエダンサーと同様に後方インピンジメントによる有痛性三角骨障害が散見される。底屈可動域制限を伴う場合には手術適応となるが，保存療法・手術療法いずれの場合においても足関節の過剰な不安定性が残存すると再発の可能性があるため，理学療法の実施が重要となる。

キック動作の評価

下肢キックテスト（図16）

キック動作での下肢－体幹筋の連動を確認するために，背臥位で腹部を引き込ませ，深部体幹筋を活性化した状態で脚を挙上・静止させ，足背部を押す。このキック動作をイメージした下肢への負荷に対し，体幹筋が作用していれば骨盤は固定され安定を維持する。一方，足背部を押した際に骨盤がぐらついた場合には，体幹筋によって骨盤が固定されず，下肢と体幹の連動がうまく作用していないと推察される。

股関節内旋制限（図17）

平泳ぎ膝が疑われる場合，患側の股関節に内旋制限が認められる症例を臨床上多く経験する。この内旋制限の原因として，特に股関節外旋筋群の短縮を多く経験するため，股関節外旋筋群のタイトネスを評価することも必要である。

キック動作による障害に対する理学療法

腹圧

水泳において，腰痛発生予防のために最も重要なのが，深層腹筋群による体幹固定能力である（図18）。半谷ら[14]は，SLR実施時の体幹筋活動を

図15 ウィップキックにおける股関節内旋可動性と膝内側ストレスの関係

❶股関節内旋＋下腿外旋
❷股関節内旋↓，下腿外旋↑：膝内側の伸張ストレスが増大する

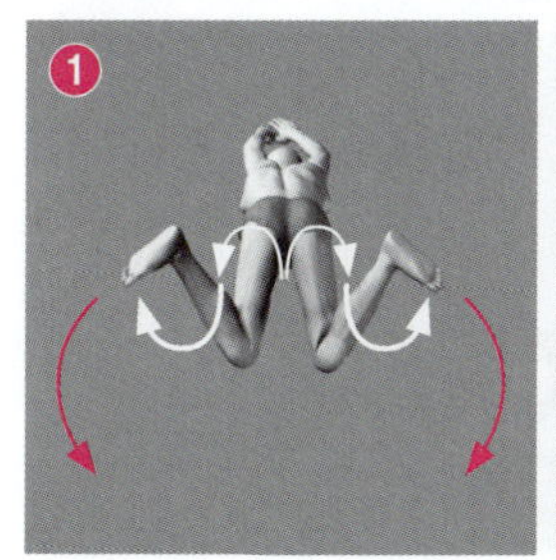

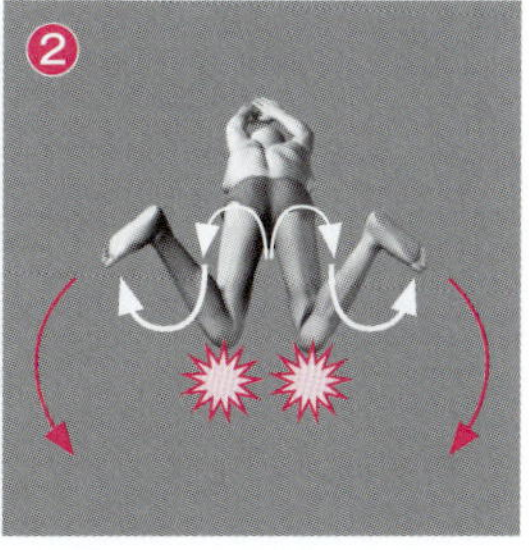

図16 下肢キックテスト

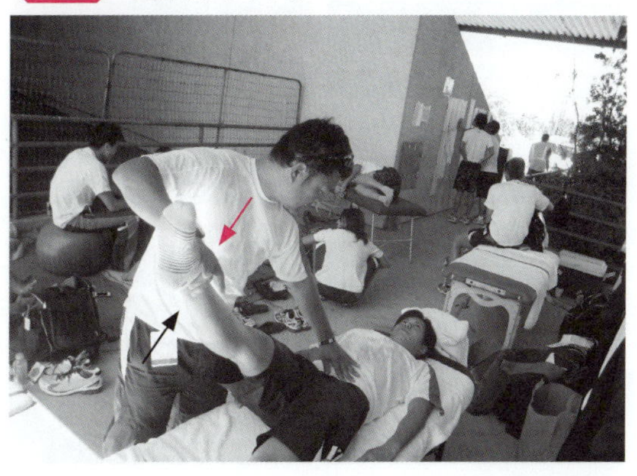

図17 右股関節の内旋制限

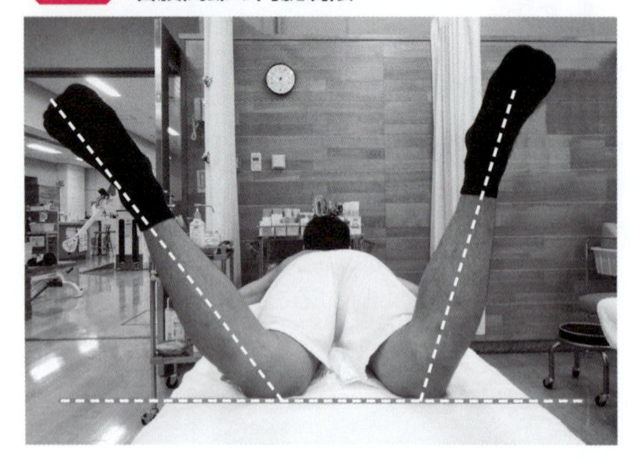

MRIで撮像し，体幹回旋制動には腹部引き込みが有効であるとした。この際，腹部引き込み動作において，側腹部筋厚の変化が確認されている（**図19**）。この結果から，腹横筋の活性化には腹部引き込み（ドローイン）が有効と考えられる。このとき，腰椎の過前弯を抑制するためには，腹横筋だけではなく内腹斜筋も必要に応じて動員されるべきと考えており，ドローインによる腹横筋の活動と同時に，骨盤後傾によって内腹斜筋が収縮する[15]ことで，さらに強固な体幹固定が可能となる。

実際のエクササイズとしては，まず背臥位で腹部を引き込んで腹横筋の収縮を促し，次に骨盤後傾方向の内腹斜筋を収縮させる。このとき，腰椎の生理的前弯を保持するために，腰部と床（ベッド）の間にタオルなどを挿入することで，内腹斜筋の静止性収縮が可能になる。また，腹直筋の収縮を抑制するように触知し，極力筋活動を避けるべきである（**図20**）。さらに，ドローインを行いながら下肢を多方向に挙上するエクササイズなども行う（**図21**）。

図19 腹筋収縮時の体幹筋MRI

❶ドローインなしでの腹筋収縮　❷ドローインでの腹筋収縮

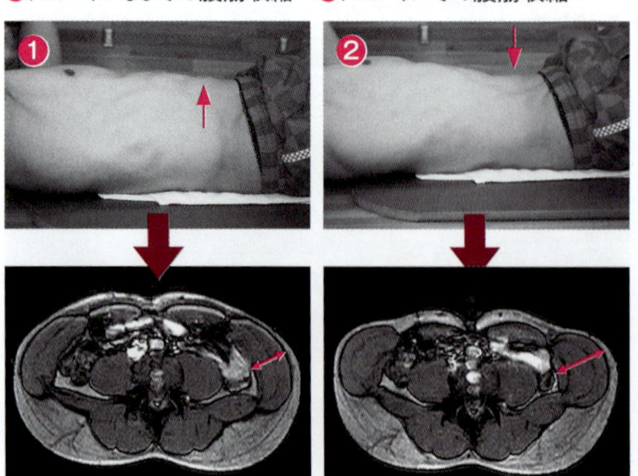

Sports Skill

柔軟性と泳法の関係[13]

競泳選手の身体各部の柔軟性は，泳法によっても差が認められる。筆者らが強化指定選手の柔軟性測定結果を解析したところ，足部底屈柔軟性は背泳ぎ選手，反張膝はバタフライ選手において，他の泳法に比べて有意に増加していた。これは，背泳ぎではアップキックによってボディポジションが維持され，バタフライではダウンキックが上半身を浮上させる力源となるというそれぞれの泳法の特徴によって，柔軟性が変化したものと推察される。

図18 腹腔内圧（intra-abdominal pressure：IAP）が生じるメカニズム

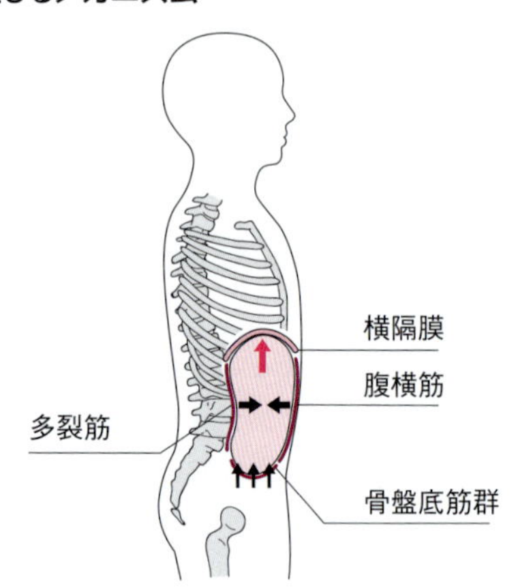

● アーリー・アクティビティ

Hodges[16]は，非腰痛群に対して腰痛群では腹横筋の活動が遅延するという結果から，腰痛予防には四肢の運動に対する腹横筋先行収縮（アーリー・アクティビティ制御）による体幹固定が重要であるとしている。

実際のエクササイズとしては，アーリー・アクティビティの再学習という点から，まずは腹圧に

図20 ドローイン＋骨盤後傾

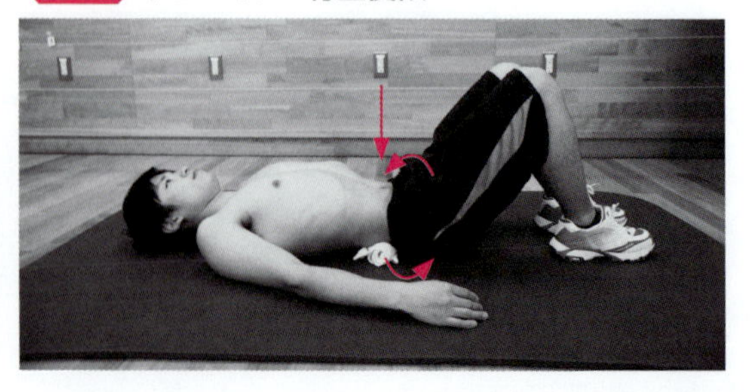

図21 ドローイン＋下肢挙上

❶ドローイン＋SLR　❷ドローイン＋内外転　❸ドローイン＋サイドSLR

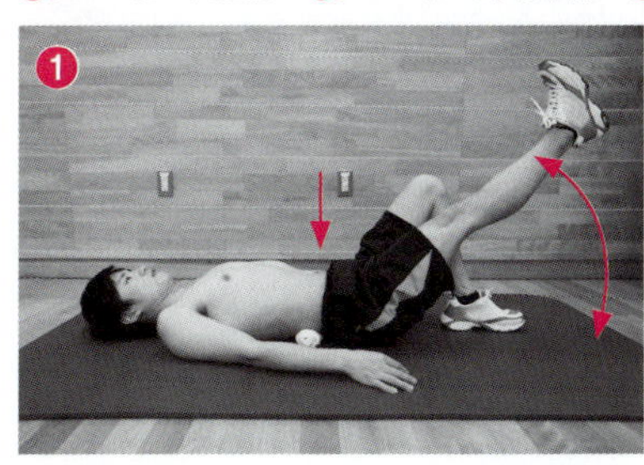

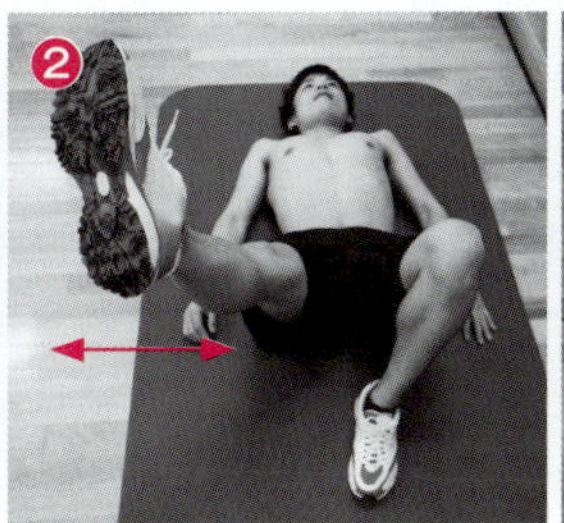

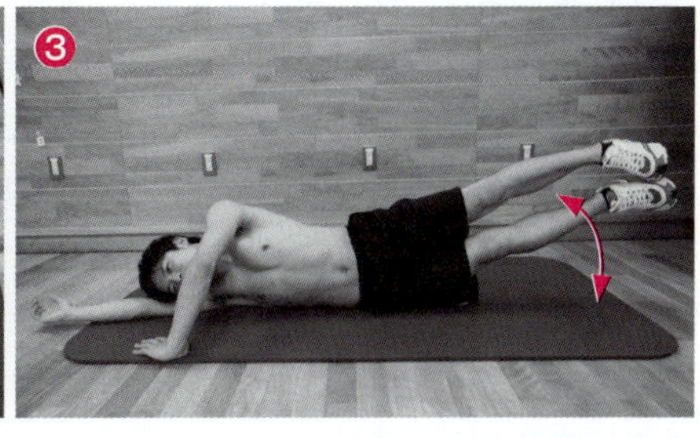

より体幹を固定し，それから次の動作に移るという順番の学習が重要である。これによって，競泳において求められる強度の体幹固定に対応することが可能になると考えられる。

スタビライゼーションエクササイズ

大久保ら[17]はワイヤー筋電を用い，各種スタビライゼーションエクササイズにおけるローカルマッスルの活動状況を詳細に検討している。

四肢挙上側と腹横筋活動側の差

図22は，スタビライゼーションエクササイズ時の上下肢挙上側と腹横筋活動量を示している[17]。上肢挙上時には同側の腹横筋，下肢挙上時には反対側の腹横筋の活動が増加しており，必ずしもすべての体幹筋が同時に動員されているわけではない。この結果から，例えば右上肢が挙上困難な場合は右腹横筋の活動低下が推察できるため，活動が優位な側と低下している側の評価が可能である。

また，一側上肢と反対側の下肢を挙上した場合，上肢と下肢をそれぞれ挙上した場合の筋活動量が積算されるわけではなく，強度として著明な変化は認められない。そのため，対側上下肢を挙上する場合に負荷増の効果は期待できず，主としてバランス向上の効果を期待するエクササイズであるといえる。

姿勢の差による体幹筋活動の変化[18]

図23に，スタビライゼーションエクササイズの種類であるhand-knee，elbow-knee，elbow-toeにおける体幹筋活動量を示す。

一般に，elbow-toeが最も高強度なエクササイズとして認識されているが，各エクササイズ間にお

図22 スタビライゼーションエクササイズ時の腹筋活動量

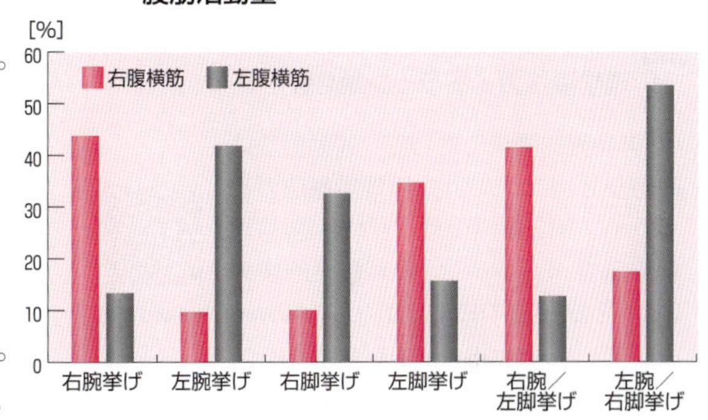

（文献20より許諾を得て転載）

図23 スタビライゼーションエクササイズの姿勢の差による体幹筋活動の変化

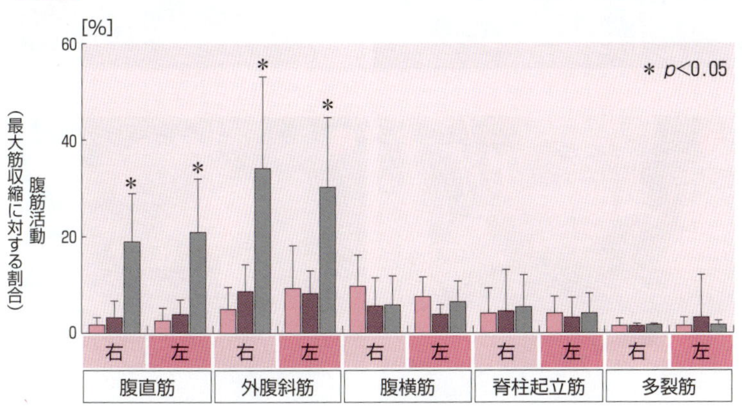

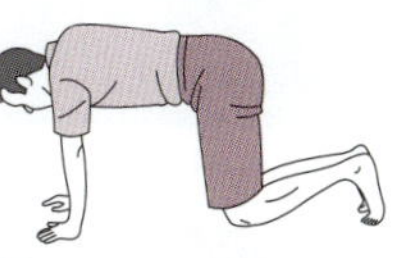

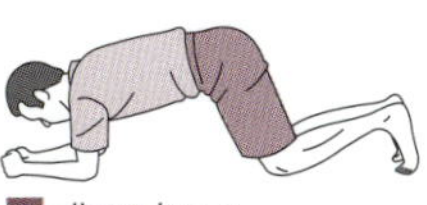

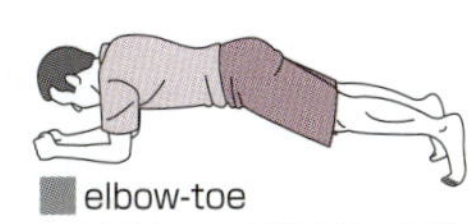

（文献20より許諾を得て転載）

けるローカルマッスルの活動に有意差は認められず，外腹斜筋などグローバルマッスルの活動に有意差が認められた。つまり，**図23**の3肢位においてローカルマッスルに対する効果に差はなく，トレーニング強度はグローバルマッスル動員量の差であるといえる。逆にいえば，elbow-toeによるエクササイズではグローバルマッスル優位となることから，ローカルマッスルの活動が低下する可能性も示唆される。体幹のスタビライゼーションを効果的にトレーニングするためにはhand-kneeから段階的に展開する必要があり，elbow-toeを導入する場合にはローカルマッスルが確実に活動しているかの確認が不可欠であるため注意を要する。

水泳競技で行うスタビライゼーションエクササイズ（**図24**）としては，①股関節伸展位で行い，かつ，②上下肢に力みを生じさせず，③体幹を固定したまま上下肢を動かし続ける，といった要素が必要となる。そのため，水泳ではelbow-kneeを基本肢位とし，片腕挙げと片脚挙げを交互に実施するように指導している。

Check! 理学療法ガイドライン第2版

「非特異的腰痛に対して，運動療法は有用か」[19]については，『理学療法ガイドライン 第2版』第6章「背部機能障害理学療法ガイドライン」の非特異的腰痛CQ1を参照されたい（https://www.jspt.or.jp/upload/jspt/obj/files/guideline/2nd%20edition/p383-426_06.pdf）。

Web版はこちら

股関節外旋筋群ストレッチ

平泳ぎ膝で股関節内旋制限が生じている選手に関しては，股関節外旋筋群のストレッチが必須である。股関節は多軸関節であり，かつ外旋筋群は股関節を取り囲むように付着しているため，一方向だけではなく多方向でのストレッチが必要である（**図25**）。

足関節底屈筋群エクササイズ

底屈時の後方インピンジメントによる三角骨障害では距骨の前方偏位が認められる。また，キック動作により背屈筋力優位のアンバランスが生じ，距骨前方偏位を助長する。そのため，底屈筋群の活性化により距骨を後方に引き込み，足部の安定化を図る（**図26**）。

Check! 理学療法ガイドライン第2版

「慢性足関節不安定症に対して，理学療法は推奨されるか」[21]については，『理学療法ガイドライン 第2版』第15章「足関節捻挫理学療法ガイドライン」のCQ2を参照されたい（https://www.jspt.or.jp/upload/jspt/obj/files/guideline/2nd%20edition/p801-817_15.pdf）。

Web版はこちら

図24 競泳のトレーニングで行うスタビライゼーションエクササイズの例

❶競泳スタビライゼーションエクササイズ基本姿勢：肘・膝支持（elbow-knee）　❷elbow-knee片脚挙げ　❸elbow-knee片腕挙げ

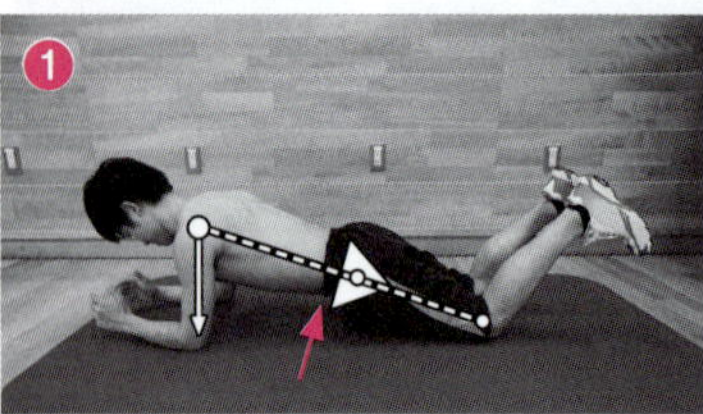
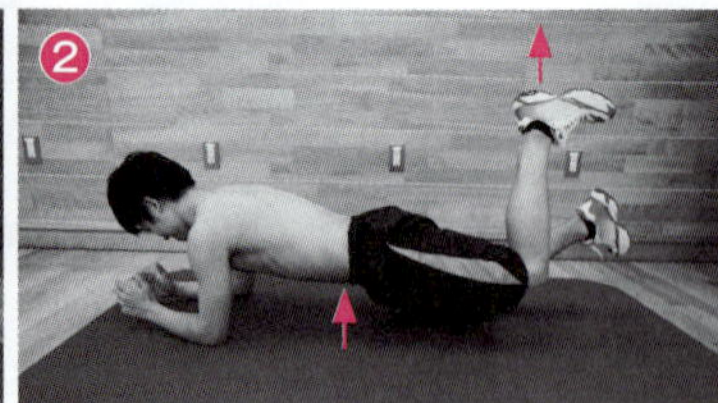
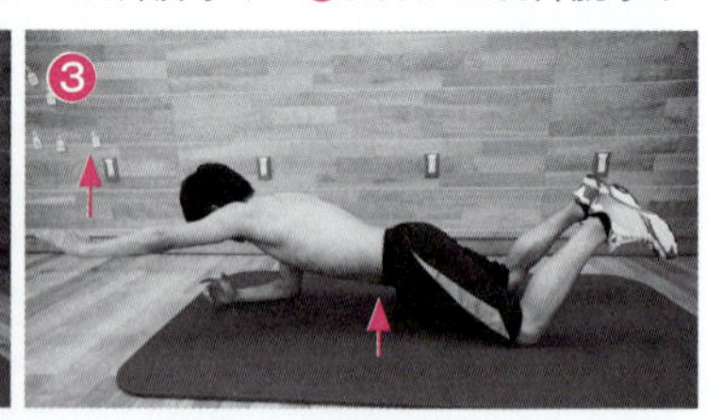

図25 股関節外旋筋群ストレッチ

❶前から見た図　❷後ろから見た図

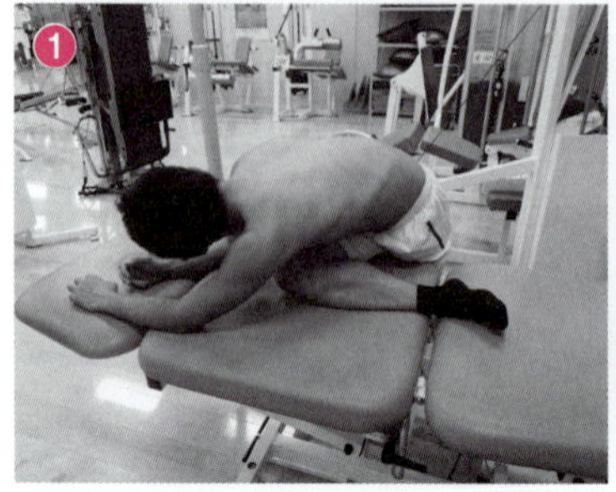
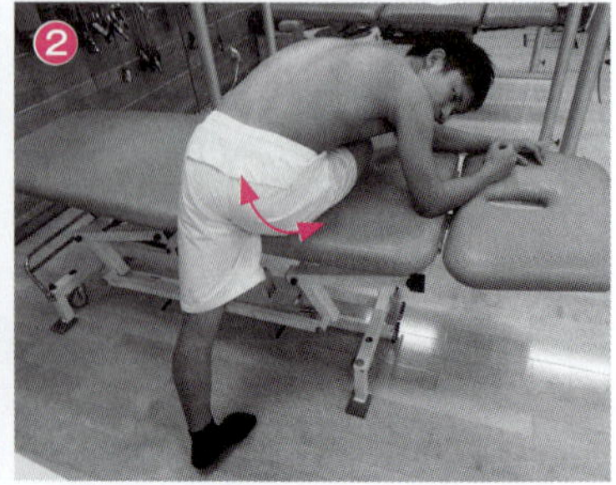

ストロークの機能解剖(上肢)

動作分析

泳動作のなかで上肢の動きはストローク(stroke)とよばれ，1周期は推進力となるプル期(pull phase)と戻しの局面となるリカバリー期(recovery phase)に分類される。本項では，最も一般的な泳法であるクロールのストロークを解説する(**図27**)。

プル期

- **エントリー(entry)**

上肢挙上位で入水する局面をいう。このとき，肩甲上腕関節は軽度内旋位を，前腕は相対的に回外位を示し，指先から入水することで水面での抵抗を軽減させる。

- **グライド(glide)**

エントリーの後，上肢を頭側に伸ばす局面を指し，フォワードリーチ(forward reach)ともよばれる。これは，後述するキャッチアップ・クロールで認められる動きであるが，コンテニアス・クロールではみられない。

- **キャッチ(catch)**

入水後，手掌面を尾側に向けることで水圧の抵抗を利用して推進力に変換する。この動作をキャッチとよび，指を閉じて手掌面全体で水をとらえることが必要となる。上肢挙上位のポジションで，腹筋群による体幹の安定性が必要とされる。

- **プル(pull)**

キャッチ局面から，手掌面を尾側に向けたまま肩関節を内転・伸展・内旋，肘関節を伸展することで，身体を前方に推進させる。水泳指導者はこの動作を，「水を引っ張る」と表現する。主動作筋は広背筋であるが，腹横筋と内外腹斜筋による体幹固定作用が重要であり，固定が十分でない場合は広背筋により上半身の起き上がりモーメントが発生し，腰椎伸展動作が発生することになる。

- **フィニッシュ(finish)**

水を押し切って推進力とした後，前方に戻す直前までの動きを指し，プルの最終局面をフィニッシュとよぶ。泳法によっては，水を押し切るプッシュ(push)と水面から手を抜くリリース(release)の動作要素も含まれる。

リカバリー期

- **リカバリー前期**

水面下でフィニッシュを迎えた後，水面より手を抜く局面から前方への戻し動作の直前までを示す。肩関節は内旋・伸展し，体幹の回旋を伴う。

- **リカバリー中期**

肩関節内旋を伴いながら外転する。体幹は最大回旋となる。

図26 母趾球立位バランス

❶前足部で立ち，底屈筋群で足関節中間位をコントロールする
❷前足部の立位をコントロールできたら，両上肢を上げ下ろし外乱刺激を加える

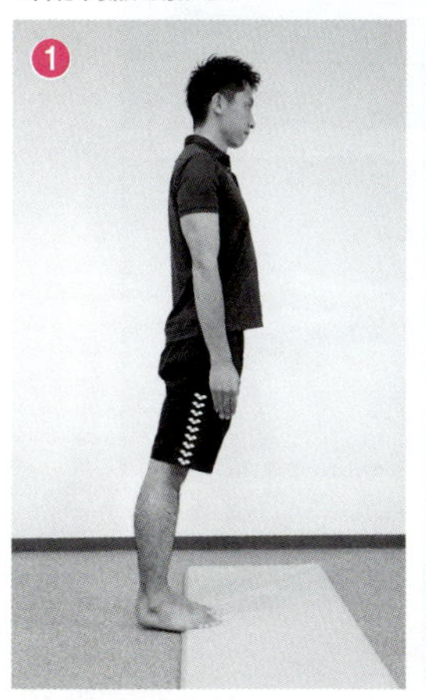

図27 クロールのストローク(左腕)

❶エントリー　❷キャッチ　❸プル　❹プッシュ　❺フィニッシュ　❻リカバリー中期　❼リカバリー後期

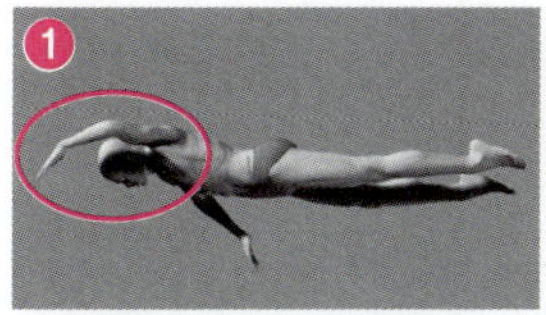

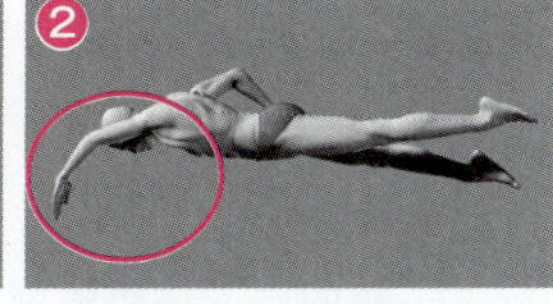

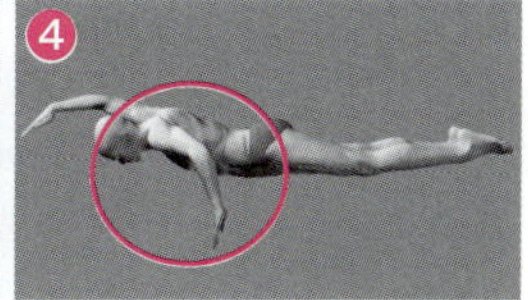

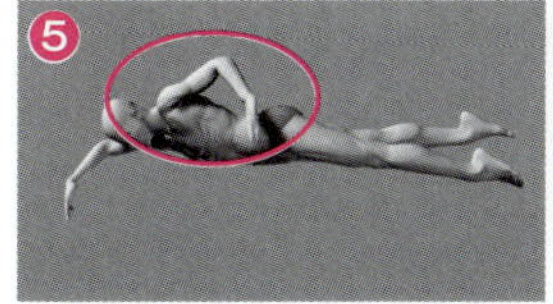

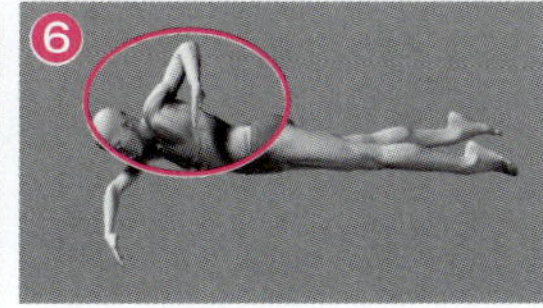

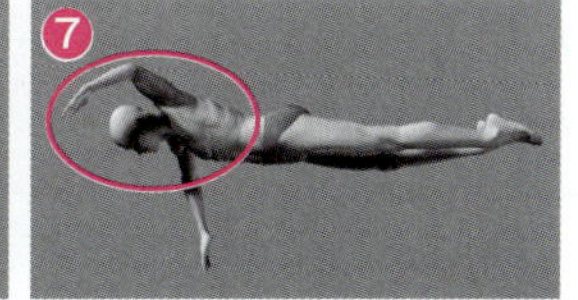

- **リカバリー後期**

肩関節外旋を伴いながら上肢を挙上する。体幹の回旋が減少し，フラットなストリームラインへと戻していく。

ハイエルボーとストレートアーム

上肢によって前方への推進力を得る場合，手掌面を後方にプッシュする並進運動が必要となる。そのため，競泳競技では一般的に肘を立てたハイエルボーというテクニックを用い，手掌面を後方に向けて推進力を発生させる（**図28**）。水泳指導者は「肘を立てる」という言葉を用い，この上肢のハイエルボーテクニックを表現する。

一方，肘を伸ばして肩を回すように水をかく場合，水の抵抗は上半身が浮き上がる方向への力となるため，効率よく推進力に変換されない。しかし，回転半径は長いため発揮される回転モーメントは大きくなる。このテクニックはストレートアームとよばれ，自由形短距離選手の一部が取り入れている。

ストレートアームで生じた抵抗を推進力に変換するには，上半身の起き上がりモーメントの拮抗作用となるダウンキックがプルと同等の強さを発揮して，起き上がり運動を抑制することが必要となる。そのためには，下肢長の長さとキック力の強さが求められる（**図29**）。

キャッチアップ・クロールとコンテニアス・クロール

クロールのストロークを大別すると，リカバリーからプルに移行する際に一度両手をそろえるキャッチアップ・クロールと，手をそろえることなく常に水をかき続けるコンテニアス・クロールの2種類に分けられる（**図30**）。

キャッチアップ・クロールの場合，エントリーと同時に一度上肢を前に伸ばす動作（グライド）が生じ，そこから水をつかみにいく。そのため，キャッチアップ・クロールはグライドの状態で両手を一度合わせ，片手を挙上した状態でプル動作に移ることになる。

一方，コンテニアス・クロールでは，入水と同時に水をつかんで後方にかきにいくことになり，連続して腕を回し続けるため両手が同時に伸びる動きはない。

図28 ハイエルボー

上肢で水をとらえる技術

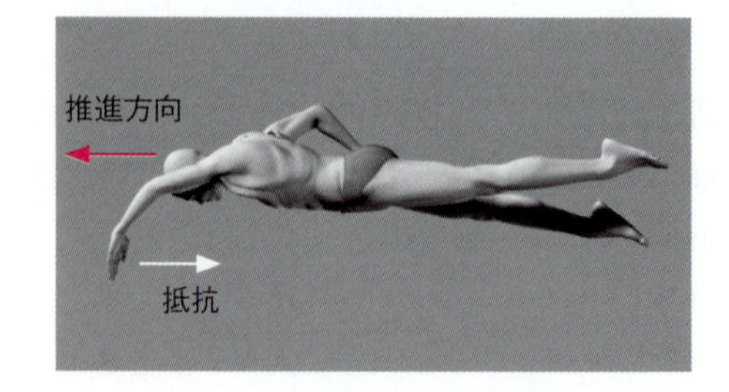

図29 ストレートアームのメカニズム

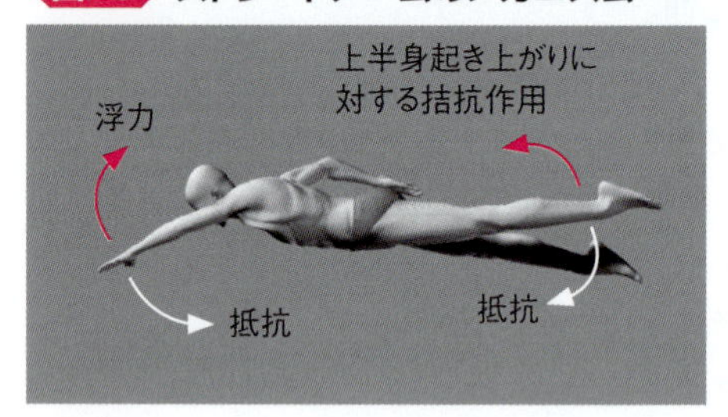

図30 ストロークによる上肢アライメントの違い

❶キャッチアップ・クロール　❷コンテニアス・クロール

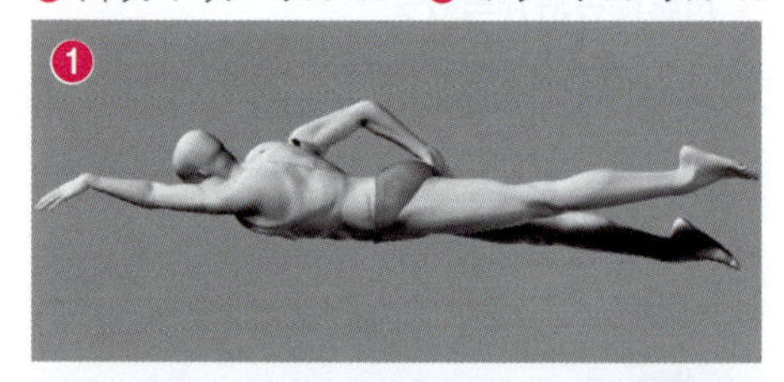

Sports Skill

長距離選手のキャッチアップ

一流の長距離選手は，キャッチアップ・クロールでのグライド動作で無理にキャッチしようとせず，むしろ浮力を利用して上肢の休息を行っていると考えられる。

一般的に，長距離選手はキャッチアップ・クロールを用いることが多く，短距離選手はコンテニアス・クロールを用いることが多い。

上肢の動作に関連する主な外傷・障害

水泳肩

プル期

従来，わが国では，キャッチアップ・クロールが主流であり，より遠くの水をつかむ大きな泳ぎがよいとされてきた。しかし，このグライド動作のポジションは上肢挙上位での体幹固定力が不十分である場合，肩甲帯が不安定となり肩関節過屈曲と過内旋を生じやすい（**図31**）。

一般的に，上肢挙上位は下垂位と比較して胸郭と骨盤の距離が遠ざかることから，腹部の収縮が困難となる。そのため，胸郭での肋間の可動性が低い選手や上肢下垂位での体幹筋トレーニングしか行っていない選手は，上肢挙上での動作中に体幹固定が困難となる場合が少なくない（**図32**）。

競泳選手がキャッチ動作で「水がつかめない」と表現する場合，これは上肢挙上位で体幹筋との連動がうまくできていないことを意味している。つまり，見た目のストロークの長さと，実際の推進力として発揮されるストロークの長さにギャップが生じていることになり，体幹固定が不安定なグライドポジションでのキャッチ動作で無理に水をつかみにいくことで肩甲上腕関節へのストレスが生じ，インピンジメントや上腕二頭筋長頭腱炎の一因となっていることが推察される（**図33**）。

リカバリー期

リカバリー期の離水時にハイエルボーを意識しすぎると，肩甲上腕関節を過剰に水平外転させることになり，インピンジメントや上腕二頭筋長頭腱炎が生じやすい。また，矢内ら[22]によれば，リカバリー期に肩関節外旋のタイミングが遅延することによってもキャッチ期の肩関節過内旋が生じ，インピンジメントの発生リスクとなる。

クロールと背泳ぎでは左右非対称のストロークとなるため，ローリングとよばれる回旋運動が生じる。リカバリー動作においては，このローリングの減少により肩甲上腕関節に過度な水平外転ストレスが生じ，上腕二頭筋長頭腱炎やインピンジメント症候群の一因となりうると考えられる（**図34**）。肩甲上腕関節のストレス分散には適度なローリングが重要であるが，ローリングが全身で行われると下半身にも回旋が生じ，キック動作に悪影響が及ぶ。望ましいローリング動作は胸郭で行われる回旋運動であり，骨盤以下は平行を保った状態で胸郭を回旋させるテクニックが重要であると考えられる。

図31 水泳肩発生機序とグライド動作

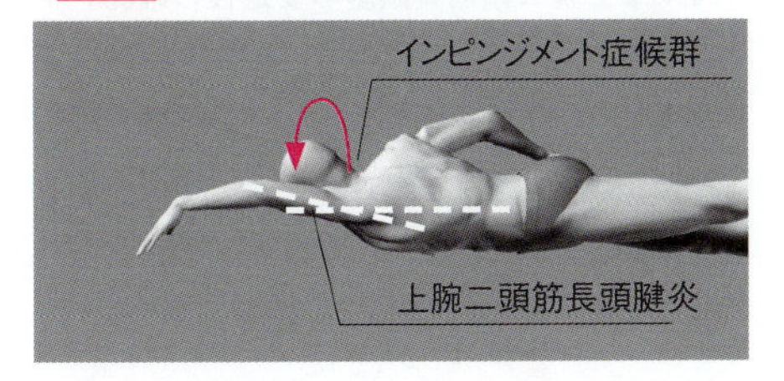

図32 肋間の可動性と上肢挙上姿勢の関係

❶理想的アライメント：肋間の可動性が高く，胸郭と骨盤の距離が短いため体幹筋の固定が容易である
❷胸郭可動性低下：肋間の可動性が低く，胸郭と骨盤の間の距離が開いてしまうため体幹筋の固定が困難となる

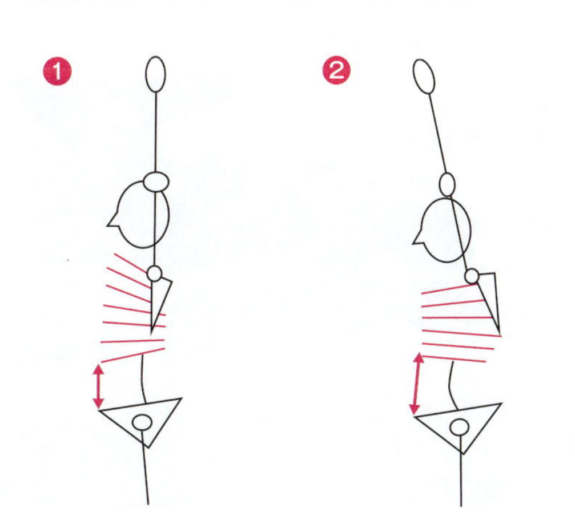

図33 見た目のストローク長と推進力が発揮されるストローク長のギャップ

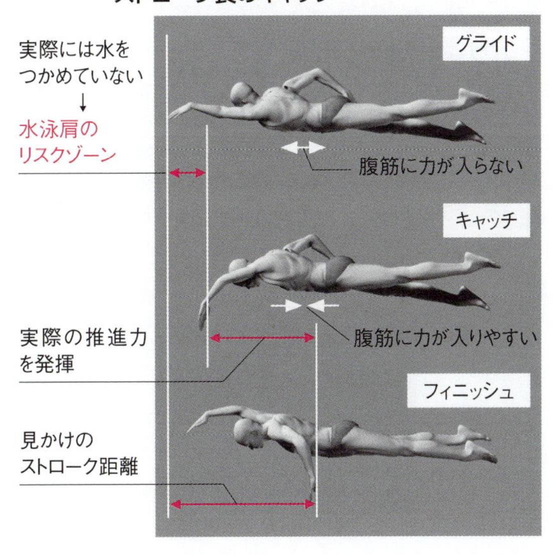

図34 リカバリー期におけるローリングと肩関節障害の関係

❶ローリングを伴わないリカバリー動作
❷ローリングを伴ったリカバリー動作

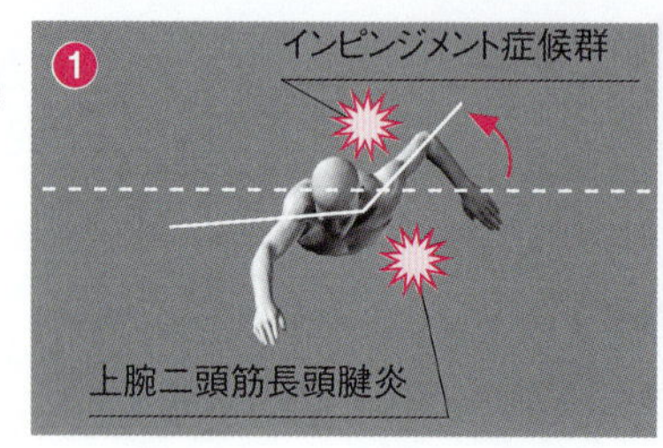

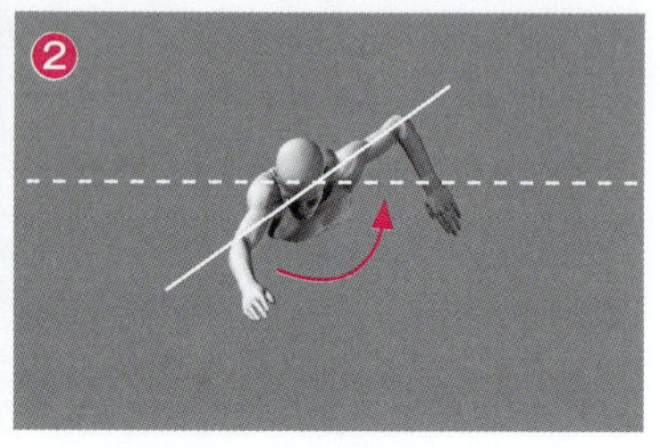

水泳肩に関する評価

上腕二頭筋長頭腱炎

- speedテスト(**図35**)

被検者は肩関節屈曲90°，肘関節伸展，前腕回外位にて上肢を前方に伸ばす。検者は被検者の前腕を下方に押し，結節間溝に疼痛が生じた場合に前腕回内位で同様に前腕を押す。回外位で痛みが生じ，回内位で痛みが消失した場合，上腕二頭筋長頭腱炎を疑う。

図35 speedテスト

前腕回外位で肩の疼痛が生じ，前腕回内位で疼痛が消失した場合は上腕二頭筋長頭腱炎を疑う

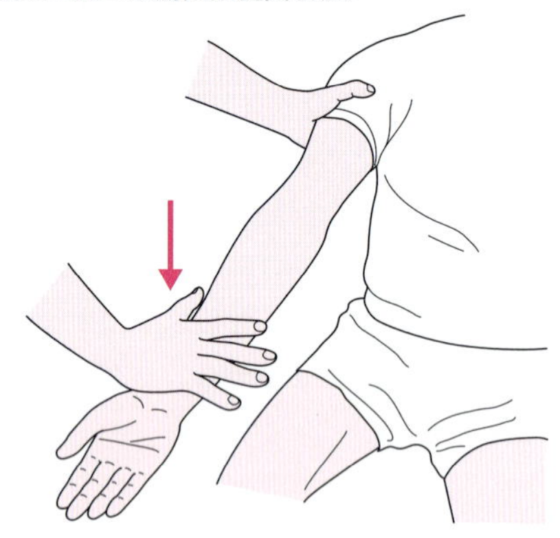

Sports Skill

パワースクエア(図36)

近年，欧米の短距離選手ではコンテニアス・クロールを用いることが多く，リーチの長さよりも力が入りやすいキャッチポジションを重視する傾向にある。また，このような肩関節の位置をパワースクエアポジションとよび，このポジションでのストローク技術はカヤックテクニックとよばれている。

図36 パワースクエア

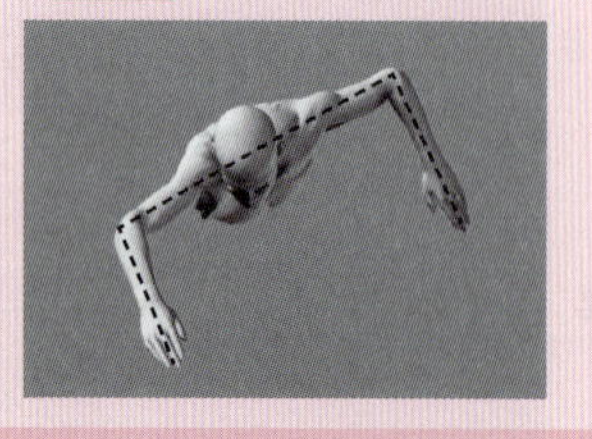

- Yergasonテスト(**図37**)

被検者は肘関節90°屈曲位，前腕回外位とし，検者は被検者の前腕を把持し固定する。被検者に肩関節外旋，前腕回外方向へ動かすよう指示し，抵抗を加えた際に結節間溝部に痛みが生じた場合は陽性となり，上腕二頭筋長頭腱炎を疑う。

- 上肢プッシュテスト(**図38**)

前述の通り，上肢挙上位で体幹筋の活動が認められない場合は，肩甲帯の不安定性が生じて水泳肩のリスクとなる。上肢と体幹筋の連動を確認するために，被検者を腹臥位にさせて腹部を引き込ませ深部体幹筋を活性化した状態で，手で床を押すように指示する。上肢の負荷に対して側腹部の体幹筋が収縮反応を認めた場合は，上肢－体幹が

図37 Yergasonテスト

結節間溝における上腕二頭筋長頭腱の安定性の確認。前腕を回外させ抵抗を加えた際に結節間溝部に痛みが生じた場合は陽性となり，上腕二頭筋長頭腱炎を疑う

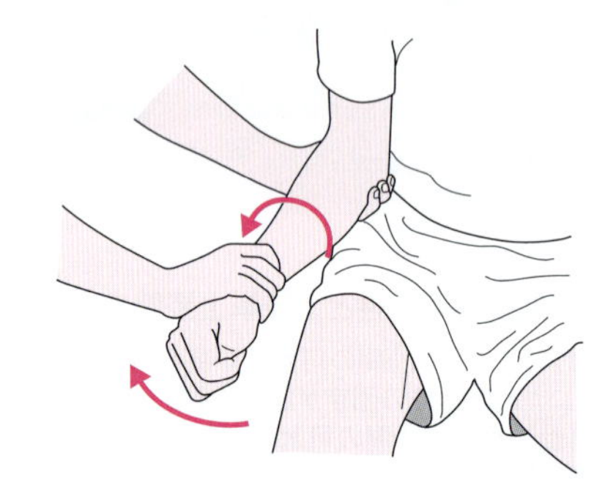

図38 上肢プッシュテスト

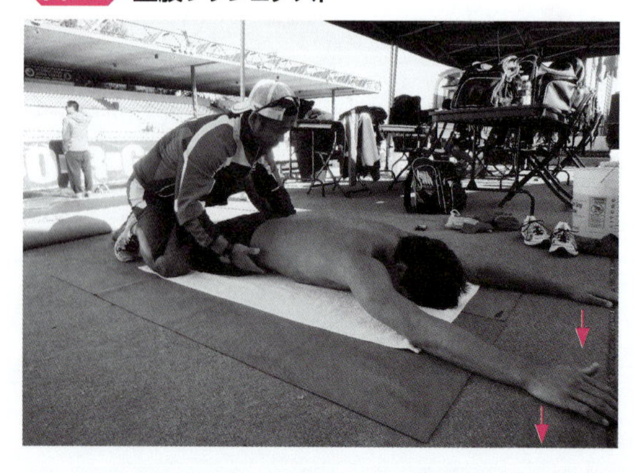

連動していると判断する。手で床を押した際に側腹部に収縮が認められない場合には，連動がうまく作用していないと推察される[23]。

肩柔軟性評価

水泳肩の評価として，肩関節の柔軟性評価は不可欠である。肩関節複合体全体のスクリーニングとしては肩回旋幅の測定が最も簡便であり，日常的にも測定可能である（**図39**）。若年男子選手では88cm以上で水泳肩のリスクがある一方，若年女子選手では54cm以下かつ6,000m以上の練習量でリスクが認められると報告されている[24]。

肩甲上腕関節の柔軟性評価としては，一般的に2ndポジションでの内外旋測定が行われている。Walkerら[25]は肩関節外旋が93°未満あるいは100°以上で水泳肩の発症リスクが高くなると報告している。また，日本人女子スイマーでは肩甲骨不安定性があり，かつ外旋105°以上で肩痛の可能性が高くなるとの報告もある[26]。

scapular dyskinesis（肩甲骨機能不全）test[27]

肩甲骨の安定性評価としてscapular dyskinesis testが用いられる。両手で3kgのダンベルを持ち，5秒かけて前方に挙上し，5秒かけて下制する。このとき肩甲骨の内側が浮き上がった場合，陽性として肩甲骨の動的な不安定性ありと判断する（**図40**）。

水泳肩に対する理学療法

上肢のスムーズな挙上と肩甲帯の安定性のためには，前提条件として胸郭の可動性が必要である。そのため，最初に胸郭のストレッチ（**図41**）を十分に行い，胸郭の可動性を確保することが重要である。

その後，胸郭と肩甲骨を動かすエクササイズが必要となるが，負荷が強すぎると僧帽筋上部線維や三角筋主導で動かすことになり，僧帽筋中部・下部線維や菱形筋を活動させることが困難となる。そこで，過負荷にならない自重程度の負荷レベルから開始し，胸椎・胸郭を意識して動かすことが重要である（**図42**）。

図39 肩回旋幅

前方から後方へ左右均等に動かす最短距離を測定する

図40 scapula dyskinesis test

タイプⅠ：肩甲骨下角の浮上
タイプⅡ：肩甲骨内側縁の浮上
タイプⅢ：肩甲骨上縁の浮上
いずれかの場合，陽性と評価する

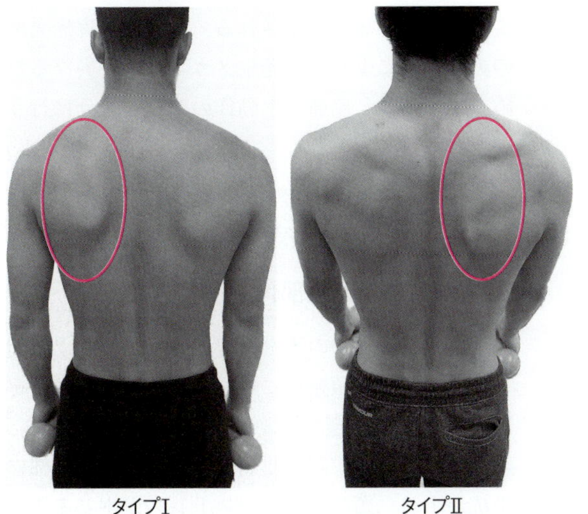

図41 胸郭のストレッチ

競泳

図42 自重での胸椎・胸郭エクササイズの例

❶胸郭回旋エクササイズ
❷，❸胸椎伸展エクササイズ：両方の肩関節を外転・水平外転90°にする。そこから肩関節の外旋とともに胸椎を伸展させて，体幹・前腕が水平となる姿勢をとる。さらに，上肢を頭頂部に向けて伸ばす
❹，❺バランスボールYエクササイズ：僧帽筋上部線維に過剰な収縮が入らないように留意しながら肩甲骨を内転し，僧帽筋下部線維の収縮を促す

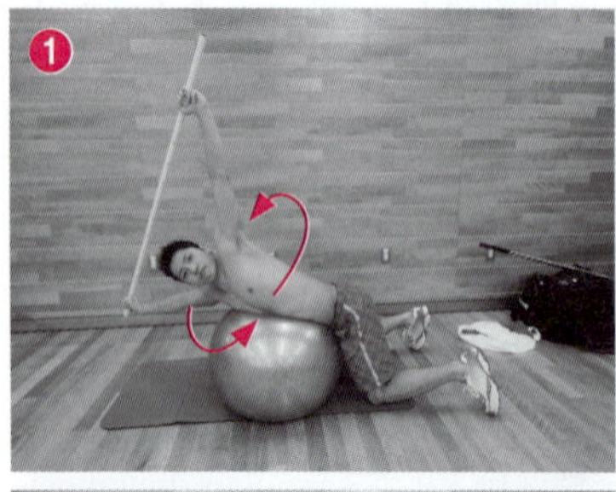

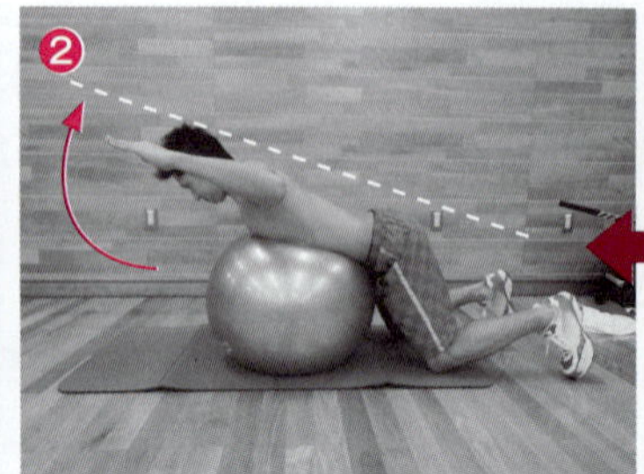

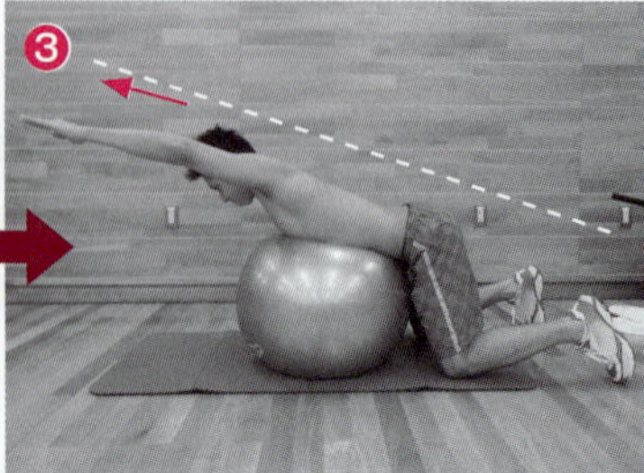

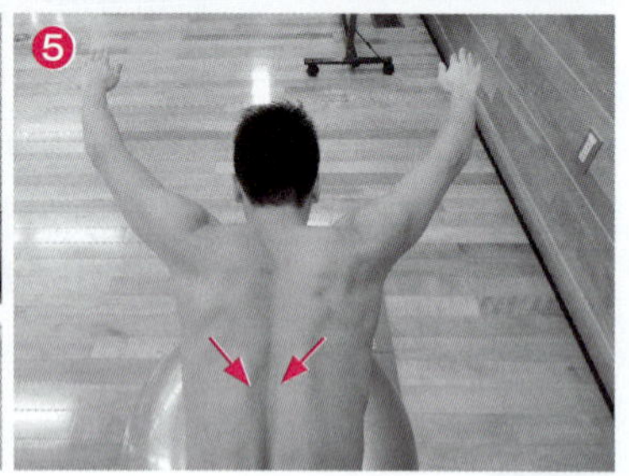

図43 胸椎伸展エクササイズの不適切なパターン

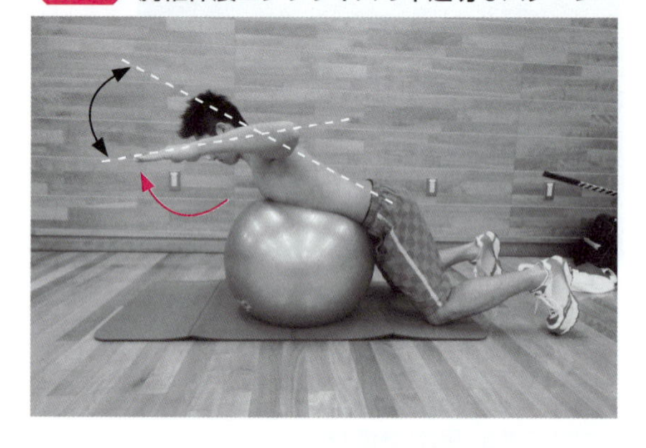

胸椎伸展エクササイズの不適切なパターン

図43のように，肩関節外旋が不十分で前腕のラインが挙上方向と一致しない場合がある。このタイプの選手は，胸椎の伸展と肩甲骨の後傾が不十分であり，リカバリー中期の内旋位から後期の外旋位への切り返しのタイミングが遅い場合が多く，前述のキャッチ動作における過内旋が生じる要因の1つと考えられる。

胸郭の自動的可動性が確保された後，腹筋を収縮させた状態で上肢挙上・胸郭回旋をトレーニングすることによって，上肢と体幹の連動が可能になると考えられる(**図44**)。

肩関節内外旋エクササイズ

肩甲上腕関節に弛緩性を有する選手に対しては，回旋筋腱板に対する理学療法としてチューブエクササイズを行う場合も多い。しかし，胸椎後弯・肩甲骨外転位といったいわゆる猫背姿勢で行うと回旋筋腱板が作用せず，三角筋後部線維が収縮して逆効果となる場合が多い。そこで，姿勢維持が困難な選手に対しては，ベッド上の背臥位で肩甲骨内転位を維持した状態で実施する(**図45**)。

頸部痛

競泳競技では，軽症ではあるものの頸椎捻挫による急性頸部痛が散見される。これらは疼痛発生の動作局面によりその発生メカニズムが異なるため，まず問診と疼痛発生動作の確認を十分に行う必要がある。

競泳動作による頸部痛発生メカニズムとその対応は次のように分類される。

● 飛込における頸部伸展圧縮ストレス

スタート飛込時の入水姿勢としては，両上肢間で頭部を固定し頭頸部に対しての圧縮ストレスを回避することが望ましい(**図46❶**)。このとき，頸部伸展し頭部が両上肢間に収まらないと頭部に抵抗が生じ，頸部伸展圧縮ストレスが生じること

図44 腹筋を収縮させた状態での上肢挙上・胸郭回旋トレーニング

❶うつ伏せドローイン：両腕挙げ
❷うつ伏せドローイン：両手押し
❸体側アーチ
❹elbow-kneeでの胸郭回旋エクササイズ

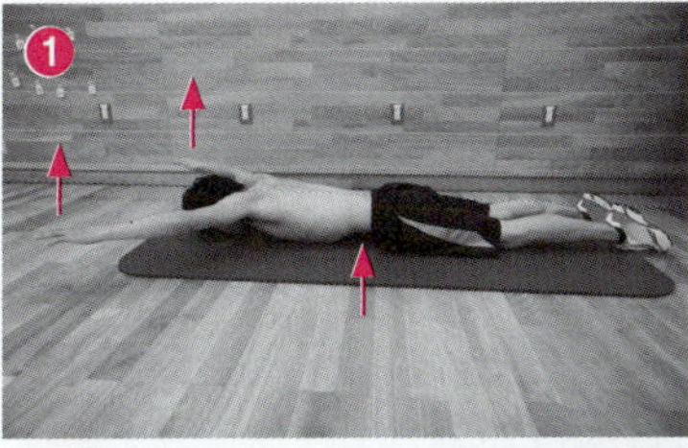
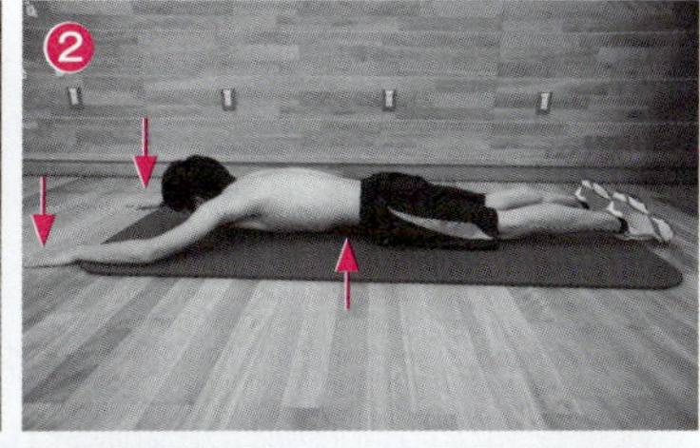
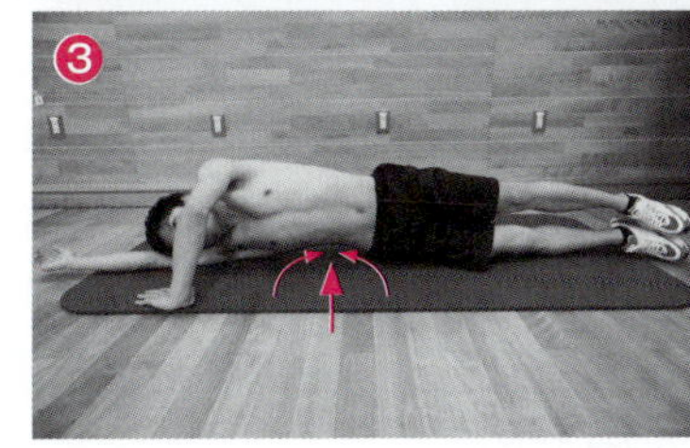

競泳

図45 背臥位で行う肩関節内外旋エクササイズ

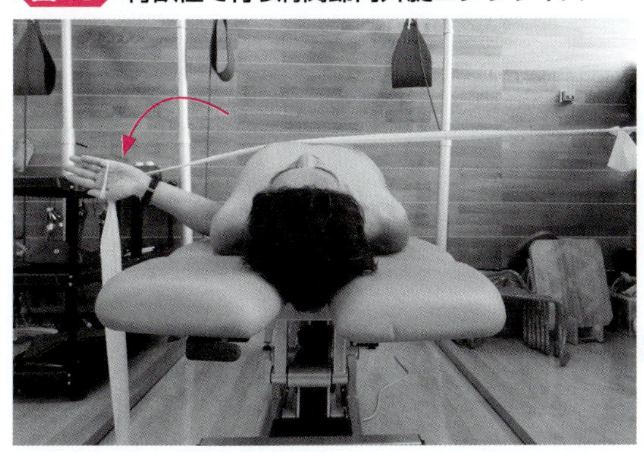

になる（**図46❷**）。この頸部ストレスを予防するためには，スタート時にいち早く両上肢を組み入水姿勢をとることが望ましい。

クロール呼吸時の頸部伸展回旋ストレス

クロール泳法の呼吸動作は，ストローク動作と連動した回旋動作が求められる（**図47❶**）。しかし，呼吸時に前述のローリング（胸郭回旋運動）が不十分である場合は頸椎のみでの回旋が必要となり，さらに呼吸に必要な水面への浮上を代償するために頸部伸展を伴う（**図47❷**）。

よって，呼吸動作における頸部の伸展回旋ストレスを回避するためには，頸部の可動性はもとより十分な胸郭伸展回旋可動性の確保が不可欠となる。

下位頸椎伸展可動域制限による上位頸椎伸展ストレス

水中環境では浮力が発生してはいるが，競泳選手は多くの時間を下向き姿勢の維持に費やしてい

図46 スタート入水時の頸部ポジション

❶望ましい入水姿勢例
❷頸部伸展位であるため頭部に抵抗が生じる

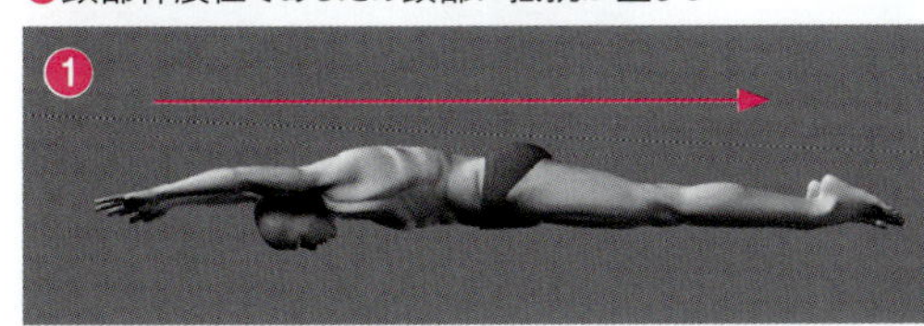

図47 呼吸時の頸部運動

❶ローリングを伴った呼吸動作例
❷呼吸時に胸郭回旋運動が不十分である場合，頸部は伸展回旋運動を余儀なくされる

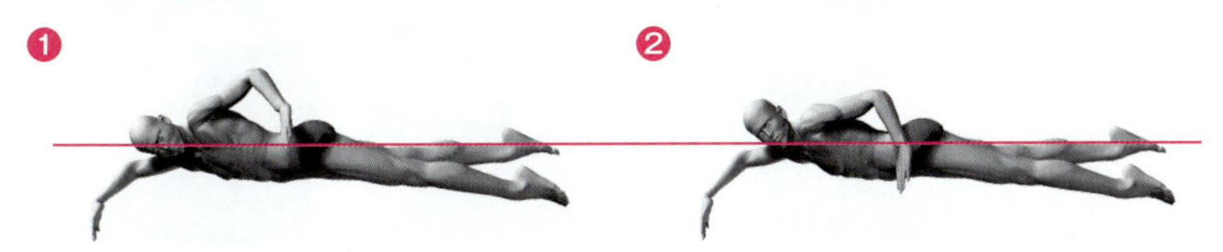

る。よって，下位頸椎の伸展筋力が不十分な場合や筋疲労による下位頸椎伸展可動域制限が生じている場合，頸椎伸展の維持が困難となり頭部前方偏位を呈する（**図48**）。バタフライの呼吸動作を例に挙げると，このような不良姿勢での呼吸動作では下位頸椎の伸展動作が制限されるため上位頸椎に伸展ストレスが集中することになる（**図49**）。

頸部痛の評価

矢状面での姿勢を評価し，頭部前方偏位が認められる場合は自動運動で下位頸椎の伸展可動性を確認する。上部頸椎のみでの伸展運動では頸椎の回旋運動が主となるため，顎が上がるのみで頭部の後退が確認されない（**図50**）。

頸部痛に対する理学療法

まず下位頸椎の伸展可動域を改善するために，顎を上げず上位頸椎の伸展を抑制した状態で頭部の後退を誘導しながら自動伸展運動を促す（**図51**）。必要に応じて，頸部前面にある斜角筋を中心にストレッチを行う。この際も下位頸椎による頭部後退を誘導する（**図52**）。

下位頸椎の可動域が改善した後，伸縮するスリングや頸椎後部に敷いたタオルを押すなどの負荷によりチンインエクササイズを実施し，頸椎深部筋である椎前筋群の活性化を促す（**図53**）。

図48 競泳選手の頭部前方偏位姿勢

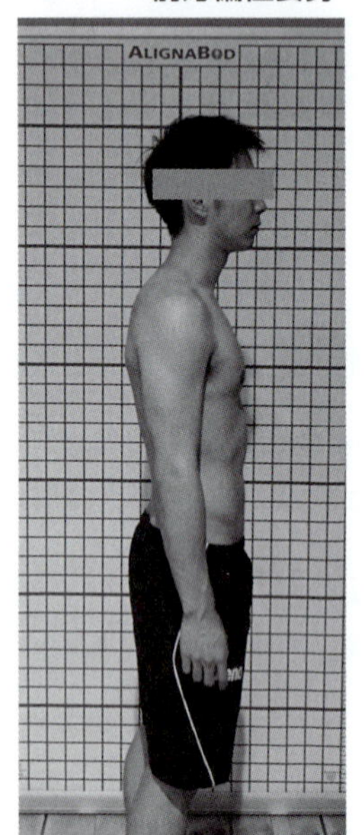

図49 バタフライ呼吸時の頸部伸展運動
❶望ましい呼吸動作例　❷上位頸椎の伸展が強調された呼吸動作

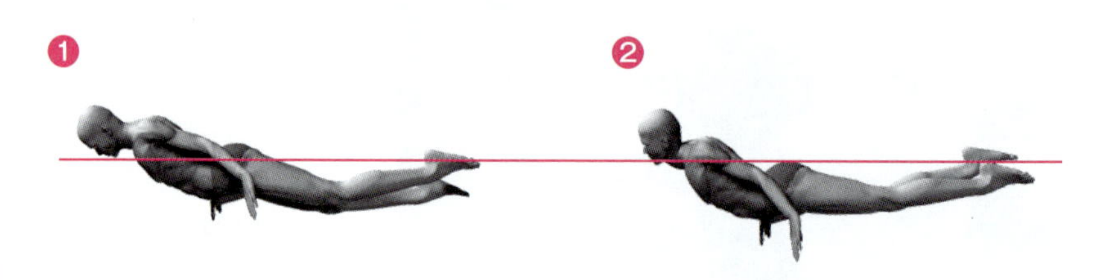

図50 下位頸椎伸展制限
❶頭部前方偏位姿勢
❷上位頸椎優位の伸展動作

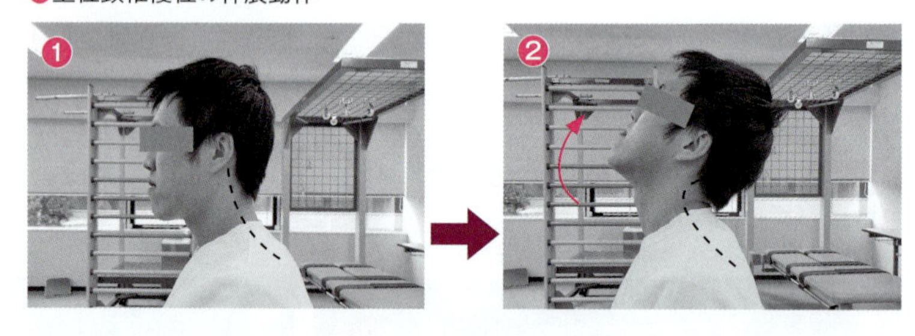

図51 下位頸椎伸展エクササイズ
上位頸椎の伸展を抑制し，頭部後退による下位頸椎の優位の伸展動作を誘導する

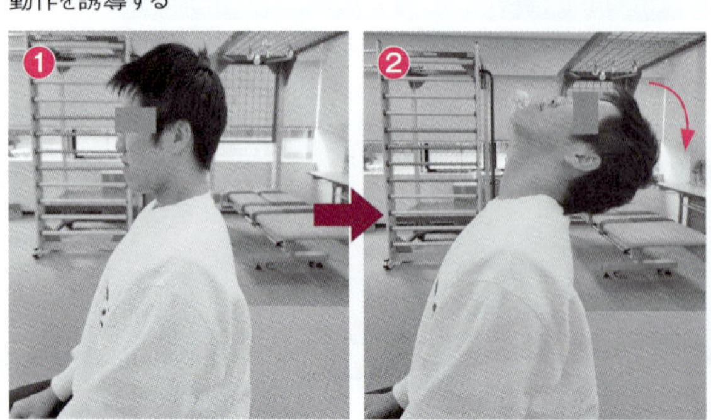

図52 斜角筋ストレッチ
❶背臥位での後屈・回旋誘導
❷座位での後屈・回旋誘導

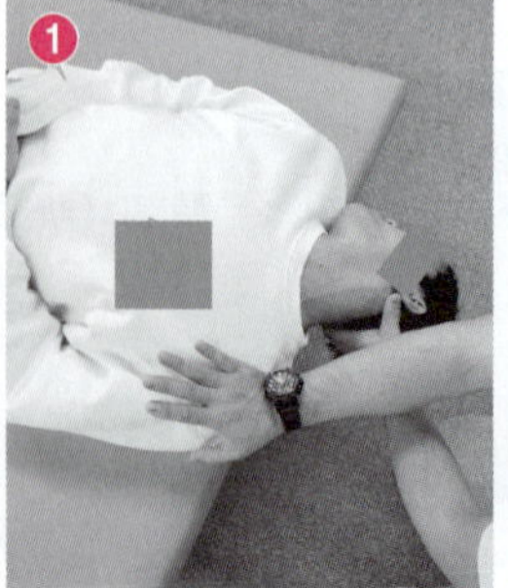

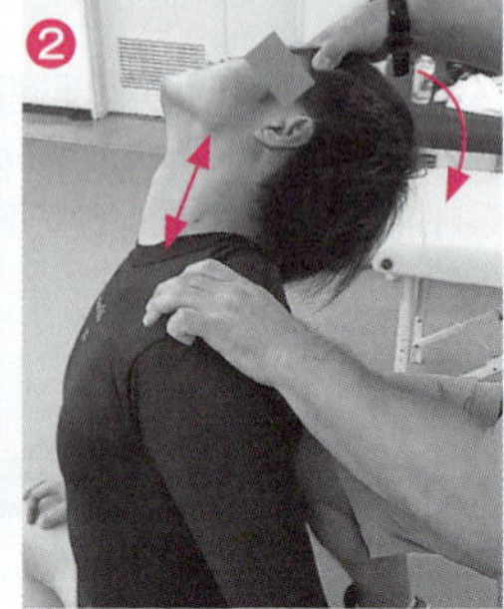

図53 チンインエクササイズ

❶背臥位でのタオルを利用したチンイン
❷伸縮するスリングを用いたチンイン

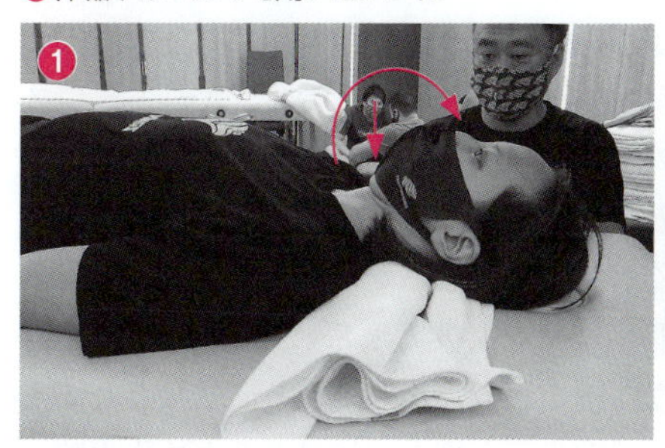

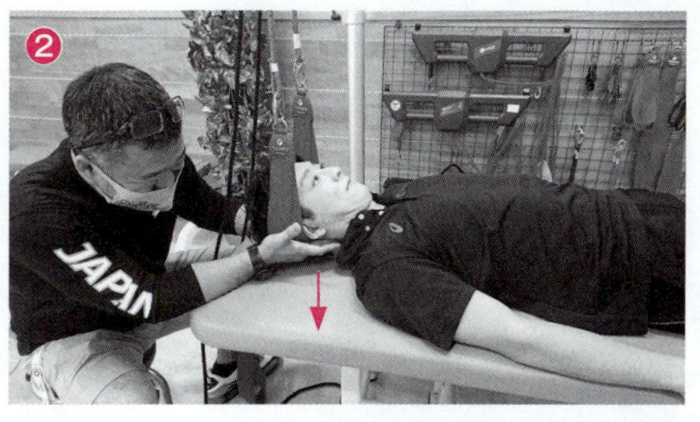

Check! 理学療法ガイドライン第2版

「非特異性頸部痛患者に対して，頸部深層屈筋もしくは頸部深層伸筋群のトレーニング(筋力増強・筋持久力増強・制御能力改善)は経過観察を含む他の保存療法よりも推奨されるか」[28]については，『理学療法ガイドライン 第2版』第5章「頸部機能障害理学療法ガイドライン」のCQ3を参照されたい(https://www.jspt.or.jp/upload/jspt/obj/files/guideline/2nd%20edition/p305-382_05.pdf)。

Web版はこちら

泳動作で頭部前方偏位を呈する選手は，重力環境下である陸上でのスタビライゼーショントレーニングにおいて，特に下向き姿勢のフロントブリッジで同様のマルアライメントとなることが多い。よって，フロントブリッジ実施時にはチンイン姿勢[29]の確認と修正が必要である(**図54**)。さらに，必要に応じて頸部に屈曲・伸展・左右側屈のアイソメトリックな負荷をかけた頸部スタビライゼーションエクササイズも実施する(**図55**)。

Check! 理学療法ガイドライン第2版

「非特異性頸部痛患者に対して，頸部の非特異的な筋力トレーニングや筋持久力トレーニングは経過観察を含む他の保存療法よりも推奨されるか」[28]については，『理学療法ガイドライン 第2版』第5章「頸部機能障害理学療法ガイドライン」のCQ6を参照されたい(https://www.jspt.or.jp/upload/jspt/obj/files/guideline/2nd%20edition/p305-382_05.pdf)。

Web版はこちら

スタート・ターン動作の機能解剖

競泳競技は泳動作が注目されがちであるが，近年新しいスタート台の開発導入に伴って，スタートおよびターンの技術が競技成績に影響を及ぼす割合が増える傾向にある。

泳動作は水の粘性抵抗を利用して推進力を得るのに対し，スタートやターン動作はスタート台あるいはプールの壁を蹴って推進することになり，これら2つの動作は力学的にまったく異なる性質をもつ。

図54 スタビライゼーショントレーニングでの頸椎アライメント

❶頭部前方偏位を伴った四つ這い姿勢
❷チンインで頸椎アライメントを補正した四つ這い姿勢

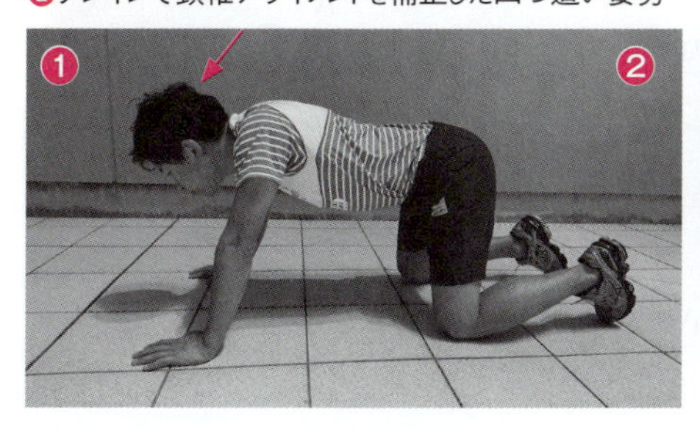

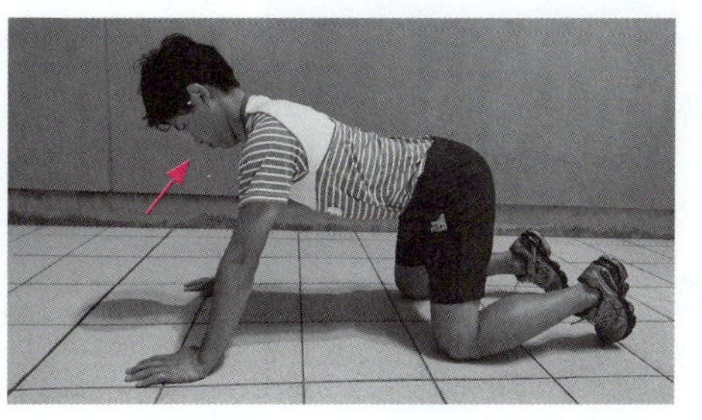

図55 頸部スタビライゼーションエクササイズ

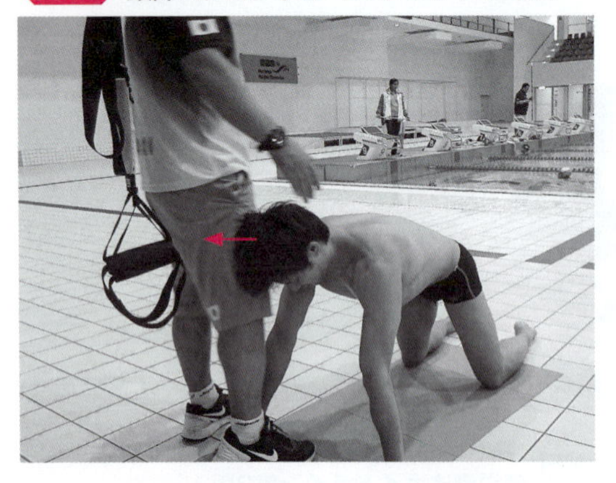

スタートの動作分析

グラブスタート/クラウチングスタート(図56)

従来のスタート動作はグラブスタートとよばれ，両手でスタート台の先端を把持し，両脚をそろえた前傾位から飛び込むスタイルが一般的であった。

その後，クラウチングスタートが主流となり，陸上競技の短距離選手と同様に片脚を前に出して後ろ脚の膝を屈曲させた状態から飛び込む選手が増加した。そして，2010年度からはスタート台後方にバックボードが設置され，後ろ脚の蹴りによる推進力の増加が図られた。

このような変化によって，スタートの初速は年々上昇傾向にある。そのため，スタートの初速を生かしつつ入水から浮き上がりまでの減速を技術的に抑制し，10m通過タイムをいかに短縮させるかが重要となる。

図56 グラブスタートとクラウチングスタート

❶グラブスタート　❷クラウチングスタート

飛込の入水角度

図57に飛込の入水角度を示す。Aのようにスタートの飛び出し角度が高いと，その軌跡は急激な落下となり入水時の減速を余儀なくされ，入水後に深く潜ることになるため結果として浮上するまでに長い経路を必要とする。一方，Bでは上方向ではなく前方に飛び出しており，結果として入水角度は飛び出し角度と同様になるため入水時の減速も少ない。また，潜水深度も深くないことから，最短経路で浮上することも可能である。

このように，スタート動作では高い飛び出しではなく前方(遠方)への飛び出しが求められる[30]。しかし，クラウチングスタート時に前脚の膝関節が伸展し，高い飛び出しを余儀なくされる場面も多い。この原因は，飛び出しの力源として前脚の大腿四頭筋を用いているため，自然と膝関節伸展が生じているためと推察される。前方への飛び出しは膝関節屈曲位で行う必要があり，膝関節の伸展を抑制した飛び出しを実現するためには，後方のバックボードを用いて股関節伸展筋力で飛び出すことが必要である。殿筋群を力源とした股関節伸展運動を主に利用することで，膝関節伸展を抑制することが可能だと考えられる(**図58**)。

また，股関節屈曲制限が認められる場合にも，前方への飛び出しが阻害され高い角度での飛び出しとなる。そのため，現在ではスタート動作における股関節の可動性がより求められており，股関節可動域・筋力が低下している場合には，スタート動作が腰痛発生の一因となる可能性も高まっている。

図57 飛込の入水角度

スタート台
高い飛び出し角
A
急激な落下
B
最短経路
前方への飛び出し
同じ入水角
減速局面
深い潜行

図58 スタート動作の解剖図

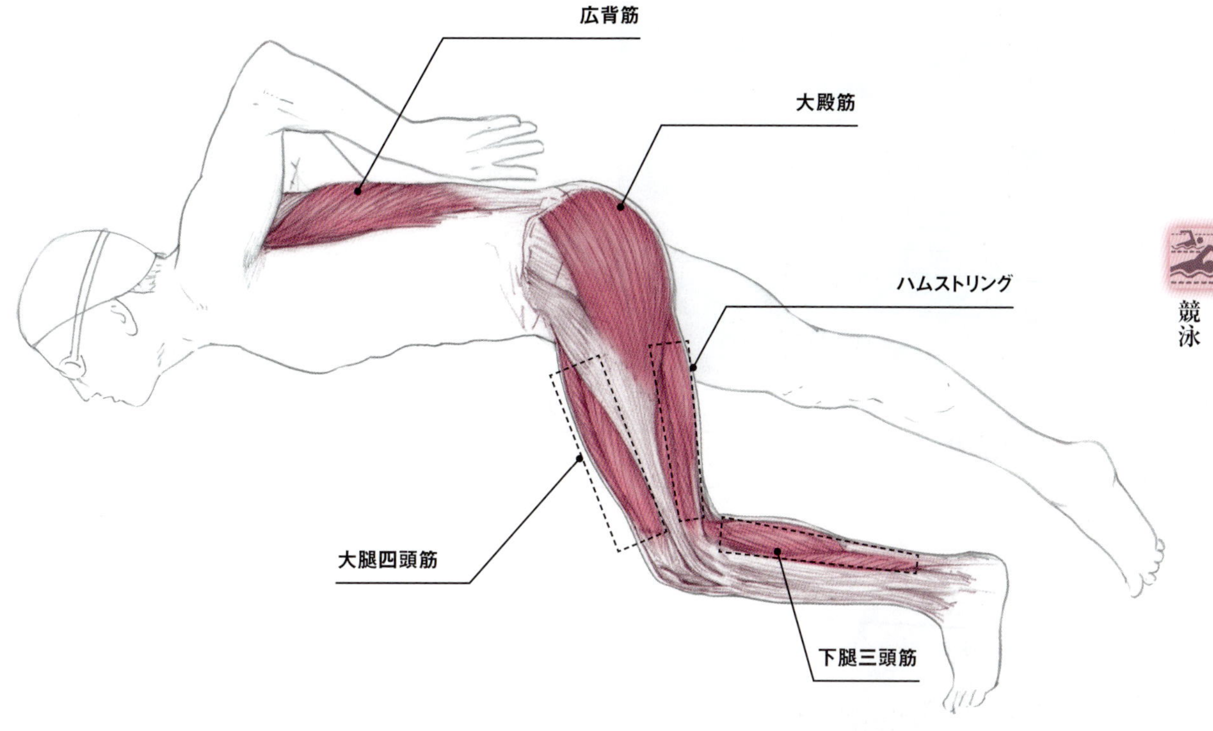

ターンの動作分析

クイックターン / タッチターン

競泳のターン動作は，クイックターン（**図59**）とタッチターン（**図60**）の2種類に分けられる。クロールと背泳ぎはクイックターン，バタフライと平泳ぎではタッチターンが使用される。

クイックターンでは，十分に壁に近付いた後，身体を小さく丸めて回転し，横向きになった状態で壁を蹴ってストリームラインをとる。回転時に身体が十分に丸まっていないと，水の抵抗を受けて減速することになる。

タッチターンは左右対称の泳法であるバタフライと平泳ぎで用いられ，ルール上，壁への両手タッチが義務付けられている。壁をタッチした後，膝を折りたたんで横向きに回転して横を向いたまま膝を曲げて両足を壁につき，壁を強く蹴ってストリームラインをとる。タッチターンの回転では，両手を壁についてブレーキをかけた際に泳速の慣性を利用することで，効率のよい回転が可能になる。

スタート・ターン動作による障害

スタートとターン動作では，水の抵抗ではなく床反力を用いて推進力とする。そのため，トレーニングとしては，閉鎖性運動連鎖（closed kinetic chain：CKC）を用いたトレーニング，具体的にはスクワットやクイックリフトといった荷重系ウエイトトレーニングが主に行われている。

しかし，キック動作の項で述べたように，競泳選手は腰椎椎間板変性の割合が高い。また，泳動作では殿筋群の著明な活動が認められないことから，競泳選手の股関節伸展筋力は陸上で活動するスポーツ選手と比較して弱い傾向が認められる。実際，競泳選手がウエイトトレーニング時に脊柱の傷害を好発するとの報告[31, 32]もあり，荷重系トレーニングの実施に対しては競泳選手特有のリスクを有しているという認識が必要である。

ジャンパー膝

競泳においては，スタート練習を数多く行った後，膝蓋靱帯部に痛みを生じる選手が少なくない。技術的要因として，スタート時に膝関節屈曲が過剰であるために伸展モーメントが強制されるというスタート姿勢の問題が挙げられる。しかし，多くの場合は前述のように殿筋群に対して大腿四頭筋が優位に作用し，過剰な伸展ストレスが膝蓋靱帯に発生するという筋活動のアンバランスが主要因である。この場合，習慣的に殿筋を使うという感覚が欠如している選手も多く，むしろ膝関節の問題ではなく股関節の問題であるといえる。

図59 クイックターン

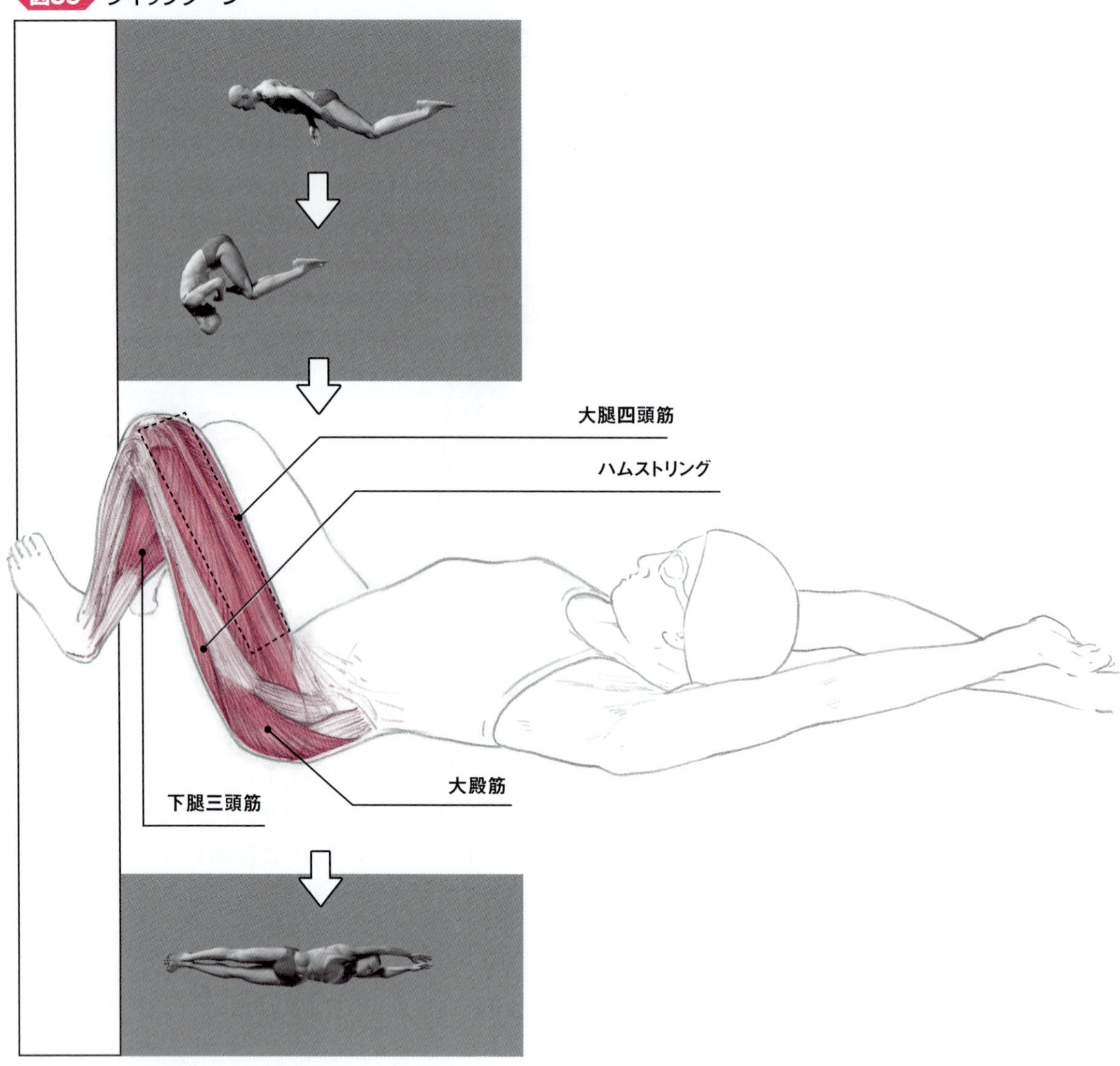

図60 タッチターン

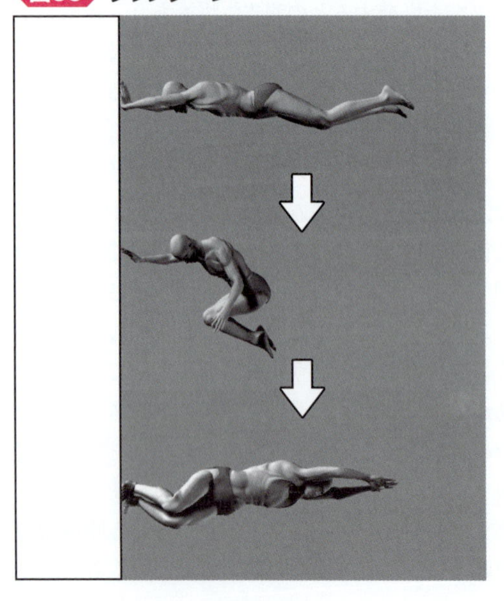

屈曲型腰痛

スタート台からのスタート，およびターン時の壁蹴り局面で腰痛発生が認められる場合は，腰部に屈曲ストレスが生じていることが想定される。スタート姿勢とターン姿勢で股関節に屈曲制限がある場合，いずれも股関節屈曲位から伸展パワーを発揮する局面で腰椎に屈曲強制が生じる。股関節屈曲可動域の減少により，腰椎の屈曲ストレスが生じることになる。

また，前述のようにウエイトトレーニングで腰痛を発症するケースも多く，その場合，泳動作では無症状であるにもかかわらずスタートとターンの局面で腰痛が残存することが多い。

足関節前方インピンジメント

キック動作の項で記した通り，スイマーは足関節周囲の柔軟性が高く，日常生活での足関節捻挫の既往歴がある選手が多い。キック動作による底背屈筋のアンバランスとともに，距骨の前方偏位による足関節不安定性が慢性化し，背屈時にも前方インピンジメントと背屈制限を呈する選手が多い。この場合，背屈制限に対し柔軟な足根骨の回内運動による代償が認められることから，背屈可動域を確認する際にもマルアライメントに注意しなければならない（**図61**）。

スタート・ターン動作障害に対する理学療法

競泳選手は荷重系のトレーニングに対してリスクを有しているという前提が重要であり，ウエイトトレーニングに対しても体幹のスタビリティの強化や後述する股関節トレーニングを実施し，脊柱の安定性や殿筋群の活性化を保証したうえで，荷重系トレーニングを実施することが重要である。

Check! 理学療法ガイドライン第2版

「腰椎椎間板ヘルニアに対して，運動療法は有用か」[19]については，『理学療法ガイドライン 第2版』第6章「背部機能障害理学療法ガイドライン」の腰椎椎間板ヘルニアCQ1を参照されたい（https://www.jspt.or.jp/upload/jspt/obj/files/guideline/2nd%20edition/p383-426_06.pdf）。

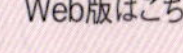

足関節背屈エクササイズ

距骨の前方偏位による背屈制限を改善するため，距骨を押し込みながら背屈運動を行う。この際，前述した足根骨による回内代償運動に注意し，つま先と膝の向きをまっすぐ向けることが重要である。距骨が滑らかに押し込まれ背屈が可能になれば，ゴムチューブを使用したセルフエクササイズも可能となる（**図62**）。

図61 足関節背屈可動域チェック
❶望ましいアライメント
❷足根骨回内によるtoe-outのマルアライメント

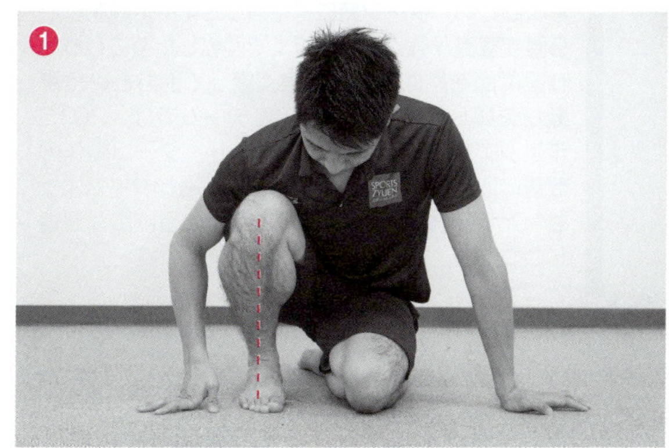

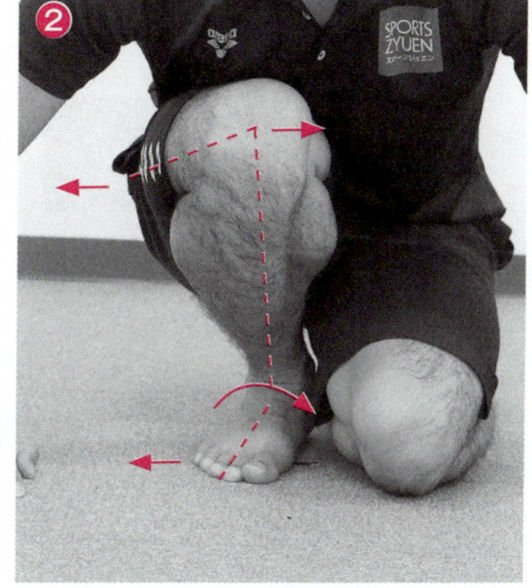

図62 足関節背屈エクササイズ
❶距骨を押し込んだ状態での背屈
❷ゴムチューブを用いて距骨を押し込むセルフエクササイズ

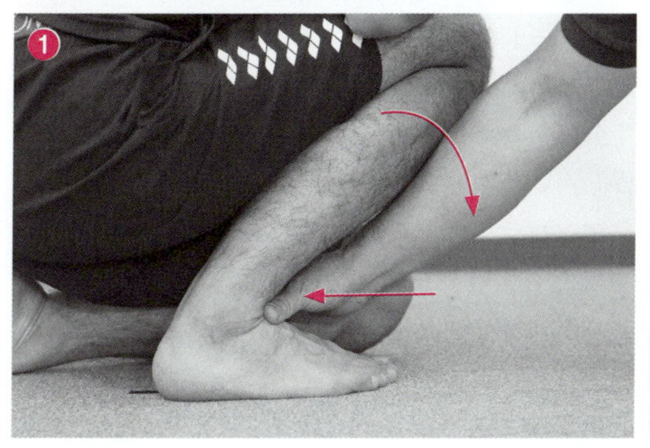

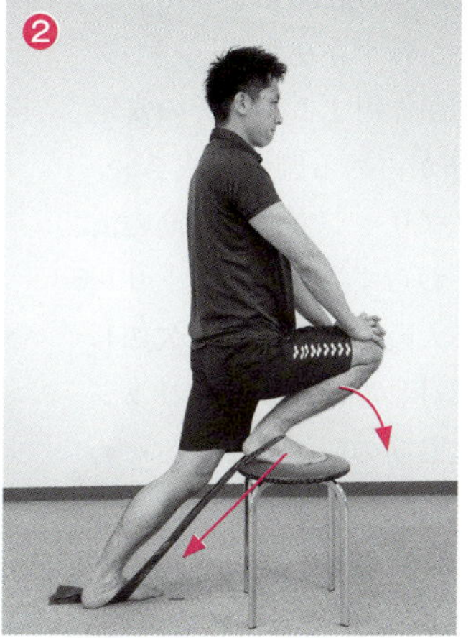

図63 大殿筋のトレーニング

❶大殿筋エクササイズ：骨盤後傾，股関節内転（両膝でボールを挟む） ❷両脚バックブリッジ ❸片脚バックブリッジ

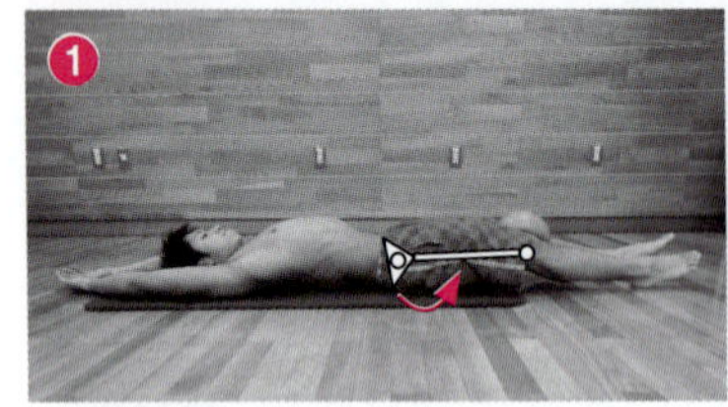
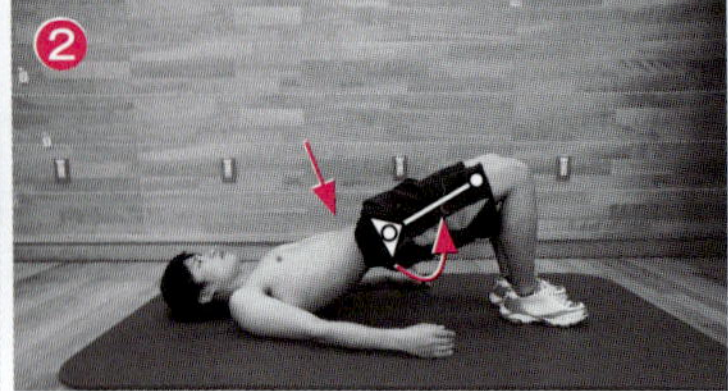
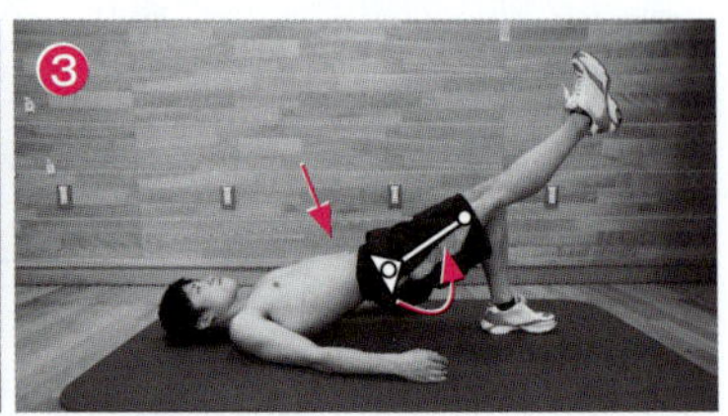

図64 バランストレーニング

❶片脚グッドモーニング ❷バランススクワット（両膝でボールを挟む）：安定例 ❸バランススクワット：荷重不良例

Check! 理学療法ガイドライン第2版

「慢性足関節不安定症に対して，理学療法は推奨されるか」[21]については，『理学療法ガイドライン 第2版』第15章「足関節捻挫理学療法ガイドライン」のCQ2を参照されたい（https://www.jspt.or.jp/upload/jspt/obj/files/guideline/2nd%20edition/p801-817_15.pdf）。

Web版はこちら

Sports Skill

わが国ではレースの際にリアクションタイムが測定されるため，ターン時に早く回って早く足底を壁から離す意識が強く，壁の近くで回転した後にしっかり股関節を屈曲して壁を強く蹴って進むという意識が欠如してきた。日本代表チームでは，2010年アジア競技大会以降，スタート・ターン動作の改善に取り組み，現在ではリアクションタイムよりも10m通過タイムが重要であるという認識が浸透しつつある。

大殿筋のトレーニング（図63）

バックブリッジ（図63❷，❸）は非常に一般的なエクササイズであるが，競泳選手のなかには今までバックブリッジで大殿筋の収縮を感じたことがないという選手が少なからず存在する。バックブリッジは背側の筋全体が作用するが，その安定性を支えるうえで大殿筋が占める割合は大きい。しかし，特に片脚バックブリッジでは大殿筋の活動量が増加するにもかかわらず[33]，ハムストリングの収縮感が主となって大殿筋の収縮感が欠如している場合，その選手に対してはバックブリッジの負荷は過剰である。大殿筋の収縮感を得るために，さらに低負荷なエクササイズを選択すべきである。

そこで，骨盤後傾での大殿筋エクササイズ（図63❶）で大殿筋の収縮感を獲得した後，両脚のバックブリッジ（図63❷）から実施し，大殿筋の収縮感を指標として負荷を増加させていくことが望ましい。

バランストレーニング（図64）

スタートないしはターン動作で大殿筋の活動を増加させるためには，フロアでのエクササイズでは不十分であり，荷重系トレーニングが必要である。しかし，いわゆるウエイトトレーニングを実施する前にアンバランス系のトレーニングを実施し，不安定環境でも大殿筋を使って股関節を安定化させ，姿勢を制御することを学習する必要がある。

バランススクワット（図64❷）では，アンバランス環境でスクワットを実施することで通常の床

図65 壁プッシュ

図66 大殿筋ジャンプ

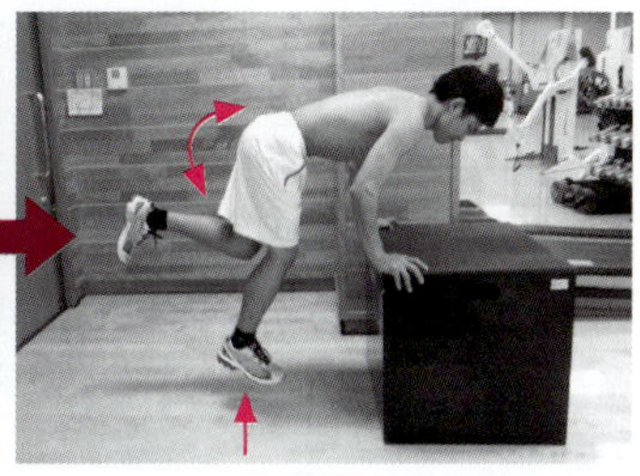

競泳

面ではわからない荷重状態を確認することが可能である。そして，アンバランス環境で安定したスクワットが可能になることで，末端に生じるストレスを緩和できると考えられる。

壁プッシュ（図65）

壁プッシュは，スタートで飛び出す際のイメージで上半身を固定し，大殿筋を使って前に押すことを意識する。胸椎伸展と股関節屈曲位を維持することが重要である。

大殿筋ジャンプ（図66）

大殿筋ジャンプでは極力膝を前に出さず，大腿四頭筋よりも大殿筋を優位に収縮させてジャンプするように心掛ける。ジャンパー膝の既往歴がある選手は，この動作で膝を前に出す傾向が強い。前方に置いた台上に手をついて膝を見ながら跳ぶことで，自ら膝の前方突出を抑制し運動学習が可能となる。

【文献】

1) 窪　康之，岩原文彦 監：DVD レベルアップ！水泳 4 泳法完全マスター．pp.26-27, 西東社，2013.

2) Maglischo E: Swimming Fastest. pp.43-64, Human Kinetics, 2003.

3) Yoshida N, etal.: Gliding performance is affected by cranial movement of abdominal organs. Sci Rep, 10 (1) : 21430, 2020.

4) 半谷美夏，ほか：一流水泳競技選手のスポーツ外傷・障害の実態：国立スポーツ科学センタースポーツクリニック受診者の解析．日整外スポーツ医会誌，30 (3) : 161-166, 2010.

5) 武藤芳照：水泳の医学．pp.112-122, ブックハウスエイチディ，1989.

6) 小泉圭介，ほか：一流競泳選手に対する世代別・泳法別障害既往調査．日臨スポーツ医会誌，18 (4) : 5170-5170, 2010.

7) 小泉圭介，ほか：水泳における体幹運動の特徴とそのリハビリテーションとリコンディショニングの実際．腰痛のリハビリテーションとリコンディショニング（片寄正樹 編）．pp.170-180, 文光堂，2011.

8) Maglischo E: Swimming Fastest. pp.65-94, Human Kinetics, 2003.

9) 大庭昌昭，ほか：足部の柔軟性がバタ足キックに及ぼす影響について．筑波大学運動学研究，11 ; 89-95, 1995.

10) Maglischo E: Swimming Fastest, pp.43-64, Human Kinetics, 2003.

11) 中島　求，ほか：水泳運動における腰椎の負荷と挙動のシミュレーションと実験的検証．バイオメカニズム，18 ; 45-56, 2006.

12) Hangai M, et al.: Lumbar intervertebral disk degeneration in athletes. Am J Sports Med, 37 (1) : 149-155, 2008.

13) 小泉圭介，ほか：一流競泳選手の柔軟性は専門泳法によって異なるのか？ 日臨スポーツ医会誌，19 (4) : 144-144, 2011.

14) 半谷美夏，ほか：MR フルオロスコピーによる腰椎ローカル筋機能の評価．日臨スポーツ医会誌，17 (4) : 5171, 2009.

15) 高木　祥，ほか：骨盤前後傾運動時の筋活動解析．体力科学，58(6) : 631, 2009.

16) Hodges PW, Richardson CA: Contraction of the abdominal muscles associated with movement of the lower limb. Phys Ther, 7 (72) : 132-144, 1997.

17) 大久保　雄，ほか：腰椎 Stabilization Exercise 時の四肢挙上による体幹筋活動変化．臨スポーツ医，19 (1) : 94-101, 2011.

18) Okubo Y, et al.: Comparison of trunk muscle activity during three different prone bridge exercise. The 39th ISSLS, 2012/5/29-6/2, Amsterdam, Netherland.

19) 日本運動器理学療法学会：第 6 章 背部機能障害理学療法ガイドライン．理学療法ガイドライン 第 2 版（公益社団法人日本理学療法士協会 監，一般社団法人日本理学療法学会連合理学療法標準化検討委員会ガイドライン部会 編）．pp.383-426, 医学書院，2021.

20) 小泉圭介：慢性腰部痛改善のためのコアエクササイズ（コアトレーニング）．臨スポーツ医，31（臨増）: 69-75, 2014.

21) 日本運動器理学療法学会：第 15 章 足関節捻挫理学療法ガイドライン．理学療法ガイドライン 第 2 版（公益社団法人日本理学療法士協会 監，一般社団法人日本理学療法学会連合理学療法標準化検討委員会ガイドライン部会 編）．pp.801-817, 医学書院，2021.

22) 矢内利政：クロール泳法の肩のバイオメカニクス．復帰を目指すスポーツ整形外科（宗田　大 編）．pp.306-307, メジカルビュー社，2011.

23) 谷　祐輔，ほか：体幹安定性がクロール泳におけるエントリー近似肢位の肩関節筋力に与える影響．水と健医研会誌，20 (1) : 7-11, 2017.

24) Mise T, et al.: Hypomobility in Males and Hypermobility in Females are Risk Factors for Shoulder Pain Among Young Swimmers. J Sport Rehabil, 31 (1) : 17-23, 2022.

25) Walker H, et al.: The reliability of shoulder range of motion measures in competitive swimmers. Phys Ther Sport, 21: 26-30, 2016.

26) Matsuura Y, et al.: Injuries and physical characteristics affecting swimmer participation in the Olympics: A prospective survey. Phys Ther Sport, 44: 128-135, 2020.

27) Warner JJ, et al.: Scapulothoracic motion in normal shoulders and shoulders with glenohumeral instability and impingement syndrome. A study using Moire topographic analysis. Clin Orthop Relat Res, 285: 191-199, 1992.

28) 日本運動器理学療法学会：第 5 章 頚部機能障害理学療法ガイドライン．理学療法ガイドライン 第 2 版（公益社団法人日本理学療法士協会 監，一般社団法人日本理学療法学会連合理学療法標準化検討委員会ガイドライン部会 編）．pp.305-382, 医学書院，2021.

29) 松田孝幸：頸椎捻挫へのアスレティックリハビリテーション．公認アスレティックトレーナー専門科目的テキスト 7（日本体育協会 編）．pp.103-116, 日本スポーツ協会，2007.

30) 窪　康之，岩原文彦 監：DVD レベルアップ！水泳 4 泳法完全マスター．pp.138-139, 西東社，2013.

31) Wolf BR, et al.: Injury patterns in Division I collegiate swimming. Am J Sports Med, 37 (10) : 2037-2042, 2009.

32) 半谷美夏，ほか：一流競泳選手の腰椎椎間板変性所見の前向き縦断調査．日臨スポーツ医会誌，19 (4) : 204, 2011.

33) 市橋則明，ほか：各種ブリッジ動作中の股関節周囲筋の筋活動量－MMT3 との比較－．理療科，13 (2) : 79-83, 1998.

バスケットボール

本項では，バスケットボール特有の動作と，それに関連する傷害（外傷・障害）について理解を深めることに加えて，理学療法で必要となる評価と治療の基盤となる考え方について解説する。なお，本項で解説するルールなどは，3 × 3を除いた一般成人のバスケットボールおよび車いすバスケットボールを基準とする。

プロバスケットボールチーム（Bリーグ）における理学療法士としてのトレーナー活動

理学療法士の介入できる役割

メディカルスタッフ

選手のコンディショニングのチェック，リハビリテーションの計画・実施，受傷時の救急対応，病院帯同，ケア，テーピングが主な業務となる。業務を行ううえで，理学療法士（physical therapist：PT），柔道整復師，鍼灸師，あん摩マッサージ指圧師，日本スポーツ協会公認アスレティックトレーナー，NATA（National Athletic Trainers' Association）公認アスレティックトレーナーなどの資格が必要となる。試合・練習時に選手が受傷した場合，その傷害と重症度を推察しゼネラルマネージャー（GM）とコーチに報告すると同時に，必要であればチームドクターへ診察を仰ぎ，診断結果と予後予測をGM，コーチ，スタッフと共有する。

リハビリテーションはチームドクターの方針を基に進め，患部外へのトレーニングに対してはストレングスコーチが実施することが多い。メディカルスタッフ，ストレングスコーチともに実施内容が重なることや競技復帰に向けての考え方に差異があることも少なくないので，定期的なコミュニケーションをとることが必要である。

練習に復帰できる時点でコーチングスタッフに実際のバスケットボール動作の個人練習を依頼する。メディカルスタッフは，個人練習の負荷量，動く時間，コンタクト練習の可否などを判断し，コーチングスタッフや選手を交えて話し合いながら進めていく。

個々の選手には求められる動きやポジション別の役割などがあるため，それらが困難な場合はコーチングスタッフの判断により，試合への出場を見合わせることもある。そのため，試合復帰にはコーチングスタッフが課す個人練習をすべてクリアしていく必要がある。また，試合に出場する時間に制限を設ければ出場可能か否かなど，選手を含めてそれぞれの視点から話し合うことも必要である。

PTとしては各選手の静的・動的アライメント，筋力，柔軟性などの評価を行い傷害・再発予防に生かすようにストレングスコーチと連携することが重要と考える（**図1**）。

ストレングスコーチ

選手のパフォーマンスの向上と傷害予防を目的として，ストレングストレーニングを中心に安全で効果的なエクササイズプログラムの作成と指導が主な業務となる。特に資格的な制限はなくPTが役割を担っているチームもあるが，NSCA（National Strength and Conditioning Association）認定のCSCS（Certified Strength and Conditioning Specialist）の資格を有している場合が多い。エクササイズプログラムは，筋力とパワーを中心としたすべての体力要素へのアプローチを通じて，目的とする試合や期間に選手とチームが最高のパ

図1 体幹トレーニング指導

フォーマンスを発揮することを目標として作成される。

Bリーグは10月から翌年5月までに60試合が行われ，土曜日・日曜日開催のパターンと，さらに水曜日が追加されるパターンがある。基本的に週2回ウエイトトレーニングを行っているチームが多いが，水曜日に試合が入る週は次の試合までに身体を回復させる時間が短くなるため水曜日と日曜日の試合後にウエイトトレーニングを実施し，オフの日は心身ともに十分に休めるようにしている。

バスケットボールの身体運動の特徴

FIBA[*1]のルールと身体運動の特徴

バスケットボールは縦28m×横15mのコートを1チーム5名の選手，2チームで計10名の選手たちによって得点を取り合う競技である。ボールを持ちながら3歩以上の移動ができず，ドリブル，パスによりボールが動き，高さ3.05mのゴールリングへのシュートの成功を目指して攻防を繰り返す。オフェンスには時間制限のルール[*2]が設けられ，攻守の入れ替わりが早いことがバスケットボールの1つの魅力であるが，選手たちはその早い展開のなかでダッシュ，ストップ，ターン，ジャンプを頻回に繰り返す。

競技時間は通常，1ピリオド（クォーター）10分を4回行う。第2・第3ピリオドの間には15分間のハーフタイム，それ以外のピリオド間には2分間のインターバルが入る。第4ピリオド終了時点で得点が同じ場合は，1回5分の延長戦を決着がつくまで繰り返し行う。コート上の5名のほかに，交代選手は7名の登録が認められており，選手交代は何度でも可能である。しかし，主力選手となるとフルタイムの出場となることも多く，そのような選手にとっては長時間走り続けるなかで，短距離のダッシュが必要とされるスポーツとなる。

身体接触は基本的にルール上禁じられている競技だが，実際にはルール上で許容範囲内の接触がゴール下を中心に多くみられる。選手同士の接触は，**図2**に示したようにさまざまな場面でみられる。

＊1 FIBA：Fédération Internationale de Basketball（国際バスケットボール連盟）。わが国ではFIBAによるルールが主に採用されている。

＊2 24秒ルール：オフェンスのチームは，ボールを取った時点から24秒以内にシュートを打たなければならない。

図2 バスケットボールでの身体接触の例

Rulebook

小学生が行うミニバスケットボールや北米のプロバスケットボールリーグであるNBA (National Basketball Association) などは独自のルールの規程がある。また，大会の主催者によりルールが多少違うこともある。

バスケットボールにおける身体的ストレス

長時間にわたり，ダッシュ，ストップ，ターン，ジャンプを頻回に繰り返すため，足関節・膝関節・大腿部などの下肢を中心とした傷害が全傷害の半数以上を占める[1-4]（**図3**）。なかでも足関節の受傷が多く，足関節外側靱帯損傷はバスケットボールで最も頻発する代表的な外傷である[1-5]。前述のように身体接触はルール上禁じられているが，全傷害のうち半数以上は接触によるもので，骨折・打撲も多い[1-4, 6]。特に男子は接触が激しく，競り合いのなかで肘や手が他の選手の顔に当たるなど女子に比べて顔・頭の外傷が多く，増加傾向にあることが報告されている[1, 3-5]。バスケットボールでは練習でも傷害は多いが，試合になると外傷発生率は練習の2〜9.4倍になるともいわれている[1, 3, 5, 6]。

ガード，フォワード，センターのどのポジションでも傷害はみられるが，ゴール周辺の長方形に区切られた区域（ペイントエリア）内での傷害が多く，ガードやフォワードに比べてセンターの傷害数が多い傾向にある[6]。バスケットボールで代表的な外傷の1つである膝前十字靱帯（anterior cruciate ligament：ACL）損傷に関しては，ガードではストップ動作，フォワードではカッティング動作，センターではジャンプ着地動作が原因での受傷が多く，ポジションの役割上，実施頻度が高くなる動作が傷害に影響している可能性がある[7]。

足関節外側靱帯損傷はジャンプ着地動作での受傷が多く，その半分は他の選手の足の上に乗った際（**図2**）に起こる接触型損傷である[3, 8, 9]。しかし，同様にジャンプ着地動作での受傷が多い膝ACL損傷では60〜90%が非接触型損傷であり[3, 10, 11]，疾患によっても選手の動作の影響や身体接触の影響が異なっている。

図3 バスケットボールの動作で大きな負荷がかかる身体部位

Sports Gear, Equipment

フロア，シューズと傷害の関係

選手はストップ，ターンなどを素早く行うために，よく止まるシューズがよいと考えているが，実際にはよく止まるシューズやフロアにて膝ACL損傷が多いなどの報告がある[12, 13]。

ジャンプ動作の機能解剖

代表的なジャンプ動作の種類と特徴

ジャンプ動作はバスケットボールにおいて頻回に行われ，かつ傷害につながりやすい動作でもある。代表的なものとして，リバウンドジャンプやシュート（レイアップシュート，ジャンプシュート）でのジャンプがある。リバウンドジャンプはゴール下での競り合いのなかで行われ，身体接触が多く着地時に他の選手の足の上に乗ってしまうこともある。シュートではジャンプだけではなく，ドリブルやパスミート（パスキャッチ）からジャンプシュートへ移る際の減速動作でも傷害が起こりやすい。バスケットボールでは，全速力でのプレーをルール上2歩以内で減速しなければならないために大きなストレスがかかることが特徴である。

リバウンドジャンプ（図4）

リバウンドジャンプを行う際，まず相手がゴール下に入り込むコースを防ぎ，ボールに対して相手より内側にポジションをとって有利にボールを取るボックスアウトが，身体ストレスを減少させる重要な技術の1つである。不利なポジションではジャンプが困難になり身体ストレスが増加する。リバウンドジャンプは落下してくるボールにタイミングを合わせて跳躍し，ジャンプの最高点でボールをキャッチするが，跳躍時の傷害は少なく着地での傷害が多い。

ジャンプの最高点以降，空中にいる時点で大腿・下腿の筋には着地のための準備的な筋活動が始まる。また，姿勢コントロールおよび着地における脊柱・体幹の安定化のために，着地に先行して体幹筋活動や腹腔内圧の上昇がみられる[14]。

フロアへの接地時は大きく脚を広げて，両脚での安定した着地を目指す。足尖から接地するが，接地時点ですでに膝関節は軽度屈曲位をとり，それに伴い膝関節外反角度が増加する[15]。床反力の増加に合わせて下肢関節は屈曲し，膝関節は70～80°程度の屈曲位となる。衝撃の緩衝のために下肢の伸展筋活動は著しくなり，同時に腹腔内圧も上昇し，バランスの維持に作用する。

着地時の身体重心の位置により筋活動は変化する。前方重心では大腿四頭筋の筋活動が減少し，後方重心ではハムストリングの筋活動が減少する。体幹を前傾して着地を行うことで，股・膝関節の屈曲角度が増加し，床反力が減少することが確認されている[16]。

また，接触などでバランスを崩し，片脚着地となることがある。両脚着地と比較して，片脚着地では着地時の膝関節外反角度が増加し，膝関節屈曲角度が減少する[17]。

レイアップシュート（図5）

ドリブルまたはパスミート後に1歩目をステップする（右手でシュートする場合は右足）。レイアップシュートは主に速攻など速い展開のときに使用する技術であり，1歩目の減速動作で膝関節へのストレスが大きくなる。2歩目は大きく前方へ踏み出し，この2歩目の脚で上方へ跳躍する。跳躍と同時に片手を伸ばし，ジャンプの最高点でボールをゴールリングへリリースする。

ドリブル→ストライドストップ→ジャンプシュート（図6）

ドリブルをやめてボールをキャッチする際に，1歩目を着地して重心を低くする。股・膝関節を十分に曲げて減速し，2歩目を出して確実に止まる。ドリブルで相手をかわした後など速い動作の直後に用いる。レイアップシュートと同様に，1歩目の減速動作で膝関節へのストレスが大きくなる。ストップ後，上方へ跳躍しシュートに至るが，低い姿勢で確実に止まることが身体へのストレス減少やシュートの成功率向上につながる。

ジャンプ動作に関連する主な外傷・障害

ジャンプ動作時に生じる傷害が多いのは膝関節である。特にリバウンドジャンプは，競り合いのなかで相手より少しでも高く跳ぼうと全力を発揮するためその着地の衝撃は大きくなり，これが膝関節に影響を及ぼしていると考えられる。

リバウンドジャンプでもシュートでも，傷害は主に着地時に生じる。着地時の膝伸展機構の強い筋活動や，膝関節外反ストレスなどの負荷が加わることが原因と考えられる。また，相手との接触によりバランスを崩したことでこれらの負荷はさらに助長されることもある。

バスケットボールは攻守の切り替えが早く，長時間にわたりダッシュ→ストップ→ターンを頻回に繰り返すことになる。これにより膝関節に傷害が発生することが多い。ディフェンスではオフェンスの選手のマークにつく際，全速力で近付き，最後は両脚を小刻みに動かすハーキーステップを用いて歩数制限なく減速できる（クローズアウト，図7）。しかし，オフェンスはルール上2歩で止まらなければならず，ストレスが大きくなる。ジャンプ動作に限らず，減速など他の動作により傷害が発生する可能性があることを念頭に置いておくべきである。

● 膝関節の急性外傷

膝靱帯損傷

ジャンプ着地時や減速時に後方重心になることで大腿四頭筋が強く収縮し，膝関節には前方引き出し力が加わり，これにより膝ACL損傷が引き起こされる。また膝関節外反位での着地も膝ACL損傷および膝内側側副靱帯（medial collateral

図4 リバウンドジャンプの連続写真

❶ボックスアウト　❷跳躍
❸ボールキャッチ　❹足尖接地
❺体幹，下腿が前傾。両下肢の十分な屈曲での着地
❻着地動作の解剖図

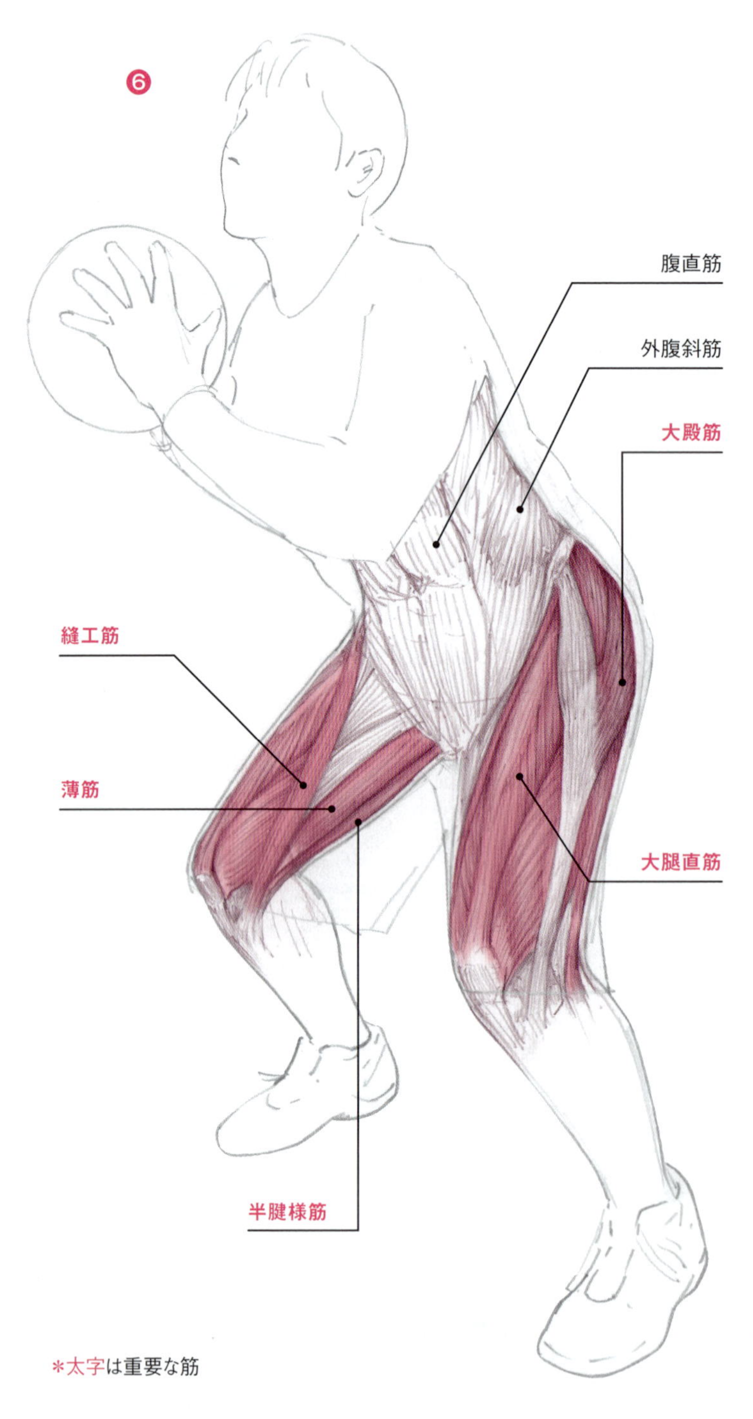

＊太字は重要な筋

図5 レイアップシュートの連続写真

パスミート（パスキャッチ）

1歩目

2歩目

上方へ跳躍

リリース

着地

図6 ドリブル→ストライドストップ→ジャンプシュート

ドリブル

ストライドストップ

重心を低くしたまま2歩目

上方へ跳躍

リリース

着地

図7 クローズアウトの連続写真

写真左のディフェンスの選手はオフェンスと違ってルール上歩数制限はなく，減速が可能である

ligament：MCL）損傷につながる[18]。非接触による受傷が多いが，相手との接触で膝関節が外反した場合にも起こりうる。

膝後十字靱帯（posterior cruciate ligament：PCL）損傷は，転倒した際にフロアへ脛骨前面を強打することでみられるケースが多い。

膝外側側副靱帯（lateral collateral ligament：LCL）損傷は，身体接触によって膝関節内反を強制されたときに受傷する可能性があるが，バスケットボールではかなりまれな外傷である。

半月板損傷

ジャンプ着地時に起こる膝関節の屈曲・回旋動作が原因となって生じる。前述の膝靱帯損傷により不安定性が増すことで，半月板損傷を合併する場合もある。バスケットボールでは，半月板中節から後節に損傷がみられることが多い。

膝関節の慢性障害

ジャンパー膝，Osgood-Schlatter（オスグッド-シュラッター）病

ジャンプ着地時や減速時に後方重心が続くと，膝伸展機構には大きな力が加わり続け，ジャンパー膝が発症する。約30%のバスケットボール選手にジャンパー膝が発生していることが報告されている[19]。

Osgood-Schlatter病も同様の機序で発生するが，成長期において脛骨粗面は力学的に脆弱であり，この部位に繰り返し牽引力が加わると11〜13歳ごろに脛骨粗面の障害をきたす。

鵞足炎

ジャンプ着地時や減速時に起こるknee-inによって下腿は外旋を強制され，これに拮抗する鵞足筋群（薄筋，半腱様筋，縫工筋）へのストレスとなる。長期にわたり，この不良アライメントで動作を反復することで鵞足炎が生じる。

膝蓋大腿関節障害（膝蓋骨亜脱臼，膝蓋軟骨軟化症，anterior knee pain，膝蓋大腿関節症）

膝蓋骨・膝蓋溝の形状，内側広筋の低形成，内側膝蓋支帯の弛緩，Qアングルの増大などの形態異常に加え，ジャンプ着地時や減速時に起こるknee-inによって，下腿が外旋を強制された肢位で大腿四頭筋が収縮した際に膝蓋骨が外側へ牽引されることで膝蓋大腿関節障害が発生する。また，後方重心により膝蓋大腿関節のコンタクトフォースが増強することも一因となる。スポーツによるオーバーユースだけでなく，膝前方部分の外傷や膝ACL再建術後などをきっかけに発症する症例もある。思春期ごろの女子選手に多く，臨床上よくみられるスポーツ障害の1つである。

膝関節傷害患者のジャンプ動作のみかた・評価

ジャンプ動作や減速動作は臨床の場面で場所をとらず，比較的評価しやすい。重要なことは患部の膝関節だけではなく，体幹・股関節・足関節など，他の関節との協調運動により衝撃吸収ができているかを評価することである。当然，膝関節を中心に下肢の関節が伸展位で着地すれば着地時の音が大きくなり，衝撃吸収ができていないことを示す。この着地音が大きい者ほど傷害が生じることが多い。

膝関節傷害患者の動作パターンとして，特徴的なパターンを2つ紹介する。まずは後方重心でのジャンプ着地のパターンである（**図8**）。股関節の屈曲不足や足関節の背屈不足で後方重心となるケースが多い。後方重心では膝伸展機構の強い筋活動につながり，膝関節に強いストレスが加わることとなる。

もう1つは，膝関節外反位でのジャンプ着地のパターンである（**図9**）。膝関節がつま先の方向に対して内側を向く，いわゆるknee-inは，代表的な不良アライメントである。股関節外転・外旋筋力の低下や足関節背屈制限により，knee-inが助長されることがある[20]。その他，体幹が側屈して相対的に膝関節外反位となることもあり，この外反ストレスにより傷害が生じることがある。

ジャンプ動作で生じる膝関節傷害の評価と理学療法の考え方

膝関節傷害の評価

膝関節傷害の評価は，問診にて受傷機転の聴取，画像所見（単純X線，MRI），圧痛部位，関節可動域（range of motion：ROM），関節腫脹の有無，整形外科徒手検査（**表1**），下肢アライメントの観

図8 後方重心でのジャンプ着地

❶母趾球に体重が乗った適切なジャンプ着地（体幹と下腿の前傾角度が平行となる） ❷後方重心での不適切なジャンプ着地

図9 膝関節外反位でのジャンプ着地

❶膝とつま先の方向が一致した適切なジャンプ着地 ❷膝関節外反位での不適切なジャンプ着地

Sports Skill

ストップ動作には，ストライドストップとジャンプストップの2種類の技術がある（**図10**）。
ストライドストップは2歩で止まる動作であり，確実なストップが可能というメリットがある。ドリブルをやめたときだけではなく，パスミートやルーズボールを取ったときにも使える。
もう一方のジャンプストップは，空中でボールを受け，両足が同時に着地して止まる動作である。主にパスミートで使用し，ストップ後，ディフェンスの状況に合わせて左右どちらの足も軸足にできるというメリットがある。

図10 2種類のストップ動作の連続写真

ストライドストップ：写真は左足→右足の順でのストップ動作

ジャンプストップ：両足が同時に着地するストップ動作

表1 膝関節傷害の評価で用いる整形外科徒手検査

評価部位		検査名
靭帯	ACL	Lachmanテスト，Nテスト，前方引き出しテスト
	PCL	後方引き出しテスト
	MCL	外反ストレステスト
	LCL	内反ストレステスト
半月板		McMurrayテスト，Apleyテスト
鵞足部		スクワッティング検査（詳細はp.212を参照）
膝蓋大腿関節		patella apprehension test patella grinding test

ACL：前十字靭帯，PCL：後十字靭帯，MCL：内側側副靭帯，LCL：外側側副靭帯

察などにより行われる。

関節腫脹は膝蓋骨直上の周径や膝蓋跳動により評価する。通常，理学療法評価の前にすでに医師から診断名が出ているが，理学療法室でも疾患の状態や重症度を把握するために整形外科徒手検査を行う。また，下肢アライメントと下肢の外傷は関連があるとの報告[21]があり，Qアングル（Q角）の測定やスクワッティング検査（詳細はp.212を参照）を行う。スクワッティング検査は疼痛誘発動作として簡便に実施でき，ジャンプ着地動作や減速動作の分析と合わせて確認する。

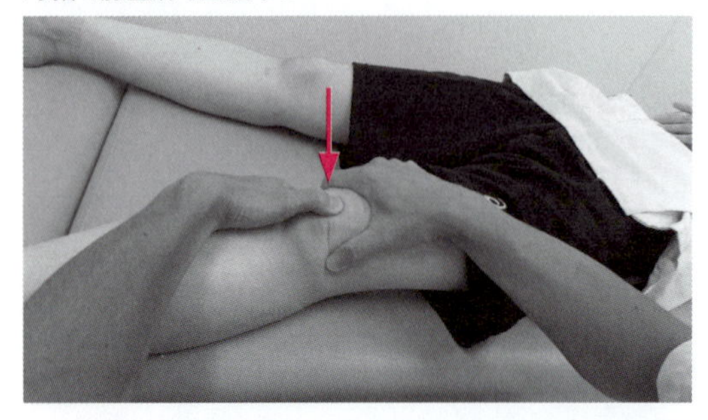

図11 膝蓋跳動
検者の片方の手掌で膝蓋上嚢を下方へ圧迫し，もう一方の母指で膝蓋骨を圧迫する

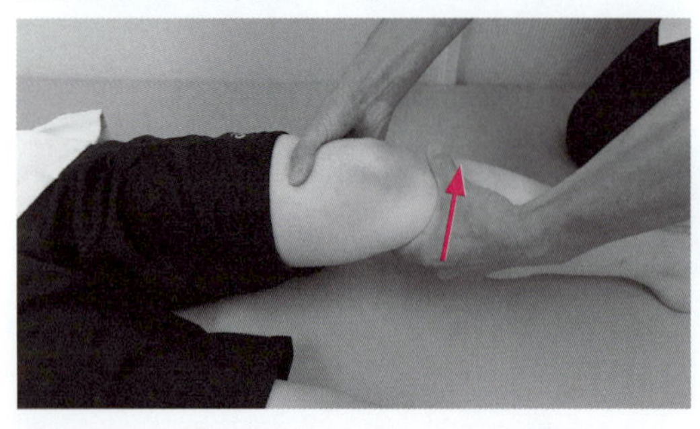

図13 Lachmanテスト
検者の片方の手で大腿遠位部を固定し，もう一方の手で下腿近位部を把持し，前方へ引き出す。陽性の場合は前方移動量が大きく，end pointが不明瞭となる

膝蓋跳動（図11）

被検者を背臥位とし，膝関節伸展位とする。検者の片方の手掌で膝蓋上嚢を下方へ圧迫し，もう一方の母指で膝蓋骨を圧迫する。関節液や血液が貯留していれば膝蓋骨の浮き上がりを触知できる。

Qアングル（図12）

静的な下肢アライメントの評価方法の1つである。上前腸骨棘と膝蓋骨中央を結ぶ線と，膝蓋骨中央と脛骨粗面を結ぶ線でつくられる角度をQアングルといい，正常値は20°以内（平均14°）である。

Lachmanテスト（図13）

前方不安定性の検査で，被検者を背臥位とし，膝関節軽度屈曲位でリラックスさせる。検者の片方の手で大腿遠位部を固定，もう一方の手で下腿近位部を把持して前方へ引き出し，前方移動量とend pointの有無を確認する。正常な場合はend pointを触知できるが，陽性の場合は前方移動量が大きくend pointが不明瞭となり，膝ACL損傷を疑う。受傷直後の急性期で痛みや腫れが強いときは実施困難である。

図12 Qアングル（Q角）
上前腸骨棘と膝蓋骨中央を結ぶ線と，膝蓋骨中央と脛骨粗面を結ぶ線でつくられる角度をQアングル（Q角）といい，正常値は20°以内である

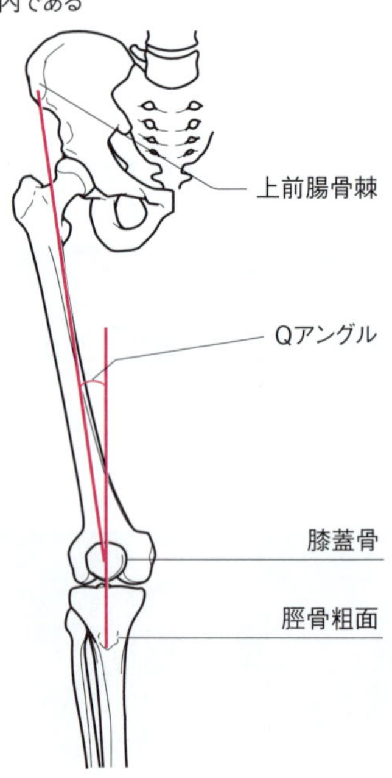

Nテスト（図14）

被検者を背臥位にて膝関節屈曲位とする。検者の片方の手で下腿を内旋し，もう一方の手で膝を外反させつつ腓骨頭を前方へ押し出す。その状態のまま膝関節を伸展していき，膝関節屈曲10～30°で脛骨顆部が亜脱臼する現象が出現する場合，あるいはこの操作で被検者が不安感を訴える場合に陽性となり，膝ACL損傷を疑う。

前方・後方引き出しテスト（図15）

被検者を背臥位とし，膝関節屈曲90°で行う。前方引き出しテストは検者の両手で脛骨近位を把持し，前方に引き出して前方移動量を確認する。陽性の場合は大きな前方移動を認め，膝ACL損傷を疑う。

後方引き出しテストは同様の肢位で，検者の両手で脛骨近位を後方に押し込み，後方移動量を確認する。陽性の場合は大きな後方移動を認め，膝PCL損傷を疑う。

外反・内反ストレステスト

被検者を背臥位とし，膝関節伸展位および膝関節屈曲30°でそれぞれ検査を行う。まず，検者の肘と体幹の間で患者の下腿を固定する。検者の片方の手で内側の関節裂隙を触診し，もう一方の手は大腿骨の遠位外側に位置させて大腿骨を固定する。そこから固定した下腿を外側へ動かすことで膝関節に外反負荷を加えて関節裂隙の開大の左右差を比較することで，内側不安定性を評価する（外反ストレステスト，図16）。不安定性を認める場合は膝MCL損傷を疑う。さらに，膝関節屈曲位だけではなく伸展位でも不安定性を認めればより重度な損傷であり，膝ACL損傷を合併している可能性が高い。

外側不安定性の評価の際は，外反ストレステストの手の位置を逆にする（外側の関節裂隙の触診と大腿骨遠位内側からの固定）。固定した下腿を内側へ動かすことで膝関節に内反負荷を加え，同様に評価する（内反ストレステスト）。不安定性を認める場合は膝LCL損傷を疑う。

patella apprehension test（図17）

膝蓋骨の不安定性を評価するために行う。被検者は背臥位で大腿四頭筋を脱力する。検者が患肢の内側に立ち，両手の母指で膝蓋骨を外側へ移動させた際に被検者が不安感を訴えた場合を陽性とする。また，別法として検者が膝蓋骨を外側および内側に移動させたまま，被検者が膝関節を屈伸した際の症状をみるテストもある。このテストでは膝蓋骨を外側に移動した際の屈伸において不安感が出現し，内側へ移動した際に不安感が消失する場合を陽性とする。

patella grinding test（図18）

被検者は背臥位となり，検者は膝蓋骨上に手を置き膝蓋骨を圧迫したまま内外側方向に動かす。疼痛が生じた場合を陽性とし，膝蓋軟骨軟化症，膝蓋大腿関節炎が示唆される。

図14 Nテスト
検者の片方の手で下腿を内旋し，もう一方の手で膝を外反させつつ腓骨頭を前方へ押し出す。その状態のまま膝関節を伸展していき，脛骨顆部の亜脱臼あるいは不安感があれば陽性である

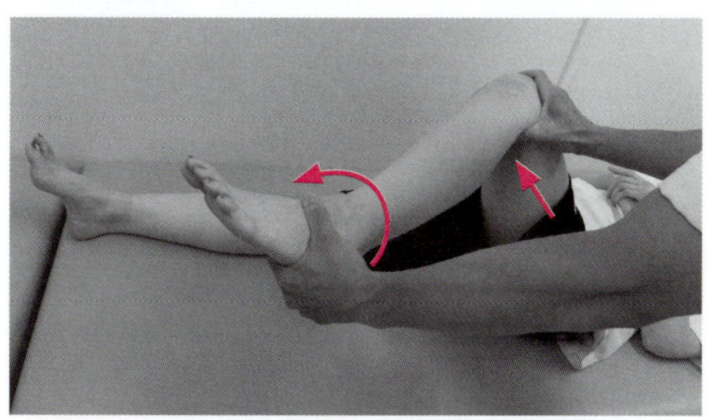

図15 前方・後方引き出しテスト
膝関節屈曲90°で，検者の両手で脛骨近位を把持し，前方へ引き出す，もしくは後方へ押し込むことで不安定性を評価する

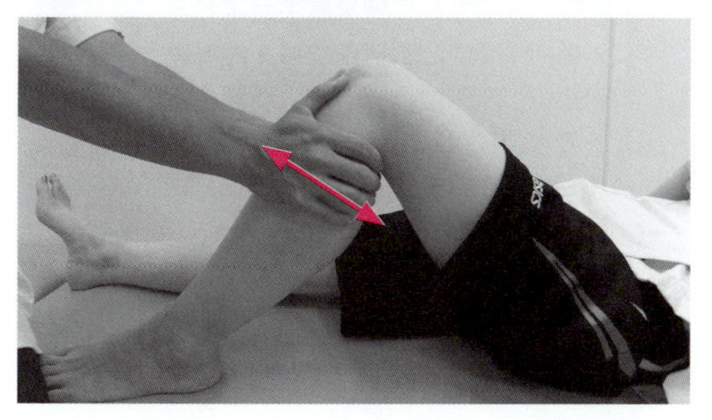

膝関節傷害の理学療法

理学療法では，ジャンプ着地動作や減速動作の確認とともに，柔軟性が低下している筋の柔軟性改善と筋力が不十分な部位の強化（図19）を行う。

ジャンプ着地動作や減速動作でknee-inする場合は，股関節外転・外旋筋の強化，足関節背屈可動域制限の問題点などを改善する。体幹機能が低下している場合，他の選手との接触でバランスを崩しやすいため強化が必要である。また，扁平足・

図16 外反ストレステスト

片方の手で内側の関節裂隙を触診し，もう一方の手は大腿骨の遠位外側に位置させる。下腿を外側へ動かすことで膝関節に外反負荷を加える

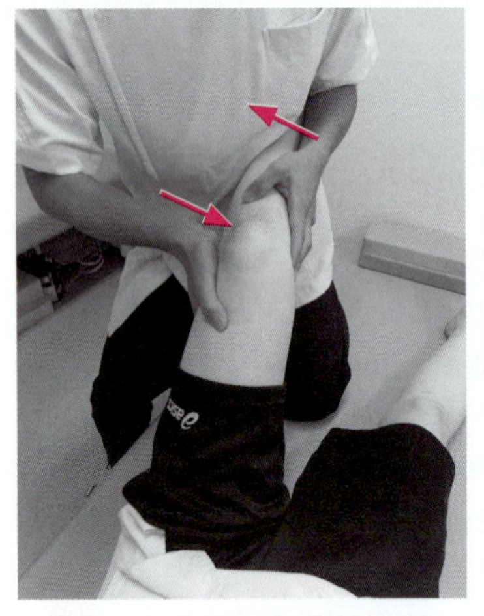

図17 patella apprehension test

検者が患肢の内側に立ち，両手の母指で膝蓋骨を外側へ移動させた際に被検者が不安感を訴えた場合を陽性とする

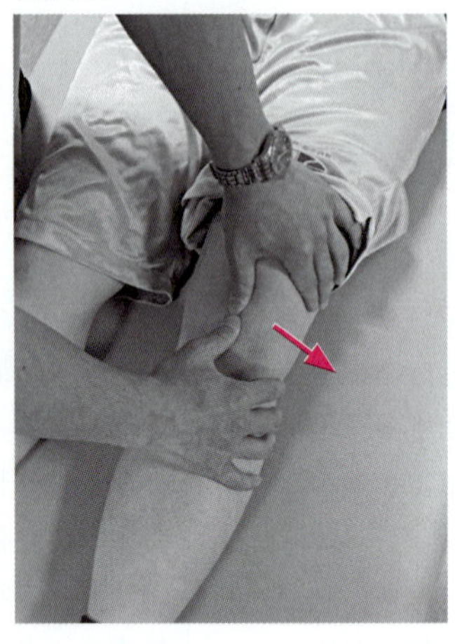

図18 patella grinding test

検者は膝蓋骨上に手を置き，膝蓋骨を圧迫したまま内外側方向に動かす。疼痛が生じた場合を陽性とする

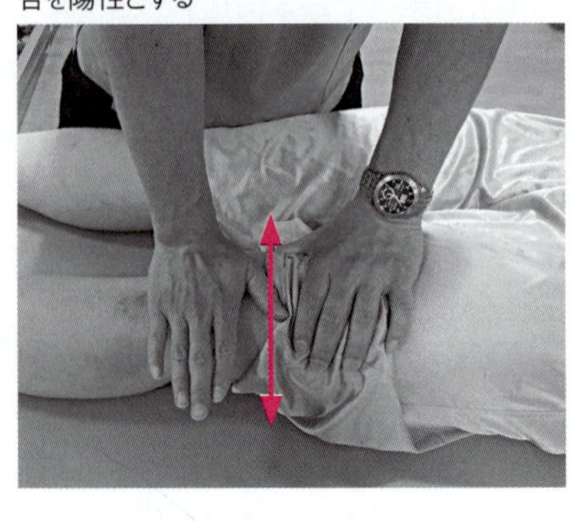

図19 股関節外旋筋および体幹筋トレーニング

❶股関節外旋筋トレーニング　❷フロントブリッジ（体幹筋）　❸サイドブリッジ（体幹筋）

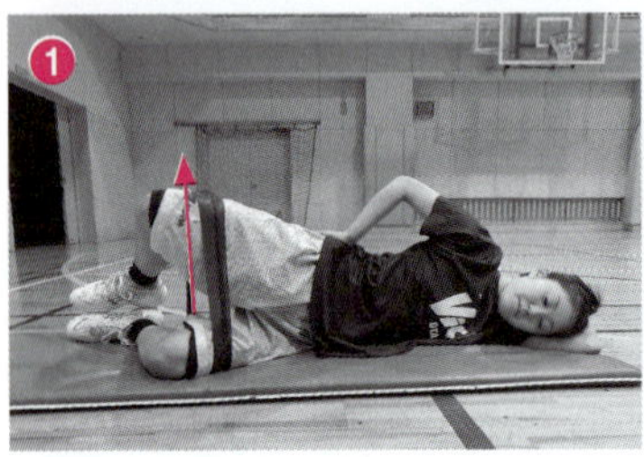

開張足などの足部アーチの低下や回内足を呈する場合もknee-inにつながるため，その場合はインソールなどで対応する。

バスケットボール選手は足関節外側靱帯損傷の既往をもつ選手が多いので，特に足関節背屈可動域は注意すべき部位である。背屈可動域制限や体幹機能の低下などの問題はknee-inだけではなく後方重心にもつながるため，十分にアプローチする。

ジャンプ着地動作や減速動作のアライメントコントロールでは前段階として，まずスクワットでアライメントの確認を行う。注意点は，膝とつま先の方向が一致するneutralの状態で行うことである。knee-inが著明な場合はゴムチューブを膝の高さに巻き，股関節外転筋・外旋筋を意識させながらスクワットを行う（**図20**）。また，スクワットは膝関節の屈曲だけで行うと後方重心になるため，股関節と膝関節を同程度に屈曲させ，足関節背屈により下腿を前傾させる。指標としては，体幹と下腿の前傾角度が平行になるとよい（**図8**）。この方法により体重は母趾球にかかり，大腿四頭筋とハムストリングの同時収縮が起こる。これらができるようになれば，前方へのホップ（**図21**）により同様のチェックを行い，さらに実際のリバウンドジャンプ，ストライドストップ，ジャンプストップでアライメントを確認していく。

Check! **理学療法ガイドライン第2版**

「運動機能低下がある膝蓋大腿関節症の患者に対して，理学療法は推奨されるか」[22]については，『理学療法ガイドライン 第2版』第12章「膝関節機能障害理学療法ガイドライン」の膝蓋大腿関節症CQ1を参照されたい（https://www.jspt.or.jp/upload/jspt/obj/files/guideline/2nd%20edition/p693-743_12.pdf）。

Web版はこちら

図20 スクワットにおけるknee-inの矯正

ゴムチューブを膝関節の高さに巻き，股関節外転筋・外旋筋を意識させながらスクワットを行う

「運動機能低下がある膝蓋大腿関節症の患者に対して，単独で行う理学療法と，テーピング併用のいずれが推奨されるか」[22]については，『理学療法ガイドライン 第2版』第12章「膝関節機能障害理学療法ガイドライン」の膝蓋大腿関節症CQ4を参照されたい（https://www.jspt.or.jp/upload/jspt/obj/files/guideline/2nd%20edition/p693-743_12.pdf）。

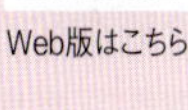
Web版はこちら

これらのほか，急性期の炎症症状などが認められれば，必要に応じてアイシングなど物理療法を併用する。

また，テーピングの使用も考慮する。膝蓋骨の下制誘導（**図22❶**）や内側誘導（**図22❷**），下腿の内旋誘導（**図22❸**）などを用いて疼痛をコントロールしつつ他の運動療法を施行し，練習・競技に復帰する。

膝ACL再建術後の理学療法

膝ACL損傷後にスポーツを続けるためには，保存療法では膝くずれを防ぎきれず，変形性膝関節症へつながるため手術療法（膝ACL再建術）が必須である。膝ACL再建術後の競技復帰時期は，医療機関によりばらつきはあるものの術後半年から1年と長期にわたり[23]，競技復帰のためだけでなく再損傷予防のためにも理学療法が重要となる。

図21 前方へのホップ

❶～❸前方へのホップで動的アライメントを確認する　❹，❺フロアでできるようになれば，さらに不安定板（BOSU®）の上でも行う

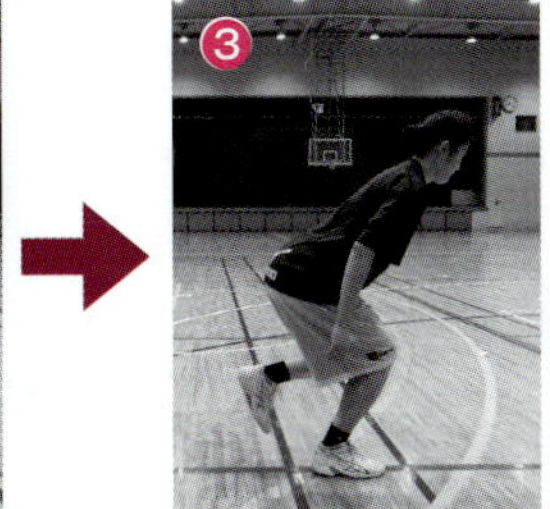

図22 膝関節のテーピングの一例（伸縮性テープ・ハードタイプを使用）

❶膝蓋骨の下制誘導：スプリットテープにて膝蓋骨上縁を下制方向へ誘導しながら巻く。ジャンパー膝・Osgood-schlatter病に適用する　❷膝蓋骨の内側誘導：スプリットテープにて膝蓋骨外側を内側方向へ誘導しながら巻く。膝蓋大腿関節障害に適用する　❸下腿の内旋誘導：下腿のアンカーテープ外側から内側方向へ螺旋状に巻く。鵞足炎や膝蓋大腿関節障害に適用する

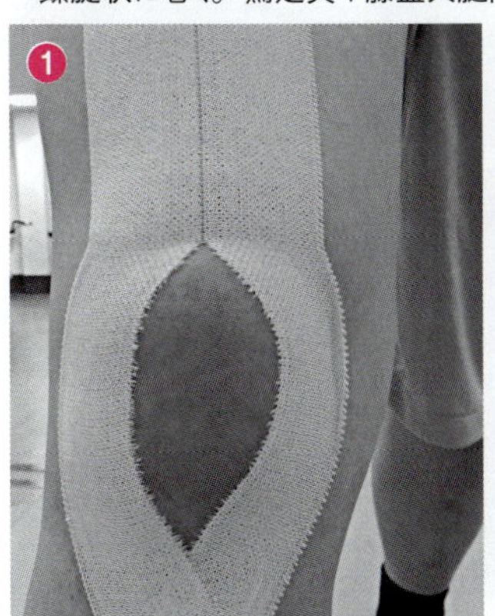

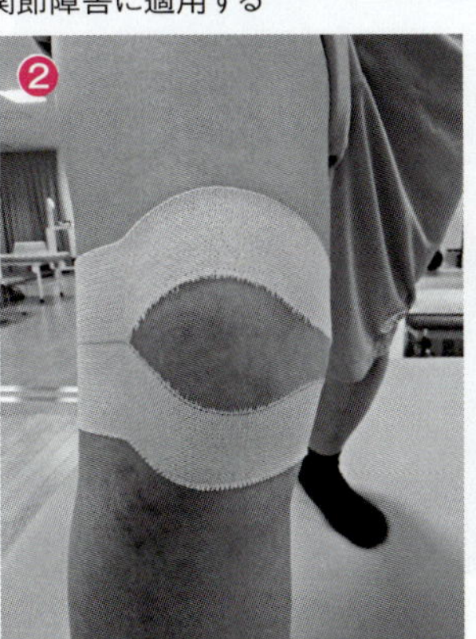

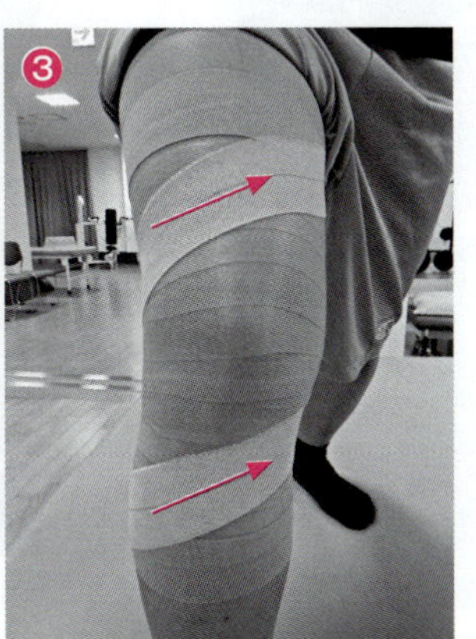

膝ACL再建術に用いる移植腱には半腱様筋腱や骨付き膝蓋腱などがあるが，移植腱は再建術後に一度虚血性壊死に陥り，その後に力学的強度が向上してくる[24,25]。術後の運動によっては移植腱への過剰な負荷となり，リモデリングの阻害や骨孔拡大が起こり，膝関節不安定性につながる。移植腱の種類にかかわらず，移植腱のリモデリング・骨孔の骨硬化に合わせて，術後時期を考慮しながら運動療法を選択する必要がある。また，患者自身にも移植腱のリモデリング過程について認識してもらい，膝ACL再建術後の再損傷や膝ACL損傷につながる不良アライメントなども加えた患者教育を実施することが再損傷予防のために有益である[26,27]。

膝ACL再建術後は，膝関節伸展0°～屈曲130°を目標にウォールスライド（**図23❶**）やヒールスライド（**図23❷**）のような愛護的なROMエクササイズを開始する。健側の膝関節が過伸展するような症例は移植腱の伸張ストレスを考慮して，患側の膝関節伸展角度は0°までとしている。

筋力強化に関しては，大腿四頭筋の収縮は膝関節伸展域で膝ACLの緊張を増加させるため[28]，下腿近位に強めのゴムチューブをかけ，膝関節の伸展時に膝ACLに加わる前方への剪断力を抑制しながら実施する（**図24❶**）。一方，ハムストリングの収縮は膝ACLの緊張を減少させることが報告されており[28]，その強化は重要である。移植腱に半腱様筋腱を用いた場合，術後初期に膝関節屈曲時に疼痛を伴う症例があるため配慮が必要であるが，疼痛消失に合わせて自動運動から開始し，抵抗運動や両脚ブリッジ（**図24❷**）を行う。採取した半腱様筋腱の再生を考慮し，マシンを使用した高負荷のレッグカール（**図24❸**）は術後2カ月程度から開始し，術後6カ月以降にロシアンハムストリング（**図24❹**）などを実施する。また荷重位での筋力強化として，スクワット（**図20**）やフォワードランジなどを実施する。患部外のトレーニングに関しては，動作時のアライメント修正を目的とした体幹筋や股関節外転筋・外旋筋の強化を中心に術後早期から開始する（**図19，20**）。有酸素運動としては膝ACLへの負荷が少ない自転車エルゴメータ[29]やエアロクライムなどを選択する。

膝ACL再建術後は膝関節の固有受容感覚が低下することが報告[30,31]されており，バランストレーニングも実施する。バランスディスクに両脚で乗りパワーポジションを保持することから開始し（**図25❶**），ボールハンドリングやドリブル，パス（**図25❷**）などで難易度を上げ，片脚でのバランストレーニングへ段階的に移行していく（**図26**）。また，バランスディスク上でのフォワードランジ

図23 膝ACL再建術後のROMエクササイズ

❶ウォールスライド　❷ヒールスライド

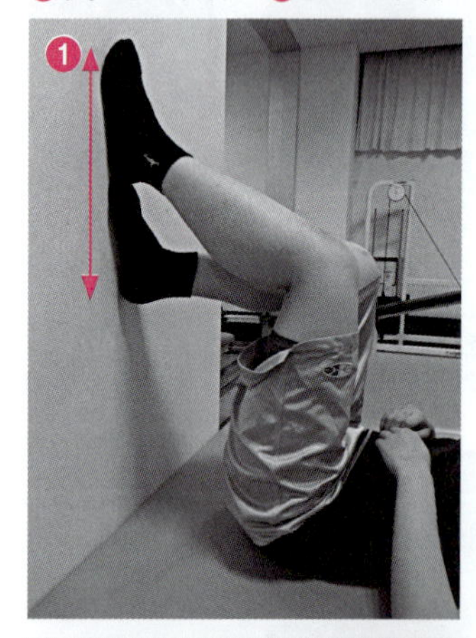

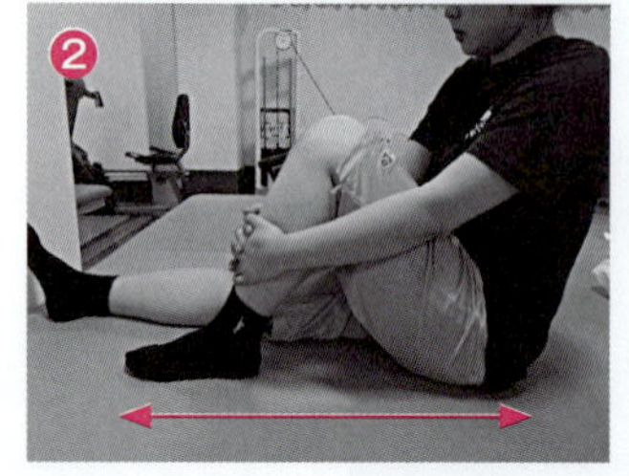

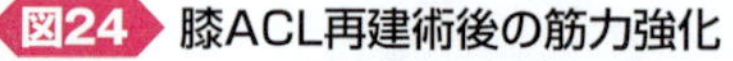

図24 膝ACL再建術後の筋力強化

❶下腿近位抵抗での大腿四頭筋筋力強化エクササイズ　❷両脚ブリッジ（BOX使用）　❸レッグカール（マシン使用）　❹ロシアンハムストリング

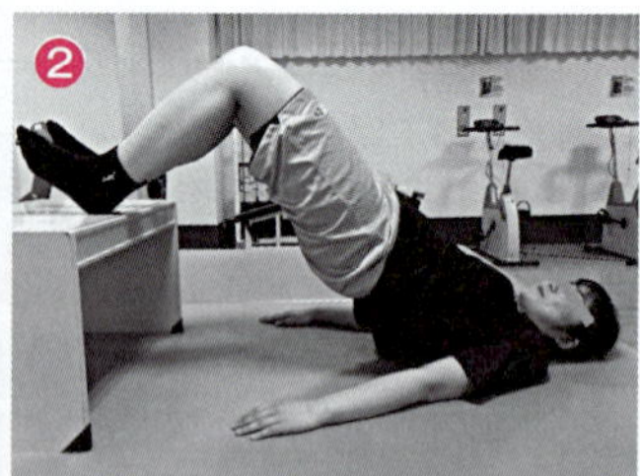

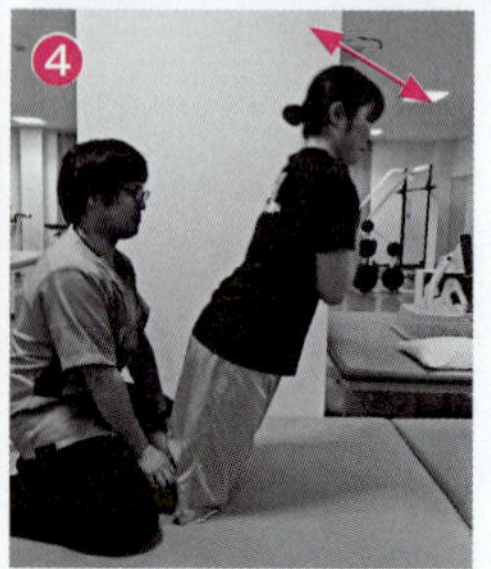

や片脚スクワット，ホップ動作など動的なバランストレーニング（**図21**）も実施する。

> **Check! 理学療法ガイドライン第2版**
>
> 「ACL再建術後患者に対する理学療法においてバランス練習は推奨されるか」[32]については，『理学療法ガイドライン 第2版』第13章「前十字靱帯損傷理学療法ガイドライン」のCQ5を参照されたい（https://www.jspt.or.jp/upload/jspt/obj/files/guideline/2nd%20edition/p745-780_13.pdf）。
>
> 
> Web版はこちら

術後3〜4カ月以降，骨孔の骨硬化に合わせて等速性筋力の測定を実施し，ジョギングやサイドステップ，両脚ターンなどの基本的なフットワークドリルを開始する。バスケットボール動作ではドリブルからのストライドストップやターン（フロントターン，リバースターン）などを確認する。術後5カ月ごろからダッシュや両脚ジャンプ着地，術後6カ月ごろから片脚ジャンプ着地のトレーニングを開始する。ジャンプ着地動作の確認後，パスに合わせてのジャンプストップやレイアップシュートなども確認する。再損傷する症例のなかには，初回損傷時と同じような受傷機転になる場合がある。症例ごとの受傷機転を詳細に確認し，さまざまなフットワークドリルのなか，特に受傷時の動作を重点的に確認する。術後7カ月ごろより1対1での対人プレーを行い，術後8カ月でチーム内練習にすべて参加，術後9カ月で試合を含めた完全復帰を目標とする。なお各医療機関で，術後期間，筋力，ROM，腫脹，安定性，動作などを指標とした独自の復帰基準が用いられているが，復帰後の競技レベルや再損傷の発生率に影響を与えるかは不明である。

> **Check! 理学療法ガイドライン第2版**
>
> 「ACL再建術後のスポーツ復帰基準において筋力，関節可動域，動作いずれが判断材料として推奨されるか」[32]については，『理学療法ガイドライン 第2版』第13章「前十字靱帯損傷理学療法ガイドライン」のCQ7を参照されたい（https://www.jspt.or.jp/upload/jspt/obj/files/guideline/2nd%20edition/p745-780_13.pdf）。
>
> 
> Web版はこちら

フォローアップ

体幹筋・股関節周囲筋を中心とした筋力強化や，足関節外側靱帯損傷などの足関節傷害後の十分なリハビリテーションなどで，コンディションを整えておくことが重要である。また，ウォーミングアップなどは，ジャンプ動作および減速動作時のアライメントに注意しながら行う必要がある。

膝ACL損傷は再建術後の競技復帰に約半年〜1

図25 膝ACL再建術後の両脚でのバランストレーニング

❶パワーポジションの保持　❷パワーポジションを保持したままパス（片脚でのバランストレーニングは**図26**参照）

図26 バランストレーニング

足関節は底屈位が不安定であるため，底屈位でのトレーニングを行う（❶）。難易度を上げる際はバランスディスク上でボールハンドリングを行う（❷）。切り返し時のバランス能力向上のために，重心を低くした姿勢でも行う（❸）。難易度を上げる際はドリブルをする（❹）

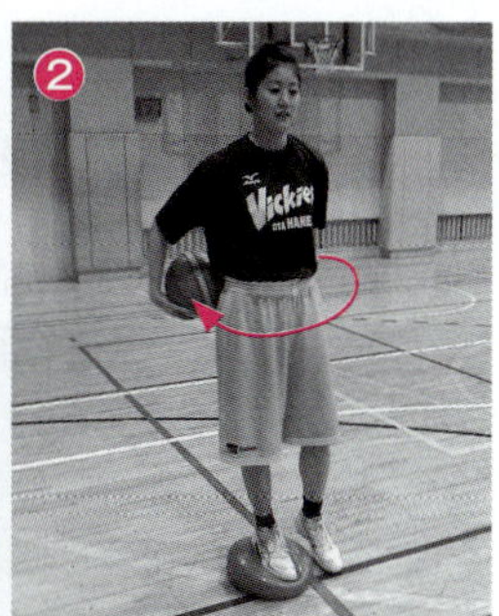

年かかる。それにもかかわらず，競技復帰後に再損傷してしまう症例が，同側損傷・反対側損傷ともに5％前後みられる[33-35]。若年の競技スポーツ復帰者では再損傷率は20〜30％にもなると報告されている[36-38]。現在，国内外で膝関節外傷の減少を主な目的とした傷害予防の取り組みが行われている[39, 40]。その多くは筋力トレーニング，バランストレーニング，ジャンプトレーニング，ストレッチング，アジリティトレーニング，動作指導などの要素のなかから複数要素が選択されたプログラムを作成し，スポーツ現場で実施するものである。週に複数回を継続的に行うことにより動的アライメント改善や傷害発生率の減少が報告されているため，膝ACL再建術後の選手は再損傷予防のために実施することが望ましい。

切り返し動作の機能解剖

切り返し動作の種類と特徴

バスケットボールではドリブル，パス，シュートに注目が集まるが，ボールを持つ前段階としての攻防がある。オフェンスはパスをもらうためディフェンスを引き離すように，ディフェンスはパスを渡さないためオフェンスに振り切られないように，コート上をあらゆる方向に動き続ける。このときの代表的な動作として切り返し動作があり，オフェンス・ディフェンスともに必須の技術である。

オフェンスでの切り返し動作としてはカッティングがある（**図27**）。カッティングとは相手ディフェンスを振り切ってパスを受けることを目的としたボールを持っていないオフェンス選手の動きのことを指す。カッティングにはさまざまな種類があり，Iカット（カッティングを始めた位置に戻るもの），Vカット（カッティングを始めた位置より少し位置をずらしたところへ戻るもの），Lカット（進行方向から90°曲がるもの）など，選手の動きを文字の形に例えた名称がついたものがある。進行方向とは違う方向へ急に方向転換することが効果的であり，ボールやディフェンスの位置などの状況に合わせて種々のカッティングを使い分ける。また，オフェンス側の意図するポジションにディフェンスを引き付けるために使用することもある。

ディフェンスではオフェンスにパスを渡さないように，フットワークの基本となるサイドステップやクロスステップで対応するが，この際に切り返し動作が必要となる。相手がボールを持った際にも同様のステップを用いて対応し，側方だけではなく後方へ下がりながら切り返すことも多い。

サイドステップにはフルスライドステップとハーフスライドステップがある。フルスライドステップはステップ時に両足が揃うステップをいい，1歩の移動量は大きくなるが，重心の上下動が大きく相手の動きの変化への対応が遅くなる。相手に対応するために半歩ずつ進む分，素早く足を動かすハーフスライドステップが実用的であるが，フ

図27 カッティングの連続写真

❶写真右がオフェンスの選手。左がディフェンスの選手（マークマン）。マークマンがパスコースをチェック　❷母趾球より接地し，重心を低くする　❸膝とつま先が同じ方向を向いたままアウトサイドカット　❹パスを受ける

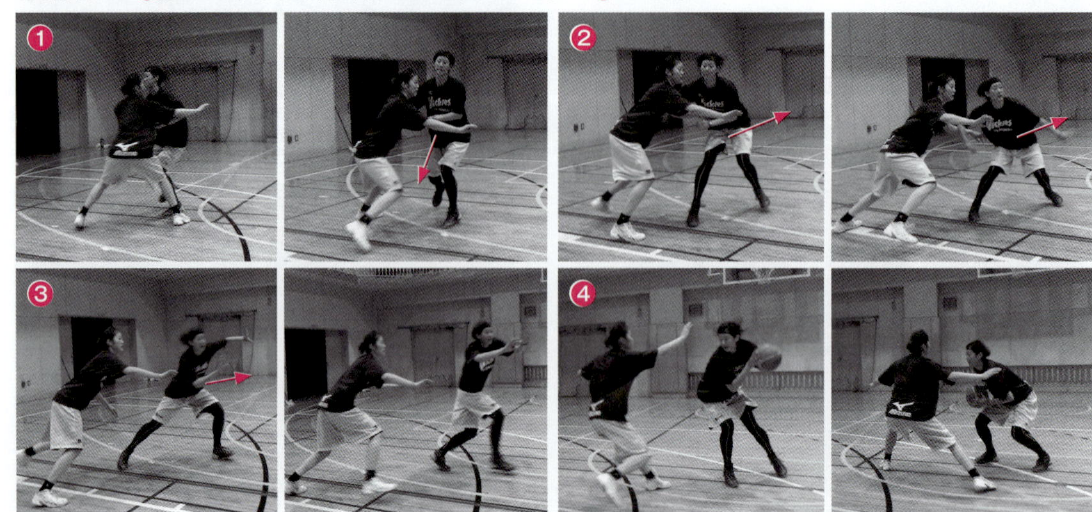

ルスライドステップとなっている選手も多く，後述の理学療法を行う際に合わせて確認・指導する。

オフェンスでの切り返し（図27）

マークマン（ディフェンスの選手）がパスコースをチェックしてきたら，急ストップし，進路を変える。アウトサイドカット［切り返し方向に対して反対側の足で床を外側に強く蹴る（図27❷，❸：右足で床を蹴って左に切り返している）］を使用するのが一般的である。接地は足関節底屈位で母趾球を中心に行い，股関節から足関節をつなぐ線上に膝関節が位置する。この際，体幹が切り返し方向と反対方向に傾斜し，蹴り出しとともに切り返し方向に傾斜する[41]（図27❷，❸）。この切り返し時の体幹側方傾斜は，男子よりも女子で大きい傾向がみられる[41]。また，接地直前で脛骨は最大外旋位となり，その後，膝関節の屈曲に伴い脛骨の内旋がみられ，離踵前後に再び外旋がみられる[42]。

体幹を前傾して切り返しを行うことで膝関節屈曲角度は増加し，膝関節伸展トルクは減少する[43]。女子は男子に比べ，切り返しの際に股・膝関節の屈曲角度が小さく膝関節外反角度が大きいことや，大腿四頭筋の筋活動が高くハムストリングの筋活動が低いことが報告されている[44,45]。

切り返しの際は，姿勢を低くすることで切り返しの速さに変化をつけやすく，切り返し後はスピードアップしてマークマンを引き離す（図27❸）。

ディフェンスでの切り返し

サイドステップ（図28，29）ではパワーポジションが開始姿勢となる（図28❶）。進行方向とは反対側の足の母趾球で，床を外側へ強く蹴る（図28❷：右足で床を蹴って左へ移動）。これにより進行方向の足を大きく踏み出す。体重を進行方向の足へ十分に移した後，反対側の足を進行方向へ出し始める（図28❸）。この際，両足の幅は肩幅より狭くはせず，重心の上下動を抑えたまま側方移動する。

クロスステップ（図30）は，速攻を仕掛けられたときなどスピードが必要な場面で用いる。比較的長い距離を速く移動しながらディフェンスするときのステップで，下半身は進行方向に向けて通常の走り方となるが，上半身は常にボールへ向ける。

ディフェンスはサイドステップのみ・クロスステップのみで行うこともあれば，両方を組み合わせることもある。いずれの場合でも常に重心を低くしたまま行い，体幹は正中位を保持し左右どちらにも動けるように準備する。

切り返す際は母趾球を中心に進行方向を変える。ステップ中から下肢筋群は高い筋活動を維持するが，切り返し時には殿筋群を中心に強い筋収縮が必要になる。

進行方向の手は肩より高くしてパスラインを防ぎ，もう一方の手は下方へ位置し，ドリブルのフ

図28 サイドステップの連続写真

❶パワーポジション　❷進行方向へのステップと蹴り出し　❸残った足を引き寄せる　❹，❺繰り返すことで移動　❻母趾球で接地　❼，❽体幹前傾・下肢屈曲位で，重心を低くしたまま切り返す

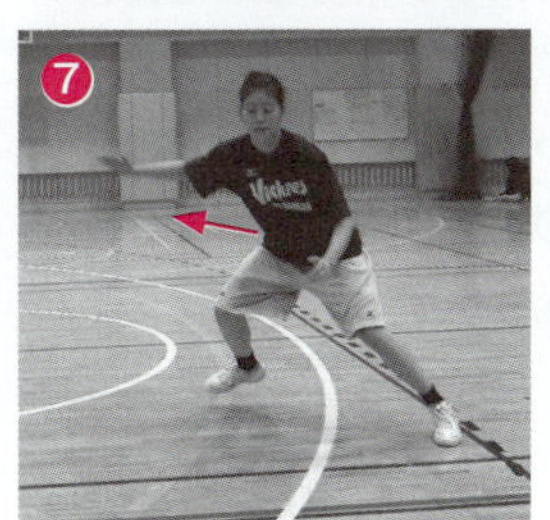

図29 サイドステップの解剖図

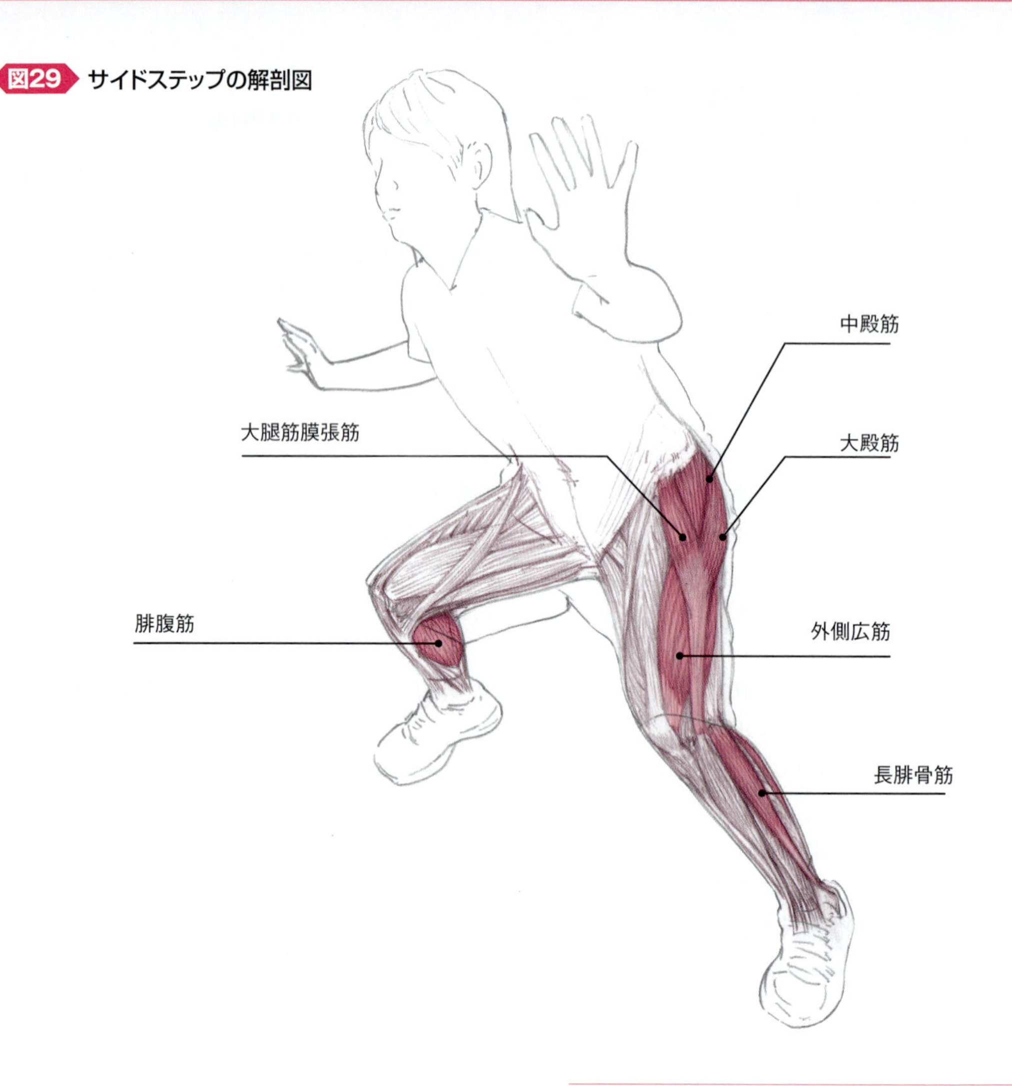

ロントチェンジを阻止するために活動しており，体幹での重心コントロールと下肢筋群の筋活動のみでの切り返しとなる。

切り返し動作に関連する主な外傷・障害

切り返し時に生じる傷害が多いのは，足関節・足部である。オフェンスでは急な方向転換と速度の上昇が，ディフェンスでは相手に合わせて不規則に切り返すことが傷害を発生させていると考えられる。切り返し時に十分な重心コントロールができなかった場合や不良なアライメントで切り返した場合に，筋・関節へのストレスとなって傷害が生じると考えられる。

バスケットボールにおいて切り返しは必須の動作であり，足関節・足部の傷害は動作に影響しやすく，慢性化や再発にも至りやすい。

急性外傷

足関節靱帯損傷

足関節には前・後距腓靱帯と踵腓靱帯からなる外側靱帯と，三角靱帯からなる内側靱帯があるが，バスケットボールでの靱帯損傷の多くは外側靱帯損傷である。受傷メカニズムは不明な点が多いが[46]，スピードがついた状態からの切り返し時に，回外の強制により受傷すると考えられる。

慢性障害

有痛性外脛骨

外脛骨は舟状骨の内側にある副骨で，約20%の人に認められる。多くは無症候性であるが，この部位は後脛骨筋が付着する部位でもあり，過回内・内側縦アーチの低下によって後脛骨筋への伸張ストレスが加わると，有痛性となることがある。

図30 クロスステップの連続写真

❶パワーポジション　❸下半身は通常の走り方と同じ　❻サイドステップと同様に，母趾球を中心に切り返す

足底腱膜炎

足底腱膜は踵底部から足趾に向かって広がり，足の縦アーチを形成し，足部にかかる衝撃を和らげる働きをする。前足部で蹴り出す際にウィンドラス機構が働き，足底腱膜には伸張ストレスが加わる。繰り返される切り返し動作やジャンプ動作，特にknee-in/toe-outのような不良アライメントがみられる場合，さらに伸張ストレスが加わり発症する。

アキレス腱炎，Sever（シーバー）病

アキレス腱には腱鞘がなく，パラテノンに覆われている。アキレス腱へのストレスが続くと，アキレス腱自体もしくはパラテノンが炎症することで痛みを伴う。knee-in/toe-outのような切り返しではアキレス腱の内側に，knee-out/toe-inでは外側に痛みが出現することが多い。

Sever病は，10～12歳を好発年齢とした踵骨の骨端症である。繰り返される切り返し動作やジャンプ動作で，十分に衝撃吸収ができない場合に痛みを訴えることがある。

足関節・足部傷害患者の切り返し動作のみかた・評価

切り返し動作はジャンプ動作・減速動作と同様に，小スペースがあれば臨床でも評価できる動作である。重心コントロール，不良アライメントなどを中心に観察することが重要となる。

つま先を過度に内側に向けた切り返しは，knee-out/toe-inの状態を引き起こし外側支持機構の傷害の原因となる。反対につま先を外側へ向けたまま切り返した場合，knee-in/toe-outの肢位に至りやすい。この場合，後脛骨筋などへ伸張ストレスが加わり内側支持機構の傷害の原因となる。

その他に十分な下腿前傾と股・膝関節屈曲ができているかを確認する。下腿を前傾することで足関節は背屈位となり，骨性に安定した肢位となる。また，股・膝関節の屈曲は衝撃吸収にも重要な役割を果たす。ステップ幅が肩幅より狭い場合やディフェンス時に相手選手に近付きすぎる場合に，下腿前傾や股・膝関節屈曲が不十分となることが多い。

切り返し動作で生じる足関節・足部傷害の評価と理学療法の考え方

足関節・足部傷害の評価

足関節・足部傷害の評価は，問診で受傷機転や既往歴の聴取，画像所見（単純X線，MRI），視診（皮下血腫の有無，腫脹），圧痛部位，ROM，整形外科徒手検査，下肢アライメントの観察などにより行われる。

圧痛の評価では，舟状骨内側，足底部，踵周囲，

内外果および周辺靱帯を細かく調べる。足関節外側靱帯損傷では，内果と距骨が衝突することで内果に圧痛を認めることがある。整形外科徒手検査では前方引き出しテストや内反ストレステストを行うが，既往として足関節外側靱帯損傷を複数回経験している選手も多く，受傷前からすでに両検査で陽性となっている症例があることを把握しておく。

足関節・足部傷害の理学療法

足関節外側靱帯損傷などで急性期の炎症所見があれば，RICE処置を行う。

理学療法では切り返し動作の確認とともに，アキレス腱や足底腱膜など柔軟性の低下している筋の柔軟性改善や，筋力が不十分な部位の強化（**図31**）を行う。特に腓骨筋や後脛骨筋などは足関節の安定性向上のために重要である。また，足関節は底屈位で不安定となるため，カーフレイズなど底屈位での筋力強化を行う。

ジャンプ着地動作・減速動作と同様に，knee-in/toe-outする場合は股関節外転・外旋筋の強化（**図19❶**，**❸**，**図20**），足関節背屈可動域制限の問題点などを改善する。切り返し方向と逆方向への体幹傾斜が大きい場合は体幹機能が低下していることも考えられ，強化が必要である（**図19❷**，**❸**）。また，バランストレーニングは足関節の固有受容感覚の向上だけではなく，体幹筋や下肢筋群の協調性改善，重心コントロールのためにも有効である（**図26**）。

扁平足や開張足などの足部アライメント不良は直接的に足関節・足部痛につながるため，アーチサポートなどのインソールで対応する。

切り返し動作のアライメントの制御では，まずサイドホップ（**図32**）やツイスティング（**図33**）での動的アライメントを確認する。サイドホップは重心を低く保ち，膝とつま先の方向が一致するneutralの状態で行い，体幹は正中位を保持できるようにする。ツイスティングは母趾球に荷重し，サイドホップ同様につま先と膝の方向を一致させ，股関節の内外旋で方向転換する。これらの動作が可能となり，片脚カーフレイズができるようになれば，実際の切り返し動作を少しずつ速度を上げながら実施していく。

フォローアップ

足関節靱帯損傷後，機能回復の不十分な状態で競技に復帰すると痛みや不安定性が残存しやすい。また，再発を繰り返すことで足関節の不安定性を伴うようになり，将来的に軟骨損傷や衝突性外骨腫，変形性足関節症となる。十分に機能回復してからの競技復帰が望ましく，再発予防のために装具やテーピングを用いる。

理学療法施行時にアライメントが不良でインソールを作製した症例では，シューズを新調した際に再度インソールでアライメントの調整を行うことも考慮する。

車いすバスケットボールチームにおけるPTとしてのトレーナー活動

車いすバスケットボールのルール

通常のバスケットボールと同じ10分のピリオドを4回行う。第1・第2ピリオドの間と第3・第4ピリオドの間はインターバルがそれぞれ2分間，第2・第3ピリオドの間のハーフタイムは10〜15分間設けられている。また，試合人数，コートの面積

図31 足関節周囲筋トレーニング

❶ゴムチューブを用いた腓骨筋トレーニング　❷片脚カーフレイズ　❸タオルギャザー

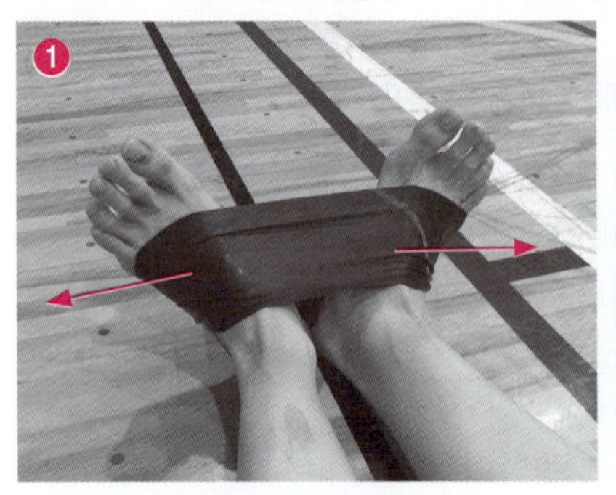

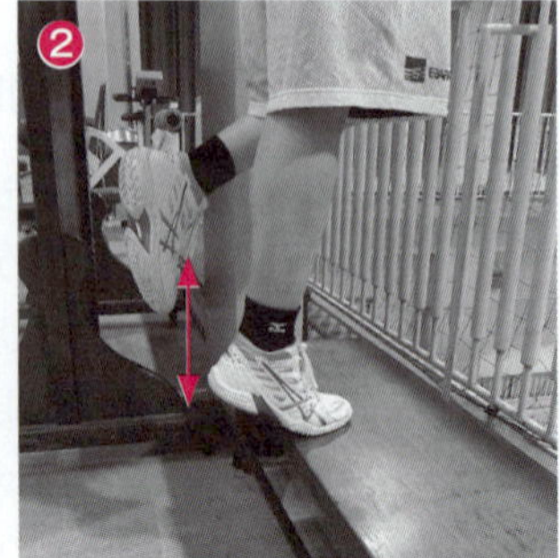

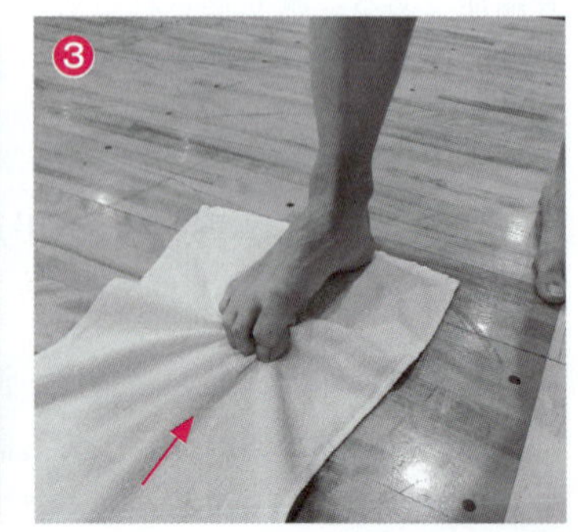

図32 サイドホップ

❶〜❸サイドホップを実施し，切り返し時の動的アライメントを確認する

フロアでできるようになれば，不安定板（BOSU®）の上で実施したり（❹），膝の高さにゴムチューブを巻いて実施したりする（❺）

図33 ツイスティング

母趾球に荷重し，サイドホップ同様につま先と膝の方向を一致させ，股関節の内外旋で方向転換する

（縦28m，横15m），リングの高さ（3.05m）も通常のバスケットボールと同様である。ボールを持ったまま車いすを3回連続して漕いだ場合トラベリングとなるが，車いすバスケットボールにはダブルドリブルに相当するルールがない。例えば，1回ドリブルをしてドリブルを止めて，またドリブルを再開することがルール上可能である。これは，選手のもっている障害によっては，車いすが一度停止してしまうと動き出すのが困難な場合があるからである。

Taping

足関節靱帯損傷への装具やテーピングの効果

足関節靱帯損傷は，ジャンプ着地で他の選手の足の上に乗った際に受傷するケースが半数以上を占め，選手個人の動作パターンの改善だけでは完全には防げない。特に，足関節靱帯損傷の既往をもつ選手は再発しやすい[8]。装具やテーピングの使用により足関節靱帯損傷の発生率が減少すること，再発予防に効果があることが報告されており，傷害予防の1つの手段となる[8, 47-50]。

● 障害によって配分される持ち点

車いすバスケットボールだけでなく，パラスポーツでは選手個々の障害に応じ配分される「持ち点」というものがある。障害が重い順から持ち点が1.0，1.5，2.0，2.5，3.0，3.5，4.0，4.5の8クラスに分けられる。1.0〜2.0点の選手（ローポインター）は胸髄上位損傷が多く，2.5点と3.0点の選手（ミドル

ポインター）は主に胸髄下位から腰髄損傷が多く，3.5～4.5点の選手（ハイポインター）は主に両脚または片脚切断が多い（**図34**）。

試合では出場する5名の選手の持ち点の合計が14点以内になるように決められている。このルールが車いすバスケットボールを面白くさせている1つの要因であり，その組み合わせが勝敗を左右することも少なくない。また，パラリンピックなどの国際大会でベンチに登録できる選手の人数はオリンピックのバスケットボールと同様に12名である。

車いすバスケットボールにおける車いす操作

車いすバスケットボールにおいて，シュートやパス，ドリブルなどのバスケットボール動作を行うには車いすの操作スキルを習得しなければならない。車いすを自身の脚のように操作可能になると，シュート，パス，ドリブルなど一連の流れでプレーできるようになる。選手個々がもっている障害はそれぞれ異なるため，車いすの操作や動作にも多少の違いを観察することができる。具体的な車いす操作には，前に漕ぐプッシュ動作，後ろに引くバック動作，車いすを止めるブレーキ動作，方向転換をする切り返し動作，高さを作り出すティルティング動作などがある。また，車いすバスケットボールではジャンプシュートはないため，ゴール下では相手がブロックに来るタイミングをはずし，自身の車いすのスペースを生かしてシュートを打つことが必要となる（**図35**）。さらに，試合中や練習時は常に車いす操作をしているため持久力に加え，ハンドリムを握るための握力も必要とされる（**図36**）。

車いすバスケットボールにおける主な傷害

健常者のバスケットボールでは下肢を中心とした傷害が多く発生しているのに対して，車いすバスケットボールでは転倒による肩・手関節，手指の外傷や三角線維軟骨複合体（triangular fibrocartilage complex：TFCC）損傷とともに，オーバーユースによる肩関節腱板炎や手関節周囲の腱鞘炎が発生しているのが特徴的である。また，脊髄損傷者では褥瘡の発生も認められる。

パラリンピックや国際大会におけるPTの役割

海外遠征時の留意点

日本代表でのトレーナー活動は，主に海外遠征や合宿といった24時間での対応となる。試合や練

図34 選手によって異なる障害

図35 ゴール下の攻防

図36 ハンドリムの把持

習時間を考慮した起床時間，食事を摂るタイミングなどの1日のスケジュール管理も重要な役割となる。海外遠征時には，遠征先の気候，時差，食事環境について調べ，事前にチームスタッフや選手と共有する。時差ボケ対策として，移動の飛行機内では現地の時間帯に合わせて食事時間や睡眠時間帯を変更するようにPTがコントロールすることもある。

各クラブチームとの連携

個々の選手はそれぞれのクラブチームに所属しているため，所属先のチームスタッフとの連携が必要となる。例えば，日本代表のコーチングスタッフが招集したい選手のコンディションに問題がある場合，所属先のコーチやPT，トレーナーとコミュニケーションを図り客観的にその状態を把握する必要がある。国際大会では選手登録が12名までのため，慎重に判断することが求められる。

コンディションチェック

海外遠征や合宿時に自覚的コンディションチェックシートを選手へ渡し，朝食前に回収する。具体的なチェック項目は，体温，脈拍，自覚的疲労度，内科的症状，痛み，しびれ，疲労がある部位，食欲，便通，モチベーション，前日の試合や練習の集中力である。自覚的疲労度などは選手によってその標準値に違いがあることに注意する必要がある。目的は選手に新たな傷害や気になる部位が出ていないか，感冒などの内科的症状が出ていないかなどの把握と，それに対する対処を速やかに行うことである。選手も自分の状態について考え整理する時間になり，そこからコンディショニングの重要性に目を向けさせることにもなる。

大会期間中のスケジュール管理

パラリンピックを含めた国際大会などは試合時間が毎回異なるため，1日のスケジュール管理は選手が試合に臨むうえでとても重要になる。PTが主に考えるスケジュール管理の内容は，試合時間を考慮した起床・就寝時間，食事・補食のタイミング，テーピングを行う時間，ウォーミングアップの開始時間などである。また，パラリンピックを含めた国際大会ではバス移動が中心となるが，車いすの選手をバスへ乗せるには一人ひとりリフトに乗せて乗車するため時間がかかる。これは，滞在するホテルのエレベーターの設置数や大きさなどの違いによっても同様のことがいえる。到着時間が遅れるとウォームアップなどの準備時間に影響が出る。このような点を考慮して，滞在先から試合会場までの移動時間を速やかに把握する必要がある。

水分補給の管理

水分補給をチェックする目的は，脱水予防やパフォーマンスの低下予防と，適切に水分を摂取できているか確認するためである。大会期間中は練習前に体重を測定し，練習後に再度体重を測定する。このときに練習前より2%以上の体重減少があった選手には練習後に水分摂取をさせ，次の練習においてさらに意識して行うように促す（**図37**）。

また，パラスポーツ競技では選手のもっている障害によっては体温調整機能が低下していたりすることがあるので，特に注意が必要である。

謝辞

ご多忙のなか撮影にご協力いただきました，羽田ヴィッキーズ（当時，現在は東京羽田ヴィッキーズ）の杉中悠香利選手，森本由樹選手（当時，両名とも現在は退団）をはじめ，選手の皆様ならびに関係者の皆様に深く感謝申し上げます。

図37 各選手の水分補給の管理

バスケットボール

【文献】

1) 葛原憲治，ほか：bjリーグにおけるプロバスケットボールチームの傷害分析：3年間の前向き研究．日本臨床スポーツ医学会誌 21 (1)；187-193, 2013.

2) Starkey C：Injuries and illnesses in the National Basketball Association:a 10-year perspective. J Athl Train 35(2)；161-167, 2000.

3) Dick R, et al.：Descriptive epidemiology of collegiate men' sbasketball injuries：National Collegiate Athletic AssociationInjury Surveillance System, 1988-1989 through 2003-2004. J Athl Train 42 (2)；194-201, 2007.

4) Deitch JR, et al.：Injury risk in professional basketball players：a comparison of Women' s National Basketball Association and National Basketball Association athletes. Am J Sports Med 34 (7)；1077-1083, 2006.

5) Messina DF, et al.：The incidence of injury in Texas high school basketball. A prospective study among male and female athletes. Am J Sports Med 27 (3)：294-299, 1999.

6) Meeuwisse WH, et al.：Rates and risks of injury during intercollegiate basketball. Am J Sports Med 31 (3)；379-385, 2003.

7) 佐々木　静，ほか：バスケットボールによる膝前十字靱帯損傷の受傷機転調査．JOSKAS 37 (3)；637-642, 2012.

8) McKay GD, et al.：Ankle injuries in basketball：injury rate and risk factors. Br J Sports Med 35 (2)；103-108, 2001.

9) 河村真史，清水　結：競技特性に応じたコンディショニング バスケットボール．スポーツ損傷予防と競技復帰のためのコンディショニング技術ガイド（山本利春 編），臨床スポーツ医学 28（臨増）；404-411, 2011.

10) Arendt E, Dick R.：Knee injury patterns among men and women in collegiate basketball and soccer. NCAA data and review of literature. Am J Sports Med 23 (6)；694-701, 1995.

11) 成田哲也，ほか：バスケットボール競技特性と膝前十字靱帯損傷 - 日本リーグにおける障害調査 -. 臨床スポーツ医学 19 (1)；75-79, 2002.

12) 増島　篤：女子バスケットボール選手の膝前十字靱帯損傷．靴の医学 3；111-113, 1989.

13) 是近　学，ほか：ストップ動作時のシューズの滑りに関する研究 - 動摩擦係数の異なるシューズが膝関節運動学，運動力学に及ぼす影響について -. 靴の医学 21 (2)；69-73, 2008.

14) 河端将司，ほか：ドロップジャンプ動作中における体幹の筋活動および腹腔内圧の変化．体力科学 57 (2)；225-233, 2008.

15) 永野康治，井田 博史：Point Cluster 法を用いての着地・切り返し動作の解析．臨床スポーツ医学 29 (7)；679-682, 2012.

16) Blackburn JT, et al.：Sagittal-plane trunk position, landing forces, and quadriceps electromyographic activity. J Athl Train 44 (2)；174-179, 2009.

17) 根地嶋　誠，ほか：両脚着地と片脚着地動作時の膝関節角度の相違：特に膝内・外反について．日本臨床バイオメカニクス学会誌 29, 39-44: 2008.

18) Hewett TE, et al.：Biomechanical measures of neuromuscular control and valgus loading of the knee predict anterior cruciate ligament injury risk in female athletes：a prospective study. Am J Sports Med 33 (4)；492-501, 2005.

19) Lian OB, et al.:Prevalence of jumper' s knee among elite athletes from different sports：a cross-sectional study. Am J Sports Med 33 (4)；561-567, 2005.

20) 近藤　仁，染矢富士子：片側の足関節背屈制限がリバウンドジャンプ動作中の下肢筋の筋活動とダイナミックアライメントに与える影響．臨床スポーツ医学 29 (7)；745-750, 2012.

21) Shambaugh JP, et al.:Structural measures as predictors of injury basketball players. Med Sci Sports Exerc 23 (5)；522-527, 1991.

22) 日本運動器理学療法学会：第12章 膝関節機能障害理学療法ガイドライン．理学療法ガイドライン 第2版（公益社団法人日本理学療法士協会 監，一般社団法人 日本理学療法学会連合 理学療法標準化検討委員会ガイドライン部会 編）．pp. 693-743, 医学書院，2021.

23) Barber-Westin SD, Noyes FR：Factors used to determine return to unrestricted sports activities after anterior cruciate ligament reconstruction. Arthroscopy 27 (12)；1697-1705, 2011.

24) 黒坂昌弘，ほか：自家移植腱による膝前十字靱帯再建術後のリモデリング過程とリハビリテーション．関節外科 16 (2)；191-195, 1997.

25) 眞島 任史，ほか：負荷（張力）の軽減が膝前十字靱帯再建術における自家移植腱のリモデリングに与える影響．関節外科 16(2)；197-204, 1997.

26) Tatsuhiro K, et al.: Effect of graft rupture prevention training on young athletes after anterior cruciate ligament reconstruction: an 8-year prospective intervention study. Orthop J Sports Med, 9 (1)：2021.

27) Sato K, et al.：The effect of educational lecture on reducing reinjury after anterior cruciate ligament reconstruction. Br J Sports Med 48 (7)；658, 2014.

28) Beynnon BD, et al.：Anterior cruciate ligament strain behavior during rehabilitation exercises in vivo. Am J Sports Med 23 (1)；24-34, 1995.

29) Fleming BC, et al.：The strain behavior of the anterior cruciate ligament during bicycling. An in vivo study. Am J Sports Med 26 (1)；109-118, 1998.

30) Ben Moussa Zouita A, et al.:Isokinetic, functional and proprioceptive assessment of soccer players two years after surgical reconstruction of the anterior cruciate ligament of the knee. Ann Readapt Med Phys 51 (4)；248-256, 2008.

31) Mir SM, et al.:Functional assessment of knee joint position sense following anterior cruciate ligament reconstruction. Br J Sports Med 42 (4)；300-303, 2008.

32) 日本運動器理学療法学会：第13章 前十字靱帯損傷理学療法ガイドライン．理学療法ガイドライン 第2版（公益社団法人日本理学療法士協会 監，一般社団法人 日本理学療法学会連合 理学療法標準化検討委員会ガイドライン部会 編）．pp. 745-780, 医学書院，2021.

33) 川島達宏，ほか：膝前十字靱帯再建術後再受傷例の特徴：術後筋力の経時的推移について．日本臨床スポーツ医学会誌 18 (3)；435-441, 2010.

34) 川島達宏，ほか：膝前十字靱帯再建術後の再損傷例の特徴 - 年齢・活動レベルによる違い -. 日本臨床スポーツ医学会誌 20 (4)；S212, 2012.

35) Shelbourne KD, et al.：Incidence of subsequent injury to either knee within 5 years after anterior cruciate ligament reconstruction with patellar tendon autograft. Am J Sports Med 37(2)；246-251, 2009.

36) Wiggins AJ, et al.：Risk of Secondary Injury in Younger Athletes After Anterior Cruciate Ligament Reconstruction：A Systematic Review and Meta-analysis. Am J Sports Med 44 (7)；1861-1876, 2016.

37) Morgan MD, et al.：Fifteen-Year Survival of Endoscopic Anterior Cruciate Ligament Reconstruction in Patients Aged 18 Years and Younger. Am J Sports Med 44 (2)；384-392, 2016.

38) Kyritsis P, et al.：Likelihood of ACL graft rupture：not meeting six clinical discharge criteria before return to sport is associated with a four times greater risk of rupture. Br J Sports Med 50 (15)；946-951, 2016.

39) Yorikatsu O, et al.: Effect of hip-focused injury prevention training for anterior cruciate ligament injury reduction in female basketball players: a 12-year prospective intervention study. Am J Sports Med, 46 (4)：852-861, 2018.

40) Hewett TE, et al.：The effect of neuromuscular training on the incidence of knee injury in female athletes. A prospective study. Am J Sports Med 27 (6)；699-706, 1999.

41) 永野康治，ほか：切り返し動作における体幹運動の性差について．日本臨床バイオメカニクス学会誌 29；53-57, 2008.

42) 名倉武雄，桐山善守：Point Cluster 法の原理と膝運動の3次元解析への応用．臨床スポーツ医学 29 (7)；673-677, 2012.

43) 永野康治，ほか：切り返し動作における体幹前傾指示が膝関節運動に与える影響について．臨床バイオメカニクス 32；421-427, 2011.

44) McLean SG, et al.:Effect of gender and defensive opponent on the biomechanics of sidestep cutting. Med Sci Sports Exerc 36 (6)；1008-1016, 2004.

45) Malinzak RA, et al.：A comparison of knee joint motion patterns between men and women in selected athletic tasks. Clin Biomech 16 (5)；438-445, 2001.

46) Fong DT, et al.：Understanding acute ankle ligamentous sprain injury in sports. Sports Med Arthrosc Rehabil Ther Technol 1；1-14, 2009.

47) Beynnon BD, et al.：Predictive factors for lateral ankle sprains：a literature review. J Athl Train 37 (4)，376-380, 2002.

48) Sitler M, et al.：The efficacy of a semirigid ankle stabilizer to reduce acute ankle injuries in basketball. A randomized clinical study at West Point. Am J Sports Med 22 (4)；454-461, 1994.

49) Rovere GD, et al.：Retrospective comparison of taping and ankle stabilizers in preventing ankle injuries. Am J Sports Med 16 (3)；228-233, 1988.

50) Surve I, et al.：A fivefold reduction in the incidence of recurrent ankle sprains in soccer players using the Sport- Stirrup orthosis. Am J Sports Med 22 (5)；601-606, 1994.

バレーボール

本項ではバレーボールの競技特性を記し，スポーツ外傷・障害の原因となりやすいスパイクについて，動作の特徴や分類，外傷・障害の原因や理学療法を詳しく解説する。バレーボールの種類にはソフトバレーボールやビーチバレーボールもあるが，本項では国際バレーボール連盟制定の6人制と日本バレーボール協会制定の9人制バレーボールについて記し，ルールによる動作の違いについても述べる。なお，プレーや動作に関する説明は，すべて右利きの競技者の場合を例に解説する。

バレーボールとは

バレーボールは中央をネットで区切ったコートで競技を行うネット型競技である。自陣のコートのなかでボールを床に落とさないように操作し，3回のプレー（レシーブ，トス，アタック）で守備と攻撃を組み立て，相手コートへ返球する競技である。ジャンプを繰り返し，またレシーブでは中腰姿勢を保ちながら瞬間的にボールに跳びつくなどの動作が求められることから，外傷・障害発生率が非常に高い。

バレーボールの歴史とルール

バレーボールの歴史とルールを学ぶことは，競技特性や動作および関連するスポーツ外傷・障害を理解するのに役立つ。わが国では6人制と9人制のルールが存在し，規定されるプレーが異なる。

バレーボールの歴史

1895年にアメリカで発祥したスポーツであり，当初は「ミノネット」とよばれていたが，1986年にはテニスのvolley（ボールが着地する前に打ったり蹴ったりすること）にちなんでvolleyballとよばれるようになった。

わが国で始まったのは1910年ごろであったが，まだルールが確定しておらず，16人制から12人制を経て9人制が確立された。国際バレーボール連盟（Fédération Internationale de Volleyball：FIVB）は1947年に6人制を制定し，わが国でも急速に6人制が普及していくなか，9人制ルールでプレーを続けるチームも残り，国内ではFIVBのルールに基づく6人制バレーボールと日本バレーボール協会（Japan Volleyball Association：JVA）のルールに基づく9人制バレーボールがある。6人制ルールと9人制ルールは**表1**に示した通りである。

6人制ルール（一般男女）

チーム編成はコート内に6人，交代要員は6人以内である。プレーヤーポジションは，レフト，センター，ライト，セッターおよび守備専門のリベロがある（**図1**）。

コート内の競技者は前衛・後衛とも3人ずつで構成され，後衛には1人だけリベロプレーヤーが入ることができる。なお，後衛の競技者はブロックへの参加とフロントゾーンでの攻撃は認められない。

表1 6人制と9人制のルールの違い

	6人制	9人制
コートの大きさ（一般）	男女とも18m×9m	男子：21m×10.5m 女子：18m×9m
ネットの高さ（一般）	男子：2.43m 女子：2.24m	男子：2.38m 女子：2.15m
チーム編成	コート内に6人	コート内に9人
勝敗	原則5セットマッチ。3セット先取で勝利	原則3セットマッチ。2セット先取で勝利
ローテーション	サイドアウト制	なし
ネット上のプレー	ブロックのときに限り，ネットを越して相手コートにあるボールに触れてもよい	いかなる場合もネットを越して相手コートにあるボールに触れてはいけない

図1 6人制バレーボールのコートポジション

写真手前のチーム，後衛の競技者（背番号3）がサーブをしている瞬間。前衛にはライト（背番号5），レフト（背番号12）とセンター（背番号6）が，後衛にはリベロ（背番号1）とセッター（背番号2）がポジショニングしている

自陣コートに入ったボールは3回のプレーで相手コートに返球するが，ブロックで触れたボールは1回のプレーに数えない。サイドアウトになったときに競技者はローテーションするため，リベロ以外の選手は前衛および後衛のすべてのポジションでプレーを行う。

ネット上のプレーでは，ブロックのみネットを越えて相手コート上にあるボールに触れてもよいが，その他のプレーでは相手コート上にあるボールに触れてはならない。

ラリーポイント制で得点を競い，原則5セットマッチで行われ，3セット先取で勝利となる。第4セットまでは25ポイントを先取したチームがセットを取得し，第5セットのみ15ポイントを先取したチームがセット取得となる。1試合当たりの試合時間は50～120分である[1)]。

9人制ルール（一般男女）

チーム編成はコート内に9人，交代要員は3人以内である。コートポジションは前衛・中衛・後衛に分かれているが，各ポジションの人数配置はチームの戦術によって構成が異なる（**図2**）。

ポジションはローテーション制ではなく固定されているが，競技者はコート内を自由に移動してプレーすることが許されており，ラリー中に後衛の競技者が前衛のポジションに移動してアタックなどの攻撃に参加することもできる。

自陣コートのボールはブロックも含めて3回以内のプレーで相手コートに返球しなければならないが，ボールがネットに触れるプレー（ネットプレー）があれば，4回までは触れてもよい。また，ネットプレーやブロックの後は，同じ競技者の連

図2 9人制バレーボールのコートポジション

写真手前のチームの競技者（5番）がスパイクを打った瞬間。前衛には5人がポジショニングし，中衛には2人がポジショニングしている

続プレーも許される。

ネット上でのプレーは6人制ルールとは異なり，ブロックも含め相手コート上にあるボールには触れてはならない。

試合は原則3セットマッチで行われ，2セット先取で勝利となる。21ポイントを先取したチームがセットを取得する。1試合当たりの試合時間は40～60分である。

Sports Gear, Equipment

試合に使用する公式試合球は，FIVBとJVAの認定を得る必要がある。2008年から，表面に直径2mm，深さ0.2～0.3mmのくぼみ（ディンプルシボ）があるボールが採用され，高度なコントロール性が確保された。

バレーボールの専門的動作

競技者はサーブ以外ではボールを保持できず，プレー中にボールに接触している時間は非常に短い。基本技術として，アンダーハンドパス（**図3❶**），オーバーハンドパス（**図3❷**），ブロック（**図3❸**），サーブ（**図3❹**），アタック（**図3❺**）がある。

アンダーハンドパスとオーバーハンドパス

アンダーハンドパスはレシーブで主に用いる動作であり，ディグ（スパイクレシーブ）とサーブレシーブがある。ディグの場合，スパイクからボールが届くまでの時間の余裕がなく，サーブレシーブはディグに比べて時間の余裕がある。どちらもボールの速度と軌道から落下点を瞬時に判断して素早く移動し，的確な位置にボールを上げる技術が必要である（**図4**）。9人制に比べて6人制は守備範囲が広く，サイドステップで移動してアンダーハンドパスをする場面が多い。

図3 バレーボールの基本技術

❶アンダーハンドパス ❷オーバーハンドパス ❸ブロック ❹サーブ ❺アタック

図4 アンダーハンドパスの連続写真

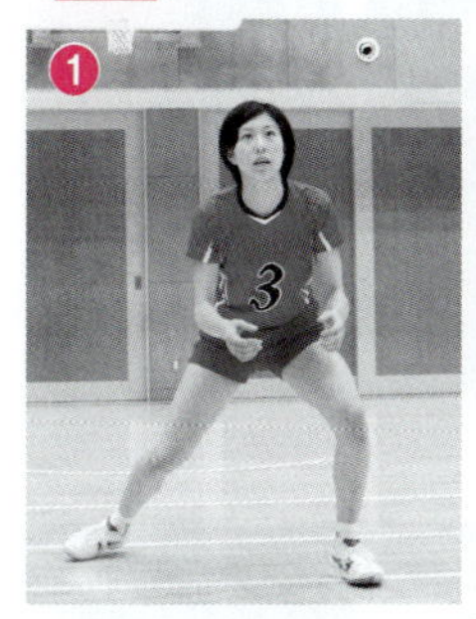

オーバーハンドパスはトスで多用される動作で，ボールを攻撃に有効な位置に正確に上げられるメリットがあるが，ボールの落下点の真下に正確に入らなければパスができない(図5)。

アタック

アタックでは，攻撃に有効な位置でボールを空中でとらえ，アタックできるジャンプ能力が求められる。アタックとはサーブを除く攻撃全体の総称で，相手コートへの返球動作のすべてであり，ジャンプしてボールを叩くように打ち込むスパイクと，相手のあきスペースを狙って緩く返球するフェイントがある。また，後衛の競技者がアタックラインより後方から踏み切るアタックをバックアタックという。

ネットの中央にポジショニングした競技者がネットと平行に移動しながら，片脚踏み切りでジャンプしてボールを打つ攻撃は，ブロード攻撃という(図6)。

6人制と9人制のブロック技術の違い

6人制および9人制の基本技術で違いがあるのはブロックである。ブロックは相手チームの攻撃に対する守備の技術であるが，高度な技術を習得することによって攻撃的な要素にもなる。ブロックによって相手のアタックコースを限定したり，ブロックにボールを当てて軌道を変化させ次のプレーをしやすくしたりする目的がある。

6人制のブロックでは，ネット上を越えて相手コートのボールに触れることが許されており，上肢を挙上して前方に突き出すような動作でブロックを行う(図7❶)。相手チームのスパイクをブロックしてボールを相手コートに落とすとブロックポイントが得られるため，攻撃としても有効な技術である。

これに対して9人制のブロックでは，ネット上を越えて相手コートのボールに触れることは許されていないため，上肢を直上に挙上した動作となる(図7❷)。この動作では，ボールが上肢に当たると自陣コートにボールが落ちてしまうため(吸い込み)攻撃としては有効にならず，9人制のブロック

図5 オーバーハンドパスの連続写真

ボールを額の前でとらえ，下肢と体幹を連動させた動作でボールをはじく。ボールの落下点に正確に入らなければパスができない

図6 ブロード攻撃の連続写真

ネット中央からサイド方向へ平行に移動しながら，片脚踏み切りでジャンプして打つスパイク

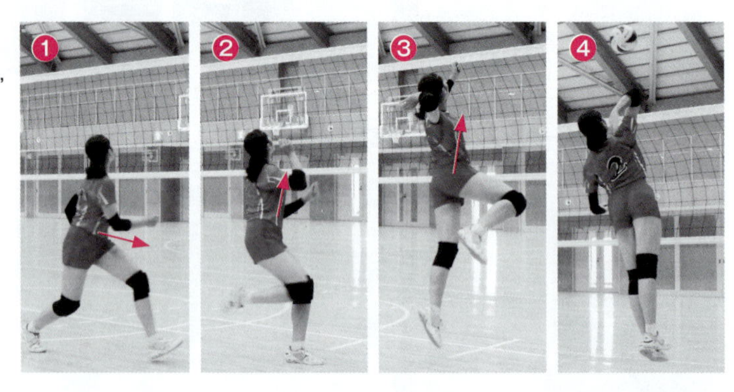

図7 6人制と9人制のブロック技術の違い

❶6人制のブロック　❷9人制のブロック
❸9人制のブロックにおける手関節の軽度背屈

では守備の要素が高くなる。また，ブロックも1回のプレーに数えるため，ボールのスピードを落として軌道を高く変化させる技術が必要になる。そのため9人制のブロックは，ボールが手部に当たる瞬間に手関節を軽度背屈させた肢位でボール操作を行うことが多い（**図7❸**）。また，状況によっては，ボールが頭上を通過するのに合わせてジャンプし，下方からボールを突くようなブロックをする場合もあり，ボール操作のタイミングがずれると突き指の原因となることがある。

スパイクの身体運動の特徴

ここでは，外傷・障害の原因となりやすいスパイク動作について解説する。スパイクでは，ジャンプを行いながらできる限り高い位置でボールをとらえ，相手コートの競技者にブロックされずにボールを打つことが有効な攻撃となる。そのため，高身長かつ高い跳躍力を有する競技者が有利である。低身長の選手では，トスからスパイクまでの時間を短くし，相手コートのブロック態勢が整わないうちにスパイクするなどの戦術が必要である。

スパイクは，助走，踏み切り，スイング（打球，ボールコンタクトを含む），着地の4つの局面から成り立つ（**図8**）。各局面のなかでも，外傷・障害の原因となりやすいスイング（打球）について詳しく説明する。スイングフォームには，ストレートアームスイング，ボウ・アンド・アロー・アームスイング，サーキュラーの3つのタイプがある。

図8 スパイクの動作局面

❶〜❸助走　❹踏み切り　❺スイング　❻ボールイコンタクト　❼着地

各スイングフォームを，①両上肢の振り上げ，②バックスイング，③フォワードスイング，④ボールコンタクト，⑤フォロースルーの局面に分けて説明する。

● ストレートアームスイング（図9）

助走がないスタンディングジャンプでのスパイクで，ミドルブロッカーの競技者が速攻の際に行う。また，ボールをとらえやすいため初心者へ指導されることが多い。

①上肢の振り上げ

踏み切りの瞬間に両上肢の振り上げを連動させ，垂直方向への推進力をつけて上方へ伸び上がる。両上肢は肩関節屈曲120°程度まで振り上げて，空中で前方挙上位になる（図9❶）。

②バックスイング

体幹伸展と肩関節伸展運動を主体とした動作とともに，振り上げた右上肢をまっすぐ後方へ引く。左上肢は挙上位を保つ（図9❷）。

• ポイント

初心者ではトスとのタイミングが合わず，過度にバックスイングして体幹伸展が強制されることがある。このような動作では腰椎前弯が強制され，筋・筋膜性腰痛や腰椎分離症の原因となる。

③フォワードスイング

左上肢を振り下ろし左体側に引きつけるのと同時に体幹屈曲と肩関節屈曲運動を主体とした動作で，体幹を軸にしてボールの軌道に合わせて右上肢を前方へ振り下ろす（図9❸，❹）。

④ボールコンタクト

肩関節屈曲約150°の肢位でボールをとらえボールを叩く。

⑤フォロースルー

ボールコンタクト後，そのまま上肢を振り下ろす。

● ボウ・アンド・アロー・アームスイング（図10）

弓を射る動作に似た，体幹回旋運動を主体としたスイングである。

①上肢の振り上げ

ストレートアームスイングと同様の動作となる（図10❶）。

②バックスイング

両肘を高く挙げたところから体幹を右回旋させながら右肩甲帯を伸展（肩甲骨内転）させ，右腕を後方へ引く。その際，肘関節は屈曲，前腕は回内位となり，手掌は外側に向く。空中でボールの軌道を見て，ボールコンタクトのタイミングを計る（図10❷）。

③フォワードスイング

下部体幹から上部体幹の回旋動作を連動させ，この体幹回旋運動に伴う肩関節水平屈曲により肩関節外旋が誘導され，前腕回内位・手関節軽度背屈位にて右腕が前方へ導かれる。

体幹軸を保つために左腕を左体側へ引き寄せることで，体幹をボールのコースへ正対することができる（図10❸，❹）。

④ボールコンタクト

肩関節水平屈曲に伴う肘関節の伸展による上肢のムチ運動を利用し，スナップ（手関節の掌屈）で

図9 ストレートアームスイング

体幹の伸展・屈曲運動を主体としたスイング

図10 ボウ・アンド・アロー・アームスイング

体幹の回旋運動を主体としたスイング

ボールにインパクトを与える。また，同時に体幹を屈曲して重心を前方に移すことで，ボールへのインパクトの力が増強する（**図11**）。

⑤フォロースルー

スパイクのコースの打ち分けにより，上肢の向かう方向が異なる。クロス打ちの場合は同側骨盤に向かい，正対打ちやストレート打ちの場合は対側骨盤へ向かう。

サーキュラー（図12）

体幹回旋と肩関節の連動により，肘の軌跡が円を描くように動くスイングである。投球動作に似ており，スイング全体の動きが一連の流れで行われるため，スイングスピードが速く強いスパイクを打つことができる。

十分なジャンプ力がある競技者には向いているが，ジャンプ力のない競技者ではジャンプ踏み切りでの上肢の振り上げが片手となるため垂直方向への推進力が小さく，高い位置でボールをとらえられないというデメリットがある。

①両上肢の振り上げ→②バックスイング

投球動作の早期コッキングに似た動作である。左腕は前方挙上し，右腕はいったん下降させてから肩関節外転を主体とした運動で後方から挙上する。体幹右回旋により右肩関節外転・外旋位となり，トップポジションとなる（**図12❶，❷**）。

③フォワードスイング

投球動作の後期コッキングに似た動作である。体幹右回旋と左腕の左体側への引き寄せによる回旋運動によって，肩関節最大外旋位から右腕の振り下ろしが生じ，前腕回内および手関節軽度背屈位の連動により前方へ導かれる（**図12❸，❹**）。

④ボールコンタクト→⑤フォロースルー

体幹回旋および上肢の振り下ろしによる強いムチ運動を利用し，手首のスナップでボールにインパクトを与え，そのままフォロースルーが導かれる。

スパイクに関連する主な外傷・障害

肩甲骨の可動性，ボールコンタクトの位置に関連する外傷・障害

スパイクは高い打点でボールを打つことが有効な攻撃であり，競技者は右腕をできる限り高く挙

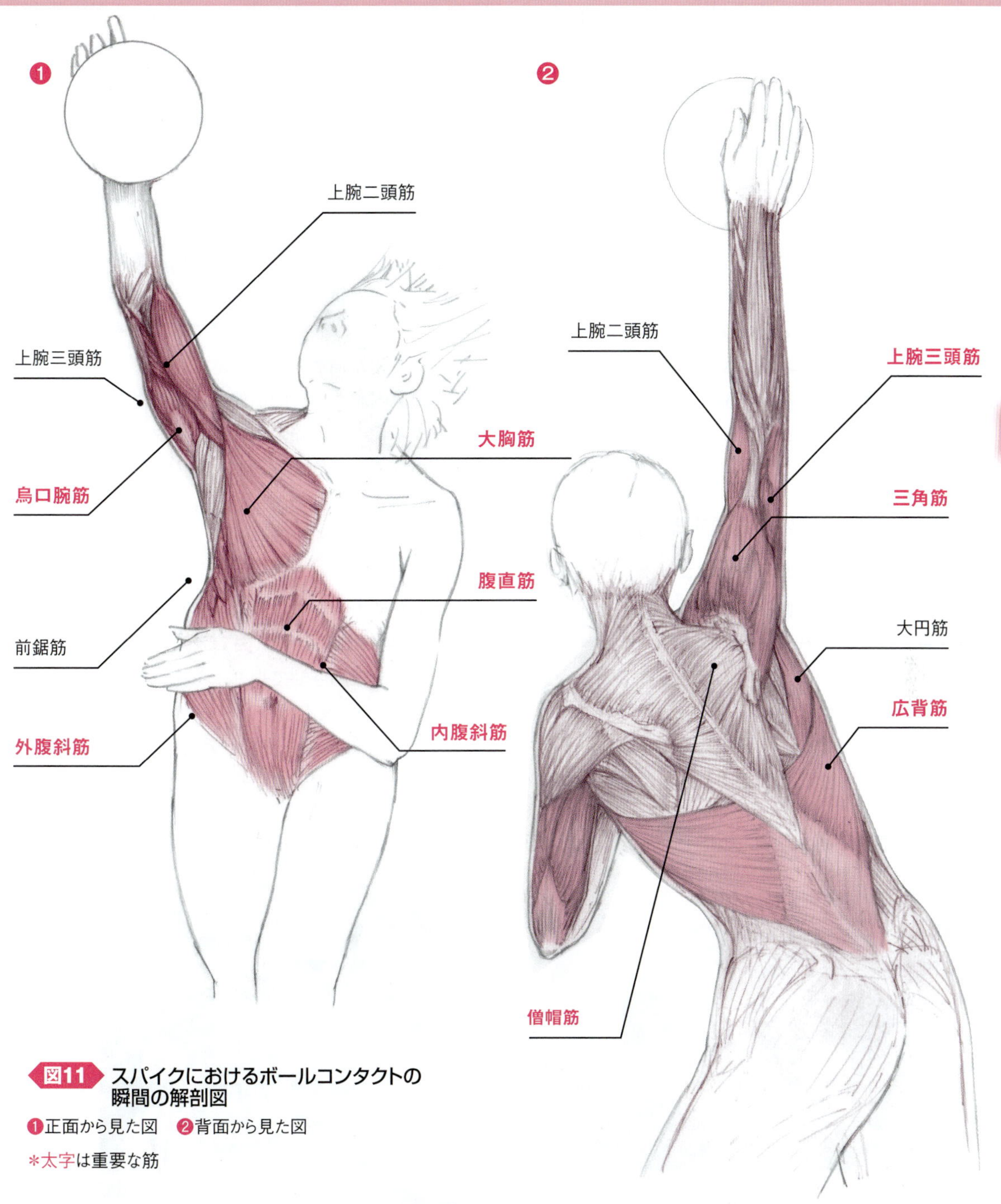

図11 スパイクにおけるボールコンタクトの瞬間の解剖図

❶正面から見た図　❷背面から見た図

＊太字は重要な筋

図12 サーキュラー

体幹の回旋運動と肩関節の連動を主体としたスイングで，投球動作に似ている。強いスパイクが打てるが高い跳躍力が必要となる

上しようとする。このときに肩甲骨上方回旋が制動されていると，右腕のスムーズな挙上運動ができず上腕骨頭と烏口肩峰アーチ下で衝突が生じ，肩峰下滑液包や腱板，上腕二頭筋長頭腱などが挟み込まれ，肩峰下インピンジメントが生じる（**図13**）。また，ボールの軌道と踏み切りの位置やタイミングが合わずにボールコンタクトの位置が頭上から頭部後方になると（**図14**），肩関節が過外旋する肢位となり，上腕二頭筋長頭腱部や腱板のねじれ，上方関節唇のpeel backによる腱板損傷や上方関節唇（superior labrum anterior and posterior：SLAP）損傷が生じる[2)]。

コースの打ち分けに関連する外傷・障害

スパイクは相手の競技者にブロックされないように，また相手の守備を崩してあいたスペースにボールを打たなければ得点にならないため，ボールコンタクトの際にコースを打ち分けている。レフトポジションからのコース打ち分けを例に挙げると，サイドラインに平行な軌道のストレートスパイク，コートを斜めに横切る軌道のクロススパイク，ネットに対して平行に近い軌道のインナースパイクがある（**図15**）。

相手のブロッカーにスパイクのコースがわからないように，体幹の向きと右腕の動きを逆にしたり無理なコースに打ったりすることで肩関節の過度な外旋・内旋運動が生じ，外傷・障害が発生する。右利きの競技者がインナースパイクを打つときには，フォワードスイングで肩関節を内旋させてボールの左面をとらえ（**図16❸**），肩関節内旋と前腕回内および肘関節伸展を連動させて上肢を振り下ろす。その際，ボールコンタクトの位置が右側に偏ると過度な肩関節内旋（**図17**）が生じて上腕骨頭が前方へ突出するような肢位となり，上腕二頭筋長頭腱が牽引されて上腕二頭筋長頭腱炎の原因となる。

ストレートスパイクでは，ボールコンタクトでボールの右面をとらえ（**図16❶**），前腕回外と肘関節伸展を連動させて振り下ろす。助走がアングルアプローチ（後述）からのボールコンタクトの場合には，肩関節水平屈曲が過度（**図18**）となり，フォロースルーで過度な振り下ろしがあると肩関

図13 肩峰下インピンジメント

❶肩甲骨上方回旋を伴った肩関節外転
❷肩甲骨上方回旋が制動された肩関節外転

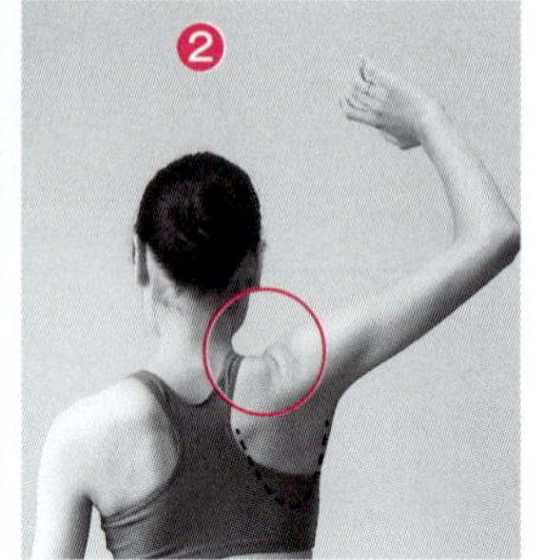

図14 頭部の位置よりも後方でのボールコンタクト

図15 レフトポジションからのスパイクコースの種類

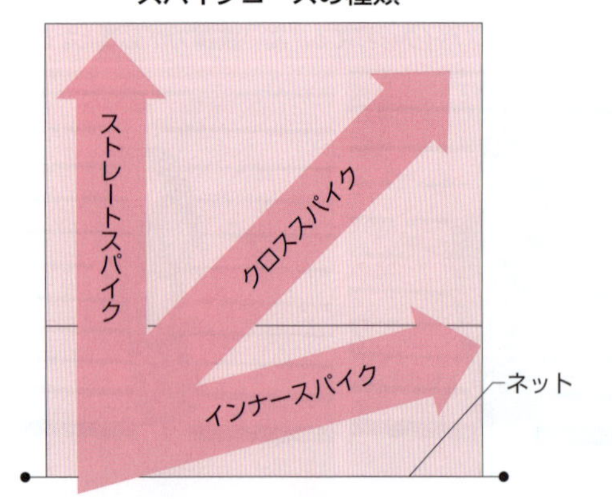

図16 ボールを打つ位置とスパイクコースの関係

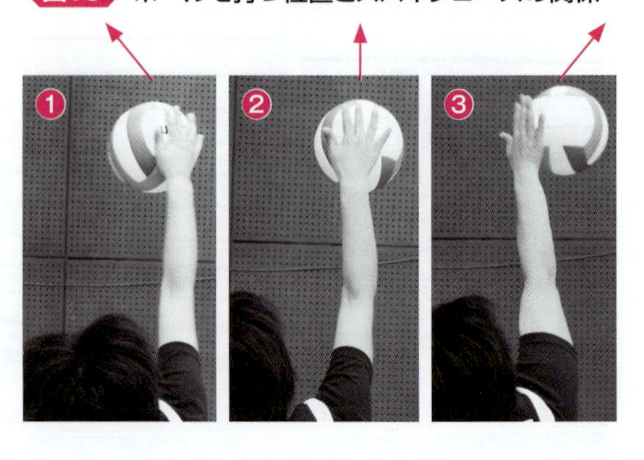

節後部に牽引ストレスが加わり，posterior tightnessが生じる。

スパイクで生じる肩関節痛の評価と理学療法の考え方

スパイクに関連する代表的な外傷・障害は，腱板損傷，肩峰下インピンジメント，上腕二頭筋長頭腱炎，SLAP損傷であるが，ここでは肩峰下インピンジメントについて詳しく述べる。

● 肩峰下インピンジメント

肩関節外転の際に烏口肩峰アーチの下を棘上筋が通過するが，さまざまな原因により棘上筋腱の通過障害が生じた状態を肩峰下インピンジメントとよぶ。その原因は，肩甲骨下制などの姿勢不良や挙上運動時の肩甲骨上方回旋の不良によるものから，腱板機能不全，下方関節包や小円筋・棘下筋下部線維の伸張性低下に伴う上腕骨頭の動的上方偏位なども原因となる。

● 肩峰下インピンジメントの評価

肩関節の評価としては，姿勢の観察と肩甲骨の位置の確認を行う。肩甲骨の位置は，肩甲骨下角の位置を左右で比較し，挙上・下制の有無を確認する。肩甲骨が外転位を呈している競技者では，相対的に上腕骨頭が前方に突出するような姿勢がみられるので確認する（**図19**）。腱板機能，特に棘上筋の筋力を確認する。

痛みの評価としては，触診によって肩峰下および大結節部，棘上筋腱部の圧痛の有無，肩関節の自動外転運動での痛みの出現を確認する。外転60～100°で痛みが出現し，120°付近で消失すれば，painful arc sign陽性である（**図20**）。

● 整形外科テスト

肩峰下インピンジメントの整形外科テストには，Neer（ニアー） impingement test と Hawkins-Kennedy（ホーキンス ケネディ） impingement test がある。Neer impingement testは競技者を端座位で座らせ，検者は片手で肩甲骨を把持して挙上および上方回旋を制動し，他方の手で他動的に肩関節外転運動を行わせて痛みを誘発させる検査である[3]（**図21**）。この検査では，肩峰下面での障害を検出する。

Hawkins-Kennedy impingement testは，競技者を端座位で座らせ，肩関節90°屈曲位で他動的に肩関節内旋運動を行わせて痛みを誘発させる検査である[4]（**図22**）。烏口肩峰靱帯下方での障害を検出する検査である。

図17 インナースパイクに伴う過度な肩関節内旋

❶ボールコンタクトの瞬間　❷過度な肩関節内旋

図18 アングルアプローチからのボールコンタクトによる過度な肩関節水平屈曲

❶ボールコンタクトの瞬間　❷過度な肩関節内旋

図19 上腕骨頭の位置の確認

❶良好な姿勢　❷上腕骨頭が前方に突出している

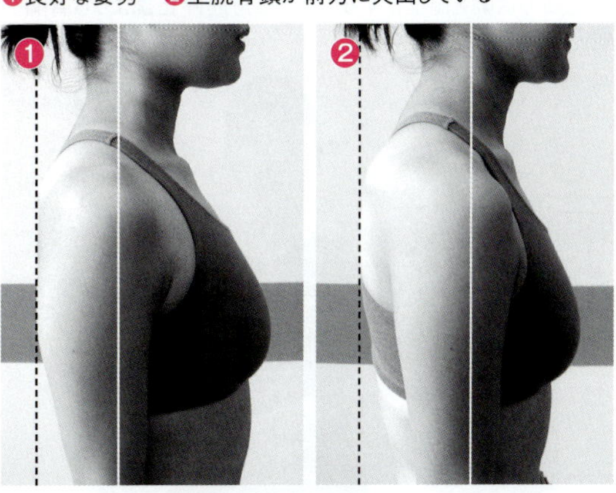

図20 painful arc sign

肩関節を自動で外転させたときに，外転60～100°で痛みが出現し，そのまま外転していくと120°付近で痛みが消失する場合を陽性とする

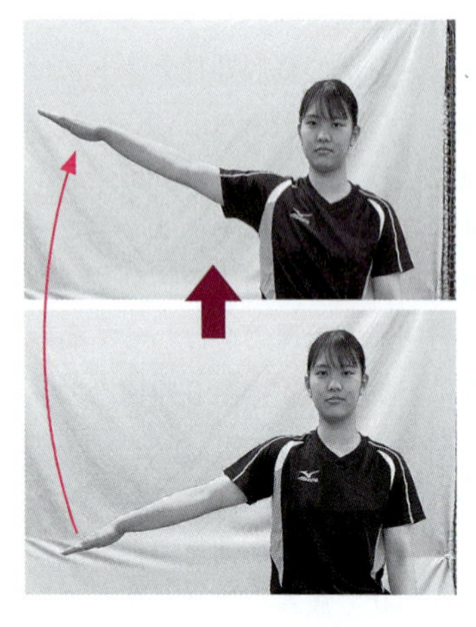

図21 Neer impingement test

検者は片手で患者の肩甲骨を肩の上から把持し，挙上および上方回旋を制動する。もう一方の手で他動的に肩関節外転運動を行わせ，肩峰下部で疼痛が誘発されれば陽性である

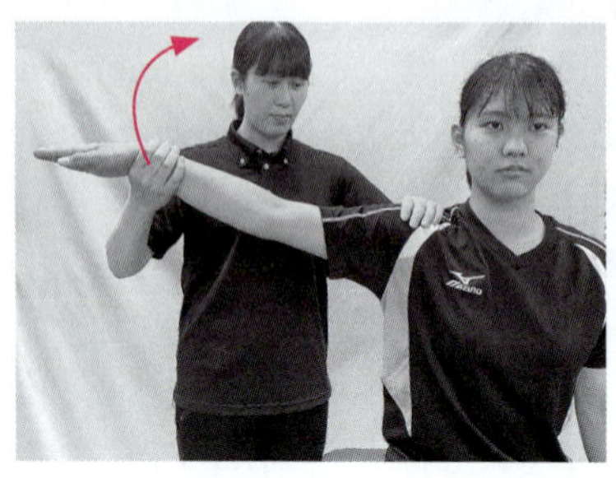

図22 Hawkins-Kennedy impingement test

肩関節90°屈曲位で他動的に肩関節内旋を行わせ，疼痛が誘発されれば陽性である

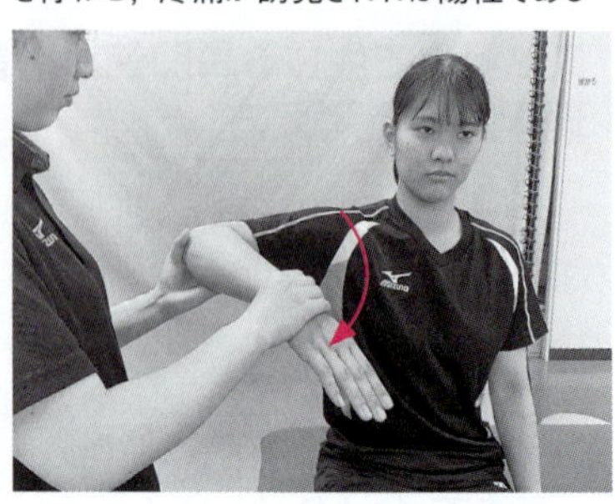

肩峰下インピンジメントの理学療法

理学療法の目的は，痛みと炎症の軽減，腱板機能回復と筋機能改善，肩関節の後方タイトネスの改善，肩甲胸郭関節の可動性獲得，肩甲上腕関節と肩甲胸郭関節の連動である。

棘上筋機能改善は，上腕骨頭を関節窩に押し付け肩関節の安定性を向上させてインピンジメントの原因を解決するプログラムとなるため，痛みのコントロールを行いながら積極的に取り入れる。なお，初期プログラムでは肩関節外転運動を行う際の抵抗の位置を三角筋粗面より近位にすることで，棘上筋の優位な筋活動が得られる（**図23**）。

スパイク練習への参加は段階的に行う。初めは両足を床に接地させた状態での壁打ちから始め，次にパートナーにボールを投げ上げてもらって打つスパイク，ネットを使ってパートナーが手投げをしたボールのスパイク，続いてトスしたボールのスパイク，コースの打ち分け練習へと参加させる。

図23 肩関節外転運動において抵抗をかける位置

棘上筋の活動を優位にするには，三角筋停止部よりも肩関節の近くに抵抗をかける

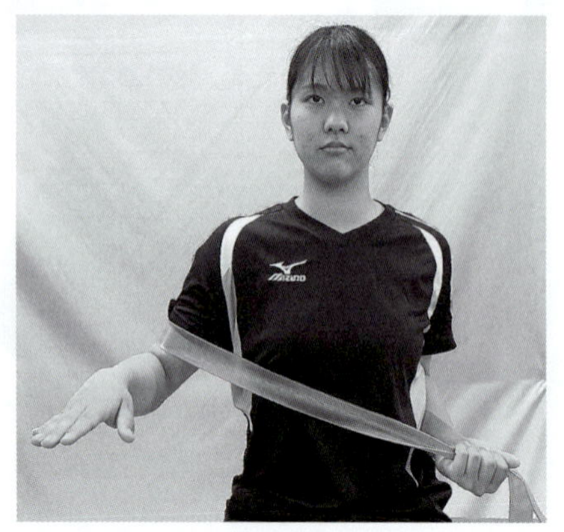

フォローアップ

肩甲骨の位置や腱板機能の確認は定期的に行うのがよい。ポジション変更や新たなコース打ち分けの技術を習得するための練習を取り入れるとき，またセッターポジションの競技者が代わったときにはボールコンタクトのタイミングが一定せず，肩関節に過度な内旋・外旋が生じることがあるので，段階的に練習メニューを進めるのがよい。

スパイクと筋・筋膜性腰痛

低身長の競技者やジャンプ力がない競技者は，打点を補うために体幹を側屈させる動作をスパイク時に行うことが多い（**図24**）。この動作の繰り返しは，左側の脊柱起立筋や広背筋，腰方形筋の

図24 スパイクに伴う体幹側屈

体幹側屈で打点を補う競技者は，左側の腰痛が発生しやすい

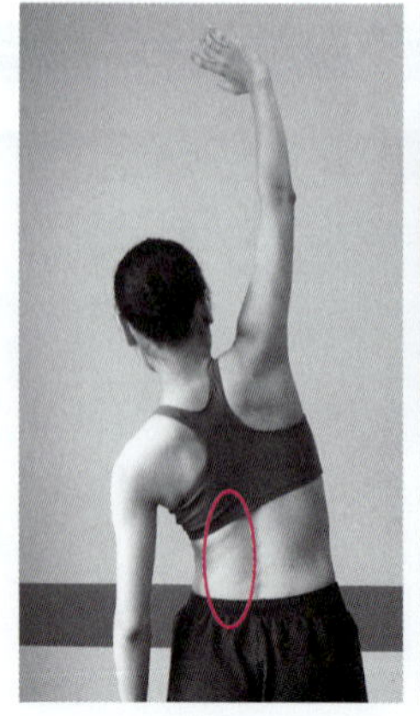

筋・筋膜性腰痛の原因となる。

バレーボール競技者が利き手と反対側の腰痛を訴えた場合にはスパイクフォームを確認し，ジャンプ力低下の原因となる下肢の外傷・障害の有無も確認する。

助走～ジャンプ踏み切りの機能解剖

スパイクの助走は，トスされたボールを確実に打つために踏み切り位置まで移動し，高くジャンプするために勢いをつける動作である。ミドルブロッカーが助走をまったくせずにアタックをすることがあるが，このようなジャンプはスタンディングジャンプという。

スパイクの助走は2歩と3歩の場合があるが，基本的には3歩である。助走の歩幅は徐々に広くなり，最後の左足の移動距離が一番広くなる（図25）。

- 1歩目：助走の開始となるステップであり，下腿と体幹をほぼ同時に前方へ傾斜させて，重心を下げながら前方へ移動する（図26❶）。
- 2歩目：助走の推進力を増加させるステップであり，両上肢を後方へ引き（助走でのバックスイング），前方へ大きく踏み込む。この際，十分にtoe-upして踵部を接地させることでスムーズな下腿前傾が行われ，前方への重心移動が行い

図25 助走からの踏み切りの瞬間の解剖図

＊太字は重要な筋

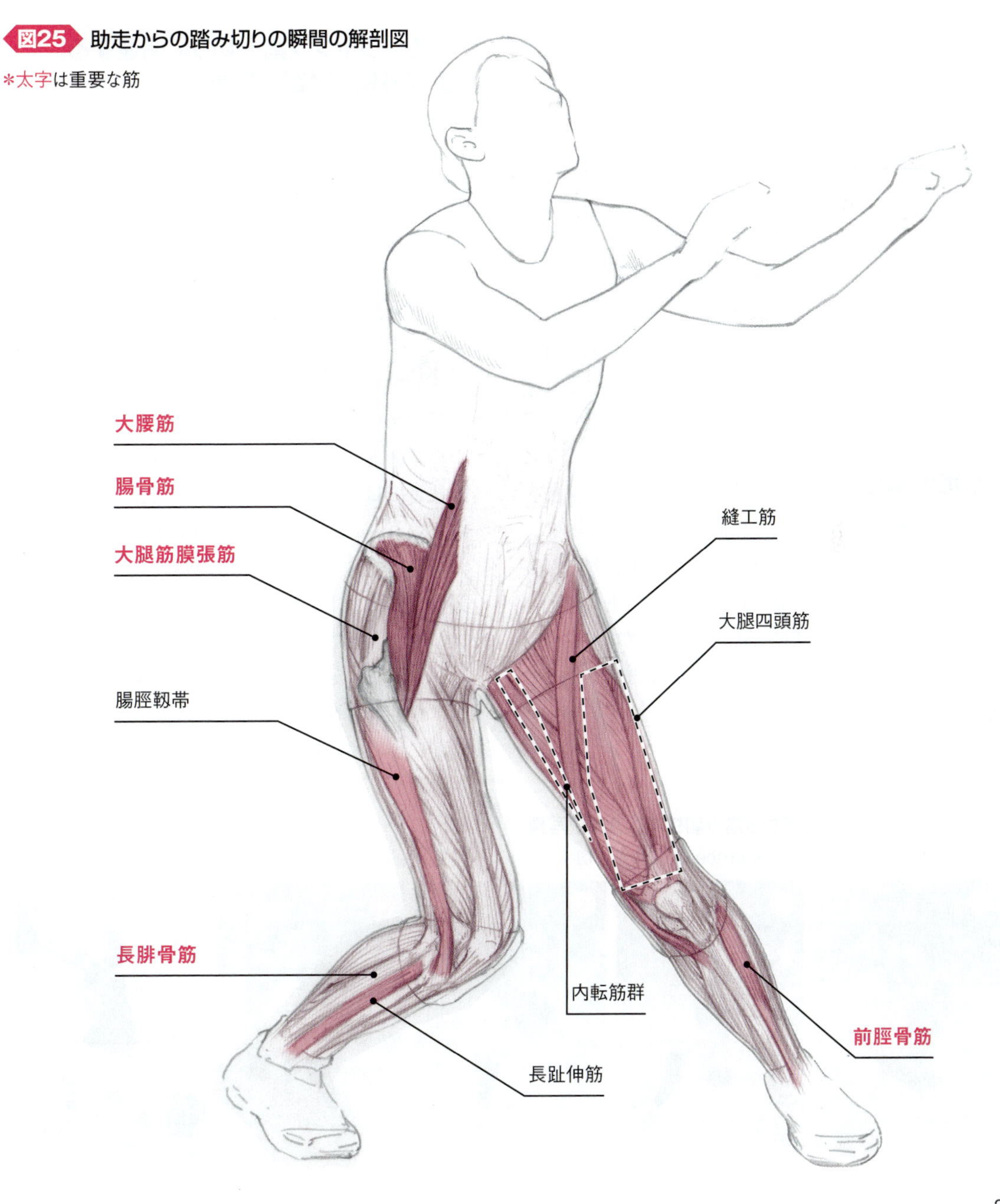

図26 スパイクの助走

❶1歩目　❷2歩目　❸3歩目

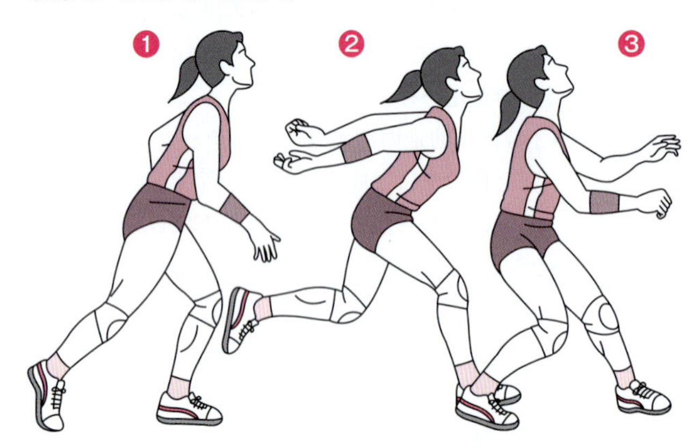

図27 助走の軌跡

❶ストレートアプローチ　❷アングルアプローチ
❸ループアプローチ　❹フェイクアプローチ

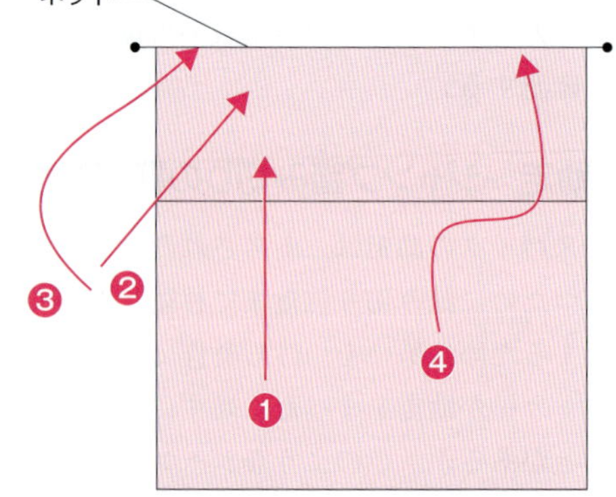

やすくなる。大きく前方へステップして助走の勢いをつける（**図26❷**）。

- 3歩目：助走による水平方向の推進力を制動しながら，垂直方向へ切り替えるステップである。右足を軸とし，骨盤を回旋させて股関節内旋位で左足を接地し，上肢の振り上げを行いながら上方へと運動方向を切り替えて体幹を伸展させる（**図26❸**）。
- 踏み切り：両足踏み切りが基本である。股関節および膝関節伸展，足関節底屈を連動させることで高くジャンプできる。

助走の軌跡

助走の軌跡には，ネットに向かってまっすぐに助走するストレートアプローチ，ネットに対して角度をつけるアングルアプローチ，ネットに対して回り込むループアプローチ，相手のブロックをかわすために踏み切り位置とは異なる方向へ助走してから踏み切り位置へ向かうフェイクアプローチがある[5]（**図27**）。

助走～ジャンプ踏み切りに関連する主な外傷・障害の特徴

外傷・障害が発生しやすいのは2歩目と3歩目である。2歩目の助走は前方への推進力を大きくするための動作であり，大きくステップするため前方への踏み込み移動距離が長くなる。そのため，右脚だけで体重を支持しながら前方へ大きく踏み出せる脚力と，十分な関節可動域が必要である。

● knee-in/toe-out

足関節可動域制限を有する場合や，大腿四頭筋やハムストリング，殿筋群などの筋力が不十分な競技者では，その代償動作としてknee-in/toe-outがみられることが多い（**図28❺**）。この動作では，大腿骨に対して下腿近位部が外旋し，膝関節内側部には伸張ストレス，外側部には圧縮ストレスが加わりやすくなる。また，下腿遠位部は足部に対して内旋し，足関節および足部内側には伸張ストレスが加わりやすくなる。このようなストレスが頻回に加わると障害が発生する。

図28 ジャンプの助走から踏み切りまでの連続写真

❶～❹適切な踏み切り　❺knee-in/toe-outでの踏み切り

ジャンパー膝

膝関節に発生する代表的な障害は，ジャンパー膝（膝蓋靱帯炎）である。knee-inによって脛骨近位部が外旋すると膝蓋靱帯内側は伸張され，踏み込み動作による膝関節屈曲でさらに遠心性に引き伸ばされる（**図29**）。また，下腿近位部が外旋することにより脛骨粗面部は外方へ偏位するため，大腿四頭筋の走行にも影響する。これはQアングルの計測で確認することができ，Qアングルの増大は大腿四頭筋収縮時の膝蓋骨外方への牽引力増大の原因となり，その結果，膝蓋大腿関節外側部に痛みが生じることがある。

足関節内反捻挫

助走3歩目は水平方向の推進力を制動しながら垂直方向へ切り替えるステップであり，左足は推進力を制動するため下腿前傾を制動した止め足となる。この切り替えが不十分な踏み切りでは，ジャ

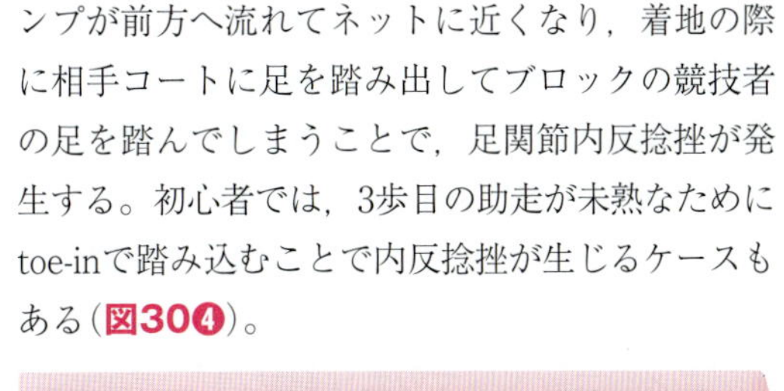

ンプが前方へ流れてネットに近くなり，着地の際に相手コートに足を踏み出してブロックの競技者の足を踏んでしまうことで，足関節内反捻挫が発生する。初心者では，3歩目の助走が未熟なためにtoe-inで踏み込むことで内反捻挫が生じるケースもある（**図30❹**）。

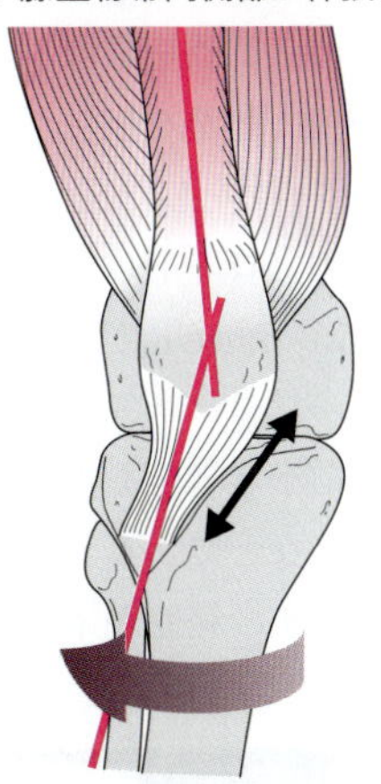

図29 踏み切り時のknee-inに伴う下腿外旋

踏み切り時にknee-inが生じると膝関節が外反し，下腿近位端は外旋する。そのため，膝蓋靱帯内側部が伸張される

図30 3歩目の制動が不十分な踏み切り

❶～❸身体が前方に流れている
❹toe-inでの踏み切り

助走～ジャンプ踏み切りで生じる膝関節痛の評価と理学療法の考え方

ジャンパー膝

ここではジャンパー膝に関して詳しく説明する。膝蓋靱帯炎は，膝蓋骨下極の膝蓋靱帯骨移行部での牽引性反復過剰負荷病変と定義されており，単一の打撲や急性の腱炎は含まれない。

症状は運動時の局所疼痛と限局性の圧痛であるが，発生初期には運動開始直後や運動後にのみ痛みを訴えるが運動中は痛みがないため軽視されやすく，症状が増悪してから医療機関を受診するケースがある。

ジャンパー膝の評価

視診による炎症所見の確認と触診により，圧痛部位の確認を行う。膝蓋靱帯部は内側，中央部，外側部に分けて詳細に圧痛部位を確認する。ジャンパー膝では内側部に圧痛が認められる競技者が多い。ほかに，Qアングルの測定，膝蓋骨の位置および大腿直筋短縮の有無を確認する。

痛みを再現するための機能的検査

機能的検査として，膝蓋靱帯内側部へ伸張ストレスを負荷して痛みを再現する目的で，スクワッティング検査のknee-in/toe-out testを行う[6]（**図31**）。

スクワッティング検査は，下肢の運動時の関節不安定性および疼痛を再現させる機能的な検査である。検査する側の足を一歩前に出させ，膝関節軽度屈曲位で半荷重とし，neutral test，knee-out/toe-in test，knee-in/toe-out testの3つの肢位で膝関節を屈伸させ，関節不安定性や疼痛の有無を確認する。

ジャンパー膝ではその動作観察から，knee-in/toe-outによるストレスが発生原因と予想されるため，neutral testとknee-in/toe-out testを選択して疼痛の有無および増減を確認する。

ジャンパー膝への理学療法

初回所見で腫脹が認められる場合，消炎鎮痛のための理学療法を優先する。ジャンパー膝の主症状は痛みであり，理学療法の目的は鎮痛およびジャンパー膝の原因となる関節運動の制御である。

大腿直筋の短縮があり，膝蓋骨高位が認められる場合，大腿直筋のストレッチと膝蓋骨のモビライゼーションを行う。

下腿近位部が外旋してQアングルの増大が認められる競技者には，大腿骨遠位端と下腿近位端を把持し，大腿骨に対して下腿を内旋させる徒手操作を加え，脛骨大腿関節のポジションを修正する（**図32**）。

さらに，膝蓋骨の外方偏位を制動するために，軽度屈曲位から膝関節を伸展させ，内側広筋の筋機能を高めるエクササイズを行う。テーピングは膝蓋腱部に過剰に加わる伸張ストレスを回避でき，疼痛の軽減を図るために有効な手段である。

助走の際，ダイナミックアライメントをneutralな状態に維持してステップできることは重要であり，特に右脚だけでknee-inせずにステップできるような荷重エクササイズをプログラムする。

フォローアップ

Qアングルの計測と大腿直筋のタイトネスの有無，内側広筋の筋活動の確認は定期的に行うとよい。ジャンパー膝は，発生初期には運動開始直後や運動後にのみ痛みを訴え運動中は痛みを訴えないが，軽度な痛みも軽視せず早期に理学療法を行うことで重症化を予防できる。

着地の機能解剖と関連する外傷・障害

着地は両脚で行うことが基本である。足関節および膝関節屈曲運動により，衝撃を吸収するように着地する。しかし，空中で体勢を崩した状態での着地，無理な体勢でスパイクをした後の着地（**図33**），ミドルブロッカーのブロード攻撃の着地では片脚着地になり，膝関節にknee-inが生じて外傷が発生する。

代表的な外傷は，膝の前十字靱帯や内側側副靱帯の損傷，外側半月板損傷などである。2008年までのルールではネットタッチの範囲がネット全体

図31 スクワッティング検査

❶両手で膝関節を軽く把持し，❷～❹の3方向へ誘導して疼痛の再現を確認する　❷knee-in/toe-out　❸neutral　❹knee-out/toe-in

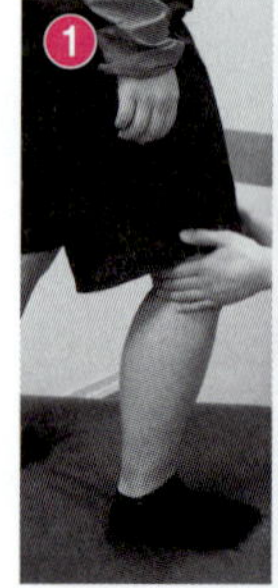

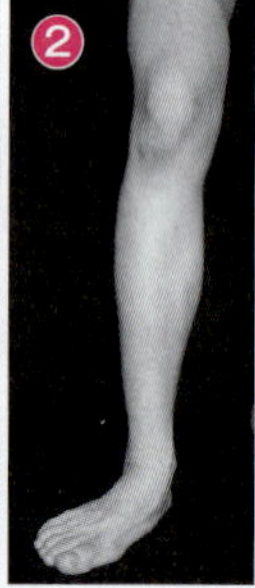

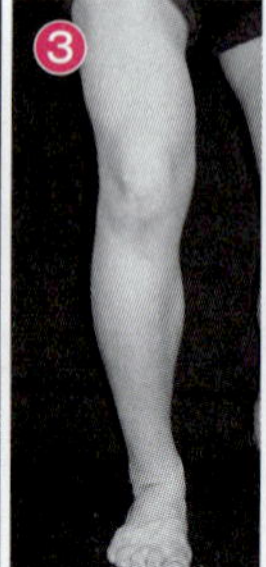

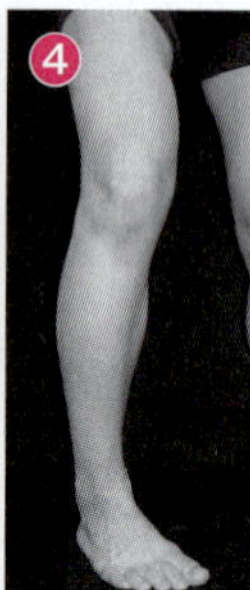

図32 徒手操作による脛骨大腿関節のポジション修正

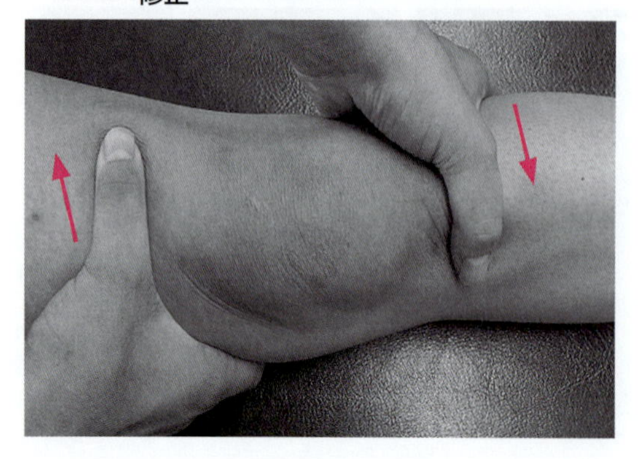

図33 無理な体勢でのスパイク

無理な体勢からのスパイクは片脚着地になる

であったため，反則を避けようとして着地が後方荷重となり，膝蓋大腿関節症やジャンパー膝が発生することが多かった。2009年のネットタッチに関するルール改正により，ネット上部の白帯とアンテナに触れなければ反則にはならなくなった。ルール改正以降，着地の際の下肢の外傷・障害は減少している印象である。

また，着地の際に相手コートの競技者の足を踏み，足関節外側靱帯を損傷することがある。このような受傷機転を予防するには，スパイクの踏み切り技術を習得して着地がネットの近くにならないようにすることと，トスされたボールの軌道や周囲の状況判断を焦らず的確に判断して，無理な態勢でスパイクを行わないことが重要である。

成長期におけるスポーツ外傷・障害について

バレーボールの競技特性と成長期の身体特徴

バレーボールにおいて多用されるジャンプ動作は年齢によって動作の成熟度に違いが生まれると示されており，特に思春期の段階においては着地前の予備筋活動が低いこと，筋活動の持続時間が低いこと，筋腱複合体の剛性をコントロールする能力が劣っていること[7]などが示されている。

また，成長期の段階には骨の長軸方向の伸張に関与する骨端軟骨が存在する。この骨端軟骨は活発な増殖と分化を繰り返すため非常に脆弱な部位である。つまり，成長期の時期は身体環境として繊細な時期にあることが挙げられ，そこにバレーボールの特徴である連続的なジャンプ動作が加わることで，成長期における選手の関節には非常に大きなストレスが加わることが考えられる。

成長期の疼痛

筆者ら[8]は，2019年度～2020年度に開催された全国中学生長身長発掘育成合宿に参加した選手(男子90名，女子88名)を対象にメディカルチェックを実施した。疼痛の部位において，男子は膝関節が45.3%と最も多く，次いで腰部，肩関節の順であった。女子においても膝関節が34.4%と最も多く，次いで腰部，肩関節の順であることが確認された。これまでの報告でも，成長期のバレーボール競技者では骨端症(オスグッド-シュラッターOsgood-schlatter病)やジャンパー膝(膝蓋腱炎)などの膝関節前面部の疼痛が多発していることが示されており，成長期バレーボール選手における膝関節痛の予防は急務である。

膝関節痛の特徴

メディカルチェックでは膝関節の疼痛部位を，大腿四頭筋腱の膝蓋骨付着部，膝蓋腱の膝蓋骨下極付着部，膝蓋腱の脛骨粗面付着部に分類し，さらに疼痛が内側，中央，外側かを触察して確認した(**図34**)。結果，男子は脛骨粗面付着部中央(56%)，膝蓋骨下極付着部内側(30%)，大腿四頭筋腱の膝蓋骨付着部内側(6%)の順で多かった。女子は膝蓋骨下極付着部内側(37%)，脛骨粗面付着部中央(19%)，大腿四頭筋腱の膝蓋骨付着部内側(18%)の順で多く，性差による疼痛部位の違いが認められている。これらから，男子は骨端症(Osgood-schlatter病)，女子はジャンパー膝(膝蓋腱炎)をそれぞれ罹患している可能性が高いことが考えられ，これは男女の身体発達における骨成長速度の違いが原因と考えられる。

図34 膝関節における圧痛の触察部位

大腿四頭筋健の膝蓋骨付着部
❶内側，❷中央，❸外側
膝蓋腱の膝蓋骨下極付着部
❹内側，❺中央，❻外側
膝蓋腱の脛骨粗面付着部
❼内側，❽中央，❾外側

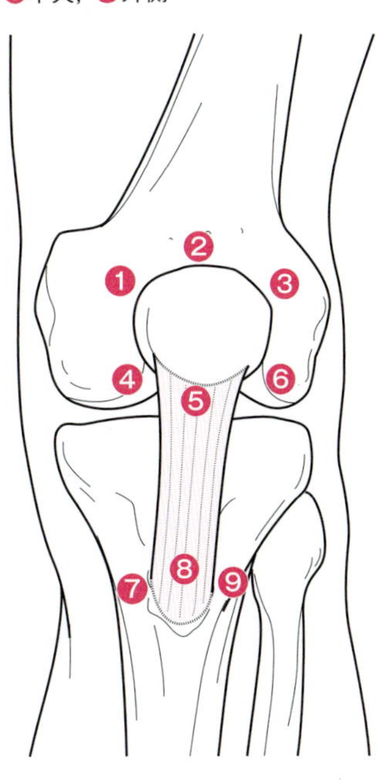

バレーボール

環境要因による膝関節痛の発生要因

成長期におけるスポーツ障害の発生要因については，大きく内的要因と外的要因に分類される。内的要因は，選手の個人因子に起因する身長や体重，柔軟性などの身体構造，身体機能に関することが挙げられる，一方，外的要因は，サーフェス，季節，天候などの環境によるものや，競技種目，ポジション，運動の負荷量などのトレーニングに関するものが挙げられ，なかでも練習量が障害発生に大きく関与することが示されている。

筆者ら[9]は前述の全国中学生長身長発掘育成合宿において，メディカルチェックと並行して練習環境を調査する目的でアンケート調査を実施した。メディカルチェックより得られた膝関節痛の有無を従属変数，アンケート結果より得られた練習頻度と練習時間(平日，休日，長期休業)を独立変数として，1日当たり3時間未満および3時間以上における膝関節痛の有無の関係について，男女それぞれでχ^2検定を実施した。その結果，休日ならびに長期休業期間中において，男子・女子ともに，膝関節痛あり群となし群に有意差があり，3時間以上練習をしている選手は膝関節痛を罹患している可能性が高いことが示唆された。

成長期バレーボール選手における障害予防

前述したように，成長期における競技者は身体構造や身体機能が非常に未熟であり，成人のミニチュア版ではないということを念頭に置き，指導者は指導に当たる必要がある。また，発育発達の速度は個人差も大きく，これらを的確にとらえるためには村田の提唱する身長成長速度曲線(peak height velocity：PHV)を求めて個人のベストエイジを見極めること[10]で，ストレッチや筋力トレーニングなどの個人要因への働きかけだけでなく，練習量や練習負荷などの練習環境を指導者がコントロールすることも重要であると考える。成長期にかかわる指導者が暦年齢だけでなく成長年齢を手がかりに練習環境を整え，未来ある成長期段階の競技者を長い視点で育成していくことが，何よりも成長期の障害予防へとつながる。

【文献】

1) 高梨泰彦: バレーボール 試合に強くなる戦術セミナー. pp.14-15, 実業之日本社, 2008.
2) 杉本勝正: 肩関節インピンジメント症候群に対する手術－SLAP手術－. 臨スポーツ医, 30 (5): 441-448, 2013.
3) Neer CS 2nd: Impingement lesions. Clin Orthop Relat Res, 173: 70-77, 1983.
4) Hawkins RJ, Kennedy JC: Impingement syndrome in athetes. Am J Sports Med, 8 (3): 151-158, 1980.
5) 日本バレーボール学会編: バレーボール百科事典 バレーペディア. pp.30, 日本文化出版, 2010.
6) 川野哲: ファンクショナル・テーピング. pp.32-34, ブックハウス・エイチディ, 1988.
7) Savvas L, Eleni B, Dimitrios P, et al.: Neuromuscular differences between prepubescents boys and adult men during drop jump. Eur J Physiol, 110 (1) : 67-74, 2010.
8) 水石　裕, ほか: 全国中学生バレーボール選抜長身選手合宿におけるメディカルチェック 男女におけるジャンパー膝の障害部位調査. 日臨スポーツ医会誌, 28 (4) : 273, 2020.
9) 水石　裕, ほか: 中学生バレーボール選手における膝関節痛発生の要因について－外的･内的要因からの検討－. 日臨スポーツ医会誌, 30 (4) : 328, 2022.
10) 公益財団法人 日本バレーボール協会: コーチングバレーボール基礎編. pp.59-60, 大修館書店, 2017.

ハンドボール

本項ではハンドボール競技の特徴を示し，それによってどのようなスポーツ外傷・障害が生じるのかを示した。男子と女子で障害の発生が異なることを示し，理学療法をどのように進めればよいかを解説する。なお，本項におけるハンドボールの動作解説は，すべて右利きの選手を例に紹介する。

ハンドボールのルール

ポジション

ハンドボールは1チーム7名(コートプレーヤー：6名，ゴールキーパー：1名)で構成される。

コートプレーヤーには，センター，ポスト，左右の45°(フローター)，サイドプレーヤーという役割(ポジション)があり，それぞれ求められるプレー内容によって身体能力に違いがある。例えばセンターは身長が高く，ディフェンス時には相手のシュートをブロックする。また，チームの司令塔でもある。45°はエースポジションで，ロングシュートやランニングシュートなど，多彩なシュートを打つ。サイドプレーヤーはゴールに対して正面からシュートしにくい分，身体を横に投げ出すなど，さまざまな姿勢から変則的なシュートを打つことが多い。

ゴールキーパーは幅3m×高さ2mのゴールの前に立ち，相手チームのシュートを阻止する。ペナルティシュートでは1対1での駆け引きが行われる[1]。

オフェンスとディフェンス：コンタクトスポーツ

ハンドボールではオフェンス(offence：OF)とディフェンス(defense：DF)が明確に分かれている。例えば，バスケットボールはコンタクトスポーツの要素が強いもののOFが圧倒的に優位であり，DFのファールは厳しく罰せられる。その意味では，ルール上はノンコンタクトスポーツに近い。これに対してハンドボールでは，OFの攻撃に対してDFが身体接触による防御を行い，これが「ナイスファール」となる。ハンドボールはその意味で完全に「コンタクトスポーツ」であり，当然コンタクトプレーによる外傷発生も多くなる。

OFが優位に攻撃を進めるが，シュートチャンスをつくれないでパス回しをすると消極的とみなされ警告が出され，それでもシュートが打てないと攻撃権が交代する。この駆け引きの様相が観客の楽しみであり，非常にスピーディーな展開となる。

ハンドボールのコート

競技は縦40m×横20mの長方形のコートで行われる。バスケットボールのコートが縦27mであることと比較すると，大きなコートになる。以前はこのような大きなコートを備える体育館が少なく，屋外で練習や正式な試合を行っていたこともある。現在はバックヤードスペースが40m確保された体育館が多くなり，ハンドボールはほとんど屋内で行われるようになった。屋内では床面の摩擦係数が極端に高くなるため，このサーフェスに影響されるような傷害の発生も多い。

競技時間

40mのコートを動き回ることで運動量も多くなる。競技時間は，大学生以上では15分間の休憩を挟んだ前後半30分，計60分である。おおよそ60回強の攻防があるが，両チームの得点の総計は20～40点程度になる。前後半で各チームにそれぞれ2回まで，1分間の作戦タイムの休憩がとれる。

自由な選手交代

コートのセンターライン付近の交代エリア内を通過すれば，試合中のおおよそどの展開でも審判の許可なくゴールキーパーを含めて選手を交代してよい。OFあるいはDFに特化した選手が活躍し，疲れた選手をいったんベンチに戻すこともできる。また，ペナルティシュートの際には，より阻止率の高いゴールキーパーに交代することもある。

ボールの特徴

男子と女子では使用するボールの大きさが異なる(**表1**)。男子の高校生以上では3号，中学生男女と高校生以上の女子では2号ボールを使用する。小学生では1号ボールとなる。男子では3号ボールを50m以上遠投できる選手がいる反面，女子では2号ボールで40mが限界であろう。

手掌と手指を含んだ手部の大きさで，ボールを把持できない選手がいる。そのため，松脂(まつやに)や類似したペーストを手指につけてボールの接触力を増している。体育館によっては松脂の使用が禁止されているため，両面テープを指に巻いてボールを接触させる。微妙にボールのタッチやパス，シュートのタイミングがずれるので，これもハンドボール選手としては繊細な問題である。

生理学的・運動学的側面からみたハンドボール

生理学的側面

ハンドボールは，60分間の間にハイパワーの要素をミドルパワーあるいはローパワーでつなぎながら行われ，運動の負荷強度は高い。一般に男子のほうが動きにより緩急がある印象を受ける。女子はミドルパワーの比率が多くなり，運動量が大きいように思われる。男子は無酸素的運動70%，有酸素的運動30%で，女子は無酸素的運動60%，有酸素的運動40%と推測される。スポーツとしては非常に強度が高い部類になり，体力トレーニングもこの内容に即して構成されている。

運動学的側面

運動学的にみれば，ランニング，ダッシュ，ストップ，方向転換，ジャンプ，着地などで構成される。ボールゲームとして考えると，パス，キャッチ，シュート，シュートブロックなどの要素がある。

シュートは，ゴールから6m離れたゴールエリアラインの外から打たれ，10m以上の距離から放たれる豪快なロングシュート，移動しながら放つランニングシュートやジャンプシュートなどがある。上下・左右にコースを選びながら打たれ，シュート場面は最大の見せ場である。サイドプレーヤーは着地の反則になるぎりぎりのところまでキーパーと駆け引きを行うため，スタンディングポジションでの着地ができないこともあり，倒れこみのシュートが増えてくる。また，シュートは速いスピードのものばかりではなく，「ふかし」として前に出てきたキーパーの頭上を山なりにゆっくり抜いたり，ボールに回転を加えてバウンドさせ，ゴールの枠外と思われるようなシュートが得点となることもある。スカイプレーといって，ゴールエリアライン内にジャンプして侵入しているプレーヤーにパスを出して，着地直前にシュートする華麗なプレーもある。

ゴールキーパーは，シュートを身体のどこかでブロックすることが可能である。手でキャッチしたり，止めたり叩いたりするだけではなく，下肢に当てることも許されている。コートプレーヤーの場合は，下肢でボールを止めることは反則になる。

身体接触の側面

コンタクトの側面からは，指で相手の着衣などを引っ張ってはいけないが，ほかはほとんどの接触が許される。身体の当たりに負けない力強さ，当たりを受ける能力，またコンタクトされないようにDFをかわす能力などが必要になる。

女子ハンドボール選手にみられる外傷・障害

足関節捻挫

男女を通じて最も多いのが足関節捻挫である[2]。骨折を伴ったり，靱帯の完全断裂が疑われたりす

表1 ハンドボールのボールの規格

	周径[cm]	直径[cm]	重量[g]	クラス
1号	49.5~50.5	16	255~280	小学校用
2号	54~56	18	325~375	一般女子・大学女子・高校女子・中学校男女用
3号	58~60	19	425~475	一般男子・大学男子・高校男子用

る場合には手術やギプス固定も行われるが，通常は短期の安静・固定後に，問題なくスポーツに復帰している。しかし，安易に取り扱われる傾向が強く，疼痛や腫脹が残存したままプレーを行う選手も多い。結果として，足関節不安定性が残存したり，捻挫の再発につながるケースがある。

2018年の筆者ら[3]の調査では，足関節捻挫を経験した大学生70名のうちわずか37名(53%)しか医療機関を受診しておらず，未受診だった者の61%が「治療しなくても治ると思った」と回答した。

理学療法士としては，足関節捻挫の治療ができるようにしておかなければならないと考える。テーピングや装具を常用する選手も多いが，これらは足関節の正常な運動機能を阻害する可能性があり，安易な使用については注意が必要である[4]。

Check! 理学療法ガイドライン第2版

「慢性足関節不安定症(CAI)に対して，どのような理学療法が適応されるか」[5]については，『理学療法ガイドライン 第2版』第15章「足関節捻挫理学療法ガイドライン」のBQ3を参照されたい(https://www.jspt.or.jp/upload/jspt/obj/files/guideline/2nd%20edition/p801-817_15.pdf)。

Web版はこちら

膝前十字靱帯損傷(膝ACL損傷)

女子ハンドボール選手で最も重大なのが，膝前十字靱帯(anterior cruciate ligament：ACL)損傷である[6-13]。発生率は，女子のスポーツ種目では女子サッカーと同等かさらに高く第1位であり，女子バスケットボールを含めた他の女子競技種目よりはるかに多い。競技人口からいえば女子バスケットボールのほうが圧倒的に多いが，膝ACL損傷の数は同等かもしれない。サッカーはより大きなグラウンドで行われるが，スパイクを使用するという点でストップや方向変換による膝ACL損傷が多くなる[1, 14]。

ハンドボールでは，縦40m×横20mと広く，かつ比較的摩擦係数の高い屋内コートにおいて，急激なダッシュ，ストップ，ターン，そしてジャンプと着地を長時間にわたって繰り返す[15]。ここに，膝ACL損傷の発生要因の多くが集積されている。両膝関節の損傷や，膝ACL再建術後の再損傷も当然多くなるので，治療のための理学療法だけでなく，予防が注目されるのも当然である[16-19]。

オーバーユースによる障害

女子ハンドボール選手では，オーバーユースによる障害も多い。足底筋膜炎，胼胝，扁平足障害，ハイアーチによる障害，有痛性外脛骨，中足骨・舟状骨・踵骨・距骨疲労骨折，アキレス腱周囲炎，シンスプリント，膝蓋腱炎，ジャンパー膝，弾発股，腰椎分離症，肩腱板損傷，肩インピンジメント症候群，腱板疎部損傷などである。筋疲労による肉ばなれもある。

その他の急性外傷

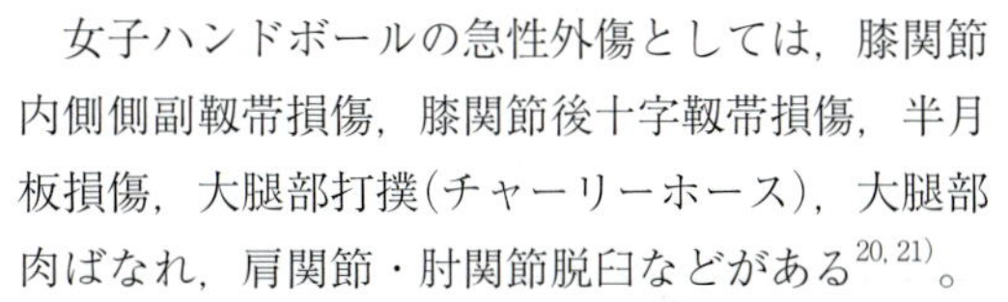

女子ハンドボールの急性外傷としては，膝関節内側側副靱帯損傷，膝関節後十字靱帯損傷，半月板損傷，大腿部打撲(チャーリーホース)，大腿部肉ばなれ，肩関節・肘関節脱臼などがある[20, 21]。

また，突き指が多いため，手指の骨折や靱帯損傷がかなり頻繁にみられる。着衣に手指が引っかかり，中手骨骨折を受傷することも多い。

ゴールキーパーはキーピング動作で股関節外転を多用するため，股関節内転筋の肉ばなれを起こすことも多い。また，シュートでは故意にゴールキーパーの顔面を狙ってはいけないが，顔面にボールがぶつかったり，肘で顔面を打突してしまうことで，鼻骨の骨折や歯牙損傷，眼球の損傷が起こることがある。転倒時に頭部を床に強打して脳振盪が起こったり，同じく頸椎捻挫を起こすこともある。

貧血や月経異常など，女子選手特有の疾患もある。男子の外傷・障害の発生は女子ほど頻度が高くないのは幸いである。しかし，コンタクトスポーツであり，また3号ボールは比較的大きなものであるため上肢への過度な負担による愁訴や，腰痛などが多くみられる。

男子ハンドボール選手と投球障害

投球障害

他のオーバーヘッドスポーツと同様に，ハンドボール競技においても投球障害と考えられる疼痛の訴えが肩関節や肘関節にみられる。投球障害は男子でも女子でも発生するが，相対的に大きなボールをより力強く投げる男子選手で大きな問題

となる。

ハンドボール競技での投球動作はシュートやパス，ゴールキーパーのスローイングなどでみられる。投球障害の発生初期では，パスよりシュートの局面で疼痛を訴える。それが悪化すると徐々にパスでも疼痛が発生し，十分にプレーができなくなるという悪循環に陥る。そのため，ハンドボール競技での投球障害の治療や予防の際には，原因がシュート動作のフォームのなかにあるのかを見出し，問題をみつけたらそれに対して改善を試みる必要があると考えている。

ハンドボール競技のシュートの局面では，DFを避けながら，さらにキーパーのブロックのコースやタイミングをはずしながら投球する必要がある。そのため，OFの選手が各自の好むタイミングで，かつ毎回同様のフォームでシュートを打てるわけではなく，無理な体勢からの投球を強いられることが少なくない。DFの選手が距離を詰めてくるなか，OFの選手が空中で十分なテイクバック姿勢をとれないようなケースでのシュートなどを考えるとわかりやすいだろう。

シュート動作の前後にコンタクトが起こる場合もある。ポジションによってはターンしながらのシュートや，角度の小さいゴールサイドからシュートを狙わなければならないこともあり，シュートのバリエーションが多様であるため，初めからさまざまなシュートの局面に対応しようとすると難しい。ある程度，問題となるシュート動作に絞って考察を進めるほうがよいだろう。

一方で，選手が疼痛を訴えるシュート動作の位相はほぼ一定である。「ボールリリース時の疼痛」を訴える選手は，どのシュートの局面においても同様の位相で疼痛が出現している。従って，筆者らはまず，DFやゴールキーパーがいない状態でのステップシュートやジャンプシュートの投球動作を確認して問題点を推測するようにしている。これら基本的なシュート動作の改善により疼痛が改善されると，実際のプレー中のシュート時の疼痛も徐々に改善していく傾向が強い。もちろん，ときには通常のシュート動作では疼痛がないものの，ある特定のシュートの局面や投球動作でのみ疼痛を訴えるケースがある。その場合にはプレーに求められる身体の機能や，疼痛部位に加わる身体的ストレスなどを個別に分析して対応する必要があるだろう。

Check! 理学療法ガイドライン第2版

「投球障害肩患者に対して投球動作不良への理学療法（運動療法，物理療法，装具療法，徒手療法）は推奨されるか」[22]については，『理学療法ガイドライン 第2版』第9章「投球障害肩・肘理学療法ガイドライン」の投球障害肩CQ7を参照されたい（https://www.jspt.or.jp/upload/jspt/obj/files/guideline/2nd%20edition/p509-603_09.pdf）。

Web版はこちら

シュート動作

ステップシュートとジャンプシュートをそれぞれ**図1，2**に示す。ハンドボール競技ではジャンプシュートが特に象徴的なプレーであり，試合でもよくみられる。

ジャンプシュートを分析してみると，まずは左脚で踏み切ってジャンプする（**図2❶，❷**）。空中で体幹は左回旋しているが，同時に右股関節の伸展および内転運動により姿勢のバランスをとっている（**図2❸〜❼**）。

ボールリリース時（**図2❽，❾**）に体幹が前屈するが，両股関節の屈曲運動によりバランスをとっている。リリース後からは着地の準備を行い（**図2❾**），両足で着地している（**図2⓫**）。

このように，ジャンプシュートでは空中で強い

図1 ステップシュート

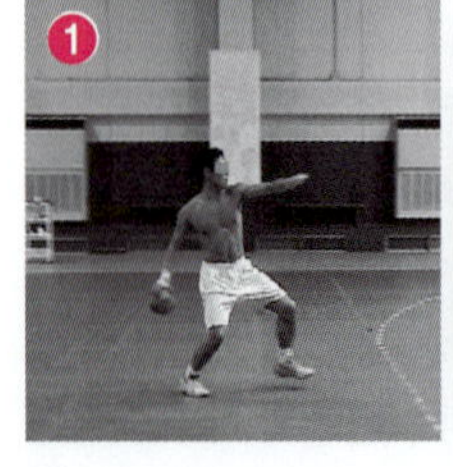

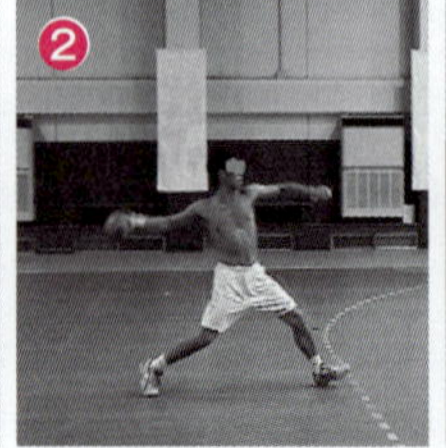

図2 ジャンプシュート

3 の解剖図

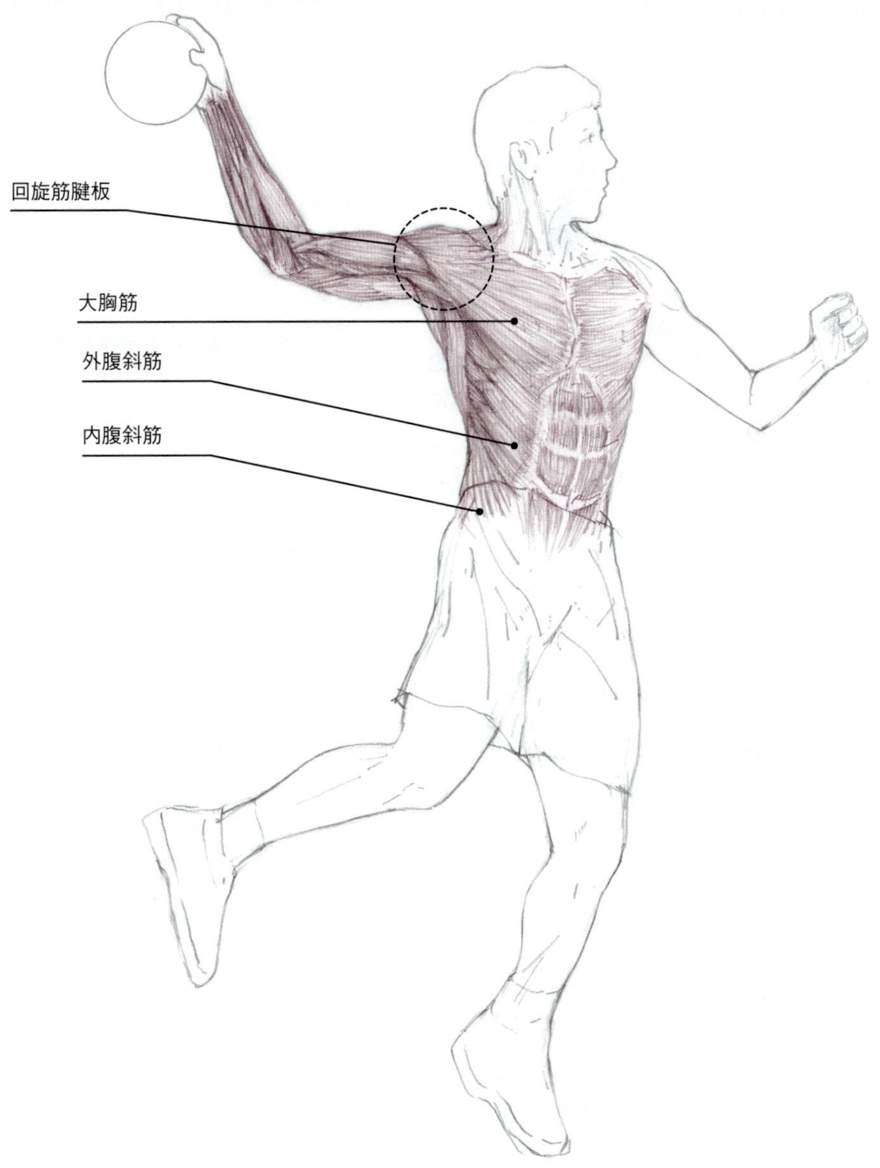

シュートを放つために，さまざまな方法でバランスをとりながら動作を遂行している。一連の運動のいずれかが欠けても投球動作に影響を及ぼすと考えられる。

問診

疼痛が出現する位相と疼痛部位を聴取することは，どの組織に対してどのようなストレスがかかり症状を引き起こしているのかを推察するうえで重要である。どのような場面でのシュートの際に最も痛みを感じるのか，ジャンプシュートで痛いのかステップシュートで痛いのか，またはその両方で疼痛が出現しているのかなど，できるだけ細かく聴き出す。

発症機転

発症機転については，疼痛が出現し始めた時期に投球動作に影響を及ぼすようなイベントがなかったか確認する必要がある。

ハンドボールの外傷・障害は多岐にわたるが，例えば，利き手の突き指などが発生すると，ボールを十分に把持することができないことから投球動作が変化し，結果として肩・肘の疼痛発生につながることがある。

また，下肢に疼痛や機能障害を有する場合，代償的にジャンプ動作が変化し，ジャンプシュート時の肩関節運動に影響を及ぼすこともある。

このように，肩関節以外の外傷・障害が投球動作に影響を及ぼす可能性があるが，選手は肩関節以外の外傷が投球障害に結びつくとは考えていないため，自ら申告しないことが多い。競技特性を踏まえながら注意深く聴取を行う必要がある。

道具・環境の変化

ハンドボールでは大きなボールをしっかりと把持するために両面テープもしくは松脂を手になじませてプレーするが，普段，松脂を使用している選手が両面テープを使用した場合（体育館によって松脂が使用禁止の場所がある）にも症状を誘発することがあり，使用する道具の変更や環境の変化などについても聴取しておくと参考になることが少なくない。

シュートコースの得意不得意

疼痛以外でも，選手によっては，あるシュートコースへのシュートの打ちづらさを訴えることがある。例えば，「ボールがすっぽ抜けてゴールの下のほうへのシュートが打ちにくい」などである。それを代償するために投球フォームを変化させてプレーし，疼痛につながっていることも少なくない。得意なシュートコースおよび不得意なシュートコースも聴取しておくと，投球障害発生の要因分析の一助となる。

患部にみられる理学所見

投球障害における一般的な肩関節の評価は一通り行う。ハンドボールにおいても野球などと同様の所見がみられる。

可動域では肩関節内旋可動域の減少と外旋可動域の増加，外転可動域の減少を認めることがほとんどである。筋力についても，回旋筋腱板，肩甲骨周囲筋を中心に低下している。アライメントでは，肩甲骨は外転や下方回旋を呈す。

これらの所見についてはもちろん改善していく必要があるが，それのみでは疼痛は改善しないか，改善したとしても再発することが多い。患部に出現している所見が原因で疼痛を誘発しているのか，投球動作の問題から影響を受けた結果それらの所見が出現しているのか，ハンドボールにおける投球障害においても他の競技と同様に動作を分析し，症状発生の要因を分析することが必要不可欠である。

Check! 理学療法ガイドライン第2版

「投球障害肩患者に対して肩後方タイトネスへの理学療法（運動療法，物理療法，装具療法，徒手療法）は推奨されるか」[22]については，『理学療法ガイドライン 第2版』第9章「投球障害肩・肘理学療法ガイドライン」の投球障害肩CQ4を参照されたい（https://www.jspt.or.jp/upload/jspt/obj/files/guideline/2nd%20edition/p509-603_09.pdf）。

Web版はこちら

疼痛誘発検査において，圧痛検査や各種スペシャルテストは症状の発現に関与する組織の特定に有用であるため，正確に行えるようになっておかなければならない。各種スペシャルテストについては，他項を参考にしてほしい。

投球動作の分析

投球動作の分析はなるべく実際に近い状態で実施すべきであるが，ボールや松脂などのハンドボール用具を準備している医療施設は少ないと思われる。そのため，可能であれば選手に動画を撮影してもらい持参させたほうがよい。

投球動作を分析する際には，問診で聴取した疼痛が出現する位相と疼痛部位を念頭に置き，ストレス増大を引き起こすフォームの特徴を観察する。例えば，テイクバックの際に肩関節前方に疼痛を訴える場合，上腕二頭筋長頭腱などの伸張ストレスが疼痛発生の要因ではないかと推察できる。この結果と理学所見を照らし合わせ，投球時に疼痛を誘発している組織と，その際のストレス（伸張や圧縮など）を考察していく。

手指・手関節の問題

ハンドボールは比較的大きなボールを使用する。一般男子ではその大きさは外周58〜60cmにもなり，ハンドボール選手が握っても外周の1/3程度しか覆うことができない（**表1**）。そのため，ボールをしっかり握れるかどうかは，非常に重要な要因となる。

図3に，ボール把持力の低下が投球障害発生の一因となった症例を提示する[23]。**図3上段**はボール把持力が低下した状態を，**図3下段**はボール把持力が改善された状態での投球動作を示している。この症例では，ボール把持力の改善に伴い肘下がり（**図3上段❸**）などの問題となる動作が即時的に改善し，疼痛も著減した。ボールをしっかりと握れていない状態では，ボールが「すっぽ抜ける」のを防ぐために投球動作を変化させ，結果的に肩関節痛を引き起こしていたと考えられる。

ハンドボールを把持する際は，母指と小指を

図3　ボール把持力が低下した状態と改善後の投球動作

ボールをしっかり把持できていないとき（上段）の動作の特徴として，❸〜❺における肩関節水平伸展の増大と肘下がり，❼〜❾における前腕回内および肩関節内旋運動が観察された。ボール把持力の改善後（下段）には，これらの特徴が改善しているのがわかる

ボール把持力が低下した状態

ボール把持力が改善された状態

ボールの縫い目にかけ，5本の指でしっかり握るとされている[24)]（**図4**）。筆者ら[25)]の検討では，ボール把持力に相関するのは5本の手指のうち，母指・示指・小指屈曲筋力であった。このうち，小指の屈曲筋力の低下を認め，ボール把持力が低下している選手が多くみられた。原因はさまざまあるが，遠位橈尺関節の不安定性などは，小指屈曲筋力の低下や筋力発揮のタイミングの遅延を引き起こすことがある。テーピングなどで不安定性を解消した状態で小指屈曲筋力の強化を行うことで，小指屈曲筋の使い方を学習してくることがある。

● 前腕の問題

ハンドボールのテイクバックは前腕の回内運動を伴う。この際に前腕の回内運動がスムーズに行われないと肩関節の水平伸展が増強し，肘下がりを呈することがある。また，十分な回内位を保持することができない場合には，投球のコッキングからアクセレレーションの位相にかけて肩関節が外旋，水平伸展方向へ早期に誘導されてしまい，肘の遅れにつながる。**図5**に回内可動域制限へのアプローチ前後の投球動作を示した。アプローチ前（**図5❶〜❸**）は，アプローチ後（**図5❹〜❻**）と比較して肘が遅れてきていることがわかる。

前腕の回内可動域制限には，橈側手根伸筋や尺側手根伸筋，総指伸筋などが関与していることが多く，これらに対してダイレクトストレッチを実施している。また，セルフエクササイズとしても実施できるよう選手に指導を行う。可動域の変化は5〜10°程度であるが，それでも投球動作や疼痛の程度は変化することが多い。ただし，あくまで可動域制限があった場合であり，問題のない選手に施行してむしろ不安定性を惹起しないよう注意が必要である。

また，手関節のアライメントにも着目する。**図6**に示したように，手掌の尺側が掌側に偏位（マルアライメント）している場合がある。このようなアライメントの選手は，手関節背屈時に尺側手根伸筋に対して橈側手根伸筋が優位に作用して背屈運動を行う傾向がある（**図7**）。橈側手根伸筋優位の背屈運動では同時に橈屈運動を伴い，前腕は回外方向に誘導されてしまう。結果として，投球時のテイクバックで十分な回内位を保持することができず，肘が遅れる原因となる。手関節のアライメントの修正や，尺側手根屈筋を働かせた状態での

図4 ハンドボールの握り

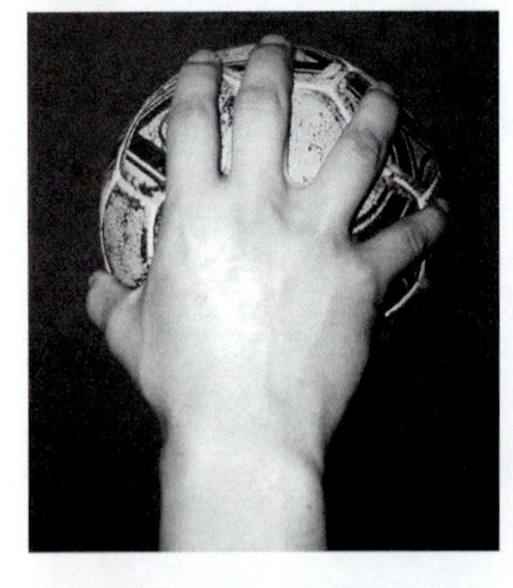

母指と小指をしっかりと広げて挟むように5本の指でしっかりと把持する

図5 回内可動域制限を有する状態と制限を解消した状態の投球動作

❶〜❸回内制限あり：回内制限を有する状態では，肩関節最大外旋時において体幹に対してボールが後方に遅れている
❹〜❻回内制限なし

図6 手関節のマルアライメント

右手関節では，前腕に対して中手骨のラインが外側下方に落ち込んでいる

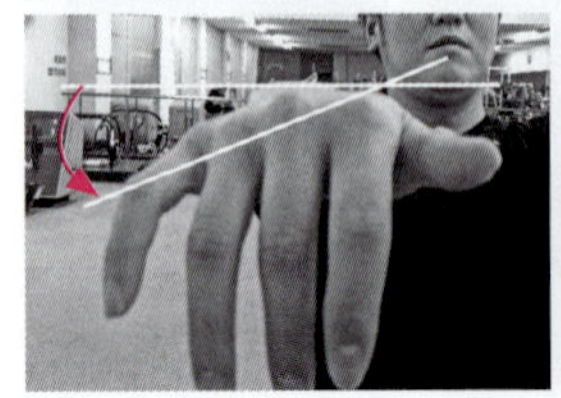
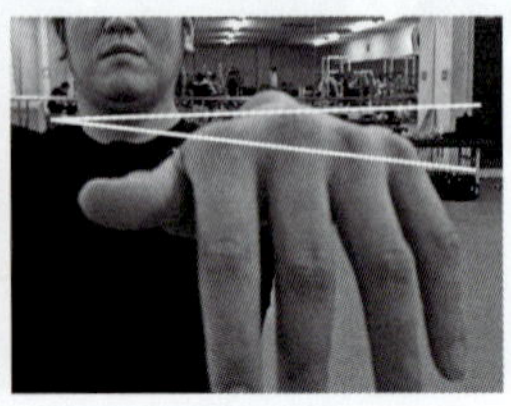

図7 手関節のマルアライメントを呈する選手の手関節背屈運動

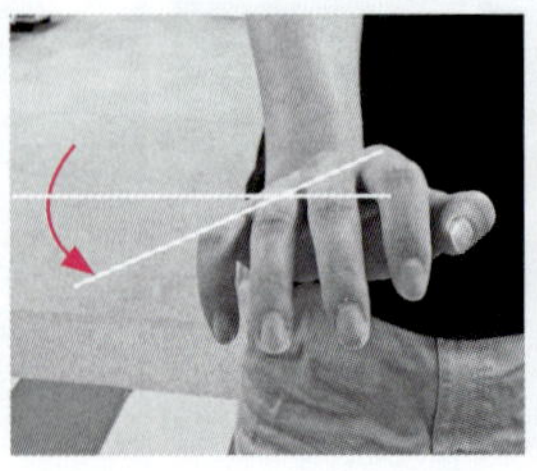
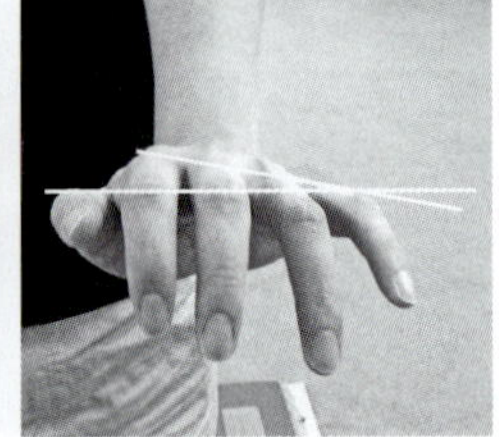

背屈運動の運動学習が必要である。

肩関節

肩関節へのアプローチでは，診断名に対する十分なリスク管理を行い，また投球制限などの指示を順守しながらエクササイズを進めていく。肩関節の可動域改善や筋力強化の方法については成書にて多数報告されているので，本項では割愛する。重要なことは，肩関節を肩甲骨や胸郭を含めた肩関節複合体としてとらえ，可動域の制限因子や筋力低下の原因を十分に評価したうえでアプローチを行うことである。

胸椎・胸郭に対するアプローチ

ハンドボールに特徴的な肩関節や体幹の使い方として，ジャンプシュート時のテイクバックがある。野球の投球やハンドボールのステップシュートのテイクバックでは，それほど大きな体幹の回旋運動は求められないが，ジャンプシュートでは骨盤に対して体幹を投球側に大きく回旋させる必要がある（**図8**）。ここでの体幹回旋が不十分な場合，肩関節の伸展運動で代償して，テイクバックでの肩関節外転運動が阻害され肘下がりを引き起こすことがあったり，DFを避けることができずにブロックされやすくなったりする。

また，DFを避けながらシュートを打つ際には，体幹の側屈などを伴い，シュートの打点を高くする必要があるため（**図9**），体幹の可動性の評価は重要である。

胸椎・胸郭の解剖学的特徴

胸椎は12の椎骨で構成され，Cobb（ゴブ）角で40°の屈曲カーブ（後弯）を呈する[26,27]。これは胸椎の椎体がわずかに楔形を呈しているためとされる[26]。胸椎の椎間関節はおおむね前額面を向いており，各関節は垂直面に対して0～30°の角度で傾斜している[27]。

胸椎は肋骨と連結し胸郭を形成する。第１～9胸椎の椎体には両側それぞれに2つの関節窩（上肋骨窩と下肋骨窩）があり，隣り合う椎体の上下の肋骨窩が合わさって1本の肋骨と関節を形成している。例えば，第2肋骨は第１胸椎の下肋骨窩と第2胸椎の上肋骨窩と関節を形成する。一方で，第1，11，12肋骨は同じ番号の胸椎の椎体に限って関節を形成する特徴をもつ。また，第11，12胸椎を除く胸椎の横突起は横突肋骨窩において同じ番号の肋骨と関節を形成している[28]。

胸椎・胸郭の運動

胸椎全体として屈曲は30～40°，伸展は20～25°，回旋は左右それぞれに30°，同様に側屈は25°の可動性を有する。一般に中位から下位胸椎では椎間関節面がより垂直面を向くため，回旋方向への自由度が減少する。また，椎間関節面が前額面を向いていることは側屈の自由度を大きくするが，この可動性は胸椎が肋骨と接合しているため，完全には出現しない[27]。実際に，屍体標本では胸郭とつながっている胸椎よりも胸椎単独のほうが大きな可動性を有するとされる[29]。よって，胸椎の運動性獲得のために胸郭の柔軟性獲得は重要と考えられる。

図8 ジャンプシュート時の体幹の回旋

テイクバックでは投球側への体幹の回旋が必要になる

図9 ディフェンスの有無による投球動作の変化

❶ディフェンスがいない場合のジャンプシュート

❷ディフェンスがいる場合のジャンプシュート：体幹の左側屈角度が大きくなる

肋骨は挙上と下制の運動を有するが，上位肋骨と下位肋骨では運動方向が異なる。肋骨は肋椎関節の中心と肋横突関節の中心を通る軸を中心に蝶番として機能し，この軸の方向が肋骨の運動方向を決定付けているが，この軸は上位肋骨では前額面に近く，下位肋骨では矢状面に近くなる。このことから，肋骨の挙上時に上位胸郭は前後径が増大し，下部胸郭は横径が増大することになる[28,29]。

評価と対応

• 静的アライメント

胸椎のアライメント障害は，後弯，体幹の後方傾斜(posterior trunk sway)，フラットバック(平背)，回旋，側弯の5つに分類される[26]。

胸椎後弯は胸椎部の屈曲カーブが増加した状態であり，フラットバックは逆に胸椎の屈曲角度が非常に減少した状態である。胸椎の後方傾斜は上背部が後方に偏位し股関節が前方位に移動するときに起こり，一般的に長い後弯があるとされる。

投球動作を考えた場合，胸椎の後弯姿勢は肩甲骨の内転と上方回旋を制限し，上肢の挙上や外旋運動を制限するため問題となることが多い(**図10**)ため，胸椎の伸展可動性の維持・改善が必要となる。また，慢性的な頭部前方突出位[30]がさまざまな場面で問題になる[29]が(**図11**)，この肢位は胸椎の後弯が伴っていることが多い。その場合，頭部へのアプローチ前に胸椎アライメントや可動性の改善を図ったほうが姿勢が修正されやすい症例を臨床では多く経験する。

• 動的アライメント

静的な立位でのアライメントだけでなく，さまざまなスポーツ動作を行う際にも適切なアライメントを保持できているかを観察する必要がある。例えば，日常動作はもちろん，スポーツは膝関節伸展位で行うものは少なく，多くのスポーツは膝関節を曲げた構えの姿勢が必要になる。代表クラスのトップレベルの選手では少ないが，学生のスポーツ選手では構えに伴う円背姿勢を呈する例をよく経験する(**図12**)。どんなに静的アライメントを修正しても，競技動作中のアライメントを修正できなければ，スポーツ障害・外傷の治療や予防，パフォーマンスの向上は望めない。

股関節の可動性低下などの機能的な問題が影響している場合にはそれらを改善する必要があるが，誤った動作パターンが問題になっていることが少なからずあり，その場合には正しい動作を学習させなくてはならない。動作学習に際しては，対象者に対してフィードバックを行う必要があるが，そのときに「何に注意を向けさせるか」は，学習効果を高めるために工夫が必要である。

Wulf[31]は自分の身体運動への注意を「インター

図11 頭部の前方突出位

頭部が前方に突出したマルアライメント(❷)は頸部の伸展筋にストレスをもたらし，慢性化すると疼痛を伴う筋スパズムを引き起こす可能性がある

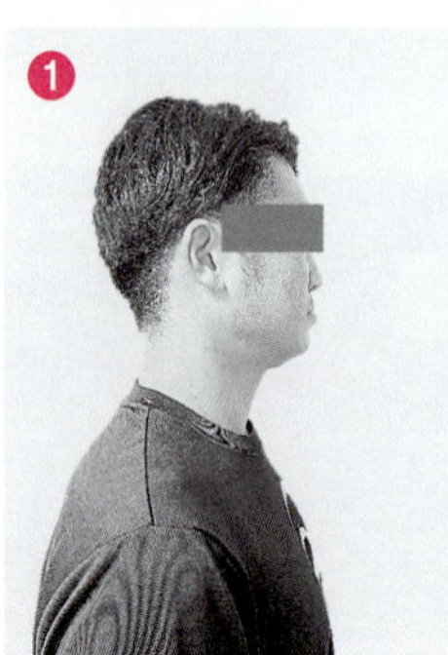

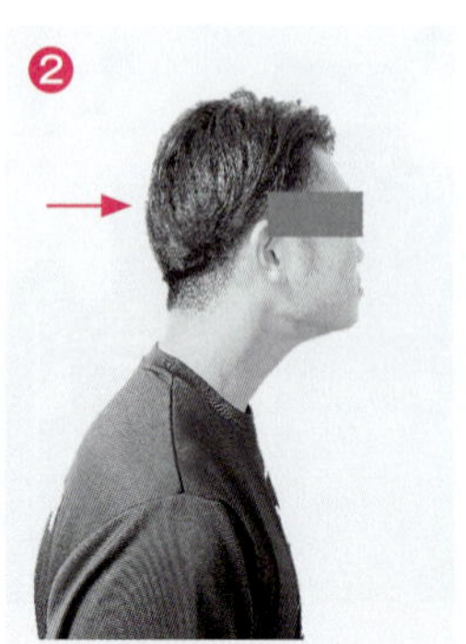

図10 姿勢の違いによる上肢挙上角度の変化

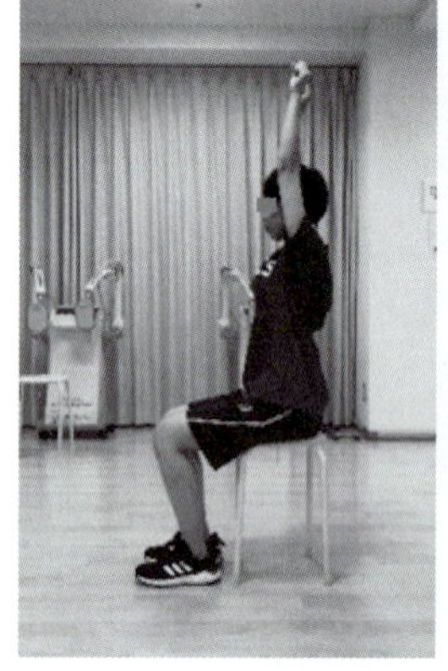

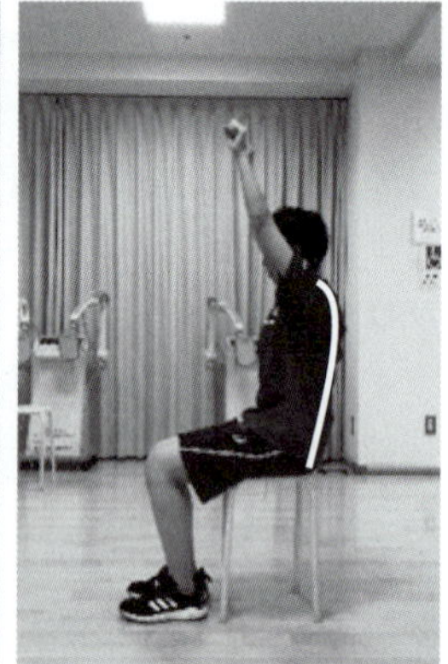

図12 構えに伴う円背姿勢

❶適切な脊柱アライメントでの構え
❷円背姿勢での構え

ナルフォーカス」，周囲の環境に対して身体運動が与える効果への注意を「エクスターナルフォーカス」と定義している。そして，インターナルフォーカスは動作の学習やパフォーマンス遂行には適しておらず[32]，エクスターナルフォーカスを使用した場合には，インターナルフォーカスを用いるよりも高いレベルの能力を早く習得できるだけでなく，得られたスキルはより長期間保持されるとの報告がある[31]。

例えば**図12**のような姿勢を修正する際に，「骨盤を前に倒す」や「胸を張る」などの指示は運動に注意を向けるインターナルフォーカスを用いていると考えられる。これで運動学習が進めば問題ないが，運動学習が得られにくい場合，**図13**に示すように，背中に沿えた棒が後頭部，背部，仙骨部が離れないように指示をすると，比較的容易に運動学習が進みやすい例を経験する。これは選手本人が正しい運動をしているかどうかを，棒という身体外に注意を向けてエクスターナルフォーカスで練習を行うことができるためと考えられる。

構え姿勢がとれるようになったら，スクワットやヒップヒンジなど，動きのなかでも姿勢制御が行えるようにエクササイズを行っていく。さらにスポーツでは片脚での身体操作が求められるため，支持基底面を変えながら，さまざまな条件で練習を行わせることで動作学習を進めていく（**図14**）。

可動性の評価とアプローチ

投球動作などで重要な肩甲骨運動は胸郭の曲率に依存することが知られており[33]，必要に応じて形状を変化させられるように柔軟性の獲得は非常に重要である。また，joint-by-joint approachにおいて，前述したように胸椎は構造上可動性が低下しやすいため，可動性や柔軟性を向上させることが有効とされる[34]。

胸椎の屈伸・回旋・側屈方向への可動性を確認するが，その際には胸椎全体で運動が起こっているかを確認する。例えば，屈曲時には矢状面から確認し，側屈時には前額面から体側面のカーブを確認する。カーブが緩やかになっている部分は可動性低下の可能性がある。上肢を挙上する際，最終域では脊柱の側屈や伸展を伴う必要があるが，これらは腰椎の伸展でも代償が可能である。このような挙上動作においては，持続的な腰部の伸展ストレスにより腰痛症の原因になる可能性があり，

図13 エクスターナルフォーカスの一例

❶背中に棒をあてがい，「棒から身体が離れないように」指示をする
❷適切に構えがとれている
❸円背になると背部から棒が浮いてしまう（→）

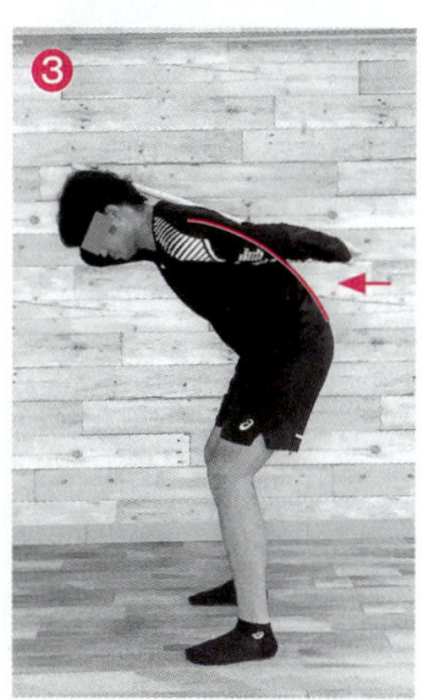

図14 さまざまな肢位でのエクササイズ

下肢の運動や条件が変わっても適切な脊柱アライメントを保持できるように学習を進めていく
❶片脚立位　❷，❸ヒップヒンジ（両下肢）　❹，❺ヒップヒンジ（スプリットスタンス）　❻ルーマニアンデッドリフト

注意が必要である。この代償動作の有無を確認するには，オーバーヘッドスクワットが有効である。両上肢を挙上した状態でスクワットをさせた際，胸椎の伸展可動性が不十分であれば下肢の屈曲に伴い，上肢挙上位を保持することが困難になる（**図15**）。

Check! 理学療法ガイドライン第2版

『「投球障害肩患者に対して肩甲胸郭機能不全への理学療法（運動療法，物理療法，装具療法，徒手療法）は推奨されるか」[22]については，『理学療法ガイドライン 第2版』第9章「投球障害肩・肘理学療法ガイドライン」の投球障害肩CQ5を参照されたい（https://www.jspt.or.jp/upload/jspt/obj/files/guideline/2nd%20edition/p509-603_09.pdf）。

Web版はこちら

図15 上肢挙上位でのスクワット動作の評価

上肢挙上を腰椎の伸展で代償している場合，スクワット動作による股関節屈曲に伴って腰椎伸展が消失し，上肢挙上を保てなくなる

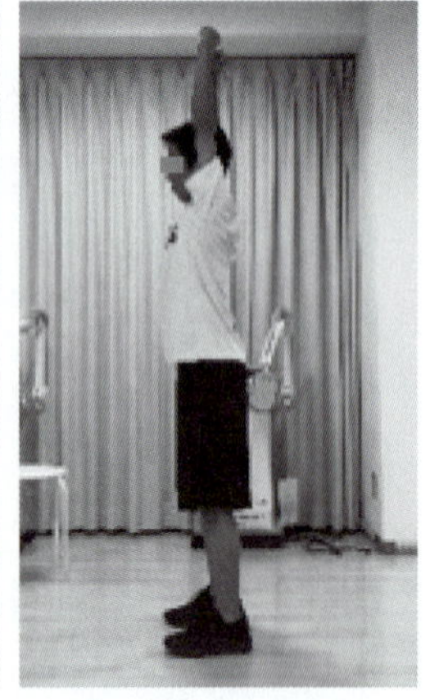

- **呼吸の観察**

呼吸時の胸郭の動きを観察することも重要である。前述のように，下位肋骨は吸気とともに横径が増大し，上位肋骨は前後径が増大する。呼気時はその逆となる。動きの範囲や左右差などを観察し，可動性の低下している部分を推定したり，呼吸が正常に行われているかを観察する。特に，肋骨が外旋した状態で呼気を十分に行えなかったり，リブフレアとよばれる肋骨下部や肋骨縁の前方突出が観察されたりする選手を散見するが，このような状態では主呼吸筋である横隔膜を十分に作用させることが難しく，腹腔内圧を十分に高めることができないため[35]，腰部の安定性に影響を及ぼすと考えられる。

運動性獲得のためのエクササイズの例を**図16**に示す。屈伸・側屈・回旋方向それぞれにアプローチするのはもちろんであるが，多くのスポーツ動作はそれらが複合して行われることを考えると，**図17**のような複数の運動面の要素を含んだエクササイズも取り入れるべきである。また，股関節の屈曲などによる骨盤アライメントの変化が胸椎・胸郭の可動性に影響することから，下肢の肢位を変動させた状態でもしっかりと動作を行えるように指導しなくてはならない（**図18**）。事前にフォームローラーなどを使用することで，よりストレッチの効果が得られやすい（**図19**）。セルフでの改善が難しい場合には**図20**に示すように，徒手的に誘導しながら各肋骨間での運動を改善させていく必要がある。

- **スポーツ動作での留意点**

個々の関節の機能改善のみを行っても，それがスポーツ動作に反映されないこともある。胸椎・胸郭についても同様であり，立位や座位姿勢での可動性の改善が十分に得られたとしても，それが

図16 胸椎・胸郭の柔軟性エクササイズの例

❶，❷屈伸　❸，❹側屈　❺，❻回旋

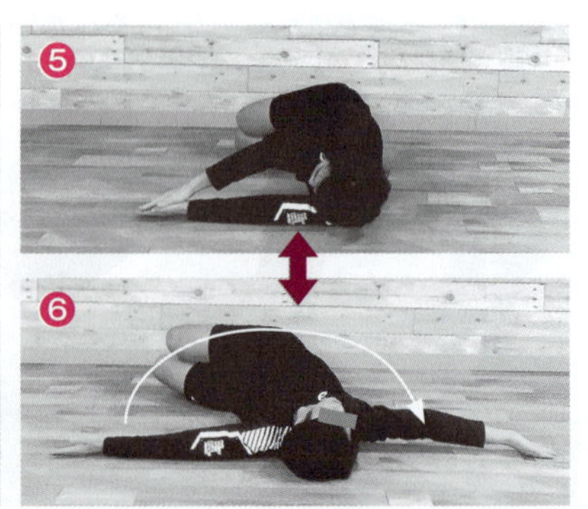

スポーツ動作中に発揮できない場合があることに留意が必要である。

例えば**図21**に示す選手はジャンプシュートのテイクバックで体幹の右回旋が不足し，肩甲上腕関節の水平伸展が増強していた。また，同時期での肩関節痛を訴えていた。立位での体幹右回旋動作を確認すると，早期より腰椎の伸展と左側屈が

図17 回旋と側屈の複合運動

図18 股関節の条件を変えての胸郭ストレッチ

他関節の条件が変わっても，胸椎・胸郭を十分に可動できるようにする

図19 フォームローラーの使用

前処置としてフォームローラーなどを使用することで柔軟性改善の効果が得られることが多い

図20 胸郭の柔軟性獲得のエクササイズの一例

❶胸椎・胸郭の側屈方向の可動性改善のエクササイズの一例を示す。バスタオルなどを丸めてベッドと体幹の間に挟んで側臥位で実施する。各肋骨間の拡大を図るために徒手的に操作を加える
❷バスタオルなどの挿入位置をずらしながら下位・上位肋骨の柔軟性を個別に引き出す。ここでは側屈方向の誘導を行っているが，同様に回旋・伸展方向への可動性の改善も行っていく

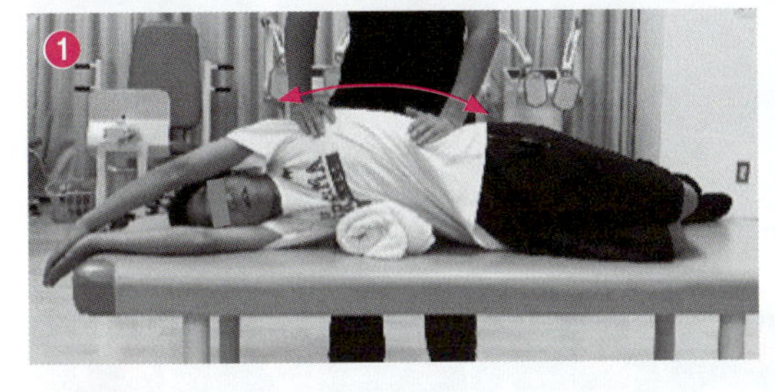

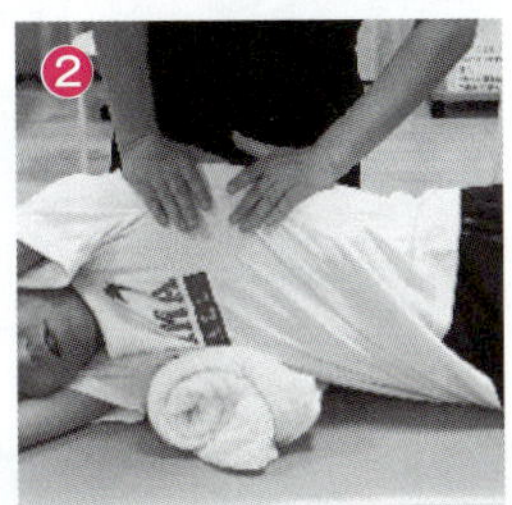

図21 エクササイズ前後でのテイクバック姿勢の比較

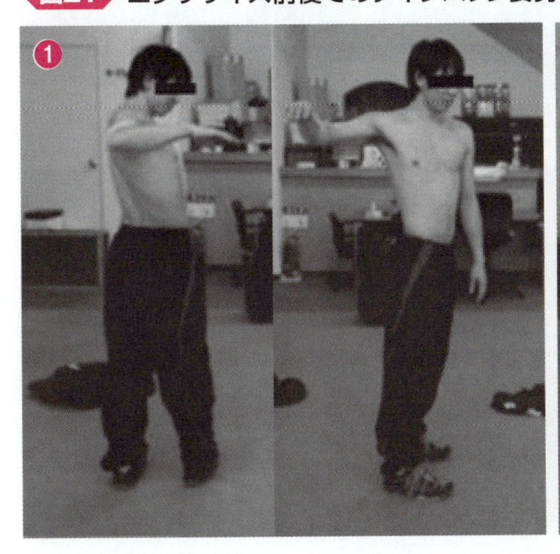

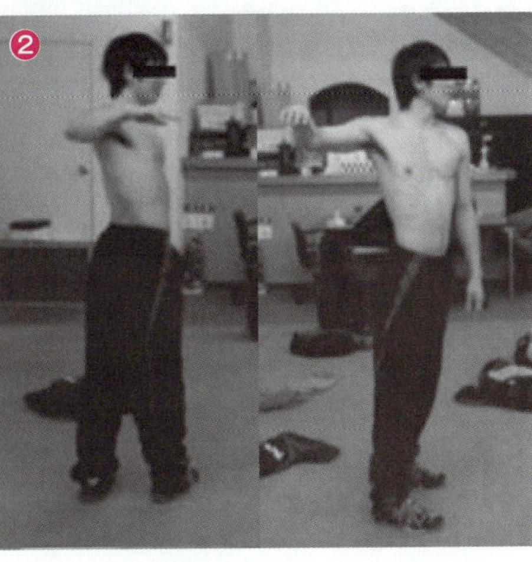

❶エクササイズ前
❷エクササイズ後では腰椎伸展，側屈，頸椎の屈曲が修正され体幹回旋角度が改善している

起こり，重心が後方化することに対する代償として頸部屈曲が出現している。結果として胸椎後弯が引き起こされ体幹回旋が制限されたと推察された。この選手の場合，一般的な腹筋群の筋力強化はしっかり行われていたものの，体幹右回旋時に右側の腹筋群の収縮不全を認め，それにより腰椎の側屈と伸展が引き起こされていると推測された。右側の腹筋群の収縮を維持しながらの体幹回旋運動の学習により脊柱の正中位を維持することが可能となり，立位での回旋可動域も増大した。このように，トレーニングにより可動域の改善や筋力が強化されていたとしても，それを動作に反映できていない選手は少なくない。

また，**図22**に示す選手はステップシュートでは疼痛なく投球が可能なものの，ジャンプシュートにおいて右肩関節痛を訴えていた（**図22上段**）。**図22上段❸**，**❹**で胸椎が後弯し，**図22上段❾**～**⓫**で肘下がりを呈している。この選手の場合，立

図22 エクササイズ前（上段）とエクササイズ後（下段）のジャンプシュートフォームの変化

エクササイズ前には❽～❿にかけて右肩関節痛を訴えていた。エクササイズ後では同じ位相での肩関節外転角度が増加しており（肘下がりの改善），疼痛も軽快した

エクササイズ前

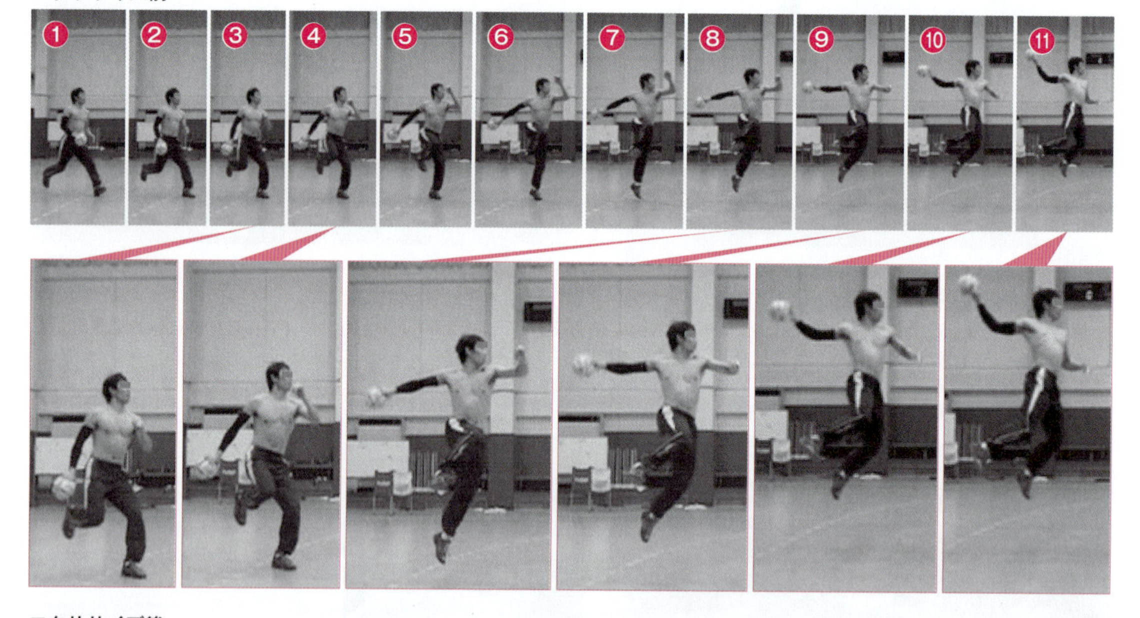

エクササイズ後

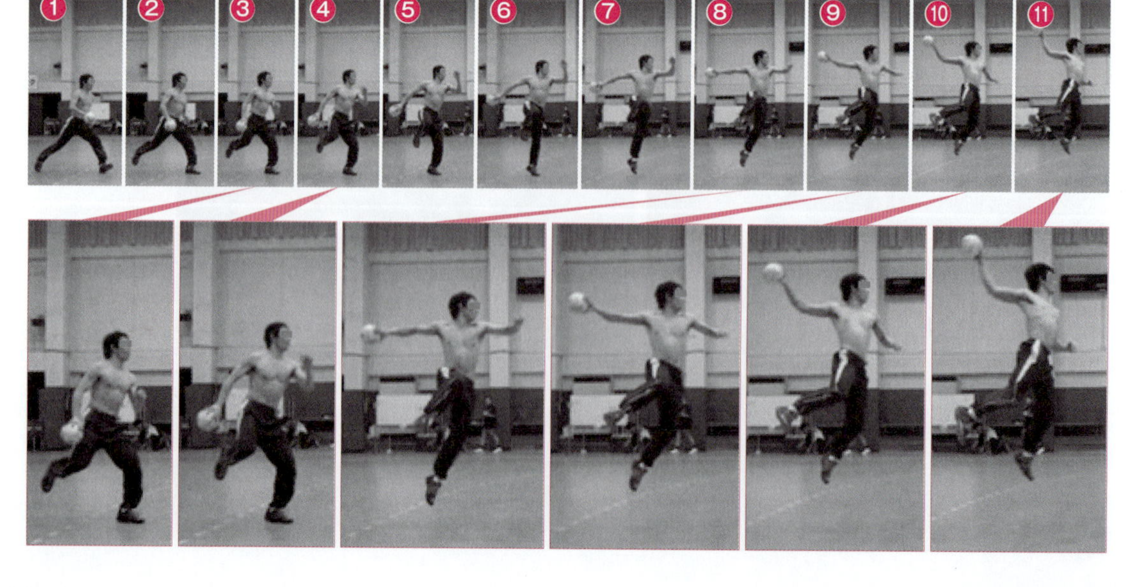

位での姿勢や可動性を改善してもジャンプシュート時の肩関節痛改善には至らなかったためジャンプ動作に介入（後述）したところ，シュート時の胸椎後弯が修正され肘下がりが改善し，疼痛軽快につながった（**図22下段**）。つまり，ハンドボール競技におけるジャンプシュートでは地面に立っている状態での機能改善が投球動作の改善につながるとは限らない。ハンドボールにおけるジャンプシュートではジャンプ動作と投球動作が連動している必要があり，単に高く跳び上がれば投球パフォーマンスが向上するわけではないということである。よって，肩関節や体幹などの機能を向上させても，それらの機能の発揮を阻害するようなジャンプ動作を行っている場合，投球動作を改善して症状の軽減を図ることは困難であり，注意が必要である[36)]。

● 下肢機能とシュート動作

ハンドボールのステップシュートでは，諸家が報告しているように足部のマルアライメントや捻挫後の不安定性，股関節機能の低下が運動連鎖に関与することがあるため，注意深く観察する必要がある。これらについても多くの報告があるので，それらを参照してほしい。

ジャンプシュートでは**図4**に示したように，さまざまな運動機能がかかわってくる。そのなかでも下肢の機能で重要なのは，ジャンプ動作と着地であると考えている。

まず，ジャンプ動作において十分なジャンプ力を有することは滞空時間を長くし，シュートを打つ際のフェイントなどでキーパーのタイミングをはずすのに有利であろう。また，ジャンプシュートでのジャンプは単に「跳び上がればよい」のではなく，肩関節の運動を阻害しないように，骨盤や体幹のアライメントを保持した状態で跳び上がる必要がある。

一例を**図23**に示す。❶〜❹に対して❺〜❽のジャンプ動作では後方重心となり，下肢に十分に体重をかけないままジャンプしている。そのため，骨盤は後傾し脊柱も後弯を呈している。この状態では，前述のような体幹の投球側への回旋運動が阻害され，結果として肩関節水平伸展を強調したテイクバックとなる。ハンドボール競技におけるジャンプ動作では，このような点に注意して観察を行うべきである。

図23 ジャンプ時の骨盤・体幹のアライメント

不適切なジャンプ動作（❶〜❹）と適切なジャンプ動作（❺〜❽）。上段では後方重心となり下肢に十分に体重をかけないままジャンプしているため，骨盤は後傾し脊柱も後弯を呈している

不適切なジャンプ動作

適切なジャンプ動作

投球障害の治療

ハンドボール競技のシュート動作で求められる各関節の機能と投球動作への影響について解説した。ハンドボールのシュートは，DFを避けながらさまざまなタイミングで放たれる。ときにはキーパーを欺くために，投球動作中にボールの軌道を変化させながらシュートを打つ。そのため，投球フォームを修正しても障害発生の予防・治療は困難ではないかといわれることがある。しかし，実業団や日本代表などのトップクラスの試合では，シュートを入れるためにさまざまなフェイントや高度なテクニックを駆使しているが，全員が投球障害を有しているわけではない。なかには，今まで一度も肩や肘の疼痛が発生したことのない選手もいる。このことは，ハンドボール競技の投球動作を行える十分な身体機能やスキルがあれば，投球障害は予防できる可能性があるということではないだろうか。

ハンドボールの投球動作について障害予防の観点から検討した報告はまだ少ないが，一つひとつの障害発生機転を明確にしていくことで，障害の予防やパフォーマンスの向上につながるエクササイズを考案していけるのではないかと感じている。

ハンドボール選手の体力の評価

選手の身体機能の評価は重要である。シーズンオフに弱点を補強する材料にもなるため，新入学の選手や新年度に入ったときなどに一定の方法で評価する。このような基礎データをもっておくことが，外傷・障害が生じたときに有効になってくる。また，毎年行うことで体力要素の変化をとらえることができるため，選手のモチベーションを高めたり，今後のトレーニング計画にさらに役立ったりすることになる。

ハンドボールに必要な体力要素は，おおよそすべての項目にわたる。それに一致したデータを得ておくようにする[37]。

画像診断

チームスポーツであるため，胸部X線像をチェックする必要がある。一般に，保険診療では疾患のある部位のみの撮影になる。しかし，ハンドボール選手では，足関節，膝関節，腰椎については傷害のリスクが高いため，MRIを含めて画像を入手しておきたい。肩関節や肘関節に既往歴のある選手も多いので，これらの画像も有効になる。

筋力の評価

膝関節筋力を測定しておく。等速度性運動で60°/sec，180°/sec，場合によっては300°/secについても測定する。ピークトルク体重比，左右差，大腿四頭筋とハムストリングの比率，角速度別のピークトルクの変化など，多くの有用な情報が得られる。体幹の等速度性運動の筋力測定を行うこともよいだろう[38-43]。

一般的な筋力測定としては，フリーウエイトでの1RM（repetition maximum）測定がある。ベンチプレス，パラレルスクワット，クリーン&ジャークなどの種目を測定しておくとよいだろう。1RMは危険を伴うと判断する場合，5RM測定などに変えてもよい[44]。

体重を利用した方法もある。片脚フルスクワットが可能か，ロシアンハムストリングでの静止角度，腕立て伏せが一定時間で何回できるか，懸垂の回数など，工夫によってさまざまな測定が可能であろう。

筋力と相関するものとしては，身体各部位の周径を測定しておく。測定方法を統一しておくと，継時的な変化もとらえることができる[45]。

ハイパワーの測定

パワーは力と速度の積である。瞬発力というイメージでもよいかもしれない。自転車エルゴメータで測定する方法が一般的である。重い負荷をできるだけ速く動かすことが必要である。

スポーツ動作で測定する場合は，30〜50mダッシュ，ボールの遠投，メディシンボール投げ，垂直跳び，立ち幅跳び，立ち三段跳びなどがある。メディシンボール投げは，腹筋を使って投げる，座位にて下肢の支持性なしで投げる，重さによる変化をみるなどで有用な情報となる。筆者らは垂直跳びを加速度計で測定している。これによって，跳躍高だけではなく力や速度なども求めることが可能になる。

一般的には反射神経と表現される反応速度は，センサーマット上で光刺激に対してマットから足を浮かせるような方法で測定する。0.25〜0.28秒程度が一般的である。男性のほうが女性よりも短時間で反応できる傾向がある。

ミドルパワー，持久力の測定

自転車エルゴメータやトレッドミルで最大酸素摂取量を測定する。また，スポーツテストでは20mの往復走を繰り返すヨーヨーテストが一般的である。5分間走，10分間走なども行う。選手は最も敬遠したがる検査であるが，有用性が高い[46]。

上肢用のエルゴメータで持久力を測定することもある。ただし，上肢は下肢よりも筋量が少ないため心臓への負担が大きく，血圧変動には気をつける[45]。

バランステスト

重心動揺計で，立位，閉眼立位，片脚立位の測定を行う。特に，開眼と閉眼の比率は重要になる。

種々のバランスディスクで立位保持時間を測定する方法もある。やはり閉眼がより困難になる。

柔軟性検査

立位体前屈，腹臥上体反らし，尻上がり検査，下肢伸展挙上(straight leg raising：SLR)テスト，Ober(オーバー)テストなどを行う。

ルースネステストとしてgeneral joint laxity (GJL)を測定しておくことも意義が大きい[45]。

アライメントと姿勢

スタティックアライメントとして，O脚，X脚，スクインティングパテラ，Qアングル，膝関節過伸展，扁平足，ハイアーチ[45]を，ダイナミックアライメントとして，歩行，ランニング，ジャンプ着地などにおいて，前額面での膝関節と足部の運動方向を測定する[47]。

理学療法の実際

スポーツ傷害に対応するものと，日々の健康管理，練習や試合での外傷管理という3つの視点において理学療法のかかわりがある。

まず，疾患の理学療法では，前述の急性外傷によるものとオーバーユースによるものが挙げられる。どの疾患に対しても，理学療法は相応に有効であると思われる。それぞれの疾患で明確なスポーツ復帰の基準をしっかり提示することが必要であろう。

スポーツ理学療法で重要になるのは，再発予防を含め治療計画を示していくことである。中途半端な治療は後遺症を惹起する。選手に復帰までの理学療法の道筋を，時系列と段階を追って具体的に示していく。入院して理学療法室で管理できる時期，外来通院でホームプログラムの施行を同時進行する時期，そしてスポーツ現場でのトレーニングに主体が移る時期と，それぞれに施行内容が変わる。

個々の疾患についてのスポーツ理学療法の内容は成書に譲るが，スポーツ競技の復帰に必要な条件を整えていくことが肝要である[48](**表2**)。

近年は特に，スポーツ外傷・障害の予防の機運が高まっていることは喜ばしい[13, 14, 49-54]。

表2 スポーツ復帰の条件

1. 疼痛がないこと
2. 関節に腫脹がないこと
3. 関節可動域が回復していること
4. 筋力が回復していること
5. 持久力が回復していること
6. 固有感覚(神経筋機能)が回復していること
7. 保護用具の工夫(装具，テーピング)
8. スポーツ動作の再獲得
9. 再発の予防，弱点の補強

【文献】

1) Xie D, Urabe Y, et al.: Sidestep cutting maneuvers in female basketball players: stop phase poses greater risk for anterior cruciate ligament injury. Knee, 20 (2) : 85-89, 2012.

2) 浦辺幸夫，ほか：足関節内反捻挫のシミュレーション分析．臨スポーツ医，19 (3) : 323-329, 2002.

3) 田城　翼，ほか：大学男子サッカー選手における足関節捻挫受傷後の受療行動に関する調査．理療の臨研，29: 83-87, 2020.

4) 浦辺幸夫，ほか：部位別の障害予防　足関節不安定性をどう捉えるか．臨スポーツ医，24 (12) : 1291-1299, 2007.

5) 日本スポーツ理学療法学会：第15章 足関節捻挫理学療法ガイドライン．理学療法ガイドライン 第2版(公益社団法人日本理学療法士協会 監，一般社団法人 日本理学療法学会連合 理学療法標準化検討委員会ガイドライン部会 編)．pp.801-817, 医学書院，2021.

6) 浦辺幸夫，ほか：膝前十字靱帯損傷予防のリハビリテーション．臨スポーツ医，19 (9) : 1027-1033, 2002.

7) 浦辺幸夫：ACL 損傷(再発) 予防のリハビリテーション．体力科学，51 (1) : 52-53, 2002.

8) 浦辺幸夫，ほか：膝前十字靱帯損傷予防プログラムの実施効果．日臨スポーツ医会誌，15 (2) : 270-277, 2007.

9) 浦辺幸夫，ほか：靱帯，腱．最新整形外科学大系 1 運動器の生物学と生態力学 (越智隆弘 総編集)，pp.235-246, 中山書店，2008.

10) 浦辺幸夫：膝前十字靱帯損傷 / 発症・再発を防ぐトレーニング法．臨スポーツ医，25 (臨増)，109-119, 2008.

11) 浦辺幸夫，ほか：膝前十字靱帯損傷予防プログラムへの取り組み 高校女子バスケとボール選手を対象に．Sportsmed, 100: 11-17, 2008.

12) 浦辺幸夫：靱帯損傷の理学療法．系統理学療法学 筋骨格障害系理学療法学 (居村茂之 編)，pp.29-45, 医歯薬出版，2010.

13) 浦辺幸夫：下肢外傷予防プログラム(スポーツ障害のリハビリテーション－運動連鎖からのアプローチ－)．MED REHABIL, 137: 91-98, 2011.

14) 浦辺幸夫：スポーツ損傷予防プログラム．スポーツ損傷予防と競技復帰のためのコンディショニング技術ガイド，臨スポーツ医，28 (臨増) : 507-515, 2011.

15) Urabe Y, et al.: Electomyographic analysis of the knee during jump landing in male and female athletes. Knee, 12 (2) : 129-134, 2005.

16) 浦辺幸夫：膝前十字靱帯損傷治療の経験と損傷予防の視点．Sportsmed, 71: 32-35, 2005.

17) 浦辺幸夫：膝前十字靱帯 (ACL) 損傷を発生させる要因に関する考察．Sportsmed, 72: 38-41, 2005.

18) 浦辺幸夫：膝前十字靱帯損傷を発生させるスポーツ動作の分析．Sportsmed, 73: 37-40, 2005.

19) 浦辺幸夫：膝関節疾患．関節外科，29 (4) : 100-113, 2010.

20) 浦辺幸夫：膝の靱帯・半月板損傷の運動療法．標準理学療法学 専門分野 運動療法学 各論 (奈良　勲 監)，pp.21-39, 医学書院，2001.

21) 浦辺幸夫，ほか：膝関節．運動器リハビリテーション実践マニュアル．pp.248-256, 全日本病院出版会，2008.

22) 日本スポーツ理学療法学会：第9章 投球障害肩・肘理学療法ガイドライン．理学療法ガイドライン 第2版(公益社団法人日本理学療法士協会 監，一般社団法人 日本理学療法学会連合 理学療法標準化検討委員会ガイドライン部会 編)．pp.509-603, 医学書院，2021.

23) 島　俊也，ほか：シュート時に肩関節の疼痛を訴えたハンドボール選手の治療経験－手関節の機能障害に注目して－．J Athl Rehab, 6(1): 9-14, 2009.

24) 宮崎大輔：スポーツ・ステップアップ DVD シリーズ ハンドボールパーフェクトマスター (富永靖弘 編)．pp.28-29, 新星出版社，2008.

25) 橋本洋平，ほか：ハンドボールの把持力に影響する因子．J Athl Rehab, 8 (1) : 27-32, 2012.

26) Sahrmann S 著，竹井　仁，ほか 監訳：Chapter4 胸椎の運動系症候群．続 運動機能障害症候群のマネジメント 頸椎・胸椎・肘・手・膝・足．pp.117-188, 医歯薬出版，2015.

27) Neumann DA 著，島田智明，ほか 監訳：第9章 体軸骨格 骨と関節構造．筋骨格系のキネシオロジー．pp.267-327, 医歯薬出版，2007.

28) Schunke S, ほか 著，坂井建雄 ほか 監訳：体幹．プロメテウス解剖学アトラス 解剖学総論 / 運動器系 第2版．pp.98-233, 医学書院，2014.

29) Kapandji AI 著，塩田悦仁 訳：第4章 胸椎．カパンジー機能解剖学 Ⅲ脊椎・体幹・頭部 原著第6版．pp.142-185, 医歯薬出版，2010.

30) Neumann DA 著，島田智明，ほか 監訳：第10章 体軸骨格 筋と関節の相互作用．筋骨格系のキネシオロジー．pp.430-478, 医歯薬出版，2007.

31) Wulf G 著，福永哲夫 監訳：2章 インターナルとエクスターナルフォーカスの指示．注意と運動学習－動きを変える意識の使い方－．pp.26-60, 市村出版，2010.

32) Bosch F 著，谷川　聡，ほか 監訳：4 トレーニングの不変的原則：コンテクスチュアルな筋力とコーディネーション，コンテクスチュアルトレーニング 運動学習・運動制御理論に基づくトレーニングとリハビリテーション．pp111-163, 大修館書店，2020.

33) 信原克哉：第5章 肩のバイオメカニクス．肩 その機能と臨床 第3版．pp.48-88, 医学書院，2001.

34) Cook G 著，中丸宏二，ほか 監訳：付録2 関節別アプローチの詳細．ムーブメント ファンクショナルムーブメントシステム 動作のスクリーニング，アセスメント，修正ストラテジー．pp311-317, ナップ，2020.

35) 大貫　崇：コンディショニングとしての呼吸の重要性．臨スポーツ医，35 (8) : 844-849, 2018.

36) 島　俊也，ほか：ジャンプシュート時に肩関節痛を訴えたハンドボール選手の1症例．広島スポーツ医学会誌，16 (1) : 42-46, 2015.

37) 浦辺幸夫：筋力．標準理学療法学 専門分野 理学療法評価学(奈良　勲 監)．pp.93-108, 医学書院，2007.

38) 浦辺幸夫，ほか：スポーツレベルに応じたアイソキネティック・トレーニングにおける目標設定の試み．スポーツ医・科，7 (2) : 29-37, 1993.

39) 浦辺幸夫，ほか：前十字靱帯損傷膝における術後筋力回復に伴うスポーツパフォーマンスの獲得に関する研究．デサントスポーツ科，16 (1)，278-288, 1995.

40) Urabe Y, et al.: Changes in isokinetic muscle strength of the lower extremity in recreational athletes with anterior cruciate ligament reconstruction. J Sport Rehab, 11 (4) : 252-267, 2007.

41) 浦辺幸夫：入門講座 検査測定 / 評価3 筋力．理療ジャーナル，41(9): 753-765, 2007.

42) 浦辺幸夫：筋力回復，筋力増強エクササイズの基礎知識．公認アスレティックトレーナー専門科目テキスト ワークブック アスレティックリハビリテーション(日本体育協会指導者育成専門委員会アスレティックトレーナー部会 監)．pp.19-32, 文光堂，2007.

43) 浦辺幸夫：膝関節外傷予防－トレーニングプログラムの効果－．保健の科学，49 (2)，120-128, 2007.

44) 浦辺幸夫：筋力強化の科学－2kg で 10 回の効果は？－．理学療法のとらえかた (奈良　勲 編)．pp.156-168, 文光堂，2001.

45) 浦辺幸夫：PT マニュアル スポーツ理学療法．医歯薬出版，2006.

46) 浦辺幸夫：機器を用いた筋力，筋パワーおよび筋持久力の検査測定の目的と意義およびその検査測定方法．公認アスレティックトレーナー専門科目テキスト ワークブック 検査・測定と評価 (日本体育協会指導者育成専門委員会アスレティックトレーナー部会 監)．pp.54-63, 文光堂，2007.

47) 加藤茂之，浦辺幸夫，ほか：ストップ動作における下肢ダイナミックアライメントのコントロール．日臨スポーツ医会誌，14 (1) : 13-19, 2006.

48) 浦辺幸夫：運動療法．復帰を目指すスポーツ整形外科(宗田　大 編)．pp.620-623, メジカルビュー社，2011.

49) 浦辺幸夫: 膝前十字靱帯損傷の発生は減少できるか？ 理学療法のとらえかた PART2 (奈良　勲 編)．pp.294-307, 文光堂，2003.

50) 浦辺幸夫：膝前十字靱帯 (ACL) 損傷を予防するプログラムに関する考察．Sportsmed, 74: 32-36, 2005.

51) 浦辺幸夫：膝前十字靱帯 (ACL) 損傷の予防プログラムの実践．Sportsmed, 75: 34-37, 2005.

52) 浦辺幸夫：膝関節のスポーツ外傷の予防－ ACL 損傷予防プログラムの実践－ (DVD)．ジャパンライム，2008.

53) 浦辺幸夫，ほか：ランニングシューズとバスケットシューズの違いによるカッティング動作への影響．J Athl Rehab, 10 (1) : 9-16, 2013.

54) 浦辺幸夫：ハンドボールに必要なトレーニング②．コーチング・クリニック，3 (1) : 26-29, 1999.

サッカー

本項ではサッカー特有の動作であるキック動作を中心として，その動作に関連する外傷・障害について運動学的基礎と理学療法の考え方について解説する。なお，本項におけるサッカーの動作解説は，すべて右足でボールを蹴る場合を例に紹介する。

サッカーの身体運動の特徴

フィジカル（体力要素）の特徴

サッカーは長方形のフィールドのなかで1チーム11人の選手が二手に分かれ，手でボールを扱うことを制限されながら行うスポーツである。相手のゴールにボールを入れるために攻守の入れ替わりが継ぎ目なく行われる。選手の移動スピードは局面によりさまざまであるなか，動き続ける必要がある。競技時間は90分（45分×2）と比較的長いのが特徴である。

キック，ヘディング，ドリブル，ボールトラップ，スライディングタックルといったサッカー特有の動作に加え，ランニング，スプリント，ジャンプ，各種ステップ，方向転換動作，ボディコンタクトなど非常に多くのフィジカル要素を有している。

ゴールキーパーだけが自ゴール前の一定の領域（ペナルティエリア）内に限り，手を含む全身でボールを扱うことを許される。ゴールキーパーはゲーム中の移動距離は少ないが，相手のシュートを瞬時に判断してゴールを守るという身体能力が要求される。一般的に身長が高く，瞬発力に優れた選手が多い。

2022年シーズンでのJリーグJ1全チームの1人当たりの平均移動距離は1試合約10kmであった。選手によっては14km以上移動することもある。スプリント（時速24km以上のスピードで1秒以上）回数は1人当たり1試合平均約15回で，多い選手は50回を超えることもある[1)]。最近のサッカーではウォーキングからジョグレベルの低強度移動時間を短くし，高強度移動時間を長くすることが求められるようになってきている。体力要素の高さが競技パフォーマンスに大きな影響を及ぼす。

キックの種類とその特徴

サッカーで使うボールの蹴り方にはさまざまなものがあるが，次に代表的なものを説明する。

インサイドキック

足関節を背屈位で固定し足部内側の幅の広い部分でボールを蹴る方法である。大きな面にボールが当たるのでボールをコントロールしやすい。短いパスやコースを狙ったシュートなどで使用される。当たる部分が足部の内側であるため，三角靱帯損傷後や有痛性外脛骨で圧痛が強い人が当たりどころによって痛みを強く感じることがある。

インステップキック

足関節を底屈位で固定し足背でボールを蹴る方法である。威力のあるボールを蹴ることができる。底屈位で足背にボールを当てるため，足関節前方が伸張し後方にインピンジメントが生じる。前距腓靱帯や三角靱帯前方部を損傷していると伸張ストレスにより痛みが生じやすい。また，足関節後方の衝突性の問題である有痛性三角骨の選手ではこのキックの痛みが改善しにくく，慢性化して手術を行わなければならないケースもある。

インフロントキック

前足部の内側でボールの下をすくう，もしくはこするようにして蹴る方法である。中距離のパスやコーナーキック，フリーキックでよく使用される。インサイドキックよりも足先でボールを蹴るため，膝外反・足関節外反ストレスにより内側側副靱帯や足関節三角靱帯を損傷している選手は痛みが生じやすい。

コーナーキックやフリーキックの練習時にこのキックを短時間のうちに何度も繰り返し行うと，股関節屈筋や内転筋の痛みを訴える選手が現場ではよくみられる。

図1 キック動作の位相

❶〜❷バックスイング期：❶蹴り足のtoe off　❷蹴り足の股関節最大伸展位
❷〜❸コッキング期：❸蹴り足の膝関節最大屈曲位
❸〜❹アクセラレーション期：❹ボールインパクト　❺フォロースルー期

アウトサイドキック

足部の外側でボールを蹴る方法である。やや底屈位で足部にボールを当てる場合が多い。短いパスや右利きの選手において左側にボールが来たときに使用されることが多い。ボールのインパクト時に足関節や足部に内反ストレスが生じるので，前距腓靱帯や踵腓靱帯，二分靱帯を損傷している選手は痛みが出やすい。

ヒールキック

膝関節を屈曲させて踵にボールを当てて蹴る方法である。体の向きとは逆にボールが進むので相手の意表をつくことができる。急激に膝関節屈曲を行うのでハムストリングの肉ばなれを起こす場合がある。ハムストリング肉ばなれ受傷後のアスレティックリハビリテーション時にヒールキックを行い再発を起こす選手もいるので，注意が必要である。

キックの機能解剖

キックの位相

サッカーのキック動作は，蹴り足に注目して4期に分けて考えるとわかりやすい(**図1**)。

- バックスイング期：蹴り足が地面から離れてから，股関節が最大伸展するまで(**図1❶〜❷**)
- コッキング期：股関節最大伸展位から膝関節が最大屈曲するまで(**図1❷〜❸**)
- アクセラレーション期：膝関節最大屈曲位からボールにインパクトするまで(**図1❸〜❹**)
- フォロースルー期：インパクト以降(**図1❺**)

キックを時系列でみると，上位関節からの運動連鎖によってスピードを生み出してキックを行っている[2](**図2**)。キックは助走をとることが多いので，軸足が地面に接地するまでをアプローチ期とすることもある。キックの種類や状況により股関節最大伸展位が軸足接地以降になることもある。

図2 インステップキックにおける蹴り足の関節速度

インステップキックにおける各関節速度のピークは，大転子→膝関節→足関節というように，近位から遠位へエネルギーが伝達される

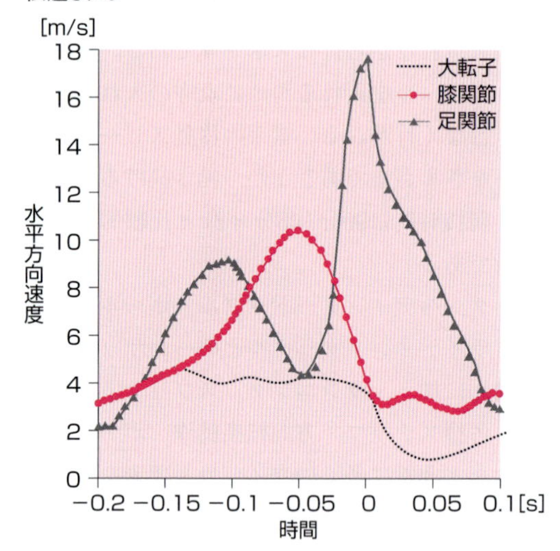

バックスイング期（図3）

蹴り足(右足)の離地から，股関節が最大伸展するまでの時期。軸足(左足)の最後の1ステップを大きくすることで，効果的に股関節を伸展している。右の骨盤は後方回旋し，左腕は外転挙上，水平伸展する(肩甲帯内転)。身体前面の右股関節と左肩関節を結んだ対角線で，arcを形成する(**図1❷**)。胸椎・股関節の回旋が起こり，効率よく体幹・股関節前面が伸張され，右足を前に振り出す準備を行う。強いキックではこのarcが大きくなる。

コッキング期

右股関節が最大伸展位となってから膝関節が最

図3 バックスイング期の解剖図

バックスイングにおいて，蹴り足の大腿直筋と縫工筋，右内腹斜筋と左外腹斜筋が引き伸ばされる。
軸足の大腿四頭筋と股関節外転筋群が力を発揮している

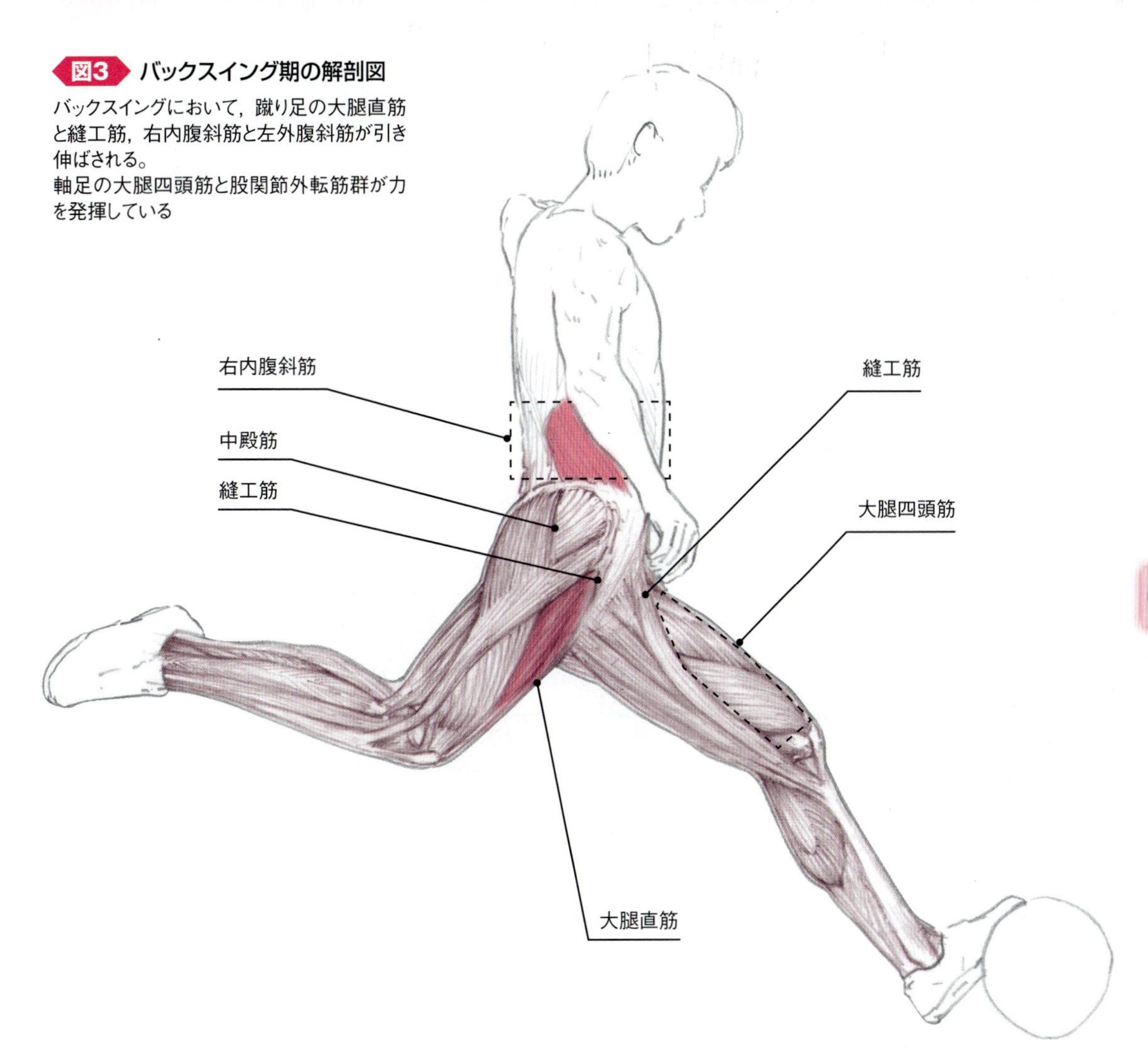

サッカー

Training

マルチボールシステム

国際大会やJリーグ・全国大会レベルの大会では，ピッチ外に複数のボールが用意され，タッチラインからボールがフィールド外に出たときに，すぐにゲームが再開できるようになっている（マルチボールシステム）。そのために，90分間の試合のなかでの選手の休止時間が短く，疲労しやすい。パフォーマンスアップ・外傷予防のためにも，フィジカルの強化が重要になっている。

水分補給

国内・海外ともに暑熱環境でも試合が行われることが多い。Jリーグも含め，気温とwet bulb globe temperature（WBGT：湿球黒球温度）を目安として，試合前後半のそれぞれの半分の時間が経過したころ，1分を目安とした飲水タイム，または90秒～3分を目安としたクーリングタイムを実施し，試合中の体温上昇の防止と水分補給により熱中症の予防を行うこととなっている。

脳振盪

2014年に国際サッカー連盟は頭頸部外傷の重症化を防ぎ，競技中の選手の安全を守るために脳振盪について新たなルールを設けた。競技中，選手が頭頸部を強く打ったと主審が判断した場合，主審は速やかに当該選手のチームドクターをピッチ内に呼び，チームドクターは診断を行う。脳振盪の疑いがある場合，自分の拳を頭の上に乗せ，主審に脳振盪の診断を始める旨を伝える。それに伴い，主審は時間の計測を始め，最長3分間を診断の時間として認める。わが国においては2021年より，1試合において各チーム最大1人の「脳振盪による交代」を行うことができ，脳振盪が疑われる選手がいた場合は，「交代枠の人数」，「交代回数」の制限にかかわらず交代が可能となった。

図4 インサイドキック：インパクトの瞬間の解剖図

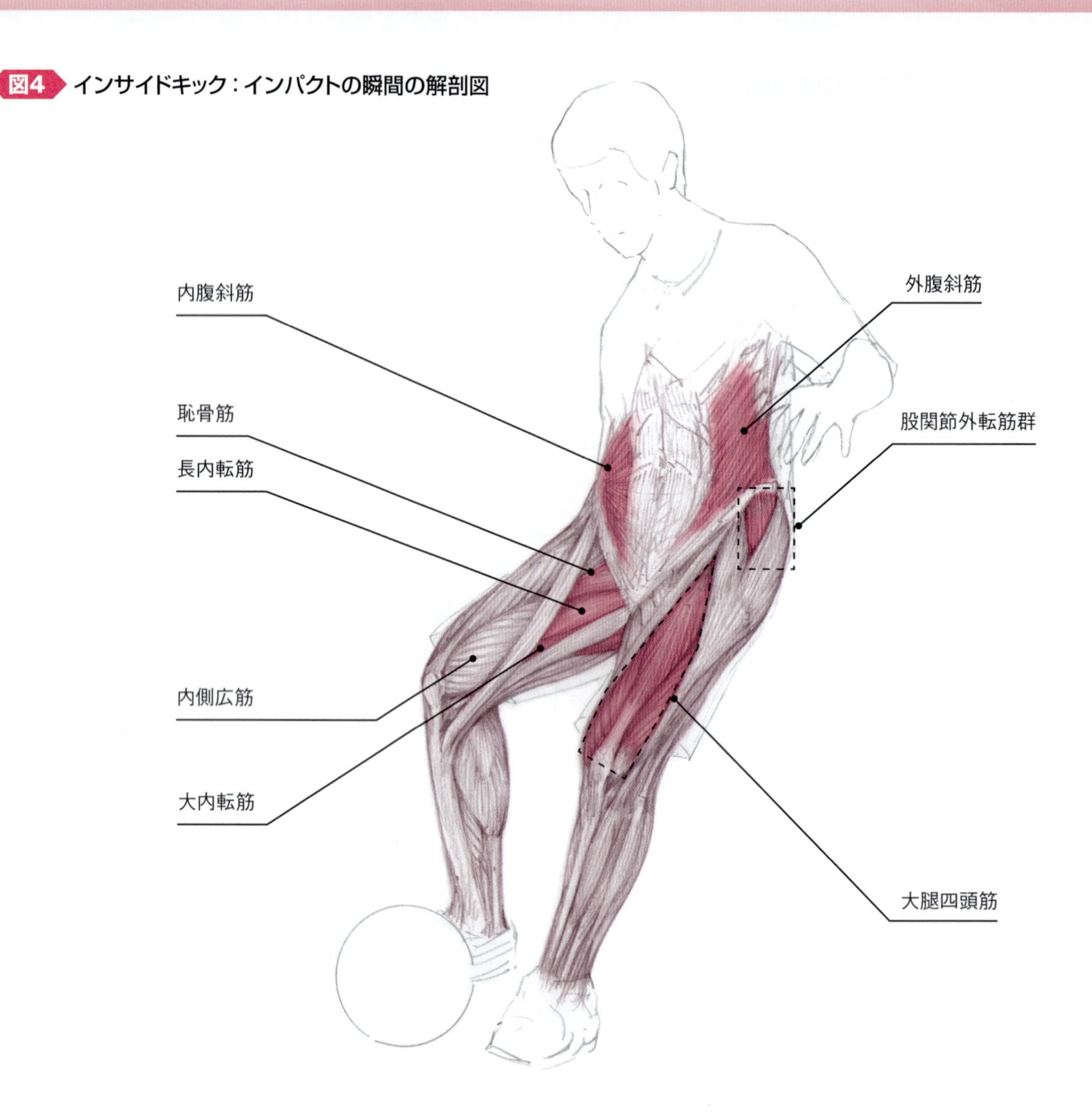

大屈曲位となるまでの時期。右の骨盤は前方回旋し始め，大腿は前方に，下腿は後方に回転し，膝関節最大屈曲に向かう。左腕は水平内転を開始する。

アクセラレーション期

右膝関節最大屈曲位からボールにインパクトするまでの時期。大腿は減速し始め，それに続いて膝関節が伸展して下腿・足部が前方に押し出される[3]。インパクト直前で左膝関節が伸展し，右下腿の前方回転を助ける場合もある。

フォロースルー期

インパクト以降の時期。下腿の前方回転が減速する。左足が地面から離れる場合や右足から接地する場合など，いろいろなバリエーションがある。

インサイドキックの特徴（図4）

試合中に一番多く使用されるキックである。その特徴は，インステップキックと比較して，股関節がより外旋した状態でボールを蹴ることである。相手選手との間合いが狭い局面で使用されることも多く，助走がとれないまま蹴らなければならない場面も多い。インステップキックとインサイドキックでは，蹴り足の股関節外旋トルク発揮と外旋角速度に差があると報告されている[4]（**図5**）。

また，レクリエーションレベルでサッカー経験の乏しい一般人では，内転筋の伸張性筋力に左右差がないのに対し，エリートサッカー選手では利き足の内転筋により大きな筋力があると報告されている[5]。エリート選手では，サッカーで使用される頻度が多い利き足でのインサイドキックやインサイドでのドリブル，トラップに適応した内転筋力（股関節外旋位で蹴り足を前方に振る）が身についた結果であると考えられる。

図5 インステップキックとインサイドキック時の関節肢位

インサイドキックではインステップキックと比較して，キックの後半に股関節外旋位を示す（下段のグラフ）

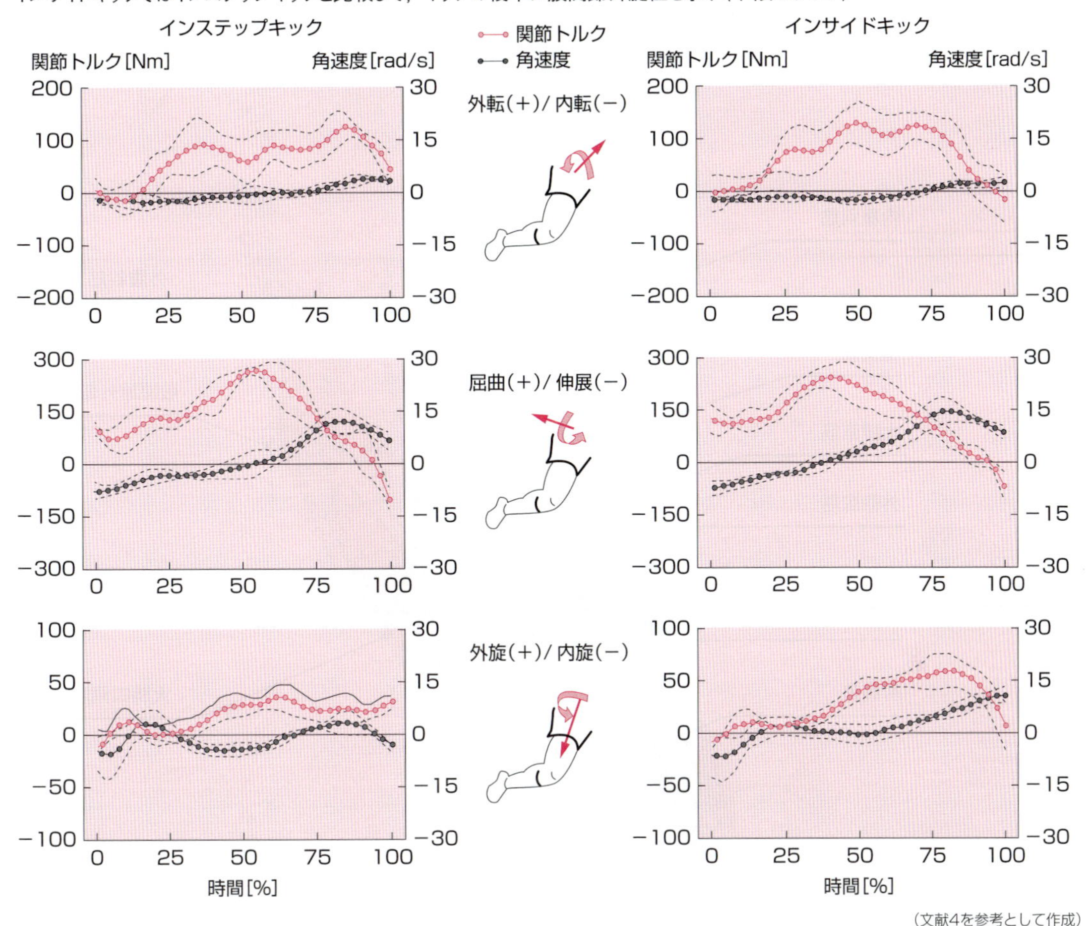

（文献4を参考として作成）

インステップキックの特徴（図6）

長い距離のパスや強いシュートの際に用いられるキックであり，インパクトの瞬間に足関節底屈位でボールに当たるため，足関節後方部分が衝突してインピンジが起こりやすい。

力強いインステップキックは，単純に蹴り足のスイングスピードを上げることが必要である。スイングスピードを上げるためには，**図2**で示したように股関節でのスイングスピードのピークの後に，膝・足関節と順にピークが伝播していく，「鞭の運動」や「flail-like action」とよばれる運動連鎖が重要になる[2)]。

この運動連鎖は蹴り足だけではなく，軸足や上肢・体幹部からの運動連鎖も関連し，この協同作用が破綻した場合，蹴り足の股関節屈筋と膝伸展筋に大きな負担がかかってしまう。特に，肩甲帯・胸郭・股関節などの関節可動域に制限がある場合には，効率的なキックの運動連鎖による動力伝達にロスが生じ，その結果，キックのパフォーマンス低下だけではなく，キックに起因するスポーツ障害の原因にもなる。

キック動作に関連する外傷・障害

腰痛（腰椎分離症）の病態

腰椎分離症は成長期の椎弓関節突起間部に起こる疲労骨折であり，両側に発生して過大なストレスが続けば分離すべり症にも移行する。

腰椎分離症を引き起こすストレスは，腰椎に加わる伸展・回旋ストレスである[6,7)]（**図7**）。キック動作のバックスイングの際に，腰椎には毎回伸展・回旋ストレスが加わる。特に股関節・胸椎の可動域制限を有している選手は，腰椎での代償的伸展・回旋が起こりやすい。

腰痛を訴える選手のみかた・評価

蹴り足の股関節伸展可動域に制限があると，腰

図6 インステップキック：インパクトの瞬間の解剖図

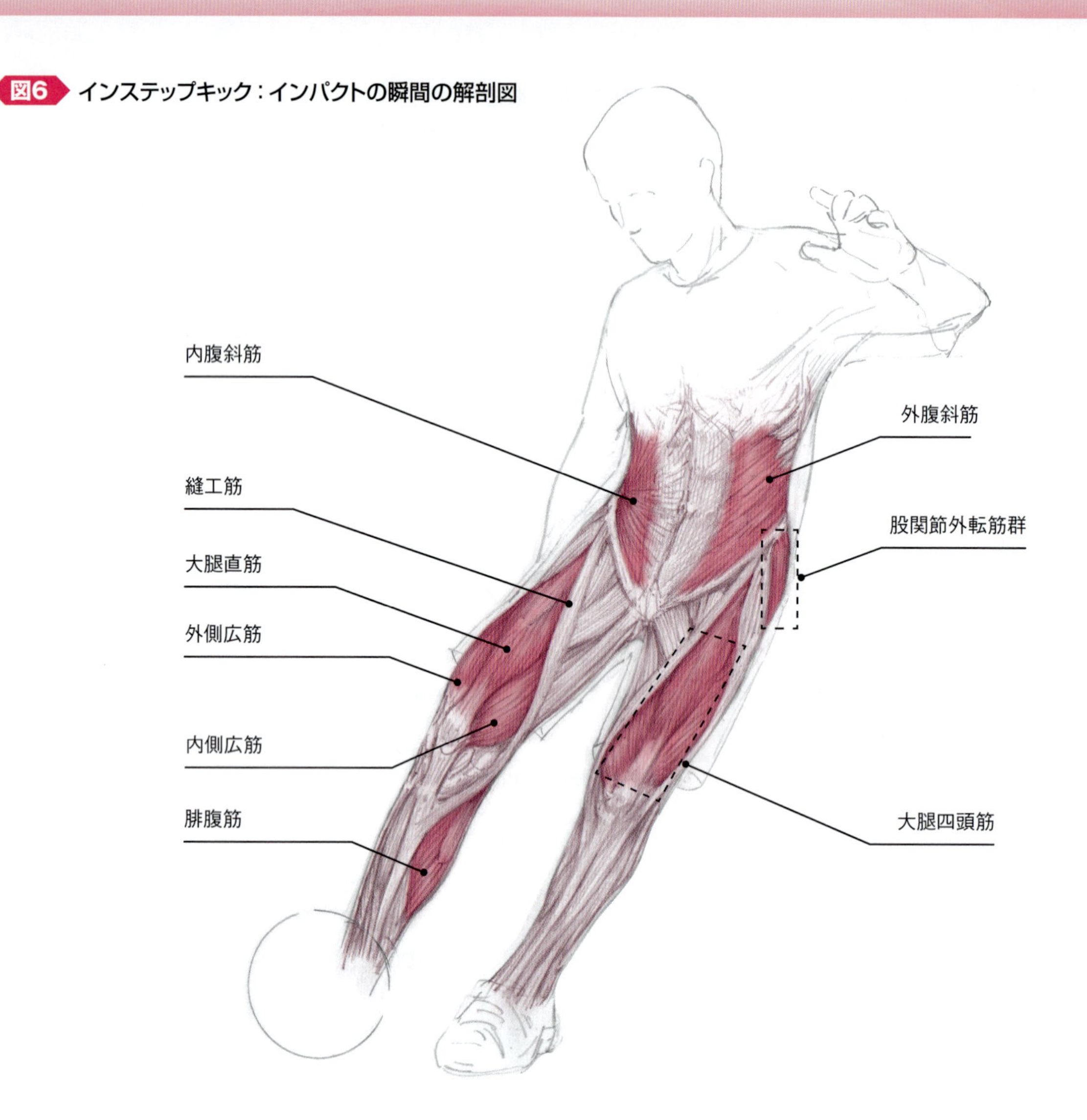

図7 腰椎分離症の好発部位

腰椎の伸展・回旋により，上下の椎間関節間部にストレスが加わり発症する

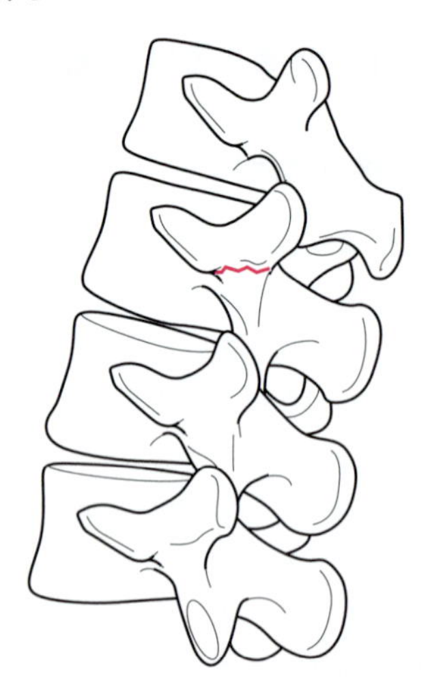

（文献6,7を参考として作成）

椎の伸展で後方へのスイングを代償し，腰椎後方組織の圧迫ストレスの増大を招く。

また，胸椎の伸展可動域の低下も，同様に腰椎の代償的な伸展を生み出す。胸椎の伸展・回旋には，上肢の水平外転・肩甲帯の内転可動域も大きく影響する。大胸筋や斜角筋，胸鎖乳突筋など頸部・前胸部のタイトネスを有している場合，鎖骨・肩甲帯の可動域が制限され，胸椎の伸展も不十分となりやすい。

関節可動域制限とともに，過度の腰椎伸展による上半身重心の後方化も，腰椎後方ストレスの増大を引き起こす。

股関節・胸椎のタイトネスによる腰椎の過度な伸展と後方重心は，腰椎椎間関節や上下の椎間関節間の椎弓組織に圧迫・剪断ストレスの増大を引き起こし，椎間関節症や腰椎分離症のメカニカルな要因になってしまう。特にタイトネスが生じや

図8 Thomasテスト

主として腸腰筋短縮のチェックとなる。一側股関節を屈曲して膝を抱えさせ，最大屈曲位をとらせる。骨盤後傾に伴い対側の股関節屈筋の短縮があると，対側股関節が屈曲し大腿が持ち上がる

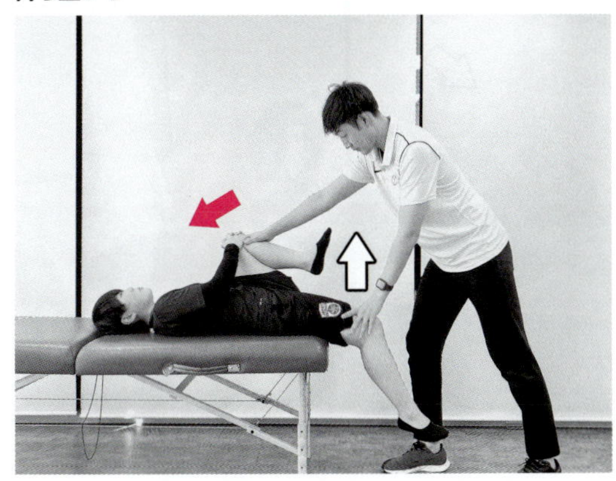

図9 Elyテスト変法（踵殿距離）

大腿直筋の短縮のチェックとなる。ベッド端から身体を半分出した腹臥位をとり，対側股関節を屈曲させる。その状態からテスト側の膝関節を屈曲させる。大腿直筋の短縮があると踵と殿部が接触しない。踵殿距離を測定し，左右を比較する

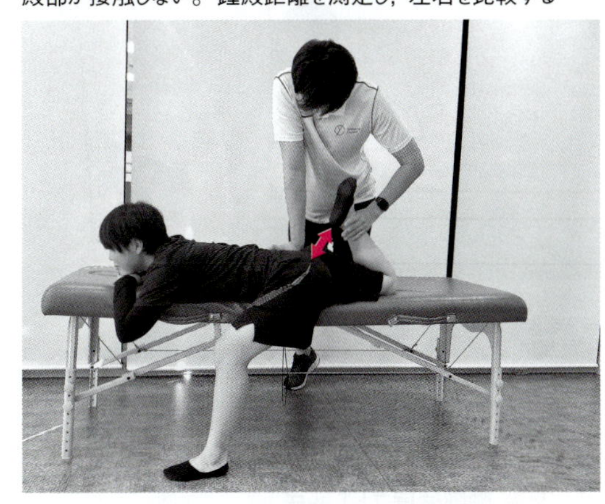

すい成長期には，定期的なメディカルチェック（**図8，9**）と柔軟化のコンディショニングが重要である。

腰椎分離症の理学療法

腰椎分離症の治療は病期により方針が分かれる。腰椎分離症の病期はCTおよびMRIの所見により，初期，進行期，終末期に分類される。初期は明瞭な骨折線というよりは，部分的な骨吸収がみられる時期である。進行期になると骨折線が全周に及ぶ。終末期は偽関節となっている状態である。

病期分類で初期の症例では，体幹コルセットを用いた保存療法によって，高率で骨癒合が期待できる[8)]（**図10**）。コルセットでの固定期間中にも，股関節前面および胸郭前面筋の柔軟化，および腹横筋活動による体幹部の安定性の強化は非常に重要である。

使用する体幹装具は，腰椎の伸展と回旋を防止するために，骨盤帯から胸椎部までを固定する硬性装具が効果的である。

また，骨癒合が期待できない進行期後期および終末期においても，さらなる症状の進行・すべり症への移行を防止するために，腸腰筋・大腿直筋のストレッチ（**図11，12**）と，胸椎・肩甲帯可動域の獲得（**図13**）は重要である。さらに，ハムストリングのタイトネスは，腰痛症やその他のスポーツ障害との関連も深く，西良ら[9)]はジャックナイフストレッチ（**図14**）の実施を推奨し，フィールド復帰への条件としている。

図10 腰椎分離症の保存療法の治癒期間

病期分類の初期，または進行期でも椎弓根浮腫のある時期は，装具による保存療法での癒合率は高い

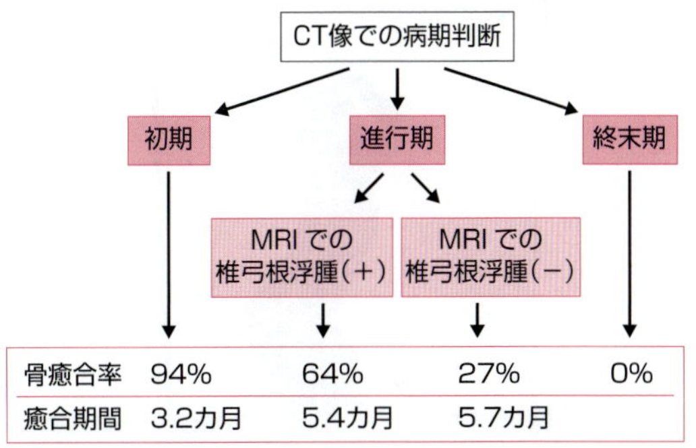

（文献8より引用）

鼠径部痛（グロインペイン）および股関節痛

サッカー選手はキック動作で鼠径部，特に恥骨周囲や内転筋周囲に繰り返し大きな力が発生し，長引く鼠径部痛が発生することが多い。キック動作のほかに，広いストライドでのランニングやランジ動作などの股関節前後開脚動作が鼠径部痛の大きな要因とも考えられる。

臨床症状や疼痛部位から，内転筋関連，腸腰筋関連，鼠径部関連，恥骨関連，股関節関連に分類することがある[10)]が，最近では画像診断の進歩により，多くの場合で器質的病変が明らかになりつつある[11)]。難治化する鼠径部痛は，特にpubic plateの損傷が関与していることが示唆されている。恥骨周囲には上位・下位からたくさんの筋の共同

図11 腸腰筋ストレッチ

ベッド端から下肢を下ろした背臥位をとり，一側の膝を抱えさせた状態で他方の股関節を伸展させる。フロッシングバンドを用い，さらに股関節を伸展・内旋させると効果的である

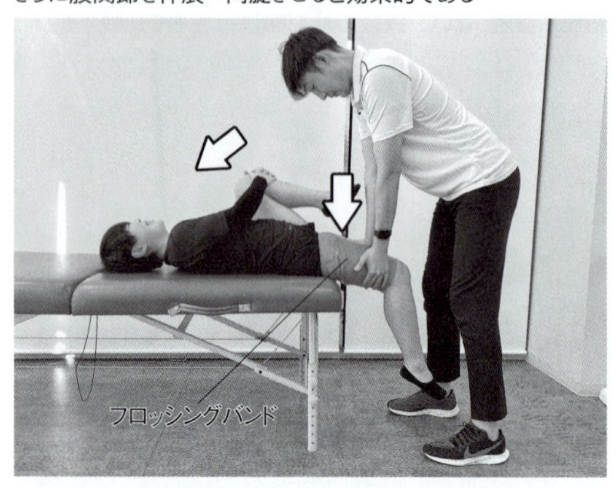

図12 大腿直筋ストレッチ

腸腰筋ストレッチの肢位から股関節伸展位を保ったまま，さらに膝関節を屈曲させる。フロッシングバンドを用いて実施するとさらに効果的である

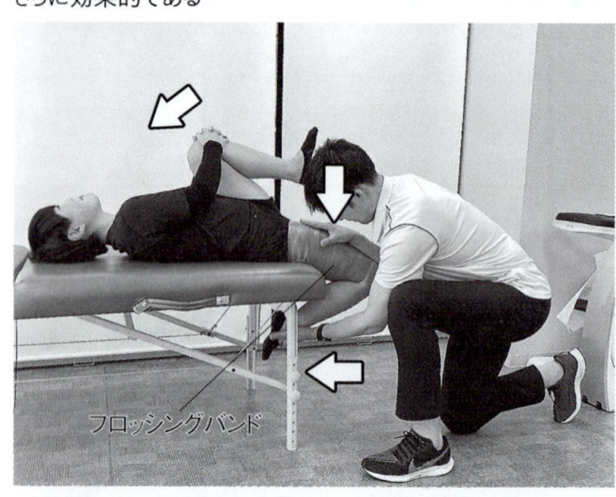

図13 胸郭伸展ストレッチ

腰椎に過度な伸展が生じないように，腹部ドローインによって体幹を安定化した状態で，スクワットポジションをとる。両肘を顔の前で付けた状態で，そのまま我慢できるところまで上肢を挙上させ，胸椎を伸展させる。その状態を数秒保った後に，両上肢を水平外転させて前胸部を伸張させる（「いないいないばあ」のようなイメージ）

図14 ジャックナイフストレッチ：ハムストリングのストレッチ

しゃがんだ状態で足首を握り（❶），胸と大腿をつけた状態のまま膝関節を伸展させていく（❷）。その状態で5秒程度大腿後面を伸張する

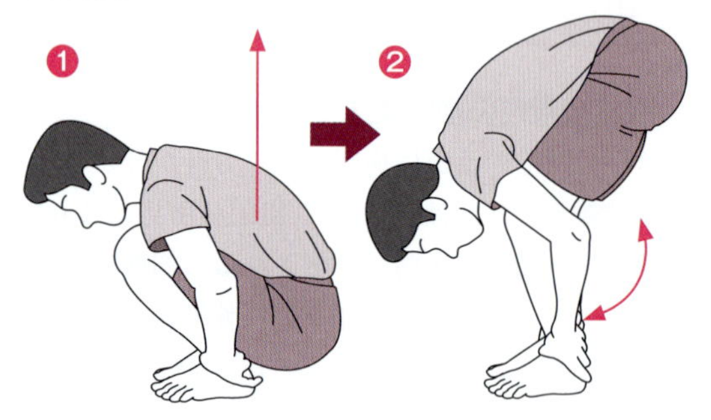

（文献9を参考として作成）

付着部があり，腹直筋と長内転筋付着部（superior cleft sign）や，恥骨と短内転筋・薄筋の付着部（secondary cleft sign）でのenthesisの損傷が発生し，恥骨浮腫や他の病変が伴うことで難治化することも多い[12]。また，股関節周囲の障害に関連し，大腿直筋直頭付着部での軟部組織損傷[13]もみられ，器質的病変を確認することが重要である。

器質的病変は明確化されてきたが，その器質的病変を発生させる機能的要因については非常に多くの部位が関連しており，多面的なアプローチが必要である。

股関節疾患との鑑別

鼠径部痛は股関節疾患との関連もみられる。大腿骨と寛骨臼が衝突するfemoroacetabular impingement（FAI）に代表される股関節病変を評価しておく必要がある。FAIがあり股関節屈曲時に寛骨臼での衝突現象が起こると，その衝撃は恥骨の回旋力となり，恥骨浮腫などの原因になることもある[14]。**図15**にFAIの病態について示す。このような骨形態異常は，股関節屈曲時の衝突の原因となる。

鼠径部痛を訴える選手には，成長期によくみられる上前腸骨棘・下前腸骨棘での剥離骨折や骨盤周囲の疲労骨折，筋損傷，変形性股関節症なども念頭に置いて鑑別を行う。

鼠径部痛を訴える選手のみかた

前述したように，キック，ランニング，ランジといった一側股関節を屈曲，他方の股関節を伸展といったように，非対称の動作が鼠径部痛の原因

となっていることが多い。股関節屈曲側には骨盤後傾，股関節伸展側には骨盤前傾の骨盤－股関節リズムが必要とされ，恥骨を含む骨盤帯にはねじれの剪断力が生じる。

さらに一側の骨盤周囲の筋に短縮があると，骨盤ポジションの影響を受けてしまう（**図16，17**）。動作中の骨盤ポジショニングを観察するのは非常に困難である。骨盤ポジショニングに影響を与える筋群の柔軟性の評価を実施し，腰椎－骨盤－股関節リズムの阻害因子を見つけていく必要がある。

図15 FAIの分類

❶正常
❷Pincer impingement
❸CAM impingement
❹混合型

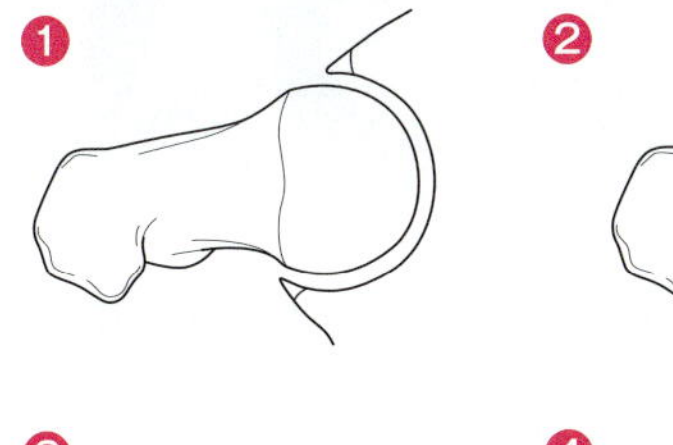

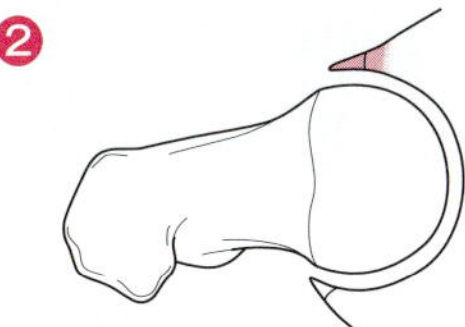

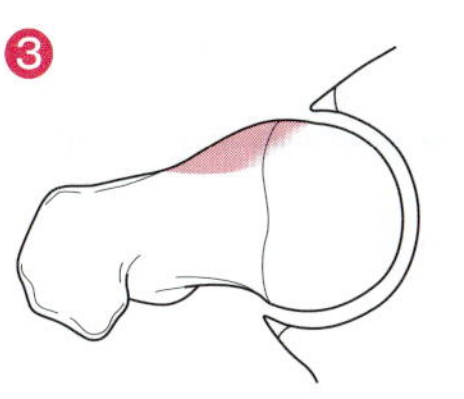

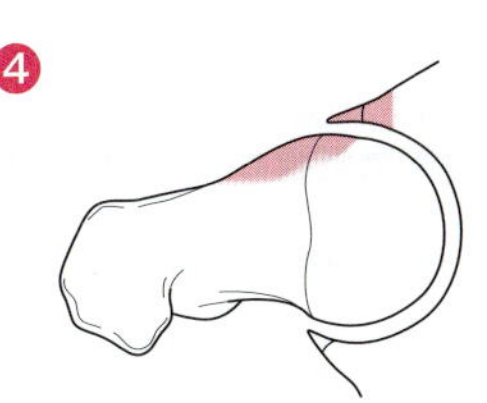

（文献15を参考として作成）

二瓶ら[16]は難治性グロインペインには全身の機能的運動連鎖の低下が生じており，「骨盤機能評価」，「胸郭機能評価」，「体幹機能評価」などとの関連の重要性を述べている。

股関節・骨盤へのストレスを防ぐためには，立脚肢の安定性，立脚股関節回旋筋による合理的な骨盤回旋，バックスイングでの十分な胸郭と股関節の伸展，肩甲帯・胸郭および立脚股関節からの効率的な運動連鎖による蹴り足の振り出しなどの運動要素が必要となる[17]。

代表的な鼠径部痛関連の整形外科的テスト

- **股関節周囲筋の拘縮の評価**

腸腰筋短縮テスト（Thomas テスト）：一側股関節を屈曲して膝を抱えさせ，最大屈曲位をとらせる。骨盤後傾に伴い対側の股関節屈筋の短縮があると，

図16 キック肢バックスイングの骨盤の過度な後傾

対側のハムストリングの短縮や胸腹部の伸張性の低下によって，キック肢側腸腰筋の恥骨上での回り込みが増加し，大腿直筋付着部にも伸張ストレスが加わる。同時にcleft signの原因となる内転筋群の過伸張が発生する

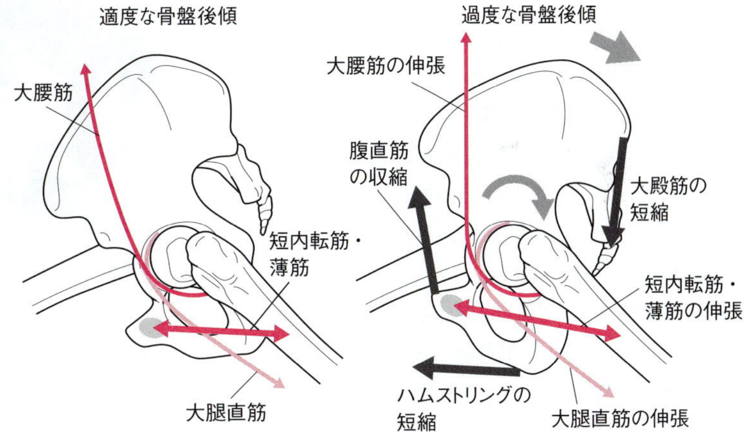

図17 キック脚骨盤の後傾制限

支持脚のハムストリング・腸腰筋・大腿直筋などの短縮や，胸腰腱膜の短縮などがあると骨盤後傾が制限されキック側肢の股関節屈曲角度が増加し，股関節前方インピンジメントの要因となる

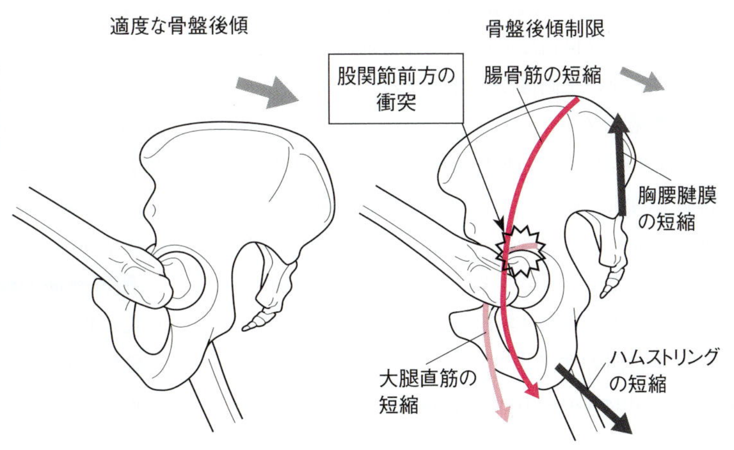

図18 大腿筋膜張筋短縮テスト（Oberテスト変法）

一側上肢でベッド端を把持した側臥位をとり，上になった下肢を股関節伸展位のまま内転させていく。腹斜筋，大腿筋膜張筋，腸脛靱帯に短縮がみられると，上側下肢の内転が制限される

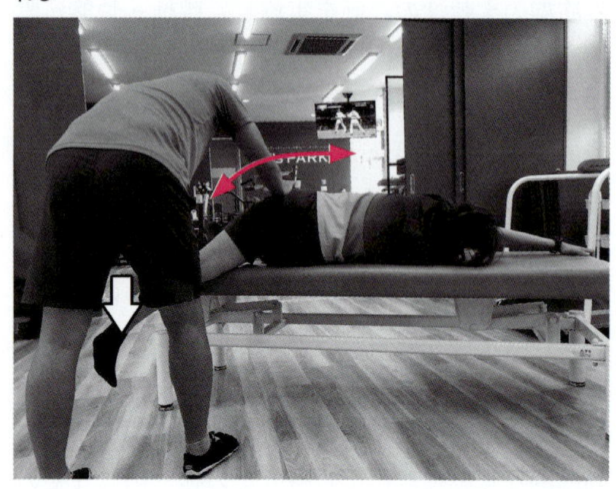

対側股関節が屈曲して大腿が持ち上がる。また，大腿の内旋制限も観察される。腸腰筋の短縮は骨盤のポジショニングに影響を与え，鼠径部痛の原因になりやすい（**図8**）。

大腿直筋短縮テスト（Elyテスト変法）：ベッド端から身体を半分出した腹臥位をとり，対側股関節を屈曲させる。その状態からテスト側の膝関節を屈曲させる。踵と殿部の距離を測定する（**図9**）。

大腿筋膜張筋短縮テスト（Ober（オーバー）テスト変法）：腹斜筋，大腿筋膜張筋，腸脛靱帯の短縮を評価するテスト。一側上肢でベッド端を把持した側臥位をとり，上になった下肢を股関節伸展位のまま内転させていく。上記の筋群に短縮がみられると，下肢の内転が制限される（**図18**）。

内転筋短縮テスト：背臥位をとり，膝関節を屈曲した状態で股関節を水平伸展させていく。また，開排位をとり開排の左右差を評価する（**図19**）。

胸腰腱膜・背筋群・ハムストリング短縮テスト：指床間距離（finger-floor distance：FFD）の数値のみではなく，立位前屈の肢位で骨盤前傾角や腰椎の屈曲の度合いを画像から評価する（**図20**）。

• **疼痛誘発テスト**

痛みが出現しやすい動作を確認する。特に股関節屈曲・内転・伸展，上体起こしなどの動作での疼痛の有無とリハビリテーションで行う動作の種類，症状の変化を確認する（**図21，22**）。詳細なテストの方法は参考文献を参照されたい[18]。

• **股関節周囲のテスト**

flexion abduction external rotation（FABER）テスト：Patrick（パトリック）テストということもある。股関節を屈曲・外転・外旋し，疼痛の有無を調べる。股関節前方の牽引ストレスや股関節後方への圧迫ストレスが加わる。また仙腸関節障害でも陽性となることがあるので，疼痛部位を確認する必要がある（**図23**）

flexion adduction internal rotation（FADIR）テスト：FAIや関節唇損傷で陽性を示しやすい。股関節を屈曲・内転・内旋した際に，股関節前方に疼痛が誘発される（**図24**）。

図19 内転筋短縮テスト

背臥位をとり，膝関節を屈曲した状態で股関節を水平伸展させていく。左右差を比較する

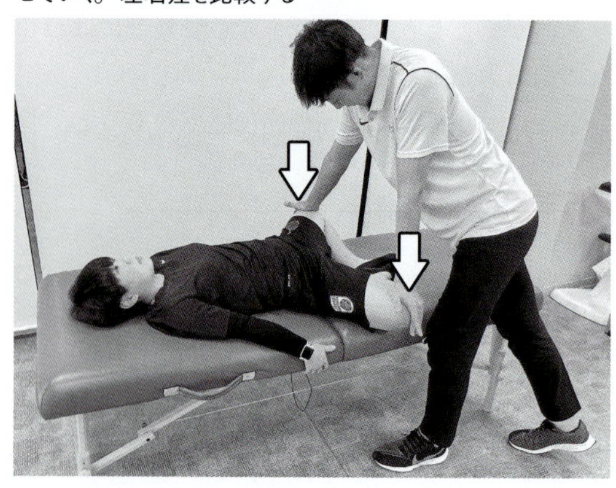

図20 胸腰腱膜・背筋群，ハムストリング短縮テスト

指床間距離（FFD）のみではなく立位前屈の肢位で，殿部の後退，骨盤前傾角，腰椎の屈曲度合いを画像から評価する
❶胸腰腱膜および脊柱起立筋の短縮で骨盤が後方に偏位する
❷胸腰腱膜の柔軟性が得られると骨盤の前傾が改善される

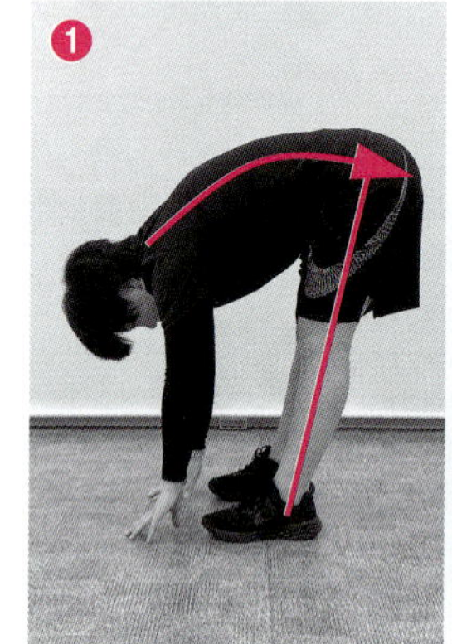

鼠径部痛の理学療法

• **柔軟性の改善**

骨盤の運動の妨げになる骨盤付着部筋の柔軟性を獲得することを最優先にする。特に，腸腰筋，

図21 内転抵抗テスト

股関節屈曲位および伸展位で股関節内転に抵抗を加え，痛みの度合いの変化を観察する。痛みの有無だけではなく，どこが痛いのかという部位を詳しく探ることが重要である

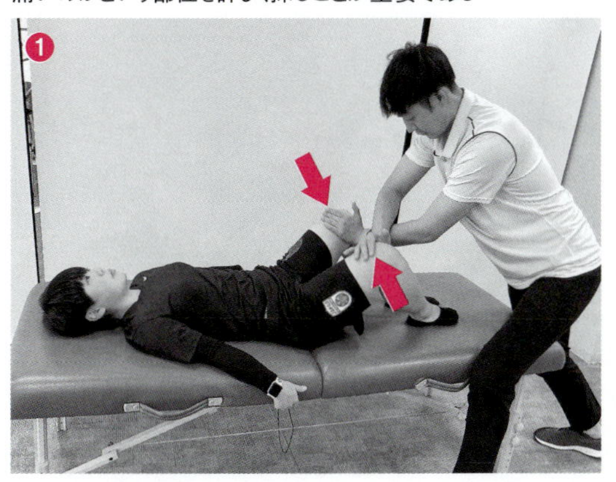

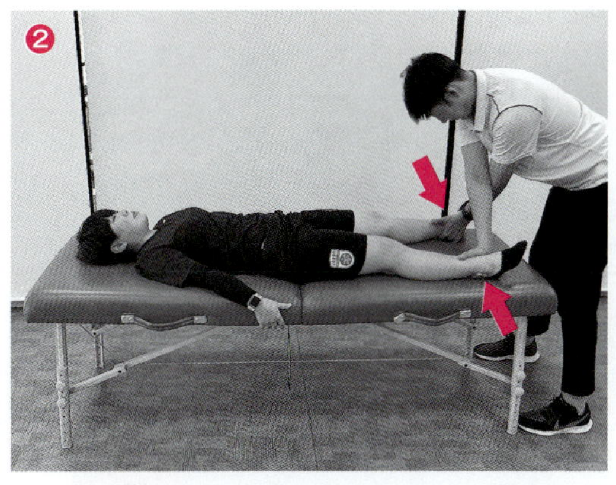

図22 上体起こしテスト

膝立上体起こしに抵抗を加え，腹直筋活動による痛みを評価する。痛みの有無だけではなく，どの部位が痛いのかという詳細な評価が重要である

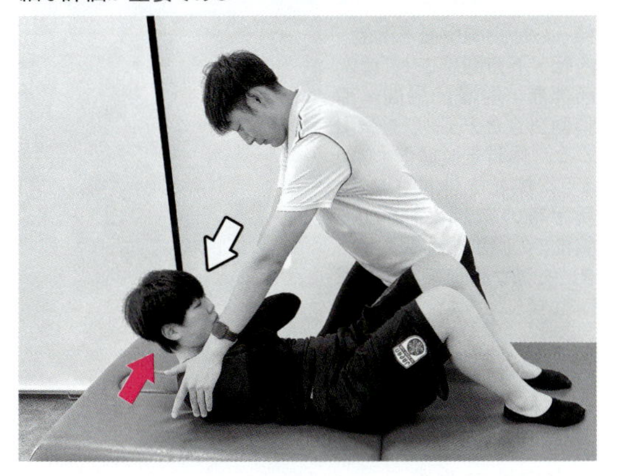

図23 FABERテスト

股関節を屈曲・外転・外旋し，疼痛の有無を調べる。股関節の前面が痛いのか股関節後面，もしくは仙腸関節部が痛いのかという詳細な観察が重要である

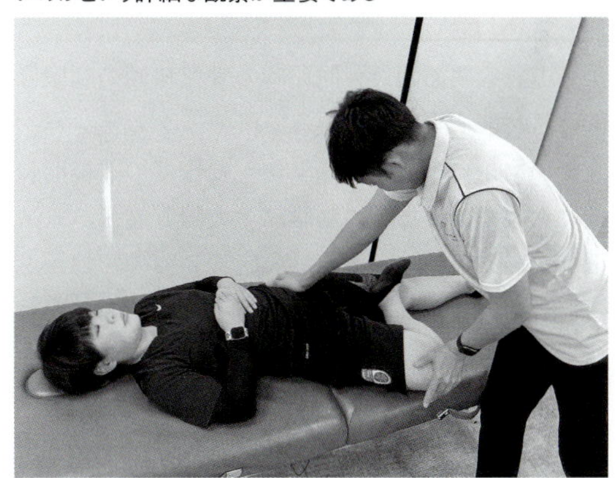

図24 FADIRテスト

股関節を屈曲・内転・内旋した際の股関節前方の疼痛を確認する。FAIで陽性になることが多い。痛みの有無だけではなく，骨盤ー股関節リズムが正常かどうかも観察する

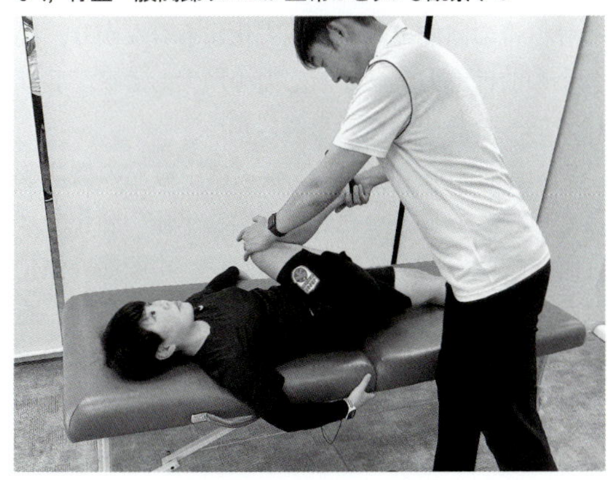

大腿直筋，内転筋群，大腿筋膜張筋，大殿筋，ハムストリング，胸腰腱膜，広背筋などにターゲットを置き，重点的に柔軟性の獲得を目指す。柔軟性の獲得には，フロッシングバンドを用いた方法が効果的で，筆者も多用している[19]。

Charnockら[20]は三次元動作解析の研究において，長内転筋は最大キック時ではバックスイングから股関節屈曲時への移行付近で，最大の遠心性収縮が起こると報告している。難治性鼠径部痛は器質的病変であるcleft signが強く関連しており[12]，長内転筋・短内転筋・薄筋の強い遠心性張力の発生は非常にリスクが高い。

骨盤周囲筋の短縮は，キックの際に必要な骨盤運動を妨げてしまう。例えばキックのバックスイング時に，対側ハムストリングの短縮や胸腹部の伸張性の制限，殿筋の可動性の低下などが存在すると骨盤は過度に後傾する。その結果，バックスイングしているキック肢の長内転筋はさらに引き伸ばされ，cleft signの大きなリスクとなってしま

図25 大腿外側・体幹前面ストレッチ

腹臥位から股関節を伸展・内転・内旋させ，腹斜筋・腸腰筋とともにストレッチを実施する。フロッシングバンドを使用して行うとさらに効果的である

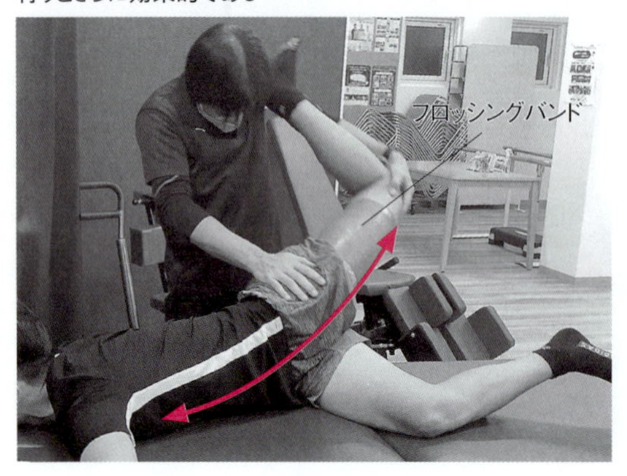

う。また，腸腰筋は腸恥隆起上を回り込み引き伸ばされ，さらに大腿直筋付着部にも過度な張力が加わる（**図16**）。

一方，股関節の最大屈曲時の骨盤後傾の制限はFAIと大きく関連している[21]。キックのインパクト後のフォロースルーやランジ動作での前後開脚位において，後方肢の腸腰筋・大腿直筋・ハムストリングの短縮や，背部筋・胸腰筋膜の短縮があると骨盤後傾が制限されてしまう。そうすると骨盤－腰椎リズムが制限され，前方肢の股関節屈曲角度は大きくなりFAIの要因となってしまう（**図17**）。

フロッシングバンドを使用した腸腰筋・大腿直筋のストレッチについては**図11**，**12**に示した。また，大腿筋膜張筋の短縮は，横方向に方向転換する競技で多くみられ，股関節での回旋コントロール不全にもつながる。さらに鼠径部痛を有する選手は，股関節伸展位での内転・内旋可動域が制限されることも多く，大腿筋膜張筋・腸腰筋・腹斜筋などの大腿外側および体幹前面の柔軟性を獲得しておくべきである（**図25**）。

胸郭の柔軟性も非常に重要である。特に胸郭伸展性の確保は非常に重要である（**図13**）。回旋可動性がかなり限られる腰椎・骨盤帯へのねじれストレスの軽減のためにも，胸郭での回旋可動性の獲得は非常に重要である。胸郭の伸展誘導のためには，小胸筋，大胸筋，胸鎖乳突筋，斜角筋などの柔軟化とともに，僧帽筋活動や菱形筋，広背筋活動が非常に重要である（**図26**，**27**）。

図26 胸郭回旋誘導

骨盤と腰椎での回旋を制御しつつ，下部胸椎および肩甲帯の可動性に着目して回旋を誘導する

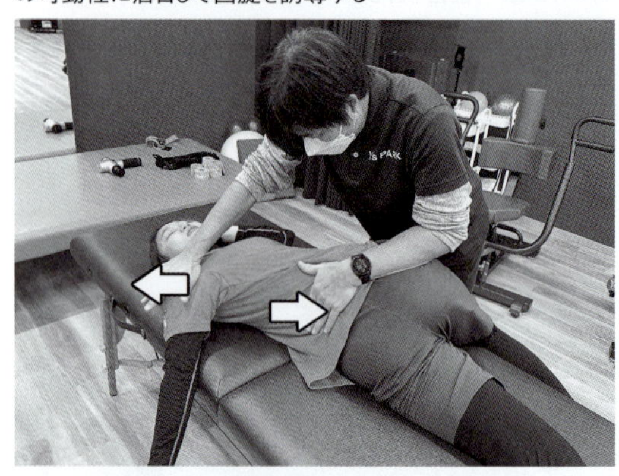

図27 胸椎での回旋誘導（座位ケーブルツイストプル）

一側上肢を挙上・内旋させ，肩甲帯を外転・上方回旋させる。そこからチューブを持った対側肩甲帯を下制・内転・下方回旋させ，肩関節伸展・肘関節屈曲・前腕回外させチューブを牽引する。体幹を後傾させないように胸椎を伸展させる。肩甲帯の非対称動作から胸椎での回旋を誘導し，キックに有効な運動連鎖を誘導していく

• **安定性の改善**

Trendelenburg（トレンデレンブルグ）肢位のような股関節外転・外旋筋の機能不全に代表される片脚立位時の安定性の欠如は，前額面上のアライメント異常だけではなく骨盤帯の回旋・重心の後方化にもつながり，恥骨への曲げ応力・せん断応力の増大および，恥骨付着筋への負荷の増大を引き起こす。

Trendelenburg肢位の改善には中殿筋の機能改善が重要である。ただし，中殿筋単体の強化では片脚立位時の安定性は改善しない。中殿筋の強化に加え，片脚立位時の股関節外旋筋・腹斜筋・腹横筋活動を同時に強化し，胸郭・肩甲帯の回旋の自由度を増やしていくことが重要である（**図28**，**29**）。

• **協調性の改善**

スポーツ活動中の局所への応力集中を避けるためには，関連部位との協調性と連動性が非常に重要になる。長内転筋に最大負荷が加わった直後に

支持脚が接地するため[20]，軸足の安定化，バックスイング時の股関節伸展と胸郭の伸展・拡張，加速期の立脚股関節からの骨盤の前進・回旋・後傾，肩甲胸郭関節の連動性など，さまざまな部位との連動性が重要になってくる。動的連動性の獲得には肩甲帯と骨盤が連動して回旋するcross motionが非常に有効である[16]。

バックスイング時にはキックの「タメ」の働きをする，スイング側下肢と対側上肢の適切なtension arcが重要である。このtension arcが体幹と大腿前面の筋群の予備伸張状態を作り，キック側股関節屈筋・内転筋のストレスを軽減することができる。骨盤周囲の柔軟性の高いtension arcはキック肢骨盤の過度な後傾を予防でき，腸腰筋・大腿直筋のストレス増大の防止にも役立つ（**図16**）。

バックスイングからインパクトまでの加速期には，立脚肢側股関節の伸展・内旋作用による重心の前方化と骨盤回旋が起こり，これに協調した蹴り足側の股関節屈曲作用が起こる。立脚肢股関節の伸展・内転・内旋筋・内腹斜筋，キック側の外腹斜筋・股関節屈筋・内転筋が連動して働き，キック動作が加速していく。この立脚肢からの動きの連動が合理的に行われると，蹴り足の股関節屈筋や内転筋の負担は減少するが，この連鎖が破綻すると股関節屈筋や内転筋の負担は急増する。

キック時の蹴り足の股関節周囲筋および腱付着部の負担軽減，ならびに片脚立脚による骨盤周囲のストレスを減少させるためには，立脚肢側股関節周囲筋の安定性を得ることと，立脚肢側股関節回旋での骨盤回旋を誘導し，振り子動作での蹴り足のスイングを誘導するという一連の動作の流れを運動学習することが重要である。

- **キックの効率化を誘導するための協調性獲得トレーニング**

胸郭からの体幹回旋誘導：テイクバック時の上肢・胸郭からの体幹回旋には，胸郭・胸椎の伸展，支持肢側への胸郭回旋，支持肢側肩甲帯の内転が必要である（**図26**）。同時にtension arcに必要な伸展cross motionもさまざまな体節で獲得しておく（**図25**）。

胸郭・胸椎の伸展誘導：胸椎での回旋誘導には胸椎の伸展，肩甲帯の内転下制誘導が非常に重要である[22]。

上肢動作からの胸郭回旋誘導：ケーブルツイストプル（**図27**）。

立脚肢からの体幹回旋誘導：ViPR®チルトバックランジから腿上げツイスト（**図28**）。

立脚肢と上肢からの体幹回旋誘導：TRX® rip trainerツイストプッシュ（**図29**）。

鼠径部痛のリハビリテーションの進め方の注意点と再発予防

鼠径部痛のリハビリテーションでは，強度の上げ方の判断は非常に難しい。まずは機能不全と症

図28 ViPR®チルトバックランジから腿上げツイスト

6〜10kgのViPR®を片手で把持し，前後開脚ポジションをとる。このときに左右の肩甲帯と上肢を非対称位とし，胸郭を伸展・回旋させる（❶）。そこから体幹・肩甲帯を逆回旋させて腿上げ肢位をとる。その際に，支持脚の伸展・内旋作用から体幹の回旋を誘導し，骨盤を回旋させ同時に前方に押し出していく（❷）。この支持脚・骨盤の作用で，キックに必要な支持脚からの運動連鎖が誘導される

図29 TRX® rip trainerツイストプッシュ

TRX® rip trainerを身体の側方に持ち前後開脚位で立つ（❶）。その状態から片脚腿上げの姿勢をとる。腿上げ肢位ではチューブに身体を回旋させられないように，支持脚股関節の伸展・内旋および骨盤を前進させて抵抗する（❷）。この支持脚の股関節伸展・回旋作用からキック肢の前方スイングを誘導する

状増悪因子を確定する。基本的には痛みが生じる動作は行わず，原因となる機能不全に戻って対応する。また，画像での病態改善と症状改善の度合いも経験的には一致せず，恥骨の骨髄浮腫などがあっても復帰可能な例も多い。

「可動性」が先か「安定性」が先かといわれるが，可動性・柔軟性の獲得と最小負荷での症状の消失が先であると筆者は考える。確実に骨盤周囲の可動性を獲得してから，安定性と協調性を確認した後にキック動作などを開始する。各体節での機能不全の結果，恥骨周囲に基質病変が生じたのが鼠径部痛である。機能不全の改善なしに病状改善の近道はない。

第5中足骨疲労骨折（Jones骨折）

キックやサイドステップ，ストップなど，サッカー特有の動作では足部外側部に過大な力がかかる。特に，全力でのキックの際には支持脚股関節を外旋させ，足部を外側から接地させて身体の慣性を減速し，そこから足部は回内する。この減速・回内時に，第5中足骨には大きな曲げ応力と回旋応力が加わる。

サイドへの切り返し動作の際には足部の接地と同時に，外側足底部に大きな荷重負荷がかかる。外側荷重傾向の選手は，同時に足部へ回外回旋力が加わる。これらの足部外側への荷重負荷の繰り返しにより，第5中足骨に疲労骨折が発生すると考えられている（**図30**）。

第5中足骨の疲労骨折は，短腓骨筋付着部である粗面部から1.5～3cm遠位部に好発する。この部分より近位の骨幹端部は，metaphyseal arteryにより近位部から血液供給を受けるが，疲労骨折の好発部位は遠位部からnutrient arteryにより血液供給を受ける。そのため，この部分に亀裂が入ると遠位部からの血流が途絶えて血流不全に陥りやすく，再生能力が乏しくなり偽関節に進行しやすい。

また，スパイクのスタッドとの関係も活発に議論されている。近年主流であるブレード型のスタッドは，芝に食い込みやすく急激な減速には有用である。しかし，ブレードの位置が丸形スタッドや取り替え式のスタッドよりも外側に位置することが多く，外側の中足骨に加わるストレスも大きくなることが考えられるが，文献的には有意差がなかったという報告が多い[23]。

図30 第5中足骨疲労骨折のメカニズム

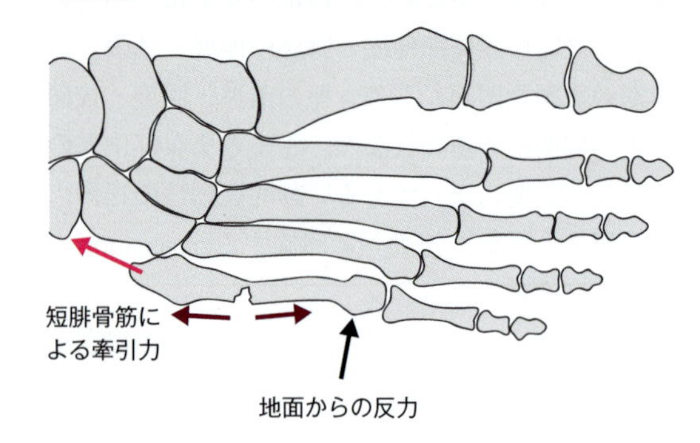

第5中足骨疲労骨折の発生初期には圧痛も少なく，直線の走りでは症状のない場合もあるため注意を要する。初期症状として次のものが挙げられる。

- 第5中足骨基部の圧痛
- 踏み込みやキックの軸足での痛み
- ターンの際の痛み

圧痛は，第5中足骨を底部および外側から押した際に痛みを訴えることが多い。ただし，完全骨折までまったく無症状の選手も少なくないので注意を要する。

第５中足骨骨折の重症度分類

単純X線像の評価から，その予後を推定できるTorg（トーグ）の分類が代表的である。

- Type I（急性期）：細い骨折線で，髄腔内の骨硬化がみられないもの
- Type II（遷延癒合）：骨折線の拡大があり両側の骨皮質まで達し髄腔内の骨硬化がみられるもの
- Type III（偽関節）：骨折部の骨硬化が著しく，髄腔が閉鎖しているもの

Torg[24]は，Type I では6～12週の免荷で骨癒合がみられたが，Type II以降だと骨癒合が得られないか，得られた場合でも非常に長期間を要したとしている。

第５中足骨疲労骨折の治療

第5中足骨骨折は，早期例以外は治療に難渋することも多い。競技力が高く早期復帰を求められる選手では，Type I であっても手術を選択する例もある。

一般にType I では4～6週程度の免荷を行う。免荷が困難な例などではギプス固定も検討する。Type IIでも同様に6週程度の免荷を行うことがあるが再骨折例も多く，手術を検討する場合もある。Type IIIでは基本的に手術療法を選択する（**図31**）。

図31 第5中足骨疲労骨折の手術療法後の単純X線像

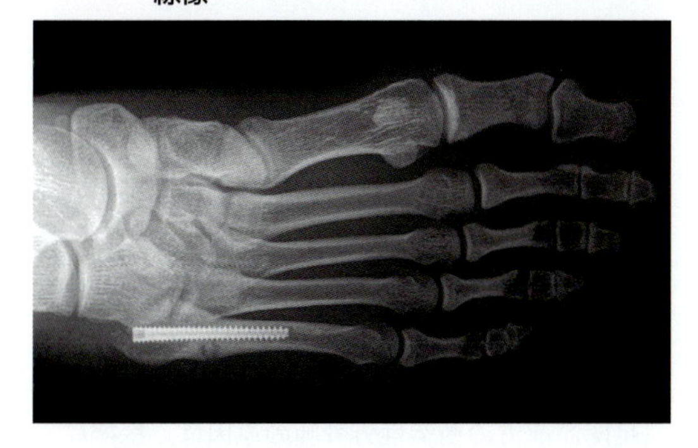

保存療法ではいずれにしても，再骨折や遷延癒合例も多く，低出力パルス超音波（low-intensity pulsed ultrasound：LIPUS）などの適応も検討すべきである。

また，外側縦アーチが低下して片側立位時に荷重点が外側偏位している場合は，第5中足骨への負担も大きくなる。外側アーチの低下は，解剖学的な異常の場合もあれば，バランス能力の低下で外側荷重傾向になっている機能的異常の場合もある。立方骨の低下や荷重点を評価し，足底板の適応や股関節周囲の機能改善による荷重点の適正化を図る必要がある。

いずれの場合も，病期分類や選手の置かれている状況などから治療方針を立て，経過に応じて画像診断を行いながら，リハビリテーションを進めていく必要がある。

第5中足骨疲労骨折の選手のみかた・評価

第5中足骨疲労骨折の要因には，骨形態や骨への血流異常などの解剖学的な異常に加え，荷重点の外方化，外側アーチの低下，ステップやキック時の不適切なアライメントなどといった内的要因，スパイクやグリップの強い人工芝などといった環境要因など，さまざまな要素がある。

保存療法・手術療法を問わず，外側荷重傾向に結びつくアライメント異常の要因がないか，体幹・股関節の安定化機能および立位時のアライメントを評価する。静的なものとしては，足部アーチの形態の評価，特に外側縦アーチの形状の評価は重要である。足部が回外傾向で立方骨の位置が低下している場合が多く，適切なインソール作製が必要になる。

また，サッカー選手では，O脚に加え脛骨内反傾向となっている選手が多く，そこから足部が回外傾向となっていることも多い。そのような場合，立位時の股関節の内外転・回旋筋の機能低下がみられることも多く，股関節からの荷重点修正のアプローチも必要になってくる（**図32，33**）。

足部回内筋としての長腓骨筋，短腓骨筋，第3腓骨筋の機能は，立位時の荷重点の分散化やバランス保持のために重要である。チューブを用いて行う腓骨筋トレーニングは，遠位部に抵抗を加えると患部に曲げストレスやねじれストレスが加わることもあるため，抵抗を加える位置は骨折部よりも遠位にはしないなどの工夫が必要になる。

骨癒合が確認されたが，片脚立位時に外側荷重傾向が修正できていない場合，足底荷重位置を修正するためのアプローチも行う。荷重点の外方偏

図32 TRX® rip trainerでのツイストスクワット（立ち上がってツイスト）

TRX® rip trainerを，一方を順手，一方を逆手で持ち，前額面に対してチューブが平行になるように構えてしゃがんだ姿勢をとる（❶）。そこから立ち上がりながら上肢をツイストさせる（❷）。股関節の内転筋・回旋筋の機能不全があると，体幹が外側に流れやすい

図33 TRX® rip trainerでの片脚内転バランス

TRX® rip trainerを，一方を順手，もう一方を逆手で持ち，両足を前後開脚させた立位姿勢をとる（❶）。その姿勢から上肢をツイストさせつつ体幹を回旋させ，片脚腿上げ位をとる（❷）。支持脚股関節内旋作用からの運動連鎖で，足部外側荷重傾向の修正を誘導する

サッカー

位の修正トレーニングの例を**図34**，**35**に示す。

また，サイドステップやジャンプの着地の際に，支持脚よりも上部体幹が外側に逃げてしまうような場合には外側荷重傾向位になることが多い。そのため，リハビリテーションの過程でのアジリティドリルの際には，動的アライメントの観察が重要である。

足関節前方インピンジメント（衝突性外骨腫：フットボーラーズアンクル）

足関節捻挫による軟骨・軟部組織のダメージ，足関節捻挫後の不安定性，およびストップ動作や着地など，足関節背屈位での繰り返されるストレスで足関節前方に生じる軟部組織および骨性の衝突のことである。外骨腫が確認される場合は，衝突性外骨腫とよばれる[25]。脛骨下端前方と距骨頭前方に骨棘が観察される（**図36**）。フットボーラーズアンクル（footballer's ankle）といわれることもあるが，サッカー以外でも捻挫やストップの頻度の多いバスケットボールやバレーボール，テニスなど多くの競技で観察される。骨棘自体の痛みというよりは，足関節前方部分に挟まれる滑膜の炎症や軟骨の変性・炎症，骨棘部分の骨折などが原因で生じる痛みと考えられている。

足関節前方の衝突性外骨腫の原因は，捻挫による足関節周囲の靱帯の機能不全により足関節に異常可動性が生じ，その結果，足関節軟骨の変性・炎症，骨棘形成が生じると考えられている。骨棘の大きさや場所によっては，背屈可動域制限の原因ともなる。

図34 ランジチューブツイスト

トレーニング用チューブの端を前足部内側半分で踏む（❶）。両足を前後開脚し，支持脚の逆側上肢でチューブを把持した肢位をとる（❷）。その姿勢から，支持脚の逆側後方にチューブを牽引する（❸）。荷重点が外側に偏位すると足底からチューブが抜けてしまうため注意する。足部の回内作用の強化に有用である

図35 ViPR®ツイスト腿上げからのデッドリフト

ViPR®を肩に担いだ姿勢で腿上げ肢位をとる（❶）。その肢位から片脚デッドリフトをしつつ，ViPR®の端を床につくように股関節を屈曲させる（❷）。荷重点が外側に偏位すると体幹回旋がうまくいかず，バランスがとれない

図36 足関節前方インピンジメント（衝突性外骨腫）

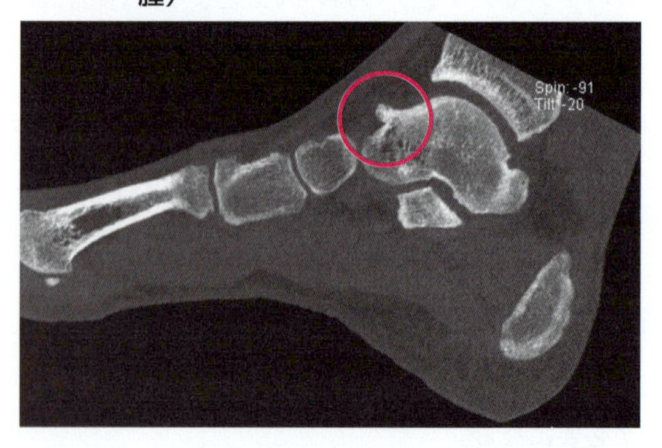

また，インステップキックなどのような底屈ストレスが足関節前方の関節包に牽引力を発生させ，その付着部に骨棘形成の刺激を与えるという説もある[24]。

足関節前方インピンジメントの評価・みかた

骨棘は足関節を底屈させると触診可能な場合もあるが，骨棘がかなり大きくならない限り困難である。一般的には，単純X線撮影，CT/MRIなどの画像診断が有用である。特に3D-CTでは骨棘の位置関係や大きさが明らかになり，骨棘が可動域制限の直接的な原因となっているのかどうか診断する際に有効で，手術実施の重要な判断材料になる。

足関節前方インピンジメントの治療

骨棘が可動域制限の要因になっている場合には，関節鏡または直視下での骨棘切除を行うこともある。ただし，足関節不安定性を有している選手の場合，一時的に症状は改善しても骨棘が再発することがある。足関節不安定性を有する選手の場合は，靱帯の修復術の必要性を検討し，テーピングやサポーターでの安定化と同時に，足関節周囲筋の強化やバランストレーニングなどによる足関節機能低下予防も非常に重要になってくる。

また，過背屈防止としてインソールによるheel liftが功を奏することもあるが，多くのケースでストップ動作時の殿筋や大腿四頭筋機能低下による下腿前傾と足関節背屈が生じることがある。そのため，遠回りであっても股関節周囲の機能強化によって，間接的に着地・ストップ時の足関節過背屈アライメントの制御を行っていくことが有効である。

足関節後方インピンジメント（有痛性三角骨）

成長期には距骨後方に骨端核が現れ，通常，距骨本体と癒合する。しかし，なんらかの原因で癒合せずに分離し，三角骨としてこの部分に存在することも多い。通常は無症状である。

後方インピンジメントは，外傷と使いすぎの両方の原因が組み合わされて発生する。繰り返しストレスの原因は，過底屈の繰り返しである。サッカーでは，ジャンプ・着地動作やインステップキックのインパクト時に過底屈ストレスが加わる。サッカー以外でもバレエダンサーやバレーボール選手など，底屈位荷重の頻度が多い競技で好発する。

通常よりも底屈位での活動の多い選手は，底屈可動域が大きくなる。その場合，底屈位において踵骨隆起と脛骨後果の間隔が狭くなる（**図37**）。この間に，関節包や三角骨，および肥大化した距骨後突起などの組織が挟まれる。この挟まりの繰り返しにより，後方関節包の炎症，瘢痕肥厚化による疼痛，三角骨の有痛化，距骨溝近位の骨棘形成および骨棘骨折などが発生し，症状が現れると考えられる[25]。

距骨後突起には大きな外側結節と内側結節が存在し，この結節間を長母趾屈筋腱が通過するため，骨棘が大きくなると長母趾屈筋の活動による疼痛が発生することがある。

足関節後方インピンジメントの症状

足関節底屈時に，後足部の内果・外果後方からアキレス腱にかけての痛みが生じる。関節内に腫脹が観察されることもある。

足関節後方インピンジメントの診断

臨床診断としては，足関節を強制底屈したときに痛みを訴える（**図38**）。

過底屈とともに回内外ストレスを加えて行うと，さらに診断感度が上がる。足関節の後外側（腓骨筋とアキレス腱間）に痛みを訴える場合と，足関節後内側（屈筋腱支帯付近）に痛みを訴える場合がある。

後内側型で結節部と長母趾屈筋（flexor hallucis longus：FHL）の摩擦障害がある場合には，足関節底屈位で母趾を屈曲させた際に内果後方に痛みが生じる（**図39**）。

図37 足関節後方インピンジメント（有痛性三角骨）

❶底屈における距腿関節の運動および周辺組織の伸張と弛緩
❷有痛性三角骨の単純X線像

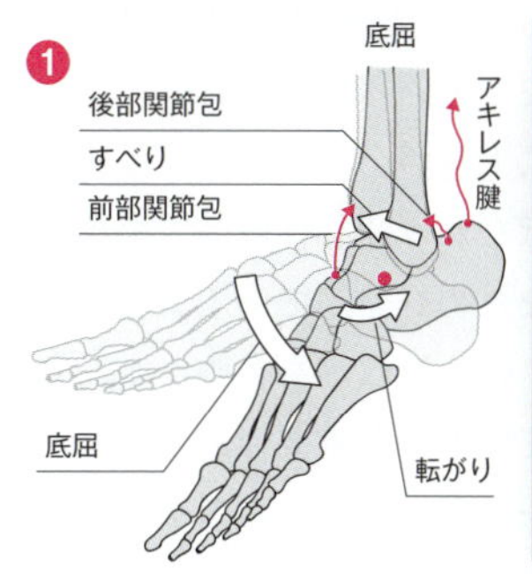

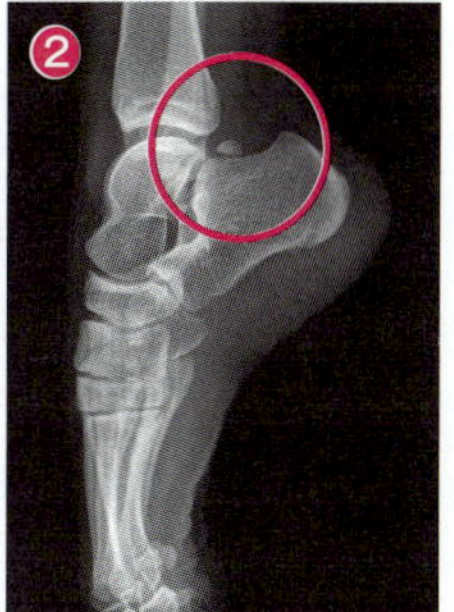

（❶：文献26を参考として作成）

サッカー

図38 過底屈テスト

座位で膝関節を90°屈曲させた肢位で行う。足関節を完全底屈位にする。後方インピンジがある場合は痛みが誘発される。また，同時に回内・回外ストレスを加え，疼痛を確認する場合もある

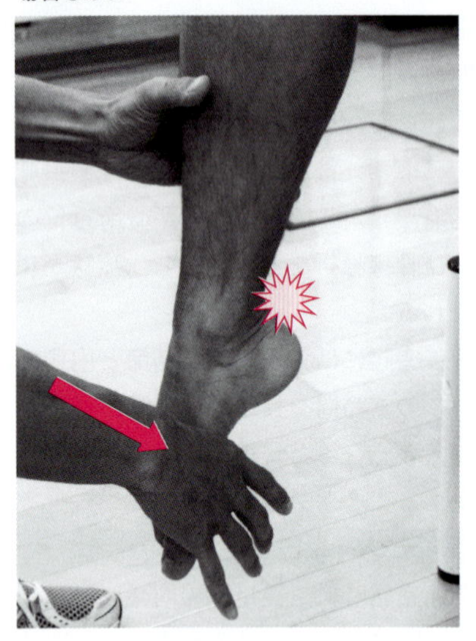

図39 長母趾屈筋(FHL)テスト

座位で膝関接を90°屈曲させた肢位で行う。足関節を完全底屈位にし，母趾遠位部に底屈ストレスを加えて母趾中足趾節関節を屈曲させる。骨棘と長母趾屈筋の間に摩擦があれば，内果後方に痛みが生じる。足根管症候群でも陽性を示すことがあり，注意が必要である

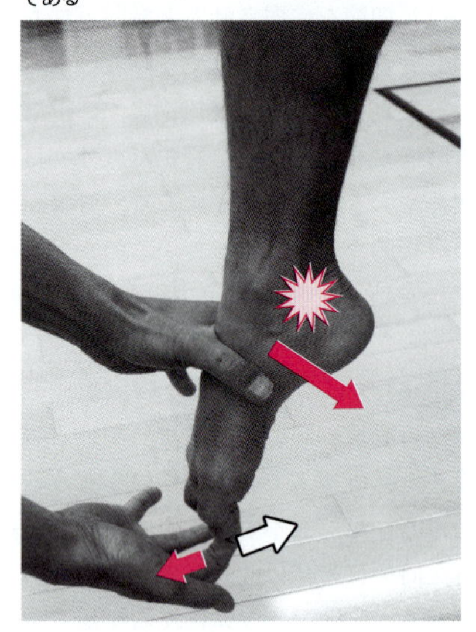

足関節後方インピンジメントの治療

保存療法としては，その病態に応じてヒアルロン酸やステロイドなどの局所注射を行う場合がある。テーピングで底屈制限を加えることもあるが，キックパフォーマンスが低下することもあり，注意を要する。底屈位での内外反制限はストレスを軽減できるため，試してみる価値がある。

骨性のインピンジメントが明確な場合は，内視鏡で三角骨を摘出することもある。

ハムストリング肉ばなれ

サッカーにおいてハムストリング肉ばなれは，練習中・試合中ともに多く発生する。ハムストリングの肉ばなれの発生要因についてはさまざまな研究がなされている。気温やサーフェスなどの環境要因の関与も考えられるが，筋力や柔軟性，アライメント，筋疲労などといった身体特性に関する要因の関与が非常に大きい。

ハムストリング肉ばなれは遠心性収縮で発生することが多く，肉ばなれの好発筋である大腿二頭筋長頭と半膜様筋を，遠心性収縮を含むトレーニングでいかに強化していくかが重要である[27]。

尾辻ら[28]はサッカーで発生したハムストリング肉ばなれの際の股関節アライメントをビデオ映像から解析した結果，股関節屈曲とともに内旋を伴っている変化の場合は大腿二頭筋近位共同腱の損傷，股関節屈曲とともに外旋偏位を伴うものは半膜様筋損傷が発生すると述べている。同様に奥脇[29]も股関節屈曲と同時に内旋偏位が加わったケースでは，大腿二頭筋長頭の近位部損傷が発生すると述べている。また，同時に疾走時の大腿二頭筋損傷の可能性についても考察しており，ハムストリングの強化と股関節での回旋制御がリハビリテーションのキーワードとなる。

ハムストリング肉ばなれの分類と予後

肉ばなれの重症度を明確にすることは，選手やコーチとの重症度や予後の共通理解のために非常に重要である。従来は1度を微細損傷，2度を中等度や部分断裂，3度を重症や完全断裂といったように表現していたが，再受傷のリスクや復帰までの期間の推定において必ずしも適正とはいえない。

奥脇[30]はハムストリング肉ばなれのMRIを基に以下の3つのタイプに分類した(**図40**)。この分類は復帰までの期間の推定に非常に有用である。

- Ⅰ型：筋線維あるいは血管損傷のみ
- Ⅱ型：筋腱移行部損傷。特に腱膜損傷
- Ⅲ型：腱性部(付着部)の断裂

図40 肉ばなれの受傷部位による分類

I型：筋線維部あるいは血管損傷のみ
II型：筋腱移行部損傷，特に腱膜損傷
III型：腱性部（付着部）の完全断裂

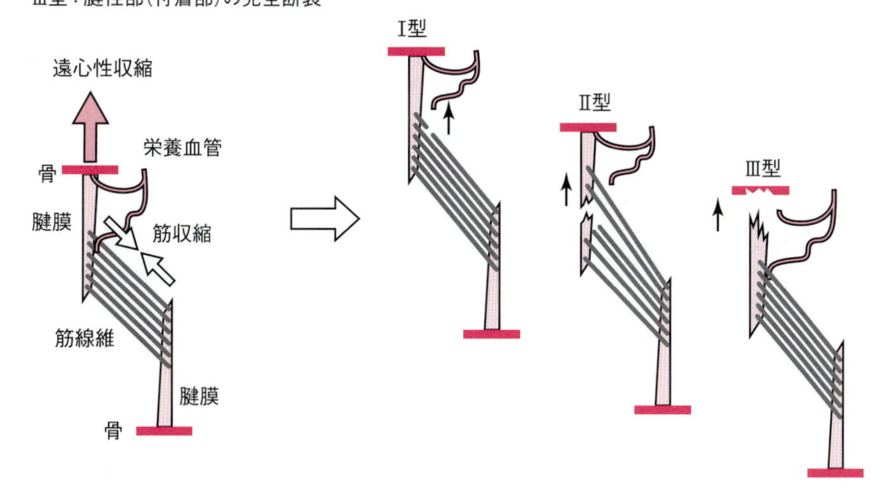

（文献30より許諾を得て転載）

3つのタイプの復帰までの期間は，I型は1～3週でスポーツが可能となり再受傷のリスクが少ないのに比べ，II型では3～16週で早期の運動開始は再受傷のリスクが非常に高く，III型では6カ月以上かかる例もあり，外科的治療が必要なこともある[28)]。

肉ばなれの受傷要因と再受傷予防

前述のようにハムストリング肉ばなれでは，股関節の屈曲外力と回旋に対する抵抗力をリハビリテーション期間中に獲得し，筋自体のコンディショニングを継続していくことが再受傷防止の大きなポイントになる。特にストレッチ型のハムストリング肉ばなれの大部分は片脚立位でのストップや方向転換などの際に発生しており，片脚立位での遠心性収縮と股関節での回旋制御を含んだエクササイズを重点的に実施していく（**図35**）。

受傷部位の組織的な治癒が確認されたら，さらに局所的な遠心性収縮を含んだ高負荷トレーニングを実施する[28,31)]（**図41**）。ハムストリングの遠心性収縮の代表的なエクササイズであるノルディックハムストリングは，リハビリテーションの初期段階で実施するには負荷量の設定が難しくリスクも高い。実施する際には，事前の評価と慎重な実施が必要である。

図41 ViPR®サイドジャンプ

リハビリテーションの後期には，股関節伸展と回旋コントロールの機能的エクササイズとしてジャンプを加えたエクササイズも導入していく。ViPR®を片脚腿上げの姿勢で持ち，その姿勢からサイドにジャンプして逆側の脚で着地し，姿勢をコントロールして再び元の片脚腿上げの姿勢に戻る。ViPR®の重量，ハンドルポジション，ジャンプ幅，リズムなどを調整して徐々に遠心性の強度を増す

【文献】

1) Ｊリーグ.jp〔日本プロサッカーリーグ〕ウェブサイト：https://www.jleague.jp/stats/

2) 浅井　武：サッカーのバイオメカニクス．コーチとプレーヤーのためのサッカー医学テキスト，p.24-30, 金原出版，2011.

3) 尾崎宏樹 ほか：二重振り子モデルに基づいたキック動作の数理解析．日本機械学会シンポジウム：スポーツ・アンド・ヒューマンダイナミクス講演論文 2011, p.453-458, 2011.

4) Nunome H, et al：Three-dimensional kinetic analysis of side-foot and instep soccer kick. Medicine and Science in Sports and Exercise, 34: 2028-2036, 2002.

5) Thorborg K, et al:Eccentric hip adduction and abduction strength in elite soccer players and matched controls: a cross-sectional study. Br J Sports Med, 45: 10-13, 2011.

6) Sairyo K, et al.: Spondylolysis fracture angle in children and adolescents on CT indicates the facture producing force vector. Internet J Spine Surg, 1: 2, 2005.

7) 白井祐輝，ほか：人腰椎の構造モデル化と脊椎分離症の解析．日本機械学会東海支部第 63 期総会講演会講演論文集：18-19, 2014.

8) 西良浩一 ほか：腰椎分離症の病態と治療，腰痛のリハビリテーションとリコンディショニング，p.50-61, 文光堂，2011.

9) 西良浩一：腰椎分離症．新版スポーツ整形外科学．p.103-108, 南江堂，2011.

10) Weir A, et al.: Doha agreement meeting on terminology and definitions in groin pain in athletes. Br J Sports Med, 49（12）：768-774, 2015.

11) 仁賀定雄：難治性グロインペインの診断と治療・予防の歴史．MB Orthop, 34（8）：1-9, 2021.

12) Saito M, et al.: The cleft sign may be an independent factor of magnetic resonance imaging findings associated with a delayed return-to-play time in athletes with groin pain. Knee Surg Sports Traumatol Arthrosc, 29（5）：1474-1482, 2021.

13) Kaya M: Impact of extra-articular pathologies on gr2019oin pain: an arthroscopic evaluation. PLoS One, 13（1）：e0191091, 2018.

14) Saito M, et al.: Hip arthroscopic management can improve osteitis pubis and bone marrow edema in competitive soccer players with femoroacetabular impingement. Am J Sports Med, 47(2)：408-419, 2019.

15) 内田宗志：股関節インピンジメント(FAI)．新版 スポーツ整形外科学（中嶋寛之 監，福林　徹，史野根生 編）．pp.244-249, 南江堂，2011.

16) 二瓶伊浩，ほか：難治性グロインペインに対するアスレティックリハビリテーション．MB Orthop, 34(8)：61-72, 2021.

17) 松田直樹：グローインペイン症候群の評価と治療．整・災外，59（6）：793-804, 2016.

18) 山藤　崇：アスリート鼡径部痛．Save the Athlete 股関節スポーツ損傷（高平尚伸 編）．pp.62-72, メジカルビュー社，2020.

19) スヴェン・クルーゼ 著：スポーツ医療従事者のための本格フロッシング．ガイアブックス，2020.

20) Charnock BL, et al.: Adductor longus mechanics during the maximal effort soccer kick. Sports Biomec, 8（3）：223-234, 2009.

21) Kobayashi N, et al.: Effect of Decreasing the Anterior Pelvic Tilt on Range of Motion in Femoroacetabular Impingement. Orthop J Sports Medicine, 9(4)：1-7, 2021.

22) 松田直樹：スポーツ場面における胸椎回旋可動域を拡大する．新ブラッシュアップ理学療法（福井 勉 編）．ヒューマンプレス，pp.72-75, 2017.

23) Queen RM, et al.: A comparison of cleat types during two football-specific tasks on FieldTurf. Br J Sports Med, 42（4）：278-284, 2008.

24) Torg JS, et al.: Fractures of the base of the fifth metatarsal distal to the tuberosity. Classification and guidelines for non-surgical and surgical management. J Bone Joint Surg Am, 66(2)：209-214, 1984.

25) Niek C, et al.: Anterior and posterior ankle impingement. Foot Ankle Clin N Am, 11（3）：663-683, 2006.

26) Neumann DA 著：筋骨格系のキネジオロジー 原著第 3 版．pp.662, 医歯薬出版，2018.

27) 松田直樹，ほか：下肢軟部組織外傷に対するアスレティックリハビリテーション．関節外科，39(5)：552-561, 2020.

28) 尾辻正樹，ほか：プロサッカー選手に生じたハムストリング共同腱・半膜様筋膜損傷受傷機序の検討．JOSKAS, 37（4）：249, 2012.

29) 奥脇　透：肉離れと下肢運動連鎖．臨スポーツ医，30（3），229-234, 2013.

30) 奥脇　透：肉離れの現状．臨スポーツ医，34（8）：744-749. 2017.

31) 松田直樹，ほか：肉離れの予防トレーニング．予防に導くスポーツ整形外（古賀英之 編）．Pp.248-253, 文光堂，2019.

野球

本項では，野球特有の動作である投球動作に関連する肩関節・肘関節障害と，外傷を起こす可能性の高いスライディング動作について理解を深めることに加えて，肩関節・肘関節に対する理学療法の考え方について解説する。なお，本項における野球の動作解説は，すべて右利きの選手を例に紹介する。

野球の身体運動と特徴

野球とは

野球はわが国において，国技といってもいいほどポピュラーなスポーツであり，小学生から社会人まで幅広い年齢層に普及している。わが国では野球の競技者の多くが，小学校低学年から軟式や硬式野球のチームに所属して競技を開始する。多くのプロ野球選手には10年以上の野球経験があり，学童期から成長期にかけて投球動作を繰り返し，肩・肘関節にストレスがかかり続けることになる。野球選手ができる限り長く現役で活躍するためには，各選手の身体的特徴に応じたトレーニングおよびコンディショニングが必要である。

野球というスポーツの大きな特徴は，攻撃と守備が明確に分かれていることである。守備では，投手がより速い球を正確なコントロールで球種を変えながら投げることが要求される。攻撃では，打者が投手の投げたボールをより速いスイングスピードで正確にバットの最適打撃点でとらえ，強い打球を打ち返すといった複雑な技術的要素が要求される。このように，投球と打撃を中心とした野球の身体運動では，重心の並進運動と回旋運動の良好なコンビネーションが重要であり，それが破綻すると身体の局所的なストレスが生じやすい。

ボールの特徴

日本の野球では，硬式球，準硬式球，軟式球という3種類の規格のボールが存在する。使用するボールにより，硬式野球，準硬式野球，軟式野球の3つの形態に分かれる。

野球場の特徴

一般に，野球場の各寸法は，規定により詳細に定められている。しかし，野球場の形態(屋内型，屋外型)，サーフェス(土，天然芝，人工芝)，本塁から外野フェンスまでの距離，外野フェンスの衝撃緩衝能力などは，野球場によって異なる点も多くみられる。これらの特徴によって，外傷や障害の発生要因が異なる場合も少なくない。

投球動作の機能解剖

投球相は諸家の分析方法や着眼点によって，異なる分類が報告されている。ここでは，比較的よく用いられている5相分類について解説する[1]（**図1**）。投球相や専門用語を理解することはリハビリテーションにとって重要であり，スポーツ現場と治療に携わる者の共通言語として必要不可欠である。

ワインドアップ期（wind-up phase）

投球動作の始動からステップ脚(右投げの際は左脚)の膝が最大挙上するまでを指し，投球動作の準備期としてとらえられている。すなわち，支持脚(右投げの際は右脚)で体重を支えながら体幹・下肢の回旋エネルギーを蓄える。

この相では右下肢での片脚立位能力および体幹の保持能力が必要となる。また，左下肢では股関節の屈曲・内旋が必要となる。

早期コッキング期(early cocking phase)

最大挙上したステップ脚を投球方向に踏み出して接地するまでを指す。その際の足部接地は，フットプラント(foot plant)とよばれている。この時期は，ワインドアップで蓄えた運動エネルギーと身体重心を投球方向に並進移動し，体幹・上肢は投球方向と逆の運動を行う。

この上肢運動はテイクバックと表現され，肩関節は相対的に内旋位から外転・外旋位をとり始め，肘関節が屈曲位に移行していく。

図1 投球相

❶ワインドアップ期：投球の始動からステップ脚(右投げの左脚)を最大挙上するまで
❷早期コッキング期：最大挙上したステップ脚を投球方向に踏み出し，接地するまで
❸後期コッキング期：ステップ脚が接地してから，投球側の肩関節が最大外旋位を呈するまで
❹加速期：投球側の肩関節が最大外旋した位置から投球方向に加速し，ボールをリリースするまで
❺フォロースルー期：ボールをリリースして以降，減速動作を行い投球動作が終了するまで

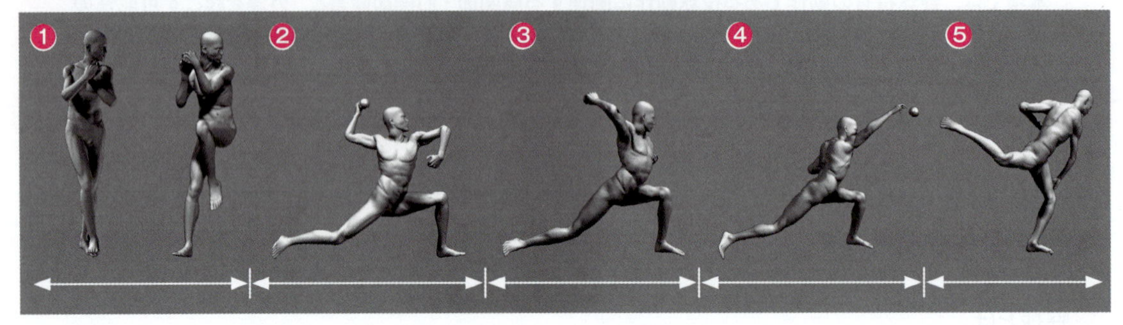

この相では，

①左肩甲胸郭関節の上方回旋・固定，左肩関節の外転・内旋，左肘関節屈曲，左前腕回内による左上肢のリード

②右肩甲胸郭関節の上方回旋・固定，右肩関節の外転による右上肢の挙上

③胸郭・骨盤の分離平行運動，右下肢の蹴り出し，左股関節の屈曲・内旋による左側への体重移動

が必要となる。

また，フットプラントの直前の上肢位置はトップポジション(top position)とよばれ，投球動作のチェックポイントとして臨床的に重要ととらえられている。

後期コッキング期（late cocking phase）

ステップ脚が接地したフットプラントから，投球側の肩関節が最大外旋位を呈するまでを指す。早期コッキング期から後期コッキング期にかけて，肩関節は外旋運動を呈する。外旋角度が最大に至ったときを肩関節最大外旋位(maximum external rotation：MER)といい，加速期に移行するターニングポイントとなる。

この相において，上肢運動としては外旋するが，肩甲上腕関節の外旋運動だけではなく，肩甲骨後傾，胸郭開大，胸椎伸展運動も生じており，肩関節複合体として機能している。すなわち，腱板だけではなく僧帽筋(上部・中部・下部線維)や菱形筋など，肩甲骨周囲筋の筋バランスが重要となる。また，この相では，特に前鋸筋の筋活動が最も大きいと報告されている[2](**図2**)。胸椎の開大運動が制限されていると，肩甲骨は十分に後傾できず，代償的に肩甲上腕関節の外旋運動に依存することになる。

また，この時期は肩関節最大外旋に伴い上腕骨頭が前方に偏位しようとするため，肩関節前方軟部組織，すなわち大胸筋，肩甲下筋，三角筋前部線維に加え，上・前方関節唇や関節包複合体にきわめて大きな張力が加わる。胸郭・胸椎運動の制限，投球側の肩甲骨の挙上・上方回旋の低下や後傾不足があると，肩峰下インピンジメント症候群，腱板損傷，または肩峰下滑液包炎を起こしやすい。

加速期（acceleration phase）

右肩関節が最大外旋した位置から投球方向に加速し，ボールが指先から離れるボールリリース(ball release)までを指す。コッキング期での並進運動に，下肢・骨盤帯・体幹に投球方向への回旋運動が加わることで蓄えられた運動エネルギーが，上肢の鞭打ち様運動から連鎖的にボールへ伝達される時期である。

後期コッキング期から加速期には，肩関節外転位の状態で限界可動域まで肩関節が外旋する。その動作に伴って肘関節外反ストレスが加わり，肘内側に牽引力が発生する。過度な内側の牽引力が加わると，肘の内側側副靱帯(ulnar collateral ligament：UCL)損傷や内側上顆下端障害を生じる可能性が高くなる。さらに，外反ストレスによって肘関節の外側では圧迫力と剪断力が増大し，上腕骨小頭の離断性骨軟骨炎(osteochondritis dissecans：OCD)が生じる可能性がある。また，肘頭内後側が肘頭窩に押しつけられることによって，同部位の軟骨摩耗や骨棘形成が生じる。

肩関節に関しては，前方関節内インピンジメント症候群や上方関節唇(superior labrum anterior and posterior lesion：SLAP）損傷が生じやすい。また，前方関節包の弛緩や腱板疎部の開大が生じ，潜在的な前方不安定性が発生すると考えられている。

フォロースルー期（follow-through phase）

ボールリリース後（**図3**）に上肢の減速動作を行い，投球動作が終了するまでを指す。ボールリリースまで加速してきた上肢を急激に減速する必要があり，このとき肩関節には体重と同等の牽引力が加わる[3]。その負荷は，小円筋や棘下筋，三角筋後部線維で吸収される[4]ほか，近年では菱形筋や僧帽筋中部・下部線維での筋活動が増大すると報告されている[2]。すなわち，ボールリリース直後からフォロースルーにかけては，肩甲骨周囲筋・肩関節後方筋群に大きな遠心性ストレスが加わる時期であり，上肢帯の連動性が乏しい症例ではフォロースルーでの上肢への負担を十分に吸収することが困難となり，肘関節や肩関節後方に非常に大きな機械的負荷が発生してしまう。

ボールリリースからフォロースルー時の肩関節へのストレスが繰り返されることにより，後方筋群の疲労に伴う伸張性低下・腱炎・腱付着部断裂・後方関節包の肥厚・癒着・瘢痕化が生じる。また，SLAP損傷，Bennett（ベネット）病変の原因になる相でもある。

肘関節では，伸展による肘後方衝突に伴う後方インピンジメントを認める場合が多い。

投球における投手と野手の特徴

投手の特徴

野球では投手と野手の役割が大きく異なるため，投球にも各々のポジションによる違いがある。投手は静止した状態から自身のタイミングでボールを投げることができ，自分主導でゲームを進めることができるポジションである。そのため，正確な投球フォームの再現性，どのような試合状況でも同じプレーをするために自分自身をコントロールする能力が求められる。

投手の投球は野手の送球とは異なり，ピッチャーマウンドから投球プレートを利用したものであり，打者を打ち取るための強さ・正確性・スピードなどを兼ね備えた投球が必要となる。また，さまざまな変化球を駆使し，打者のタイミングをはずすために，あえて変則的な投球フォームにする場合も少なくない。

一般に投球フォームには，オーバースロー，スリークォータースロー，サイドスロー，アンダースローの4種類がある。

野手の特徴

野手の投球（送球）には，相手の戦術に合わせた動きや，打球への対応など受動的な要素が多い。打球への反応やスタートのタイミング，打球と味方野手の動きなど，さまざまな判断が必要となる。

野手は必ず動きのなかで捕球し，その後，味方野手に投球（送球）することが要求される。また，野手とひとくくりにいっても各ポジションで役割が異なり，内野手では打者や走者を進塁させないための正確で素早い送球，外野手であれば，より力強い遠方の目標への送球が必要となる。

投球動作に関連する主な外傷・障害

肩関節痛

投球動作は非常に高度で複雑な動きであり，肩関節複合体にとっては大きなメカニカルストレスが生じやすい動作といえる。特に肩関節は，可動性と機能的安定性の精巧なバランスが要求される。このバランスの破綻が障害を引き起こす。

肩関節周囲筋の筋疲労やオーバーユースにより，肩甲上腕関節における上腕骨頭の関節窩への求心位が保持しにくくなり，関節内外への過剰なストレスから肩関節周囲に疼痛が生じ，やがて腱板や関節唇などの解剖学的破綻が進行していく。これらの身体的背景の下で投球動作を繰り返すことで，後期コッキング期では過剰な水平外転や外転位外旋によるインターナルインピンジメント，加速期やフォロースルー期では過度な内旋運動による肩峰下インピンジメントが生じ，疼痛をきたすと考えられている。

また，投球動作に関連する肩関節痛の根底には，投球動作に関連する体幹・下肢の筋力や柔軟性の低下などの身体機能の問題に加え，技術的な未熟さによる投球フォームの乱れがある。これらが原因で結果的に肩関節痛となることも多いため，単に解剖学的な損傷に対する局所の治療だけでは再発の可能性が高く，リハビリテーション介入初期から投球動作の再獲得を意識した全身の機能改善アプローチが必要となる[5]。

図2 肩関節最大外旋位の解剖図（背面）

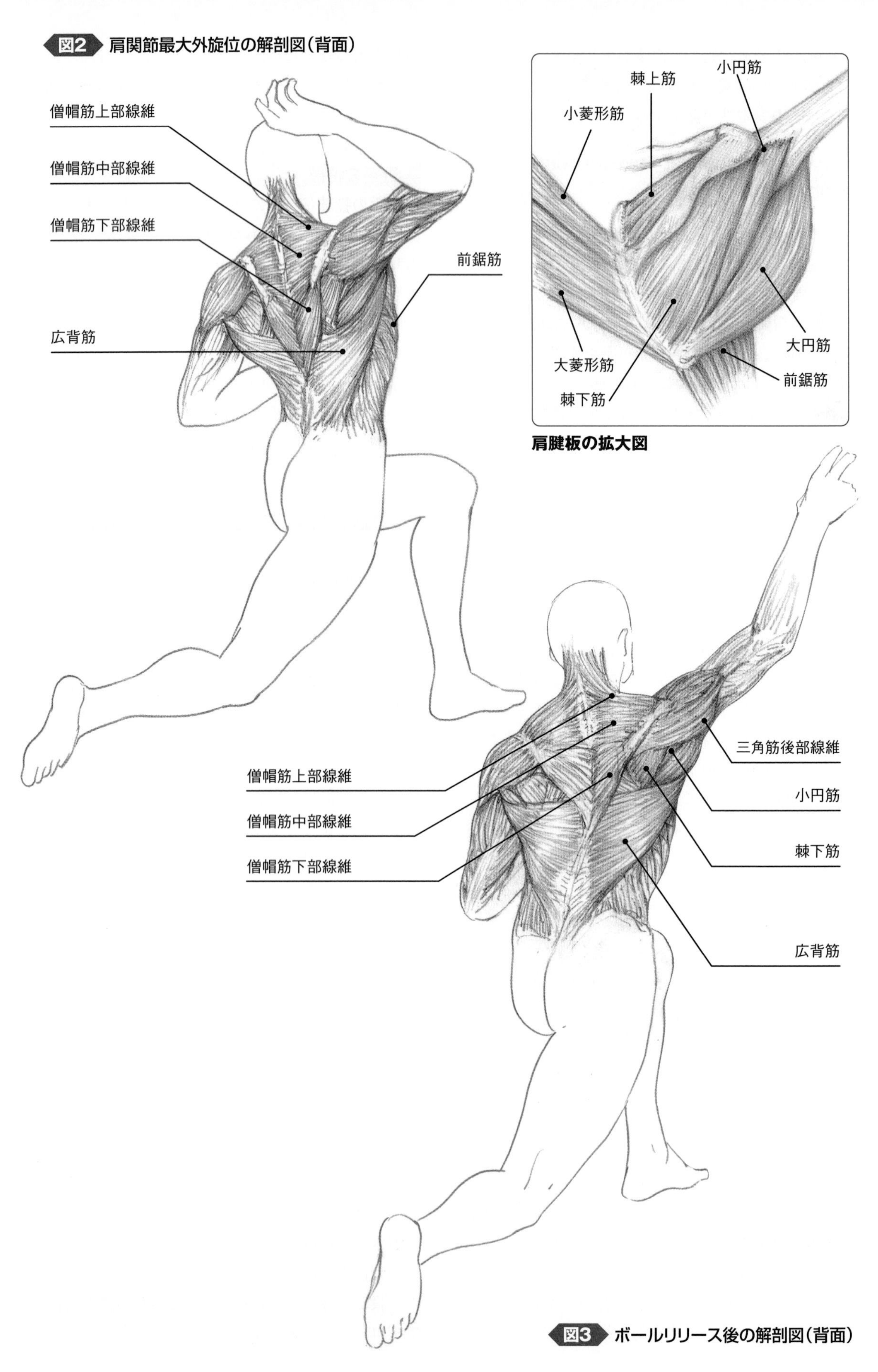

図3 ボールリリース後の解剖図（背面）

肩関節痛を訴える患者の投球動作のみかた・評価

これまでに，投球動作すなわち投球フォームのみかたやチェックポイントについてはさまざまな方法が紹介されており，近年では臨床の場面においてもデジタル機器を用いて簡便に動作をとらえることが可能となっている。**図4〜8**に，筆者らの施設で実施している投球フォームの5つのチェックポイントについて紹介する。臨床でも短時間で行え，野球経験のないセラピストでも容易に評価できる方法である。

投球動作で生じる肩関節痛の評価と理学療法の考え方

肩関節痛の主な原因

肩峰下インピンジメント症候群

肩峰下インピンジメント症候群とは，肩峰と烏口肩峰靱帯により構成される烏口肩峰アーチに，この下を滑走する腱板と肩峰下滑液包床とが衝突することで疼痛が生じる病態の総称である。

投球動作では，コッキング期から加速期にかけて上腕骨が急速に内旋位をとる際に衝突することで生じ，肩峰下滑液包炎，腱板炎，さらに進行することで腱板断裂を引き起こす。

腱板断裂

腱板断裂は，肩の疼痛・関節可動域（range of motion：ROM）制限・筋力低下を示す肩関節疾患の1つである。一般に腱板断裂は自然治癒しないと考えられており，加齢とともに徐々に断裂の範囲が拡大し，筋の廃用性萎縮が進んでいく。

明確な外傷がなく，徐々に運動制限や疼痛が進行していくものや投球動作などのオーバーユースを起因とした非外傷性腱板断裂と，転倒時に地面に手や肘をついた際の上腕骨頭の突き上げ力によって発生する外傷性腱板断裂の2つに分けることができる。投球動作で生じる腱板断裂は，前述の肩峰下インピンジメント，またはインターナルインピンジメントによるものが多い。この場合，完全断裂は少なく，ほとんどが不全断裂である。

肩関節不安定症

野球選手における肩関節不安定症は，1回の外傷で生じる外傷性不安定症とは異なり，投球動作の繰り返しで生じる前方関節包・関節上腕靱帯の弛緩が主な病態である非外傷性不安定症を呈している場合が多い。腱板疎部損傷を呈する症例では，下方不安定性を生じることがある。

野球選手における肩関節不安定症は，関節弛緩性など潜在的なものも含めると非常に多く存在しており，理学所見をとる際は必ず投球側・非投球側の両側を比較するべきである。

肩関節の評価

肩関節の評価は，競技レベルやポジションに加え，オーバーユースに関連する内容（練習量や練習時間など）を十分に聴取したうえで，肩甲骨と上肢の相対的位置関係を含めた姿勢観察・触診と合わせて，自動運動検査，他動運動検査，抵抗運動検査を実施していく。特に他動運動検査では，肩関節90°外転位（または屈曲位）における外旋可動域の増大と内旋可動域の減少が重要と考えられている。これらの肩関節における可動域変化は，骨性要因として上腕骨頭後捻角の増大[6-8]，軟部組織要因として肩関節前方関節包の弛緩[9]や後方構成体である後方関節包および腱板の拘縮[10]などが指摘されている。

臨床においても，combined abduction test（CAT），horizontal flexion test（HFT，**図9**），肩関節内旋可動域（2nd positon：IR2/3rd position：IR3）に制限を認める場合，後方組織である三角筋後部線維や棘下筋，小円筋の筋硬結や短縮を認める例を多く経験し，肩関節痛との関連が深いと考えられる。特にHFT陽性例は肩関節痛の一要因と考えている。以前，筆者らが行った高校野球選手のメディカルチェックにおいて，肩・肘痛の既往の有無により2群に分けHFTを比較したが有意差は認められなかった[11]ことから，HFT高値は野球選手の肩関節柔軟性の特徴である可能性が高いと考察した。しかし，肩・肘痛で医療機関を受診した高校野球選手では，HFTが有意に高値を示す結果を得た[12]。このことから，HFTやIR2の可動域低下は野球選手の身体特性ともとらえることができるが，投球障害で医療機関を受診した選手ではより強い柔軟性低下を示していることが明確になった。

腱板筋群（棘上筋，棘下筋）の整形外科テストとして，empty can test，full can test（**図10**）を用いて断裂や筋力低下，インピンジメント症状についての評価ができることが知られている。また，肩甲下筋腱の断裂や筋力低下を検査するテスト法

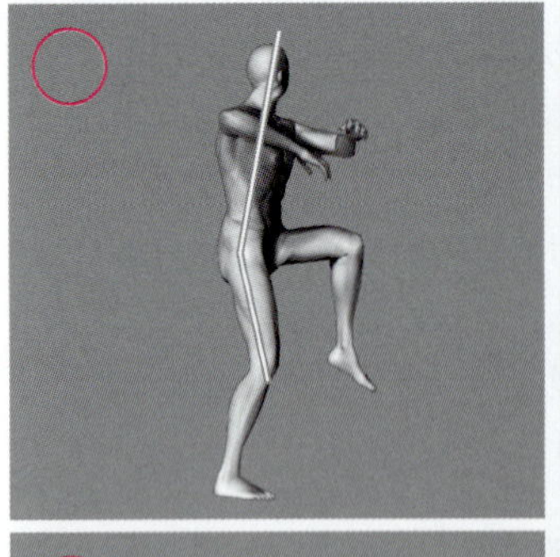
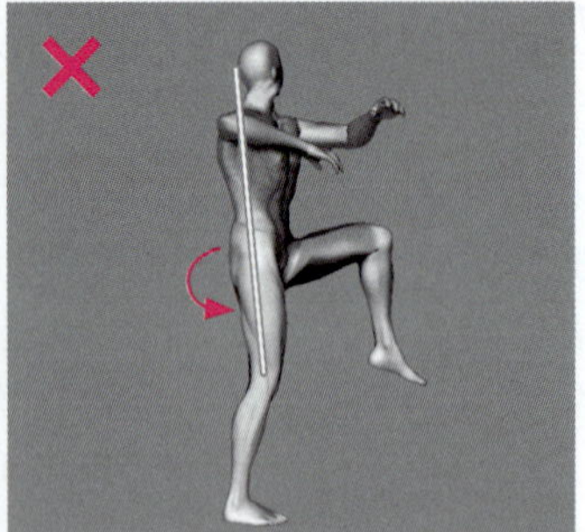
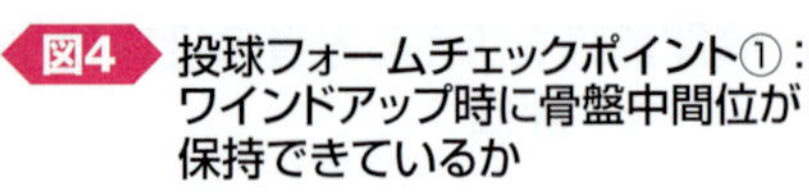

図4 投球フォームチェックポイント①：ワインドアップ時に骨盤中間位が保持できているか

【不適切なフォームの解釈】
- 適切なフォームを知らない
- 左下肢の支持性低下
- 右ハムストリングの柔軟性低下
- 左股関節屈筋の筋力低下
- 腹筋群の筋力低下
- バランス能力低下

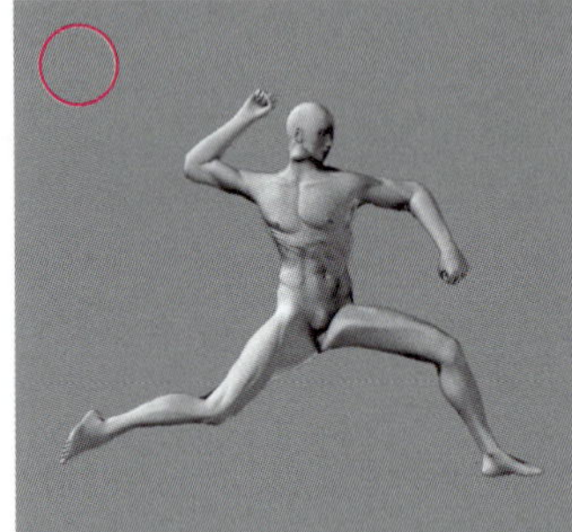
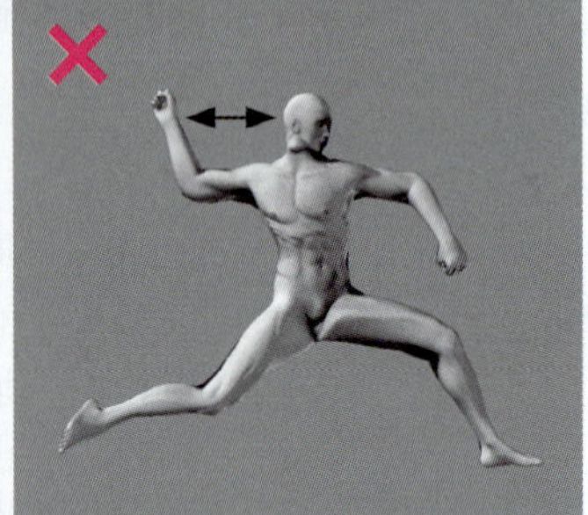

図5 投球フォームチェックポイント②：トップポジションで手が頭部から離れていないか

【不適切なフォームの解釈】
- 誤ったフォームの理解
- 肩周囲筋の筋力低下
- 肩関節後方の伸張性低下
- 上肢の筋協調性低下→力みすぎ，握りすぎ
- 左股関節内転・内旋制限

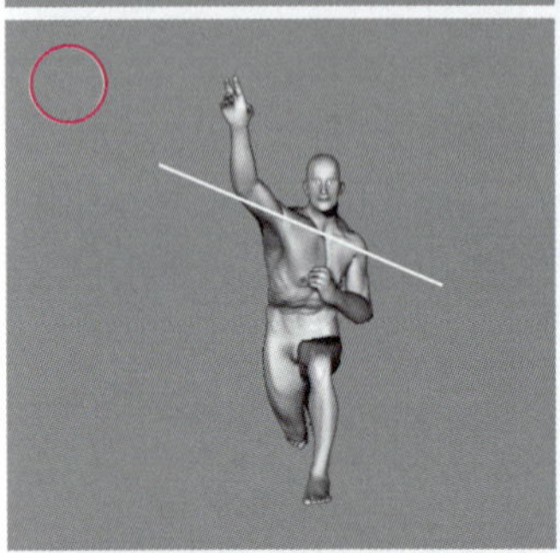

図6 投球フォームチェックポイント③：ボールリリース時に肘が肩－肩ラインよりも下がっていないか

【不適切なフォームの解釈】
- 誤ったフォームの理解
- 肩周囲筋の筋力低下
- 肩関節後方の伸張性低下
- 筋協調性低下→力みすぎ，握りすぎ
- 上肢に依存した投球

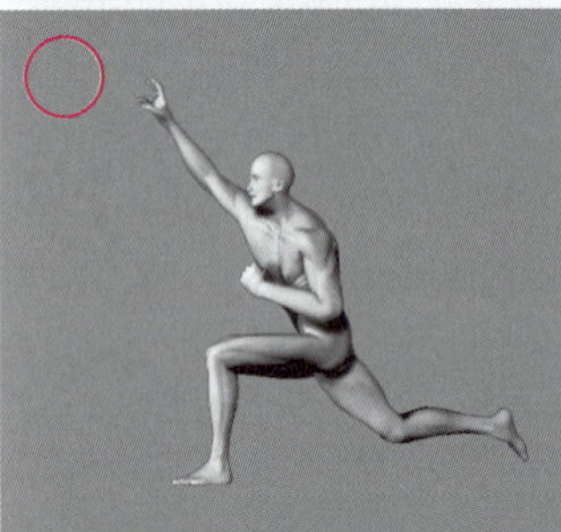

図7 投球フォームチェックポイント④：ボールリリース時に左腕を横・後ろに引きすぎていないか

【不適切なフォームの解釈】
- 誤ったフォームの理解
- 体幹筋群の筋力低下
- 筋協調性低下→力みすぎ，握りすぎ
- 左股関節内転・内旋制限
- 左股関節筋力低下
- 左脚への体重移動不足

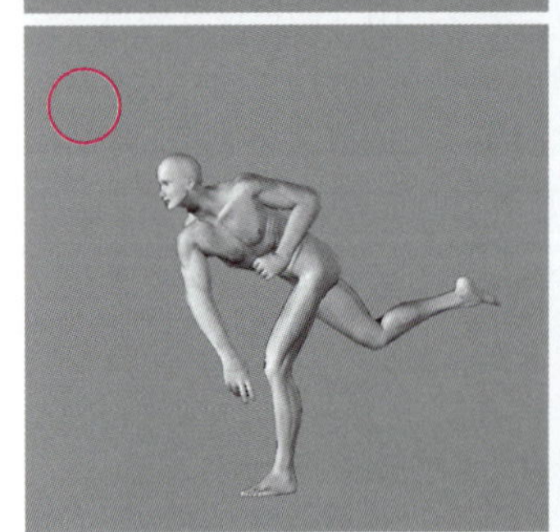
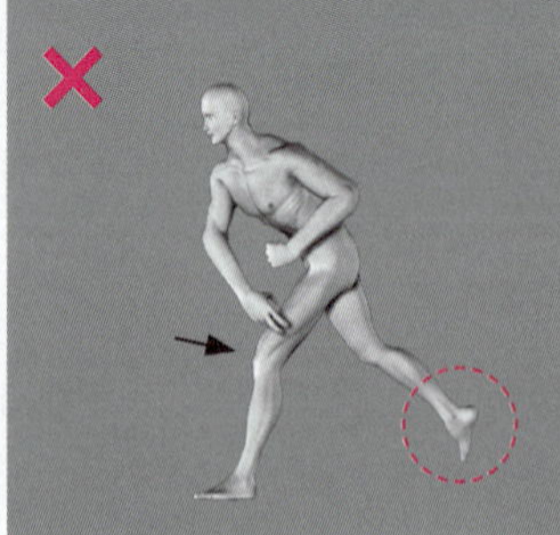

図8 投球フォームチェックポイント⑤：フォロースルーで左脚に体重が乗っているか

【不適切なフォームの解釈】
- 誤ったフォームの理解
- 筋協調性低下→力みすぎ，握りすぎ
- 体幹筋力低下
- 左股関節内転・内旋制限
- 左股関節支持性低下
- 左脚バランス能力低下
- 左脚への体重移動不足

としてbelly-press test，bear-hug test（**図11**）を用いて肩甲下筋腱の異常をとらえることができる。

しかし，筆者は解剖学的な知見[13]から，腱板筋力（棘上筋，棘下筋）の評価には外転抵抗テスト（**図12**）を用いることを推奨する。

また，SLAP損傷などの投球障害肩の評価として

図9 肩甲帯の柔軟性の評価

❶CAT：検者は一方の手を患者の腋窩から肩甲骨に当て，肩甲骨が動かないように固定する。もう一方の手で被検者の上肢をつかみ，他動的に外転させて可動域を測定する。非投球側に比べ，可動域が低下している場合を陽性とする

❷HFT：❶と同様に，一方の手で患者の肩甲骨を固定する。もう一方の手で被検者の上肢を肩関節水平内転方向に動かして可動域を測定する。非投球側に比べ，可動域が低下している場合を陽性とする

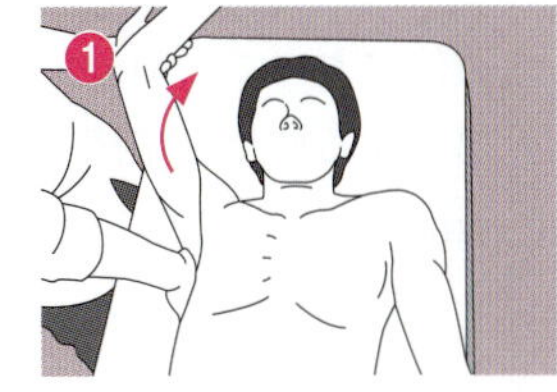

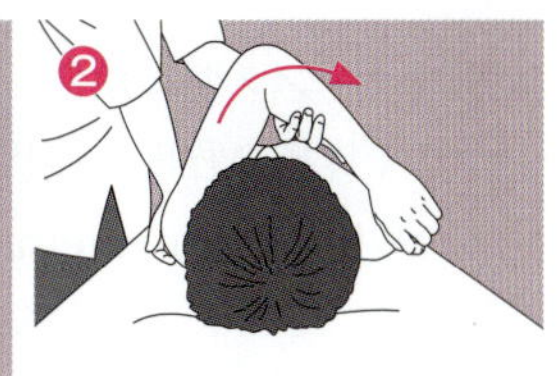

図10 empty can test/full can test

❶ empty can test：肩甲骨面上での90°挙上位で上肢内旋位（母指指尖が地面を向いた状態）にて上方から抵抗を加え，その力に抵抗し保持するように指示する

❷ full can test：肩甲骨面上での90°挙上位で上肢外旋位（母指指尖が天井を向いた状態）にて上方から抵抗を加え，その力に抵抗し保持するように指示する

＊肩甲骨を固定した状態で実施することで肩甲帯周囲筋の影響もみることができる

図11 肩甲下筋断裂の検査法

❶belly-press test：被検者は手掌を自身の腹部に押し当て，検者はそれを引き離す方向へ抵抗を加える。十分に力が入らず開始肢位を保持できない場合を陽性とする

❷bear-hug test：被検者は手掌を反対側の肩へ押し当て，検者はそれを引き離す方向へ抵抗を加える。開始肢位を保持できない場合を陽性とする

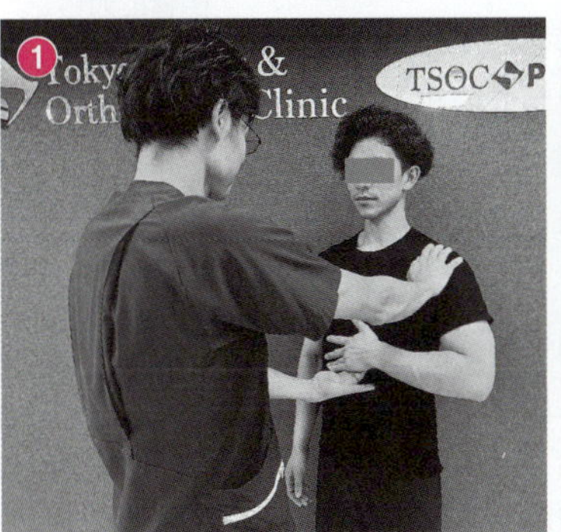

図12 肩関節の外転抵抗テスト

❶サムアップでの外転抵抗テスト（棘上筋）：肩甲骨面上での45°挙上位で上肢内旋位にて上方から抵抗を加え，その力に抵抗し保持するように指示する

❷サムダウンでの外転抵抗テスト（棘下筋）：肩甲骨面上での45°挙上位で上肢外旋位にて上方から抵抗を加え，その力に抵抗し保持するように指示する

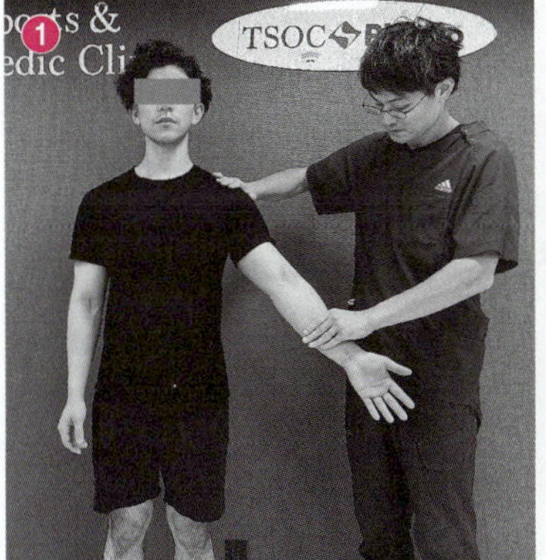

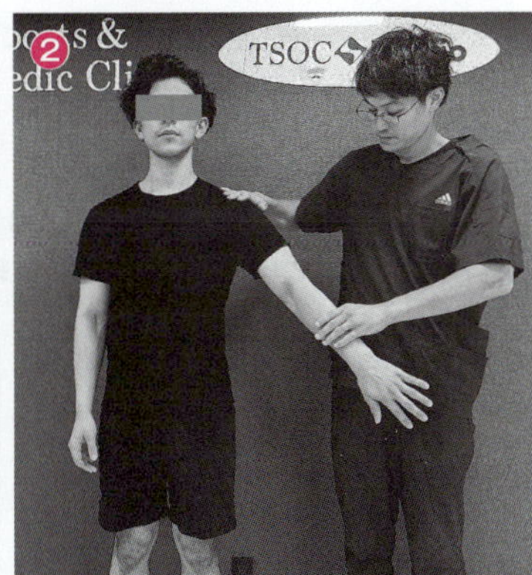

＊肩甲骨の固定性と筋出力をみる。肩甲骨の翼状化がみられた場合には，徒手的に肩甲骨を固定した状態で実施すると肩甲帯周囲筋の影響もみることができる

後期コッキング期に類似した肢位において，引っかかりや疼痛の程度，症状が出現する肢位を確認するために，hyper external rotation test（HERT）を用いる。さらに，当院では一般的に行われている外転90°だけではなく，外転120°および最大外転位180°の3つの肢位（**図13**）で確認することが重要であると考える。

肩関節痛の理学療法

まずは肩甲骨アライメントの正常化および姿勢矯正から開始し，抗重力位での肩甲骨の正常な自動運動の獲得を図ることが望ましい。肩甲骨の自動運動は自分自身では正確に行うことが困難であるため，セラピストによる適切な補助，または鏡の利用が有効な手段となる。

可動域制限において，外傷性腱板断裂ではしばしば関節拘縮を伴うが，非外傷性腱板断裂では不安定性を伴う機能的な可動域制限が多い。特に，関節包を含めた肩後方軟部組織（棘下筋，小円筋，三角筋後部線維など）や肩甲下筋・小胸筋などの柔軟性改善に伴い，可動域が拡大されていく傾向にある。これらを踏まえ，肩甲骨と上腕骨の相対的位置関係を考慮しながらend feelを確認していくことで，原因を推測しながら愛護的に可動域改善を実施していく。

腱板エクササイズでは，上腕骨頭の関節窩への求心力が最も強く作用する肩甲骨面上45°において，徒手抵抗による等尺性運動から開始し，疼痛や可動性を考慮しながら徐々に等張性運動へと移行していく。このときの等尺性エクササイズはごく軽度な負荷とし，筋収縮促通を目的に実施する。

エクササイズは背臥位から開始し，座位・立位へと，抵抗運動も徒手抵抗から輪ゴムやチューブへと，状態に合わせてレベルアップを図っていく。また，腱板を上肢運動における1つの複合体としてとらえ，閉鎖性運動連鎖（closed kinetic chain：CKC）で自重を利用したエクササイズを行わせることで，より協調的な腱板の収縮を得られると筆者らは考えている。

肩峰下インピンジメントやインターナルインピンジメントには，肩甲骨上方回旋・後傾・外旋の可動性改善に伴う肩甲上腕リズムの正常化が必要となる。投球動作など上肢挙上位での素早い動作が必要なスポーツ競技では，僧帽筋中部・下部線維の機能はきわめて重要であり，競技復帰には欠かせないため肩甲帯機能評価およびトレーニング（**図14**）をしっかりと行う必要がある。

Check! 理学療法ガイドライン第2版

「腱板完全損傷患者に対して，理学療法（運動療法，物理療法，装具療法，徒手療法）は推奨されるか」，「腱板不全損傷患者に対して，理学療法（運動療法，物理療法，装具療法，徒手療法）は推奨されるか」，「投球障害肩患者に対して肩後方タイトネスへの理学療法（運動療法，物理療法，装具療法，徒手療法）は推奨されるか」，「投球障害肩患者に対して肩甲胸郭機能不全への理学療法（運動療法，物理療法，装具療法，徒手療法）は推奨されるか」，「投球障害肩患者に対して腱板機能不全への理学療法（運動療法，物理療法，装具療法，徒手療法）は推奨されるか」[14]については，『理学療法ガイドライン 第2版』第9章「投球障害肩・肘理学療法ガイドライン」の投球障害肩CQ1，2，4〜6を参照されたい（https://www.

Web版はこちら

図13 hyper external rotation test（HERT）

被検者は背臥位になり，❶外転90°，❷外転120°，❸最大外転（180°）にて検者が他動外旋を強制し，疼痛や引っかかり症状の有無を確認する

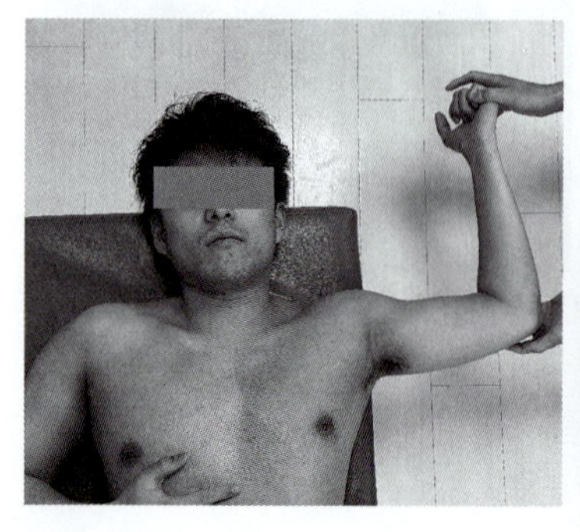

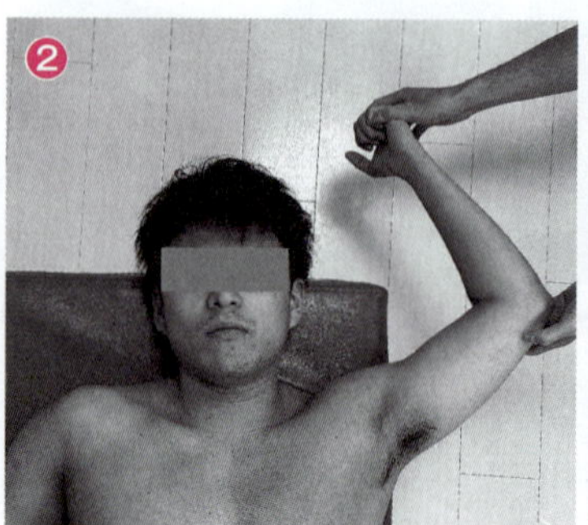

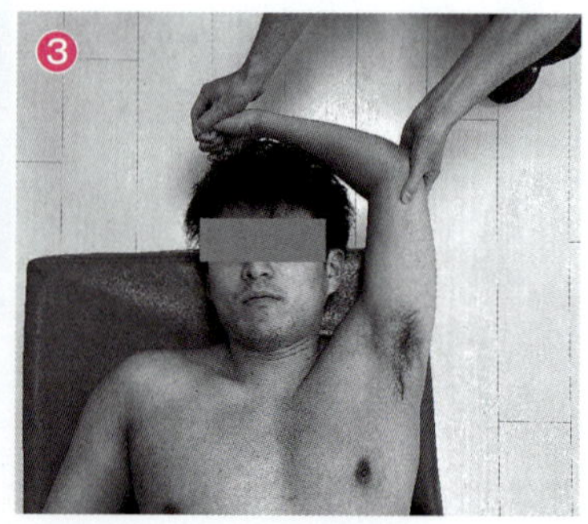

図14 肩甲帯機能評価および肩甲帯エクササイズ
❶肩甲骨内転・肩関節水平外転運動(僧帽筋中部線維)
❷胸郭・肩甲骨可動性を含めた僧帽筋下部線維

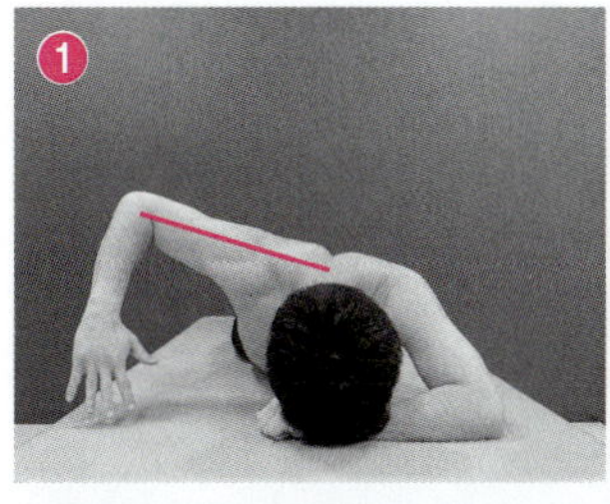

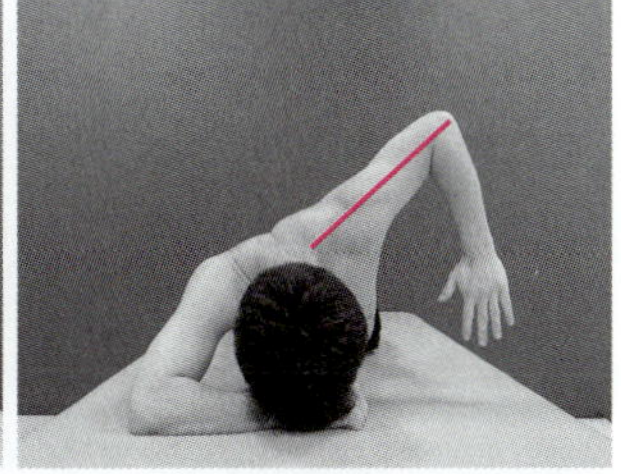

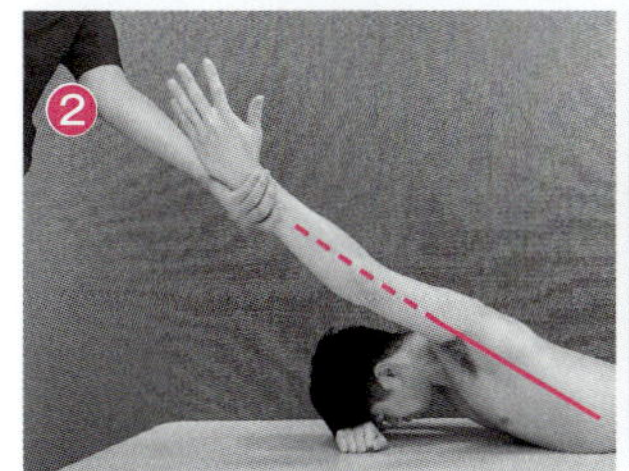

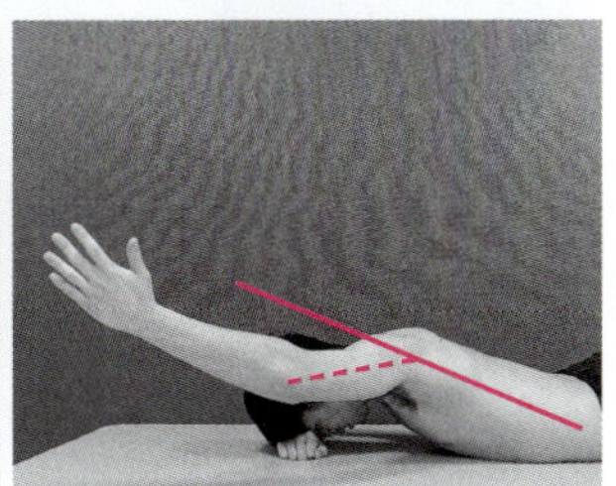

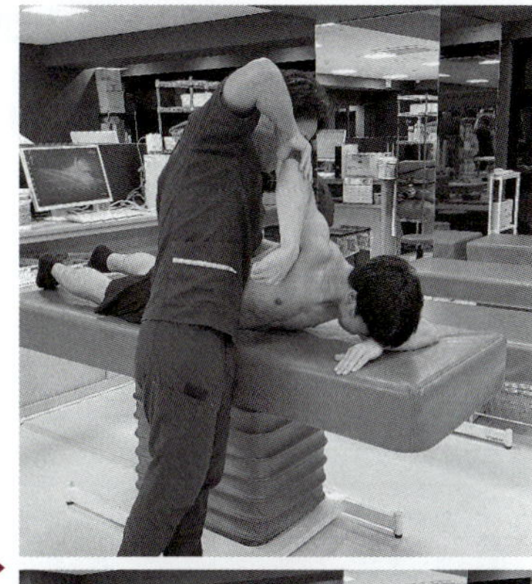

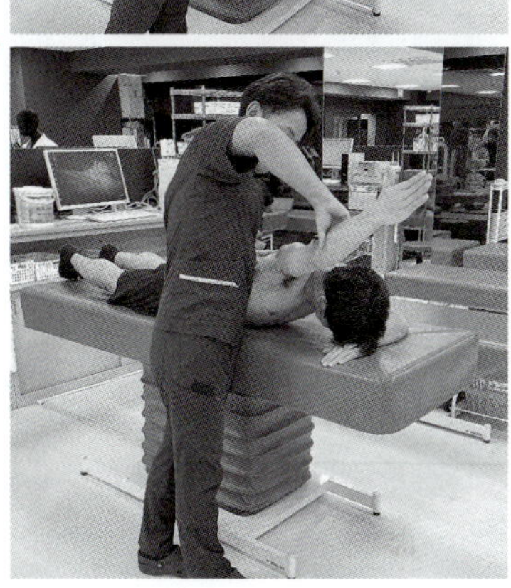

jspt.or.jp/upload/jspt/obj/files/guideline/2nd%20edition/p509-603_09.pdf)。

フォローアップ

肩関節の機能向上が獲得された後でも，投球の繰り返しは肩関節に負担を強いる動作であることに変わりはない。スポーツ競技の再開に当たり，ウォーミングアップとクーリングダウンは十分に時間をかけて行うように指導していく。さらに，日々の身体機能の変化をモニタリングすることが可能なセルフチェックを指導し，自分自身の身体機能を継続的にモニタリングできるように意識付けを行うことが重要となる。

投球動作に関連する主な外傷・障害

肘関節痛

肘関節は，肩関節と並んで投球障害の多い関節である。投球時の肘関節へのストレスを考えると，後期コッキング期から加速期にかけて肘関節最大外反が生じる(**図15**)。この外反ストレスが障害に結びつくことは周知の通りである。そのため，ここでは投球肘障害のなかでも外反ストレスが関与しており，また臨床で多く経験する上腕骨小頭障害と肘内側不安定症に焦点を絞り，その発症要因と理学療法を紹介する。

投球動作で生じる肘関節痛の評価と理学療法の考え方

上腕骨小頭障害

投球時の反復する肘外反動作が主要因の圧迫障害として有名なOCDは，成長期の野球選手にみられることが多い。治療方針としては保存療法と手術療法が選択されるが，適応の判断が重要である。

OCDの病期分類は，三波[15]による，透亮期，分離期，遊離期が有名だが，分離期をさらに前期と後期に分けて4期に分類した島田ら[16]の分類が，治療方針を考えるうえで重要といわれている。

OCDは，加速期からフォロースルー期に疼痛が出現することが多い。症状としては，初期は無痛で野球練習後に肘関節周囲の違和感が出現し，肘関節の屈曲・伸展可動域，前腕の回内外制限が出現するようになる。急性期では，腫脹や関節水腫がみられることもある。圧痛についての評価も重要で，上腕骨小頭付近に圧痛を認めるものはOCD

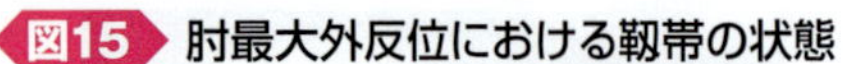

図15 肘最大外反位における靱帯の状態

AOL：anterior oblique ligament（前斜走線維）
POL：posterior oblique ligament（後斜走線維）
TL：transverse ligament（横走線維）

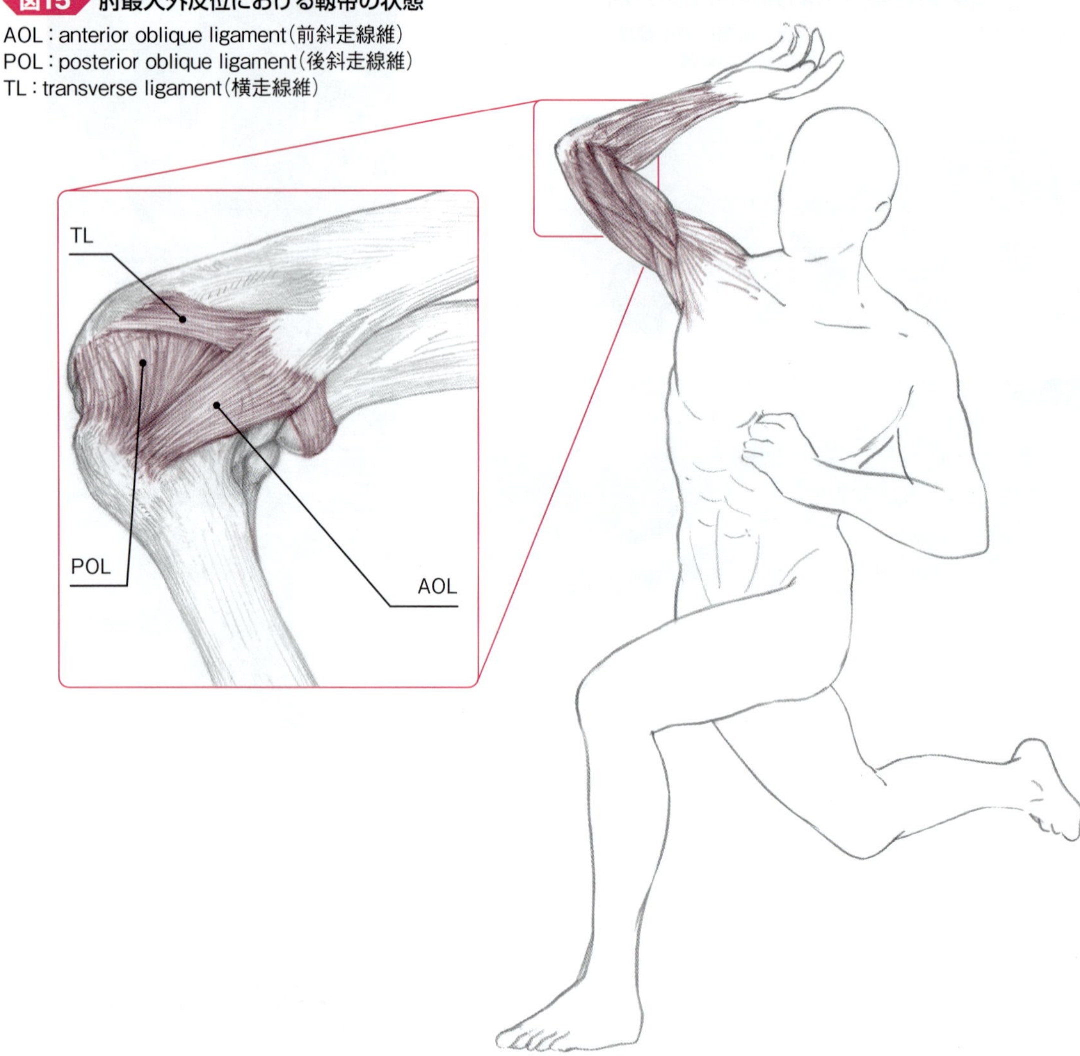

を疑う必要もあると考える。画像診断は，単純X線による45°屈曲位正面像を用いることが一般的だが，近年は超音波を用いた診断が行われている。

保存療法が選択されても，長期間の投球禁止を強いられ，野球をやりたい少年期の選手には辛い期間となる。この投球禁止時期にモチベーションを維持させるための工夫は重要で，投球に必要な上肢・体幹・下肢の機能を理解させ，定期的に治療施設へ通院させることが重要と考える。

● 肘関節内側不安定症

肘関節内側不安定症の病態は発症年齢により異なる。

その分類は，次の通りに報告されている[17]。

①12歳ごろまで：肘MCL付着部である上腕骨内側上顆下端の裂離・分離
②13〜14歳：上腕骨内側上顆骨端離解
③15〜16歳：尺骨鉤状結節離解
④17歳以上：肘UCL損傷

上腕骨内側上顆下端（肘UCL付着部）の裂離・分節

この時期の肘UCL付着部は軟骨成分が多いため強度的に弱く，肘UCLの牽引によって同部の剥離や分節が生じる。

上腕骨内側上顆骨端離開

上腕骨内側上顆下端の強度が高まり，内側上顆骨端線が閉鎖する直前のこの時期は，肘UCLだけではなく回内屈筋群（円回内筋，橈側手根屈筋，長掌筋，尺側手根屈筋，浅指屈筋）の牽引力が加わり，内側上顆骨端全体が剥離する。

尺骨鉤状結節離解

上腕骨内側上顆骨端線が閉鎖し，上腕骨側の肘UCL付着部の強度が獲得されるこの時期には，一時的に肘UCL尺骨側の付着部である鉤状結節が，構造的に一番弱くなるのではないかと考えられている。

肘UCL損傷

内側安定化機構として最も重要と考えられる肘UCLは，前斜走線維（anterior oblique ligament：AOL），後斜走線維（posterior oblique ligament：POL），横走線維（transverse ligament：TL）に分類され（**図15**），肘の外反を制動している[18]。

林ら[19]によると，上腕骨内側上顆腹側から尺骨鉤状突起の内側面に走行するAOLは，肘関節の屈曲・伸展運動時において，長さはほとんど変化しない。これは，どの角度でも常に一定の緊張を保つことを意味し，外反制動の主な安定化組織とされている。また，Callawayら[20]は，肘関節屈曲30〜90°ではAOLのなかでも前方成分が主な安定化機構として機能し，120°付近ではAOLの前方および後方の両成分が機能すると報告している。投球相で考えても，外反ストレスが強いられる最大外反位において，このAOLの機能は必要不可欠となる。

肘関節の屈曲・伸展運動時において，POLの長さは約2倍変化し，肘関節屈曲時に最も緊張するため，肘関節屈曲位における外反制動組織とされている[19]。TLは尺骨間をつないでおり，その機能については明らかにされていない。

肘UCL損傷の誘発テストとして，milking test，moving valgus stress test（MVST）は有用で，古島ら[21]は肘関節30°，90°，最大屈曲位にて外反ストレスを加えて疼痛の有無をみている。90°屈曲位での誘発ストレスは肘UCLのなかで最も強いAOLに対する負荷であり，疼痛も最も鋭敏である。屈曲45°での外反ストレスは，OCDもチェックすることができる（**図16**）。

投球動作で生じる肘の外反ストレスに対抗するための内反トルクは最大64Nmとされ[22]，Morreyら[23]はこの内反トルクの54％は肘UCLが担うと報告している。すなわち，投球動作に伴い肘UCLには最大34Nmの内反トルクが生じることになる。この値は，肘UCLの破断強度32Nmとほぼ等しい[24]。投球時，肘UCLはその破断強度に匹敵する力学的ストレスを受けており[25]，この外反ストレスを軽減させるための投球フォームや他部位との運動連鎖が必要不可欠となる。

肘関節痛の理学療法

少年期の筋－腱へのアプローチ

野球肘は肘関節のみの治療を行っていても，いざ投球すると痛みが再発して再受診することを多く経験する。隣接関節の肩－肩甲帯，前腕－手関節へのアプローチはもとより，体幹，下肢機能，および投球フォームを一連で考えた際に肘関節にストレスがかかると予測されるポイントを詳細に評価し，それらの機能低下に対してアプローチすることを考えなければならない。

少年期の筋－腱へのアプローチは，物理療法機器を用いた治療よりも，ホームエクササイズ（home exercise）や筋肉を直接圧迫・伸張するダイレクトストレッチ（direct stretch）による柔軟性向上と，筋促通や筋力向上を中心に行っている。超音波治療を併用することもあるが，骨端線などの問題は考慮しなければならない。

筋へのアプローチを上肢の遠位から考えると，手関節－肘関節をまたいで起始・停止をもつ長掌筋，尺側手根屈筋に筋スパズムが生じ，肘関節内側にストレスが生じている症例が少なくない。そ

図16 肘UCL損傷テスト

❶milking test：肘関節屈曲位にて外反ストレスを加え，疼痛の有無を確認する
❷MVST：外反ストレスを加えながら肘関節を伸展・屈曲し，疼痛の有無を確認する

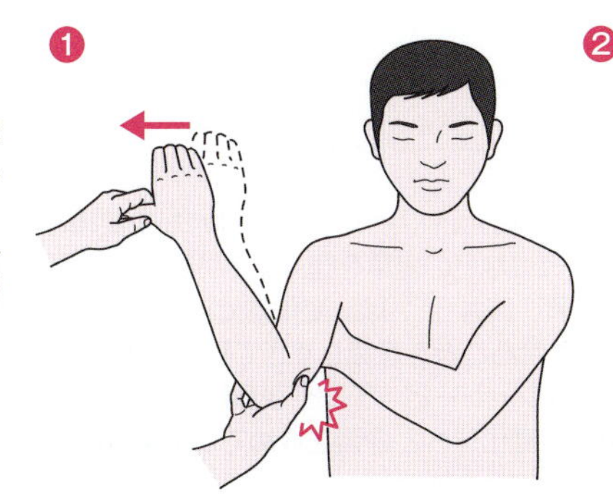

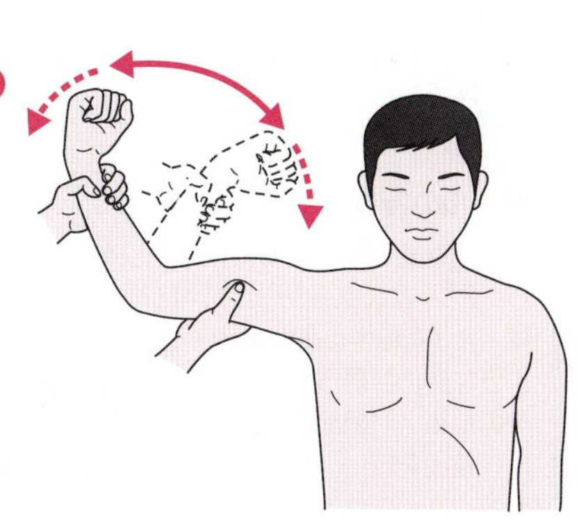

のため，これらの筋へのアプローチは重要である。投球障害肘で最も多い内側型は加速期における過度な外反負荷が原因で，前腕屈筋群で最も圧痛が強いのが円回内筋である[19]と報告されており，円回内筋のstretch/direct stretchは重要と考える。前腕可動域は回内制限より回外制限を有する症例が多いことから考えても，円回内筋の問題は軽視できない。

- **肘関節可動域制限**

肘関節に可動域制限を有する症例は多く存在する。骨・軟骨の問題に関しては理学療法で介入することは困難と考えるが，筋の影響による可動域制限であれば，治療の効果はおおいに期待できる。肘関節の屈曲・伸展可動域に直接的に関与する上腕二頭筋，上腕筋，上腕三頭筋への介入は必要不可欠である。屈筋である上腕二頭筋と上腕筋に関しては柔軟性向上を中心に考え，上腕三頭筋に関しては柔軟性を向上させたうえで促通し，効率的な筋収縮を促すことに重きを置いている。

- **タオルを用いた上肢運動の練習**

座位でタオルを使用した上肢運動の練習として，筒井ら[26]は，上肢全体を鞭のように使えるとタオルは加速して上肢延長線上へと直線的に伸びるが，肘関節だけを使った運動ではタオルに加速を与えることができず，タオルは円を描くような軌跡になると報告しているため，筆者らは全身を使用したシャドーピッチングを行う全段階でこの運動を取り入れ，動作の確認をしている。また，座位での上肢の使い方がうまく行えていても，立位やkneelingで動作が破綻する場合には，多関節連鎖の運動練習や上肢以外の問題に対してのアプローチが必要である。

- **肘下がり**

投球側の肘が両肩を結ぶ線より下にある状態を「肘下がり」という。肘外反が強いられ，投球時の肘・肩関節へのストレスが高い投げ方となるため，未発達で成長期の少年の投球指導において，肘下がりは重要項目と考える。

- **シャドーピッチング**

シャドーピッチングはボールを持つ前の動作確認として重要である。シャドーピッチングは痛みなくできるが，実際にボールを使うと痛みが出現し，運動連鎖が破綻する症例を多く経験する。シャドーピッチングと実際のボールスロー(初めはネットスローなど)を直接見たり，練習風景の動画などを確認するようにしている。口頭の説明でシャドーピッチングに近い投球が可能となる場合は反復練習を行わせ，口頭で改善しない場合はボールの握りや上肢の筋力などをもう一度考える必要がある。

- **変化球**

変化球には，横方向に変化するカーブ・スライダー，シュート・シンカー，縦方向に変化するフォークボール・スプリットフィンガーファストボール，変化の方向が不規則なナックルボールがあり，変化球をうまく使用するには熟練した技術が必要となる。柚木[27]は，シンカーは肘UCLのストレスが増大し，スライダーやシュートなど横方向の変化球は内側上顆小骨片の要因になると報告している。

Check! 理学療法ガイドライン第2版

「肘内側側副靱帯部分損傷患者に対して，理学療法(運動療法，物理療法，装具療法，徒手療法)は推奨されるか」，「肘内側側副靱帯完全損傷患者に対して，理学療法(運動療法，物理療法，装具療法，徒手療法)は推奨されるか」[14]については，『理学療法ガイドライン 第2版』第9章「投球障害肩・肘理学療法ガイドライン」の投球障害肘CQ9，10を参照され

Web版はこちら

Sports Skill

ボールの握り

近年，軟式・硬式ともに，ボールを握ったときの縫い目や山への指のかけ方が重要視されてきている。実際，選手から，2シーム(ツーシーム)，4シーム(フォーシーム)などの言葉を聞くことがある。シームとはボールの縫い目のことで，ボール1回転中に現れるシームの数を表している。筒井ら[26]は，変化球ではボールの握り方が重要で，握り方で思うような変化が得られない選手は，ボールを変化させることを意識しすぎて投球フォームに破綻をきたすと報告している。そのため，肘関節障害からの復帰を考える際にはシャドーピッチングから始め，ネットスロー，塁間でのキャッチボール，遠投を行い，ピッチャーの場合はその後から変化球へと練習を進めていくように促している。

たい（https://www.jspt.or.jp/upload/jspt/obj/files/guideline/2nd%20edition/p509-603_09.pdf）。

肘関節痛の手術療法（肘UCL再建術：Tommy John法）

トミー・ジョン

手術適応

肘UCL再建術の手術適応は，①MRI上での肘UCLの高度な変性または断裂所見がある場合，②頑固な圧痛や外反ストレス時痛の持続に加え，③リハビリテーションでの身体的機能改善に強く抵抗している症例，④患部・患部外の機能改善後も患部の痛みや圧痛が残存する場合に社会的背景を考慮して決定している。ただし，鉤状結節の骨片が不安定な場合には局所症状が持続することが多いため手術適応となる。

手術方法（一束再建：single-strand法）（図17）

移植腱の採取

移植腱は原則患側の長掌筋腱とし，二重折りにしてループ側にナイロン糸を通し，断端部分はナイロン糸で縫合する。

肘UCLの展開

肘UCLの展開は，まず上腕骨内側上顆後方で尺骨神経を同定して愛護的に剥離後，神経を保護し内側上顆後面を展開する。次に回内屈筋群の筋膜を線維方向に切離後，筋腹を鈍的に分けながら深部を展開して深層の筋膜（遺残肘UCL）を露出させ，線維方向に縦切して関節面・鉤状結節を展開する。

尺骨側の骨孔作製と移植腱の誘導

鉤状結節の頂点にパッシングピンを刺入し，ドリルを用いて直径4mm，深さ15mmの骨孔を作製した後，パッシングピンを進めて尺骨を貫通させる。移植腱のループ側に通したナイロン糸をパッシングピンの穴に通して尺骨側の骨孔内から反対側へ引き抜き，移植腱のループ側を骨孔内に誘導する。

尺骨側の移植腱固定

骨孔内に誘導した移植腱を直径4mm，長さ10mmのinterference screwで圧迫固定する。

上腕骨側の骨孔作製と移植腱の誘導

内側上顆の中央部からやや後方に向かってパッシングピンを刺入し，直径4mmのドリルで内側上顆を貫通させるように骨孔を作製する。その後，ループにしたソフトワイヤーを用いて移植腱を内側上顆の骨孔に誘導して内側上顆後上方へ引き抜く。

野球

図17 肘UCL再建術

❶展開：右肘内側部を展開し，回内屈筋群を線維方向に縦切するとその筋膜の最深層が肘UCLである。これをさらに縦切すると関節裂隙が展開できる
❷遠位骨孔作製：鉤状結節の頂点にパッシングピンをガイドとして4mm×15mmの骨孔を作製し，パッシングピンは対側に貫いておく
❸遠位骨孔への移植腱の固定：パッシングピンの手前側の小孔に移植腱のループ側のナイロン糸を通してパッシングピンを対側に引き抜くことで移植腱を骨孔内に導き，4mm径のinterference screwで移植腱を固定する
❹近位骨孔の作製：パッシングピンをガイドにして4mmの近位骨孔を作製する。この際，尺骨神経を損傷しないように剥離展開したうえでプロテクトしておく
❺移植腱の近位骨孔への固定①：まず移植腱を近位骨孔に通し，移植腱にマニュアルマックスでテンションをかけながら骨孔に遠位側からinterference screwを挿入して移植腱を固定する
❻移植腱の近位骨孔への固定②：移植腱の余剰部分は折り返して回内屈筋群の筋膜に縫合し，余った部分は切除する
❼移植腱固定後の写真：⇨は移植腱と遠位interference screw，➡は尺骨神経である

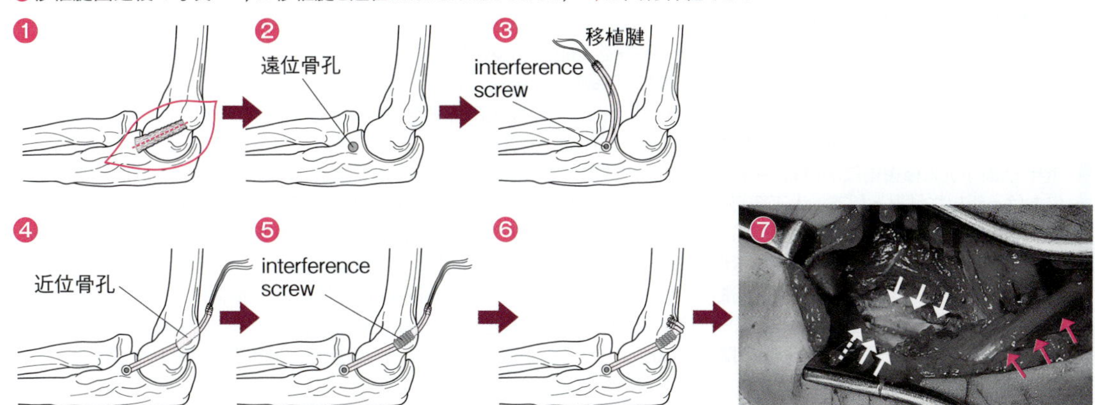

上腕骨側の移植腱固定

肘関節60°屈曲・前腕回内位とし，移植腱はmanual maxで張力を加え直径4mm，長さ10mmのinterference screwを遠位側から挿入して固定する。

閉創と外固定

十分な関節内の洗浄の後，深層の筋膜で移植腱を被覆・補強し，筋層を覆うように表層の筋膜を縫合して閉創する。肘関節60°屈曲位，回内位として外固定を術後10日まで行い，抜糸の後に良肢位で3週間のギプス固定を行う。

術後プロトコル

原則として術後4週間はギプスによる外固定を行い，ギプス固定期間中から手指・手・肘関節周囲筋群の等尺性収縮運動から開始する。スポーツ競技復帰を目標とする際は，この時期から積極的に下肢・体幹などの患部外の運動を行っていく。ギプス除去後から手・前腕・肘関節の自動可動域エクササイズを開始し，術後8週より他動可動域エクササイズへと移行させる。肩関節筋力については術後4週より重力除去位から抗重力位での運動へと段階的に進め，術後6週より自重での腱板エクササイズを開始する。

術後3カ月までに術後における肘関節機能障害の陰性化を図り，肘関節の著しい可動域制限や運動時痛・荷重時痛がないこと，著しい握力の左右差がないことを目標としてリハビリテーションを進めていく。術後3カ月以降は，投球動作を念頭に置いた全身機能改善を目的とした患部外エクササイズを開始する。術後4カ月よりシャドーピッチングで投球動作の確認を行った後にネットスローを実施する。ネットスローについてはテニスボールから開始し，軟式ボールから硬式ボールへと移行させていく。術後6カ月で対人でのキャッチボールを開始し，術後9～10カ月でブルペンでの投球など実践的練習を開始する。術後12カ月以降で試合復帰が許可される（**表1**）。

投球動作以外の練習参加として，守備練習では術後4カ月から捕球のみの守備練習を許可し，術後6カ月からノックへの参加など実践的な守備練習を開始する。打撃練習では術後4カ月から素振りを許可し，術後5カ月からフリーバッティングなど実践的打撃練習を開始する。

エクササイズの実際

手指の機能改善エクササイズはギプス固定期間より疼痛に応じて実施し，特に手内在筋や浅指屈筋の働きを高めていく。手内在筋では手指対立運動や内外転運動，ピンチ運動から開始し，浅指屈筋は近位指節間（proximal interphalangeal：PIP）関節の屈曲運動を行っていく。また，ゴム製の器具（power web）を用いることで手指［中手指節間（metacarpophalangeal：MP）/PIP/遠位指節間（distal interphalangeal：DIP）］の屈曲運動に対して，求心性・遠心性収縮コントロールを強化することができる（**図18**）。

手関節，前腕の筋力・筋機能改善は術後3カ月から開始していく。軽いダンベルやリストハンマーを用いて，手関節掌屈，橈屈・尺屈運動，前腕回内外運動を全可動範囲で実施する（**図19**）。可能な限り大きな可動範囲で求心性・遠心性収縮を意

Sports Skill

Tommy John法の術後成績

Tommy John（TJ）術後の競技復帰率は82～92％とおおむね良好な報告がなされている[28-30]。対象をメジャーリーグベースボール（MLB）投手に限定すると，82％の投手が術後約18カ月程度で少なくとも1試合はメジャーへ復帰したとされているが[31,32]，2014年にMakhniら[33]が行った147名の詳細な解析によると，TJ術後に1シーズン当たり10試合以上メジャーで登板した投手は67％にすぎないとの報告もある。

近年では肘UCL修復術における手術方法の工夫や改良が数多く報告されている。2016年にDugasらは肘UCL修復における新たな試みとして，人工靱帯の補強（internal brace）を加える術式を考案して良好な術後成績を報告している[34,35]。2019年にアマチュア選手111例にinternal braceを加えた手術後の成績を調査したところ，92％が平均6.7カ月で術前と同等以上の競技レベルへ復帰したと報告されている[36]。まだ長期成績やエリート選手に対する成績は不明であるが，すでに数名のMLB選手にも試みられており，今後の経過次第では肘UCL損傷に対する治療に大きな変革をもたらす可能性がある。その一方で，TJ手術件数が急速に増え続けると同時に低年齢化も問題となっており，2007年以降の1,281例のTJ手術に関するレビューでは，半数以上が13~19歳までの少年である現状も憂慮すべき点であると指摘されている[37]。

表1 肘UCL損傷再建術後リハビリテーション

		手術	2週	4週	6週	8週	10週	3カ月	4カ月	5カ月	6カ月	8カ月	9カ月	12カ月
ギプス固定(60° 屈曲位)		ギプス固定		ギプス除去										
可動域エクササイズ	肘関節			自動運動		他動運動								
	前腕			自動運動		他動運動								
	手関節・手指			自動運動		他動運動								
筋力関節エクササイズ	肘関節屈筋・回内筋		等尺性収縮運動→等張性収縮運動			遠心性抵抗運動		瞬発系エクササイズ，多関節運動連鎖エクササイズ，器具を使用したエクササイズ						
	肘関節伸展筋		等尺性収縮運動→等張性収縮運動			遠心性抵抗運動		瞬発系エクササイズ，多関節運動連鎖エクササイズ，器具を使用したエクササイズ						
	手関節・手指筋群		等尺性収縮運動→等張性収縮運動			遠心性抵抗運動		瞬発系エクササイズ，多関節運動連鎖エクササイズ，器具を使用したエクササイズ						
患部外エクササイズ	上肢				腱板エクササイズ(自重)			上肢CKCエクササイズ，器具を使用したエクササイズ						
	体幹		コアエクササイズ(段階的に負荷量をアップさせていく)											
	下肢		下肢CKCエクササイズ，バランストレーニング											
有酸素エクササイズ	エアロバイク		ギプス装着	ギプス除去				高強度トレーニング許可						
	ラン					ジョギング	ダッシュ	制限なし						
投球動作	シャドーピッチング								フォームチェック					
	ネットスロー								軟球を使用	硬球 5m～20m				
	キャッチボール										25～40m	遠投開始		
	投球練習												ブルペン開始	試合復帰
練習参加	守備練習								部分的練習参加(捕球のみ～軽い返球まで)		実践的な守備練習開始			
	打撃練習								素振り開始→ティーバッティング	実践的な打撃練習開始				

野球

図18 上肢（手指）の機能改善エクササイズ

❶ADM（abductor digiti minimi muscle）/ODM（opponens digiti minimi muscle）exercise
❷，❸FDS（flexor digitorum superficialis muscle）exercise（❷第2・3指，❸第4・5指）
❹～❻power web exercise（❹DIP/❺PIP/❻MP関節エクササイズ）

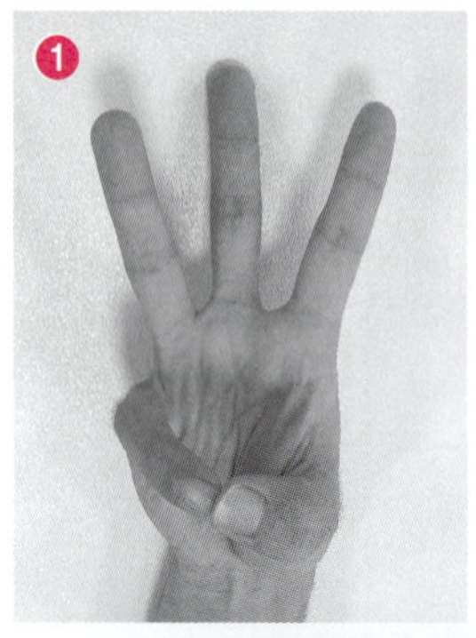

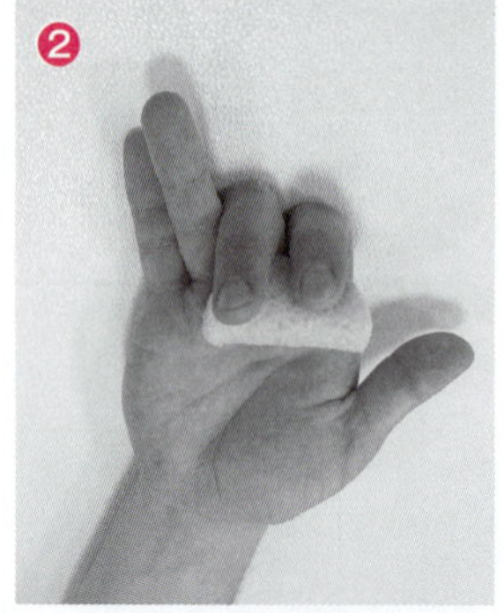

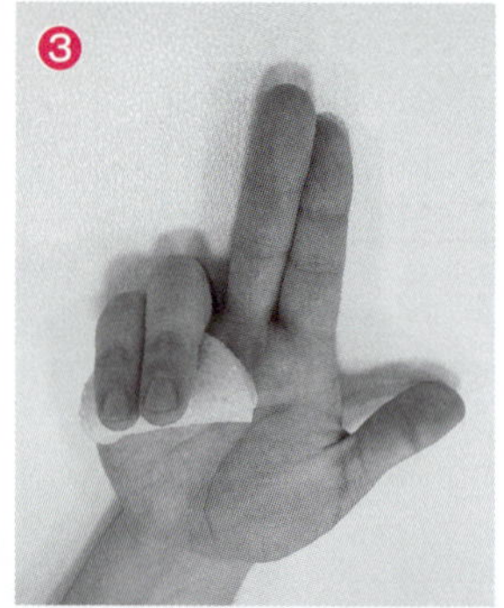

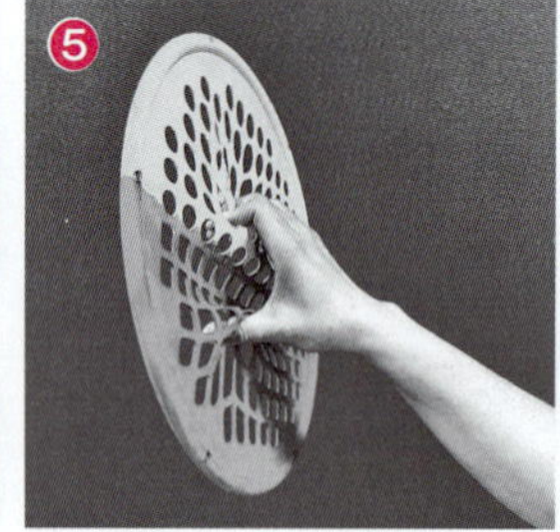

図19 上肢（前腕，手関節）の機能改善エクササイズ

❶wrist curl（ダンベル）　❷pronation/supination　❸，❹wrist hammer exercise（❸橈側偏位，❹尺側偏位）

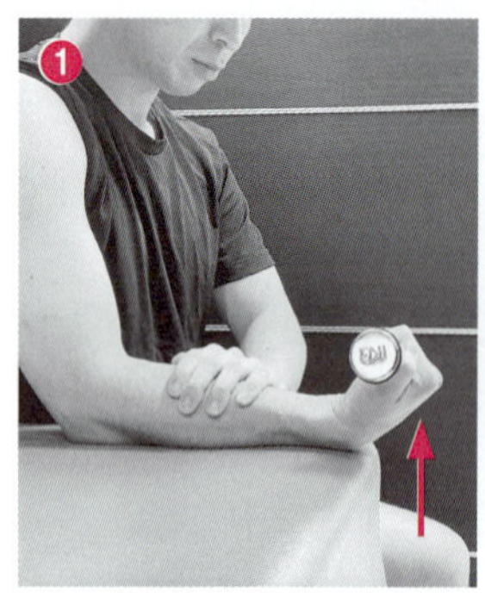

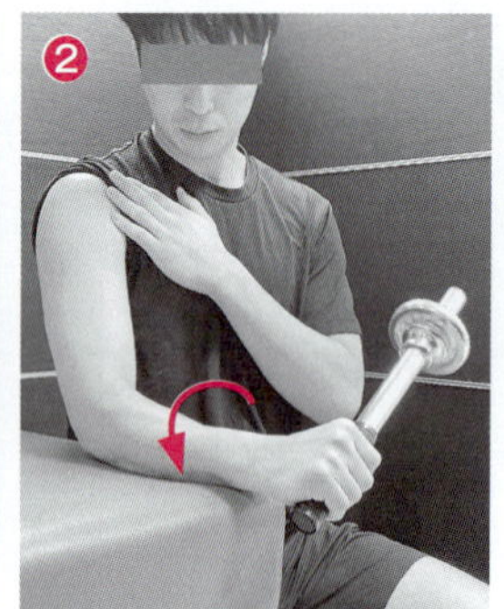

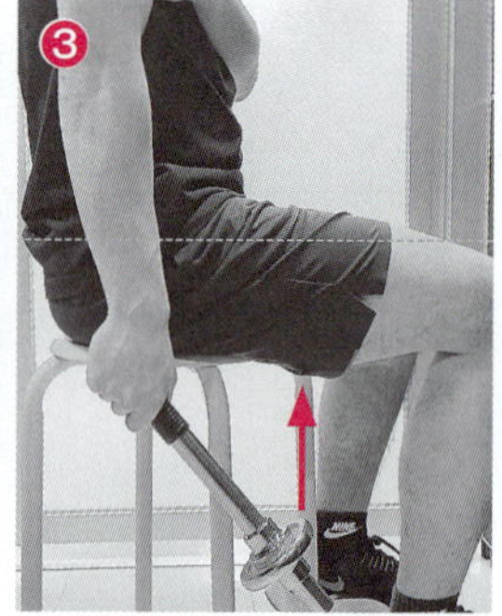

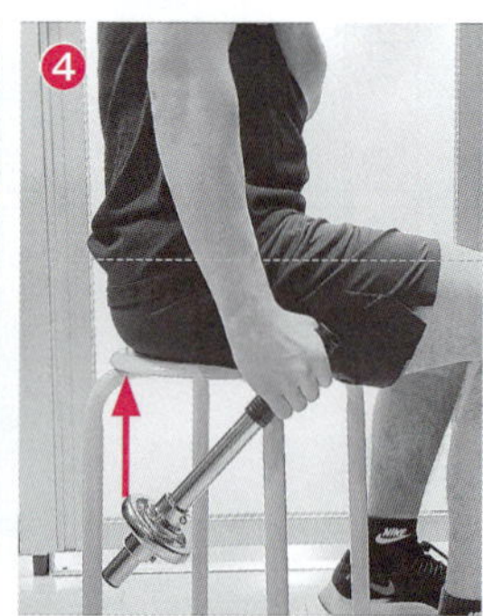

識することで，より協調的な筋収縮を促すことができる。この時期の腱板エクササイズはチューブなどを使用し，上肢下垂位内旋・外旋運動，肩関節90°外転位での内旋・外旋運動を中心として，運動範囲や速度，肩関節の肢位を変化させながら低負荷かつ高頻度を原則として正確な反復運動を行うことが重要である。

肩甲骨周囲筋の機能改善は，僧帽筋中部・下部線維の強化を目的にしたエクササイズ（scapula T/Yエクササイズ）やCKC環境下でのエクササイズ（wall ballエクササイズ，wall clocksエクササイズ）も積極的に実施していく（**図20**）。

投球強度が上がる術後6カ月以降は，良好な肘関節や肩関節のコンディショニング維持を目的として継続的にエクササイズを行っていくことが重要と考える。

スライディング動作で生じる外傷性肩関節不安定症（脱臼・亜脱臼）の評価と理学療法

野球選手の外傷性肩関節脱臼

野球は，その競技特性からオーバーヘッドスポーツとして分類されるが，走塁や守備などで上肢を挙上した状態でグラウンドに接触する機会をしばしば認め，肩関節の外傷が生じることは少なくない。野球では，走塁や守備時に，ときおり手から飛び込むスライディングを行うことがあり，

図20 腱板エクササイズ①（SCKC肩腱板エクササイズ）

❶，❷wall ball（肩甲胸郭関節安定性＋肩腱板筋出力向上エクササイズ）：壁の方向にボールを押しながら（❶），ボールを円上に転がすように肩甲骨外転位を保持したまま動かしていく（❷）

❸～❺wall clocks（肩甲胸郭関節安定性＋肩腱板筋出力向上エクササイズ）：両手にゴムチューブをかけて壁を押しながら上・下・横3方向に動かす。動かすときは肩甲骨外転位を保持する

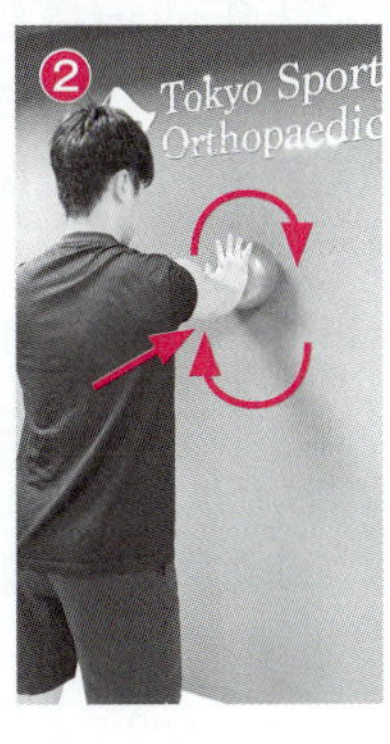
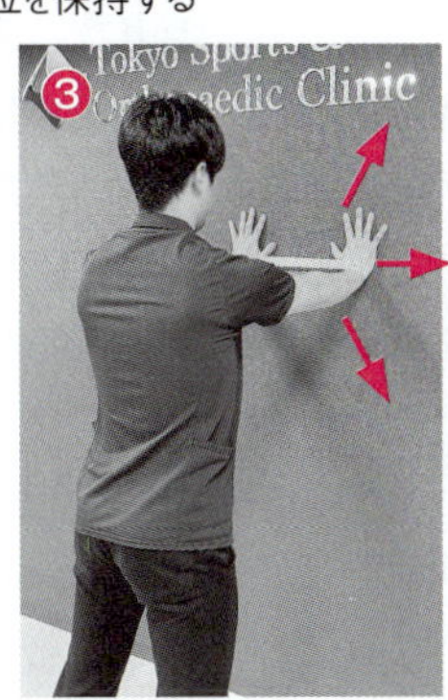
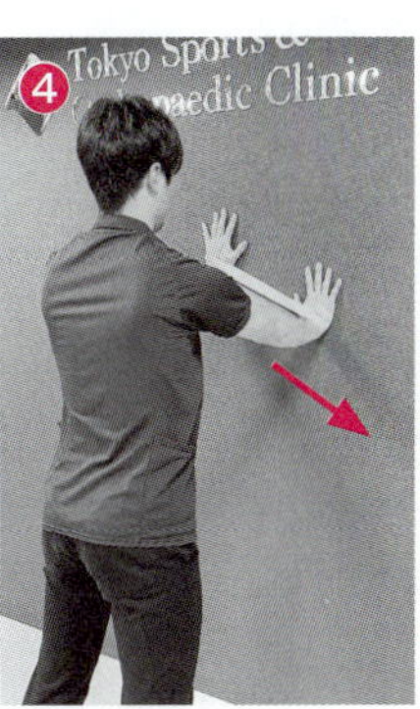
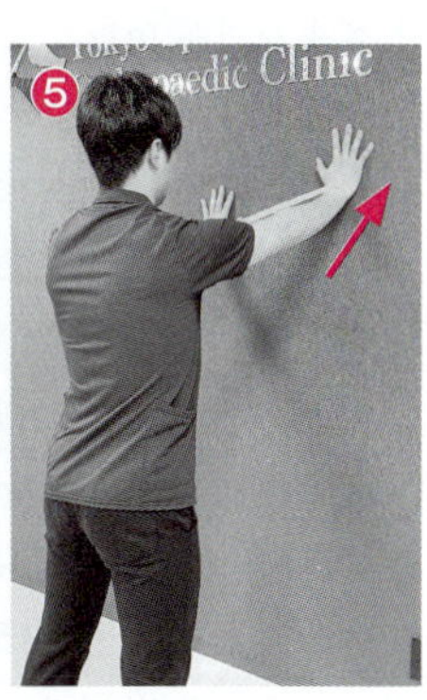

これが肩関節脱臼の原因となる。実際，米国の高校野球競技者における肩の外傷・障害に関する報告によると，手術を要した肩の損傷の第3位が脱臼であった[38]。

外傷性肩関節前方脱臼の病態

外傷性肩関節脱臼の多くは，前方への脱臼である。肩甲上腕関節が上腕遠位後方へ引かれることにより骨頭が前方へ移動しようとする力が加わり，関節包［上関節上腕靱帯（superior glenohumeral ligament：SGHL），中関節上腕靱帯（middle glenohumeral ligament：MGHL），下関節上腕靱帯（inferior glenohumeral ligament tear：IGHL）］や関節唇が損傷（Bankart病変）し，同時に関節窩の骨折や上腕骨後外側の骨欠損（Hill-Sachs病変）が起こる。

Bankart病変は関節唇前方部分の剥離損傷であり，関節唇に関節窩縁の小骨片が存在する損傷をbony Bankart lesionという。

外傷性肩関節脱臼の診断と評価

病歴聴取

初診時の病歴聴取は，脱臼歴と脱臼・整復様式を中心に尋ねている。具体的には，初回脱臼時の年齢，外傷の関与，脱臼の回数，整復の様式などを詳細に聴取する。

初回脱臼時の年齢が学童期である場合は，その関節弛緩性により関節内の損傷が軽度であることが多く，中年期以降の脱臼では腱板断裂の合併などBankart病変以外の病態を考慮する必要がある。次に，脱臼の傾向を把握するために，初回から3回目までの脱臼の年月と脱臼の様式（外傷の関与など），整復の様式などを，患者の記憶の許す範囲で詳細に聴取して，短期間で連続して発症しているか，数年ぶりの受傷であるかなどの傾向を把握する。また，患者のスポーツ活動歴や術後の希望種目なども手術手技に影響を及ぼすため[39]，詳細に聴取している。具体的には，スポーツのレベル（競技レベルもしくはレクリエーション目的）やポジションも参考にする。特に，患側が野球の投球側に当たる場合は，術後の可動域制限を極力残さないような配慮が必要となる。

理学所見

初診時に可動域制限の有無を確認するが，ときに恐怖心のため上肢挙上が困難な症例も存在する。そのような症例においても，下垂位では肩関節外旋が可能なことを確認している。患側の肩関節外旋可動域が健側と比べてやや低下している症例が多いが，45°以上あれば有意な拘縮はないと考えている。有意な拘縮を認めた症例では，手術の前に理学療法を行い，術前に拘縮を改善しておく。

関節動揺性に関しては多方向で評価している。筆者らは外来において，患者の主観的な評価であるapprehension test（**図21**）を改変[40]して用いている（modified apprehension test，**図22**）。次にその実際を示す。痛みや筋力，可動域，関節不安定性テストなどさまざまな理学的検査があるが，どれも完全に病態を表すものではなく，確定診断のためには画像所見や関節鏡所見が必要となる。

- modified apprehension test（**図22**）

apprehension test（**図21**）は教科書的には座位で行われているが，筆者らはouter muscleの影響を受けにくく，患者の脱力が得られやすい臥位で

行っている。また，通常は肩関節90°外転位で行う検査だが，反復性脱臼の症例のなかには外転90°以下の角度で不安定性を訴える症例もあるため，さまざまな外転角度で調べている。

被検者に背臥位をとらせ，肩関節90°外転時に患肢の上腕遠位半分が診察台から出る位置に臥床する。検者は患側に立ち，まずは肩関節外転0°で他動的に外旋運動を行い，疼痛と不安感を検査する。以後，30°間隔で外旋動作を行い，それぞれの外転角度で疼痛と不安感を聴取する。

反復性肩関節脱臼の症例では，90～120°で強い不安感を訴える症例がほとんどであるが，関節包断裂を合併する症例では，やや下垂位から広い範囲で不安感を訴える傾向にある[41]。脱臼回数が少ないか，または亜脱臼の症例で関節内病変が画像上明瞭でないものではapprehension test陽性で手術適応となる場合があり，詳細な聴取が必要である。

画像検査

• 単純X線像

単純X線撮影は，反復性肩脱臼に限らず整形外科領域では最も基本的な検査である。筆者らの施設では，肩関節の不安定症を主訴に来院した症例には，原則として両肩の3方向を撮影している。

まず，上肢下垂位の内外旋位で正面像を撮り，関節のアライメントを確認する。このとき，内旋位ではHill-Sachs病変の有無に着目する。健側（図23❶）と比較することで微細な変化をとらえることができ，病変の存在により脱臼の既往が証明できる（図23❷）。自覚的な脱臼感に乏しい症例などでは，Hill-Sachs病変の存在により不安定症の診断が可能となる。

一般に，肩関節前方不安定症において，関節窩骨形態が手術方法や手技に影響することが知られている。すなわち，関節窩に20～25%の骨欠損を有する症例では通常のBankart修復のみでは不十分であるとされ[42, 43]，烏口突起や腸骨などの移植が推奨されている[44, 45]。また，関節窩前縁に骨片を伴った症例も40%程度存在することが知られており[46]，骨片ごとBankart病変を修復することで良好な成績が得られると報告されている[47]。従って，関節窩骨形態を術前に把握することはきわめて重要である。

単純X線撮影による関節窩骨形態の評価は，これまでウエストポイント法などが試みられてきたが，十分な評価は困難であった。1976年，Bernageauら[48]は立位でのX線透視を用いた撮影法を報告し，近年その有用性が再認識されている[49]。われわれは，2002年より撮影体位を工夫することで透視を用いず臥位で関節窩骨形態を描出する方法を考案し，用いてきた。次に，その方法と結果を紹介する。

図24に新法の撮影方法を示す。患者は撮影台の上で患側を下にした側臥位となり，患側肩を外転・外旋させて手掌で頭部を支えるようにする。肩甲骨がカセッテに対して95°となるような体位をとり，X線を頭尾側方向に15～20°で入射する。このように撮影することで，X線は関節窩の接線方向に，かつ右肩で関節窩の12時半から6時半の方

図21 apprehension test

患者の肩関節を外転90°，外旋90°で，検者が上腕骨頭を後方から前方に押す。患者が脱臼感や不安感，疼痛を訴えた場合は陽性となる

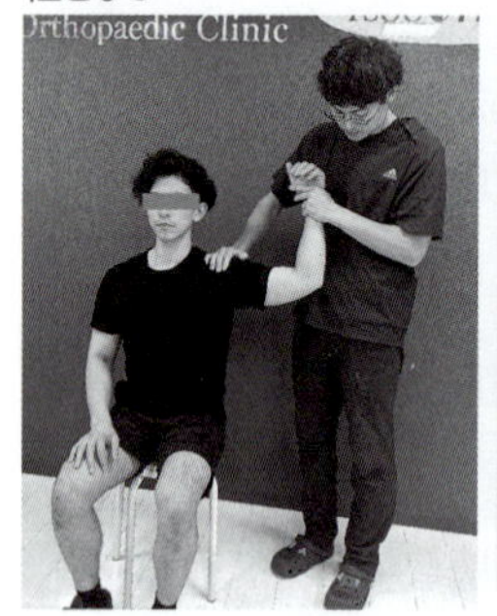

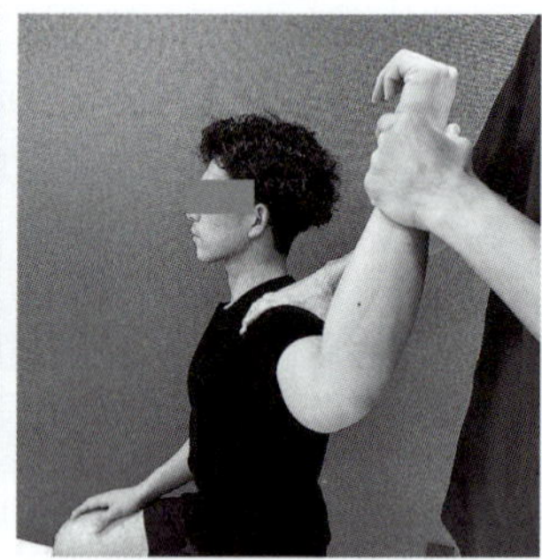

図22 modified apprehension test

❶外転30°　❷外転60°　❸外転90°　❹外転120°

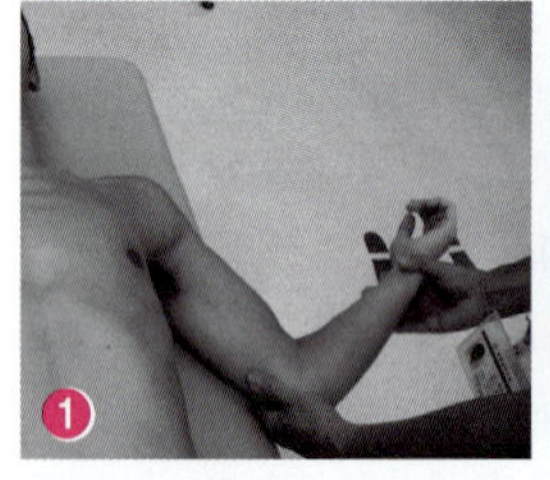
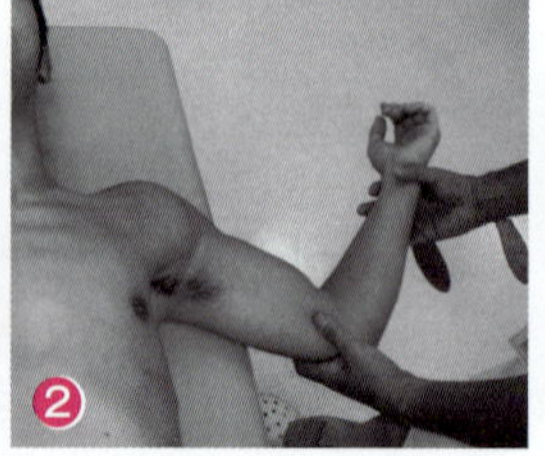
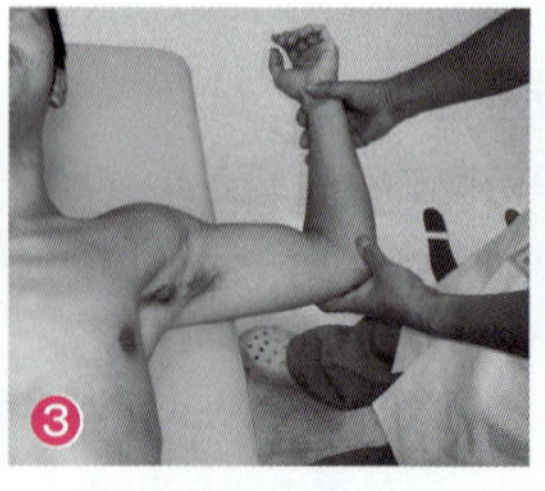
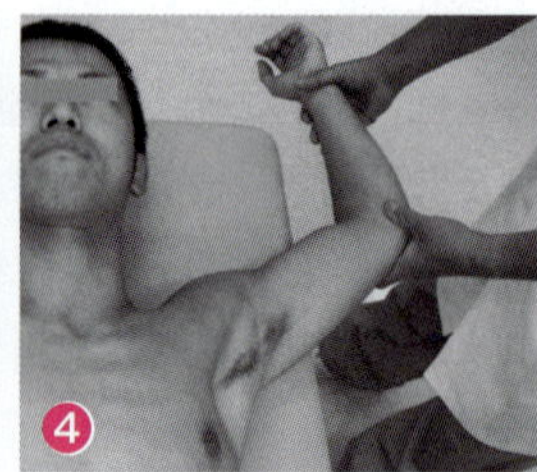

（文献40より許諾を得て転載）

図23 上肢下垂位・内旋位の単純X線正面像

❶健側　❷患側：矢印で示した部位にHill-Sachs病変を認める

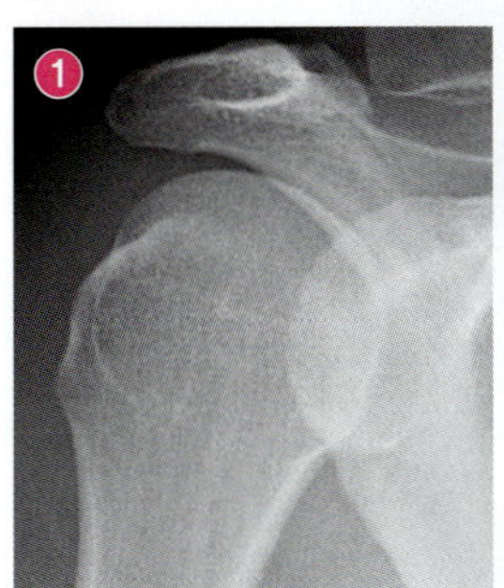

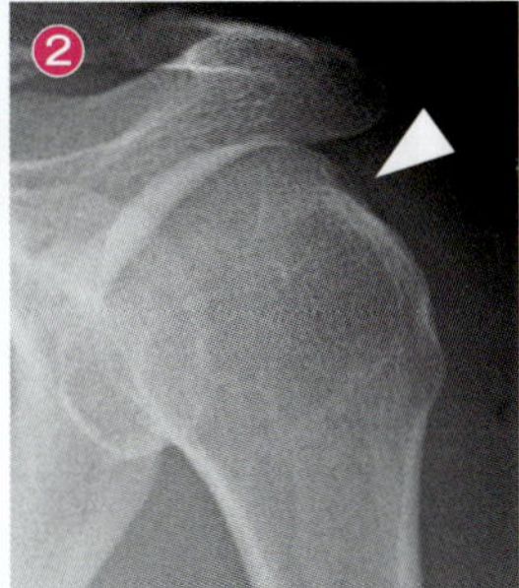

（文献40より許諾を得て転載）

図24 新法による単純X線撮影方法

❷頭側から見た図　❷背面から見た図

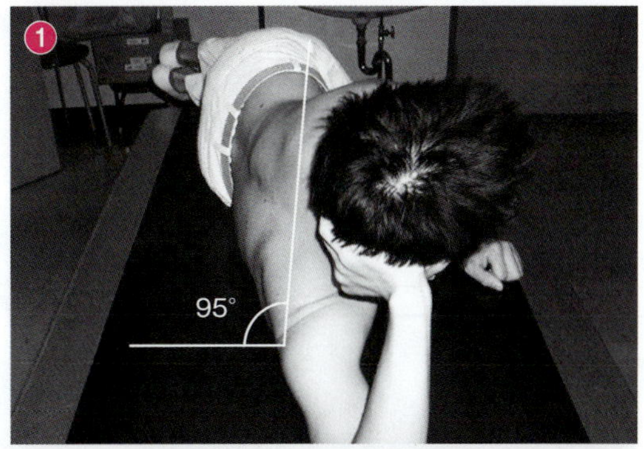

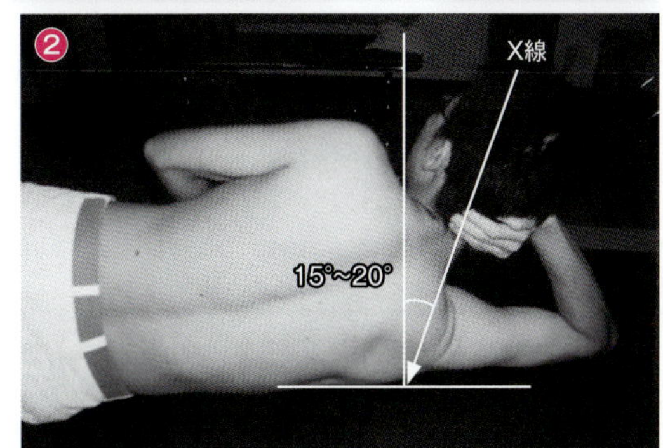

（文献40より許諾を得て転載）

向に入射されることになる。この撮影方法により，関節窩の摩耗型（**図25❶，❷**）や骨片型（**図25❸，❹**）などが描出できるため有用である。

反復性肩関節脱臼95例に対する検証では，診断率は正常群：69.7％，摩耗群：76.2％，骨片群：62.6％であった。骨形態ごとの敏感度/特異度は，正常群：76.1/82.6％，摩耗群：62.4/70.8％，骨片群：62.6/94.1％で，骨片群の特異度が高かった[50)]。正確な骨形態の評価には3D-CTが最適と考えられているが，初診時に行う検査としては，60〜70％の診断率がある新法は有用と考えられる。

• CT検査

前述のように，関節窩骨形態を把握することは治療上重要であり，その方法としては3D-CTが最適と考えられている。菅谷ら[46)]によると，反復性肩関節脱臼症例のうち，約40％が摩耗型（**図26❶**）で，50％が骨片型（**図26❷**），洋ナシ型の正常例（**図26❸**）は10％であったと報告されている。また，これらの骨形態の差は，症例個々の関節の弛緩性（inherent joint laxity：IJL）と関連していることが報告されている[51)]。

3D-CTの有用性：前述の単純X線撮影新法で約60％の骨形態が診断可能であるが，単純X線画像による診断はあくまでも形態の分類にすぎず，詳細な形態は把握できない。3D-CTによる関節窩骨形態の情報は肩のIJLを推察できるだけではなく，

図25 単純X線撮影新法による関節窩摩耗型と骨片型の画像

❶，❷関節窩摩耗型［❶右肩（患側），❷左肩（健側）］　❸，❹関節窩骨片型［❸右肩（患側），❹左肩（健側）］

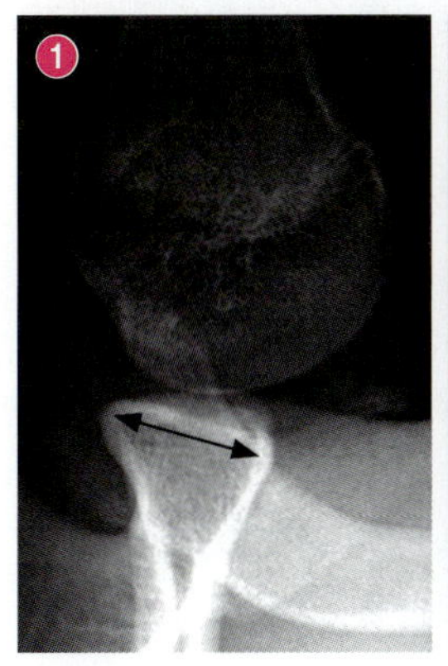

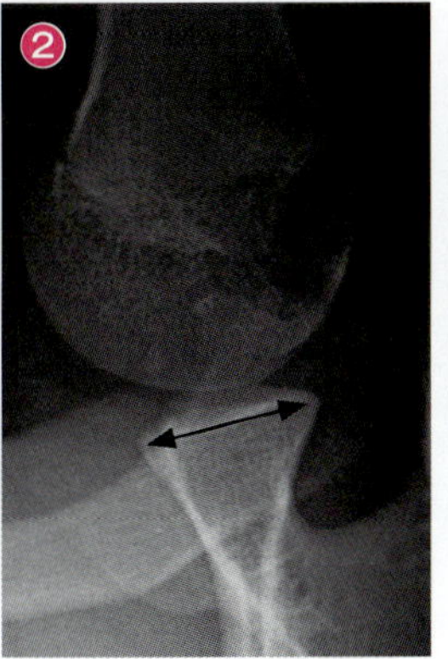

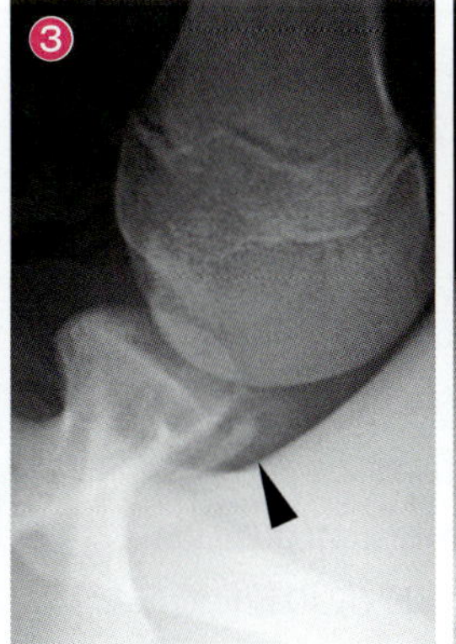

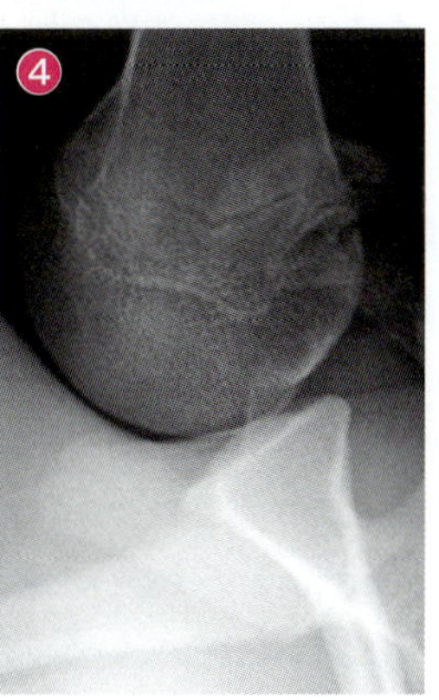

（文献40より許諾を得て転載）

図26 反復性肩関節脱臼症例の3D-CT

❶摩耗型　❷骨片型　❸洋ナシ型の正常例

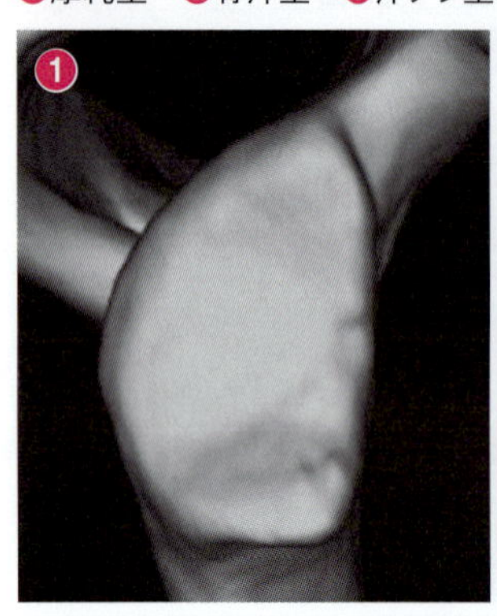
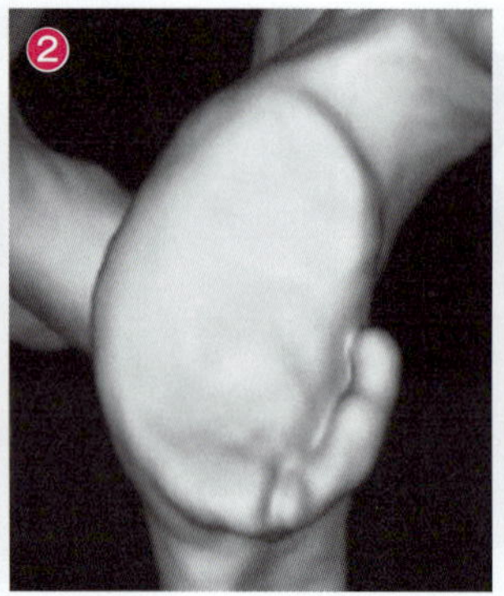
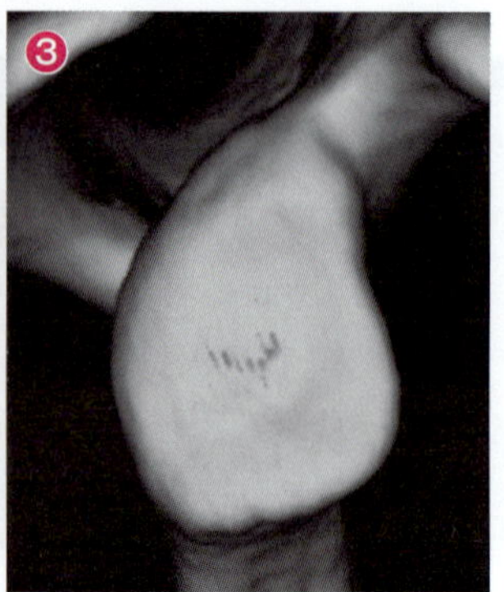

（文献40より許諾を得て転載）

実際の手術における非常に有用なランドマークを含んでいる。半数近くに認められる骨片型においては，その部位・形態に応じて，手術機器の選択や手術方法を使い分ける必要がある。

Hill-Sachs病変への応用：3D-CTは関節窩だけではなく，上腕骨頭を再構築することでHill-Sachs病変を描出する。Hill-Sachs病変は，脱臼時に上腕骨頭が関節窩と衝突して生じた二次的な損傷と考えられている。大きなHill-Sachs病変は関節窩と噛み合い，engaging Hill-Sachsとよばれ再脱臼のリスクの1つと考えられている[52]。近年，Hill-Sachs病変とBankart病変を相互的に評価するglenoid trackという概念が提唱されている[53]。関節窩の横径の84％がglenoid trackとなり，Hill-Sachs病変が腱板付着部からこの長さを超えるとengaging Hill-Sachsとなり，治療の対象となると考えられる。従って，3D-CTを用いることでHill-Sachs病変のリスクも評価可能である。

- MR arthrogram（MRA）

MRIが軟部組織の描出に優れることは周知の事実であるが，関節造影を加えることで，より関節内を詳細に描出できる。われわれは反復性肩関節脱臼症例に対し，全例MR関節造影を行っている。透視下で生理食塩水を希釈したGd-DTPA約20ccを肩関節内に注入し，直ちにMRI撮像を行う。

MRI［Ingenia Ambition 1.5T（フィリップス・ジャパン）］を用い，撮影肢位は上肢下垂位内旋位での軸位断，前額断，矢状断に加え，外転外旋位（abduction and external rotation position：ABER位）で撮像している。ABER位の軸位断像では，上腕骨頭と関節窩のアライメント，前下関節上腕靱帯（anterior inferior glenohumeral ligament：AIGHL）の緊張度，ならびに関節唇複合体の関節窩からの連続性などに着目している。ABER位では肩関節の外転・外旋が強制されるため，前方不安定症の症例では，不安感などで同肢位が困難な場合もある。

撮影機器によっては，ABER位での撮像が物理的に不可能なケースもある。われわれは，下垂位内旋（adduction internal rotation：ADIR）での撮像も加えている。これは，肩関節脱臼後，外旋位固定で関節包靱帯－関節唇複合体が整復されること[54]に着目し，その逆に内旋位をとることで関節包靱帯を弛緩させ，関節唇の関節窩からの転位を誘発している。ADIR位はABER位に類似する有用性を示しており[55]，ABER位での撮像が困難な症例では有用な撮像肢位である（**図27**）。

Bankart病変の診断においては，ABER位やADIR位での軸位断像が優れているが，関節包断裂やHAGL病変の診断には冠状断での所見も有用となる。また，反復性肩関節脱臼症例では上方関節唇損傷を合併する頻度も高く，複数の撮像方向で病変をとらえることが重要である。

野球選手の肩関節初回脱臼受傷機転

われわれの調査では，詳細な受傷機転が明らかな症例のうち，肩関節の初回脱臼は投球側で25/28，非投球側で13/14が野球のプレー中に生じていた。投球側では走塁時のヘッドスライディング（**図28**）が16例と最も多く，次いで守備でのダイビングキャッチ（**図29**）が7例，投球時の脱臼（**図30**）が2例であった。非投球側では，ヘッドスライディングとダイビングキャッチがそれぞれ6例と5例で，約80%を占めた。その他の野球のプレーにおける不慮の外傷による受傷は2例を認めた[56]。投球側・非投球側ともに，スライディング動作が受傷に至る大きな要素となる。

初回脱臼受傷機転に着目すると，両肩とも85%以上が野球のプレー中に受傷し，そのうち前述のようにヘッドスライディングとダイビングキャッ

図27 ABER位

❶正常像　❷Bankart病変

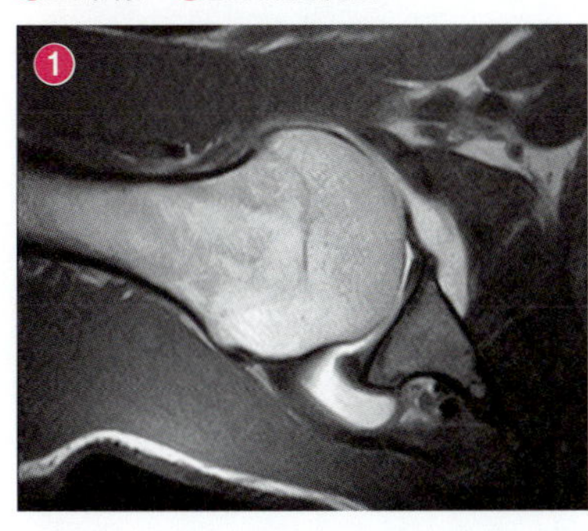

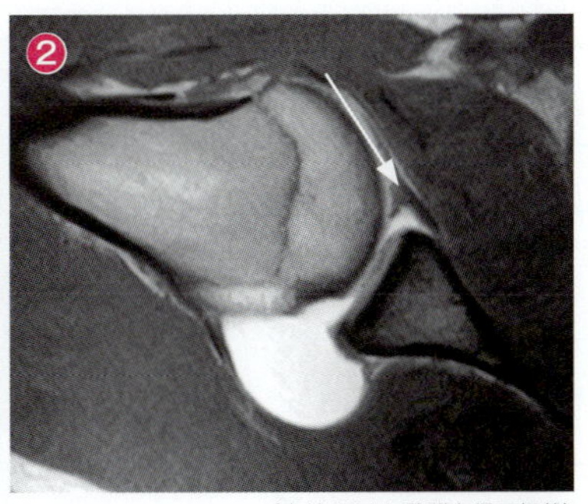

（文献40より許諾を得て転載）

図28 進塁ヘッドスライディング時の肩関節脱臼受傷機転

肩関節外転・外旋位が強制されて受傷する。❶上から見た図　❷前から見た図

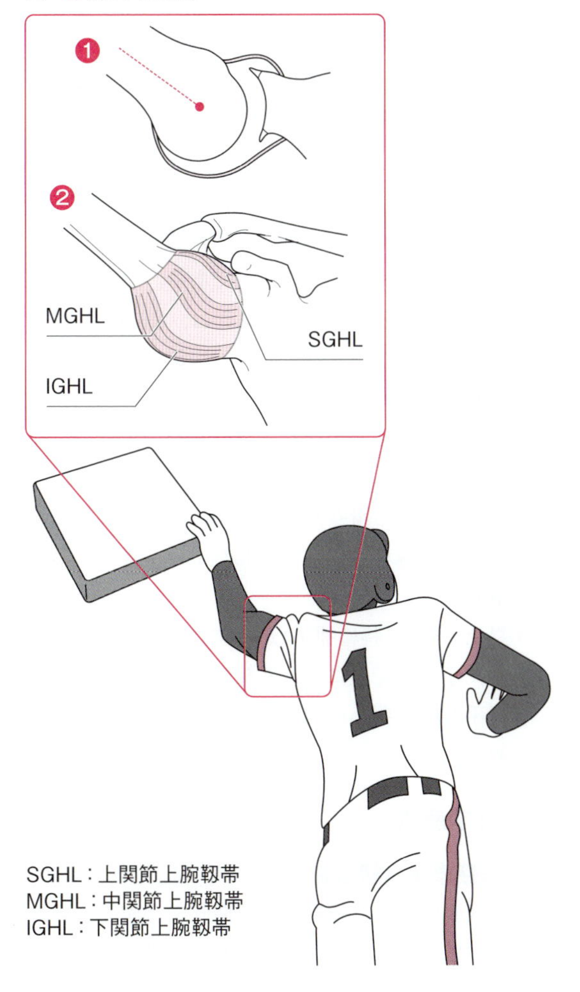

図29 捕球ダイビングキャッチ時の肩関節脱臼受傷機転

❶上から見た図　❷前から見た図

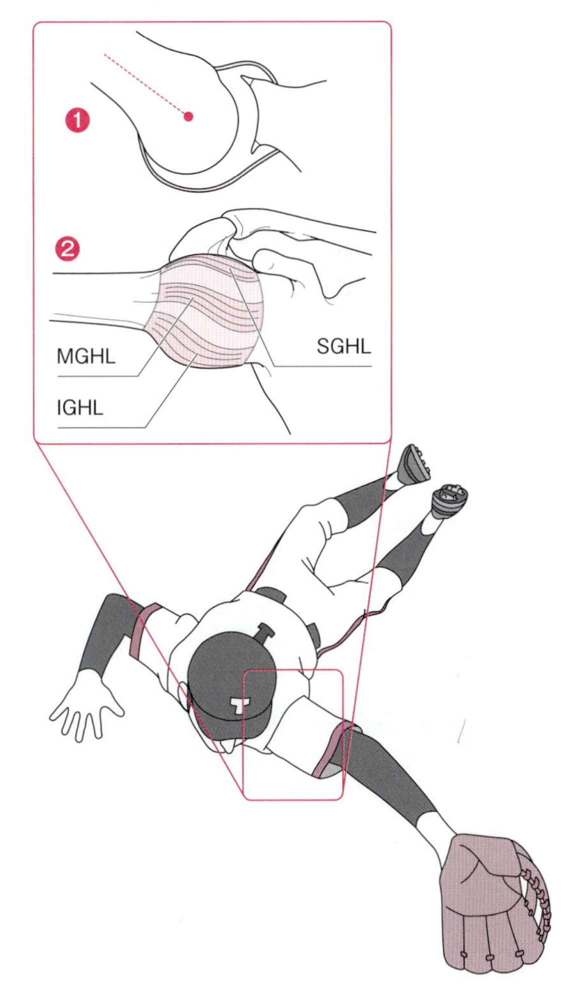

野球

図30 投球時の肩関節脱臼受傷機転
❶上から見た図　❷前から見た図

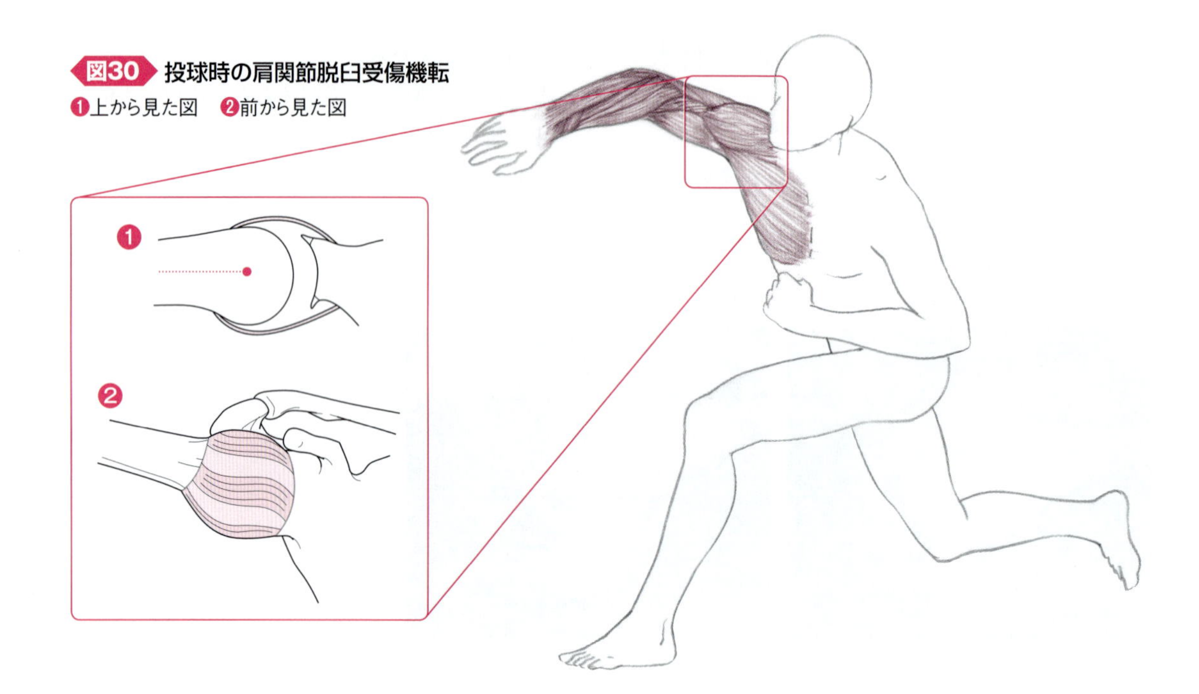

チで80%を占めている。過去の報告でも，70%以上が守備や走塁で発生し，ヘッドスライディングとダイビングキャッチが主要な受傷機転と指摘されている[57]。この2つの行為が最も肩関節脱臼のリスクが高いといえる。

投球側ではヘッドスライディングが約60%を占めているが，これは右利きの選手の多くが利き手でベースタッチをする傾向が強いためと考えられる。特にランナーの帰塁時には，左に反転して右手を伸ばして相手野手のいないベースの角に触れるように指導されており，そこに守備側のタッチや，ときに膝が乗りかかるため，後方から前方への強い外力によって右肩は脱臼の危険性が高い状況となる（**図31**）。一方，捕球側では，ヘッドスライディングとダイビングキャッチ（**図32**）の脱臼受傷率はほぼ同じであった。捕球時は，右利きの場合は左腕を伸ばして捕球を試みるため，非利き手の受傷頻度が高くなると考えられる。

スライディング動作とは

スライディング（sliding）

野球において，走者がベースに向かって足または手を先にして，体を倒して滑り込む動作である。守備側の選手のタッチを避けたり，確実にベースに触れるために行う動作で「滑り込み」ともいう。

スライディング動作には，手を前方に伸ばし，ベースに向かって頭から滑り込むヘッドスライディング（head sliding：和製英語）と，足から行うストレートスライディング，フットファストスライディングなどがある（**図33**）。

スライディングは，目標とする位置に早く到達する，または確実に停止するなどの目的で使用される技術である。ヘッドスライディングは足からのスライディング以上に危険を伴う技術であり，しばしば突き指，胸部や首の強打，守備の選手に手を踏まれる，守備の選手との接触など，外傷発生の可能性もある危険な技術である。

野球におけるスライディングは，基本的には二塁・三塁への進塁・帰塁時と，一塁への帰塁時において，主に次に挙げることを目的として行われる。

①塁を踏み越えてオーバーランしないように，かつ急減速するため
②低い位置から滑り込んで野手に触球されるまでの時間を稼ぎつつ，伸ばした手足で素早く塁に触れるため
③塁上の野手(特に捕手)から離れた位置で滑り込み，手だけで塁に触れて触球をかわすため
④野手との不要な衝突を避け，危険防止を図るため

理学療法

保存療法（初回脱臼時）

初回脱臼例では組織の修復期間を考慮し，装具を用いて3週間固定している。固定期間に関する報

図31 帰塁時の肩関節脱臼受傷機転

❶上から見た図　❷前から見た図

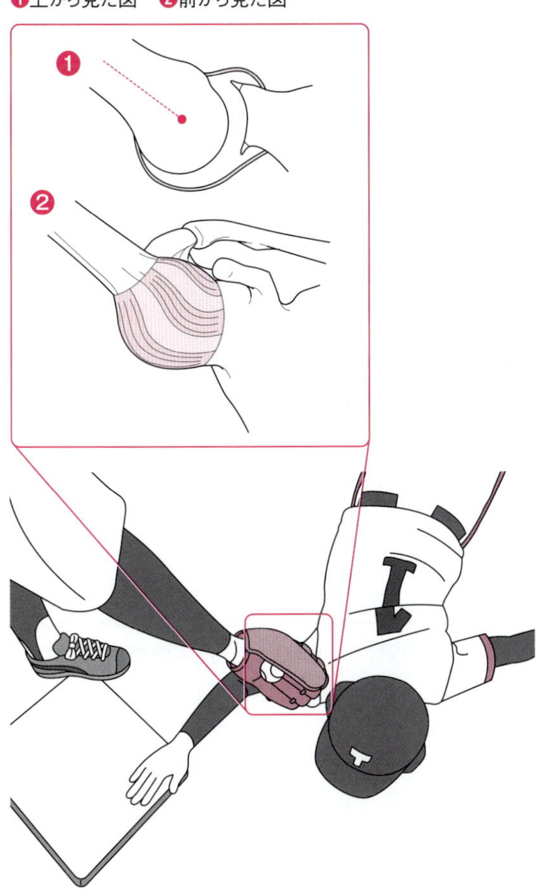

Sports Skill

ダイビングキャッチ(diving catch)

野球の守備でのスライディング動作として，ダイビングキャッチ（**図32❶**）とスライディングキャッチ（**図32❷**）がある。頭から飛び込むようにしてボールを捕球する動作をダイビングキャッチといい，足から突っ込んで捕球するのはスライディングキャッチである。通常の補球が間に合わないときに，ボールを取るための方法として前方や側方に飛び込むことが多いが，まれに後ろへダイビングキャッチすることもある。ヘッドスライディングと同様に危険を伴う技術であり，しばしば突き指や肩の脱臼など，野球選手にとって致命的な外傷につながることがあるため，注意が必要なプレーである。

図32 守備でのスライディング動作

❶側方へのダイビングキャッチ　❷スライディングキャッチ

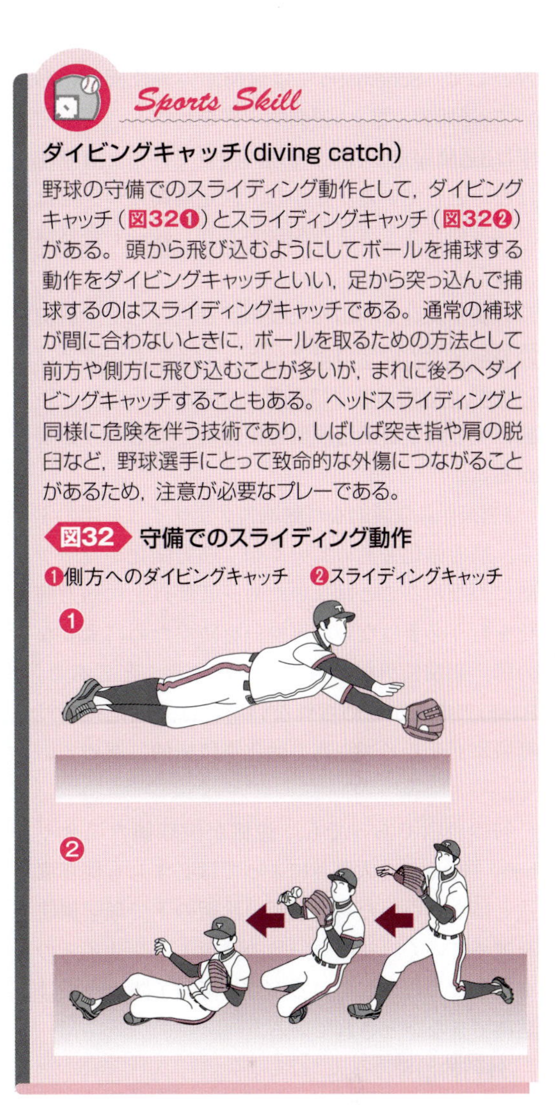

図33 スライディング動作

❶フットファストスライディング：二・三塁へのスライディング。進行方向に足を延ばして滑り込む方法。野球において単にスライディングといった場合は通常これを指す。ストレートスライディングともいう

❷ヘッドスライディング：進行方向に対して両手を前に出しながら，塁に飛びつくように頭から滑り込む方法

野球

告として，Scheibelら[58]は肩関節外旋位固定において3週間固定群と5週間固定群を比較し，再脱臼率は3週間固定で17%，5週間固定で15%と有意差はないとしている。しかし，固定期間については3〜6週間とさまざまな報告があり，統一した見解には至っていない。

外旋位装具を利用した際の留意点として，肩関節外旋位での固定は患者にとってとても快適とはいえず，ADLは非常に不便なものとなるため，外旋位での固定目的を説明して理解してもらう必要がある。

4週後から愛護的な可動域エクササイズを開始する。筋力強化も進めていくが，筋力強化が脱臼予防につながることはないため，必要以上に筋力強化を行う必要はない。再脱臼を防ぐために重要なのは，肩関節外転・外旋位を避けることである。Bankart病変が認められない場合は，固定後の可動域エクササイズや筋力強化を積極的に進めていく。

初回脱臼であっても，患側が投球側の場合やbony Bankartの大きさによっては必ずしも保存療法とはならないため，医師の診断の下で理学療法を進めていく。初回脱臼時の腱板エクササイズの有効性は報告されているが[59]，再発予防の効果は期待できないとされている。

外科的治療

肩関節前方脱臼に対する手術法は，Bankart法，Putti-Platt（ブッチ・プラット）変法（NH法），Bristow（ブリストウ）変法，capsular shift法（Neer（ニア）法）など多岐にわたるが，当院で行われている鏡視下Bankart法（**図34**）について解説する。

反復性肩関節前方不安定症に対する鏡視下手術の最大の特徴は，肩甲下筋腱を切離損傷せず，関節窩前下方部のBankart病変を修復すると同時に，関節唇靱帯複合体を再建できることにある[60]。最近では，骨性Bankart病変症例などの関節窩骨欠損が大きな症例に対しても良好な術後成績が報告され，術後スポーツ復帰率も良好となった[46, 61]。

野球選手の術後リハビリテーションプロトコル（表2）

競技レベルで野球を行っていた45例に鏡視下手術を行い，投球側29例と非投球側16例の復帰時期を検討したわれわれの調査では，非投球側群で平均3.6カ月から投球を開始し，6.4カ月で試合または試合形式の練習に復帰した。投球側群では平均4.4カ月で投球を開始し，10.3カ月で試合または試合形式の練習に復帰した。投球側群は非投球側群と比べて，試合復帰までの期間を約4カ月長く要した[62]。

図34 Bankart修復術の実際

複合体のモビライゼーションと同時に，関節窩頸部の新鮮化を行う。また，関節窩の3〜7時付近では関節窩面上の軟骨も除去し，複合体が生着しやすくしておく（網掛け部分）。アンカーは関節窩面上に刺入し（●の箇所），修復後は関節窩面上の部分に複合体が乗り上げるようになる。修復後にはIGHLに緊張がかかる（❷：矢印で示した部分）

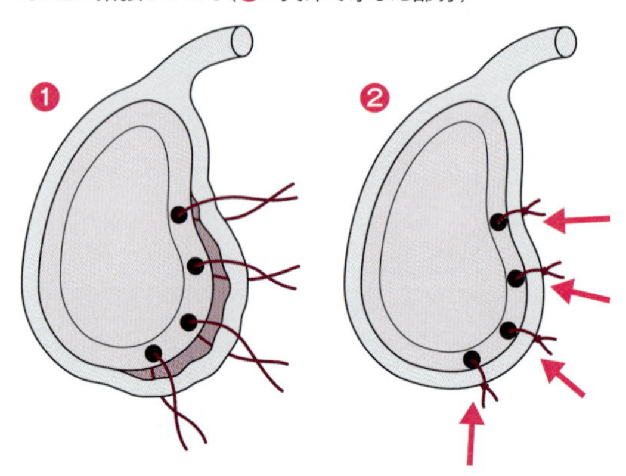

復帰までにより期間を要する投球側の術後リハビリテーションでは，アスレティックリハビリテーション（アスリハ）期に入る5カ月目以降から段階的な練習を行い，術後10カ月〜1年での完全復帰を目指す。

投球時，肩関節は後期コッキング〜加速期において外転位での最大外旋位となり，脱臼誘発肢位に近くなる。従って，競技復帰に際しては肩関節の十分な柔軟性および安定性を獲得することに加え，再脱臼の恐怖心を克服することが重要となる。また，上肢－体幹－下肢の運動連鎖が不可欠で，下肢筋・体幹筋を使用しながら上肢機能を訓練する。

図20，**35〜43**に，実際のアスリハの一部を紹介する。

図20，**35**は基本的な腱板エクササイズに前鋸筋の働きを加え，肩甲帯の安定性向上も意図した腱板エクササイズである。また，投球動作の出力向上や脱臼予防の観点からも肩関節内旋筋力の強化が重要となる。

図36は体幹・下肢機能を使用しながら行う肩甲骨の固定力強化を目的とした，僧帽筋中部・下部線維の強化と肩甲骨のモビリティーを高めるエクササイズである。

表2 野球選手の術後リハビリテーションプロトコル

	期間		エクササイズ	野球の練習・その他	
メディカルリハビリテーション	初期	装具固定期 (0〜2週)	・Muscle spasm軽減 ・電気療法，患部のクーリング ・肘のROM，グリップex	炎症コントロール	
		装具除去期 (2〜3週)	・肩甲骨ex，ROM ex ・有酸素運動 ・腱板トレーニング	患部外トレーニング (コアスタビリティex)	
	中期	機能訓練期 (3週〜3カ月)	・ROM ex，筋促通ex，筋力トレーニング ・バイオフィードバックトレーニング ・肩甲胸郭関節トレーニング	患部外トレーニング (コアスタビリティex)	
	後期	3カ月〜 4カ月〜	・肩関節協調性トレーニング ・CKCトレーニング	・シャドーピッチング ・ネットスロー ・トスバッティング ・ティーバッティング	
アスレティックリハビリテーション	5カ月〜		＊トレーニング強度を徐々に上げる ・肩甲胸郭関節と体幹との協調性を高める	・キャッチボール：50% ・フリーバッティング ・キャッチボール：70%	
	6カ月〜		(特に僧帽筋中部・下部，広背筋強化)	・キャッチボール：塁間全力 ・1塁−3塁間：70%	
	7カ月〜		・徐々に野球練習を増やす	・1塁−3塁間：全力 ・遠投：70%	
	8カ月〜		・野手/投手に分けて練習開始	【野手】 ・遠投：全力 ・すべての練習に参加	【投手】 ・ブルペンで立ち投げ ・キャッチャーを座らせて70%
	9カ月		・完全復帰に向けて不足している機能のトレーニング	・試合参加	・全力投球
	10カ月				・試合参加
	12カ月				・完全復帰

ROM：range of motion(関節可動域)　ex：exercise(エクササイズ)

(文献62より許諾を得て改変引用)

図35 腱板エクササイズ②(肩内旋筋エクササイズ)

上肢挙上位(肩外旋・外転)からの肩内旋筋出力向上エクササイズ：ゴムチューブを斜め上に引っかけ(❶)，上肢を腹部に向けて内旋させながら引っ張る(❷)

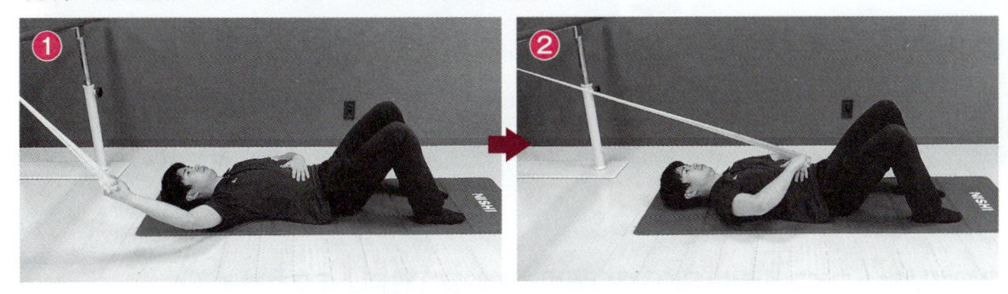

図36 肩甲帯エクササイズ(ATYW on バランスボール)

体幹部が不安定な状態での僧帽筋強化エクササイズ：バランスボール上に腹部を乗せて，腰椎の過剰な伸展が出ないように上肢と肩甲骨を協調的に動かし，A(❶)/T(❷)/Y(❸)/W(❹)の文字を作る

図37，38は後期コッキングにおける脊椎・胸郭の可動性向上を目的に行うエクササイズであり，胸椎の可動性はもちろんのこと，腰椎を反りすぎないように骨盤をニュートラルな位置で脊椎を分節的に動かせるように機能を強化していく。

図39はコッキング期への対策として胸郭の回旋に加え，肩甲骨と上腕骨を連動して動かせるように強化するエクササイズである。

図40は，投球動作時の重心移動・体幹機能強化のための前方・側方へのリーチング動作のエクササイズである。

図41は動的ストレッチマシンを用いた，ディッピング運動とハイプーリーエクササイズである。この運動は肩甲骨を力まずに動かし，動的に肩甲帯の柔軟性を高めるために有効なエクササイズとして行っている。

次に，投球距離の延長と全力投球を行う時期に

図37 胸郭伸展エクササイズ(GRID)

フォームローラーを使用した胸郭伸展，肩甲骨帯内転可動域向上エクササイズ：❶フォームローラーを胸椎の下に入れて胸郭全体を反らしていく ❷腰椎の伸展代償が強くならないように注意しながら胸郭を開いていく ❸肩甲上腕関節の過度な外転・外旋位に注意して，胸郭伸展・肩甲骨内転方向へ動かす

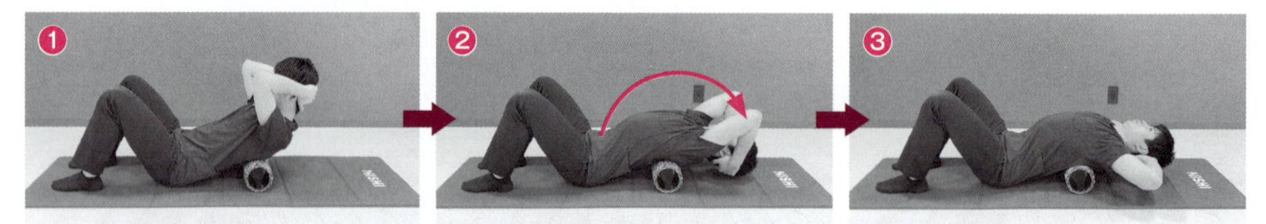

図38 胸郭伸展エクササイズ(ピラティスブロック)

脊柱および胸郭の伸展可動性，胸部と体幹前面部の柔軟性改善：腰椎は反らないように，脊椎を一つひとつ分節的に伸展させて可動性を出していく

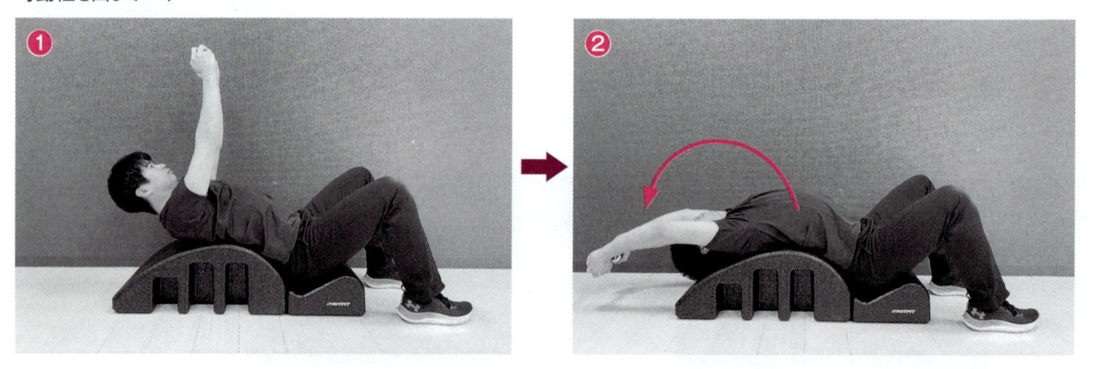

図39 四つ這い位での胸郭回旋→ウインドミル(CKCでの肩甲帯動的安定性向上エクササイズ)

❶，❷ウインドミル：push-up positionで片手で体を支え支持側の上肢で床を押して胸郭を回旋させる。支持側上肢は水平外転位となり，脱臼肢位となるため注意しながら行う

❸，❹胸郭回旋エクササイズ：四つ這い位にて支持側の手で床を押して胸郭を回旋させる

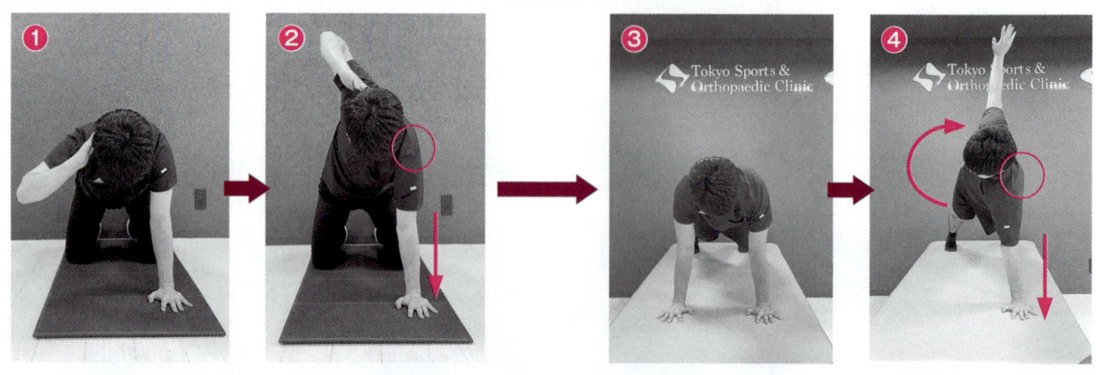

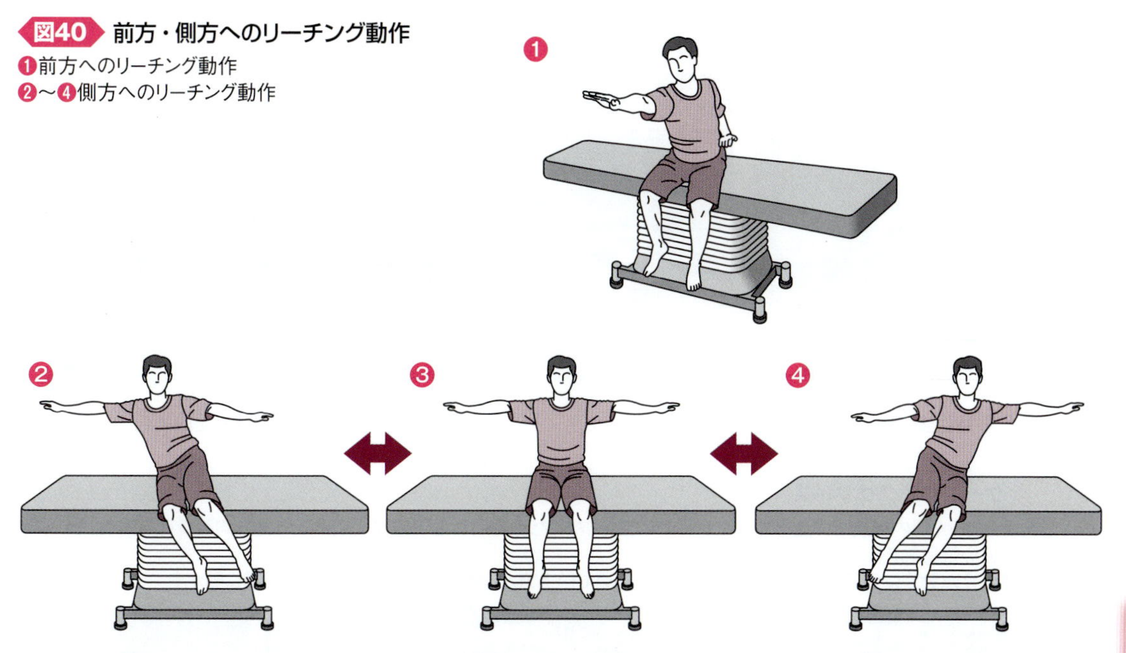

図40 前方・側方へのリーチング動作
❶前方へのリーチング動作
❷〜❹側方へのリーチング動作

図41 動的ストレッチマシン(Hogrel®)
肩甲帯周囲筋の柔軟性改善および肩甲帯の可動性向上：❶〜❸肩甲帯を上げ下げすることで広背筋や肩甲骨周囲筋の柔軟性を引き出していく(負荷：10〜15kg)　❹，❺マシンの重さを利用して肘を上げ下げすることで，肩甲骨，鎖骨の可動性を引き出していく(負荷：10〜15kg)

は最終調整が必要であり，より強い腕のしなり動作が必要となる。後期コッキング〜加速期における肢位で，全身を使って肩関節外旋方向への遠心性運動を行う。これは，同肢位での肩関節機能の向上と恐怖心への適応を最大の目的としている(**図42**)。この肢位は脱臼誘発肢位に近いため，負荷量や条件設定には細心の注意が必要である。肩関節最大外旋位が獲得されたら，一連の投球動作で徐々に負荷量を増やし(**図43**)，競技復帰へとつなげる。

図42 バルーンツイスト

体幹部を使用した上肢内旋・内転方向へ求心性運動と上肢外旋外転方向への遠心性運動：バルーンに乗り身体を反らした状態からひねり上げて，その後元の姿勢にゆっくりと戻る。肩関節内旋筋と体幹前面筋群の求心性・遠心性制御を意識しながら行う

スタート姿勢（上肢外転外旋位）　ゴール姿勢（上肢内転内旋位）

図43 ケーブルエクササイズ

❶〜❸全身を使った肩内旋筋への遠心性エクササイズ：ケーブルマシンを用い後下方から肩関節外旋方向へ負荷をかけ，それに耐えるように遠心性運動を行う

❹〜❻一連の投球動作に負荷をかけた運動：ケーブルを用いて後上方から負荷をかけ，投球動作と同様に動かす

【文献】

1) 高村　隆，鈴木　智：投球障害に対する医療施設でのりハビリテーションとリコンディショニングの実際．投球原害のリハビリテーションとリコンディショニング（山口光國 編）．pp.165-186, 文光堂，2010.

2) 橋内基純，ほか：投球動作における肩甲骨問囲筋群の筋活動特性．スポーツ科学研究，8: 166-175, 2011.

3) Werner SL, et al.: Relationship between throwing mechanism and shoulder distraction in professional baseball pitchers. Am J Sports Med, 29 (3) : 354-358, 2001.

4) Digiovine NM, et al.: An elerectromyographic analysis of the upper extremity in pitching. J Shoulder Elbow Surg, 1 (1) : 15-25, 1992.

5) 鈴木　智，ほか：野球選手のコンディショニングと障害予防：病院における取り組み．臨スポーツ医，29 (12) : 1215-1223, 2012.

6) Crockett HC, et al.: Osseous adaptation and range of motion at the glenohumeral joint in professional baseball pitchers. Am J Sports Med. 30 (1) : 20-26, 2002

7) Osbahr DC, et al.: Retroversion of the humerus in the throwing shoulder of college baseball pitchers. Am J Sports Med. 30 (3) : 347-353, 2002.

8) Reagan KM, et al.: Humeral retroversion and its relationship to glenohumeral rotation in the shoulder of college baseball. Am J Sports Med. 30 (3) : 354-360, 2002.

9) Jobe FW, et al.: Anterior capsulolabral reconstruction of the shoulder in athletes in overhand sports. Am J Sports Med. 19(5) : 428-434, 1991.

10) Burkhart SS, et al.: The disabled throwing shoulder: spectrum of pathology Part I : pathoanatomy and biomechanics. Arthroscopy, 19 (4) : 404-420, 2003.

11) 鈴木　智，ほか：高校野球選手における投球障害とCAT·HFTの関連性．第8回肩の運動機能研究会誌：37, 2011.

12) Takamura T, Suzuki S, et al.: Abduction, horizontal flexion, and internal rotation in symptomatic and asymptomatic throwing athletes. 4th international congress of shoulder and elbow therapist: 234, 2013.

13) Mochizuki T, et al.: Humeral insection of the supraspinatus and anfraspinatus. New anatomical findings regarding the footprint of the rotator cuff. Bone Joint Surg Am, 90 (5) : 962-969, 2008.

14) 日本運動器理学療法学会：第9章 投球障害肩・肘理学療法ガイドライン. 理学療法ガイドライン 第2版(公益社団法人日本理学療法士協会 監, 一般社団法人 日本理学療法学会連合 理学療法標準化検討委員会ガイドライン部会 編). pp.509-603, 医学書院, 2021.

15) 三波三千男, ほか：肘関節に発生した離断性骨軟骨炎25例の検討. 臨整外14 (8) : 805-810, 1979.

16) 島田幸造, ほか：スポーツによる肘関節離断性骨軟骨炎の治療. 臨整外35 (11) : 1217-1226, 2000.

17) 岩堀裕介：投球による肘関節内側不安定症に対する保存療法. 臨スポーツ医, 28 (5) : 509-518, 2011.

18) 小倉　丘, ほか：肘関節側副靱帯損傷の病態－靱帯断裂実験による知見. 関節外科13 (7) : 51-60, 1994.

19) 林　典雄 著：運動療法のための機能解剖学的触診技術 上肢. pp.106-109, メジカルビュー社, 2006.

20) Callaway GH, et al.: Biomechanical evaluation of the medial collateral ligament of the elbow. J Bone Joint Surg Am, 79(8) : 1223-1231, 1997.

21) 古島弘三, ほか：野球による肘内側側副靱帯損傷の診断と治療：関節外科, 27 (8) : 1024-1034, 2008.

22) Fleisig GS, et al.: Kinetics of baseball pitching with implications about injury mechanis. Am J Sports Med, 23 (2) : 233-239, 1995.

23) Morry BF, et al.: Articular and ligamentous contributions to the stability of the elbow joint. Am J Sports Med, 11 (5) : 315-319, 1983.

24) Dillman CJ, et al.: Valgus extension overland in baseball pitiching. Med Sci Sports Exerc 23 (suppl 4,) : S153, 1991.

25) 岩崎倫政：肘関節靱帯の解剖とバイオメカニクス. 臨スポーツ医, 28 (5) : 493-495, 2011.

26) 筒井廣明, 山口光國 著：投球障害肩こうみてこう治せ. メジカルビュー社, 2004.

27) 柚木　脩：野球肘の分類. MB Orthop. 10 (8) : 37-45, 1997.

28) Dodson CC, et al.: Medial ulnar collateral ligament reconstruction of the elbow in throwing athletes. Am J Sports Med 34 (12) : 1926-1932, 2006.

29) Paletta GA Jr, et al.: The modified docking procedure for elbow ulnar collateral ligament recon- struction: 2-year follow-up in elite throwers. Am J Sports Med 34 (10) : 1594-1598, 2006.

30) Cain EL Jr, et al.: Outcome of ulnar collateral ligament reconstruction of the elbow in 1281 athletes: results in 743 athletes with minimum 2-year follow-up. Am J Sports Med 38(12) : 2426-2434, 2010.

31) Gibson BW, et al.: Ulnar collateral ligament reconstruction in Major League Baseball pitchers. Am J Sports Med 35 (4) : 575-581, 2007.

32) Erickson BJ, et al.: Rate of return to pitching and performance after Tommy John surgery in Major League Baseball pitchers. Am J Sports Med 42 (3) : 536-543, 2014.

33) Makhni EC, et al.: Performance, return to competition, and reinjury after Tommy John Surgery in Major League Baseball pitchers: a review of 147 cases. Am J Sports Med 42 (6) : 1323-1332, 2014.

34) Dugas JR, et al.: Biomechanical comparison of ulnar collateral ligament repair with internal bracing versus modified Jobe reconstruction. Am J Sports Med 44 (3) : 735-741, 2016.

35) Bondendorfer BM, et al.: Biomechanical comparison of ulnar collateral ligament reconstruction with the docking technique versus repair with internal bracing. Am J Sports Med 46(14) : 3495-3501, 2018.

36) Dugas JR, et al.: Ulnar collateral ligament repair with collagen-dipped fiber-tape augmentation in overhead-throwing athletes. Am J Sports Med 47 (5) : 1096-1102, 2019.

37) Erickson BJ, et al.: Trends in medial ulnar collateral ligament reconstruction in the United States: a retrospective review of a large private-payer database from 2007 to 2011. Am J Sports Med 43 (7) : 1770-1774, 2015.

38) Krajnik S, et al.: shoulder injuries in US high school baseball and softball athletes, 2005-2008. Pediatrics, 125 (3) : 497-501, 2010.

39) 高橋憲正, ほか：反復性肩関節前方不安定症に対する鏡視下手術－補強手段としての鏡視下腱板疎部縫合の有用性－：関節鏡, 30 (1) : 57-60, 2005.

40) 高橋憲正：反復性肩関節脱臼の診断. 実践 反復性肩関節脱臼－バンカート法のABC－(菅谷啓之 編). 金原出版, 2010.

41) 萩原嘉廣, ほか：反復性肩関節前方不安定症における modified apprehension test と病態との関係. 肩関節, 34 (2) : 359-362, 2010.

42) Bigliani LU, et al.: Glenoid rim lesions associated with recurrent anterior dislocation of the shoulder. Am J Sports Med, 26(1) : 41-45, 1998.

43) Itoi E, et al.: The effect of a glenoid defect on anteroinferior stability of the shoulder after Bankart repair: A cadaveric study. J Bone Joint Surg Am, 82 (1) : 35-46, 2000.

44) Lafosse L, et al.: The arthroscopic Latarjet procedure for the treatment of anterior shoulder instability. Arthroscopy, 23 (11) : 1242, 2007.

45) Sugaya H: Instability with bone loss. AANA Advanced Shoulder Arthroscopy (Ryu R, Angelo R, eds) . Elsevier, 2010.

46) Sugaya H, Moriishi J, Dohi M, et al.: Glenoid rim morphology in recurrent anterior glenohumeral instability. J Bone Joint Surg Am, 85 (5) : 878-884, 2003.

47) Sugaya H, et al.: Arthroscopic osseous Bankart repair for chronic recurrent traumatic anterior glenohumeral instability. J Bone Joint Surg Am, 87 (8) : 1752-1760, 2005.

48) Bernageau J, et al.: Value of the glenoid profil in recurrent luxations of the shoulder. Rev Chir Orthop Reparatrice Appar Mot, 62 (2 suppl) : 142-7, 1976.

49) Edwards TB, et al.: Radiographic analysis of bone defect in chronic anterior shoulder instability. Arthroscopy, 19(7) : 732-739, 2003.

50) 高橋憲正, ほか：肩関節前方不安定症に対する新しいレントゲン撮影法（新法）の有用性. 肩関節, 34 (2) : 321-324, 2010.

51) 菅谷啓之, ほか：反復性肩関節前方不安定症における3D-CTによる関節窩骨形態の評価と治療法の選択. 関節外科, : 23 (6) : 788-793, 2004.

52) Burkhart SS, .: Traumatic glenohumeral bone defects and their relationship to failure of arthroscopic Bankart repairs: significance of the inverted-pear glenoid and the humeral engaging Hill-Sachs lesion. Arthroscopy, 16 (7) : 677-694, 2000.

53) Yamamoto N, Itoi E, Abe H, et al.: Contact between the glenoid and the humeral head in abduction, external rotation, and horizontal extension: a new concept of glenoid track. J Shoulder Elbow Surg, 16 (5) : 649-656, 2007.

54) Itoi E, Hatakeyama Y, Sato T, et al.: Immobilization in external rotation after shoulder dislocation reduces the risk of recurrence. A randomized controlled trial. J Bone Joint Surg Am, 89 (10) : 2124-2131, 2007.

55) Komori, et al.: Efficacy of MR arthrography with the arm in Adduction Internal Rotation (ADIR) position in detecting Bankart lesion. 11th EFORT Congress, 2010.

56) 高橋憲正, 菅谷啓之, ほか：競技レベルの野球選手に対する反復性肩関節脱臼の治療成績. 肩関節, 36 (2) : 367-371, 2012.

57) 中川滋人, ほか：野球・ソフトボール選手に派生した外傷性肩関節前方不安定症の特徴. 肩関節, 34 (3) : 667-669, 2010.

58) Scheibel M, et al.: The influence of duration of immobilization in external rotation after traumatic anterior shoulder dislocation;preliminary results. Read at the 10th International Congress of Shoulder and Elbow Surgery, 2007.

59) Aronrn JG, Regan K: Decreasing the incidence of recurrence of first time anterior shoulder disrocations with rehabilitation. Am J sports med, 12 (4) : 283-291, 1984.

60) 菅谷啓之：反復性肩関節前方不安定症に対する鏡視下 suture anchor 法. 整災外, 45 (1) : 49-55, 2002.

61) Sugaya H, et al.: Arthroscopic osseous Bankart repair for chronic recurrent traumatic anterior glenohumeral instability. Surgical technique. J Bone Joint Surg Am, 88(Suppl 1 Pt 2): 159-169, 2006.

62) 高橋憲正, ほか：反復性肩関節脱臼 鋭視下法. 臨スポーツ医, 29(4): 431-445, 2012.

テニス

本項では，テニス特有の動作と，それに関連する外傷・障害について理解を深めることに加えて，理学療法で必要となる評価と治療の基盤となる考え方について解説する。
なお，本項で解説するルールなどは，主に一般成人の硬式テニスを基準とする。また，本項におけるテニスの動作解説は，すべて右利きの選手を例に紹介する。

テニスの身体運動の特徴

ポイントとコート

テニスには，プレーヤーが1対1で行うシングルスと，2対2で行うダブルスという2種類の試合形式がある。

プレーヤーは1ゲームごとにサービスとレシーブを交代する。ポイントは0（ラブ），15（フィフティーン），30（サーティ），40（フォーティ）と数え，40対40になったときはデュースとなり，2ポイント差以上をつけたほうがそのゲームの勝者となる。

2ゲーム以上の差をつけて6ゲーム以上を獲得するか，ゲームカウントが6対6になったときにはタイブレークという決定戦を行い，勝ったほうが1セットの勝者となる。サーブをするほうが有利であり，サーブ側のプレーヤーがゲームを失う（負ける）ことをブレークとよぶ。テニスのプロ選手の試合では，男子は5セットマッチ，女子では3セットマッチの試合が一般的である。

テニスコートの表面（サーフェス）は，ボールが高く弾みやすいハードコートや，球速が遅くなる粘土質のクレイコート，ボールが滑りやすい天然芝などがある。テニスコート表面の素材によってゲームの展開が異なり，それにより活躍するプレーヤーが決まってくることさえある（**表1**）。

ゲームはサーブから始まり，レシーブ，フォアハンドおよびバックハンドによるグラウンドストローク，ボールをノーバウンドで打ち返すボレーやスマッシュなどにより，ポイントが決まるまで続けられる[1-4]。

テニスにおける身体的ストレス

プレーヤーは，相手が打ったボールを打ち返すためにコート内を移動しながら，グラウンドストローク，ボレー，スマッシュなどを行うため，手関節，肘関節，肩関節，体幹に多くのストレスを受ける（**図1**）。また，前後方向，側方，それらを組み合わせた方向への移動だけではなく，進行方向を急激に切り返す動作が含まれるため，足関節，膝関節，股関節に多くのストレスを受けることに

Rulebook

デュースが何回も続いたりタイブレークに入ったりするとそれだけ試合時間が長くなり，身体への負担も増える。なお，大会によってタイブレークなどのルールは異なる。

表1 テニスコートのサーフェスの種類と特徴

種　類	素　材	球　速	身体への負担	その他の特徴
クレイコート	土を固めて表面に砂をまいたコート	＋	＋	足が滑りやすい
砂入り人工芝コート	人工芝に砂をまいたコート	＋	＋	足が滑りやすい
グラスコート	芝のコート	＋＋＋	＋＋	ボールが滑ってバウンドが低くなることや不規則となることがある
カーペットコート	絨毯素材のコート。屋内コートで使用される	＋＋	＋＋	—
ハードコート	セメントやアスファルトの表面を樹脂コーティングしたコート	＋＋	＋＋＋	ボールがよくバウンドする

図1 テニスの動作で大きな負荷がかかる身体部位

❶サーブやグラウンドストロークで負荷がかかりやすい上肢および体幹の部位
❷ボレーやスマッシュなどのステップで負荷がかかりやすい下肢の部位

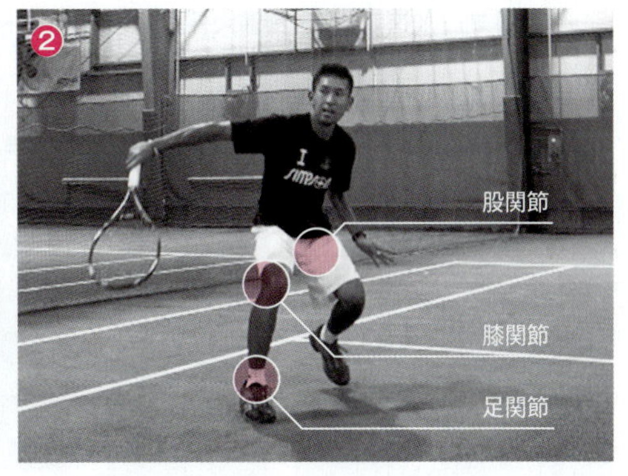

なる。

全日本ジュニアテニス大会約700試合（2009年）の傷害発生率は，熱中症19%，けいれん・肉ばなれ42%，関節痛・筋疲労21%，その他18%であり，運動器傷害が60%を超えると報告されている[5]。

一般に，加齢で体重が増加して筋柔軟性が低下する成人では，けいれん・肉ばなれよりも関節傷害である捻挫が増加することが考えられる。

サーブ動作の機能解剖

テニスのサーブは，野球の投球動作と類似した分析がなされている。すなわち，ワインドアップ期，コッキング期，加速期，そしてフォロースルー期の4期に分けて動作分析されることが一般的となっている（**図2**）。

ワインドアップ期～コッキング期

ワインドアップ期は，動作の開始からボールトスまでのサーブの初期動作である。できるだけ前方からサーブをするために，下肢を前後に開き，ベースラインに対して右足が約45°になるように立つ。ラケットを持つ右腕とボールを持つ左腕を，ほぼ同じタイミングで肩の高さまで挙上しながらベースライン近くにある左足を少し前方に踏み込むことにより，荷重を左足に移す。

次のコッキング期（本来の意味はピストルなど銃器の撃鉄を引くこと）において，トスアップするボールが手から離れるときには左腕は右腕よりも高く挙上し，右肩は下がっている。右腕は肩甲帯を後方に回旋させてボディターンを行い，同時に両膝関節を屈曲させて肩関節を最大外旋位とする。トスアップからコッキング期の間に左足だけで体重を支えて両膝関節を屈曲させ，右の肩甲帯を下げることで重心を低くするとともに加速期へのエネルギーを発揮できる姿勢となる。それと同時に，右足を左足よりも前方に移動させる。

加速期～フォロースルー期

3番目は加速期である。加速期の始まりでは，ボールに強い力を与えるために左腕を振り下ろしつつ右足がしっかり接地すると同時に，両膝関節の急激な伸展と足関節の底屈によって身体を長軸方向に伸び上げる。このとき，足関節底屈が十分に強いと両足底先端部がほぼ同時に地面から離れ，重心の移動を円滑にするとともにインパクト位置を高くすることにつながる。

続いて，左の肩甲帯伸展および肩関節内転によって，体側に上腕を引きつけながら右の肩甲帯を前に出すようにボディターンする。このとき，右側の体幹を伸展させ，最大外旋位となっている右腕の急激な肩関節内旋，肘関節伸展，前腕回内を行い，ラケットをボールにインパクトさせる。

一般に，肩関節最大外旋位が大きいほど内旋運動を加速させることになり，強いインパクトが得られる。

フォロースルー期は，肘関節を屈曲させてボールインパクト後のラケットが体幹の前を通過して左の腰部方向に向かい，一連のラケットの運動が終了するまでの時期である。体幹および肩関節の後方筋群の遠心性収縮によりラケットの速度を減速させ，相手のレシーブに備える姿勢となる。

図2 サーブ動作の連続写真

❶～❸ワインドアップ期
❹～❺コッキング期
❻～❼加速期。加速期は肩関節最大外旋位から，ラケットがボールにインパクトする瞬間まで
❽～❿フォロースルー期

各期における筋活動

ここで，サーブの各期における身体の筋活動に着目したい。速いファースト（1st）サーブは男子上級者の場合，ボールの初速が150km/hを超えることも珍しくない。その初速を生み出すためにステップと身体運動による重心移動と筋力をうまく組み合わせて，インパクトで大きな力を発揮している。

ワインドアップ期には脊柱起立筋を働かせて体幹を伸展させながら，右の大腿四頭筋，大殿筋，前脛骨筋，下腿三頭筋を十分に働かせ，後方に重心を移動してほぼ全荷重を支え，両肩の僧帽筋上部線維，肩甲挙筋，三角筋によりボールを持つ左腕とラケットを持つ右腕を挙上していく。

コッキング期には，左腕は高く挙げてボールを離しながら右足を左足の前に出して重心を前方に移動し，両下肢は股関節・膝関節の屈曲でエネルギーを蓄えて，三角筋後部線維，僧帽筋，広背筋を働かせて右の肩甲帯を伸展させ，棘上筋や棘下筋，小円筋を働かせて肩関節を最大限に外旋させる。

加速期では，ボールをラケットで強く打つために両下肢の伸展運動で上半身に力を伝えながら，

脊柱起立筋を働かせて体幹を伸展させる。後方にある右の三角筋を働かせて肩関節を外転させることで肘をできるだけ高く挙上させる。大胸筋，肩甲下筋の活動により肩関節を内旋させ，急激に上腕三頭筋を働かせて肘関節を伸展させ，前腕を回内させる。このとき，右腕と左脚がほぼ垂直となり，伸展している体幹を腹筋群の活動で瞬時に屈曲させ，右外腹斜筋と左内腹斜筋によりコッキング期の体幹によるエネルギーを一気に右腕に伝え，左脚にほぼすべての荷重を移す。このとき，両脚でジャンプをして，より前上方でインパクトすることがある。これらの身体運動による重心移動と筋収縮力が，ラケットのフェイスにボールが当たった瞬間ボールに加えられる(**図3**)。

フォロースルー期には重心が前方に移動し，三角筋後部線維と僧帽筋下部線維の働きでラケットを減速させる。そして，左脚にすべての体重を荷重し，左の大殿筋，大腿四頭筋を遠心性収縮させながら股関節と膝関節を屈曲させて衝撃を吸収する。左手でラケットのフレームをつかみながら，次のプレーの準備姿勢をとる。

サーブに関連する主な外傷・障害

肩関節痛

サーブ時に生じる痛みで最も訴えが多いのは肩関節痛である。特にフラットサーブは，スライスサーブやスピンサーブと比べると肩関節へのストレスが大きく，肩関節痛の訴えも多い。フラットサーブでは，インパクトの瞬間に飛球線方向に対してフェイスが垂直になるようにグリップを厚く

図3 サーブの加速期で作用する筋

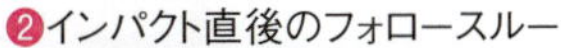

❶肩関節最大外旋位

❷インパクト直後のフォロースルー

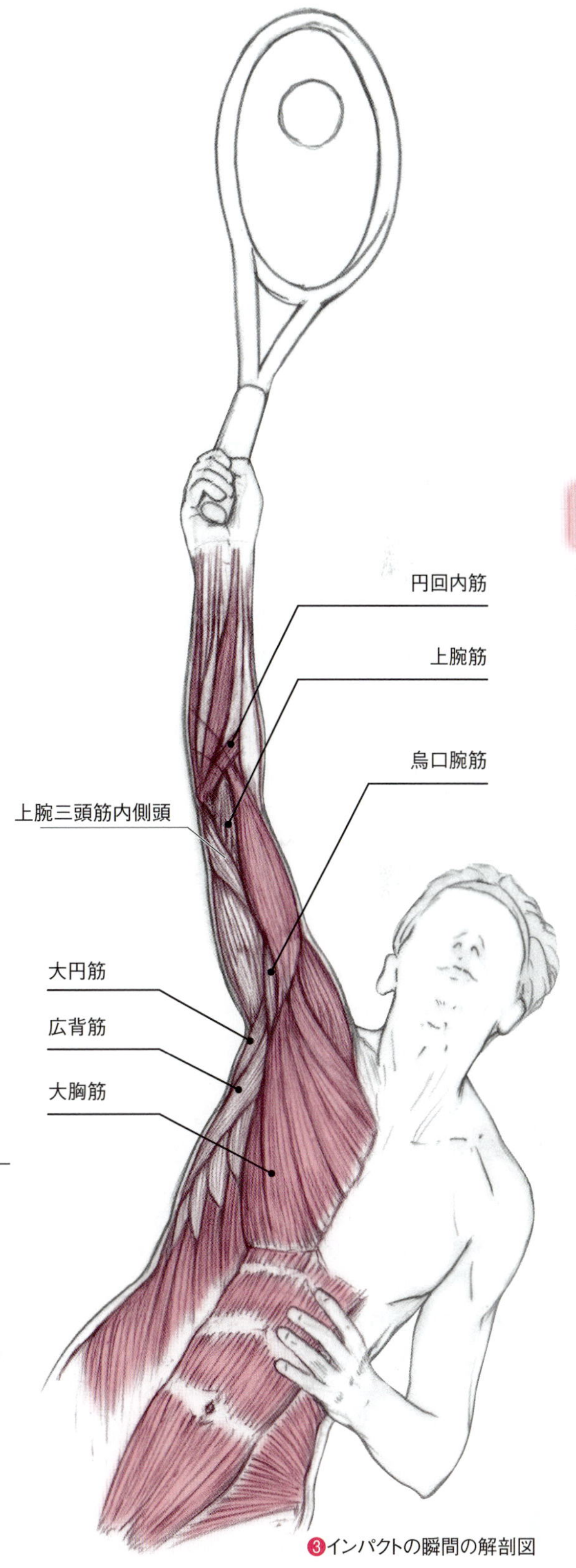

❸インパクトの瞬間の解剖図

握るためインパクトの衝撃が大きく，これが肩関節痛に影響を及ぼしていると考えられている。

フラットサーブのボールは直線的に進む傾向があるため，サービスラインを超えてフォルトとなることが多い。そこで，確実な1stサーブを打ちたい場合や，決めなければ相手にポイントが入ってしまうセカンド（2nd）サーブのときには，ボールを横滑りさせるスライスサーブや，ボールを高くバウンドさせるスピンサーブが多く用いられる。

肩関節痛は主に加速期に生じ，回旋筋腱板（棘上筋，棘下筋，小円筋，肩甲下筋），大胸筋，広背筋，上腕二頭筋などの肩関節周囲筋群や，肩関節包に過度なストレスが加わることにより生じると考えられている。

● 肩関節痛を訴える患者のサーブ動作のみかた・評価

サーブは最も速いボールを生み出す動作である。下肢，体幹，肩甲帯，肘関節，手関節の運動連鎖を意識し，身体の一部の関節や軟部組織に過度なストレスがかかっていないかを評価することが大切である。

サーブに重要な運動連鎖としては，ワインドアップ期～コッキング期において膝関節が一度屈曲してから伸展し（1stサーブでは，しばしばジャンプ動作が加わる），コッキング期～加速期で体幹の回旋および屈曲が起こる。フォロースルー期では，左の肩甲帯をコントロールして右腕と体幹の運動を補助しながら，グラウンドストロークへの準備を行う。

膝関節の屈曲・伸展が不十分な場合，また体幹の回旋および屈曲運動が不十分な場合に肩関節に過度なストレスがかかることがある。

野球などのオーバーヘッドスポーツでは，上肢を挙上して運動を行う場合に肩甲骨の関節窩に対して上腕骨頭が上下にずれることなく収まっており，かつ肩甲棘の延長線と上腕骨長軸が一致したポジションで内旋することで，肩関節へのストレスが少なくなると考えられている。肩関節のオーバーユースや，疲労が蓄積して下肢や体幹の運動が不十分になると肩関節の至適ポジションが取れなくなったり，肩関節の動的不安定性が高まり，過度なストレスとなり痛みが生じると考えられている。

サーブで生じる肩関節痛の評価と理学療法の考え方

● 肩関節痛の主な原因

回旋筋腱板の損傷

回旋筋腱板は，肩甲上腕関節の運動時に上腕骨頭を肩甲骨関節窩に押し付け，動的安定機構として働く。肩関節痛の主な原因としては，この回旋筋腱板の損傷が挙げられる。

回旋筋腱板が損傷すると前述の動的安定性が低下し，サーブのインパクト時に上腕骨頭が後方偏位して肩甲上腕関節後方関節包が損傷する。また，上腕骨頭が上方偏位し，肩峰下インピンジメントが生じることとなる。

Sports Gear, Equipment

テニスラケット：ガットのテンションとフレームの厚さ

ガットのテンション（緊張度）は，高いほど衝撃に強く，低いほどボールとの接触時間が長くなるため打球感に優れるという傾向がある。また，ラケットのフレームが厚い（硬い）ほど衝撃に対するブレが少なくなり，薄い（軟らかい）ほど打球感の違いが明確となる。

グリップの握り方

ラケットを持ったときにフェイスが自分から見えるように握る方法をウエスタングリップ（厚いグリップ），フェイスが見えずにフレームが見える握り方をコンチネンタルグリップ（薄いグリップ）という（**図4**）。

図4 ウエスタングリップ（❶）とコンチネンタルグリップ（❷）

❶ ❷

肩関節不安定性

回旋筋腱板の損傷による肩峰下インピンジメントや反復性亜脱臼などが生じていると，肩関節の関節唇損傷や肩関節不安定性が併発している可能性がある。肩甲上腕リズムと関連して，肩関節不安定性には，肩甲骨上方回旋における僧帽筋上部・下部，前鋸筋の協調運動（フォースカップル）が，また肩甲骨前後傾斜において，僧帽筋上部と小胸筋に対しての前鋸筋と僧帽筋下部のフォースカップルが関与していると考えられている[6)]。

肩関節の評価

肩関節の評価は，姿勢と肩関節の観察，自動・他動運動検査，抵抗運動（肩甲下筋に対するlift off検査，棘上筋に対する肩関節90°外転・30°水平屈曲・内旋位でのempty can検査を含む），触診，整形外科徒手検査（**表2**）により行われる。

Sulcus検査（**図5**）陽性では，上腕骨を指先方向に牽引したときに，対側肩関節と比較して肩峰と上腕骨頭の距離が拡大し，亜脱臼状態になる。なお，Sulcus検査は背臥位のほか，椅子座位などでも実施することがある。

apprehension検査（**図6**）陽性の場合は，肩関節外転90°になったときに上腕骨頭が前方を向き，肩関節前方にストレスがかかって痛みが生じている可能性を示唆している。これは，コッキング期に体幹の回旋が不十分で，肩関節に負担がかかるフォームになっていることが考えられる。

speed検査やYergason検査が陽性の場合は，オーバーユースによる上腕二頭筋長頭腱炎が示唆されるため，炎症症状を悪化させないために活動制限を設けることもある。

関節唇損傷

関節唇損傷は，上方関節唇（superior labrum anterior and posterior：SLAP）損傷と変性疾患や前方脱臼時に上腕骨上後方部が関節窩下縁に衝突することにより，上腕骨同部の陥没骨折であるHill-Sachs病変や肩甲骨の関節窩縁が骨折するBankart病変などの非SLAP損傷に分類される。SLAP損傷は，被検者を腰に手を当てた状態で立たせて検査者が後方から肘をつかみ，上腕骨を肩甲骨の上前方に押し込むのに対して押し返させる前方スライド検査，肩関節90° 屈曲・10° 水平内転，最大内旋位を保持させて，屈曲や水平内転に対して前腕に抵抗をかけるO'Brien検査，肩関節90° 外転位から肘をつかみ，上腕骨長軸方向に軸圧迫させながら内旋させるcrank検査により評価を行う[4, 9)]。

表2 肩関節痛の評価で用いる整形外科徒手検査

評価する部位・状態		検査名
上腕二頭筋		speed検査，Yergason検査
インピンジメント		Hawkins-Kennedy検査，Neer検査
不安定性	前方	apprehension（不安定感）検査
	下方	Sulcus検査
関節唇損傷	SLAP	前方スライド検査
	非SLAP※	crank検査

SLAP：上方関節唇損傷

※ Hill-Sachs病変，Bankart病変など

図5 Sulcus検査

背臥位で上肢を体側に位置させ指先方向に牽引する。対側肩関節と比較し，肩峰と上腕骨頭の距離が拡大して亜脱臼になる場合は陽性と判断する

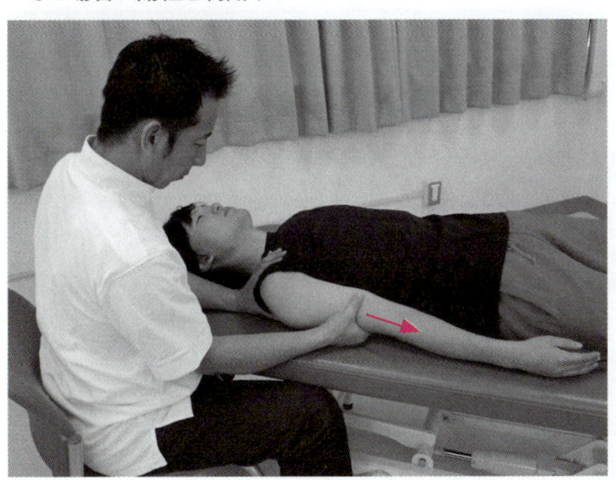

図6 apprehension検査

背臥位で肩関節90°外転，肘関節90°屈曲位とする。上腕を軽く保持し，前腕を操作して肩関節を最大外旋させる。肩関節前方に不安定感が生じた場合は陽性とする

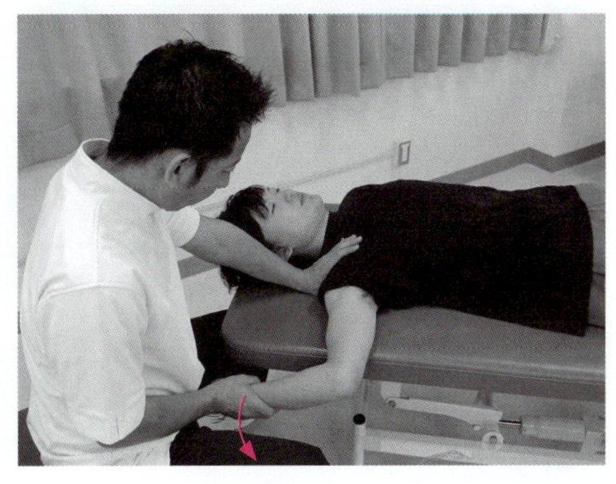

肩関節痛の理学療法

理学療法ではサーブフォームの確認とともに，筋力が不十分な部位の強化およびフォームの修正を行う。

肩関節痛に対するセルフエクササイズは，基本的に3部（セッション）構成で行う。エクササイズ前後には最大の痛みを再現できる運動を行い，痛みを100mmVAS（visual analog scale）で計測する。各セッションの内容は20回を1セットとし，1日2セット行う。

セッション1では患者は背臥位となり，肩関節をできるだけ90° になるように外転させる。肩関節水平外転運動を行い，肩甲骨内側縁を脊柱に近付ける。同じく肩関節90° 外転位で，肩関節内外旋，伸展運動を行う。

セッション2では，椅子座位で肩関節中間位，肘関節90° 屈曲位（1stポジション）とし，肩関節内外旋，屈曲・伸展，外転運動を行う。

セッション3では，椅子座位にて肩関節90° 外転位，肘関節90° 屈曲位（2ndポジション）とし，肩関節水平内外転，内外旋運動を行う。

肩関節の安定性を高めるために，ゴムチューブを利用して肩関節中間位や90° 外転位，サーブにおけるインパクト時の肩関節外転位で，肘関節90° 屈曲・前腕回外位を保持した状態で肩甲骨下制・内転（僧帽筋下部），肩甲骨内転（菱形筋群），肩関節外旋（小円筋や棘下筋），肩関節内旋（肩甲下筋，大円筋，広背筋）のエクササイズを行う。

肩甲骨の外転による肩甲上腕リズムの破綻を修正するためには，通常よりも背部を高く上げる腕立て伏せであるプッシュアップ・プラス運動[4]を行う（**図7**）。これは，肩甲骨と上腕骨を結ぶ筋をストレッチさせ，肩甲上腕リズムの回復や肩甲上腕関節の安定性改善に有効である。

また，棘上筋および棘下筋などに対して低周波電気刺激を行う。さらに，肩関節前方の痛みの軽減と上腕二頭筋腱などの軟部組織の可動性改善，循環改善を目的として超音波療法を行う。

フォローアップ

肩関節の安定性向上は肩関節痛の再発を予防すると考えられるので，テニスの練習や試合の前に行う準備運動として，肩甲骨の可動性を意識した肩関節のストレッチに加えて，体幹の可動性を確保するためのストレッチを行う。また，ゴムチューブを利用して肩関節周囲筋に対する筋力増強運動を行うことにより，肩関節安定性の向上に努める。

グラウンドストロークの機能解剖

ストロークの種類と打球の特徴およびスタンス

フォアハンドとバックハンド

フォアハンドストローク（フォア）は，

- ラケットを持つ右の肩関節を体幹よりも後方に位置させることができる
- 上肢でラケットを引いてボールインパクトの位置まで体幹を左側に回旋させるとともに，右の肩関節を水平内転させることでラケットを振る（ボールを引きつけることができる）
- インパクトで体幹より離れた位置でボールを打

図7 プッシュアップ・プラス運動

腕立て伏せにおいて，通常よりも背部を高く上げて行う

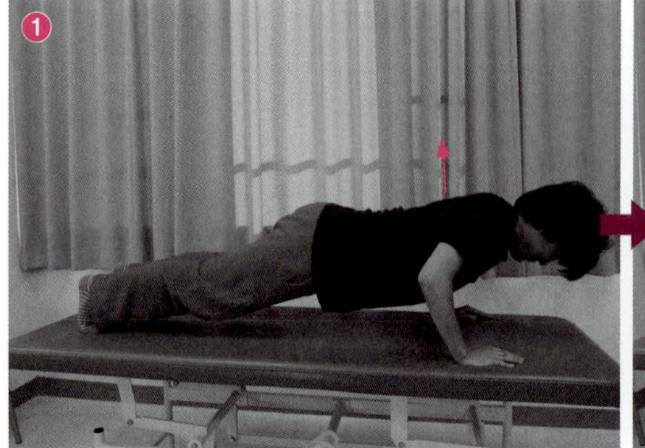

つことができる

という理由から，強いボールを打つことができる。

一方，バックハンドストローク（バック）は，右の肩関節が体幹より前方となることや，インパクトの位置がフォアよりも前方かつ体幹により近い位置となることから，フォアよりも打球は弱くなる。

フォアハンドとバックハンドのスタンス

フォアのスタンスは，軸となる右脚の前に左脚がクロスするクローズドスタンス，両下肢がベースラインに対して垂直となるスクエアスタンス，左脚が開くオープンスタンスに分けられる。

バックはクローズドあるいはスクエアスタンスで打つことが多い。いずれの場合も，ボールを追って走りながら体幹が前傾したまま打つ場合には下肢より体幹が突っ込む姿勢となり，ストローク後の身体バランスが不安定となるだけではなく，打球を強く打つこと自体が難しく，さらには次のボールに対する動作が遅くなる。また，バランスを崩すことで，筋や関節に傷害が発生する危険性が高まるので注意が必要である。従って，ストロークやボレー，スマッシュなどでは，ボールインパクトの位置まで速く移動し，安定した姿勢でボールを打ち返すことが傷害予防にもつながる。

オープンスタンスでは，体幹の回旋運動をラケットに伝えることが難しいため手振りになって打球が弱くなることがあるが，相手のボールが遠くて速い場合などに体幹と肩関節を素早く運動させることができる中・上級者が行うことが多い。

グラウンドストロークの分類

一般にグラウンドストロークは，準備期，加速期，フォロースルー期の3つの動作に分類される。

グラウンドストロークの準備期は，構えの姿勢からラケットを後方に引き，ラケットが最後方にきた姿勢までを指す。次の加速期は，最後方まできたラケットを前方に振り出すため，右脚を軸として体幹を回旋させながらラケットがボールにインパクトする瞬間までを指す。フォロースルー期は，インパクト直後からストロークの最終姿勢までをいう。

フォアハンドストロークの動作（図8）

- **準備期**

フォアの準備期では，両手でラケットを把持した構えの姿勢からラケットを後方に引いていくが，同時に右脚を後方に引いて足部をエンドラインに対して約20°となるようにする。この下肢と足部の位置は野球などの投球動作と同様に，身体を前方に出したり利き腕を強く振るために，地面を押し付ける要となる。

身体全体がエンドラインに平行で，両手でラケットを把持した構えの姿勢から飛球線方向に対して身体を横に向けながらラケットをさらに後方に引くことで，左上肢がラケットから離れる。ラケットをさらに後方に引く際，左上肢は肘関節を伸展しながら肩関節を水平外転させる。上肢と先端の手部はボールの空間位置を確認するための相対的な指標となる。そのため，ラケットが最後方に来たときに，左上肢の延長線上にボールが来るようにする。

準備期には右脚でほとんどすべての荷重を支え，ラケットが最後方になるときに左足の踵から荷重をかけて重心を前方に移していく。

- **加速期**

加速期では，準備期の右脚重心から前方の左脚へ移動させながら，左の肩甲帯を伸展，肩関節を水平外転させて体幹を左に回旋する。それと同時に右の肩甲帯を屈曲させ，肩関節を水平外転位から屈曲および内転することにより，右上肢を体幹の近くを通して，ラケットを前方に振り出す。

- **フォロースルー期**

インパクト後のフォロースルー期では，ラケットを前方に出しながら肘関節を伸展，前腕を回内させて左肩の方向に振る。右肘が体幹の前を通り過ぎたところで，右脚を前方に振り出して重心を左脚に移す。そして，徐々に右肘関節を屈曲させて，左手でラケットのフレームをつかむ。

また，バックでは打球を強くするためやボールコントロールを安定させるためにしばしば両手打ちをすることがあるが，体幹から離れたボールへの対応がより難しくなるという欠点がある。

バックハンドストロークの動作（図9）

バックもフォアと同様に，準備期，加速期，フォロースルー期の3期に分けられる。

- **準備期**

準備期では，構えの姿勢から左肩が後方となるように体幹を回旋させながら，両下肢による荷重から左脚にほとんどすべての荷重を移し，重心を

図8 フォアハンドストロークの連続写真

❶〜❸準備期　❹〜❼加速期　❽〜❿フォロースルー期

後方とする。そして，ラケットがスイング中の高い位置で準備期から加速期に切り替わる。

- **加速期**

加速期では，ボールの高さに合わせるようにラケットを下げていきながら重心を前方に移しつつ，左膝関節を屈曲させて左足部にかかる荷重を減らして右膝関節を伸展させていく。ボールの高さまで下げたラケットを前方に振り出すために，右の肩関節を外転させて左手がラケットから離れる。

インパクトでは，右膝関節の伸展とともに足関節を底屈して前足部だけで体重を支え，重心が後方から前方に移る。右肘関節を伸展させながら肩関節を外転させることで，ラケットのスイングに力が伝えられる。

- **フォロースルー期**

バックのフォロースルー期では，右腕でラケットを前方に出しながら，左肩関節を外転および水平外転させ，背部の僧帽筋を強く収縮させて両上肢が一直線となるように胸部を広げる。そして，

図9 バックハンドストロークの連続写真

❶，❷準備期　❸～❺加速期　❻～❽フォロースルー期

右の踵が接地して膝関節が屈曲し，左足が接地して荷重が移る。両手を近付け，右脚を後方に下げながら構えの姿勢に戻る。

フォアハンドストロークにおける筋活動（図10）

フォアの準備期では，僧帽筋や菱形筋の働きで右肩関節を水平外転させ，上腕三頭筋の働きで肘関節を伸展，長・短橈側手根伸筋および尺側手根伸筋の働きで手関節を背屈させてラケットを後方に引く。速い打球に対応するために，中級者以上ではラケットを後ろに引いてから移動することがある。

加速期では，右の外腹斜筋と左の内腹斜筋の働きで体幹を回旋させ，大胸筋および三角筋前部線維を素早く収縮させて肩関節内転，屈曲，水平内転させてラケットを前方に移動させる。橈側手根屈筋と尺側手根屈筋の働きで手関節を掌屈させて，ラケットを前方に振る。

フォロースルーでは，右側の背筋を遠心性収縮させて体幹回旋を減速させ，右の僧帽筋や菱形筋を遠心性収縮させて肩関節内転，屈曲，水平内転を減速させながら最終姿勢となり，左手でラケットをつかんで構えの姿勢に戻る。

バックハンドストロークにおける筋活動（図11）

バックでは，構えの姿勢のときに左手でラケットをつかんでいることが多い（図9❶）。

バックの準備期は，構えの姿勢から左手でラ

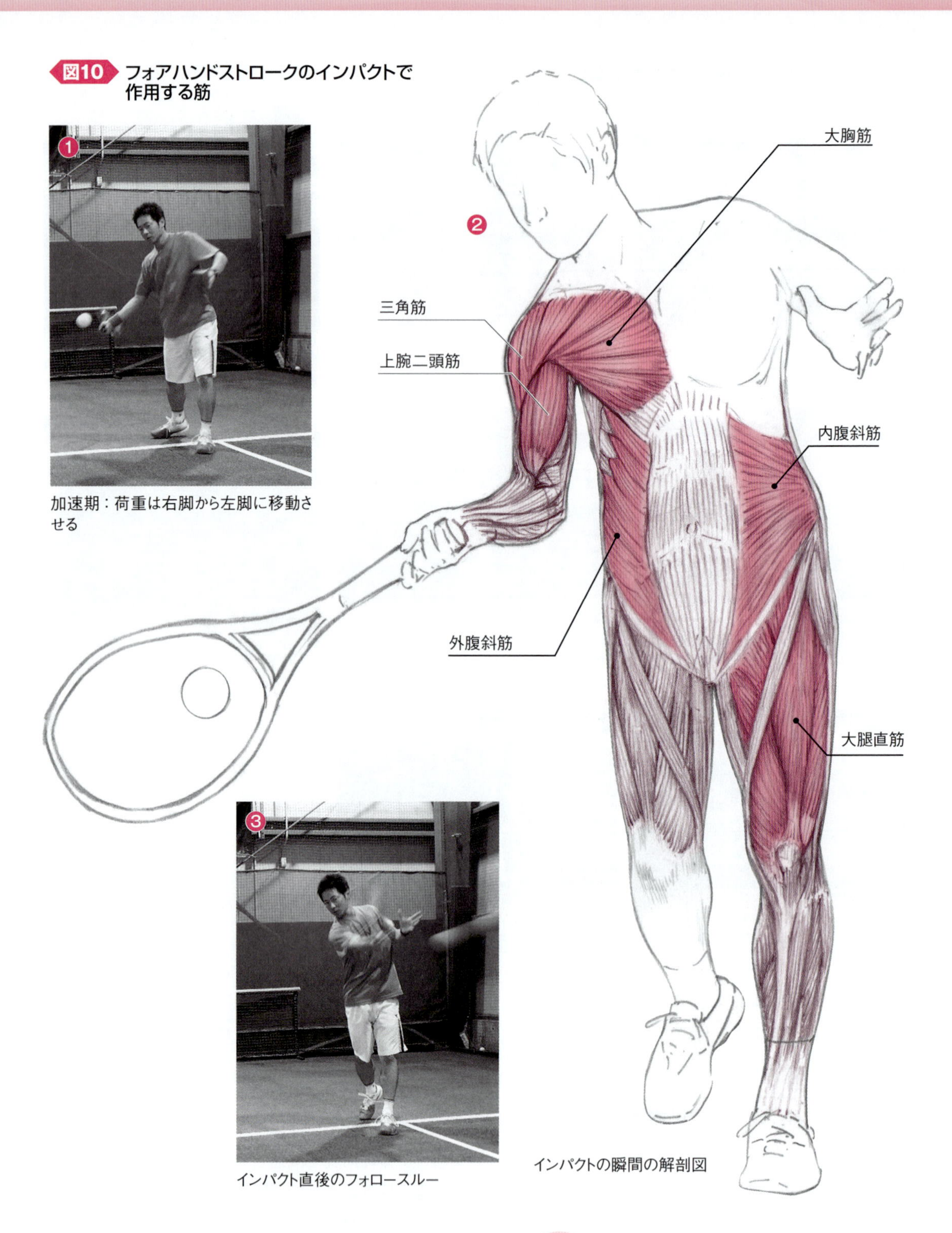

加速期：荷重は右脚から左脚に移動させる

インパクト直後のフォロースルー

インパクトの瞬間の解剖図

ケットを後方に引き始め，ラケットが最後方となるまでを指す。右の外腹斜筋と左の内腹斜筋の働きで体幹を左に回旋させる。右の大胸筋の働きで肩関節を内転させ，ラケットのスイングを大きく保つために肘関節をできるだけ伸展させたままラケットを後方に引く。

加速期は，体幹を回旋させながら肩関節を水平

Sports Skill

長いボール，短いボール

ネット際に落ちるように打つボールを，「短い」または「浅い」ボールという。一方，ベースライン際に落ちるようなボールを，「長い」または「深い」ボールという。

図11 バックハンドストロークのインパクトで作用する筋

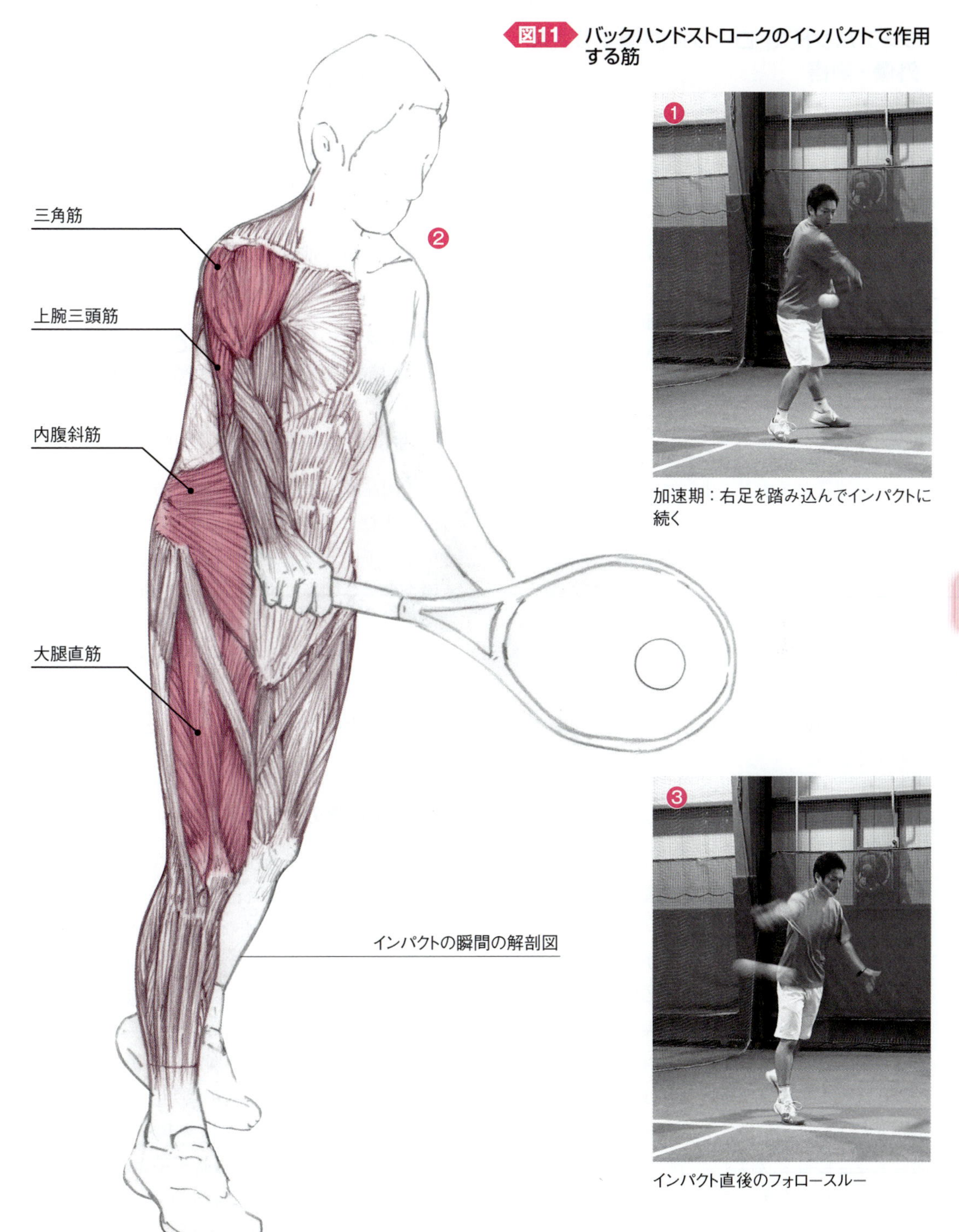

加速期：右足を踏み込んでインパクトに続く

インパクト直後のフォロースルー

外転させてラケットを前方に移動させ，ボールにインパクトするまでである。左の外腹斜筋と右の内腹斜筋の働きで左に回旋していた体幹を急激に右側に回旋させる。体幹の右への回旋運動の途中で，右の僧帽筋および菱形筋を働かせて肩甲骨を内転させていき，ボールインパクトに向けて三角筋後部線維，棘下筋の働きで肩関節水平外転を行う。

フォロースルー期は，インパクト直後から最終姿勢までである。肩関節水平内転に作用する右の大胸筋や三角筋前部線維の遠心性収縮により，ラケットの速度を低下させながら構えの姿勢に戻る。

フォアハンドストロークに関連する主な外傷・障害

手関節痛

手関節痛は，フォアやサーブのインパクト時に，緊張した手関節掌屈筋にストレスがかかって損傷するために生じると考えられている[3]。その主な機序としては，相手が打ったボールが予測よりも速く自陣に到達することで手関節掌屈筋が十分に作用する前にボールにインパクトしてしまい，同筋腱が損傷すると考えられる。

また，ラケットが硬すぎる，ガットのテンションが高すぎる，ラケットのスイートスポットが小さい，練習量が多すぎてオーバーユースになった，といったときに痛みが生じやすい。ジュニア選手の場合，オーバーユースになると書字において震えた文字になったりすることがあるので注意が必要である。

痛みが出現する部位は尺側手根屈筋や橈側手根屈筋腱であり，手関節掌屈運動に抵抗を加えると，手関節掌側面の尺骨側や橈骨側に痛みを再現することができる。

手関節痛を訴える患者のフォアハンドストローク動作のみかた

フォアで手関節痛が生じる患者は，準備期の時間が十分にとれないことが多い。すなわち，ボールインパクトの位置までの移動が遅いことが障害発生の一因であることが知られている。短いボールに対してネット側に向かって大きなステップを出すこと，反対に長いボールに対してコートエンド側に大きくステップすることは次のステップ幅に影響し，最終的にはストローク地点への到達時間に大きな影響を及ぼす。

そして，小さなテイクバックで，インパクト時に正しくラケットのフェイスを形成できるかが重要である。

まとめると，以下の動作を確かめるようにする。

- インパクトの位置に影響するボールの長さを素早く判断できるか
- ボールの長さによって移動距離が大きい場合に最初のステップを大きく出せるか
- 小さなテイクバックで加速期へ移行できるか
- 手関節掌屈筋が十分に作用してからボールにインパクトしているか

フォアハンドストロークで生じる手関節痛の評価と理学療法の考え方

手関節痛の評価

手関節痛が著しいときには，テニスの練習や試合を休むことを検討する。また，手関節部が赤みを帯びているような急性期の炎症，または慢性腱鞘炎のテニス後に対してはRICEを実施する。

痛みの評価として，痛みが出現する手関節背屈角度と最大背屈角度，およびそれぞれの疼痛強度を，角度計と100mmVASにより計測する。また，疼痛部位と痛みの種類をbody chart（身体図）に書き込むとよい。

手関節痛の理学療法

理学療法では，動作のみかたで示したフォームの確認とともに，渦流浴やホットパックといった温熱療法や超音波療法などの物理療法実施後に，手関節掌屈筋のストレッチを行う。渦流浴では手関節だけではなく，できるだけ前腕の近位まで温浴させるようにする。温浴中に，手指軽度屈曲位で手関節を背屈させる手関節掌屈筋のストレッチから徐々に開始し，痛みが減少してきたら手指伸展位で手関節背屈のストレッチをするとよい（**図12**）。また，手関節掌屈筋や手指屈筋を，ストレッチされた位置から負荷をかけながらゆっくり収縮させる運動もよい（**図12❸，❹**）。これは，

Sports Gear, Equipment

スイートスポット

ラケットとボールのインパクトの瞬間に，グリップを握る手に伝わる振動が最も小さい領域や，ボールの反発力が最も大きい領域などとされている。

Treatment

RICE

スポーツ外傷発生時に行う応急処置で，Rest：安静，Icing：アイシング，Compression：圧迫，Elevation：高挙の4つの方法の頭文字をとったものである。

図12 手指の屈曲角度を変えて行う手関節背屈エクササイズ

❶手指軽度屈曲位での手関節背屈運動　❷手指伸展位での手関節背屈運動　❸，❹負荷をかけた手関節背屈運動（セルフエクササイズ）

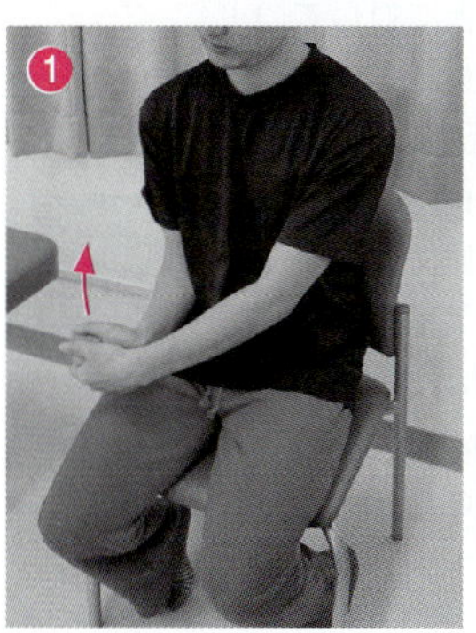
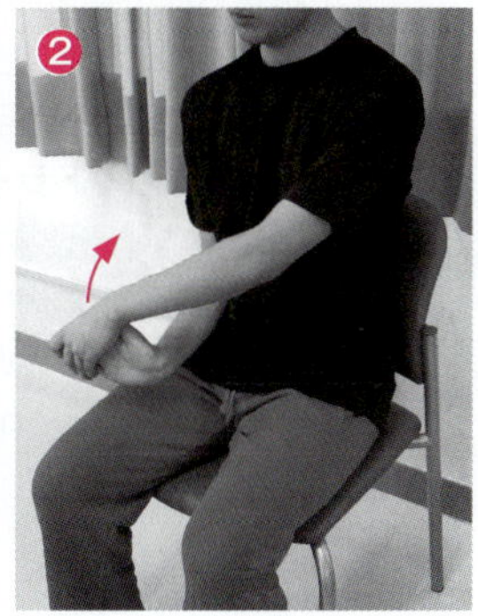
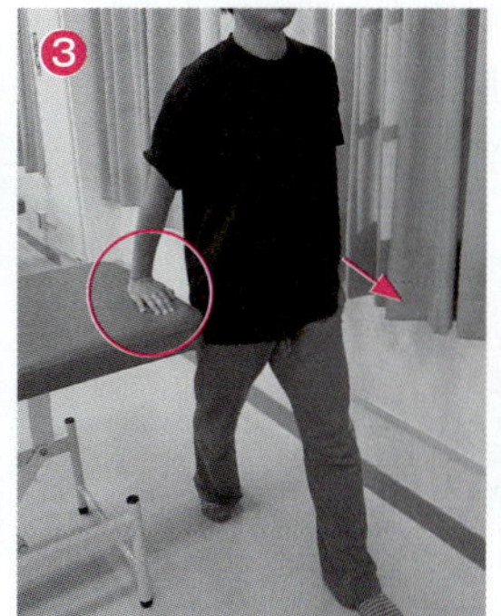
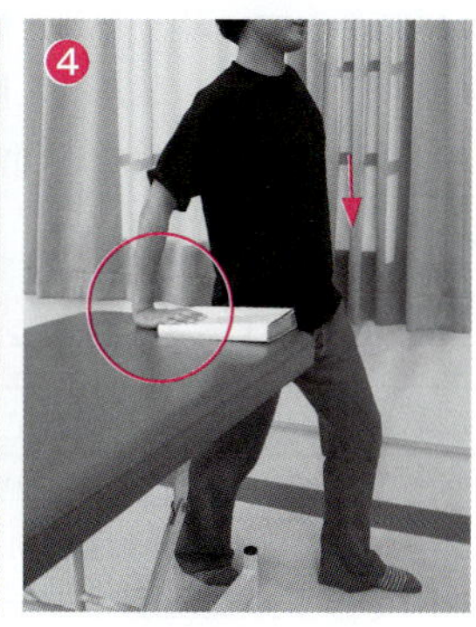

患者自身にセルフエクササイズとして実施するように指導する。

さらに，手関節掌屈筋のストレッチとして，テーブルに手掌を当てて手関節背屈位をとり，そこから背屈運動を行う。手関節の安定性を高めるために，前腕回外位での筋力強化として，重錘を利用した手関節掌屈運動を行う。

フォローアップ

十分なステップ長をとることを意識させるステップ運動を行う。このときに，ストロークする場所に向かって素早くステップし，小さなテイクバックからボールを打つフォームを確認することが重要である。

また，相手選手が打ったボールの長さや速さ，バウンドする位置を，相手のフォームとネットまでのボールの軌跡を基にできるだけ早く判断することを練習する。さらに，手関節の安定性を高めるため，手関節周囲筋の筋力強化を習慣化する。

バックハンドストロークに関連する主な外傷・障害

上腕骨外側上顆炎（テニス肘）

テニス肘として有名な肘関節外側部痛は，バックのときに手関節背屈筋が十分に作用する前にボールにインパクトすることで，肘関節外側部に過度なストレスがかかって生じると考えられている。テニス肘は中年になってからテニスを始めた初心者に多い。また，肩関節水平外転および伸展運動が遅れて手関節背屈筋が十分に機能できないことが肘関節に負担をかけ，障害につながると考えられている。

さらに，バックによるテニス肘のほかに，割合としては少ないが，速いフラット系サーブを打とうとして前腕の回外を過度に意識したときや，相手の速いサーブのレシーブでスイートスポットをはずしたときにテニス肘を発症することがある。肘関節は上肢の中間に位置していることから，肩関節を中心に上肢を素早くスイングするときにアライメントが不良であると，肘を損傷しやすくなる。テニス肘により，肘関節屈曲90°以上で可動域制限や痛みが生じることがある。

テニス肘の患者のバックハンドストローク動作のみかた

テニス肘の患者は，手関節背屈筋群の作用のタイミングが遅くなるために障害が発生することが多く，バックのインパクトの瞬間，グリップを強く握ったとき，手関節背屈筋群が収縮するときに痛みが生じる。また，バックのインパクトが身体から離れすぎると肘関節に過剰な負担がかかる。

動作としては，できるだけ早い段階でテイクバックを行い，体幹の回旋運動に続いて肩関節水平外転および肘関節伸展運動が生じ，手関節を背屈したままボールにインパクトしているかを確かめる。

バックハンドストロークで生じるテニス肘の評価と理学療法の考え方

テニス肘の理学療法

テニス肘は，肘関節伸展位，前腕回内位で強くグリップを握ったときや，手関節の背屈または手指の伸展で疼痛を再現することができる。手関節背屈筋群をマッサージし，肘関節屈曲位で手指を屈曲，手関節を掌屈させ，肘関節を伸展することにより，外側上顆部で手関節伸筋を効果的にストレッチできる[7]。

Check! 理学療法ガイドライン第2版

「上腕骨外側上顆炎患者に対して手関節伸筋群の伸張運動（ストレッチング）は推奨できるか」[8]については，『理学療法ガイドライン 第2版』第8章「肘関節機能障害理学療法ガイドライン」の上腕骨外側上顆炎CQ1を参照されたい（https://www.jspt.or.jp/upload/jspt/obj/files/guideline/2nd%20edition/p463-508_08.pdf）。

Web版はこちら

また，炎症所見がある場合や，軽症でテニスの練習や試合を行った直後にはRICEを行う。慢性テニス肘に対しては，軟部組織の可動性改善や循環改善を目的に超音波療法が行われる。

徒手理学療法において，テニス肘では前腕を橈骨側にグライドさせると痛みが軽減することがあると知られている。これに関連して，短橈側手根伸筋が微細損傷することで関節包が損傷し，後外側関節ヒダが不安定になり腕橈関節部でインピンジすることが，テニス肘の原因の1つとして考えられている[9]。

Check! 理学療法ガイドライン第2版

「上腕骨外側上顆炎患者に対して軟部組織モビライゼーションなどの徒手療法は推奨できるか」[8]については，『理学療法ガイドライン 第2版』第8章「肘関節機能障害理学療法ガイドライン」の上腕骨外側上顆炎CQ3を参照されたい（https://www.jspt.or.jp/upload/jspt/obj/files/guideline/2nd%20edition/p463-508_08.pdf）。

Web版はこちら

装具療法として，前腕近位に装着して手関節背屈筋群を圧迫するテニス肘用エルボーバンドの使用も考慮すべきである。

Check! 理学療法ガイドライン第2版

「上腕骨外側上顆炎患者に対してコックアップスプリントまたはテニスバンドなどの装具は推奨できるか」[8]については，『理学療法ガイドライン 第2版』第8章「肘関節機能障害理学療法ガイドライン」の上腕骨外側上顆炎CQ4を参照されたい（https://www.jspt.or.jp/upload/jspt/obj/files/guideline/2nd%20edition/p463-508_08.pdf）。

Web版はこちら

テニス肘に対するセルフエクササイズ

テニス肘に対するセルフエクササイズは，基本的に3部（セッション）構成とする。エクササイズ前後には，前方にある物に手を伸ばそうとして前腕を最大回内・肘関節伸展したときの痛みを100mmVASで計測する。合わせて，肘関節伸展・屈曲の関節可動域と，肩関節90°屈曲・前腕最大回内・肘関節最大伸展位における両手の握力を計測する。各セッションの内容は20回を1セットとし，1日2セット行う。

セッション1

患者は背臥位になり，肩関節90°外転位で次の運動を行う。

図13 テニス肘に対するセルフエクササイズ：セッション1（背臥位，肩関節90°外転位）

❶肘関節90°屈曲位で前腕回内・回外運動 ❷肘関節30°屈曲位で前腕回内・回外運動

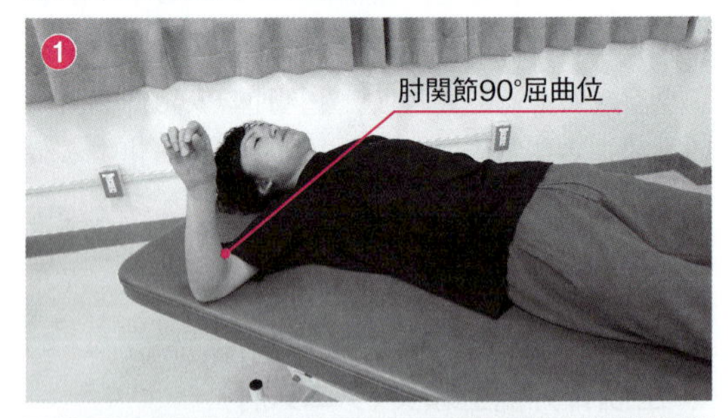

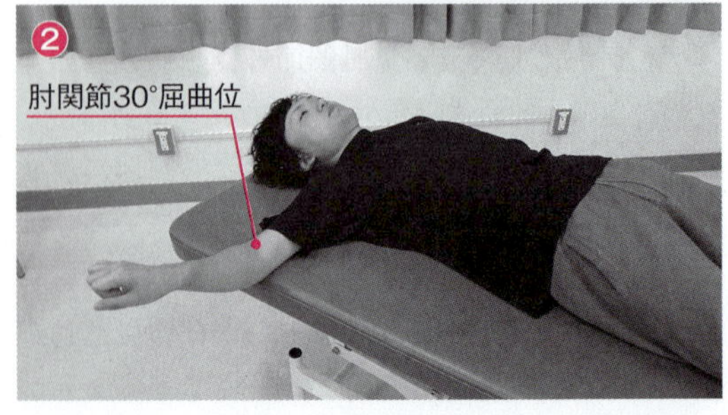

1-1：肘関節90°屈曲位で前腕回内・回外運動（**図13❶**）
1-2：肘関節60°屈曲位で前腕回内・回外運動
1-3：肘関節30°屈曲位で前腕回内・回外運動（**図13❷**）
1-4：肘関節伸展位で肩関節内旋・外旋運動
1-5：肘関節伸展位で肩関節を動かさずに前腕回内・回外運動

セッション2

患者は背臥位になり，上腕を体側に置いた肩関節中間位で次の運動を行う。

2-1：肩関節を30°内旋させて前腕回内運動。中間位に戻し，30°外旋させて前腕回外運動（**図14**）
2-2：肩関節を60°内旋させて前腕回内運動。中間位に戻し，60°外旋させて前腕回外運動
2-3：肩関節を90°内旋させて前腕回内運動。中間位に戻し，90°外旋させて前腕回外運動

セッション3

患者は椅子座位となり，次の運動を行う。

3-1：手指と手関節を伸展し，前腕回内位で肘関節を屈曲させる。肩関節水平内転位より水平外転させながら肘関節を伸展する（**図15❶，❷**）
3-2：手指と手関節を伸展し，前腕回内位で肘関節を屈曲させる。肩関節水平内転位より水平外転させながら肘関節伸展・前腕回外する
3-3：手指と手関節を屈曲し，前腕回内位で肘関節を屈曲させる。肩関節水平内転位より水平外転させながら肘関節伸展・前腕回外する
3-4：手指と手関節を伸展し，前腕回内位で肘関節を屈曲させる。肩関節水平内転位より水平外転させながら肘関節伸展・前腕回外，手指と手関節を屈曲する
3-5：肩関節と肘関節を軽度屈曲させて，上肢が体側から離れないように肩関節内転位・前腕回外位で保持する。対側上肢により前腕近位部を外側グライドさせながら，前腕回内・回外運動による運動併用関節モビライゼーション（mobilization with movement：MWM）を行う（**図15❸**）

フォローアップ

バックのフォームとしては，ボールインパクトが身体に近い位置で行われているか，手関節背屈が遅くなっていないかチェックする。また，手関節背屈筋群のストレッチを継続する。

ボレーおよびスマッシュの動作の特徴

相手選手がレシーブして返ってきたボールやグラウンドストローク途中のボールに対して，ノーバウンドで返球するのがボレー（**図16**）である。また，サーブのようにオーバーヘッドスイングで

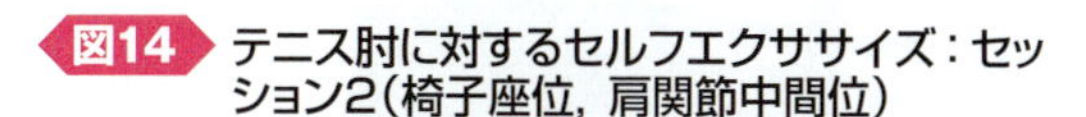
図14 テニス肘に対するセルフエクササイズ：セッション2（椅子座位，肩関節中間位）

肩関節を30°内旋させて前腕回内運動。中間位に戻し，30°外旋させて前腕回外運動

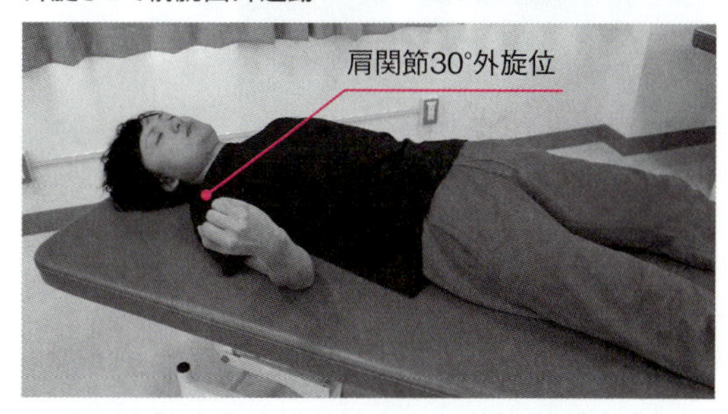

図15 テニス肘に対するセルフエクササイズ：セッション3（椅子座位）

❶，❷手指と手関節を伸展し，前腕回内位で肘関節を屈曲させる。肩関節水平内転位（❶）より，水平外転させながら肘関節を伸展する（❷）　❸肩関節と肘関節を軽度屈曲させて，上肢が体側から離れないように肩関節内転位・前腕回外位で保持する。対側上肢により前腕近位部を外側グライドさせながら，前腕回内・回外運動による運動併用関節モビライゼーション（MWM）を行う

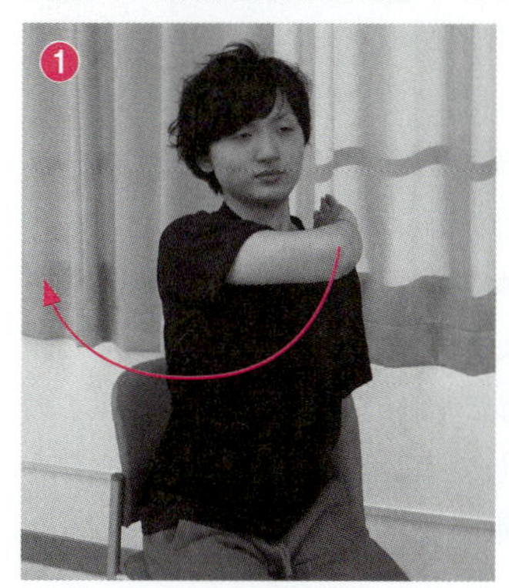

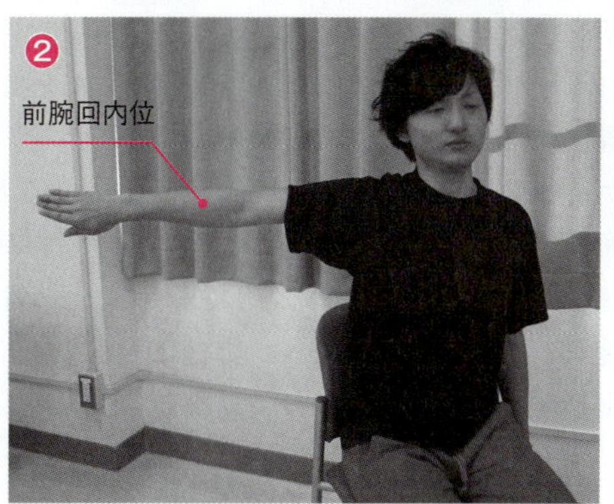

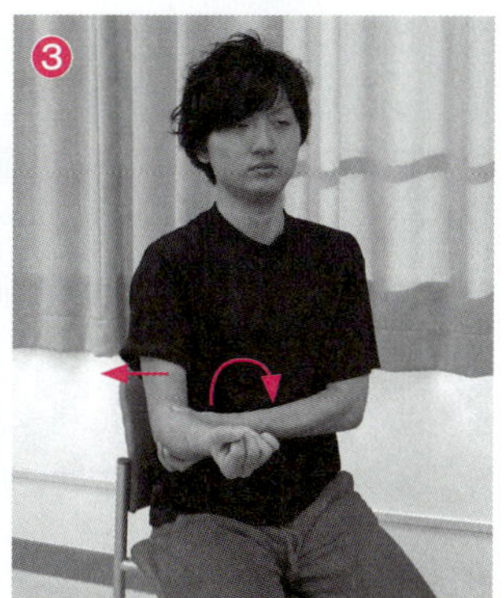

図16 ボレーの連続写真

ノーバウンドのボールを打ち返すのがスマッシュである。

ボレーではテイクバックを小さくし，ボールインパクト時にグリップを強く握ることでボールをコントロールする。構えの姿勢からボレーのインパクト位置に移動しながら，ラケットを後方に引く。その際に，後方に引きながら右脚に荷重を移す。後方に引いたラケットをインパクトまで前に出しながら左脚を前に出して，ボールに効率的に力を伝える。インパクトの位置が低い場合も高い場合も，基本的に後方からラケットを前に出す際には，ラケットの遠い側の側面を前に押し出すようにしてラケットのコントロールを安定させる。そして，インパクト後に利き腕側の下肢を前に出す，あるいはインパクト時に出した左脚を戻すことにより構えの姿勢に戻る。

ローボレーのときにラケットのグリップの位置が高くなってフェイスが低くなると，ボールへのインパクトによりラケットがぶれること，インパクトの位置が視覚の中央からはずれてしまうことなどにより，インパクトおよびボールコントロールが難しくなる。そのため，低いボールに対するローボレーであっても，膝関節を屈曲させてグリップ位置を低く保つことが重要である。バックハンドボレーは，ラケットを左後方に引いて左脚に一度荷重を移し，ラケットを前に出すときに右脚に荷重を移動させてインパクト時にボールに力を伝える。

スマッシュは，相手から返球されたボールを直接ラケットで打つ方法であり，ボレーがラケットを前に出すようにインパクトさせるのに対して，スマッシュはサーブのように頭部より上方でラケットを振りながらインパクトさせる方法である。相手がボールを高く上げるロブを打つと，ボレーあるいはスマッシュを行うが，ボールがベースラインに近くなるとプレイヤーは後方に移動し，ジャンプをしてスマッシュすることがある。後方に移動しながら右足の幅を調整してジャンプの踏切を行い，スマッシュ後に左足で着地する。このように，ジャンプしてボレーやスマッシュを行う場合には，急激な重心移動で下腿三頭筋やハムストリングが急激に遠心性収縮して大きなストレスがかかるため，筋損傷(肉ばなれ)が生じることがある。

ボレーおよびスマッシュに関連する外傷・障害

アキレス腱痛，下腿三頭筋の肉ばなれ

アキレス腱の障害は，ボレーや短いボールに対応しようとして急激に前方へ重心移動したときに腓腹筋が遠心性収縮しながら下腿が前傾することで生じる。微細損傷が反復した場合はアキレス腱痛やアキレス腱炎が，強い外力が生じた場合にはアキレス腱断裂が生じる。

アキレス腱痛やアキレス腱炎が完治していない状態でテニスを続けると，アキレス腱が断裂したり対側のアキレス腱痛やアキレス腱断裂を誘発することがあるので注意が必要である。

また，スマッシュなどでバックステップをしながらジャンプして着地すると，足関節背屈と膝関節伸展が同時に起こるため，腓腹筋が急激にストレッチされて，下腿三頭筋の肉ばなれが生じることがある(**図17**)。

アキレス腱痛を訴える患者のボレー動作のみかた・評価

相手選手からの返球を待つ構えのフォームから前方に移動しようとしたときに，十分な歩幅をとれないと下腿が前傾する。歩幅の大きさとともに，下腿が過度に前傾していないか確かめる。

また，ボールを追いかけるステップの方法および足先の向きを確かめる。バックステップで移動するよりも，足先を打球位置に向けて移動するほうが速く到達できるため，それを意識したクロスステップができているか評価する。

スマッシュでは，スマッシュ直後の安全な着地動作として，股関節と膝関節が十分に屈曲しているかどうかを見極める。

アキレス腱痛や下腿三頭筋の肉ばなれの評価と理学療法の考え方

アキレス腱断裂，肉ばなれの評価

アキレス腱断裂では，患者に腹臥位をとらせて患側の膝関節を屈曲させ，下腿を強く把持して足関節底屈が生じるかを判断するThompson(トンプソン) squeeze検査が実施される[4, 10] (p.321参照)。下腿三頭筋の肉ばなれは，膝関節伸展位で足関節を背屈させることで容易に判定できる。

アキレス腱の障害の理学療法

アキレス腱および下腿三頭筋の柔軟性を高めるために，患者を腹臥位にさせてマッサージを行う。アキレス腱痛や腓腹筋肉ばなれの急性期において，足関節中間位または軽度の背屈でも強い痛みが生じる場合には，ヒールパッドなどを当てて足関節が常に軽度底屈位となるようにするとよい。

通常，痛みは温浴中に著しく軽減するので，入

図17 バックステップスマッシュの連続写真

❶クロスステップで後方に移動する
❷コックアップ期に右脚で踏み切る。加速期にはラケットを振りつつ体幹を左回旋させ，左股関節を伸展させる
❸左下肢を後方に入れ替えて着地する

浴中に膝関節屈曲運動と同時に足関節背屈運動を行い，腓腹筋やアキレス腱をストレッチするとよい。

Check! 理学療法ガイドライン第2版

「アキレス腱障害患者に対して，ストレッチング，徒手療法のいずれが推奨されるか」[11]については，『理学療法ガイドライン 第2版』第14章「足関節・足部機能障害理学療法ガイドライン」のCQ2を参照されたい（https://www.jspt.or.jp/upload/jspt/obj/files/guideline/2nd%20edition/p781-800_14.pdf）。

Web版はこちら

痛みが減少したら，腓腹筋やアキレス腱をストレッチさせる徒手療法として，患者に腹臥位をとらせてできるだけ足関節を背屈するように指示し，セラピストの前腕を用いて筋腹を長軸方向にこするように動かす。さらに軟部組織の伸張性を高めるために，アキレス腱内側および外側に対して，手指による筋・筋膜リリースを行うことがある[12]。

階段昇降を1足1段で行えるようになった時点で，椅子座位で体幹を垂直にして足関節背屈運動およびカーフレイズ運動を開始する。痛みが軽減したら，同じ姿勢で両手を膝の上に置いて体重を少しずつかけて負荷を増やす（**図18**）。

Check! 理学療法ガイドライン第2版

「アキレス腱障害患者に対して，筋力強化運動は推奨されるか」[11]については，『理学療法ガイドライン 第2版』第14章「足関節・足部機能障害理学療法ガイドライン」のCQ1を参照されたい（https://www.jspt.or.jp/upload/jspt/obj/files/guideline/2nd%20edition/p781-800_14.pdf）。

Web版はこちら

アキレス腱炎やアキレス腱痛の症状が安定したら，Alfredson（アルフレッドソン）の遠心性収縮プログラム[4, 13, 14]を行う（**図19**）。Alfredsonの遠心性収縮プログラムは，膝関節を伸展させた状態で踵を挙上させてヒールドロップさせる腓腹筋ドロップと，膝関節を屈曲させた状態で踵を挙上させてヒールドロップさせるヒラメ筋ドロップで構成される。このプログラムは，15回3セットを1日2回，12週間毎日行う。手の支持によって痛みが強くならないように調整し，痛みが消失するまで繰り返す。また，壁に面して立って壁に両手をつけ，下肢を前後に広げて股関節と膝関節を屈曲させるランジ動作により，アキレス腱を伸張させる方法もある。さらに，ホットパックや超音波を利用してアキレス腱部の柔軟性を高める物理療法を行う。アキレス腱障害に対する運動療法として，カーフレイズと比較してヒールドロップによる活動レベルの復帰率が高いことがエビデンスとして報告されている[15]。

Check! 理学療法ガイドライン第2版

「アキレス腱障害患者に対して，物理療法（超音波，レーザー，電気，拡散型体外衝撃波）は推奨されるか」[11]については，『理学療法ガイドライン 第2版』第14章「足関節・足部機能障害理学療法ガイドライン」のCQ3を参照されたい（https://www.jspt.or.jp/upload/jspt/obj/files/guideline/2nd%20edition/p781-800_14.pdf）。

Web版はこちら

フォローアップ

準備運動時に，アキレス腱のストレッチを十分に行う。アキレス腱のストレッチ時に足関節が十分に背屈できていない場合や腓腹筋に強い伸張感

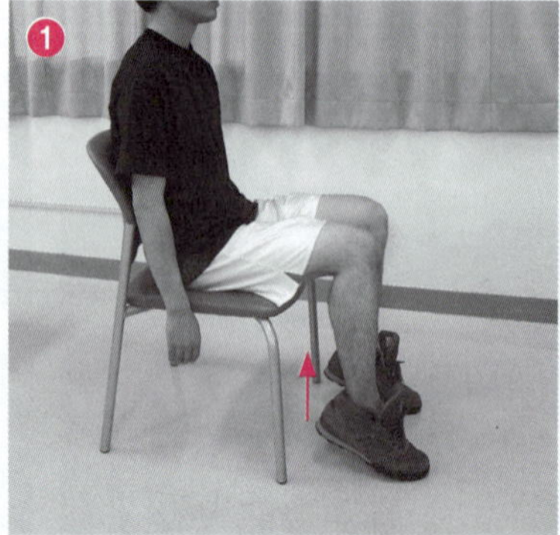

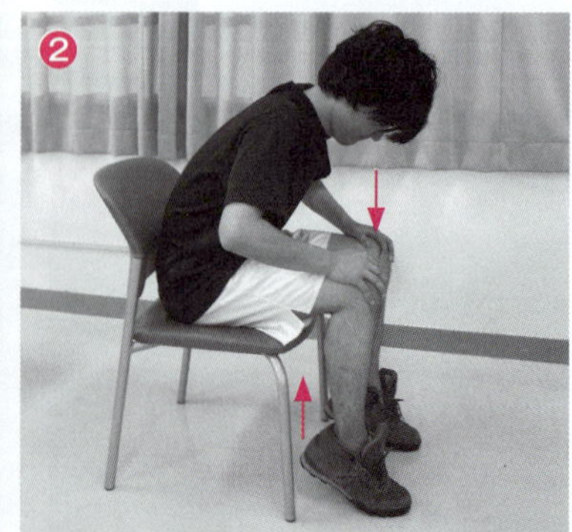

図18 椅子座位でのカーフレイズ運動

❶体幹を垂直にした状態でのカーフレイズ
❷体幹を前傾させ，両手を膝に置いたカーフレイズ

がある場合にはプレーをいったん休止し，より柔軟性を高めるような手技を行う。下腿後面表層に対しては，膝関節伸展位，足関節背屈位にして，前腕を用いた筋・筋膜リリースの手技（**図20**）や，膝関節屈曲位にて深後部コンパートメント症候群に対する軟部組織マッサージを行うとよい（**図21**）。

また，一側下肢の障害後からの復帰時には，対側の障害発生に十分気をつけて，無理な身体運動を避けるようにする。

謝辞

本項の作成に際し，ご協力いただいた春野インドアテニスステージ（さいたま市），齋藤悠貴ヘッドコーチ，黒澤勇也コーチ，埼玉医科大学の研究室に所属する大学院生および学部生に感謝いたします。

図19 Alfredsonの遠心性収縮プログラム

❶カーフレイズ
❷ヒールドロップ
❸ニーベント

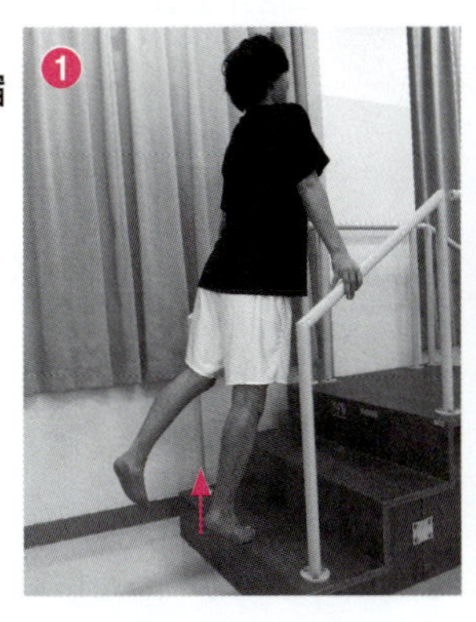

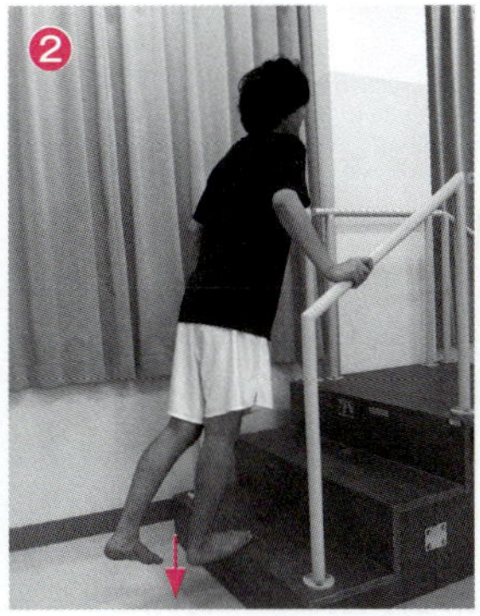

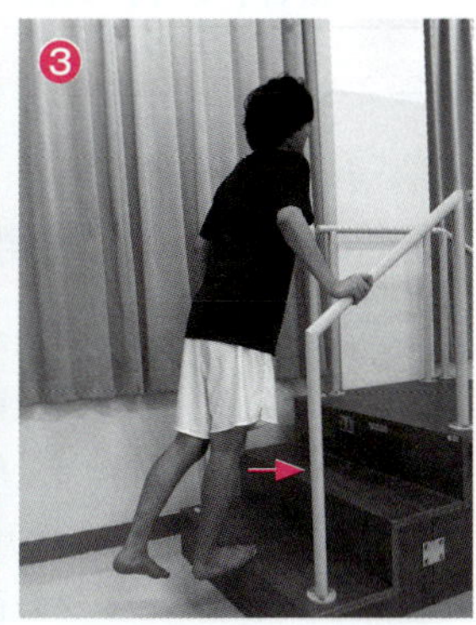

図20 下腿後面表層に対する筋・筋膜リリース

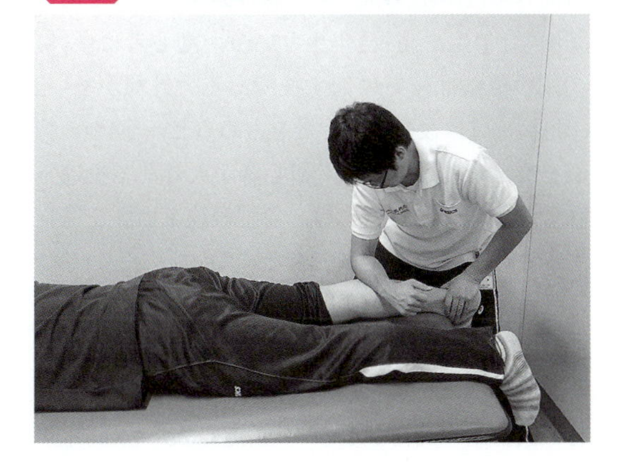

図21 深後部コンパートメント症候群に対する軟部組織マッサージ

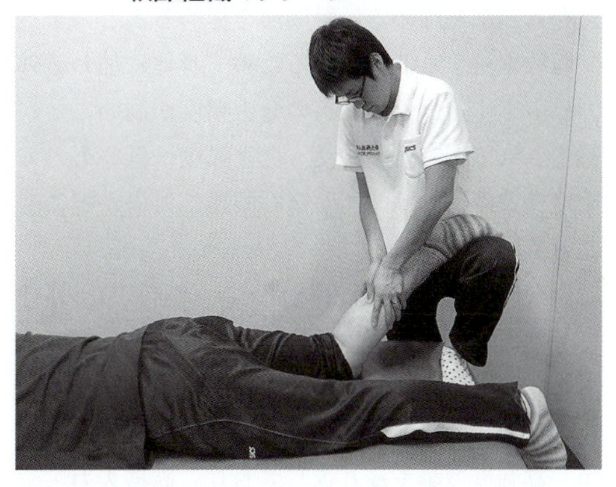

テニス

【文献】

1）神尾　米：ベストフォームでレベルアップ！　テニス．日本文芸社，2005．
2）（財）日本テニス協会 編：新版テニス指導教本．大修館書店，2005．
3）Pluim B, Safran M 著，別府諸兄 監訳：テニスパフォーマンスのための医学的実践ガイド．エルゼビア・ジャパン，2006．
4）Brukner P, Khan K 著，籾山日出樹ほか 監修：臨床スポーツ医学．医学映像教育センター，2009．
5）中田　研：テニス．関節外科 30（4）；25-31．2011．
6）Neumann D 著，嶋田智明，平田総一郎 監訳：筋骨格系のキネシオロジー．医歯薬出版．2005．
7）Mulligan B 著，藤縄　理ほか 監訳：マリガンのマニュアルセラピー原著第5版．協同医書出版社，2007．
8）日本運動器理学療法学会：第8章 肘関節機能障害理学療法ガイドライン．理学療法ガイドライン 第2版（公益社団法人日本理学療法士協会 監，一般社団法人 日本理学療法学会連合 理学療法標準化検討委員会ガイドライン部会 編）．pp.463-508, 医学書院，2021．
9）別府諸兄：難治性上腕骨外側上顆炎（テニス肘）の鏡視下手術．Sportsmedicine 145；2-6，ブックハウス・エイチディ，2012．
10）Cleland J 著，柳澤　健，赤坂清和 監訳：エビデンスに基づく整形外科徒手検査法．エルゼビア・ジャパン，2007．
11）日本運動器理学療法学会：第14章 足関節・足部機能障害理学療法ガイドライン．理学療法ガイドライン 第2版（公益社団法人日本理学療法士協会 監，一般社団法人 日本理学療法学会連合 理学療法標準化検討委員会ガイドライン部会 編）．pp.781-800, 医学書院，2021．
12）Earls J, Myers T，赤坂清和 監訳：ファッシャル・リリース・テクニック．医道の日本社，2012．
13）赤坂清和ほか：スポーツ理学療法に関するシステマティックレビュー．理学療法科学 23（3）；349-356，2008．
14）Alfredson H, et al: Heavy-load eccentric calf muscle training for the treatment of chronic Achilles tendinosis. Am J Sports Med. 26（3）; 360-366, 1998.
15）Mafi N, et al：Superior short-term results with eccentric calf muscle training compared to concentric training in a randomized prospective multicenter study on patients with chronic Achilles tendinosis. Knee Surg Sports Traumatol Arthrosc 9(1): 42-47, 2001.

柔道

本項では，柔道における外傷・障害に関連する動作として，受身，内股，払腰，大外刈，体落，背負投を取り上げ，これらを機転として発生し，競技パフォーマンスに影響を与えることが多い，膝前十字靱帯(ACL)および内側側副靱帯(MCL)損傷，変形性肘関節症，腰椎分離症，肩関節前方脱臼について，柔道の競技特性を踏まえた理学療法の着眼点を解説する。なお，本項における柔道の技の動作解説は，右組(右手で相手の左襟，左手で相手の右袖を持つ)の場合を例に紹介する。

柔道の身体運動の特徴

柔道は，嘉納治五郎師範が1882年に創始した日本の武道である。心身の鍛錬を目的に柔術各流派の優れたところを統合し，危険な技を除いて確立させた。現在では世界200カ国以上が国際柔道連盟に登録し，オリンピックの正式種目として採用されており，世界中で広く行われているスポーツである[1)]。対戦相手の柔道着を握って投げる，抑え込む，頸部を締める，肘関節を極めることによって勝敗を決する武道であるため，身体に加わる外力は大きく，外傷・障害の発生頻度が高いことが報告されている[2,3)]。また，発生頻度は低いものの，重度後遺障害のリスクが高い頭頸部外傷が起こることも特徴といえる[4,5)]。

試合時間はおおむね3～20分で，審判からの「待て」の合図によって運動が中断される間欠的運動である。「待て」による数秒間の中断以外は数十秒間，相手と組手を争い，組合いながら技を掛け合う，中～高強度運動を繰り返しており，筋持久力・全身持久力が必要とされる。また，投げ技を掛ける，もしくは技を受ける際には爆発的な筋力発揮や敏捷性，バランス能力，柔軟性，全身の協調性が要求される[2)]。

受身について

受身とは，相手に投げられた際に身体に加わる衝撃を緩和するため，頭頸部を屈曲し身体を丸くして円運動を利用し，併せて腕を畳に叩きつけることで体幹への衝撃を緩衝する技術[6)]（**図1**）である。ただし，実戦の場合はきれいに受身をとった時点で「一本」負けとなるため，体をひねるなどして受身をしっかりと「とらない」ことが多い。あるいは，腕や体幹をつかまれながら投げられ受身を「とれない」状況となり，次に挙げる外傷を受傷することが多い。

頭部外傷

重症頭部外傷の発生率は100,000人に対して2.44と頻度は低いが[7)]，死亡例や大きな後遺症を残すことがあり，重大な問題である。柔道による重症頭部外傷は，①90％以上が急性硬膜下血腫である，②中学1年生や高校1年生といった初心者に多い，③技の種類は後方に倒す技である大外刈が多い，④打撲部位は後頭部が半数を占めるという4つの特徴を有する[7)]。つまり，初心者が大外刈で投げられて後頭部を打ち（**図2**），急性硬膜下血腫を発症するというのが典型例である。

頸部外傷

頸部外傷の重大事故は10歳代に最も多く発生し，特に高校生の受傷が多い[7)]。柔道経験年数は5年以

図1 正しい受身動作
投げられた際に頭頸部を屈曲しながら腕を畳に叩きつけることで衝撃を緩衝する

図2 頭部外傷の受傷動作例
典型例として，大外刈を受けて後頭部を打ち急性硬膜下血腫を発症する場合が挙げられる

上が多く，初心者ではなくある一定以上の経験がある選手の受傷率が高かった。また，約60%が試合中に発生しており，投技での受傷が多かった。受傷機転は，技を掛ける「取」が受傷する場合は約60%で，内股や小内刈などで自ら体勢を崩し，頭部から畳に突っ込む形で頸椎の過屈曲が生じ，損傷する例が多い[7]（**図3**）。一方，技を掛けられる「受」の場合は，相手に投げられて受身がとれなかったり，投げられるのを無理に避けて受身をとらず頭部から畳に突っ込んで受傷する例が多い[6]。

肩鎖関節損傷

背負投や内股など，前方に投げられる技を受けた際に回転が不十分で肩から畳に落下し，肩峰が尾側に押し下げられることで肩鎖関節が強制的に動かされて受傷する[2]（**図4**）。肩鎖関節の脱臼例において関節不安定性が原因で肩関節運動の最終域での疼痛が残存する場合は，テーピングによる補強が有効になる場合がある（**図5**）。

前述の3つの外傷については，スポーツ理学療法の対象となる例は少なく，評価方法などは一般的に行われている手法を実施するため，詳細は成書を参照していただきたい。ただし，スポーツ現場でトレーナーとして対応している場合には，頭部外傷や頸部外傷直後の応急処置が必須となるため，それらの外傷対応方法について学ぶ必要がある。

図3 頸部外傷の受傷動作例
典型例として，技を掛ける側が自ら体勢を崩し頭部から畳に突っ込む形で頸髄損傷を受傷する場合が挙げられる

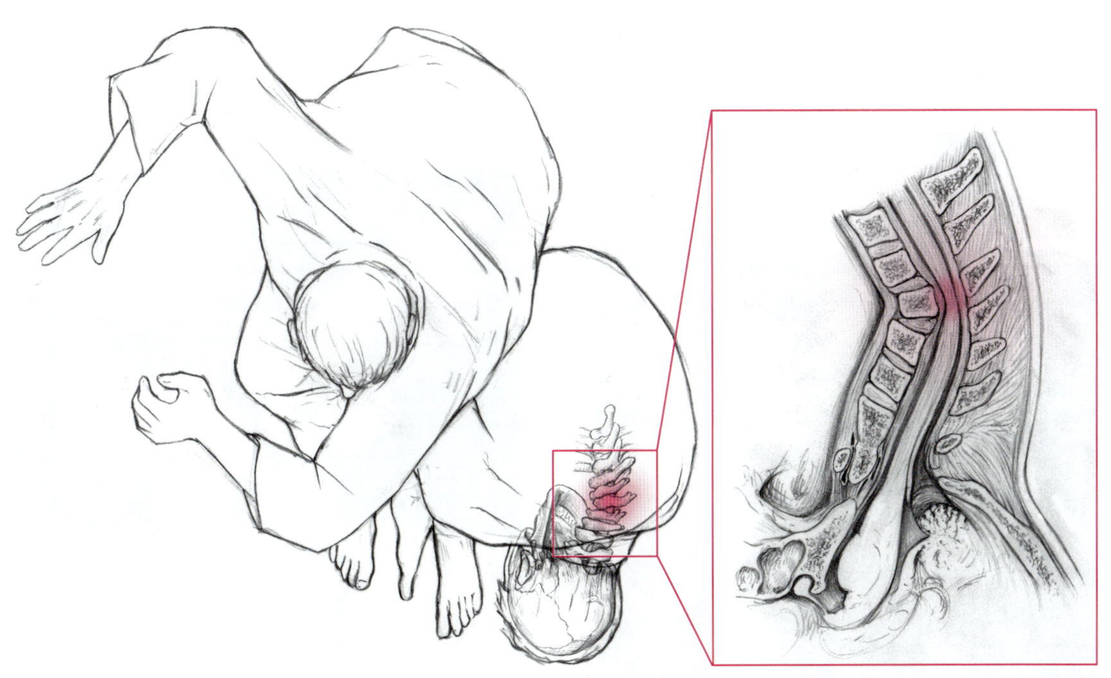

肩関節前方脱臼

前方に投げられる途中で手を畳についてしまい，身体が前方に回転する際に肩関節の外旋・水平外転が強制されて受傷する（図6）場合が多い[2)]。また，後方に倒された際にも上肢が固定された状態で体幹を後方に回旋させられた場合に，肩関節の伸展・水平外転・外旋が強制されて受傷する例もある。受傷後，関節の不安定性が残存した場合，特に釣り手側（右組の場合，相手の襟をつかむ右手）の損傷の場合は，外科的処置が必要となる例が多い。

代表的な立ち技

内股，払腰

内股は引き手（相手の袖を持つ左手）と釣り手（相手の襟を持つ右手）を前上方に引き出し，身体をひねりながら相手の懐に入り，軸脚（右組の場合の左脚）全体で伸び上がりながら，相手の股の下から刈り脚（右組の場合の右脚）を後ろに振り上げることで相手を浮かせ，斜め前方に投げる（図7）。払腰の場合は，相手の右脚の外側から刈り脚を後方に振り上げるなど，崩し，掛けの動作に違いはあるものの，どちらも技の途中で軸脚での片脚立位となる局面があることが特徴である（図8）。また，どちらも技が不十分な場合に相手ともつれながら頭部から畳に落ちる技となり，頭頸部の外傷が生じることがある。

大外刈

引き手（相手の袖を持つ左手）と釣り手（相手の襟を持つ右手）を引きながら相手の身体を右側に崩し，刈り脚（右組の場合の右脚）を前方に振り上げて下ろし，相手の右脚を後方，あるいは右後方から刈ることで相手を真後ろ，あるいは右斜め後方に倒す技（図9）である。技を掛けられる「受」側の頭部外傷リスクが高く，また「受」側は刈り脚での右膝への外反，加えて上体を左回旋方向にひねられることにより右膝に外旋強制力が生じ，膝の前十字靱帯（anterior cruciate ligament：ACL）や内側側副靱帯（medial collateral ligament：MCL）の損傷が発生しやすい（図10）。

背負投，体落

背負投は引き手（相手の袖を持つ左手）を前上方に引き上げ，釣り手（相手の襟を持つ右手）を持っ

図4 肩鎖関節損傷の受傷動作例
肩から畳に落下して受傷する場合が典型例である

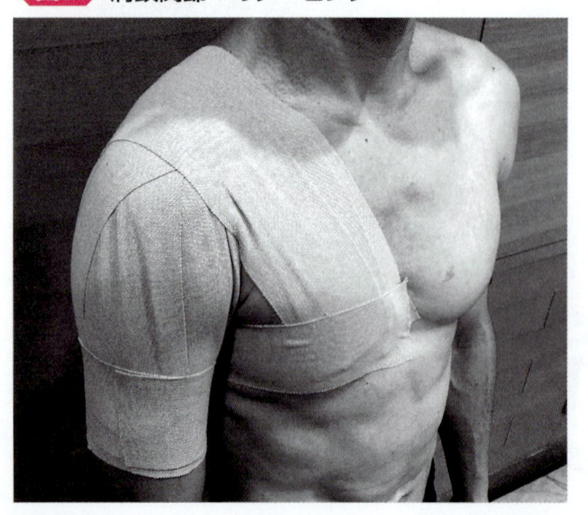

図5 肩鎖関節へのテーピング

図6 肩関節前方脱臼の受傷動作
投げられる途中で手を畳についてしまい，肩関節の外旋・水平外転が強制されて受傷する場合が典型例である

図7 内股の掛け方

引き手と釣り手を前上方に引き出し，体をひねりながら相手の懐に入り，軸脚全体で伸び上がりながら，相手の股の下から刈り脚を後ろに振り上げることで相手を浮かせ斜め前方に投げる

図8 内股と払腰の共通点

どちらも技の途中で軸脚での片脚立位となる局面がある
❶内股　❷払腰

図9 大外刈の掛け方

刈り脚で相手の右脚を後方，あるいは右後方から刈ることで，真後ろ，あるいは右斜め後方に倒す技。技を掛けられる側の頭部外傷リスクが高い

図10 大外刈を受けたときの膝靱帯損傷の典型例

刈り脚での右膝への外反，加えて上体を左膝回旋方向にひねられることにより右膝に外旋強制力が生じ，膝ACLや膝MCLの損傷が発生しやすい

図11 背負投の掛け方

引き手を前上方に引き上げ，釣り手を持ったまま右肘関節を屈曲しながら相手の右腕の下に入れつつ，体をひねりながら相手の懐に入り，両下肢の伸展力と体幹の回旋・屈曲力を用いながら相手を浮かせ斜め前方に投げる

たまま右肘関節を屈曲しながら相手の右上肢の下に入れつつ，身体をひねりながら相手の懐に入り，両下肢の伸展力，体幹の回旋力・屈曲力を用いながら相手を浮かせて斜め前方に投げる（**図11**）。体落は，懐に入りきらずに自身の身体を相手の左側に置きながら，右足を相手の右足の前に置きながら相手を斜め前方に投げる（**図12**）。背負投の際に右肘には屈曲外反のストレスが生じ，強引な担ぎ動作で外反ストレスが増す（**図13**）。また，強引な担ぎ動作は腰背部のストレスを招き，腰椎分離症などの障害につながる（**図14**）。体落の際に技が不十分になると相手が自身の右脚の上に乗る形になり，右膝に外反・外旋ストレスがかかり膝ACL・MCL損傷を起こす場合がある（**図15**）。

柔道で発生する主な傷害と柔道の競技特性を踏まえた介入のポイント

● 膝靱帯損傷（膝ACL・MCL損傷）

柔道では，技を掛ける「取」側と技を掛けられる「受」側のどちらにも膝靱帯損傷を受傷する可能性があり，特に相手に投げられないように堪えることでの受傷も多く，競技特性上，膝靱帯損傷の受傷を完全に予防することは難しい。ただし，技を掛ける際や技を受ける際に片脚となる局面での下肢体幹のアライメントを修正することで膝靱帯損傷を一定数防ぐことができ，片脚になる局面での安定性を高めることはパフォーマンス向上につながる[8]。

柔道の場合，受傷脚が軸脚となるのか刈り脚となるのか，またその選手が得意とする技が高い片脚保持能力を求められる技なのか，担ぎ系の技で片脚となる局面は少ないのかを念頭に置いて介入を進める。

膝靱帯損傷のリハビリテーション開始直後は，抗炎症目的の物理療法および関節可動域練習，大腿四頭筋セッティングなど膝関節機能の改善を図る。また，並行して体幹機能の強化や股関節・足関節など隣接関節の可動性・安定性を高め，荷重位での動作を再開した際に問題が生じないよう準備を進める必要がある。軸脚の膝靱帯損傷で，関節の炎症所見が消退して膝関節周囲の筋力が改善

図12 体落の掛け方
懐に入りきらずに自身の体を相手の左側に置きながら，右足を相手の右足の前に置きつつ相手を斜め前方に投げる

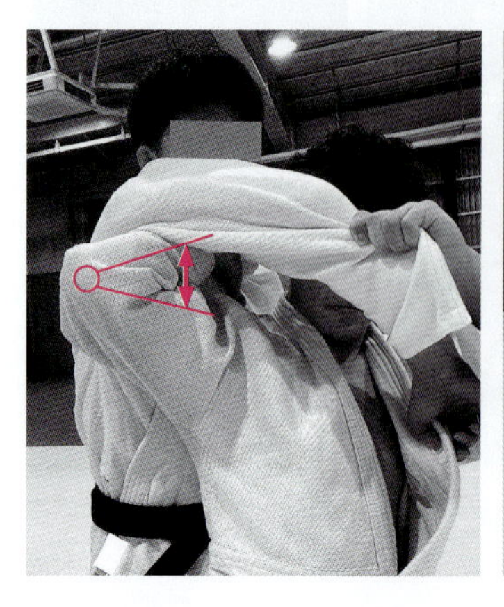
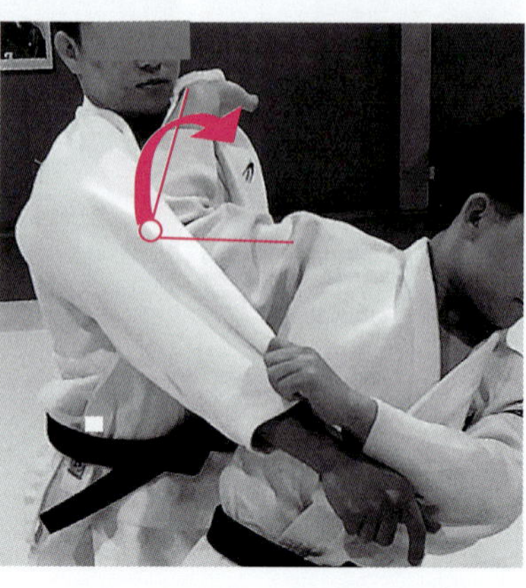

図13 双手背負投の肘への負荷例
背負投の際の右肘には屈曲外反のストレスが生じ，強引な担ぎ動作で肘内側への外反ストレスが増す

図14 強引な担ぎ動作での腰部への負荷例

「掛け」時の体幹回旋に加え，相手を担ぐことによる「脊柱への荷重」が腰部の負荷になるだけでなく，胸郭胸椎や股関節のタイトネスが伸展回旋動作時の腰部への負担を増加させる

図15 体落を掛けた際の膝靭帯損傷の典型例

相手が刈り脚の上に乗り，右膝に回旋外反強制力が生じ膝ACLや膝MCLの損傷が発生しやすい

したにもかかわらず，動作場面で膝関節の不安定性が残存する場合は膝ACL再建術が選択される場合が多い。膝MCLの単独損傷例の場合は競技復帰に難渋するレベルでの膝関節不安定性を呈する症例は少なく，ほぼ全例で保存的加療が選択される。

膝ACL再建術後の場合，当院では約6カ月で対人打ち込み開始許可，約7カ月で投げ込み開始許可，約8カ月で乱取り開始許可が出されるが，打ち込みが開始される前に，動作時のknee-in/toe-outなど動的なマルアライメントの修正（**図16**）や“hip hinge”動作の獲得など，股関節優位に動くことを身に付けさせたうえで，競技特性上必要不可欠な片脚立位場面での足部から体幹に至る全体的な支持性・安定性を高める（**図17**）。

Check! **理学療法ガイドライン第2版**

「ACL損傷急性期以降の患者に対する筋力トレーニングは開放的運動連鎖と閉鎖的運動連鎖はいずれが推奨されるか」[9]については，『理学療法ガイドライン 第2版』第13章「前十字靱帯損傷理学療法ガイドライン」のCQ4を参照されたい（https://www.jspt.or.jp/upload/jspt/obj/files/guideline/2nd%20edition/p745-780_13.pdf）。

Web版はこちら

打ち込み練習などを再開する段階においても一人打ち込みから開始し，対人での打ち込み，移動打ち込み，投げ込み，約束稽古，乱取りと段階的に進めていき，患部への過負荷が生じないように注意する必要がある。選手が復帰していく過程では，どの練習段階で，どのような場面で，不安感や恐怖感があるのかなどを聴取しながらプログラムを進めることも重要である。実践練習となる乱取りも，はじめのうちは練習相手との体格差を考

図16 knee-in/toe-outマルアライメントの修正

❶アライメント不良例
❷アライメント良好例

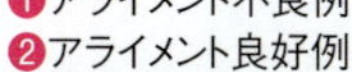

図17 片脚保持の安定性を高めるエクササイズ例

片脚での動作でknee-inや体幹側屈，骨盤の過度な回旋などの動的アライメントを修正しながらエクササイズを進め，片脚時の安定性を高める

❶フロントランジ　❷サイドランジ　❸ブルガリアンスクワット　❹片脚グッドモーニング　❺BOSU®上での片脚スクワット

慮するなど，練習全体の負荷量を調整しながら復帰を目指していく[8)]。

腰椎分離症

腰椎は関節面の構造上，屈曲・伸展の可動域に比べて回旋の可動性は乏しく，身体全体をひねる動作における腰部への負荷を減少させるためには，隣接関節である胸椎や股関節での回旋を増やす必要がある[8)]。腰椎分離症を呈する選手は，身体機能面では静的な立位姿勢から骨盤が過前傾・腰椎過伸展位となる。加えて股関節周囲筋のタイトネスを伴っていることが多く，動的場面で体幹の伸展・回旋に伴って関節突起間部への負荷がより増加しやすいと推測される。その立位姿勢の背景には，腸腰筋・大腿直筋・大腿筋膜張筋の短縮，腹筋群・殿筋群・ハムストリングの弱化などさまざまな原因があり，それらを複合的に解消していく必要がある。

柔道においては，相手を投げる過程での「崩し」による腰椎の伸展と「掛け」による回旋，相手を担ぐことによる「脊柱への加重」が腰椎分離症の主な原因とされている。従って，十分な「崩し」を経たうえでの適切な「掛け」動作により腰椎椎間関節への負荷を軽減するなど，技術的側面の影響（マルユースを避けること）を考慮する。そのうえで，運動療法で胸椎を含む肩甲胸郭や股関節の可動性を高め（**図18**），腹筋運動などで腹部の固定性を高める[8,10)]（**図19**）とともに，股関節を中心とした動作パターンの獲得を図ることで腰椎への力学的負荷を少しでも軽減させ再発予防に努めることが重要となる[8)]。

変形性肘関節症

柔道においては，相手と組み合うなかで絶えず行われている「釣り手」での「突き」「崩し」動作や「投げ」動作のなかで，肘関節への圧迫剪断力や外反ストレスが加わることで，成長期では骨端軟骨や肘頭骨端線の障害，成人期では疲労骨折や変形性肘関節症を引き起こすと考えられている[11,12)]。このように肘関節へ過剰な負担がかかった結果，若年選手でも高度な変形性肘関節症を認めることがあり，Judo Elbow[12)]と報告されている。肘関節

図18 胸郭・股関節の複合的ストレッチ例

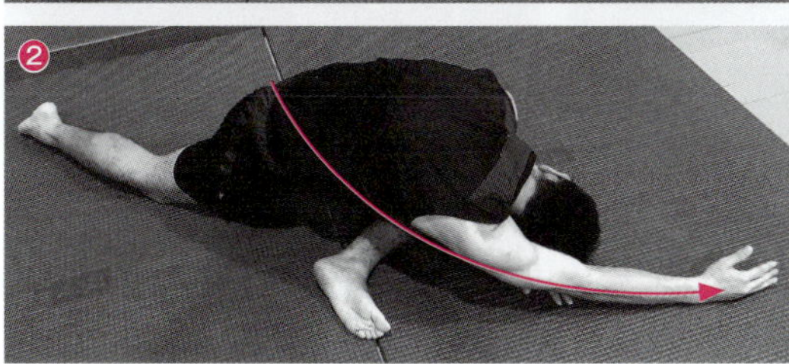

❶ハムストリング＋側胸部のストレッチ：胸郭を伸展・開大して側屈を行う
❷対側股関節外旋筋群＋広背筋のストレッチ：股関節と胸郭いずれも伸張感を得る
❸股関節屈筋群＋側胸部のストレッチ：股関節を伸展しながら胸郭を開大する

図19 体幹固定力を高めるエクササイズ例

❶〜❸などさまざまな腹筋運動で腹部の固定力を高める
❶プランク　❷サイドプランク　❸クランチ　など

全周性に関節症性変化を認め，特に腕尺関節に高度な変化を認めることが特徴的である。

また，柔道における肘関節障害に特徴的なこととしては，繰り返される肘関節の屈曲・伸展・内外反動作の多くは，閉鎖性運動連鎖（closed kinetic chain：CKC）下での運動が行われていることであると思われる。そのため，肘関節の機能向上のみならず，肩関節や肩甲胸郭を含めた上肢帯全体への介入が必要となる。

受傷および再建（修復含む）術後の初期段階では膝靱帯の場合と同様に，抗炎症目的の物理療法および関節可動域練習を中心にプログラムを進める。その際，疼痛が強い段階での他動運動は異所性骨化のリスクが高いため十分に注意する。また腕尺関節の屈曲・伸展の可動性のみではなく，腕頭関節の可動性，つまり前腕回内外運動の可動性についても十分に改善を図る必要がある。

さらに，組み手争いでみられる相手の襟を持った自分の釣り手の肘関節を伸展する「釣り手を突く」という動作には，腕尺関節の動的安定性が必要であり，それには上腕三頭筋内側頭の筋活動が関与している[13]。加えて，この動作は荷重位での運動であり，より効率的に行うには単に上腕三頭筋の筋活動だけでなく，荷重位での肘関節・肩関節・肩甲胸郭機能の向上が求められる（**図20**）。

図20 荷重位での肘関節・肩関節・肩甲胸郭機能向上のためのエクササイズ例

❶〜❸肩関節回旋角度をさまざまに変えたサイドプランク位（on elbow）で肩甲骨周囲の固定性を高める
❹，❺サイドプランク位（on hand）からゆっくりと上体を倒す。肩関節回旋角度を変えながら実施する
❻〜❽腕幅をさまざまに変えたプッシュアップ動作を実施する

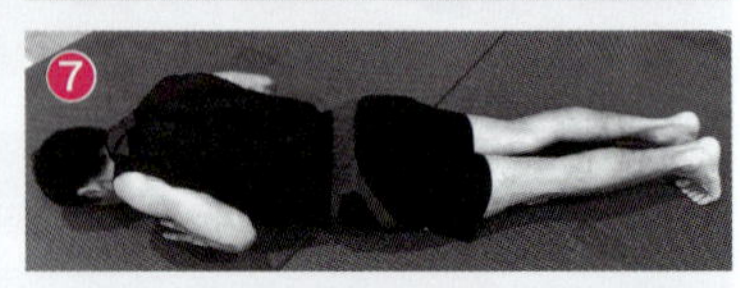

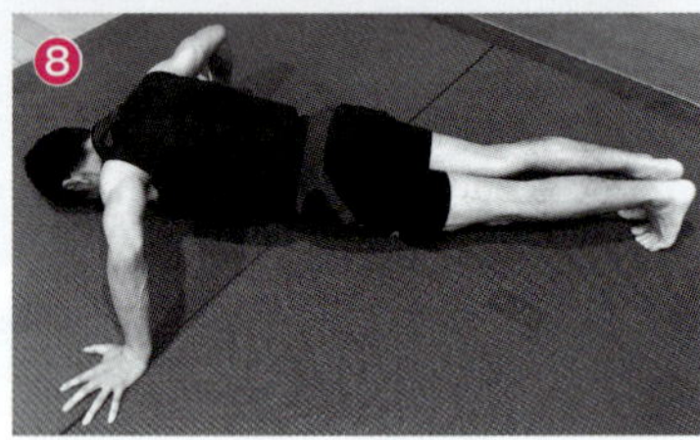

● 肩関節前方（亜）脱臼

柔道における肩関節前方（亜）脱臼は，前述した受身の際の受傷機転のほかに，複数回の脱臼例では背負投などの担ぎ系の技や大外刈などを強引に掛け，肩関節水平外転・外旋を強制されて受傷することがある。初回受傷例は約1カ月の患部安静，肩関節の機能的リハビリテーションの後に競技復帰する場合が多いが，関節不安定性が残存する例や複数回の受傷で前方関節包の損傷が目立つ場合など，構造的破綻をきたしている例では外科的処置が必要になる。

競技復帰を進めるに当たり，肩関節外旋可動域の改善や筋力の改善，肩甲胸郭の可動性改善および固定性改善は当然必要になるとして，受傷側が釣り手側（右組の場合の右肩）なのか引き手側（右組の場合の左肩）なのかを考慮する必要がある。特に受傷側が釣り手側であった場合には，肩関節水平外転・外旋を極力防ぐことを念頭に置き，得意技の変更や相手の体勢を崩すことなど，技術的な指導も必要になる場合がある。

【文献】

1) 紙谷　武，柏口新二：ジュニアアスリートをサポートするスポーツ医科学ガイドブック（金岡恒治，赤坂清和 編），pp.258-271，メジカルビュー社，2015.

2) 岡田　隆：スポーツ理学療法学－競技動作と治療アプローチ（赤坂清和，時田幸之輔 編），pp.206-226. メジカルビュー社，2014.

3) 岡田　隆，ほか：競技特性に応じたコンディショニング 柔道．臨スポーツ医，28（臨増）：440-449, 2012.

4) 宮崎誠司：柔道 頭頸部外傷．臨スポーツ医，31（5）：450-455, 2014.

5) 米田　實：復帰をめざすスポーツ整形外科（宗田　大，ほか編），pp.514-516. メジカルビュー社，2011.

6) 紙谷　武，濱中康治：成長期のスポーツ種目別外傷・障害の特徴とリハビリテーション医療・医学 柔道．MB Med Reha, 228: 131-144, 2018.

7) Kamitani T, et al.: Catastrophic Head and Neck Injuries in Judo Players in Japan From 2003 to 2010. Am J Sports Med, 41（8）：1915-1921. 2013.

8) 濱中康治，中島啓介：スポーツ競技種目特性に基づいた理学療法 評価から理学療法（予防，コンディショニングへの応用を含む）まで 20 柔道：組み，投げ動作を中心に．理学療法，35（10）：941-952, 2018.

9) 日本運動器理学療法学会：第13章 前十字靱帯損傷理学療法ガイドライン．理学療法ガイドライン 第2版（公益社団法人日本理学療法士協会 監，一般社団法人 日本理学療法学会連合 理学療法標準化検討委員会ガイドライン部会 編），pp.745-780, 医学書院，2021.

10) 若野紘一，ほか：柔道選手における体幹部の損傷と対策．臨スポーツ医，19（3）：247-253, 2002.

11) 紙谷　武，ほか：成長期柔道選手における肘関節検診．日臨スポーツ医会誌，19（2）：296-300, 2011.

12) 紙谷　武，ほか：柔道における肘関節外傷・障害．臨スポーツ医，29（臨増）：334-341, 2012.

13) Neumann Donald A 著：筋骨格系のキネシオロジー．pp.177, 医歯薬出版，2005.

剣道

本項では，剣道特有の動作ならびに練習・試合を行う道場の環境を理解し，それに関連する外傷・障害について解説する。加えて，剣道選手にみられる代表的なスポーツ外傷・障害を紹介し，理学療法で必要となる評価と治療について解説する。

剣道とは

剣道は，古来よりわが国固有の武道として歴史を有し，今日まで継承されている。対戦相手と相対し，竹刀を用いて有効打突の本数を競うスポーツである。2023年3月末日の剣道有段者数は，約202万人と報告されている[1]。

剣道は，少年期から高齢者に至るまで継続可能な数少ないスポーツの1つで，両者が対戦できる貴重なスポーツである。また，高齢者が高段者となり高度な技を有し，初心者や少年期の選手を指導していることも特徴である。加えて，2012年度の新学習指導要領改訂による中学校での武道必修化に伴い，多くの生徒が剣道を経験している。

剣道試合のルール

剣道は一般に，全日本剣道連盟が定めた試合・審判規則に則って試合が行われる[1]。試合場は，境界線を含み一辺を9mないし11mの正方形または長方形とし，床は板張りを原則としている。

使用する竹刀は四つ割の構造のものとされ，中に異物を入れてはならないなど竹刀の基準も厳密に定められており，規定以外の竹刀を用いて試合に出場することは認められない（**図1**，**表1**）。剣道具は，面，小手，胴，垂れを用い（**図2**），服装は，剣道着，袴を着用しなくてはならない。

試合時間は5分を基準とし，延長の場合は3分を基準とするが，大会ごとに調整されている。3本勝負を原則とし，試合時間内に2本先取りした者を勝ちとする。ただし，一方が1本を取り，そのまま試合時間が終了したときは，1本取った者を勝ちとするように定められている。

剣道は，定められた部位を竹刀で打突することで勝敗を競うものであるが，有効打突部位は，面部（正面および左右面），小手部（右小手および左小手），胴部（右胴および左胴），突部（突き垂れ）の4カ所である（**図3**）。なお，有効打突の決定は，

図1 竹刀各部位の名称

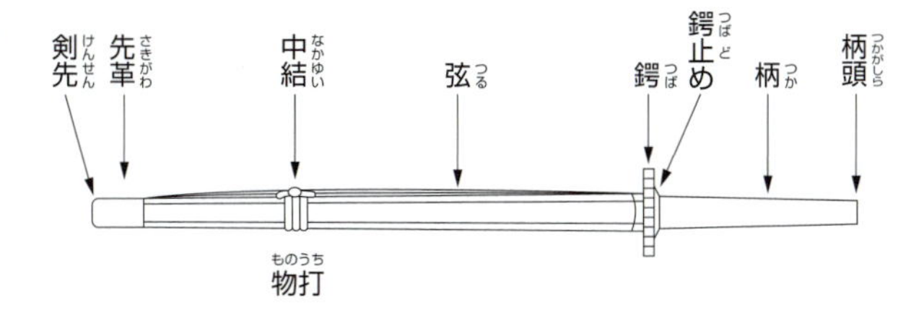

表1 竹刀の基準（一刀の場合）

	性　別		中学生	高校生（相当年齢の者も含む）	大学生・一般
長さ	男女共通		114cm以下	117cm以下	120cm以下
重さ	男性		440g以上	480g以上	510g以上
	女性		400g以上	420g以上	440g以上
太さ	男性	先端部最小直径	25mm以上	26mm以上	26mm以上
		ちくとう最小直径	20mm以上	21mm以上	21mm以上
	女性	先端部最小直径	24mm以上	25mm以上	25mm以上
		ちくとう最小直径	19mm以上	20mm以上	20mm以上

図2 剣道具

❶面 ❷小手 ❸胴 ❹垂れ

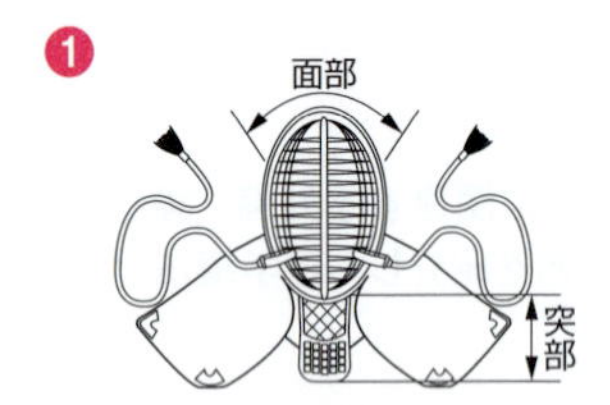

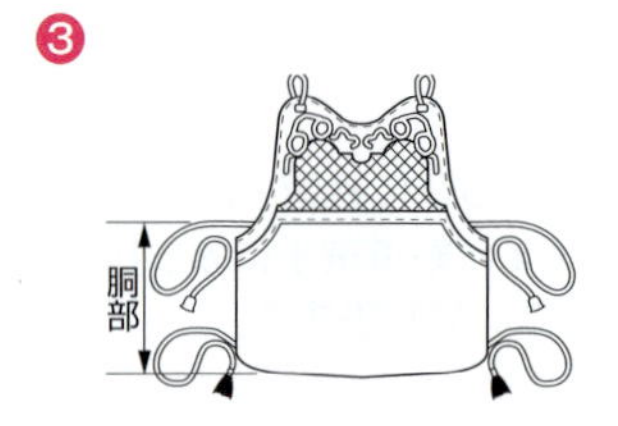

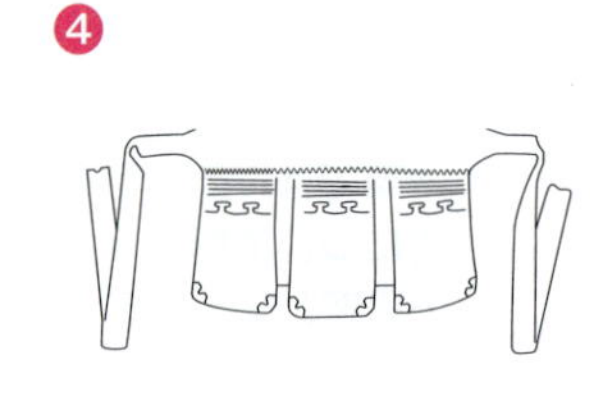

図3 有効打突部位

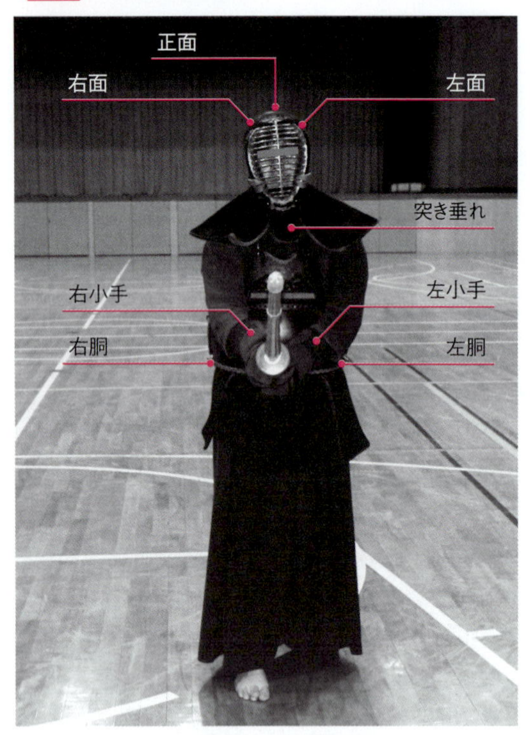

3名の審判のうち2名以上が有効打突と表示した場合による。

剣道の基本動作の特徴

構え

剣道の構えは，中段，上段，下段，八相，脇構えの五つがあるが，なかでも最も基本的な構えが「中段の構え」である（**図4**）。左手は竹刀の柄頭（つかがしら）の端をいっぱいに握り，右手は鍔（つば）の元を握り構えをとる（**図5**）。足の構えは，両足先を正面前方に向け，片足の幅ぐらいで左右に開く。右足を前に出し，左足先が右足踵の線に位置（一足長：約20cm）するよう左踵を拳1つ分浮かせて立つ（**図6**）。その際，いつでもあらゆる方向に打撃できるように，膝関節はわずかに屈曲位をとる。この姿勢は右手と右足が前に出る，いわゆる「なんば」の姿勢であり，その姿勢から右手と右足が先行した打撃動作に入るという左右非対称な動作をとる。これは，剣道の特徴的な動きである。

構えにおいて，足先の位置や荷重面は重要である。足底を全面接地し足先が左右とも外側に開く構えや，左足先だけ外側に向く（踵部が内側に入る）足位置は，撞木足（しゅもくあし）・かぎ足とよばれる不適切な構えとされており，後述する障害の一要因ともなる（**図7**）。

足のさばき

有効な打撃を行うには足の運び方（さばき方）が重要であり，足のさばき方は基本動作として繰り返し練習を行う。足のさばき方は，「歩み足」，「送り足」，「継ぎ足」，「開き足」の4つに分けられる。

歩み足は，歩行と同様に左右の足を交互に前後移動させる。ただし，踵からは接地せず，すり足で行う点が歩行とは異なる。

送り足は，剣道独自で最も使用される足の運びである。前進の場合，構えの位置から右足を一歩前に出し，次いで左足を引き寄せ構えの位置になる。後進の場合は左足から一歩後ろに引き，次いで右足を引き寄せ構えの位置をとる。右移動では，右足を右方向に運び，次いで左足を構えの位置に引き寄せる。左移動の場合は逆の運びとなるが，いずれもすり足で行う（**図8**）。

継ぎ足は，前方打撃を行う際の足の運びで，構えの位置から右足を前に出し，左足を右足の土踏まずの位置まで引き寄せる。この継ぎ足の後に打撃に移る。

開き足は，相手の動きに対して正対したまま移動するときの足の運びである。右に開く（移動する）ときは，上体を相手に正対させながら右足を右横に出した後，左足を引き寄せる。左に開くとき

図4 中段の構え（基本となる構え）

❶中段の構えを横から見た解剖図
❷中段の構えを正面から見た様子

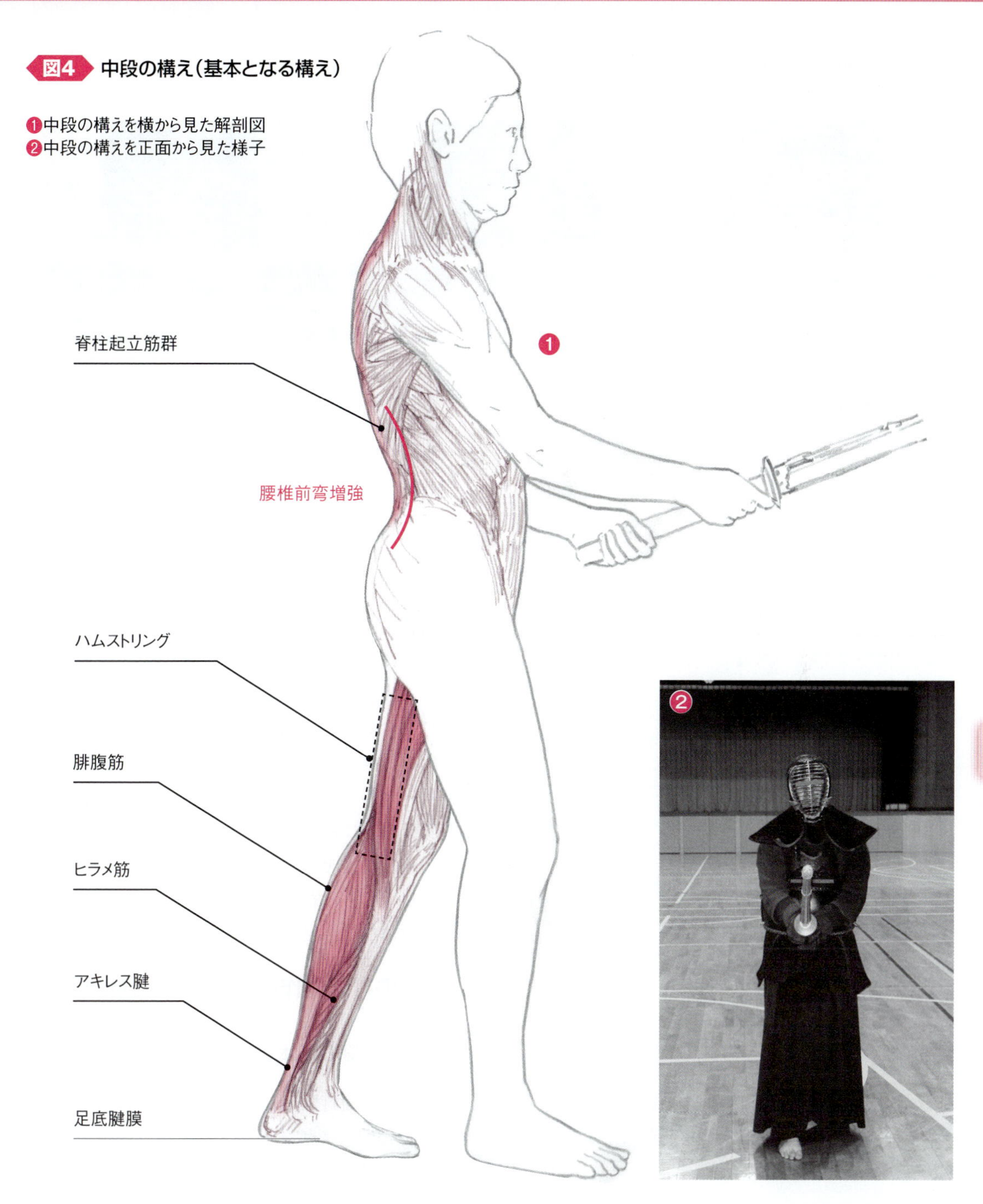

図5 竹刀の握り方

❶横から見た図 ❷上から見た図

図6 足の構え（基本）

❶横から見た図 ❷前から見た図

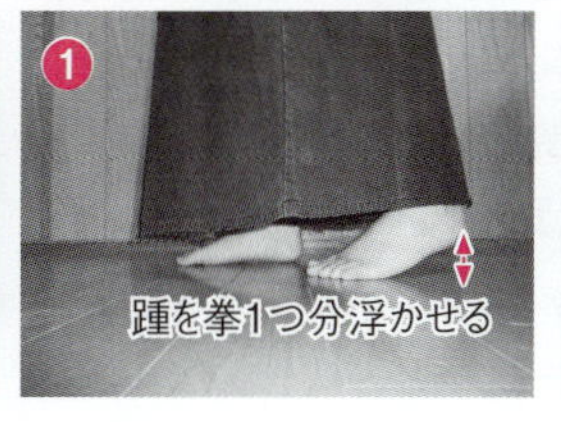

剣道

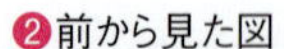

図7 不適切な足の構え

❶横から見た図：左足先が外側を向いている（toe-out）　❷前から見た図　❸後ろから見た図

図8 送り足の運び

前進と右移動では右足から動かして左足を引き寄せる。後進と左移動では左足から動かして右足を引き寄せる。いずれもすり足で行う

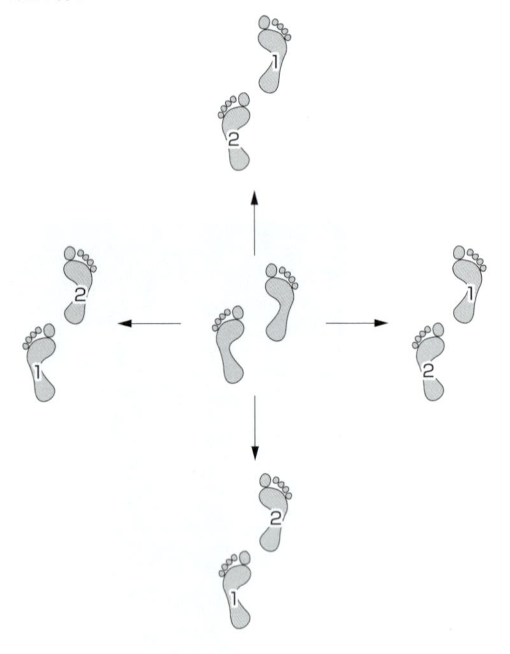

は反対に，左足を先に横へ出して右足を引き寄せる。左に大きく開く場合は，左足が右足より前方に位置することもある。

● 間合い

間合いとは，中段の構えの状態での相手と自分の距離のことである。基本となる間合いは「一足一刀の間合い」であり，一歩踏み込むと相手を打突できる距離をいう。「遠間」は，一足一刀の間合いよりも遠い距離関係をいう。相手を観察する場合には遠間をとる。「近間」は一足一刀の間合いよりも近い距離関係を示し，積極的に打突できる体勢である。「つばぜり合い」は，お互いの鍔元が接し，竹刀が交差した状態をいう。

● 打撃動作

剣道の打撃動作には，「面打ち」，「小手打ち」，「胴打ち」があり，その基本は「正面打ち」といわれている。正面打ちの動作は，すり足で行う打撃と踏み込みによる打撃に分けられる。

すり足による打撃は，中段の構えから一足一刀の間合いとなり，左足に体重を移した直後，右足を前方に出しながら竹刀を振り上げた後，竹刀の振り下げと同時に右足に体重を移して相手の正面を打撃する。

踏み込みによる正面打ちでは，中段の構えから一足一刀の間合いをとり，左足に体重移動した後，右膝を前方に持ち上げると同時に竹刀を振り上げ，その後，左足を蹴り出して竹刀を振り下ろしながら右足を大きく踏み込む。その際，足の接地は踵からではなく，足底同時接地が基本である。

剣道の打撃動作の機能解剖・動作解析

● 正面打撃の基本動作

剣道の正面打撃（跳び込み面，**図9**）を例に，動作分析について示す。**図9❶**の中段の構えでは，脊柱起立筋群の活動により，いわゆる「背を伸ばす」姿勢を保つ。基本の足の構えをとり，いつでも打撃できるように左踵は拳1つ分浮かせておく。その姿勢から前方へ継ぎ足を行い（**図9❷**），肩関節を屈曲させて竹刀を振り上げる。その際，両肘関節は軽度屈曲，両手関節は橈屈・背屈位をとる（**図9❸**）。その後，右股関節・膝関節の屈曲を伴いながら，左股関節・膝関節伸展，左足関節底屈と前方への体重移動を行い，竹刀を振り下ろして打撃する（**図9❹，❺**）。その後，右足の接地を迎え，左足を引き寄せる。

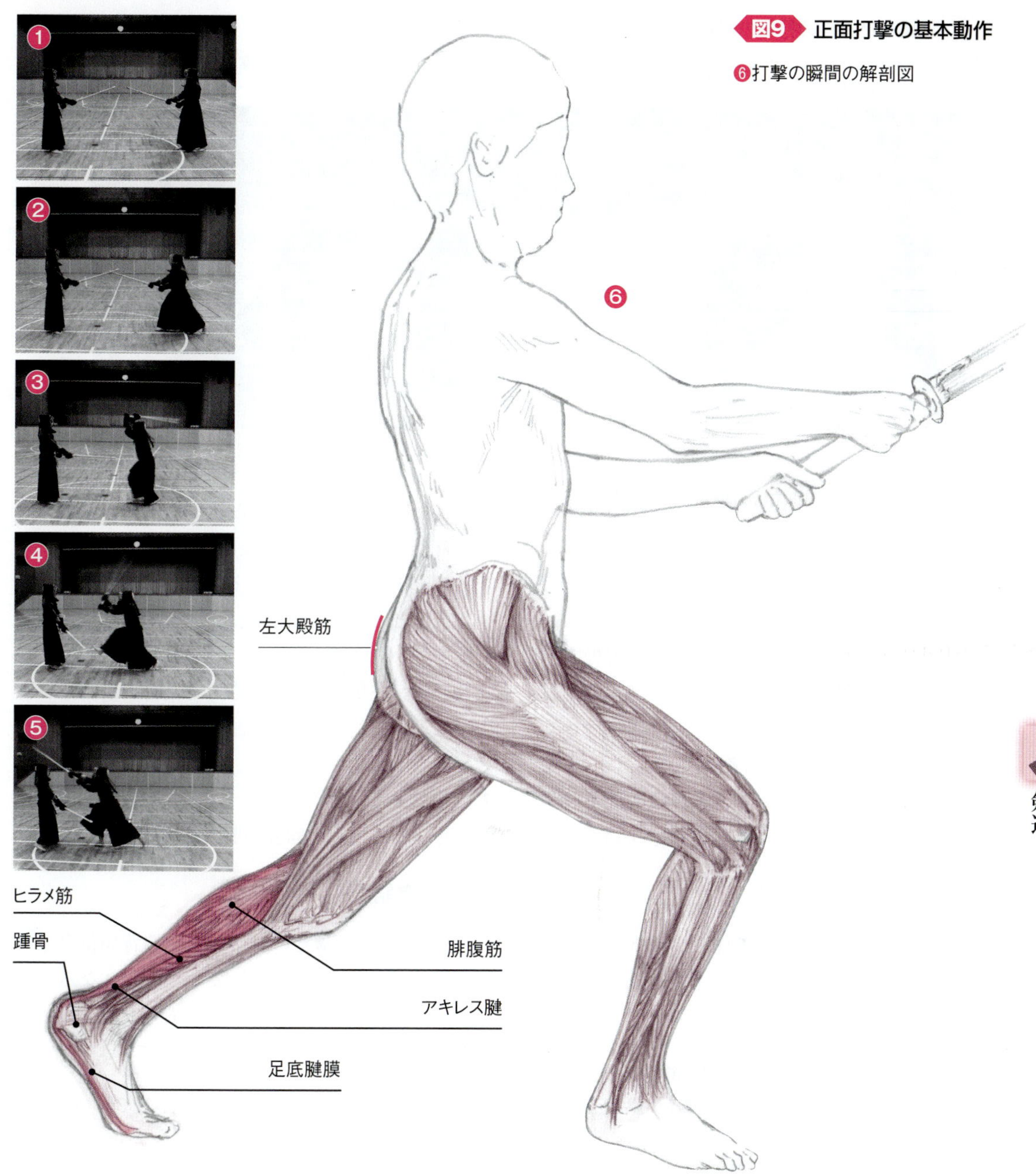

飛び込み面の打撃の瞬間における下肢の動き

下肢の動きに着目して，打撃動作である跳び込み面を観察する。左足の踏み込みでは，適度な間合いから体幹を前傾して右股関節・膝関節を屈曲しながら，急激な左足関節の底屈と左股関節・膝関節の伸展運動により前方へ跳び込んで打撃する（**図10❶**）。つまり，左右の股関節でまったく逆の運動方向になる。

図10❷は右足の踏み込みの局面であるが，右足底は全体重を受け，特に踵部には床からの強い衝撃力が加わる。筆者ら[2)]は大学生剣道選手を対象に，正面打ちで右足底に加わる垂直方向の床反力を計測した結果，5回の平均値は145±4.9kg，体重比では213.6±0.07％と，体重の約2倍の力が加わっていた。諸家の報告では，体重の約13倍の力が垂直方向に加わるという報告もある。

また，剣道の打撃動作には正面からの打撃だけではなく，全方向へ移動しての打撃や後方に下がりながら打撃する「ひき技」があり，総じて下肢への負担は大きい。

図10 跳び込み面の打撃の瞬間

❶左足踏み込みの局面では，左足関節の急激な底屈に伴い，下腿三頭筋・アキレス腱の強い収縮が起こる
❷右足の踏み込みの局面では，右踵部の接地で床から強い圧迫が加わる

正面打撃動作時の左足関節底背屈角度およびモーメント

測定条件

筆者らは，正面打撃動作の三次元動作解析を行い，左足関節の底背屈角度と関節モーメントを測定した（**図11**）。対象は剣道6段の41歳男性（対象者A）と3段の21歳男性（対象者B）で，**図11❶**中段の構えから正面打撃，**図11❷**中段の構えから左足を一歩後退させた直後に正面打撃，**図11❸**一度正面打撃を行いその後360°ターンして再度正面打撃を行う，という3種類の打撃動作を解析した。

図11❶は基本的な打撃動作で，左下腿三頭筋は打撃動作開始とともに強い求心性収縮で足関節を底屈させ，身体は前方へ跳躍する。

図11❷は対戦中にみられる打撃であり，体当たりやつばぜり合いの後に一度真後ろへ下がり，その直後に打撃動作に移る。このとき，左足関節は接地とともに背屈され，下腿三頭筋は遠心性収縮を強いられる。その後，急激に求心性収縮に切り替え，左足関節を底屈させて前方へ跳躍する。

図11❸は，かかり稽古や対戦中にみられる打撃で，一度相手をかわし，振り向いた直後に打撃動作に移るものである。**図11❷**の動作に加え，左足を中心にした回旋の要素が加わる。

測定結果

図11❶では構えの姿勢で足関節背屈位となり，下腿三頭筋が常に張力を保った状態となる。スタートの合図とともにいったん背屈角度が増加し，

図11 正面打撃動作時の左足関節角度と底屈モーメント

❶中段の構えから正面打撃　❷中段の構えから左足を一歩後退させた直後に正面打撃　❸一度正面打撃を行い，360°ターンしてから再度正面打撃

— A：41歳6段　— B：21歳3段

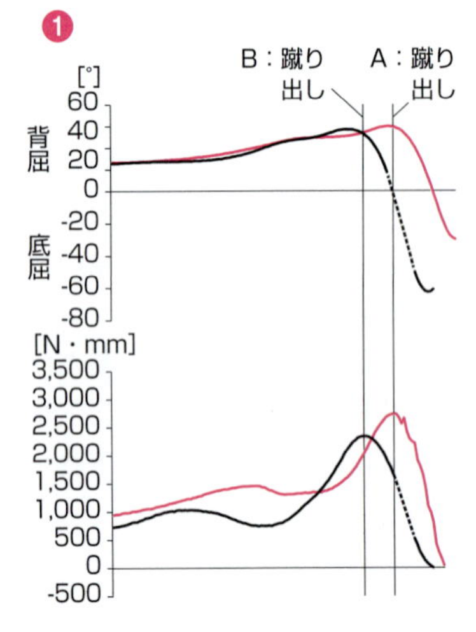

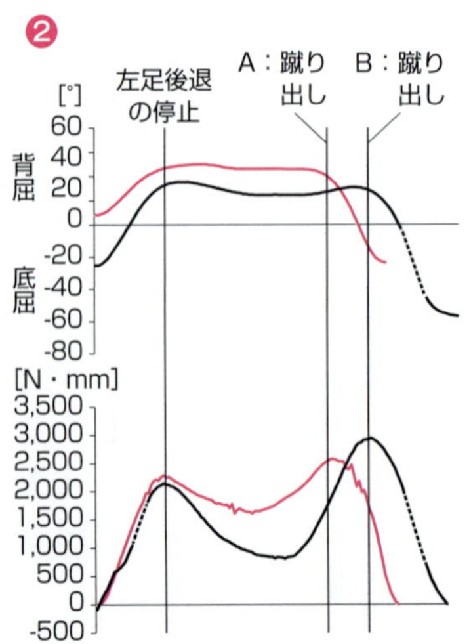

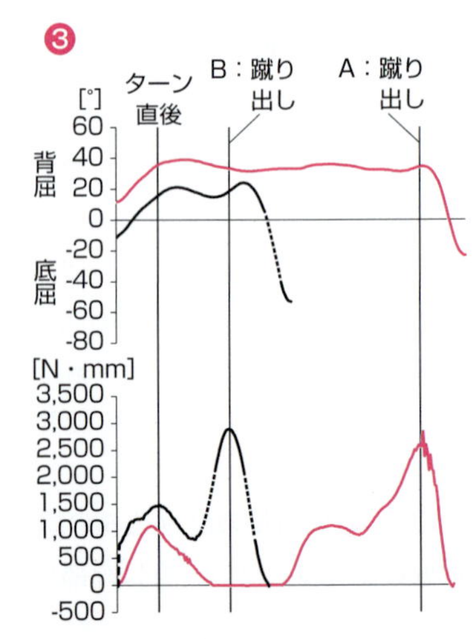

蹴り出しと同時に急速に底屈する。同時期に足関節底屈モーメントが最大となり，下腿三頭筋に張力が発生していることがうかがえる。

図11❷では，構えの姿勢から左足を一歩後退させる際に，足関節底屈位で接地した後，急速に背屈する。接地後に下腿三頭筋の張力が発揮され，1度目のピークを示す。また，直後に正面打撃を行うため，背屈位から急速に底屈して蹴り出しを行う。この際，下腿三頭筋は再度張力を発揮し，この時点で2度目のピーク値が確認できる。

図11❸では，ターン直後の足関節背屈角度および底屈モーメントを計測した。**図11❷**の動作と類似した傾向を示したが，ターン直後に足関節は軽度底屈～軽度背屈位で地面に接地し，急激に背屈する。同時に足関節底屈モーメントが発生し，1度目のピークを示す。また，蹴り出しのタイミングで再度足関節底屈モーメントが発生し，2度目のピークを示す。

結果の解釈

図11❶の足関節背屈角度および下腿三頭筋の張力のピークはいずれも一峰性であり，構えの状態から直ちに正面打撃へ移行している。**図11❷**，**❸**の動作では方向転換や回転に伴い後方の足の接地を必要とするため，遠心性収縮による緩衝と求心性収縮による駆出が必要となる。そのため，足関節角度および下腿三頭筋の筋張力はいずれも二峰性を示している。

図11❷と比較して**図11❸**の動作では，より背屈位で接地するため背屈制限角度までの余裕が少ない。加速度がついた後，狭い範囲で運動を制御する必要があるため，下腿三頭筋による微細かつ強い制御が必要かもしれない。

対象者Aでは，背屈角度の「ため」が必要で，背屈角度および下腿三頭筋の張力発揮までに動揺がある。対象者Bでは，体重比に換算した際に強い下腿三頭筋の張力が発揮されており，切り返しまでの時間が短縮している。

背屈角度を増大させない条件として，下腿三頭筋の張力発揮が必要となる可能性がある。下腿三頭筋の筋張力と背屈角度には負の相関がみられ，筋張力が低いと背屈角度が増大する。加速度がついた状態で体重比足関節モーメントが低い場合には，過度な背屈が発生する可能性が示唆される。その状態で不意に強い下腿三頭筋の収縮が発生した際には，障害発生につながる危険性がある。

図11❷の動作測定中に対象者Aが偶然スリップし，そこから打撃動作に移行した場面を計測することができた。その結果を**図12**に示す。すべての試行中で最大の背屈角度を示し，また下腿三頭筋の筋張力も最大値を示した。深い背屈位では下腿三頭筋やアキレス腱が伸張した状態にあり，この状態で下腿三頭筋が収縮するとアキレス腱断裂など外傷の発生につながった可能性がある。

剣道選手の外傷・障害の調査

剣道は，剣道具を装着しているとはいえ竹刀を用いて相手と有効な打突を競うスポーツであることに違いはなく，相手選手と激しく接触するコンタクトスポーツの1つといえる。また，その動きも独自のものであり，利き手・足にかかわらず右手右足が前方に位置する構えをとる。足運びで急激な方向転換と全方向への移動を行うため，下肢に負担が加わることは明白である。加えて，素足で硬い床の上で練習や試合を繰り返すなど，練習環境が下肢に及ぼす影響も多大である。

スポーツ安全協会の資料（2017年度）によると，剣道による傷害発生頻度は939件/100,000人と，全スポーツ競技平均の2,160件/100,000人ときわめて少ない[3)]。その一方で，剣道のスポーツ外傷・障害に関する報告として，剣道固有の傷害が発生し

図12 対象者Aにおけるスリップからの正面打撃動作時における左足関節角度と底屈モーメント

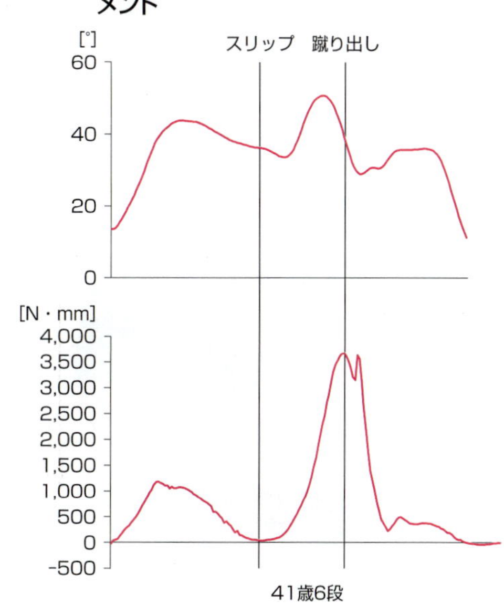

ていることが明らかになっている[4]。

次に，剣道選手に特徴的なスポーツ傷害について，筆者らが行った調査結果を示す。

大学剣道選手のスポーツ傷害調査

大学剣道選手男性24名，女性17名，計41名を対象に，アンケートと直接検診によるスポーツ傷害調査を行った。調査時期は剣道部の夏季合宿中で，1日の練習時間が約6時間と，通常より過密な練習を行っている時期であった。現在ならびに過去に疼痛が発生した部位を聞き取り，疼痛部位については直接確認を行った。

現在の疼痛部位は，15％の学生が左足部にあり，その大半は足底の水疱や，水疱が潰れた表皮剥離であった。次いで，左肩・肩甲帯の痛みが多く，部位は僧帽筋，菱形筋といった背部の筋に多かった。通常，剣道選手の上肢に関する外傷・障害は打撲以外は少ないが，本調査では，肩・肩甲帯部は左右合わせて20％の選手が疼痛部位として挙げた。これは，合宿中での調査であったため，オーバーユースが原因として考えられる。左足関節痛は捻挫に伴う疼痛が多く，右足部は皮膚障害に伴うものであった(**図13❶**)。

過去の疼痛部位調査では腰部が15％と最も多く，過去にコルセットを着用して練習や試合に臨んでいたという選手が多かった。右下腿(13％)，左下腿(11％)といった下腿の疼痛を経験した選手が24％と多く，その内容に特徴がみられた。右下腿痛は脛骨内側の痛みが多く，シンスプリントと診断された選手もいた。左下腿痛は前面と後面に訴える選手がいたが，下腿三頭筋やアキレス腱部といった後面に痛みがある選手が多かった(**図13❷**)。

剣道の競技特性と外傷・障害

腰痛

腰痛を経験している剣道選手は多く，Hangaiら[5]の調査によると，剣道選手の腰痛経験頻度は非運動者に比べ2.2倍高くなると報告している。少年期の腰椎分離症や成人期にみられる腰椎椎間板ヘルニアといった器質的な疾患よりも，オーバーユースによる慢性腰痛を抱えている場合が多い。その要因として，剣道中の腰椎の動きが挙げられる。中段の構えや体当たり，つばぜり合いでは腰椎の前弯を強いられる場面が多く，さらに脊柱起立筋群の強い収縮を伴うことが腰痛を引き起こす要因である(**図14**)。加えて，剣道の構えから打撃動作に至るまで，右上下肢が前方に位置する左右非対称な姿勢・動作であることも，初心者や正しい動作を習得していない者にとって腰痛を引き起こす要因となる。

少年期の腰痛で，中段の構えをとった場合や脊柱の伸展方向の運動で疼痛が増強する場合は腰椎分離症が疑われるため，慎重に疼痛評価を行う。近年，腰椎分離症の初期には，積極的な骨癒合を目的とする治療が選択される。腰椎の伸展と回旋を制限する体幹装具が処方され，剣道の実践的な練習は休止して患部外のトレーニングや足運びの練習，素振りなど，基本動作を中心に練習を行う。

また，腰椎椎間板ヘルニアでは，腰痛に加えて下肢痛，下肢伸展挙上テスト陽性，筋力低下や感覚障害などの神経症状が出現する。

図13 大学剣道選手の疼痛部位調査(N=41)

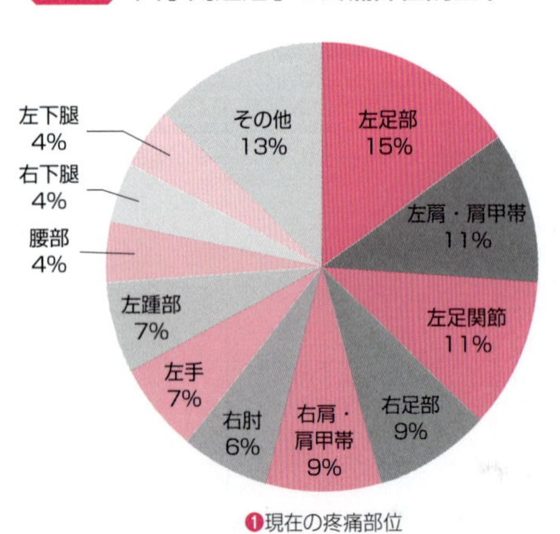

❶現在の疼痛部位

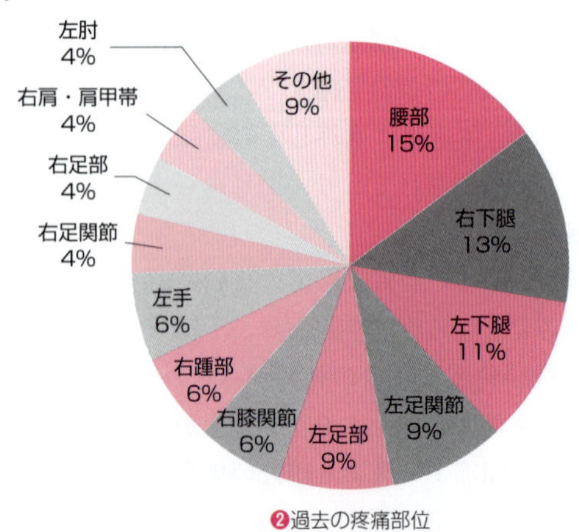

❷過去の疼痛部位

図14 剣道中の腰椎前弯

❶中段の構え ❷つばぜり合い

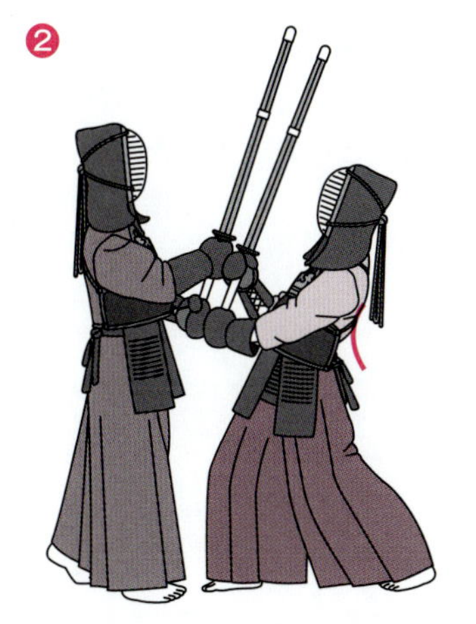

図15 立位における殿筋群の発達の左右差確認

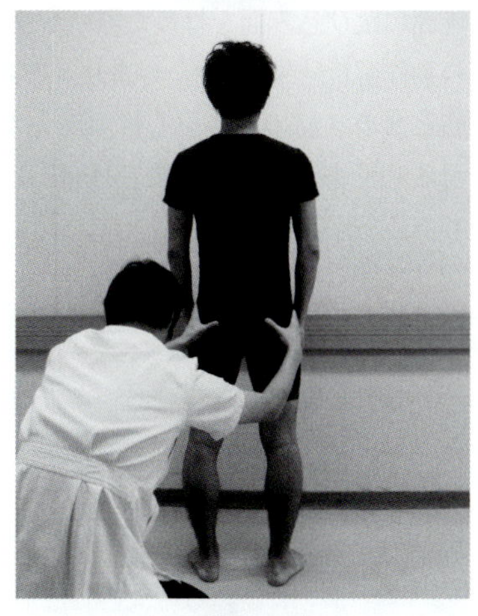

腰痛を有する選手の動作のみかたと評価

腰痛を有する選手をみるときは，まず構えを観察し，骨盤前傾や腰椎の前弯の程度を確認する。次いで，下肢や体幹の柔軟性の評価として，指床間距離（finger-floor distance：FFD）や体幹の屈曲・伸展，左右側屈，回旋の関節可動域，ならびに疼痛が出現する方向と角度を確認する。

観察のポイントとして，股関節の屈曲・伸展可動域における左右差の有無，大殿筋・ハムストリング・大腿四頭筋・腓腹筋の柔軟性の左右差の有無を確認する。

また，殿筋群の発達に左右差がないか確認する（**図15**）。剣道の経験が長い選手では，左大殿筋の肥大がみられることがある。そのような選手では，左の骨盤がわずかに後方へ回旋し，骨盤の位置が非対称となる場合がある。

次に，打撃動作を行わせて疼痛の出現するタイミングを確認する。打撃動作開始時の体幹をわずかに前傾した局面や，右足の接地時に疼痛を訴える場合が多い。

腰痛に対する理学療法

剣道では，腰椎分離症や椎間板ヘルニアなどの器質的な疾患よりもオーバーユースによる慢性的な腰痛が多く，その原因は筋性であることが多い。

理学療法ではストレッチが中心となる。剣道着や剣道具をつける前にウォーミングアップとして毎回ストレッチを行うようにする。ストレッチは，腰背部と下肢を中心に行う（**図16，17**）。選手自身に，筋の柔軟性に左右差がないかどうかを確認させながら行うとよい。

日常生活に支障をきたすような腰痛や神経症状がみられる場合を除き，過度な安静は不要である。腹筋と背筋の強化を図り，体当たりやつばぜり合いに負けない強い体幹筋をつくる。

疼痛が軽減したら，中段の構えで素振りを行い，腰痛の程度を確認する。その後，相手を立たせて打撃動作や切り返しを行い，実戦復帰時期を検討する。

フォローアップ

腰痛の再発は，オーバーユースと腰椎前弯の強制の繰り返しによるものが多い。近年はデジタルカメラで撮影することで容易に姿勢や打撃動作が観察できるので練習再開時に頻回に利用し，フィードバックするとよい。練習前後のストレッチと練習量の調整が重要である。

下腿痛

剣道選手特有の外傷・障害は，左下腿部に発生することが多い。次からは，4種類の疾患について解説する。

アキレス腱断裂

前方へ打撃した際に，蹴り足である左足（**図18**）に発生することが多く，完全断裂から部分断裂まで生じる。受傷時の動作は選手によりさまざまであるが，相手選手から一度後方に下がり左足で踏ん張った後，急激に前方へ打撃する局面や，方向転換時に発生することが多い。また，左足が床面でスリップしたり，左右の足幅が広い状態で無理に跳び込み面を打った際にも生じている（前述の動作解析結果参照）。つまり，アキレス腱に腓腹筋とヒラメ筋の強い遠心性収縮力が加わり断裂に至る。受傷時には，断裂音（POP音）が生じることもある。

アキレス腱断裂を起こした選手によると，試合前などで練習日程が過密となりオーバーユースの状態で受傷した者や，アキレス腱炎や違和感を生じながら練習・試合を続けた場合に断裂する選手もいた。

受傷後は疼痛を伴い底屈が不可能となり，つま

図16 腰部のバリスティックストレッチ

反動をつけて行う

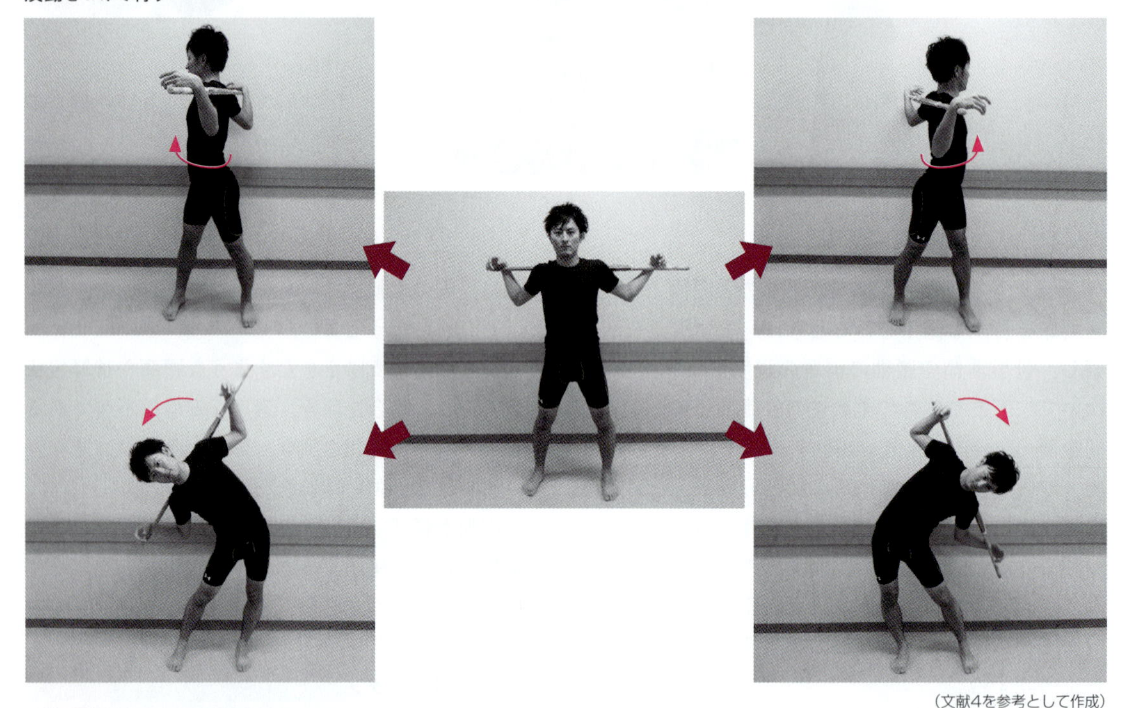

（文献4を参考として作成）

図17 腰部・大殿筋ストレッチ

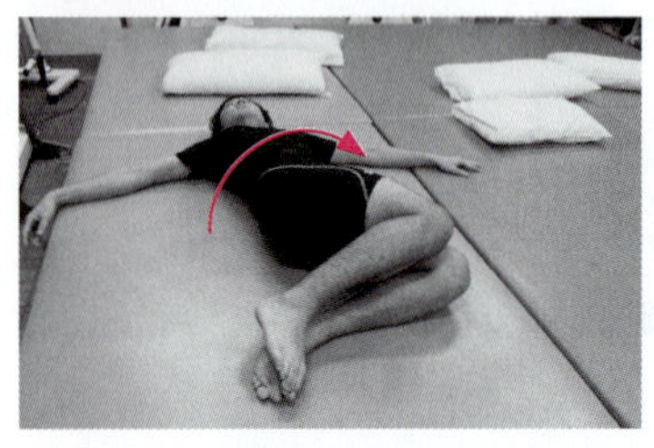

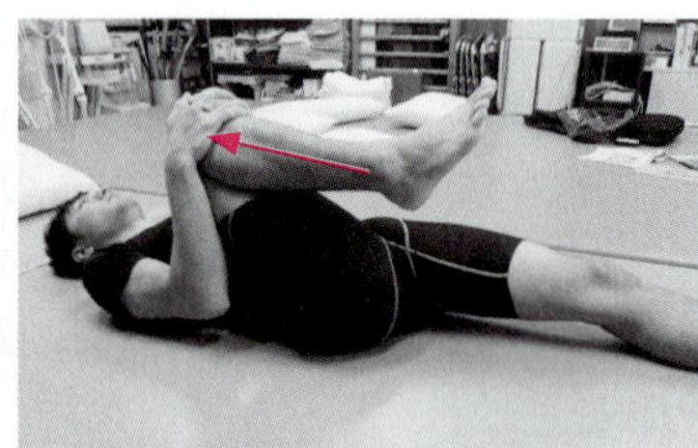

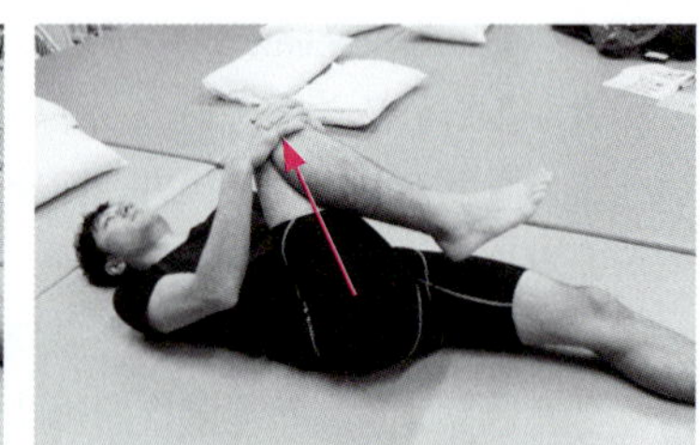

図18 打撃時にみられる左足関節の急激な底屈運動

先立ちができない。また，アキレス腱断裂部に陥凹を認め，Thompson squeeze検査（**図19**）が陽性となる。治療には保存療法と手術療法があり，高齢者であれば保存療法，トップレベルの選手には手術療法が選択される場合が多いが詳細は成書に委ね，本書では手術療法後のリハビリテーションについて解説する。

術後リハビリテーションプログラムは，一般に**表2**のように進められる。ギプス固定中はタオルギャザーなどで足趾を十分に動かし，足趾屈筋腱の癒着を防止する。ギプス除去後の自動運動開始時には痛みを伴うことが多いので，渦流浴など温熱療法後に運動を開始するとよい。

下腿三頭筋の筋力トレーニングでは急激な筋収縮や遠心性収縮は避け，最初はゆっくりとした求心性収縮を行う。その際，下腿三頭筋の収縮を意識することが重要である。

歩行練習の最初は歩幅を狭くし，代償動作が入らないように注意する。ヒールレイズは椅子座位から開始し，次いで立位，術側で行うように負荷を加えていくが，健側中心の荷重にならないように注意する（**図20**）。剣道練習の復帰には十分な足趾の伸展と足関節背屈の可動域が必要で，制限がある場合は剣道の基本の動きが行えず再受傷す

図19 Thompson squeeze検査

下腿を把持したときに足関節が底屈しない場合はアキレス腱断裂陽性と判断する。断裂部に陥凹を認めることもある

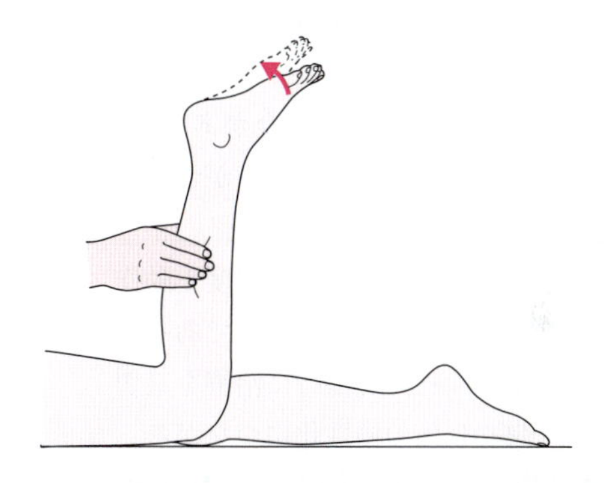

表2 術後リハビリテーションプログラムの一例

スケジュール	内容
手術～1週	底屈位で短下肢ギプス固定，松葉杖歩行（荷重はタッチ程度）
1週～10日	足関節0°で短下肢ギプス（ヒール付）全荷重歩行を徐々に開始
2週～3週	ギプス除去，渦流浴，自動運動開始，徐々に下腿三頭筋の筋力強化開始
4週～	自転車エルゴメーター，椅子座位でのヒールレイズ
5週～	平地を裸足歩行開始
6週～	両足での立位ヒールレイズ，アキレス腱ストレッチ
8週～	両足ヒールレイズが可能になれば，片足でのヒールレイズとスクワット開始，階段昇降，走行練習
10週～	術側でのヒールレイズが可能になればジョギング開始
12週～	下腿三頭筋の筋力回復によりジャンプ動作を開始
14週～	動作を確認しながら術側でのジャンプ，ダッシュ，ステップを開始
4カ月	スポーツ活動開始
5～6カ月	競技復帰

図20 ヒールレイズ

❶座位 ❷中間位での挙上 ❸足底外側面に荷重した挙上（腓腹筋外側頭を強化） ❹足底内側面に荷重した挙上（腓腹筋内側頭を強化）

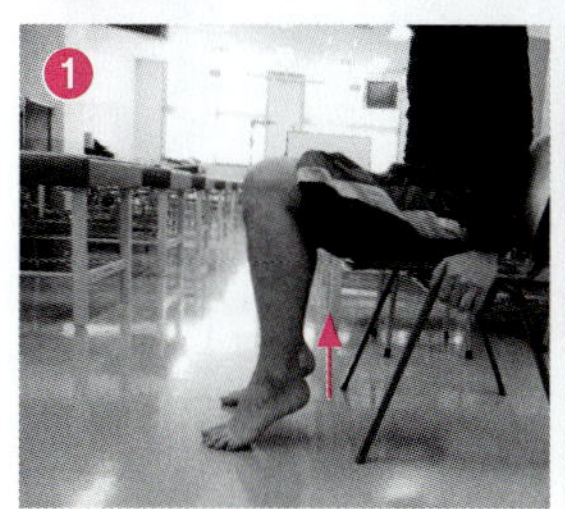

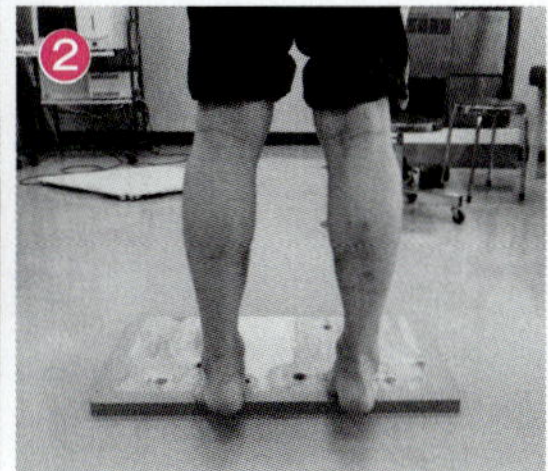

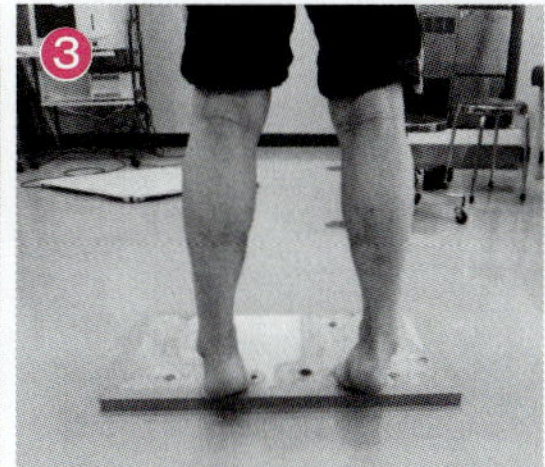

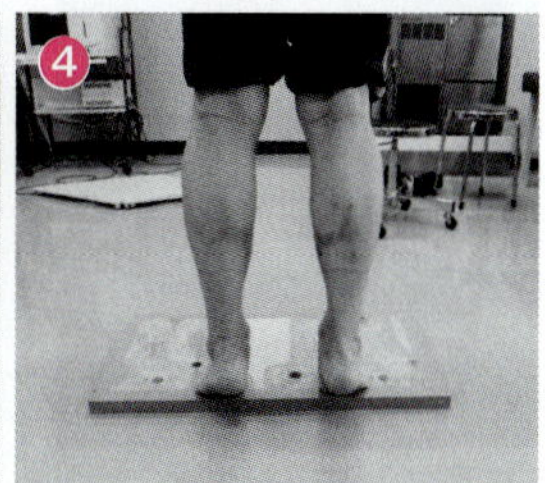

る危険性がある。

アキレス腱炎

アキレス腱部の腫脹や圧痛，運動時における下腿三頭筋から踵骨にかけての違和感が生じ，左足に多い症状である。オーバーユースによるものが多いが，慢性的に疼痛を有する場合は足部の過回内足や足部内側縦アーチの問題など，下肢アライメントに異常がある場合が多い。

腓腹筋損傷（肉ばなれ）

アキレス腱断裂と同様に左足の受傷がほとんどで，受傷機転も同様である。打撃動作後に突然下腿後面の痛みが現れる。断裂する部位は腓腹筋の内側からアキレス腱への移行部が多く，同部の疼痛と圧痛，伸張痛を認める（**図21**）。

損傷が軽度の場合は放置される場合があるが，翌日になり皮下血腫や疼痛増強により気がつくこともある。

腓腹筋損傷は，重症度により疼痛の程度や動作に及ぼす影響はさまざまであるが，軽度であってもその柔軟性が低下し，初回受傷時に治療を適切に行わないと再受傷や疼痛の慢性化につながる。

脛骨過労性骨膜炎（medial tibial stress syndrome：MTSS）

下腿内側後縁に沿う痛みと圧痛が慢性的に続く場合や，練習が過密になると症状が悪化する場合はMTSSであることが多く，中高校生によくみられる（**図22**）。

病態としては，過回内足により，ヒラメ筋，長趾屈筋，後脛骨筋が牽引され，これらの筋の起始部における骨膜に炎症が生じる。

左右両側にみられるが左足の場合が多く，構えでの足の位置の問題や下肢アライメント，足のアーチの異常が原因であることが多い。

下腿の外傷・障害を有する選手の動作のみかたと評価

選手の評価の前に，道場や体育館の床の状態を確認することは重要である。剣道は靴を履かないスポーツであり，床面の摩擦が大きいと左下腿への負担は大きくなり，摩擦が小さいとスリップして下腿の外傷の原因となる。

下腿のスポーツ外傷・障害は足部のアライメント異常，特に足の内側縦アーチが低下した回内足との関係が深い。足部のアライメント評価には，Foot Posture Index-6[6]やnavicular drop test（**図23**）が臨床上有用である。また，足関節の背屈可動域制限は動作中のknee-in/toe-outを引き起こす要因となり，アキレス腱炎やMTSSの発生に関与する。他にも，足趾の背屈可動域や外反母趾に代表される足趾変形の有無，足底の胼胝の位置などを評価しておくことで，症状に関係する動作が機能障害によるものなのか技術的な問題なのかを考える際の手がかりとなる。

下腿の外傷・障害に左右差があることは先に述べた。初心者の場合，外傷・障害の原因として，基本的な動作が獲得できていないことが多い。特に足の構えは重要で，左足の位置・向きが下腿部の疼痛を引き起こす。剣道で撞木足（**図7**）とよば

図21 腓腹筋損傷の好発部位
腓腹筋内側からアキレス腱への移行部に多い

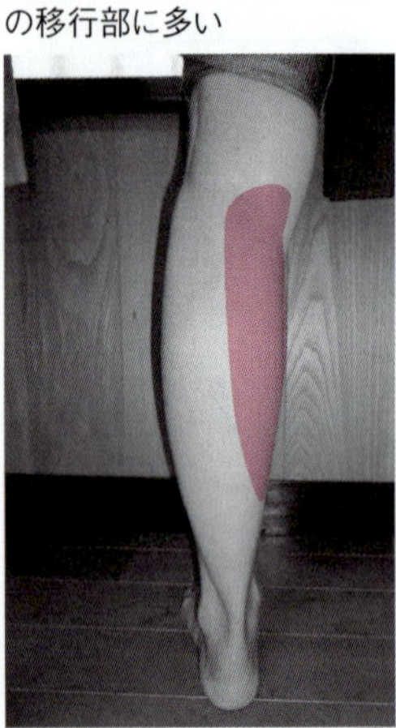

図22 脛骨過労性骨膜炎の疼痛部位
下腿内側後縁に生じる

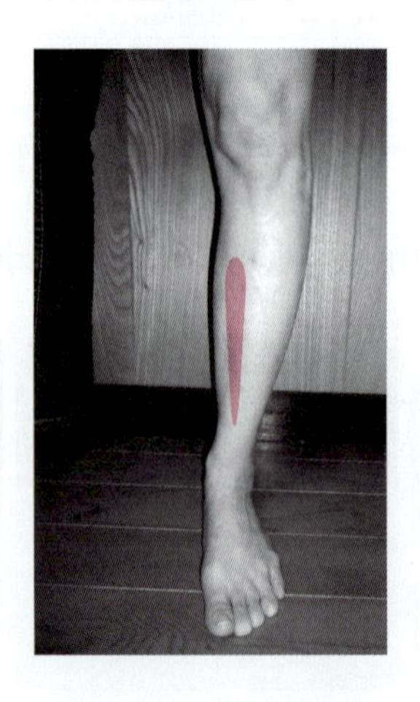

図23 navicular drop test
床から舟状骨粗面までの高さについて，距骨下関節中間位での値と安静立位での値との差分を算出する

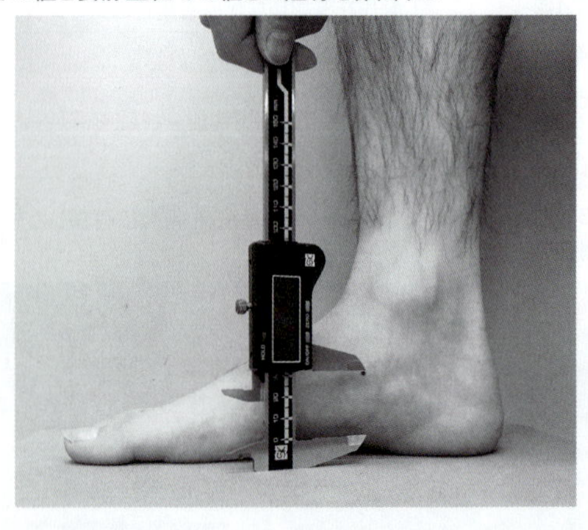

れるtoe-outは，踵骨外反や過回内足を呈し，足の内側縦アーチ低下につながる。さらに，縦アーチの低下は後脛骨筋を介して起始部に牽引力が加わり，MTSSの発生要因となる。その他，toe-outで打撃動作を繰り返すと回内足によりアキレス腱に緊張が加わり，アキレス腱炎の原因にもなる。正しい足の構えは剣道を始めた時期に徹底的に練習し，習得しておく技術である。

また，初心者の場合，足部だけの問題か骨盤や股関節を含めたアライメント調整が必要かを見極める必要がある。貴志ら[7]は，6〜18歳の158名を対象に，下腿・足部の疼痛部位，ビデオカメラによる動作フォームチェック，足の単純X線撮影による縦アーチ計測を施行した結果，下腿・足部痛の経験がある選手の83.3％が踏み込み動作に問題があったと報告している。そのうえで，剣道を始めて3年以内に正しい踏み込み動作を習得することが重要であると述べている。下腿痛を有する選手には，基本的な構えから動作を確認することが重要である。

下腿の外傷・障害に対する理学療法

下腿の外傷・障害に対する理学療法の基本は，下肢関節の柔軟性と筋力を保ち，下肢アライメントを整えることである。打撃動作は左右非対称であるが，筋・関節の柔軟性には左右差が生じないようにストレッチを行う。ストレッチについては，大腿四頭筋やハムストリングなどの大筋群だけではなく，腓腹筋，ヒラメ筋，後脛骨筋，足趾屈筋群や足部内在筋まで丁寧に行う（**図24**）。足関節周囲筋の筋力トレーニング（**図25**）として，ヒールレイズ（**図20**），ヒールウォーク，チューブエクササイズ（**図25❶**），タオルギャザー（**図25❹**）を指導する。これらに加えて，足部のインナーマッスルである足部内在筋の筋力トレーニングも重要である（**図26**）。筆者らの研究[8,9]では，足部内在筋の収縮力を強化すると，歩行立脚後期から前遊脚期における垂直床反力や内部足関節回外モーメントが減少することが明らかになっている。このことから，足部内在筋の筋力トレーニングによって，蹴り出し時に生じる下肢への衝撃や足部外在筋の負担が軽減する効果が期待できる。また，足部内在筋が発達している回内足例は歩行中の内側縦アーチの低下が少ないという研究結果[10]から，足部内在筋の筋力トレーニングによって動的な足部アライメントが改善することも期待されている。一方，**図26**のようなトレーニングは技術的に難しく，修得に難渋する症例も多い。バイオフィードバックの利用は，これらのトレーニングを修得するための学修を促進することに役立つ。筆者らの研究では視覚と電気刺激によるバイオフィードバック（**図27**）の利用が，各単独での利用に比べより有効であった[11]。

アライメントの観察では，中段の構えで正しい足の位置をとらせる。過回内足や足アーチの低下については，テーピングでアライメントを調整することもある（**図28**）。前述した**図8**などの足の運

図24 足関節のストレッチ

❶腓腹筋のストレッチ　❷ヒラメ筋のストレッチ

図25 足関節周囲筋の筋力トレーニング

❶チューブを利用した後脛骨筋トレーニング　❷足関節内反でタオルをたぐり寄せる後脛骨筋のトレーニング　❸足部の外側を台に乗せ関節内外反運動を繰り返す後脛骨筋と下腿三頭筋のトレーニング。特に内反から外反の動きをゆっくり行うことで，後脛骨筋の遠心性収縮トレーニングとなる　❹タオルギャザー

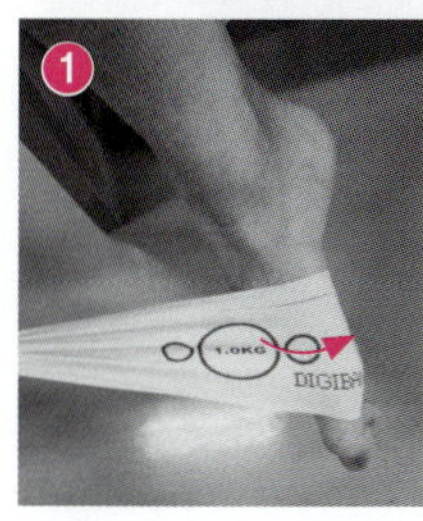

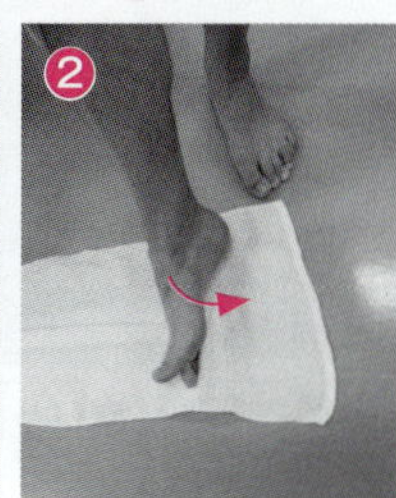

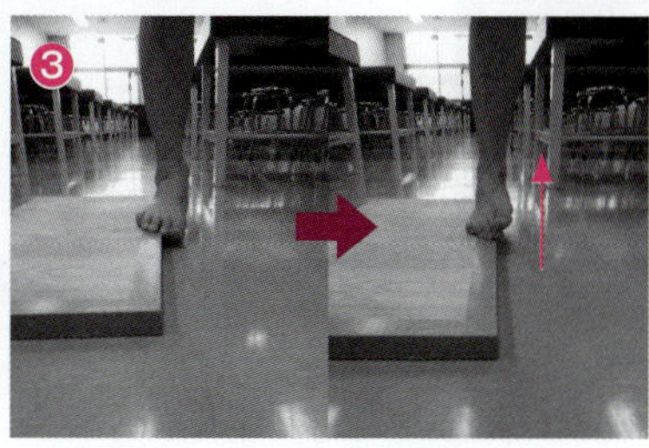

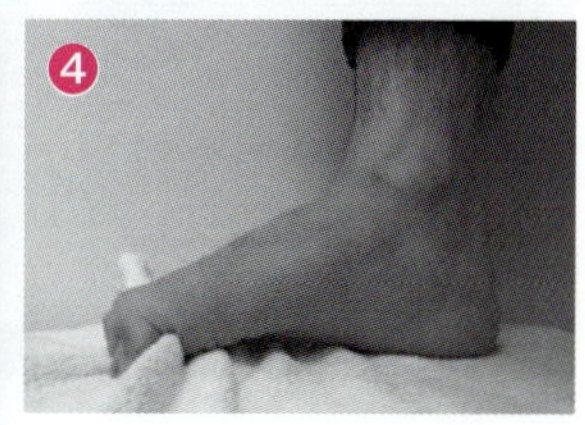

剣道

びを徹底して練習（**図29**）した後，実戦形式の練習に入る。

アキレス腱炎の場合，疼痛が強い時期は安静が必要であるが，一時的に踵を高くした足底板を利用することで疼痛が軽減することが多い。また，遠心性運動や高負荷低速度抵抗運動が有効な場合もある。疼痛が軽減したら練習を再開するが，練習後のストレッチは徹底して行うべきである。

Check! 理学療法ガイドライン第2版

「アキレス腱障害患者に対して，筋力強化運動は推奨されるか」，「アキレス腱障害患者に対して，ストレッチング，徒手療法のいずれが推奨されるか」[12]については，『理学療法ガイドライン 第2版』第14章「足関節・足部機能障害理学療法ガイドライン」のアキレス腱障害CQ1，2を参照されたい（https://www.jspt.or.jp/upload/jspt/obj/files/guideline/2nd%20edition/p781-800_14.pdf）。

Web版はこちら

図26 足部内在筋の筋力トレーニング

short foot exercise：足趾を伸展位に保ったまま，中足骨頭を踵側へ引き寄せる

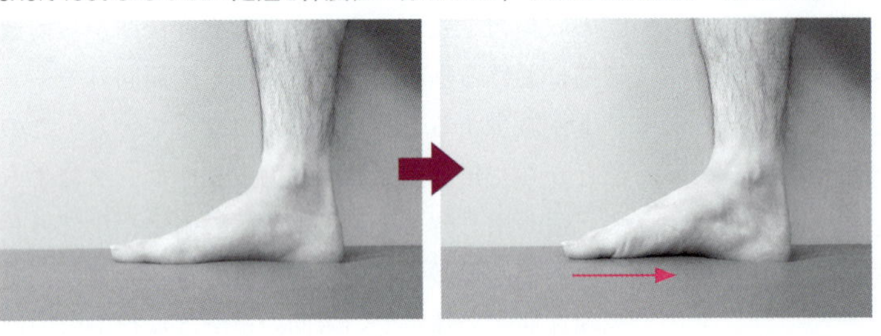

toe spread out exercise：❶5趾すべてを伸展させる ❷その後，小趾を外転させながら床に接地させる ❸続いて，母趾を外転させながら床に接地させる

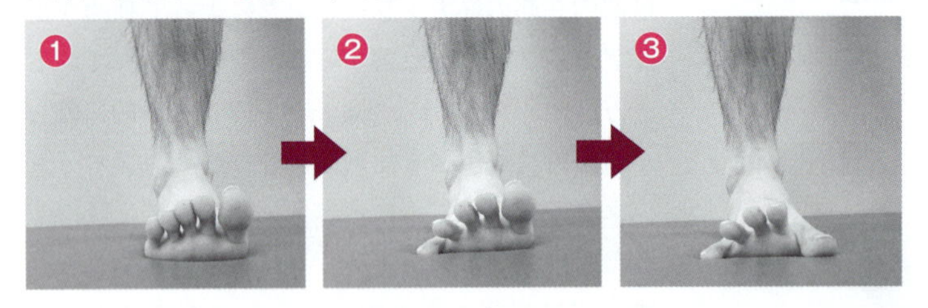

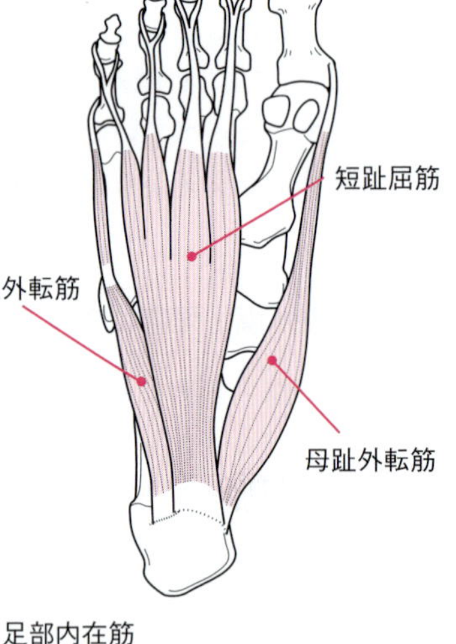

足部内在筋

図27 バイオフィードバックを用いた足部内在筋の筋力トレーニング

母趾外転筋に貼付した表面電極からトレーニング中の筋電信号を検出し，その大きさをランプの点灯数として視覚的にフィードバックするとともに，検出した筋電信号の大きさに比例した強度の電気刺激を母趾外転筋にフィードバックする

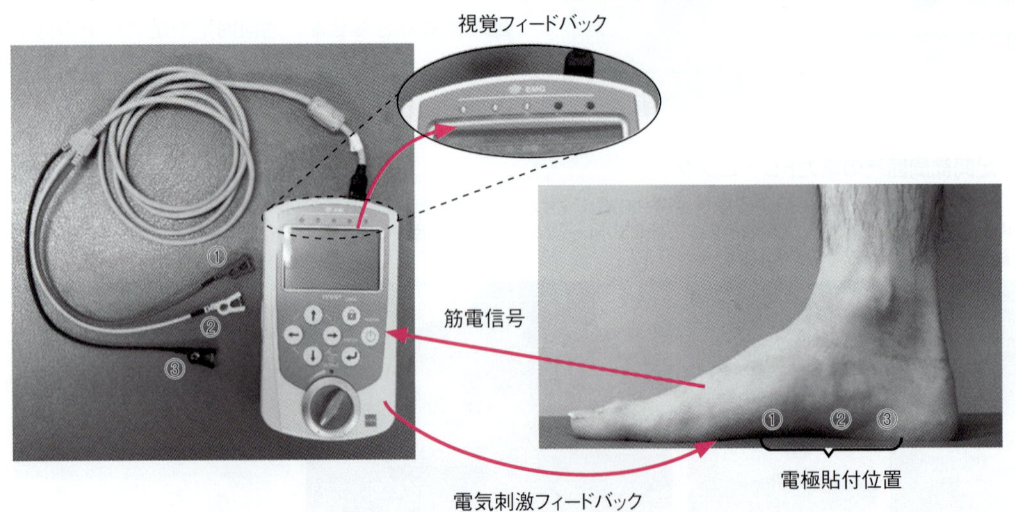

慢性的な下腿後面の痛みには，その疼痛部位を確認し，腓腹筋や筋腱移行部，アキレス腱部に物理療法を行うことも有効である。深部を加温することのできる超音波療法は，筋・腱の伸張性の向上が期待でき，痛みに対して有効なことが多い。また，高電圧パルス電流を用いた電気刺激療法が疼痛や筋スパズムの軽減に著効することをよく経験する。

物理療法は疾患や病態，受傷からの期間を考慮して治療法を選択することが重要で，急性炎症や急性疼痛に対しては寒冷療法（図30❶，❷）を用い，慢性的な疼痛や関節可動域制限に対しては超音波（図30❸）や渦流浴（図30❹），ホットパックなどの温熱療法を行っている。また，電気刺激療法は経皮的電気刺激（transcutaneous electrical nerve stimulation：TENS）による鎮痛，神経筋電気刺激（neuromuscular electrical stimulation：NMES）による筋スパズムの軽減，微弱電流による組織治癒促進など幅広い対応が可能であることに加え，近年装置が小型化していることからもスポーツ現場で非常に重宝している（図30❺，❻）。

フォローアップ

下腿三頭筋の柔軟性の低下やアライメント不良から疼痛を再発しやすいので，自宅でのトレーニングや練習前のストレッチを欠かさないように指導する。アキレス腱炎やMTSSは治療期間が長引くことがあるので，根気強く治療を続けることが重要である。練習再開後に左下腿三頭筋からアキレス腱に違和感や張りを訴えた場合は，練習を中止して評価する必要がある。

図28 踵骨回内防止テーピングの例

❶後面から見た図　❷内側面から見た図

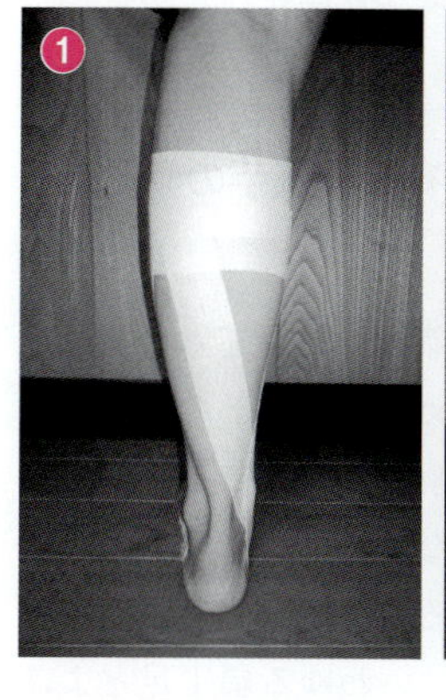

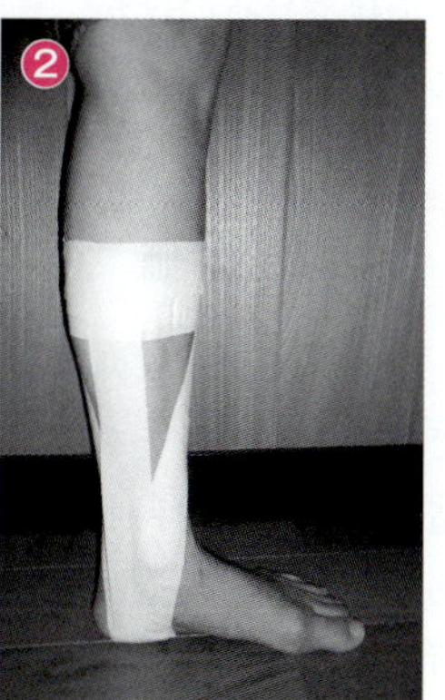

図29 足運びのトレーニング

テープで直線を引き，その上で基本の足運びを行う。速度を変えても正しくできるように練習する

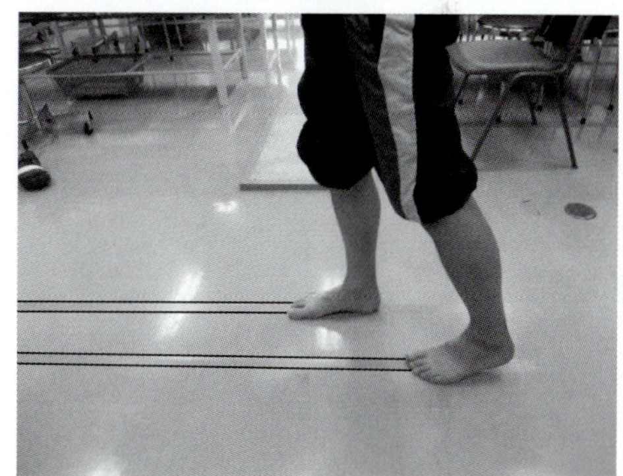

図30 下腿の疼痛に対する各種物理療法

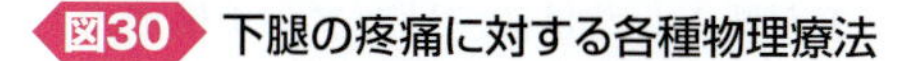

❶アイスバッグ　❷クリッカー　❸超音波　❹バイブラバス　❺，❻各種電気刺激装置

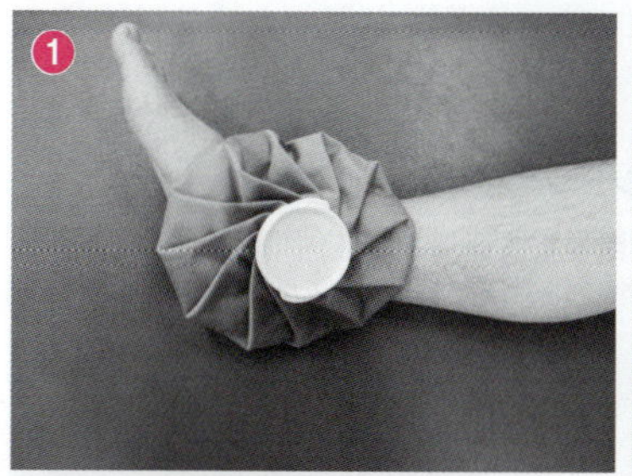

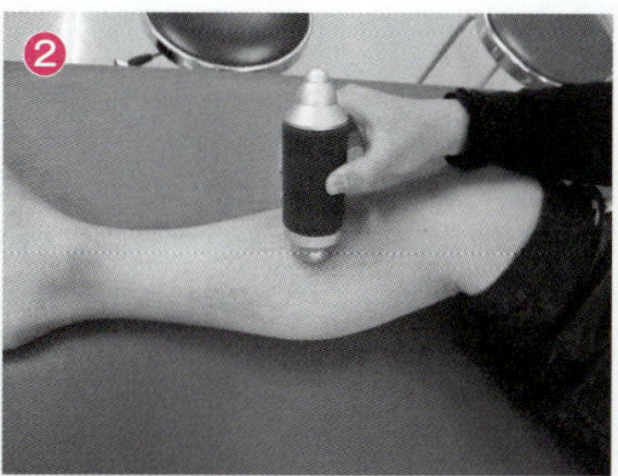

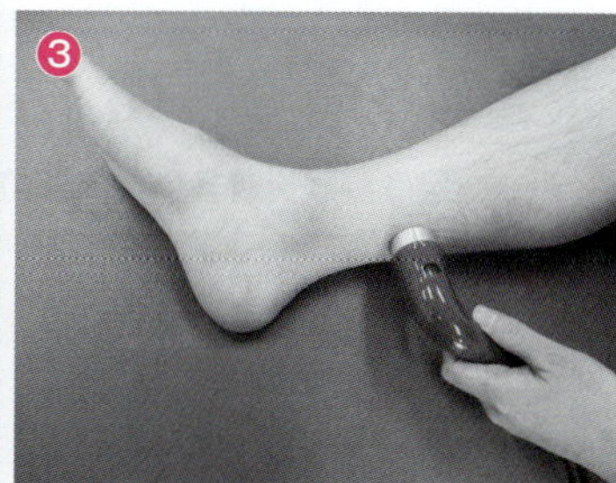

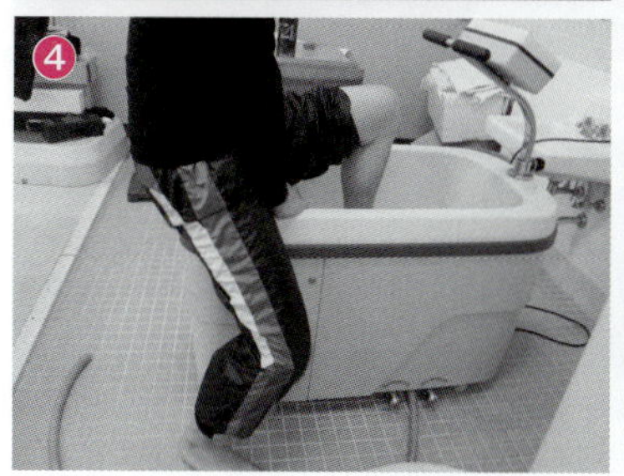

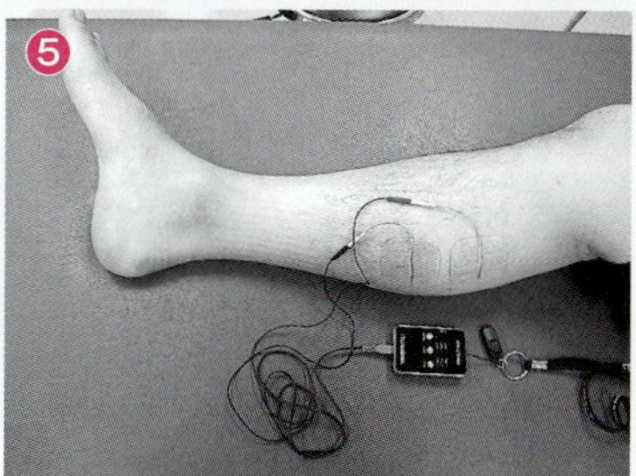

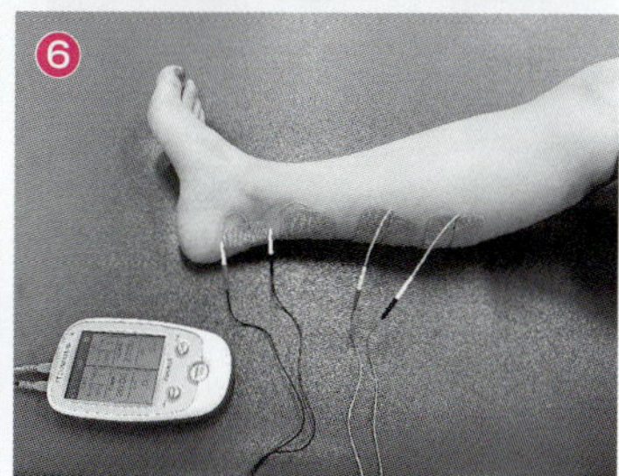

足部の疼痛

足関節捻挫

相手選手の体当たりでバランスを崩した場合や，転倒による右足関節内反捻挫が多い。

踵骨部痛

初心者や中高生によくみられる症状であり，多くは右踵骨部痛である。

硬い床面を素足で踏み込む動作を繰り返すことで痛みが増加することが多く，特に初心者は右踵を意識して接地することで症状が悪化する。打撃時の動作も原因として影響を及ぼすといわれ，前傾姿勢で踏み込む選手は踵骨部痛を起こしやすいとされる。ただし，両側に踵骨部痛がみられる場合は骨端症も疑われる。

足趾骨折

相手選手との接触や転倒による足趾骨折も，剣道選手に多い外傷である。

中足骨疲労骨折

剣道選手に多い障害である。荷重に伴う中足骨底側の引っ張り応力によって第2・3中足骨に好発する。荷重時の前足部痛や骨折部位の圧痛がみられ，単純X線検査では中足骨骨幹部の骨膜肥厚が確認される。

足底腱膜炎

足底から踵部にかけての疼痛と圧痛を訴えることが多く，練習量の増加で疼痛が悪化する（**図31**）。ウィンドラス検査（**図32**）が陽性となり足底腱膜炎と診断される。

剣道では左踵を常に浮かしていつでも打撃できるよう構えているため，左足に生じることが多い。重症化すると痛みによって正しい構えをとることさえ困難となり，前方への打撃スピードが遅れ，跳躍距離が短くなる。

皮膚障害（水疱形成）

いわゆる，まめや血まめによるものや，まめが破れた皮膚剥離により疼痛が引き起こされる。水疱形成の処置や肥厚した皮膚（胼胝，魚の目）の除去，テーピングなど，選手自身で行っていることが多いが，血まめが破れて皮膚剥離（**図33**）を起こすと感染の危険があるため，医療機関を受診することが望ましい。

Lisfranc（リスフラン）靱帯損傷

第1楔状骨と第2中足骨を結ぶLisfranc靱帯の損傷であり，第1・2中足骨間の近位に圧痛を認める。つま先立ちの中足部に強い軸圧がかかって生じる。

種子骨障害

主に踏み込みの際，母趾底部に疼痛を自覚することが多い。第1中足骨頭部底側に存在する種子骨の炎症や骨折のほか，無腐性骨壊死などが生じることもある。

足部の外傷・障害を有する選手の動作のみかたと評価

足部のスポーツ外傷・障害について考えるうえで，内側縦アーチをはじめとする足部のアーチ構造がもつ力学的利点を理解しておくことが重要である。アーチ構造は平らな構造と比べ，上からの荷重を圧縮力に変換できる点で力学的に強い構造といえる（**図34❶，❷**）。いわゆる扁平足とよばれるアーチが低下した足部では，アーチ構造の力学的利点が失われているために足部の障害を招きやすい。また，アーチ構造を保つためには構造の

図31 足底腱膜炎で多い疼痛部位

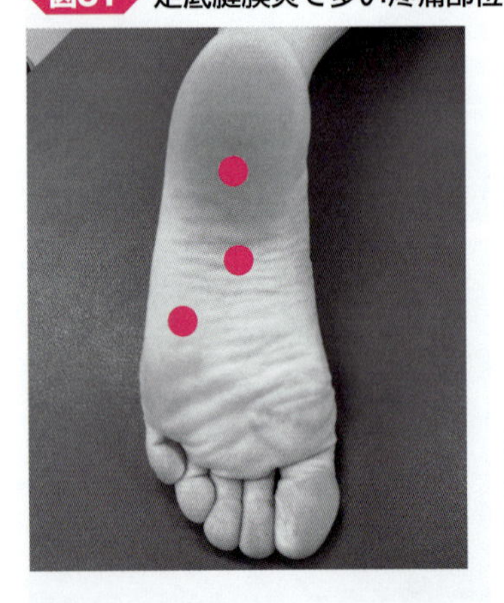

図32 ウィンドラス検査

足底腱膜炎を診断する検査。足関節中間位とし第1～4趾中足趾節関節を伸展させて足底に疼痛が出現すれば陽性である

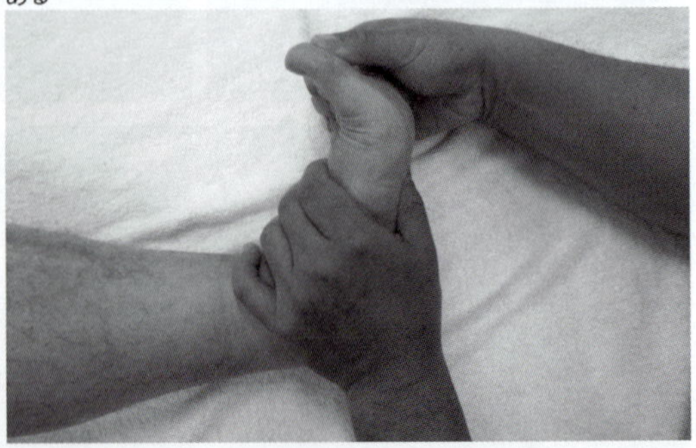

両端が外側に開こうとする力を相殺する必要がある（図34❸）。ヒトの足部においてこの役割を担っているのが，足底腱膜や足底に存在する靱帯・関節包，足部の内外在筋である（図34❹）。これらの組織の一部が機能不全に陥り，特定の組織に負担が集中することも障害発生の原因となる。例えば，足底腱膜炎はその代表といえる。また，強い衝撃を足部で受け止めなければならないスポーツ動作では，特に足部内側に位置する内在筋の機能低下は足部外側の骨性支持に依存した代償的な動作戦略を誘導する[13)]。この場合，足部外側荷重となり足関節内反捻挫の受傷リスクが高まる。従って，足部のスポーツ外傷・障害に対しては疼痛に関する評価に加え，足部アライメントや足部内外在筋の機能を評価することが必要となる。加えて，足関節・足趾の可動域や足底の胼胝の位置などを評価することで，症状と動作との関係が理解しやすくなる。

床と接する足部の外傷・障害は，剣道の動作に大きな影響を及ぼす。足底の水疱形成，胼胝形成，皮膚剥離も重要な外傷・障害の1つで，テーピング（図35）で一時的に保護することも可能である

図33 皮膚の剥離

❶母趾球部分に発赤した水疱（血まめ）がみられる　❷練習を繰り返して母趾球部分の皮膚が剥離し，炎症を起こしている

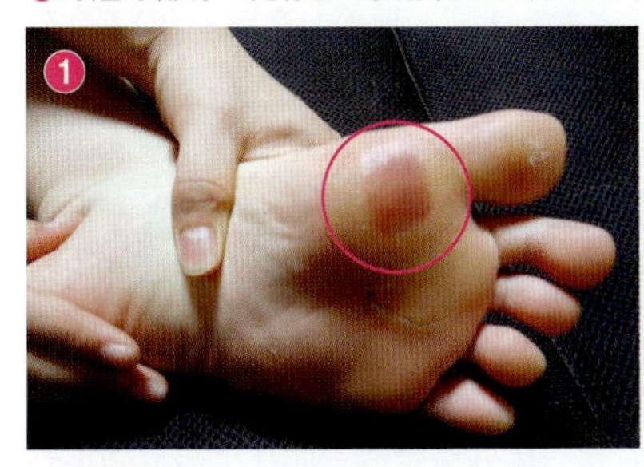

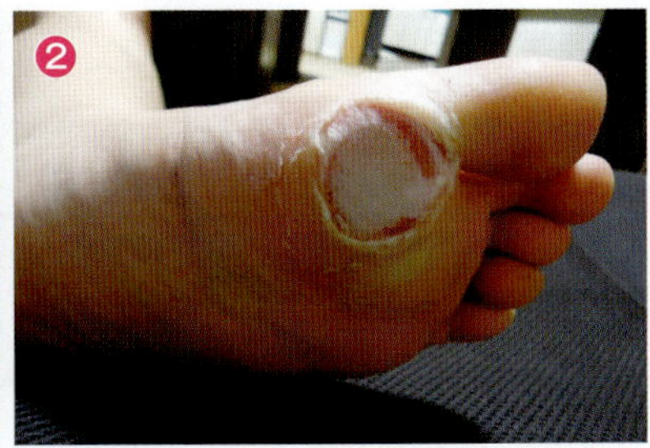

図34 アーチ構造の力学的利点

❶平らな構造の場合，上からの荷重によって構造を引き裂こうとする力が発生する
❷アーチ構造では上からの荷重が一様な圧縮力として伝達される
❸アーチ構造を保つためには，両端が外に開こうとする力を相殺する必要がある
❹ヒトの足部では足底腱膜などの静的支持組織に加え，足部の内外在筋がアーチの扁平化を防いでいる

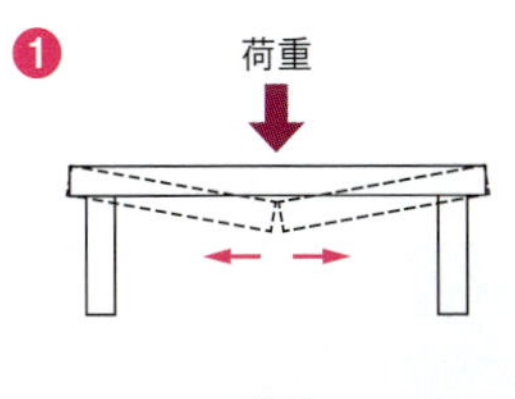

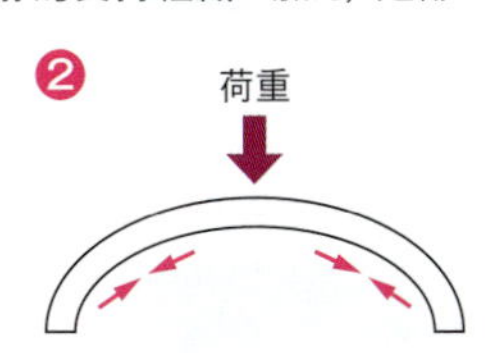

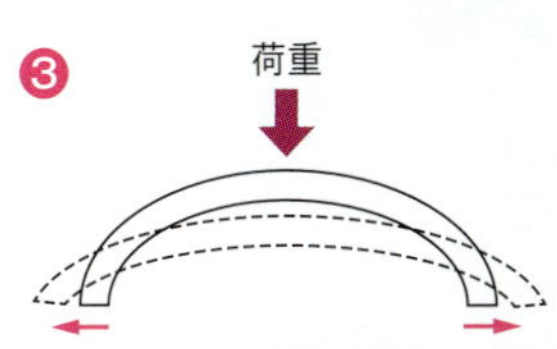

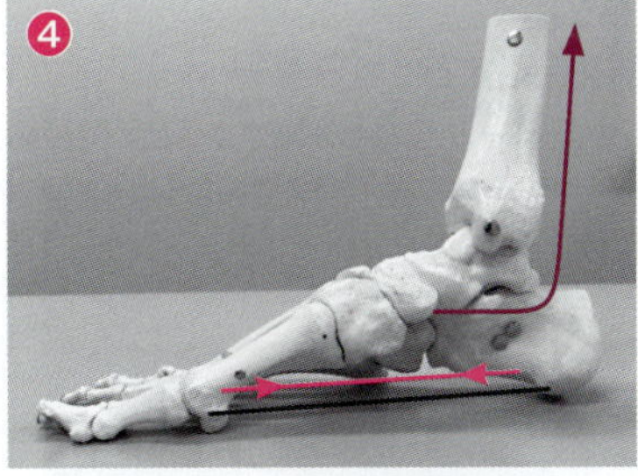

図35 水疱を保護するテーピングの一例

❶足背側から見た図　❷足底側から見た図

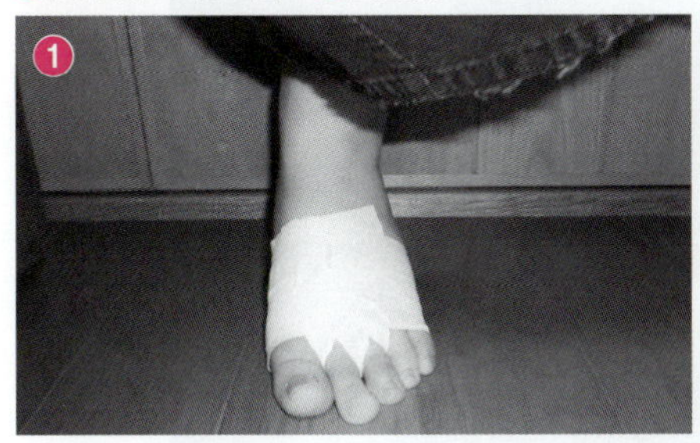

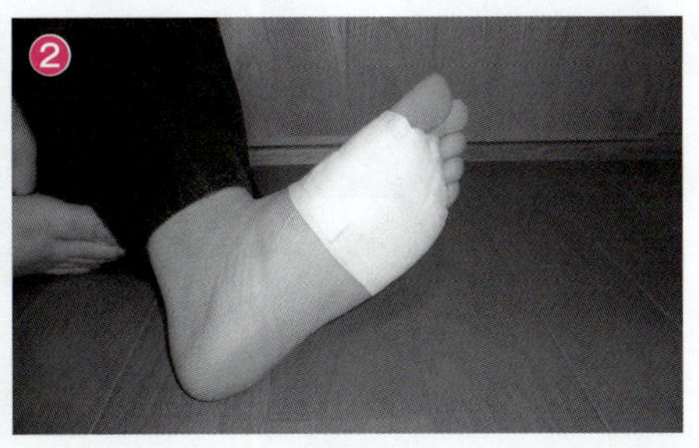

剣道

が，皮膚が剥離した場合は完全に治癒するまで安静にしたほうがよい。

右踵部の疼痛は特に初心者に多いが，疼痛があると足運びや跳び込み面などの跳躍する動作が困難となり，有効な打撃ができなくなる。

左足底腱膜炎の場合，左踵を浮かす剣道の正しい構えが困難となり，あらゆる方向への移動や前方への打撃動作が困難となる。

踵部の疼痛は，荷重時痛や叩打痛で確認する。足底腱膜の疼痛は圧痛を伴い，疼痛部位が限局していることが多い。ウィンドラス検査肢位である足関節中間位で第1～4趾を他動的に伸展させ，足底筋膜の緊張程度と疼痛部位を確認する。

足部の外傷・障害に対する理学療法

基本は下腿痛と同様で，足関節の柔軟性とアライメント調整が重要である。右踵部の疼痛については，踵部にクッション材を入れたサポーターが市販されており，疼痛が強い時期に使用することを勧める（図36❶，❷）。緊急の場合やサポーターを購入する前の評価としてはテーピング（図36❸～❼）も利用しやすいが，滑りやすくなるため注意が必要である。足関節捻挫は右側に多く，内外反の動きを制動するサポーターの装着も有効であるが，いずれも床面との摩擦を確認したうえで練習・試合に臨まないと，スリップによる転倒の危険性がある。

足底腱膜炎による疼痛は練習を続けていると長引くことが多いため，積極的な休養も考慮に入れる。その間は，アキレス腱や足底腱膜を中心にストレッチを行うことと（図37），足部内外在筋の筋力トレーニングを症状が増悪しない範囲で実施することが重要である。足部外在筋に比べ，足部内在筋のトレーニングはこれまであまり注目されていなかった。しかしながら，足部内在筋は蹴り出し時の内側縦アーチの低下を制動する機能を有しており，足部への衝撃吸収に貢献している[8]。足底腱膜炎症例における足部内在筋の萎縮が報告されていることからも[14]，前述した図26のようなトレーニングをプログラムに取り入れるべきである。加えて，剣道の基本となる足の運びや素振りを行うなど，練習メニューを考慮することも重要である。疼痛が慢性化している場合には体外衝撃波や圧力波の施行も検討する。特に圧力波は医師の指示の下で理学療法士が扱うことが可能な物理療法機器であり，体外衝撃波と同様に治療効果が認められているため，難治性の足底腱膜炎に対する理学療法として重要な選択肢の1つである。

フォローアップ

足底の皮膚障害は，不潔にせず適切な処置を行

図36 右足部を保護するサポーター

❶踵部痛に対するサポーター　❷踵を保護する❶と足関節捻挫用のサポーターを装着している　❸～❼踵部痛に対するテーピング

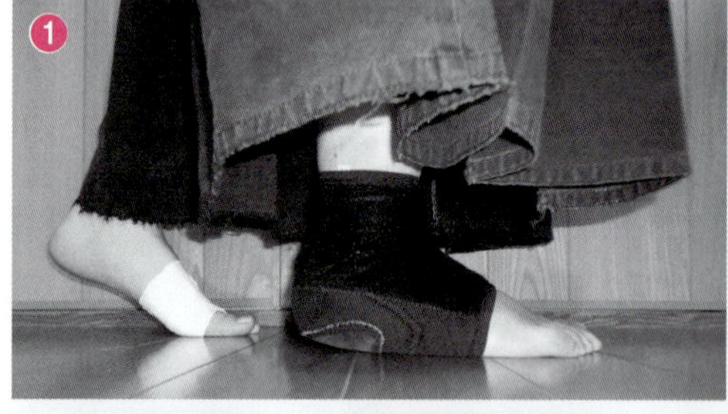

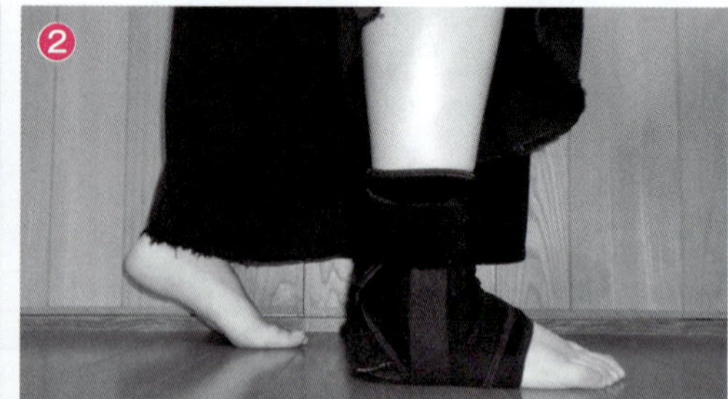

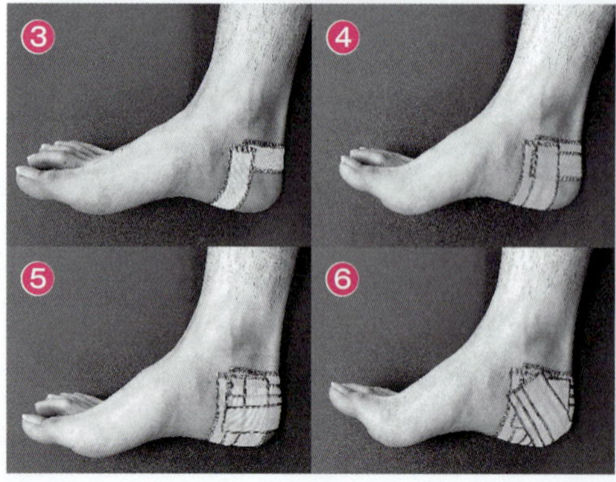

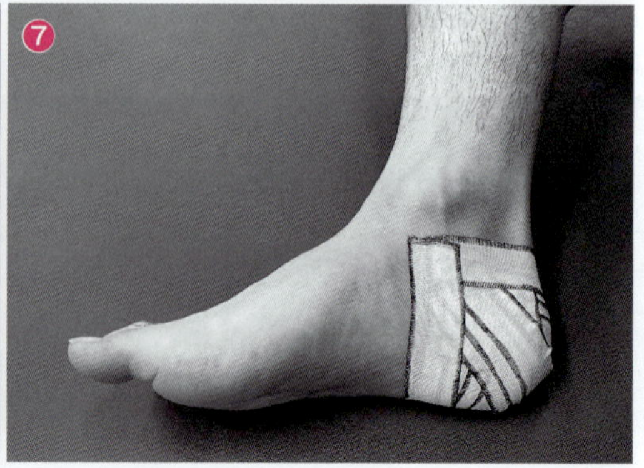

図37 足底腱膜のストレッチ

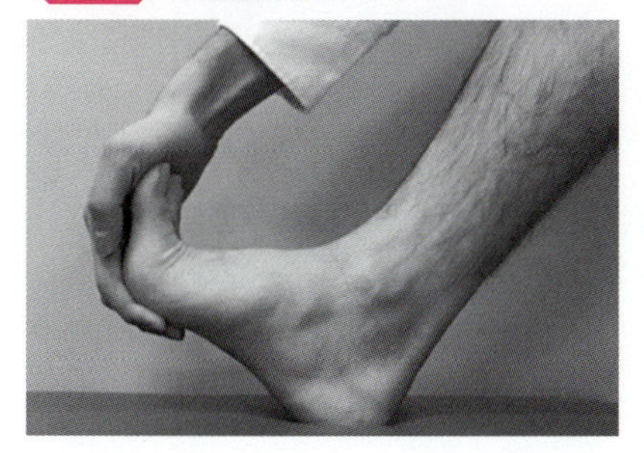

えば容易に治癒するが，練習の頻度が多くなると繰り返し受傷するため予防が重要である。

右踵部の疼痛は踏み込み時の強い衝撃による影響だけではなく，踏み込み時の上体の前傾姿勢など誤った動作によるものもあるので，動作を観察して原因を取り除き再発を防ぐ。

上肢の外傷・障害

剣道における上肢の外傷・障害は，発生がきわめて少ないため本項では紹介にとどめる。

手指骨折

相手との打突や転倒により手指を骨折することがあるが，剣道具をつけているのでまれである。

肩・肩甲帯の筋の痛み

上肢の外傷・障害は少ないものの，オーバーユースによる筋の痛みが発生することがある。剣道の姿勢や竹刀の振り上げ・振り下げ動作により，背面の僧帽筋や菱形筋といった肩甲骨周囲筋に張りや痛みを訴えることがある。体幹筋と合わせて肩甲骨周囲のストレッチを行う。

打撲

剣道具を装着しているが小手を着けていない腕を打撃されることがあり，皮下出血を生じることがある（**図38**）。また，有効打突部位が右小手である点，竹刀を持つ手が右上となることから右肘関節周辺の打撲が多い。筆者らの調査[2]では，肘関節痛を有する選手の88.9%が右側であった。

おわりに

剣道は，少年期から高齢者まで，幅広い年齢層でともに練習・試合ができる数少ないスポーツである。剣道による傷害の発生頻度は少ないが，剣道特有の外傷・障害が明らかになっている。剣道選手の誰もが高段者や指導者を目指せるよう，外傷・障害の予防を図り，受傷した場合でも安全に競技復帰ができるよう支援していくことが重要である。

図38 右肘から前腕にかけての打撲（皮下出血）

小手が剣道具をはずして入った場合（❶），肘から前腕の打撲（❷）を呈することがある

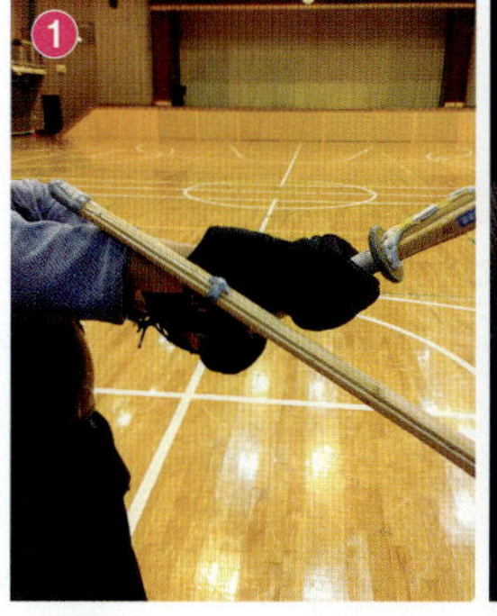

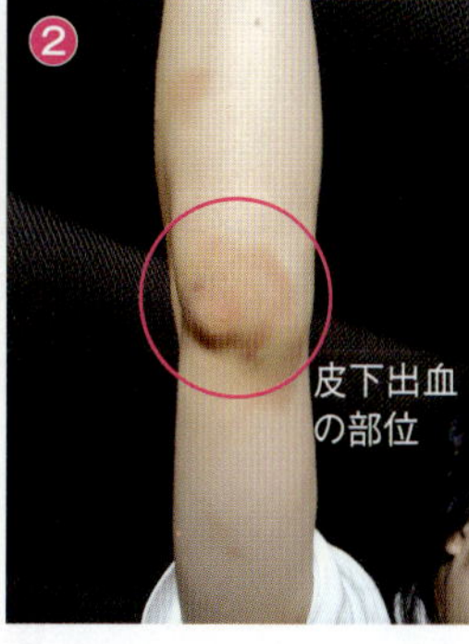

【文献】

1) 全日本剣道連盟ホームページ：http://www.kendo.or.jp/（2023年5月時点）
2) 田中　聡 ほか：中高齢者のスポーツ障害：剣道愛好家のスポーツ障害と理学療法．PTジャーナル 33（8）：559-567, 1999.
3) 金岡恒治，ほか：剣道．スポーツ傷害統計データ集 平成29年度版．pp.52-57, 公益財団法人 スポーツ安全協会，2022.
4) 阿部純也：トレーニング・コンディショニングブック－投球動作改善のためのトレーニング・コンディショニング 3. pp.14-22, 香川トレーナー協会，2012.
5) Hangai M, et al：Relationship between low back pain and competitive sports activities during youth. Am J Sports Med 38: 791-796, 2010.
6) Redmond AC, et al：Development and validation of a novel rating system for scoring standing foot posture: the Foot Posture Index. Clin Biomech（Bristol, Avon）21: 89-98, 2006.
7) 貴志真也 ほか：剣道選手の下腿・足部痛に関する一考察－成長期における踏み込み動作が足アーチに与える影響－．日臨床スポ会誌，10（1）：82-89, 2002.
8) Okamura K, et al：The effect of additional activation of the plantar intrinsic foot muscles on foot dynamics during gait. Foot（Edinb），34: 1-5, 2017.
9) 岡村和典 ほか：足部内在筋は歩行中の足関節モーメントを変化させる機能を有する．ヘルスプロモーション理学療法研究，6（4），177-182, 2016.
10) Okamura K, et al.: Relationship between foot muscle morphology and severity of pronated foot deformity and foot kinematics during gait: A preliminary study. Gait Posture, 86: 273-277, 2021.
11) Okamura K, et al.: Effect of electromyographic biofeedback on learning the short foot exercise. J Back Musculoskelet Rehabil, 32（5）：685-691, 2019.
12) 日本スポーツ理学療法学会：第14章 足関節・足部機能障害理学療法ガイドライン．理学療法ガイドライン 第2版（公益社団法人日本理学療法士協会 監，一般社団法人 日本理学療法学会連合 理学療法標準化検討委員会ガイドライン部会 編）．pp.781-800, 医学書院，2021.
13) Okamura K, et al.: Classification of medial longitudinal arch kinematics during running and characteristics of foot muscle morphology in novice runners with pronated foot. Gait Posture, 93: 20-25, 2022.
14) Cheung RT, et al：Intrinsic foot muscle volume in experienced runners with and without chronic plantar fasciitis. J Sci Med Sport 19: 713-715, 2016.

フェンシング

本項ではフェンシング競技特有の動作を示し，スポーツ外傷・障害の原因となりやすい動作の特徴と理学療法の考え方について解説する。なお，本項におけるフェンシング動作の解説はすべて右利きの選手を例に紹介する。

フェンシングとは

フェンシングの歴史について

日本フェンシング協会ホームページ[1]では，フェンシングについて，騎士道が盛んであったヨーロッパ中世において，「身を守る」「名誉を守る」ことを目的として磨かれ，発達してきた剣技であると紹介している。銃火器が発達したことで，剣技の戦場における実用性は時代とともに衰退の一途を辿ったが，その繊細かつスピーディなテクニックが人々を魅了し，競技化が進んだ。1750年に金網のマスクが開発され危険性が低くなったことで，競技会がヨーロッパ各地で開催されるようになり，普及していった。当時は長剣や短剣を使用し，防具としてマントが使用されている時代もあったが，現在では剣・防具は国際フェンシング連盟(Fédération Internationale d'Escrime：FIE)の協議規則により統一されている。また，電気審判器が1936年より導入され始め，剣の先に付いたポイントヘッドへの圧力で判定されるようになった。

フェンシングの種目について

フェンシングには3種目があり，エペ(Epee)，フルーレ(Fleuret)，サーブル(Sabre)に分かれている。それぞれで剣や防具の種類が分かれており，ルールも異なる(**図1**)。

図1 フェンシングの3種目と有効面

ピンク色の部分(有効面)を突くことでポイントとなる

①エペ(Epee)

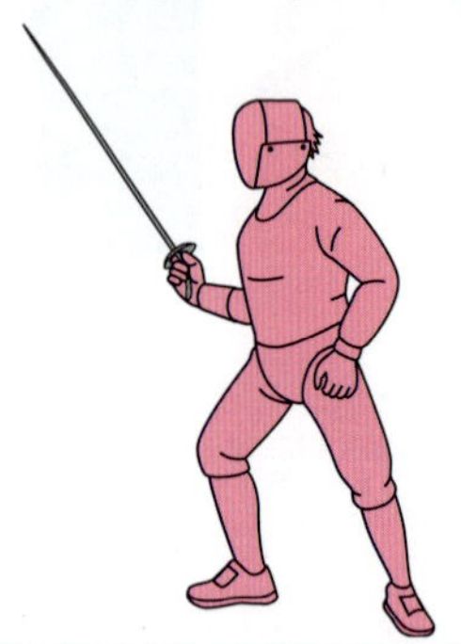

②フルーレ(Fleuret)

③サーブル(Sabre)

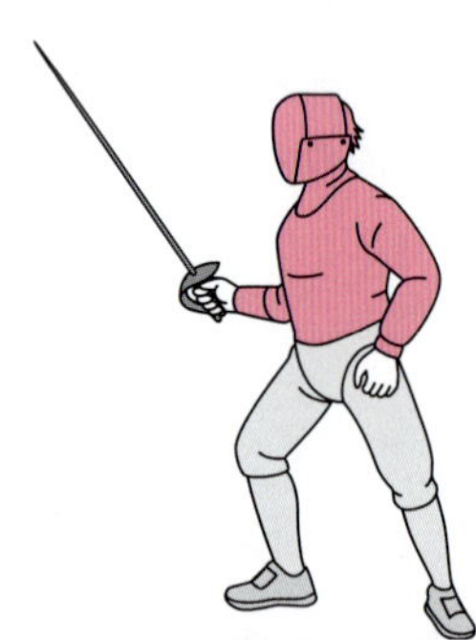

種目	エペ(Epee)	フルーレ(Fleuret)	サーブル(Sabre)
剣の重さ	770g以下	500g以下	500g以下
剣の長さ	90cm以下	90cm以下	88cm以下
有効面	爪先から頭部まで(全身)	胸部，腹部，背部(頭部と上肢は除く)	頭部と上半身(手部と骨盤下は除く)
剣先のスイッチ	750gにて 1/20～1/25sの反応	500gにて 1/20～1/25sの反応	なし
剣動作	突く	突く	斬る・突く
攻撃の優先権	なし	あり	あり
歴史	17世紀中頃から相手を突くだけの剣術として生まれた	17世紀中頃からいろいろな習慣を盛り込んだ剣術として生まれた	馬上の剣術として19世紀にイタリアにおいて現在の形が生まれた

試合のルールについて[2)]

選手が動くことを許されるエリアをピストといい，幅は1.5m，全長は14mであるが，ピストの延長部分を入れると18mとなる。ピストの材質はメタル（金属板）ピストやハイブリッド（伝導性化学繊維カーペット）ピストを使用する（**図2**）。中央から2mの所にスタートラインがあり，選手は互いにこのラインから試合を始める。

剣を使用し，相手の有効面を突くことで1本先取となる。攻撃を受けた選手は自分を防御することが基本になる。攻撃者が剣を持つ手を伸ばし，相手を攻撃するときは攻撃の優先権があるが，相手に剣を捕らえられると攻撃の優先権は相手に移行する。試合中はこの攻撃の優先権が二人の間を行き来する（※エペには攻撃の優先権なし）。

予選プール戦は5本先取で3分間勝負である。同点の場合は1分間の延長戦で先に1本先取した者が勝者となる。個人対抗トーナメント（érimination（エリミナシオン・） direct（ディレクト）：ED）は15本先取で3分ずつ3セット（セット間に1分間の休憩）に分けられ，最長9分間の勝負となる。同点の場合は1分間の延長戦で先に1本先取した者が勝者となる。団体戦の場合は1人3分間の試合を3人のリレー方式で行い，45本先取勝負となる。団体戦の交代制度では，1試合中にけがでスコアを引き継いで交代できるのは1人のみである。

図2 ピストの種類

❶メタル（金属板）ピスト
❷ハイブリッド（伝導性化学繊維カーペット）ピスト

Rulebook

フェンシング用語[3)]

フェンシングにはフランス語が用いられる。レフェリーや選手が使用する代表的な用語を次に示す。
ラサンブレ（Rassenblez！）：気をつけ！
サリュエ（Saluez！）：挨拶せよ！
アン ガルド（En Garde！）：構えよ！
マルシェ（Marchez！）：前進せよ！
ロンペ（Rompez！）：後退せよ！
アロンジェ ル ブラ（Allongez le Bras！）：腕を伸ばせ！
ファンデ ヴー（Fende-vous！）：前へ踏み出せ！
ファーント（Fente）：踏み込んで突く攻撃動作
リポスト（Repostes）：突き返し
バッテ（Battez！）：相手の剣を叩け！

フェンシング特有の動作

構えとフットワーク

フェンシングの構え（ガルド）には特徴があり，足幅は肩幅に開き，前側の足部は進行方向に向け，後側の足部は直角に向ける。両踵部は一直線状に位置する。体幹は垂直に起こし，頭部は進行方向に向ける。剣を持つ上肢は相手に向け，剣先が目の高さにくるようにする。反対側の上肢は楽な状態で上げる（**図3**）。

フェンシングでの前進（マルシェ）と後退（ロンペ）は構えの姿勢からのフットワークとなる（**図4**）。マルシェは相手との距離を詰める際に，ロンペは相手との距離をとる際に行う。

剣の握りと操作

剣の柄（ヒルト）にはさまざまなタイプが存在する。フレンチスタイル，イタリアンスタイル，ス

図3 構え

図4 前進(マルシェ), 後退(ロンペ)

前進(マルシェ)は前側足部より踏み出し(❶)踵部より接地させる(❷, ❸)。進んだ分だけ後側足部を前方に進める(❹)。後退(ロンペ)は後側足部を後方へ動かし(❺), 後退した分だけ前側足部を後方へ移動させる(❻〜❽)。紙面の左側を前方, 右側を後方として解説している

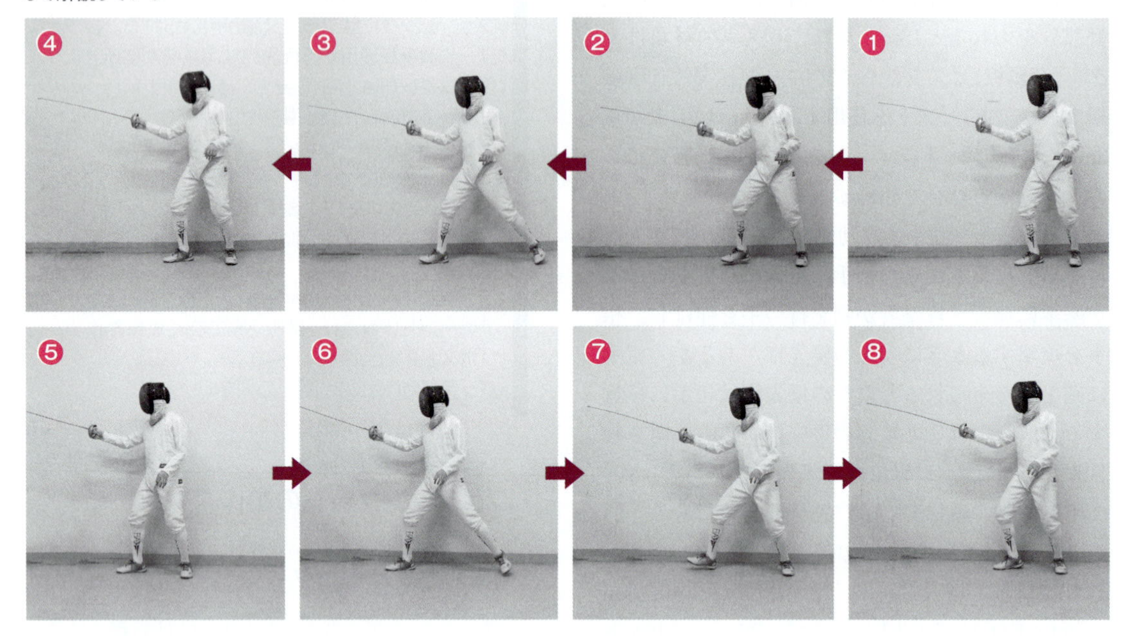

パニッシュ, ベルギアン, ヴィスコンチなどがある(**図5**)。

基本となるフレンチスタイルのヒルトの持ち方は, ①ガードに近いヒルト部分を下から示指の遠位指節間(distal interphalangeal:DIP)関節に当てる。②示指でヒルトをつまむように母指の指腹をヒルトの上に当てる。③残りの3指はヒルトの側面から当てて支える。

剣を操作するときは示指と母指を支点に行う。

攻撃

剣での突き動作とマルシェを組み合わせた攻撃をファントとよぶ(**図6**)。ファントは構えの位置から剣先を目標に向けて突き, 後側足部で蹴り出しながら前側足部を前に踏み込む動作となる。このファントはフェンシングで最も多くみられる攻撃の動作である。

フェンシング選手にみられる外傷・障害

ファント動作に関連する主な外傷・障害

足関節靱帯損傷

フェンシングの試合中に起こりやすい外傷の1つである。前距腓靱帯損傷が多く, ファント時の前脚に生じることが多い。フェンシング競技で内反捻挫が起こりやすい理由として, ファント動作時の荷重が前脚の外側に偏ることが考えられる。ファント動作の際, 前脚は後脚と一直線上に振り出すが, 前後に比べ左右方向に不安定性がみられやすい。前脚の踵部接地の際は踵部から中足部〜後足部に荷重をかけ制動することが多いが, その際に荷重が外側偏移し, 内反捻挫が生じていると推測される。足関節捻挫は特にサーブルの種目で多く発生しているが, その理由としては一定時間内でファント回数が他の種目と比べ多い[4,5]ことが挙げられる。

- **足関節靱帯損傷の評価**

まず最初にアライメントを確認する。非荷重下で足部の明らかな内反が生じていないか, 腓胝がどの位置にあり, どのように荷重しているかを評価する。次に足部のアーチ構造を確認する(**図7**)。捻挫を繰り返す選手のなかには内側縦・横アーチが低下して足趾が伸展し, 荷重下でも前足部接地が不十分な場合がある。

足部の関節可動域およびタイトネスを評価し, 特に足関節外がえし, 足関節内外反中間位での底背屈, 足趾屈伸の筋力を確認する。筋力の評価は非荷重で長・短腓骨筋, 腓腹筋, ヒラメ筋, 荷重

図5 剣の柄（ヒルト）と握り方

❶ヒルト　❷，❸フレンチスタイル　❹，❺ベルギアン

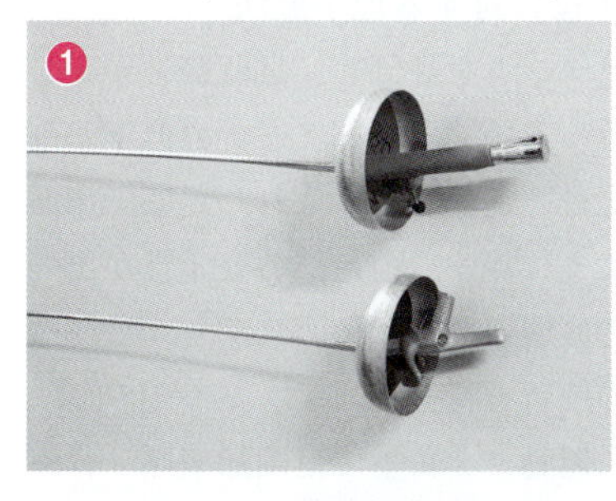

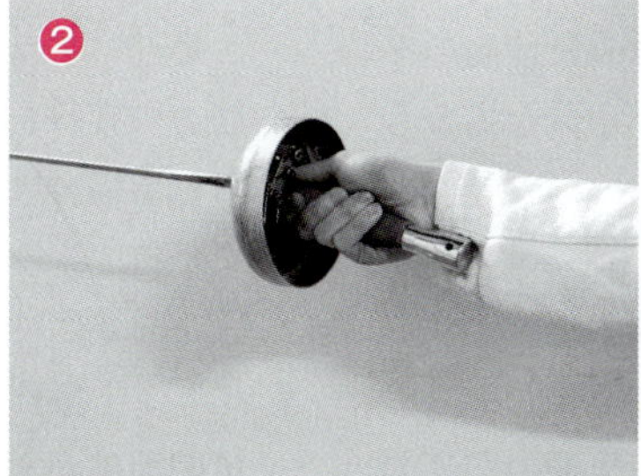

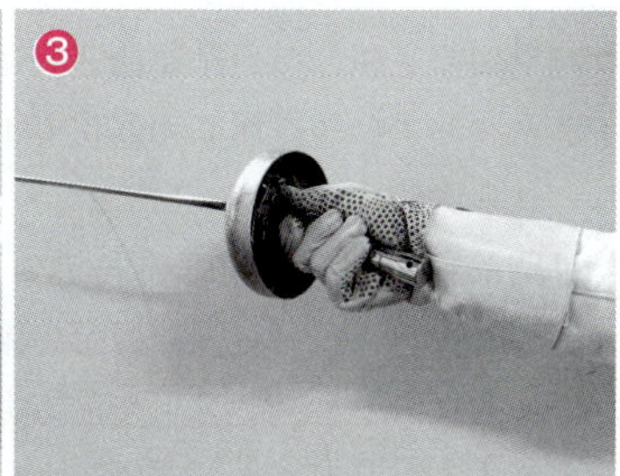

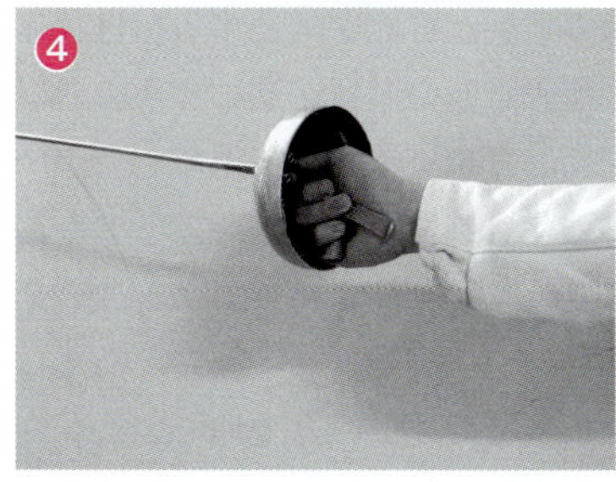

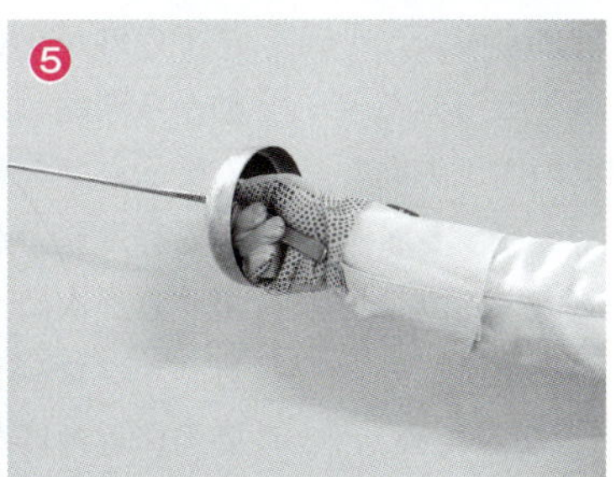

図6 ファント

図7 アーチの確認

両足ともに内側縦アーチと横アーチの機能低下がみられる。

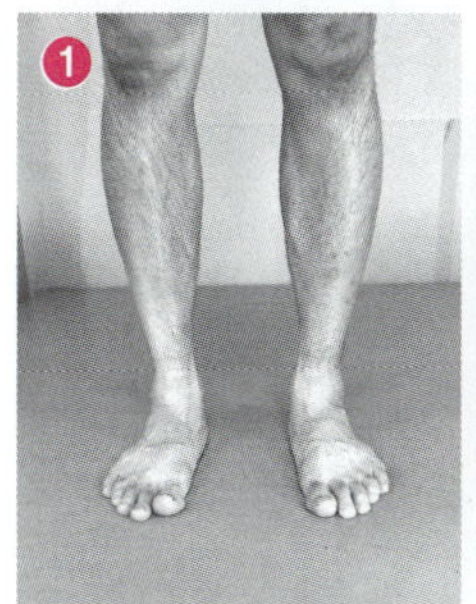

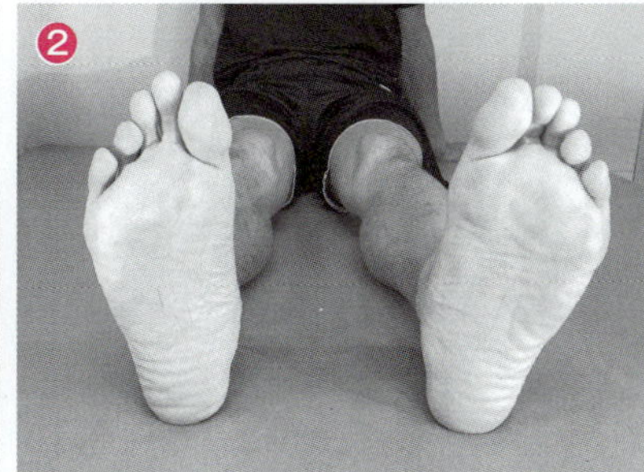

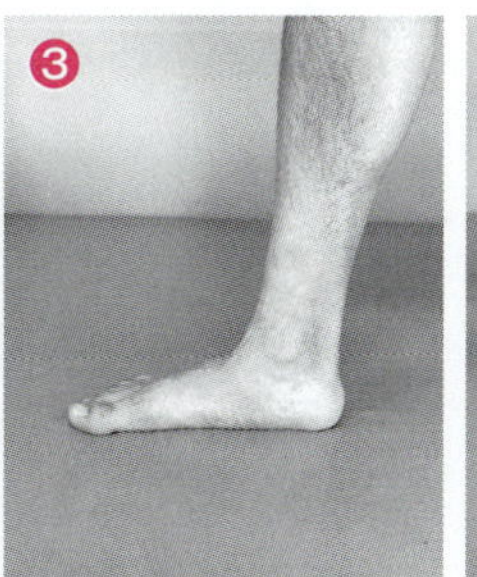

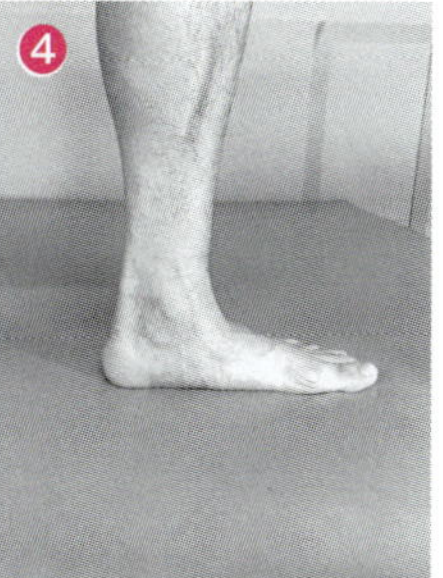

下で腓腹筋やヒラメ筋に対して行うが，腓腹筋外側頭やヒラメ筋の弱化がみられる場合がある。また，足関節底屈位で足趾屈曲運動は長趾伸筋のタイトネスおよび短趾屈筋の弱化で不十分な場合もみられる。

- **足関節靱帯損傷の整形外科テスト**

整形外科テストは足関節靱帯の緊張を評価するため，内反ストレステストや前方引き出しテストを実施する。左右ともに評価し，受傷側の関節の異常な可動性や靱帯の緊張の程度を評価する。

- **足関節靱帯損傷の動作の評価**

足関節前距腓靱帯の損傷では足関節の内反方向への異常な可動性がみられ，荷重下でカーフレイズを実施すると小趾側荷重優位となっている場合がある。小趾側荷重では荷重の偏位から足関節外側靱帯の再損傷を起こす可能性が高くなるため，正中位でのカーフレイズが可能か評価する。また，フロントランジの動作を確認し，足部正中位荷重で膝内反位または膝外反位となっていないかを評価する。サイドステップの動作ではステップの蹴り出しとストップ動作で小趾側荷重時に制動が可能か，母趾球荷重時での蹴り出しやストップ動作が可能か，小趾球荷重での蹴り出しやストップ動作が不安定になっていないか評価する。

- **足関節靱帯損傷に対する理学療法**

足部のアライメントを評価し，足関節外がえし筋力の獲得を行っていく。足部アーチの低下がみられる場合は足趾の運動を取り入れ，足底で床面を把持できるように促す。前足部の安定性が出てきたら足関節の底屈運動を行い，ステップ動作やファント動作の練習を行う。

足関節外がえし運動：非荷重で足関節底屈・背屈位での外がえしの運動が可能か確認する。自動運動から開始し，運動方向の学習が進んできたらゴムチューブを利用した抵抗運動へと進める（**図8**）。ある程度筋力が強化されてきたら，荷重下でも実施する。次に，立位で小趾側を持ち上げる運動を行う。フロントランジの姿勢でも実施し，構えの姿勢に近付けた状態での運動へと進めていく。このとき，膝関節が内反・外反しないように注意していく。

足趾屈曲可動域の確保：足趾は屈曲・伸展が自由に行えることが大事だが，前脚は試合中に足趾伸展の動作を優位に行っているため，中足趾節間（metacarpophalangeal：MP）関節がしっかり屈曲できるようにもしていく（**図9**）。

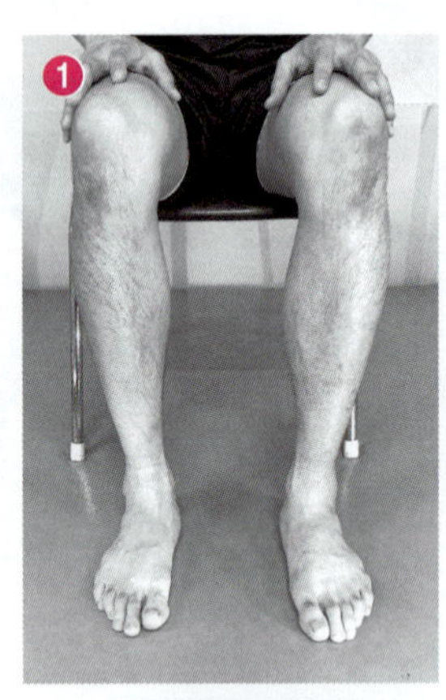

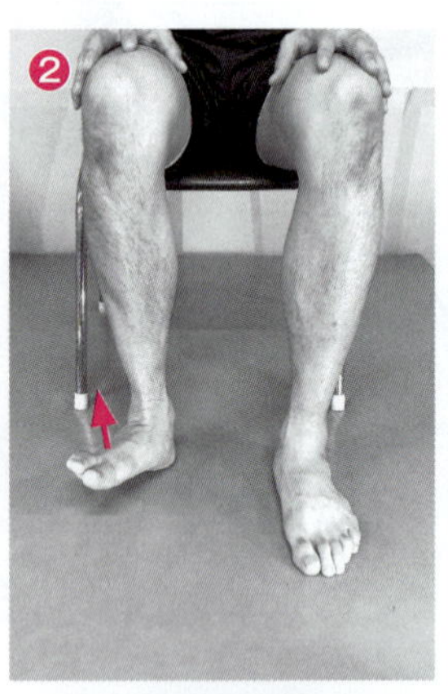

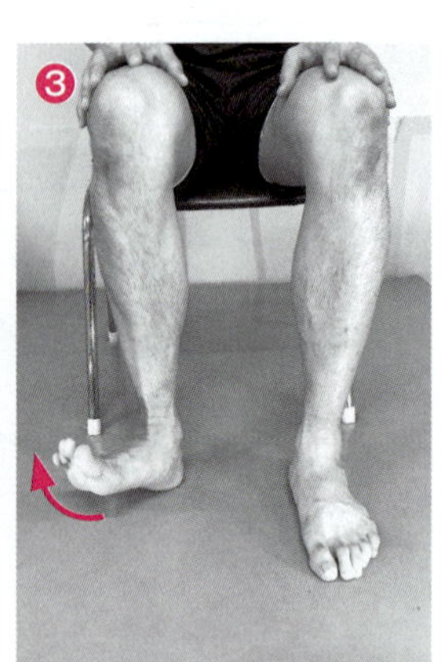

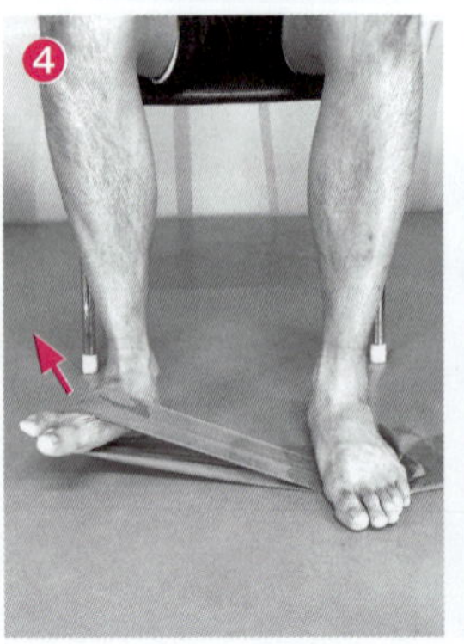

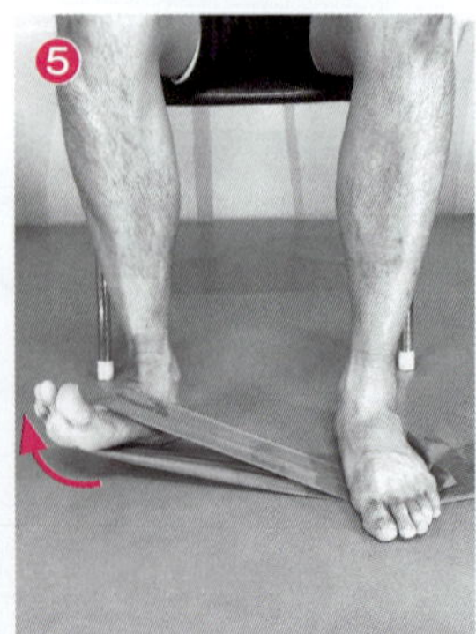

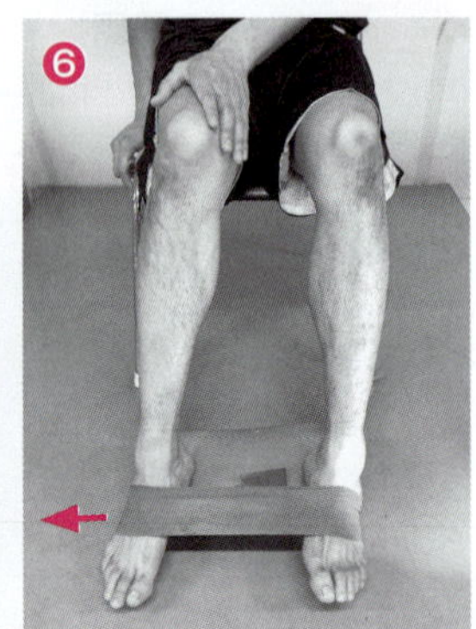

図8 足関節外がえしの運動

❶運動前肢位
❷第3腓骨筋の収縮を促す
❸長趾伸筋の収縮を促す
❹〜❻：ゴムチューブを利用した抵抗運動
❹第3腓骨筋の収縮を促す
❺長趾伸筋の収縮を促す
❻長・短腓骨筋の収縮を促す

図9 足趾屈曲の確認

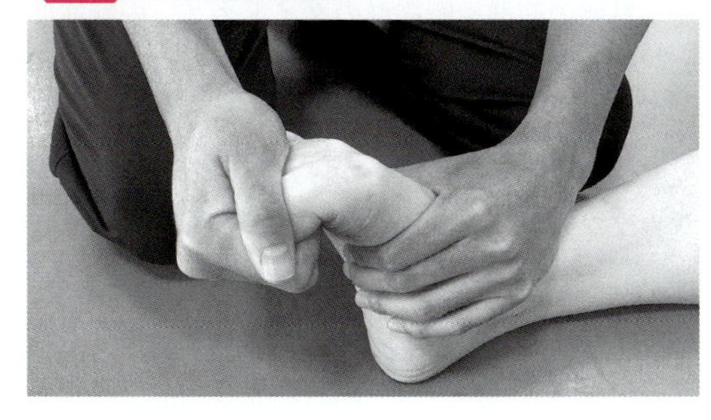

足趾屈曲運動：足趾でのボールつかみや，タオルギャザーなどで屈曲筋力増強を促す。また，足関節底屈位でも足趾が屈曲できるようにする。荷重下の運動は趾節間（interphalangeal：IP）関節伸展位でMP関節を屈曲するように動かす。足趾の動かし方は，足趾を丸めるような全趾屈曲だけでなく，IP関節伸展位でMP関節を屈曲させる動きもできるようにする（**図10**）。

足趾を使った立位でのエクササイズ：立位で足趾で床をつかむようにしながら前方へ進む。30cm程度進むところから始める（**図11**）。

カーフレイズ：立位で両脚のカーフレイズから始める。母趾球荷重での動作，正中位での動作も分けてできるようにする（**図12**）。可能になってきたら，片脚でのカーフレイズも実施する。また，壁に手をつき体幹を傾けた状態で側方からの反力を受けた場合にも，足関節を動揺させずにカーフレイズが行えるようにする。

Check! 理学療法ガイドライン第2版

「足関節可動域低下がある足関節内反捻挫の患者に対して，理学療法と関節モビライゼーションの併用は推奨されるか」[6]については，『理学療法ガイドライン 第2版』第15章「足関節捻挫理学療法ガイドライン」のCQ1を参照されたい（https://www.jspt.or.jp/upload/jspt/obj/files/guideline/2nd%20edition/p801-817_15.pdf）。

Web版はこちら

大腿部肉ばなれ

フェンシング競技では攻撃の際にファントを行うが，踏み込んだ際に前脚側の前脚側の内転筋群や内側ハムストリングに肉ばなれが生じることが多い[7]。ファントは相手に向かって大きく踏み出す動作になり，開脚を制動している内転筋群や内

図10 足趾の全趾屈曲（❶）と中足指節間（MP）関節屈曲（❷）

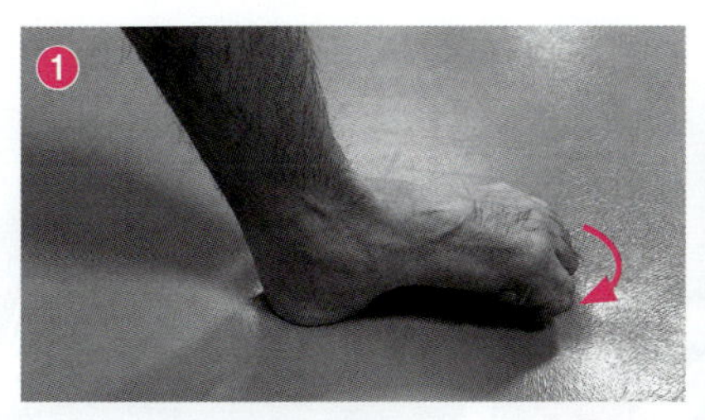

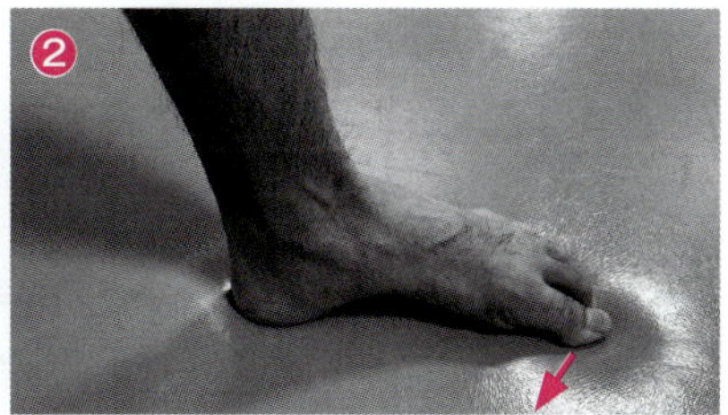

図11 足趾を使った立位でのエクササイズ

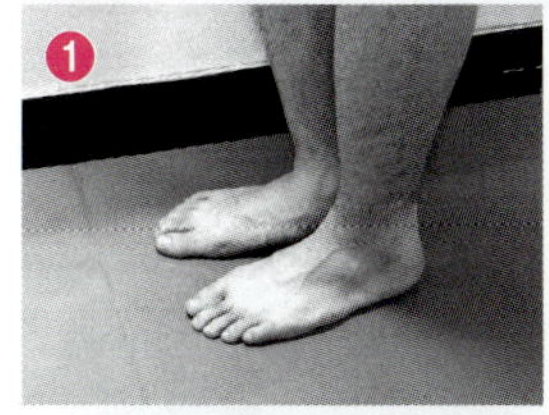

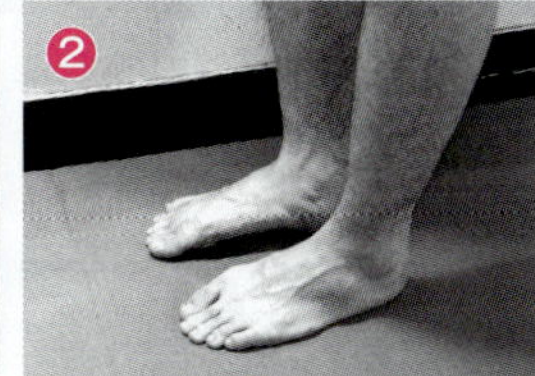

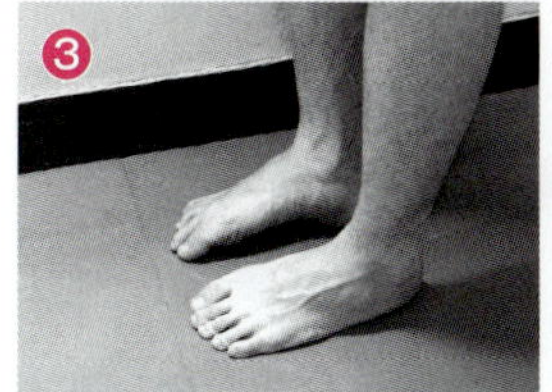

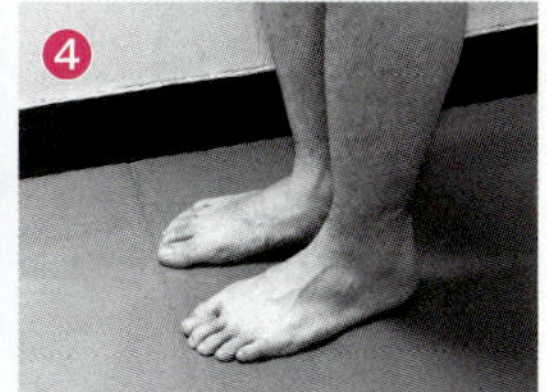

図12 カーフレイズ

❶正中位でのカーフレイズ
❷捻挫しやすい足部は小趾荷重優位のカーフレイズとなっていることがある

側ハムストリングにストレスがかかり，肉ばなれが生じていると推察される。瞬発的な試合展開となるサーブルで生じやすい。

- **大腿部肉ばなれの評価**

大腿部の触察を行い損傷部位の確認と圧痛の有無を確認する。MRIに基づいた損傷部位による重症度分類[8]は，

- Ⅰ型（軽傷）：腱・筋膜に損傷がなく筋肉内に出血を認める（出血型）
- Ⅱ型（中等症）：筋腱移行部の損傷を認めるが完全断裂・付着部の裂離を認めない（筋腱移行部損傷型）
- Ⅲ型（重症）：筋腱の短縮を伴う腱の完全断裂または付着部裂離（筋腱付着部損傷型）

となっている。治療を進めるに当たって損傷部位の回復を確認しながら実施し，圧痛，ストレッチ痛，筋の収縮時痛の悪化がないかを確認しながら進める。タイトネスの評価では受傷部位を評価し，関節可動域に左右差や疼痛はないか確認する。また，受傷部位の拮抗筋についても評価する。筋力の評価としては収縮時に疼痛が生じないかを確認するが，求心性収縮，等尺性収縮，遠心性収縮を徒手的に評価する。フェンシング競技では大腿前面・外側の筋群や殿筋群のタイトネス，内転筋群の弱化が生じていることが多い。

- **大腿部肉ばなれの動作の評価**

立位で受傷側に自重をかけた状態でサイドランジやフロントランジ，ファント動作を実施して評価し，動作時に疼痛が生じていないか確認する。徒手的な評価で疼痛が生じない場合も荷重下では疼痛が生じる場合がある。

- **大腿部肉ばなれに対する理学療法**

受傷部位の疼痛を評価しながら実施するが，おおよそのスポーツ復帰の目安は重症度分類Ⅰ型で1～2週間，Ⅱ型で平均6週間，Ⅲ型で手術による修復も検討しなければならない[9]。受傷部位のストレッチや自動運動から始め，疼痛がなければ筋力強化運動を徐々に行っていく。

内転筋の抗重力運動：側臥位で上側の下肢を屈曲位，下側の下肢を伸展位とした状態で自重による求心性収縮および等尺性収縮での内転運動を行う（**図13**）。

スライドディスクを利用した運動：片側の足底にスライドディスクを置き，サイドスライドやバックスライドさせる。両側で行い内転筋の遠心性収縮を促す（**図14**）。

図13 臥位での内転筋の抗重力運動

図14 スライドディスクを使った内転筋の運動

①，②サイドスライド　③，④バックスライド

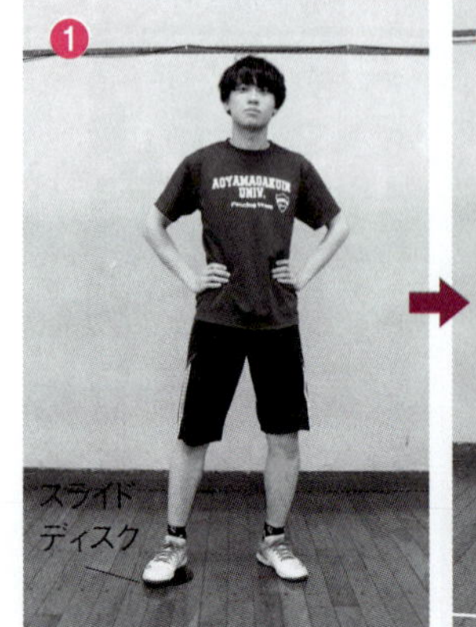

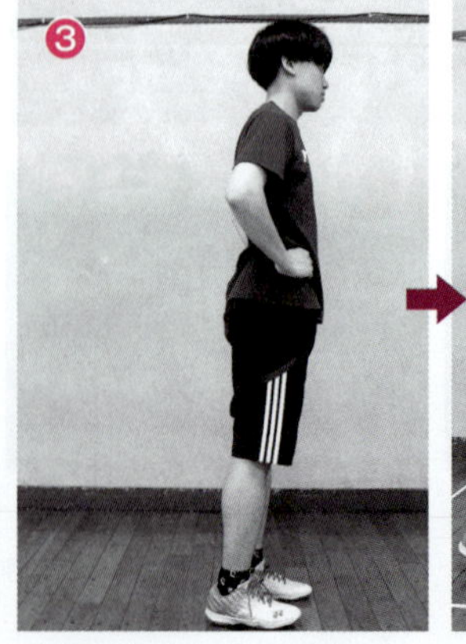

ノルディックハムストリング：膝立ちの状態でパートナーに下腿をおさえてもらい，膝を支点に股関節が屈曲しないようにゆっくり体幹を前傾させていき，ハムストリングの遠心性収縮を促す(**図15**)。

剣操作に関連する主な外傷・障害

上腕骨外側上顆炎

試合のとき，相手選手と向き合った際に剣で攻防を行うが，有効面を突くためのポジションの取り合いを剣先で叩き合いながら行っている。そのときに剣の操作の仕方や剣の受け方によって手関節伸筋群の負担が増えることで，上腕骨外側上顆炎が生じていると推察される。特に試合時間が長く剣の重量が重いエペの選手に生じることが多い。

- **上腕骨外側上顆炎の評価**

疼痛部位と圧痛の程度を評価し，肩関節，肘関節，手関節，前腕などのタイトネスを確認する。特に手関節掌屈，肩関節外旋，前腕回内・回外の関節可動域が保たれているかを評価する。筋力は長・短橈側手根伸筋，手関節屈筋群を確認し，手関節が代償なく運動可能か評価する。また，肘関節屈筋群の筋力も確認し，前腕回内から回外に変換させたときに上腕筋，腕橈骨筋，上腕二頭筋へと筋収縮の移行が起こっているかも評価する。腕橈骨筋の過剰な収縮がみられる選手もいる。肩甲帯の筋も前鋸筋，菱形筋，僧帽筋などを評価して肩甲帯の安定性を確認する。剣を構える際は肩関節外旋位で構えるため，姿勢の評価として，ラウンドショルダーや翼状肩甲がないか確認する。

- **上腕骨外側上顆炎の整形外科テスト**

Thomsen(トムセン)テスト，Chair(チェア)テスト，中指伸展テストを実施し，上腕骨外側上顆から前腕にかけて痛みが誘発されるか確認する。

- **上腕骨外側上顆炎の動作の評価**

壁に背中をつけ，肩関節(1st)外旋位で壁に沿って90° まで上肢挙上が可能か確認する(**図16**)。また，手に棒を把持し，手関節を掌背屈させ橈屈・尺屈を伴わずに動作が可能か確認する。さらに，肘を90° 屈曲位とし，前腕を90° 回内させることが可能か確認する(**図17**)。

- **上腕骨外側上顆炎に対する理学療法**

剣を操作するとき，手関節や肘関節を優位に使うのではなく，手指を使用した操作が重要となる。手関節の動きが多くなってくると，前腕伸筋群に負担をかけて炎症を起こしてしまう場合もある。

前腕の運動：手に棒などを持ち橈尺屈中間位，掌背屈中間位で前腕の回内・回外を繰り返す。前腕伸筋群のタイトネスで回内位に制限がみられやすい(**図17**)。

図15 自重を利用したハムストリングの運動(ノルディックハムストリング)

図16 剣操作に必要な肩関節外旋の確認

手に棒を持ち肩関節(1st)外旋位から肩関節外転外旋を繰り返しても壁から肩が離れず可能か確認する

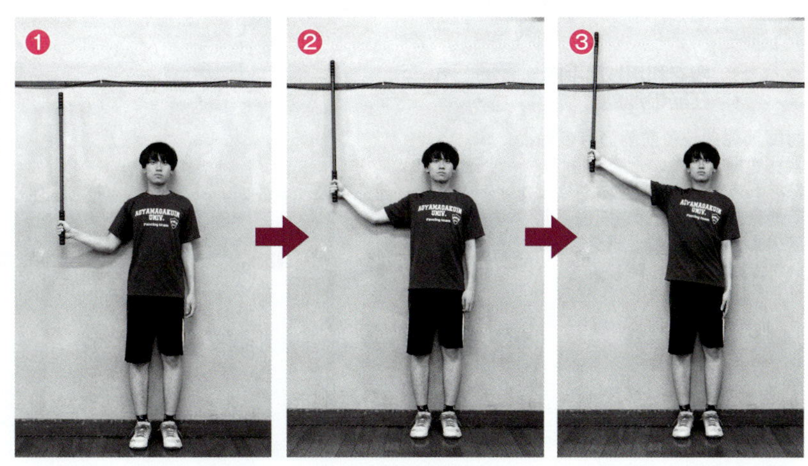

図17 前腕のタイトネスの確認
前腕を回外位から回内位にしたとき，右前腕に制限がみられる

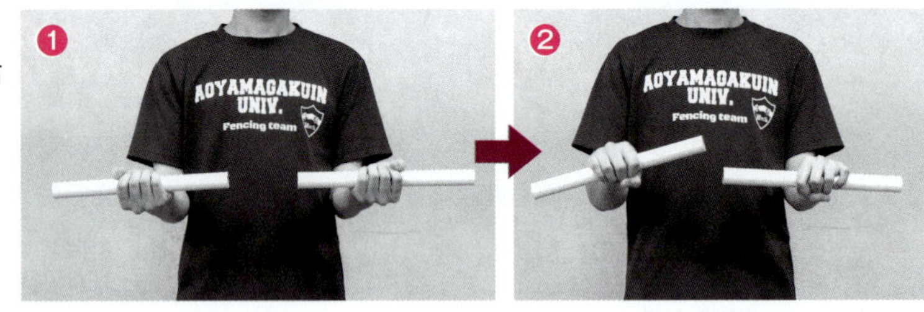

手内在筋の運動：肘関節を屈曲させた状態で前腕筋群の過剰な緊張を抑えた状態で棒を持ち，下方から上方へたぐり寄せるように手指の動きで棒を動かすようにする。このときも手関節を橈尺屈中間位で上腕骨外側上顆に疼痛が誘発されないか確認しながら実施する（**図18**）。

肩甲帯の運動：肩関節90° 外転・外旋位で水平伸展と肩甲帯内転の動きを実施する（**図19**）。

三角線維軟骨複合体損傷

試合の攻防のなかで，互いの攻撃が重なった際にガード同士が衝突（ガードクラッシュ）し，手関節尺屈が強制されて受傷することがある。また，剣操作時に手指での操作が不十分で，手関節優位での操作を繰り返すことで障害が発生する場合がある（**図20**）。ガードクラッシュでの急性外傷が生じ，その後，手部のアライメント不良のため疼痛が慢性化する場合がある。慢性障害はエペの選手で生じることが多い。

- **三角線維軟骨複合体（TFCC）の評価**[10]

尺骨茎状突起周囲や三角線維軟骨複合体（triangular fibrocartilage complex：TFCC）に圧痛がみられないか確認する。また，手部の静的アライメントや手根骨アーチを確認する。前腕の延長線上に中指が位置するか，母指内転筋のタイトネス（**図21**）がないか，手部に胼胝がないか確認する。

- **TFCCの整形外科テスト**

TFCCストレステストとして，手関節を尺屈させ手関節に軸圧を加えて疼痛が生じないか（ulnar grind test）確認する。遠位橈尺関節（distal radioulnar joint：DRUJ）不安定性テストで回内・回外中間位においてDRUJをグライドさせ，疼痛や不安定性がないかを確認する。尺骨頭を操作し，ピアノキーサインの有無も確認する（**図22**）。

- **三角線維軟骨複合体の動作の評価**

橈尺屈中間位でグリップが可能か，手に棒を把持して手関節を掌背屈させ，尺屈を伴わずに動作が可能か母指と小指の対立筋力が保たれているか，確認する（**図23**）。

- **三角線維軟骨複合体損傷に対する理学療法**

理学療法を進めるに当たっては母指内転のタイトネスを解消し，手関節の動作におけるマッスルインバランスを改善した状態での手指の動作獲得が重要になる。

手掌部のストレッチ：母指内転筋と掌側手根靱帯を圧迫して伸張を促す（**図24**）。

手関節の運動：手関節橈尺屈中間位を保持した状態で掌背屈を行う。**図23**で手関節の動作を確認したが，前腕の肢位によって前腕屈筋・伸筋群収縮にインバランスがないか確認しながら，前腕回

図18 棒を利用した手内在筋の運動
肘関節屈曲位で前腕筋群の過緊張を抑えて棒の上方を持つ。棒を下方から上方に手指によって動かす際，手関節中間位で上腕外側上顆の疼痛が誘発されないか確認する

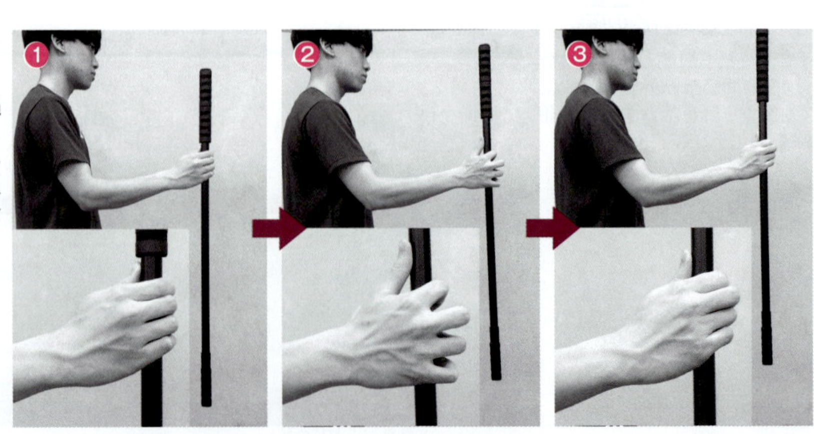

図19 肩関節90°外転位での水平伸展および肩甲帯の運動

図20 剣の間違った持ち方（手指での操作が不十分となる持ち方）

❶母指先端での把持　❷示指伸展位　❸環指・小指の把持が不十分　❹持つ位置が後方すぎる

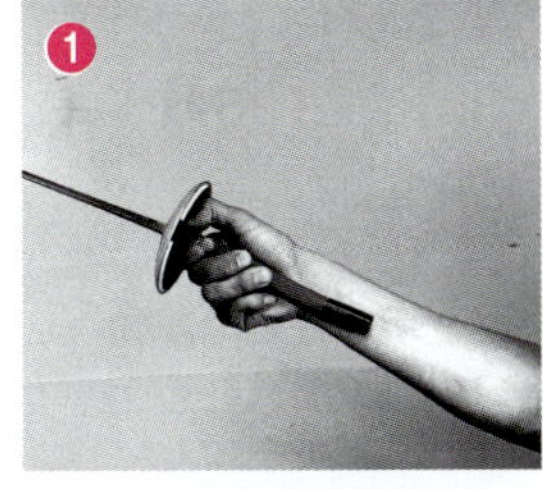

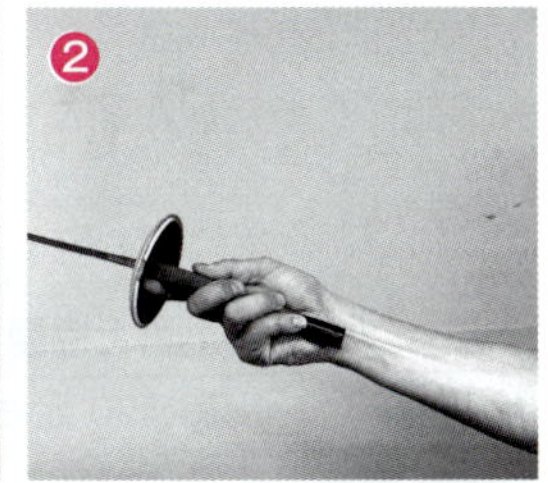

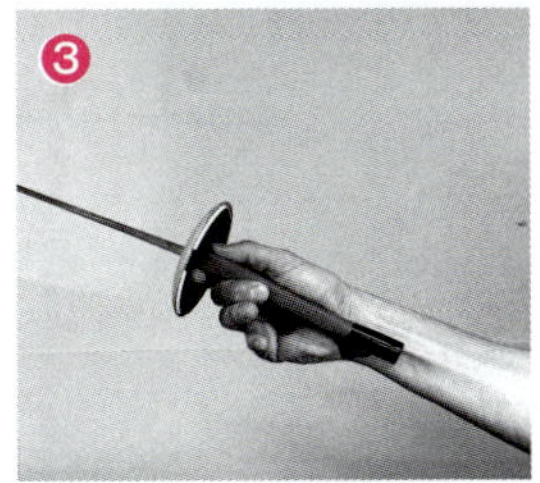

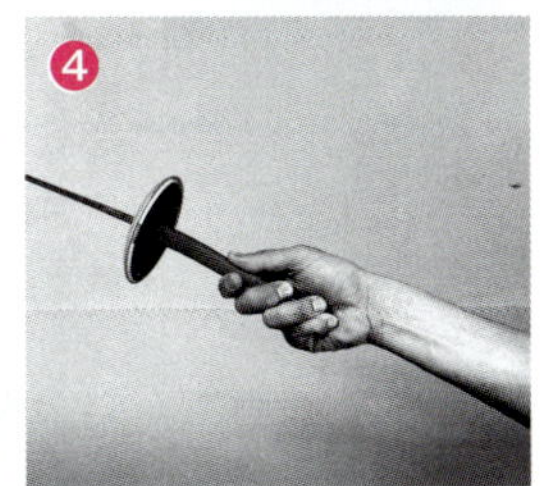

図21 母指内転筋の短縮（右利きの選手）

右手は母指球が発達して母指がやや掌側内転位となり，橈側外転したときの中手骨の外旋が不十分である。努力的に橈側外転しているため，小指の外転もみられる

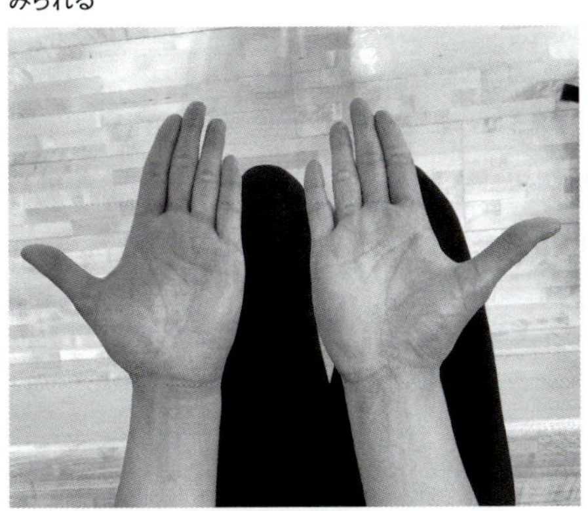

図22 ピアノキーサイン

前腕回内位で尺骨頭が背側へ浮き上がっているとピアノキーを押すような感触があり，痛みを伴うこともある

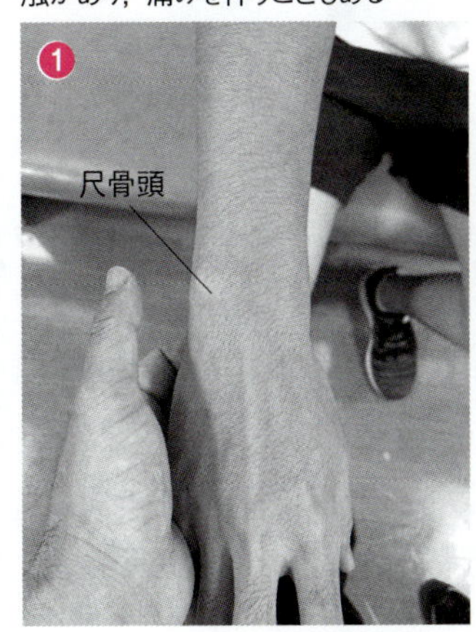

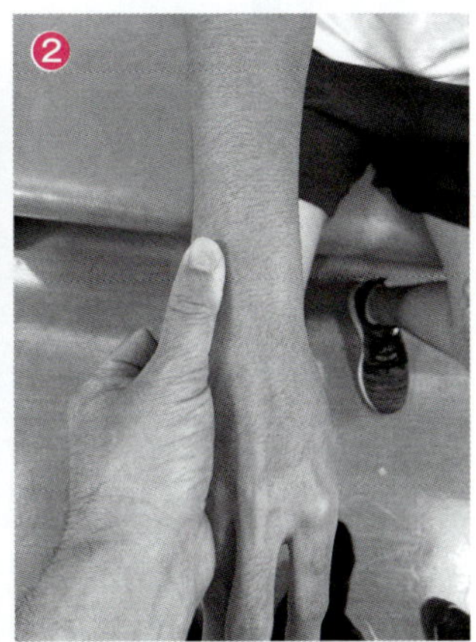

図23 手関節の動作評価

肩関節屈曲位でのグリップ，手関節掌背屈運動を前腕中間位（❶〜❸）および回内位（❹〜❻）で評価する

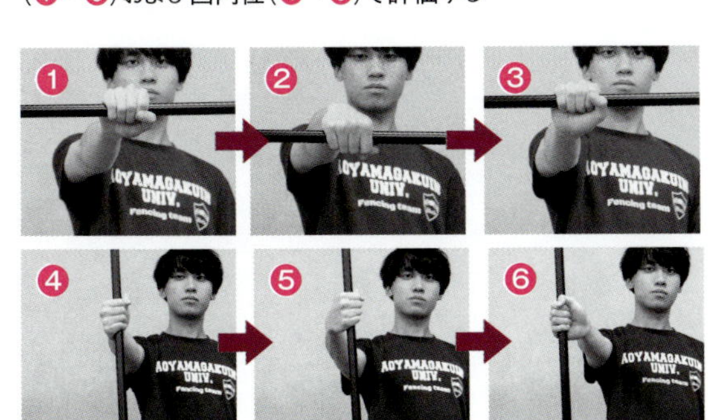

図24 手掌部のダイレクトストレッチ

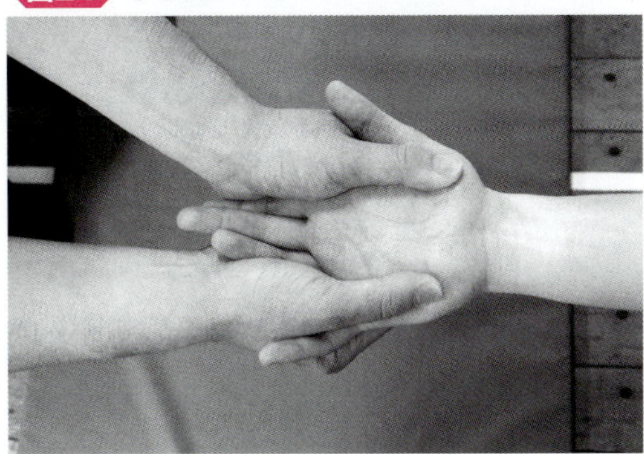

内位や回外位など向きを変えながら実施する。

手指・手内在筋の運動：肩関節90° 屈曲位で前腕伸筋群も活動させた状態で棒を持ち，下方から上方へ手指でたぐり寄せるように動かす。このときも手関節を橈尺屈中間位で実施する（**図25**）。

謝辞
ご多忙のなか撮影にご協力いただきました，青山学院大学フェンシング部の佐藤　衛監督，平井友陽選手をはじめ選手の皆様，撮影してくださいました岩下志保様ならびに関係者の皆様に深く感謝申し上げます。

図25 前腕の筋群と協調させた手内在筋の運動

肘関節伸展位，肩関節90°屈曲位で棒の上方を持つ。棒を下方から上方に動かす際，手関節橈尺屈中間位で実施する

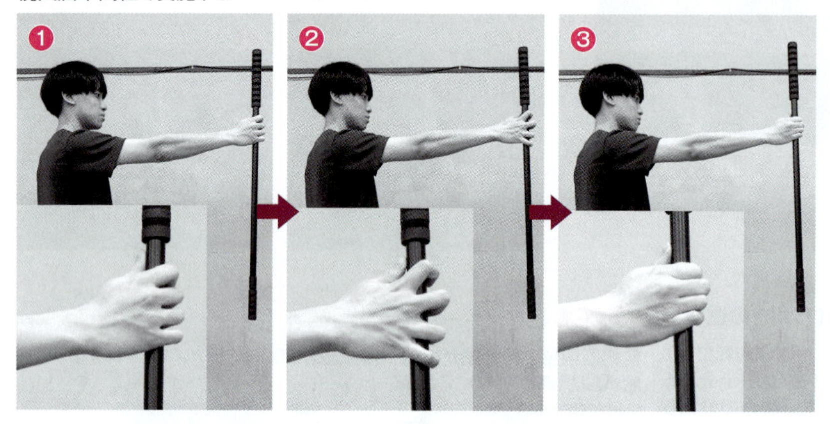

【文献】

1) 日本フェンシング協会：フェンシングの歴史．https://fencing-jpn.jp/about/history/（2023年2月17日閲覧）．
2) 日本フェンシング協会：国際フェンシング連盟競技規則（t）．https://fencing-jpn.jp/cms/wp-content/uploads/2021/02/d1d5a90053300ec0f9a4d21a3b9bb4df.pdf（2023年2月17日閲覧）．
3) 東京都フェンシング協会：フェンシング用語集．http://escrime.jp/knowledge/database/（2023年2月17日閲覧）．
4) Turner AN, Miller SC, Stewart PF, et al.: Strength and Conditioning for Fencing. Strength Cond J, 35（1）：1-9, 2013.
5) 千野謙太郎，荻根澤千鶴，林川晴俊，ほか：異なるフェンシング種目の日本人一流競技者における形態および体力特性．Sports Sci Elite Athlete Support, 1: 11-19. 2017.
6) 日本運動器理学療法学会：第15章 足関節捻挫理学療法ガイドライン．理学療法ガイドライン 第2版（公益社団法人日本理学療法士協会 監，一般社団法人 日本理学療法学会連合 理学療法標準化検討委員会ガイドライン部会 編）．pp.801-817, 医学書院，2021.
7) 奥脇　透，中嶋耕平，半谷美夏，ほか：トップアスリートの肉ばなれ競技と受傷部位およびMRI分類について，日臨スポーツ医会誌，27（2）：192-194, 2019.
8) 奥脇　透：肉離れの治療（保存）．MB Orthop, 23（12）：51-58, 2010.
9) 福林　徹 監，篠塚昌述 編：肉離れ．新版 スポーツ整形外科マニュアル．pp.256-265, 中外医学社，2013.
10) 山内　仁，大工谷新一：TFCC損傷に対する理学療法－テニスにおけるグリップ動作を中心に－．関西理学，6: 59-64, 2006.

スキー競技

スキー競技は，用具を装着して屋外で行うスポーツであるため，気温や風速，斜面，雪質など，環境や用具の影響を受けやすい。本項では，スキー競技のなかで最も競技人口が多いアルペンスキー種目特有の動作と，それに関連して好発する外傷・障害，理学療法における評価と治療の実際について解説する。

スキー競技について

スキーの競技種目

スキー競技は，「アルペン」，「ノルディック」，「フリースタイル」に大きく分けられ，それぞれの競技特性も大きく異なっている。各競技における種目を**表1**に示す。

アルペンスキーは，決められたコース内を旗門の位置でターンしながら滑降し，タイムを競うスポーツである。旗門間隔が大きい順に種目が「滑降」，「スーパー大回転」，「大回転」，「回転」と分けられ，全種目を通して1～3分ほどのタイム設定となっている。また，間隔が大きくなるほどスピードが要求され，危険度も増す。滑降は，コース長3km，標高差も800mほどを時速100km以上の速さで，2分以上滑り降りる。斜面の凹凸に合わせてジャンプすることもあるものの，低い姿勢で雪面からスキー板をできるだけ離さないことがタイムロスを最小限にするためには重要であり，衝撃やスピードコントロールに対して強い筋力を必要とする。また，大回転は標高差400mほどのコースに10m以上の間隔でセットされた旗門の間をターンしながら，2回の合計タイムを競う種目である。スーパー大回転は，滑降と大回転の中間に位置し，標高差600mほど，旗門間隔は25m以上あるため，高速での正確なターン能力が要求される。回転は技術系種目といわれ，標高差200mほどのコースで，男子選手55～75箇所，女子選手で40～60箇所設定された旗門の間を細かくターンしながら，2本の合計タイムを競う。

表1 スキーの競技種目

競　技	種　目
アルペン	・滑降 ・スーパー大回転 ・大回転 ・回転 ・複合（滑降＋回転）
ノルディック	・ジャンプ（ノーマルヒル，ラージヒル） ・クロスカントリー（スプリント，パシュート，5km，10km，15km，30km，50km） ・コンバインド（ジャンプ＋クロスカントリー）
フリースタイル	・モーグル ・エアリアル ・スキークロス ・ハーフパイプ ・スロープスタイル

スキー競技における身体ストレス

スキー競技は雪上スポーツであるため，実施できる時期が限られている。従って，シーズン中は合宿や試合が続き疲労が溜まりやすい。また，低温環境下で行うため，ウォームアップは運動パフォーマンス発揮のうえでとても大切である。練習や試合で選手は皆同じ旗門を滑るため，雪質や

Rulebook

スキー競技では傷害発生率も高いことから，国際スキー連盟は安全な競技実施を目指して傷害予防に関連したルールを制定している。
アルペン，ジャンプ，フリースタイル競技では，頭部保護のためにヘルメットの着用が義務付けられている。アルペン競技では，カービングスキーによる膝ACL損傷など，下肢傷害発生への対策として，種目ごとにスキー板の長さやサイドカーブ（半径）の最小値，ブーツ底の高さが規定された。また，U-16以下はバックプロテクターの装着が推奨されている。
ジャンプ競技においては，体格指数（body mass index：BMI）と身長によってスキー長が決められている。一方，クロスカントリー競技では凍傷などの発生を避けるために，気温が－25°以下の場合には大会を中断あるいは中止しなければならないといった，環境面に配慮したルールもみられる。

雪温，気温などによってコースのコンディションが変化してしまう。そこでコースコンディションを保つため，硬い圧雪やアイスバーンに設定することが多く，高度なターン技術を要するとともに，下肢や腰部へのストレスが加わりやすくなる。国際スキー連盟が近年発表したワールドカップにおける傷害発生報告では，膝関節が最も多く全体の約36%，次いで腰部・下腿で各11%であった[1)]。また，フランスナショナルチームの1980～2005年における傷害発生報告においても，男子選手の27%，女子選手の28%で膝前十字靱帯（anterior cruciate ligament：ACL）損傷が発生しており[2)]，スキー競技は膝関節に負担が加わりやすいスポーツであることがわかる。

スキー競技における滑走動作の機能解剖

滑走姿勢

スキー競技の滑走姿勢では，**図1**に示すように体幹と下腿が前屈位である。また，ターン時は両脚へ荷重しつつ，ターン前半に角付けとよばれるスキーのエッジを立てる動作を行いながら，後半でターン方向を舵取りしていく（**図2**，**3**）。滑走中は膝関節屈曲位であり，下肢筋のなかでも特に大腿四頭筋やハムストリングの筋力は，膝安定性へ特に重要な役割を果たす。滑走姿勢に関しては，体幹前傾位ではハムストリングの筋活動が増加し，体幹後傾位になると大腿四頭筋の筋活動が増加す

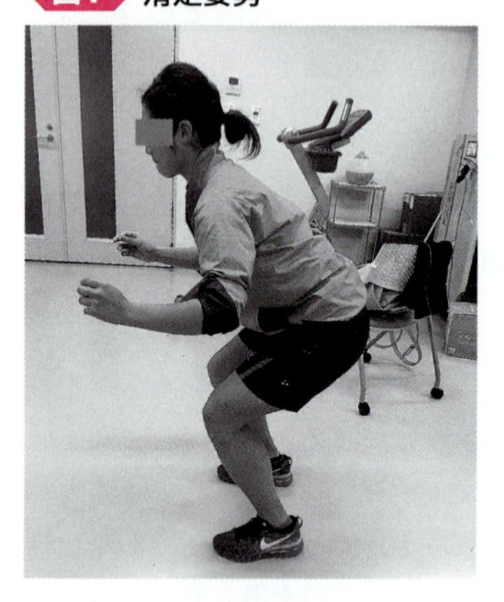

図1 滑走姿勢

図2 スキー滑走における連続写真（大回転競技）

図3 滑走姿勢の解剖図

＊太字は重要な筋

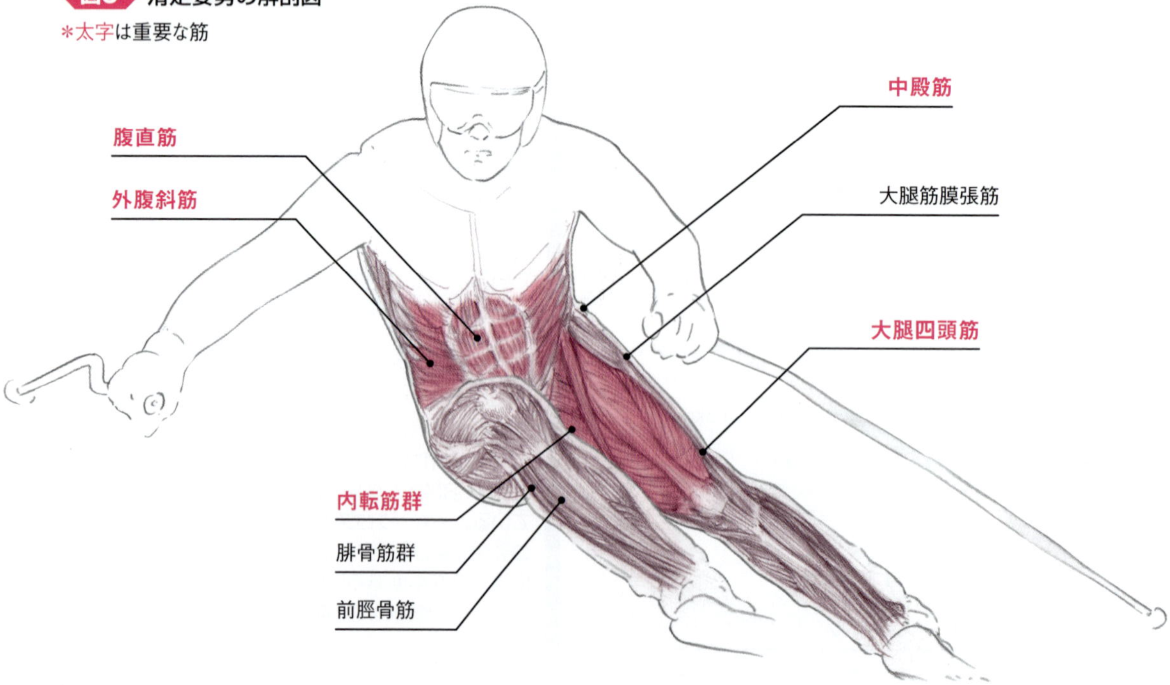

腹直筋
外腹斜筋
中殿筋
大腿筋膜張筋
大腿四頭筋
内転筋群
腓骨筋群
前脛骨筋

ることから，身体重心の位置による筋活動の変化は傷害発生にも影響を及ぼすと考えられている[3]。

また，このような滑走姿勢で雪面からの抵抗をコントロールするため，大腿外側の筋や腸脛靱帯など大腿から腰部にかけて負担が加わりやすく，筋スティフネスの増加や疲労が生じやすい。そのため，**図4**で示すようにスキー選手の静的アライメントでは下肢外旋位を呈する者も多く，膝蓋腱や内側支持組織に伸張ストレスが加わりやすい[4]。

クローチング

クローチングは，両方のスキー板を平行に保ちながらポール(ストック)を腋に挟んで姿勢を低く保ち，空気抵抗を低くして加速を目的とした滑走姿勢である(**図5，6**)。アルペンの高速系種目(滑降やスーパー大回転)では一瞬の減速がタイムロスにつながるため，スピード系種目ではクローチング姿勢での滑降が中心となる。これらの種目で使用されているポール(ストック)は，クローチング時の体側の形状に合わせてカーブした形状になっ

図4 スキー選手における下肢外旋位

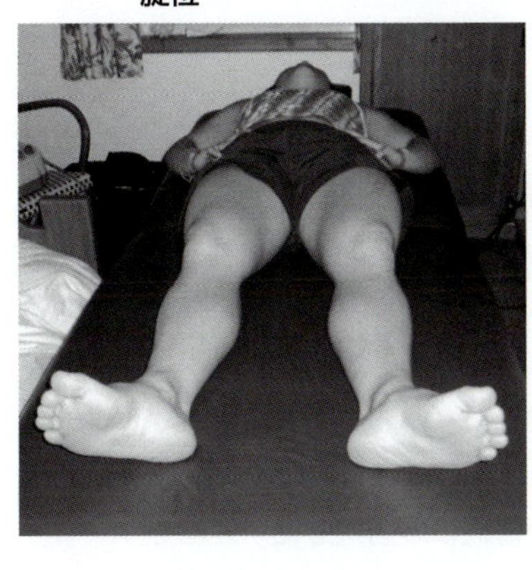

図5 クローチング滑走の連続写真（大回転競技）

図6 クローチング姿勢の解剖図

＊太字は重要な筋

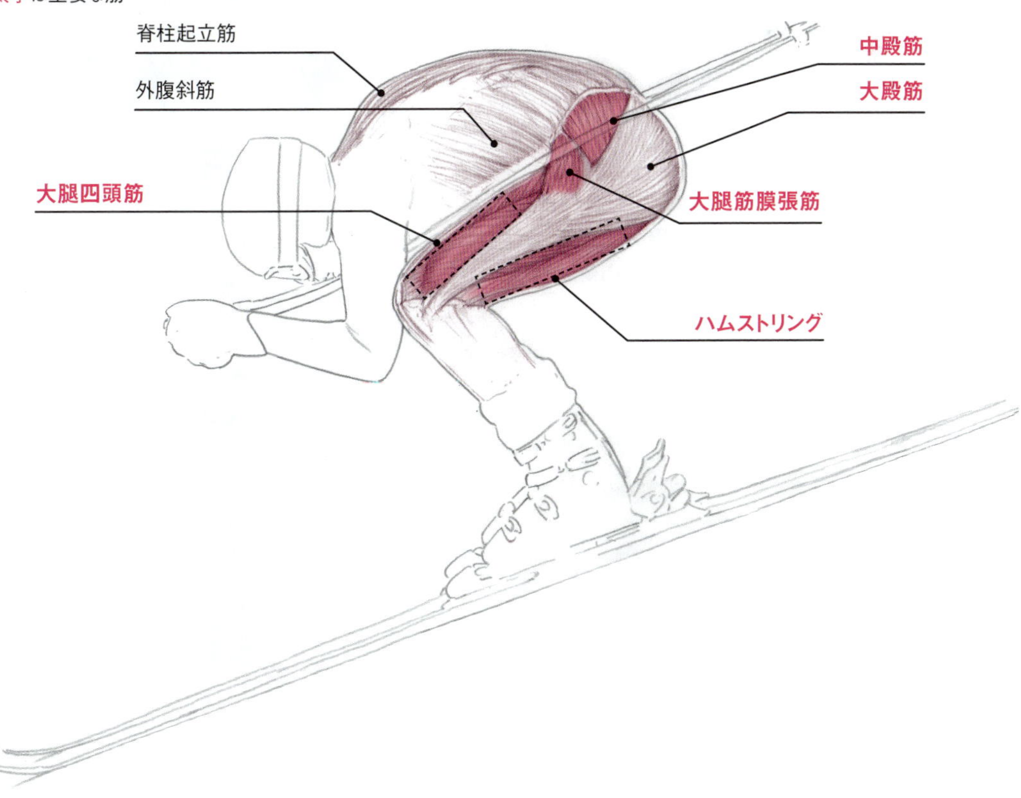

Sports Skill

スキー競技の滑走に関する表現

現在のスキーは，サイドカーブを利用して，スキーの中心に圧(荷重)をかけることでターンするような構造となっている。股関節回旋はターン方向の舵取りの調整に重要といわれているが，うまく引き出せず腰部の回旋により動かそうとすることを「腰を回す」と表現される。この動きによってスキーのテール(後方)部分にずれが生じやすくなり，減速へとつながる。

ている。

一方，クローチング姿勢は膝関節屈曲位のいわゆる空気椅子に近い状態であり，高速滑降中に斜面変化や雪面からの衝撃を受けながら滑降姿勢を保つ必要がある。従って，大腿四頭筋やハムストリングの高い筋力が要求される。高速滑降下においてこれらの衝撃に耐えうるように姿勢を保つことから，腰部へ加わる負担も非常に大きい。両方のスキー幅が開きすぎると膝関節へ外反力が加わり，膝靱帯損傷などの傷害発生につながる危険性がある。

スキー競技で発生する主な傷害

膝前十字靭帯(ACL)損傷

近年スキー競技では，膝ACL損傷の増加が問題視されている[4]。また，特にスキー競技では再建術後の再受傷(対側を含む)が39%と非常に高いことも特徴的である[2]。

このような背景から，2006年より国際スキー連盟は大規模な傷害発生調査および受傷機転の解析に取り組み始めた[7,8]。現在までのビデオ解析による結果から，受傷状況は，

①ターン時に外側スキーへの荷重が不十分となってスキーの軌道がスリップし，その直後に内側エッジが雪面へ引っかかるslip-catchというメカニズム

②ジャンプ後の片脚着地

③体重心が後方に偏位

④膝関節外反と回旋(内旋および外旋)

という4種類に大きく分類されている[7-9]。**図7**は，試合中に発生した膝ACL損傷時の連続写真である。ターンの際に体重心の後方移動と，その後急激に膝関節外反・内旋が強制されたことによって受傷したと考えられ，前述したslip-catchメカニズムの典型例である。また，興味深い実践調査として，北米20箇所のスキー場に勤務する上級スキーヤー(指導員，パトロール隊員)に対して，スキーによる膝ACL損傷時のビデオを見せながら，好発肢位と予防のポイント，両腕を前に保つ(体幹前傾保持，**図8❶**)，左右のスキー板を揃えて滑る(両脚への均等荷重，**図8❷**)，両手をスキーの上に位置させる(体幹と膝関節の回旋予防，**図8❸**)，を紹介したところ，2シーズン後には膝靱帯損傷発生率が62%まで減少した[9]。従って，再発予防には好発する受傷肢位への予防や回避策をリハビリテーションやトレーニングで積極的に取り入れていくことも重要であると考えられる。

膝 ACL 再建術後の評価と理学療法

膝ACL再建術から競技復帰までは，合併症や術式，リハビリテーションプログラム，復帰する競技種目やレベルなどの影響を受ける。早期から競技特性を考慮したリハビリテーションプログラムを行い，復帰へ向けた準備を整える。再発予防のためには，受傷機転の回避を促す運動をリハビリテーションに取り入れていく必要がある。

図7 スキー競技による膝ACL損傷

slip-catchメカニズムで発生した膝ACL損傷

図8 スキーにおける膝ACL損傷予防のポイント

❶両腕を前に保つ ❷左右のスキー板を揃えて滑る ❸両手をスキーの上に位置させる

術直後は非損傷側へと荷重が移動しやすいため，まず速度や空気抵抗を抑えるための滑走姿勢であるクローチング姿勢（**図5，6**）およびスクワット運動でのアライメント修正や，2台の体重計を使用した両脚均等荷重を練習させる。また，姿勢やアライメントが左右対称であるか観察することも有効であると考える。これは，特に雪上練習復帰の際にターン弧のズレが生じやすく，タイムロスへとつながりやすいためである。

スキー競技では，膝関節屈曲位で1〜2分間高速で滑り続けるために心肺機能の強化や，大腿四頭筋，ハムストリング，股関節，体幹筋の筋力強化が必要である[10,11]。そのため，患部外筋力トレーニングや心肺機能強化に関してもできるだけ早期より実施し，滑走中の体幹前傾位を保持する筋力や体力要素の強化，神経筋トレーニングを積極的に取り入れていく。

- **スキー競技特有の姿勢**

滑走姿勢（**図1**）やクローチング姿勢（**図5，6**）はスキー競技の基本動作でもあるため，両脚から片脚，安定面から不安定面へと運動を発展させていく。また，スクワット運動でも膝関節外反が生じやすい選手は，スキーのターン動作（**図2**）でも膝関節外反が起こりやすい。**図9**は，膝ACL再建術後8週経過時の症例であるが，非損傷側で膝関節外

図9 膝ACL再建術後8週目での片脚スクワット

❶非損傷側 ❷損傷側

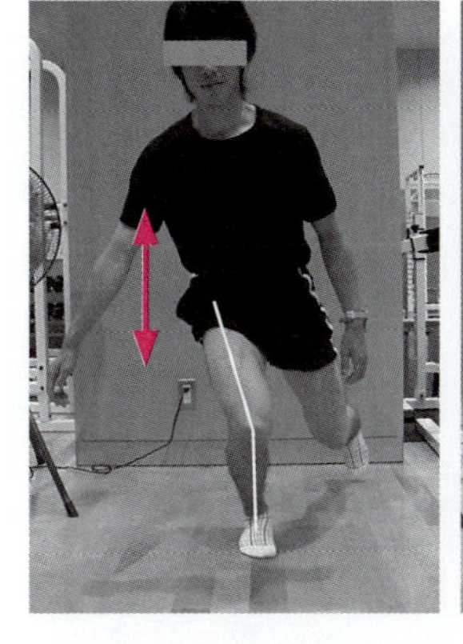
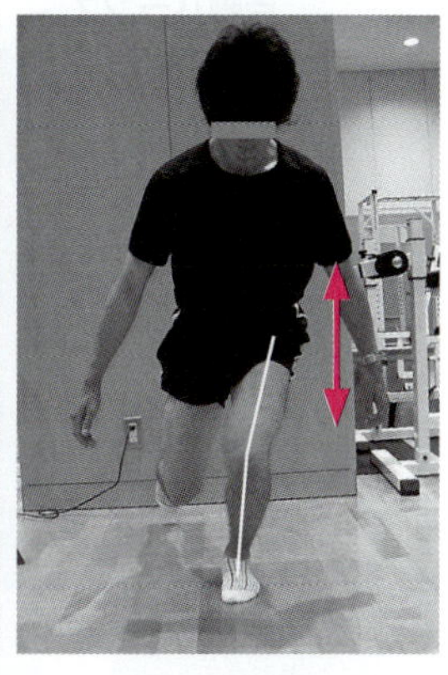

スキー競技

Sports Gear, Equipment

スキーの用具と外傷発生について

スキーは用具を装着して行うため，外傷発生についても用具による影響を受けやすい。発生部位も用具の発展とともに変化してきており，発生数は減少にある一方で，膝ACL損傷の増加が近年問題視されている[4]。

現在用いられているカービングスキーは，スキーの中央内外側が弧のような形状となっており，スキーの中心部に圧（荷重）を加えることで，弧を描くような（カービング）ターンを可能にする。このようなスキーやそれに伴う技術の普及によってターンの高速化が起こり，適応しきれず膝ACL損傷の増加につながっているのではないかと考えられているものの，見解は分かれている。また，スキーとブーツを固定するビンディング（締具）は開放する方向に制限があり，バランスを崩した際にビンディングが開放せず，スキー板にそのまま足部が固定されていることで膝への回旋ストレスが加わりやすいことも，膝関節靱帯損傷の好発原因といわれている[5]。

また，近年のスキーブーツはプラスチック製で硬い素材のため足関節の背屈角度が制限されやすく，下肢全体の筋活動を抑制することが示されている[6]。実際，スキー選手には扁平足を呈する者も多く，足関節の可動域制限やバランス能力の低下からも，外傷発生の危険性が考えられる。

反角度がより大きくなっているため，非損傷側の動作も確認・修正しておくことが再発予防に向けて大切である。

- **バランス強化訓練**

スキー競技では，空間認知能力や固有感覚，バランス能力の強化も大切である。片脚立位でのバランス強化訓練は姿勢保持から始め，挙上側の下肢を前後左右に動かしながらバランスをとる運動や，スキーブーツの装着，不安定ボード上でのバランス保持（**図10**）など，雪面でのいろいろなシチュエーションを想定して行う。近年，プラスチック製スキーブーツの普及により，足趾を中心とする足部の筋を上手に使えず，扁平足となるスキー選手は多い。スキー選手の外乱刺激に対するバランス戦略は足関節戦略であったことも報告されており[12]，タオルギャザーやカーフレイズを行いながらのスクワット運動など（**図11**），足部や足趾屈筋機能を高める運動もバランストレーニングとして有効である。また，バランス強化訓練ではBOSU®などのバランスボールや不安定板上でのクローチング姿勢保持による両脚・片脚スクワットなど（**図12**），肢位や負荷を変え，多様な状況変化に対応できるようトレーニングを進める。半円タイプのフォームローラーを使用して，滑走姿勢のまま下腿を左右に倒してエッジングを行わせる感覚でトレーニングを行う（**図13**）。この際も，股関節からの動きを意識させて行うとよい。実施時間を徐々に増やしていくと筋持久力系のトレーニングとしても有効である。

- **パワー・瞬発系トレーニング**

パワーや瞬発性などの体力要素や反応時間の強化もスポーツ復帰に向けて重要であり[13]，神経筋コントロールからジャンプやステップ動作，プライオメトリックトレーニングへと発展させていく。同時に再発予防に向けた指導も大切で，前述した受傷好発肢位（体重心が後方，膝関節外反・回旋）を認識させつつ，着地時の体幹前傾や下肢アライメントの修正（膝関節外反・回旋を回避）を行わせる。ランジ動作は体幹前傾位で股関節からの内外転運動を意識させるうえで効果的であるが，支持側も膝関節外反や回旋運動が起こらないよう保つ（**図14**）。また，ランジ姿勢でバランスボールを持った状態での体幹の回旋や踏み込み動作を組み合わせるエクササイズも，高速での滑降姿勢を保つための体幹安定性獲得に有効であると考える。

- **雪上練習**

雪上練習に向けて，持久力や敏捷性，反応時間などの強化も必要である。受傷前やチーム練習などで行っている陸上トレーニングを取り入れ，選手自身に回復レベルを認識させる。特に膝ACL再建術後は，反応時間や瞬発力が低下しやすい[13]。ボックスジャンプトエクササイズ（**図15**），体幹

図10 不安定板での片脚バランス

図11 カーフレイズ+片脚スクワット

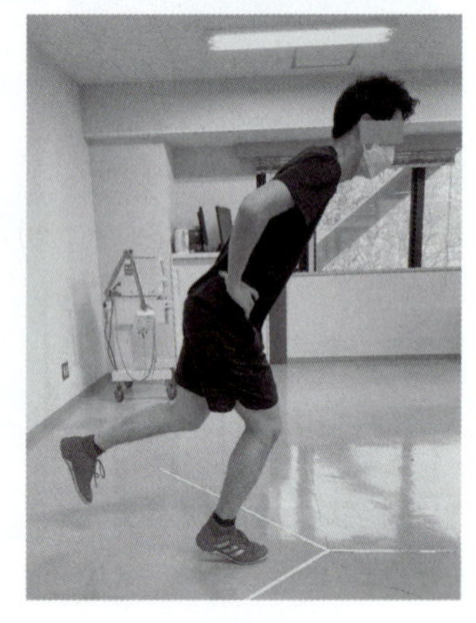

図12 BOSU®を用いたバランストレーニング

❶クローチング　❷片脚スクワット

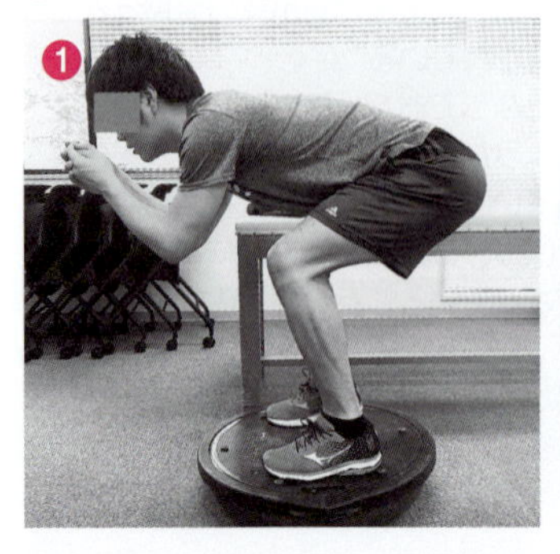

図13 半円タイプのフォームローラーを用いた滑走姿勢のバランスエクササイズ

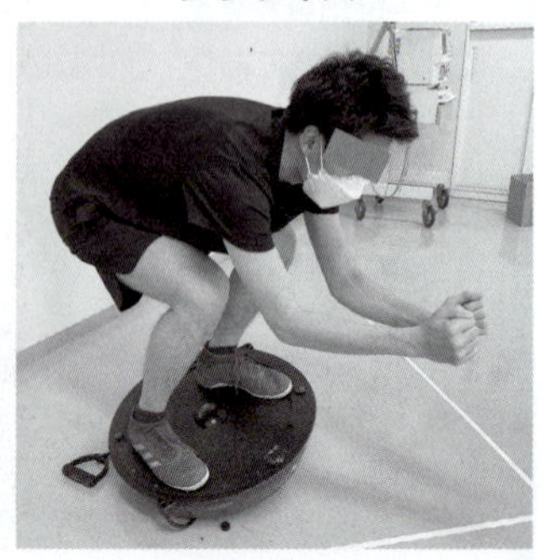

前傾の滑走姿勢やクローチングで脚を交互にできるだけ速く動かすステッピング運動，ラダーによる前後左右のステップドリル課題もアルペンスキーではよく行われているトレーニングであり，損傷前に練習していた感覚と比較して自分の状況を把握しやすい。種目によって所要タイムは異なるが，後半もパフォーマンスを落とさず発揮し続ける必要がある。従って，体力面の回復もこの時期には特に重要である。

雪上練習開始後は，膝への負担も増加しやすく腫脹や疼痛がみられることがある。そのため，選手が自身のコンディションを把握し，練習量の調節や休息，疲労回復などの対処ができるよう，選手のみならず指導者にも教育していく必要がある。

膝 ACL 再建術後の競技復帰

競技復帰に関しては，通常の理学療法評価のほか，筋力やパワー，持久力，敏捷性，柔軟性，バランスなどのスキー競技特有で必要とされる体力の回復が重要である[14,15]。アルペン競技強豪国のオーストリアスキーチームによる体力測定の調査報告では，膝ACL再建術後回復の指標でもよく用いられているハムストリング筋力と大腿四頭筋筋力比（H/Q比）は0.6であった[16]。従って，膝関節安定性を高め，膝ACLと協同筋とされるハムストリングの筋力強化は再発予防にも重要な指標である。復帰の基準設定には，これらの要素を含むフィールドテストの活用も有効であると考えている。

腰痛症

スキー競技においては，膝関節靱帯損傷に次いで腰痛の発生率が高い[17]。高速での滑降中，雪面からの振動や抵抗を受けつつバランスを保つ必要があるため，雪面がアイスバーンのように硬い場合は特に衝撃を受けやすい。また，体幹前屈位の滑降姿勢で側屈・回旋が加わると椎間板へのストレスが増大し[18]，オーバーユースによる障害として腰痛の発症が多いとも考えられている。

腰痛症に対する評価と理学療法

滑降中の衝撃を吸収するため，体幹，特に腰背部や腸腰筋，大腿四頭筋，ハムストリングから腸脛靱帯の柔軟性，体幹・股関節周囲筋を中心とした筋力，姿勢アライメント，姿勢バランスの評価が重要である。

股関節や腰背部の柔軟性とストレッチは重要である。筋力も同様であるが，雪上練習では斜度や雪質，斜面変化に対応する姿勢安定性とバランス能力が必要とされる。そのため，さまざまな条件下での症状の有無を確認しながら徐々に運動の難易度を上げていくべきである。図16のようなコアトレーニングは体幹深層筋を鍛える運動であるが，

図14　バランスボールを用いたランジエクササイズ

図15　左右に跳ぶボックスジャンプエクササイズ

図16　体幹筋強化

❶片脚ブリッジ　❷サイドブリッジ　❸プランク

両脚から片脚など支持面積を少なくして徐々に難易度を上げていく。また，姿勢バランス強化のため，フォームローラー上でバランスをとりながら手足を上下左右に動かすdead bagエクササイズは，スキー選手の腰痛に対するコアトレーニングとして効果的であることが示されている（**図17**）[19]。

腰振症に対するフォローアップ

腰痛症からの復帰後も，筋力および体力の維持向上の継続が大切である。スキー競技の場合には，雪上練習復帰後にトレーニングの場所と時間の確保が難しくなりやすい。腹腔内圧を高めた状態で外乱に抗して滑降姿勢を保持させる，といった状況を変化させながらのトレーニングを継続して行うべきである。

● 脳振盪

近年のワールドカップ出場選手に対する傷害調査では，頭部・顔面の受傷は傷害全体の12％で発生し，そのうちの82％は神経損傷と脳振盪であった[20]。また，脳振盪受傷後は復帰まで28日以上かかっていた選手が24％と，脳振盪からの復帰には時間を要していた[20]。一方，脳振盪受傷時のビデオ解析から，ターンあるいはジャンプ着地時にスキーが雪面に引っかかることで大きくバランスを崩し，下肢→殿部→体幹→頭部の順で雪面に打ちつけられることで生じた受傷が，発生全体の84％でみられていたことも報告されている[21]。さらに，回転競技のように旗門に立つ可倒式ポールが接触すると倒れるようになっていることでターン時にポールが不意に戻ってきた際，頭部ヘルメットに接触してバランスを崩し転倒などにより受傷するスキー競技特有の機序も現在問題視されている。

図17 dead bugエクササイズ

脳振盪に対する評価と理学療法

脳振盪の症状としては，頭痛やめまい，吐き気，混乱状態，複視，失見当識などがみられる。脳振盪に対しては，国際スキー連盟は他の国際競技団体とともに，Sports Concussion Assessment Tool 5（SCAT 5）[22]を用いた評価を推奨している。脳振盪が疑われる場合には直ちに中止し，競技を再開させてはならない。

脳振盪のリハビリテーションでは，graduated return to play（GRTP）とよばれる段階的復帰プログラム（**表2**）の実施が国際スキー連盟によって推奨されている[22,23]。GRTPでは，リハビリテーションのステージは6段階に設定されている。復帰に向けた段階的なプロセス実施の際，なんらかの症状が発生している場合には次のステップへ進めることはできない。また，競技から離れている期間が長いほど体力低下もみられやすくなるため，患部外の評価やトレーニングをリハビリテーションプログラムとともに実施していく必要がある。

脳振盪に対するフォローアップ

脳振盪からの復帰は前述の段階的プログラムを経て進められるが，復帰後においても症状再発の危険性も考慮したフォローアップが重要である。また，受傷していない状態でSCAT5のベースライン評価を行っておくと，脳振盪発生時のフォローアップ指標としても用いることができる。

フィールドテストの活用

冬季は山間部での雪上練習が主となり，トレーニング時間や場所の確保が難しいため，シーズン中のコンディショニング管理は重要である。そこで，シーズン中のコンディショニング評価として，機材などをあまり必要とせずに簡易的に実施可能なフィールドテストの活用は有効であろう。フィールドテストは，タイムや距離で機能を評価しているが，テスト実施中の動作やアライメント変化を合わせて評価していくことも復帰時には特に重要である。

● 片脚跳びテスト（single hop test for distance）

膝ACL再建術後の回復度を見るテストとして用いられ，膝機能評価用紙International Knee Documentation Committee（IKDC）にも含まれて

表2 段階的競技復帰プログラム

リハビリテーションステージ	運動範囲	目的
活動なし（受傷後最低24時間）医師が対応の場合	症状がない状態での体および脳の絶対安静	リカバリー
軽い有酸素運動	ウォーキング，水泳，または最大心拍数の70%以下での自転車エルゴメータ。筋力トレーニングはしない。24時間ずっと症状がないこと	心拍数の上昇
競技に特化した運動	ランニングドリル。頭部に衝撃を与える活動はしない	動きを加える
ノンコンタクト・トレーニングドリル	さらに複雑なトレーニングドリルに進む。漸増負荷による筋力トレーニングを始めてもよい	運動，協調，認知的負荷
フルコンタクトでの練習	医師による確認後，通常のトレーニング活動	自信を回復させ，コーチングスタッフが機能スキルを評価する
競技への復帰	プレーヤーは元の活動に戻る	回復

（文献22より引用）

図18 Vail Sport Testにおける片脚スクワット

いるテストである。片脚跳びのsymmetrical index（損傷側/非損傷側）は，膝ACL再建術後半年で85%，1年で92～95%，また術後22週で88%という報告がみられる[24,25]。

垂直跳びテスト（vertical jump test）

パワーの評価指標として知られる垂直跳びは，大腿四頭筋やハムストリング筋力[26]，スキー競技成績との正の相関関係が示されていることから[27]，簡易的なパフォーマンス評価の指標として活用できる。

Vail Sport Test™

Vail Sport Test™は，スキー競技への復帰指標として開発された持久力や神経筋コントロール，パワーを調べるテストで，基準値も設定されているため活用しやすい[28,29]。このテストは，チューブで抵抗負荷を加えながら3分間の片脚スクワット（**図18**）や90秒の側方ステップ，2分間の前後各方向へのジョギングを行わせ，理学療法士が動作評価を採点基準に沿って評価し（**表3**），54点満点中46点以上を復帰可能の基準としている[29]。大切なことは，これらのテストを活用して動作の評価と修正を行うことであるとされており，このような取り組みは再発予防に重要であろう。

ボックスジャンプ

ボックスジャンプは，40cmのボックス上から側方へのジャンプを，60秒間または90秒間反復してボックスを中心に左右へステップした回数をカウントして評価するテスト[30]である（**図19**）。スキー競技においてボックスジャンプは，体力測定やトレーニングとしてよく行われているため，リハビリテーションや回復の指標としても用いることができる。

スキー競技におけるコンディショニング

寒冷環境では神経筋活動や運動パフォーマンスが低下することは文献的にも報告されており[31]，ジョギングやダイナミックストレッチングなど積極的なウォームアップを実施して，体温の維持および筋温の増加に努める。

ウォームアップは，中強度（60% $\dot{V}O_{2max}$）よりも高強度（80% $\dot{V}O_{2max}$）で実施したほうがジャンプパフォーマンスの向上効果が持続することが報告されている[32]。また，筋温が1℃上昇すると運動パ

図19 ボックスジャンプ

スキー競技

表3 Vail Sport Test™

片脚スクワット(3分間)	
1. 膝屈曲角度(30~60°)	はい(1), いいえ(0)
2. 膝外反せずに反復可能	はい(1), いいえ(0)
3. 膝伸展時ロッキングせずに可能	はい(1), いいえ(0)
4. 膝屈曲時膝蓋骨がつま先を越えずに可能	はい(1), いいえ(0)
5. 膝屈曲時に体幹を起こして保持可能	はい(1), いいえ(0)

1分	点	2分	点	3分	点	計	点

側方ジャンプ(90秒間)	
1. 着地時に膝屈曲30°以上である	はい(1), いいえ(0)
2. 膝外反せずに反復可能	はい(1), いいえ(0)
3. 着地時すぐに反復して運動可能	はい(1), いいえ(0)
4. 着地相は1秒を超えない	はい(1), いいえ(0)
5. 膝屈曲時に体幹を起こして保持可能	はい(1), いいえ(0)

30秒	点	60秒	点	90秒	点	計	点

前方向のジョギング(2分間)	
1. 膝屈曲角度(30~60°)	はい(1), いいえ(0)
2. 着地時すぐに反復可能	はい(1), いいえ(0)
3. 膝外反せずに反復可能	はい(1), いいえ(0)
4. 膝伸展時ロッキングせずに運動可能	はい(1), いいえ(0)
5. 着地相は1秒を超えない	はい(1), いいえ(0)
6. 膝屈曲時に体幹を起こして保持可能	はい(1), いいえ(0)

1分	点	2分	点	計	点

後ろ方向のジョギング(2分間)	
1. 膝屈曲角度(30~60°)	はい(1), いいえ(0)
2. 着地時すぐに反復可能	はい(1), いいえ(0)
3. 膝外反せずに反復可能	はい(1), いいえ(0)
4. 膝伸展時ロッキングせずに運動可能	はい(1), いいえ(0)
5. 着地相は1秒を超えない	はい(1), いいえ(0)
6. 膝屈曲時に体幹を起こして保持可能	はい(1), いいえ(0)

1分	点	2分	点	計	点

(文献29より引用)

フォーマンスは2~5%増加するといわれているが[33]，10℃の寒冷環境では高強度(80%$\dot{V}O_{2max}$)のウォームアップによってパフォーマンスの向上効果がより強くみられた[34]。従って，スキー競技のコンディショニングには高強度のウォームアップが推奨される。実際，現場でもスタート前にジャンプ動作を何度も繰り返して実施するような高強度のウォームアップを行っている選手もよくみられる。また，試合の際に選手自身あるいはコーチやトレーナーによって下肢を大きく素早く短軸方向に摩擦を加えながらマッサージを行うことで筋温を増加させる受動ウォームアップも，スキー競技ならではの特徴である。一方，高強度のウォームアップは疲労が生じやすく，逆にパフォーマンスを低下させることもあることから，選手個々が自分に合った至適ウォームアップを検討・実施していくことが勧められる。

また，スキー競技におけるウォームアップでは，関節可動域の改善やパフォーマンス向上に効果的であるダイナミックストレッチ[35]も積極的に行われている(**図20**)。

スキー競技では，腸脛靱帯や外側広筋を中心とした大腿四頭筋などの緊張や疲労が起こりやすいため，フォームローラーなどを用いた殿部から大腿外側のマッサージ(**図21**)やストレッチ(**図22**)などの指導も大切である。

スキー競技は標高の高い寒冷環境で行われることが多く，顔面などの曝露部へ長時間にわたり風や雪が当たり続けることによる凍傷が生じやすい。そのため，キネシオテープなどを顔面の曝露部に

図20 雪上でのダイナミックストレッチ

図21 セルフコンディショニング：フォームローラーを用いたマッサージ

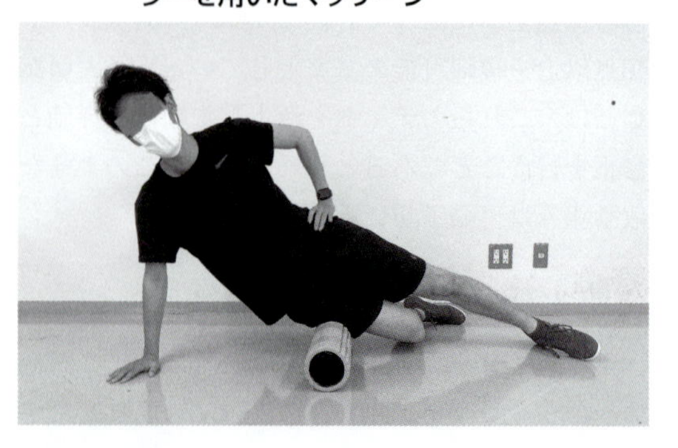

図22 大腿外側のストレッチ

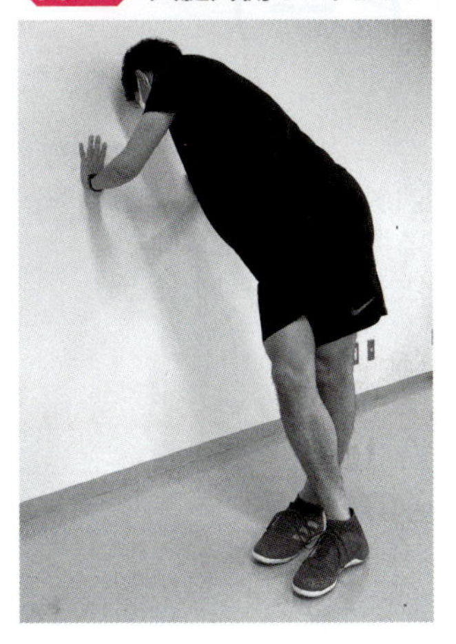

貼付して風対策を行うのは，近年よくみられるアルペンスキー特有のコンディショニングである。

謝辞

本項作成にあたりご協力いただきました，北翔大学生涯スポーツ学部の竹田唯史教授にこの場をお借りして深く御礼申し上げます。

【文献】

1) Flørenes TW, et al: Injuries among male and female World Cup alpine skiers. Br J Sports Med, 43 (13) : 973-978, 2009.
2) Pujol N, et al: The incidence of anterior cruciate ligament injuries among competitive alpine skiers. Am J Sports Med, 35(7) : 1070-1074, 2007.
3) Koyanagi M, et al: Effects of changes in skiing posture on the kinetics of the knee joint. Knee Surg Sports Traumatol Arthrosc, 14 (1) : 88-93, 2006.
4) Deibert MC, et al: Skiing injuries in children, adolescents, and adults. J Bone Joint Surg, 89A (1) : 25-32, 1998.
5) Natri A, et al: Alpine ski bindings and injuries: Current findings. Sports Med, 28 (1) : 35-48, 1999.
6) Noé F, et al: How experienced alpine-skiers cope with restrictions of ankle degrees-of-freedom when wearing ski-boots in postural exercises. J Electromyo kin, 19 (2) 341-346, 2007.
7) Bere T, et al: Events leading to anterior cruciate ligament injury in World Cup Alpine Skiing: a systematic video analysis of 20 cases. Br J Sports Med, 45 (16) : 1294-1302, 2011.
8) Bere T, et al: Kinematics of anterior cruciate ligament ruptures in World Cup Alpine Skiing. 2 case reports of the slip-catch mechanism. Am J Sports Med, 41 (5) : 1067-73, 2013.
9) Ettlinger CF, et al: A method to help reduce the risk of serious knee sprains incurred in alpine skiing. Am J Sports Med, 23(5) : 531-537, 1995.
10) Hintermeister RA, et al: Muscle activity in slalom and giant slalom skiing. Med Sci Sports Exerc, 27 (3) : 315-322, 1995.
11) Kroll J, et al: Quadriceps muscle function during recreational alpine skiing. Med Sci Sports Exer, 42 (8) : 1545-1556, 2010.
12) Mani H, et al: Characteristics of postural muscle activation patterns induced by unexpected surface perturbations in elite ski jumpers. J Phys Ther Sci 26 (6) : 833-839, 2014.
13) Ngyuen T, et al: Driving reaction time before and after anterior cruciate ligament reconstruction. Knee Surg Sports Traumatol Arthrosc, 8 (4) : 226-230, 2000.
14) 寒川美奈他：スキー選手の体力特性．理学療法，22 (1) : 300-304, 2005.
15) Raschner C, et al: The relationship between ACL injuries and physical fitness in young competitive ski racers: A 10-year longitudinal study. Br J Sports Med, 46 (15) : 1065-1071, 2012.
16) Neumayr G, et al: Physical and physiological factors associated with success in professional alpine skiing. Int J Sport Med, 24(8): 571-575, 2003.
17) Bergstrøm KA, et al: Back injuries and pain in adolescents attending a ski high school. Knee Surg Sports Traumatol Arthrosc 12 (1) : 80–85, 2004.
18) Spörri J, et al: Potential mechanisms leading to overuse injuries of the back in alpine ski racing. Am J Sports Med 43 (8) : 2042-2048, 2015.
19) Ellenberger L, et al: Biomechanical quantification of deadbug bridging performance in competitive alpine skiers: Reliability, reference values, and associations with skiing performance and back overuse complaints. Phys Ther Sport 45(Sep) : 56-62, 2020.
20) Steenstrup SE, et al: Head injuries among FIS World Cup alpine and freestyle skiers and snowboarders: a 7-year cohort study. Br J Sports Med 48 (1) : 41-45, 2014.
21) Steenstrup SE, et al: Head injury mechanisms in FIS World Cup alpine and freestyle skiers and snowboarders. Br J Sports Med 42 (1) : 61-69, 2018.
22) McCrory P, et al: Consensus statement on concussion in sport-the 5th international conference on concussion in sport held in Berlin, October 2016. Br J Sports Med 51 (11) : 838–847, 2018.
23) https: //assets. fis-ski. com/image/upload/v1537433174/fis-prod/assets/FISMedicalGuide2013_ConcussionUpdate17CorrectCRT-links_Neutral. pdf (2023年1月6日閲覧)
24) Reid A, et al: Hop testing provides a reliable and valid outcome measure during rehabilitation after anterior cruciate ligament reconstruction. Phys Ther, 87 (3) : 337-349, 2007.
25) Moksnes H, et al: Performance-based functional evaluation of non-operative and operative treatment after anterior cruciate ligament injury. Scand J Med Sci Sports, 19 (3) : 345-355, 2009.
26) Hamilton T, et al: Triple-hop distance as a valid predictor of lower limb strength and power. J Athl Train, 43 (2) : 144-151, 2008.
27) White AT, et al: Physiological aspects and injury in elite alpine skiers. Sports Med, 15 (3) : 170-178, 1993.
28) Garrison JC, et al: The reliability of the Vail Sport Test as a measure of physical performance following anterior cruciate ligament reconstruction. Int J Sport Phys Ther, 7 (1) : 20-30, 2012.
29) Kokmeyer D, et al: Suggestions from the field for return-to-sport rehabilitation following anterior cruciate ligament reconstruction: Alpine skiing. J Orthop Sports Phys Ther, 42(4) : 313-325, 2013.
30) Andersen RE, et al: An on-site test battery to evaluate giant slalom skiing performance. J Sports Med Phys Fitness, 30 (3) : 276-282, 1990.
31) Wakabayashi H, et al: Exercise performance in acute and chronic exposure. J Phys Fitness Sports Med, 4 (2) : 177-185, 2015.
32) Tsurubami R, et al: Warm-up intensity and time course effects on jump performance. J Sports Sci Med 19 (4), 714–720, 2020.
33) Racinais S, et al: Temperature and neuromuscular function. Scand J Med Sci Sports 20 (Oct) : 1–18, 2010.
34) Chiba I, et al: Warm-up intensity and time-course effects on jump height under cold conditions. Int J Environ Res Public Health, 19 (9) : 5781, 2022.
35) Samukawa M, et al: The effects of dynamic stretching on plantar flexor muscle-tendon tissue properties. Man Ther 16 (6) : 618-22, 2011.

ラグビーフットボール（ラグビー）

本項では，ラグビーフットボール（ラグビー）における代表的な外傷である膝内側側副靱帯損傷，肩関節前方脱臼，頸部外傷について，改善を要する動作上の問題とそれに関係する機能的要因について解説する。また，理学療法の進行において重要となるラグビーの競技特性や，主要なプレーにおける外傷予防の視点に基づく動作上の注意点を記す。

ラグビーの競技特性

ラグビーフットボール（ラグビー）は，ランニングやパス，キックを駆使しながら相手陣地に攻め入り，トライやゴールキックで得られる点数を競う競技であり，その攻防の過程において頻繁に繰り返されるボールの争奪を目的とした激しい身体接触（コンタクト）が大きな特徴である。

競技の最も基本的な形式である15人制と，オリンピック種目にも採用されている7人制が一般的だが，ラグビーリーグともよばれるオーストラリアなどの一部地域で盛んに行われている13人制などもあり，地域や年代によってさまざまな人数で行われている。

本項では，国内外で広く行われ，大規模な国際大会も開催される15人制と7人制について概説する。

15人制

ラグビーは，国際競技連盟であるWorld Rugby（WR）が定める15人制に関する競技規則が基本ルールとして用いられる。7人制などもおおむねこの競技規則に準じて行われる。安全面などを考慮し，適宜ルール改正が行われる。

試合は，縦100m以内，横70m以内のフィールドで行われ，試合時間は80分以内で，前後半の間には最大15分のハーフタイムを設けるとされている。

ラグビーのポジションとその役割を**図1**に示す。フォワードとバックスに大別され，さらに求められる役割などによって細かく分類される。

7人制

7人制は，2016年のリオデジャネイロオリンピックから正式競技となり，国内大会においても

図1 ラグビー（15人制）のポジションとその役割

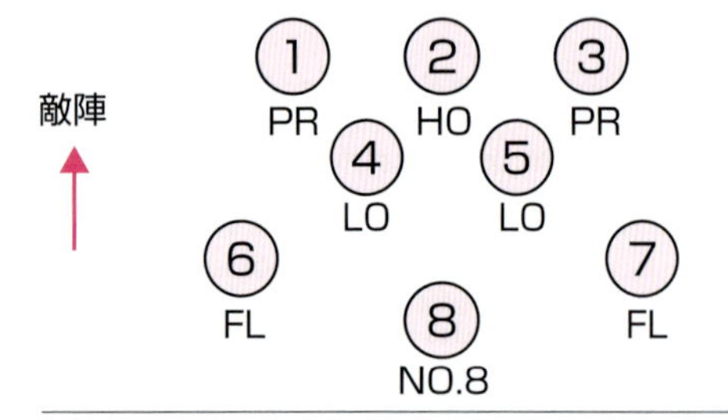

フォワードプレーヤー（FW）：8人
①，③プロップ（PR），②フッカー（HO）：最前列のプレーヤーとしてスクラムで中心的役割を担う
④，⑤ロック（LO）：長身の選手が多く，ラインアウトでジャンプする機会が多い
⑥，⑦フランカー（FL），⑧ナンバーエイト（NO.8）：第3列ともよばれコンタクトプレーとランニングプレーが多い

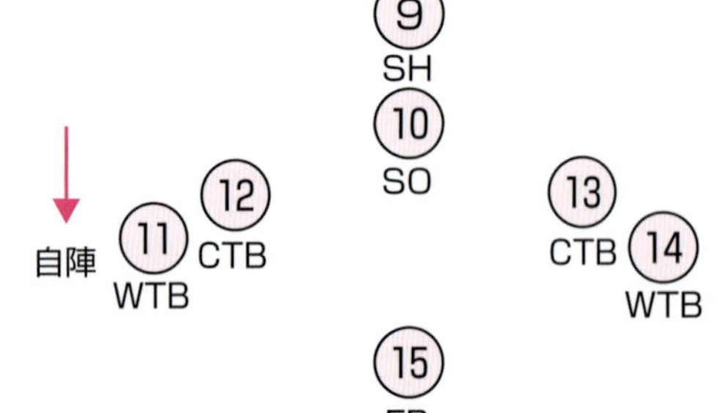

バックスプレーヤー（BK）：7人
⑨スクラムハーフ（SH）：フォワードプレーヤーが奪ったボールをバックスプレーヤーに供給するパスプレーが多い。
⑩スタンドオフ（SO），⑫，⑬センター（CTB）：コンタクトプレーも多い
⑪，⑭ウィング（WTB），⑮フルバック（FB）：相手をかわしてトライする機会が多く，ランニングスピードが求められる

国民体育大会(国民スポーツ大会)の成年の部・女子の部において実施されている。その他にも開催される大会は増加しており，女子を中心に競技人口は増加している。

15人制と同じ広さのフィールドを使用し，1チーム7人で行う。試合時間は14分以内(大会の決勝戦のみ20分以内)で，ハーフタイムは2分以内と定められており，同点の場合は前後半5分ずつの延長戦が実施されることもある。試合時間が短いことから，大会においては1日に数試合実施することが多く，1日に1試合しか行わない15人制とは大きく異なる。その他は15人制とほぼ同じルールで行われる。

同じラグビーであっても，15人制と比べキックを使用する機会が少なく，より長い距離のランニングが求められる。1人当たりのスペースが15人制と比べて広いことから，スピードの緩急やカッティングを駆使しながら相手をかわすプレーが選択されやすく，コンタクトを伴うプレーは少ないといった特徴がある。

競技特性の変化

競技特性に関する変化は理学療法を実施するうえでも重要な情報となるため，常に新しい情報を把握しておきたい。

ラグビーにおいては1990年代後半より，社会的背景(選手のプロ化容認)の変化，ルール改正や戦術・戦略の進化，テクノロジーの発達に伴う練習・トレーニングの充実など，競技をとりまく状況が大きく様変わりしてきた。国内においては，日本代表の成績向上に反映される競技レベルの向上，国内リーグの改編や所属選手の国際化など，さらなる変化が生じている。

変化に伴う最も大きな影響の1つに，1995年の選手のプロ化容認がもたらした選手の大型化が挙げられる。Tuckerら[1]は，ラグビーにおける世界最高峰の大会であるワールドカップ出場選手のデータ分析から出場選手の体重に関して，1991年大会では上位25%に当たるグループが，2019年大会では下位25%のグループとほぼ等しくなるほどに大型化が進んだことを示しつつ，その増加傾向は2003年以降では鈍化がみられることを報告している。Bevanら[2]のヨーロッパのクラブチームにおける20年間の調査においても平均体重の増加がみられるとしているが，合わせて体脂肪率の減少やスピードの向上といった要因の変化についても指摘している。

表1は，直近3大会のワールドカップ出場選手の平均身長と平均体重を示すとともに，国内トップリーグのチームに所属する選手の4年ごとのデータを示したものである。ラグビーワールドカップ出場選手においては，身長・体重ともにそれほど大きな増加がなかった。一方で，国内トップリーグ選手では体重に関してフォワードが2018-19年シー

表1 ラグビーにおける選手の体格(身長，体重)の変化

上段はラグビーワールドカップ過去3大会におけるフォワードとバックスの平均身長・平均体重を示す。下段は国内トップリーグチームにおけるフォワードとバックスの平均身長・平均体重をラグビーワールドカップと同じ4年間隔で示す

ラグビーワールドカップ出場選手

		2011年大会	2015年大会	2019年大会
フォワード	人数(名)	334	360	362
	身長(cm)	189.2	188.5	188.3
	体重(kg)	111.5	112.6	111.8
バックス	人数(名)	281	279	284
	身長(cm)	182.7	182.6	182.6
	体重(kg)	92.8	93.0	91.2

国内トップリーグチーム所属選手

		2014-15年シーズン	2018-19年シーズン	2022-23年シーズン
フォワード	人数(名)	24	26	23
	身長(cm)	182.6	185.3	184.7
	体重(kg)	103.9	111.1	110.2
バックス	人数(名)	23	24	25
	身長(cm)	177.7	178.6	179.3
	体重(kg)	86.0	89.3	90.6

(文献3～5をもとに作成)

ズンと2022-23年シーズンでは約1kg減少しているものの，2014-15年シーズンから2018-19年シーズンにかけては7.2kg（約7%）の増加を示している。バックスにおいては，2018-19年シーズンにかけて3.3kgの増加に加えて，2022-23年シーズンではさらに1.3kgの増加をみせており，2014-15年シーズンと比較した増加率は，それぞれ3.8%，5.3%となっている。

高い強度での速いプレーを継続的により多く繰り返すことが求められる近年の戦術において，強さと速さを両立しうる範囲で体重を増加させているものと考えられる。

戦術や試合内容の変化は，反則などでプレーが中断している時間を除いた実際のプレー時間（ball in play）の増加をもたらしている。ラグビーワールドカップにおけるball in playの調査において，1995年大会が平均35%であったのに対して，2019年大会では44%に増加したとされている[1]。

近年では，GPSなどを用いた競技に関する詳細な分析が行われており，Bridgemanら[6]は1試合当たりの走行距離について，国際レベルのシニア選手でフォワードが5,759±731m，バックスが6,792±446m，大学生の選手でもそれぞれ4,683±1,377m，5,889±719mであったと述べている。加えて，バックスはより多くのhigh speed running（5m/s以上のランニングスピード）を行い，フォワードはコリジョンによる衝撃の繰り返しや，スクラムなどの静的な運動にも関与していることが明らかになっている。

ラグビーにおける主要なプレー

図2にラグビーでみられる主要なプレーを示す。競技復帰（スポーツ活動再開）を目標とした理学療法においては，再発および他外傷発生予防を念頭に置いてこれらのプレーの習得を目指す。それぞれについて，目的や特徴などを理解しておく。

図2 ラグビーにおける主要なプレー

	タックル	ラック	モール	スクラム
プレー				
概要	ボールキャリアの進行を妨げるために，守備側のプレーヤーが相手の身体の一部を上肢でつかんで地面に倒す	タックル成立後，地上にあるボールを獲得しようとして転倒したボールキャリアを中心に攻守双方のプレーヤーが相互に押し合う	攻撃側のプレーヤーが倒れることなくボールを保持しつつ，攻守双方のプレーヤーが1つの塊となり互いに押し合う	3列になった8人ずつのプレーヤーが組み合い，スクラムハーフが投入したボールを押し合いながら争奪する
発生の多い外傷	肩関節前方脱臼，頚部外傷（頚椎捻挫，burner症候群）	膝内側側副靱帯損傷，膝前十字靱帯損傷，ハムストリング肉ばなれ	膝内側側副靱帯損傷，膝前十字靱帯損傷	頚部外傷（頚椎捻挫，burner症候群），ハムストリング肉ばなれ

	ラインアウト	ランニング	ヒット	ステップ/カッティング
プレー				
概要	2列に並んだ攻守のプレーヤーの間にスローワーが投げ入れたボールを，数人の選手によってリフトされたジャンパーが捕球を試みる	攻撃においてはボールを相手陣地へと運ぶため，守備においてはタックルに際してボールキャリアとの間合いを詰めるために行う	ボールキャリアがタックラーに対し加速をしてコンタクトしながら前進を試みる	ボールキャリアがタックラーをかわすために急激な方向転換を行う
発生の多い外傷	足関節捻挫	ハムストリング肉ばなれ	膝内側側副靱帯損傷，膝前十字靱帯損傷，肩鎖関節損傷，足関節捻挫	膝内側側副靱帯損傷，膝前十字靱帯損傷，足関節捻挫

タックル

タックルは，ラグビーを象徴するプレーの1つである。ボールを持っているプレーヤー（ボールキャリア）の進行を妨げるために，守備側のプレーヤー（タックラー）は身体の一部を上肢でつかんで相手を地面に倒す。地面に倒れたプレーヤーはボールを離さなければならないため，ボール争奪の起点となる。試合において頻繁に行われ，1試合当たり15人制で平均156.1回，7人制で平均14.1回のタックルが行われるとの報告もある[7]。

ラック，モール

ラックとは，タックル成立後，地上にあるボールを獲得しようとして転倒したボールキャリアを中心に攻守双方のプレーヤーが相互に押し合うプレーを指す。ボール奪取を目的に激しいコンタクトが繰り返される。15人制では，1試合当たり平均116.2回のラックが形成されるともいわれる[7]。守備側のプレーヤーがラックにおいてボールを奪取する行為は「ジャッカル」とよばれる。高度な技術を要し，頭部や頸部，肩などの重傷外傷の危険も伴う。

攻撃側の選手が倒れることなくボールを保持しつつ，攻守双方のプレーヤーが1つの塊となり互いに押し合うプレーをモールという。ラインアウト後に形成されることが多い。

スクラム

プレーが中断された後に試合を再開するためのプレーであり，3列になった8人ずつのプレーヤーが組み合うことにより形成される。スクラムハーフが投入したボールを押し合いながら争奪する。

現行のルールでは，レフリーの「クラウチ」，「バインド」のコールで腰を落とした姿勢をつくり，コンタクトの準備をする。その後，「セット」のコールで両チームの最前列のプレーヤーが頭を交互に組み合う。組み合った後は互いに押し合い，力が均衡していれば体勢が保持されるが，一方の押しが強いと，押し込まれた側は無理な姿勢を強制されてしまう。

ラインアウト

ボールがサイドラインの外側に出た後に試合を再開するためのプレーである。2列に並んだ攻守のプレーヤーの間にスローワーが投げ入れたボールを，数人の選手によってリフトされたジャンパーが捕球を試みる。攻撃側は，捕球する選手と位置をあらかじめデザインしたサインプレーを用いてボールを保持しようとし，守備側はそれを阻もうとしてジャンパー同士でボールの競り合いが生じる。空中でのコンタクトは禁止されている。

ボールキャリー（ランニング，ヒット，カッティング）

攻撃においてはパスやキックを用いつつも，ランニングを主体としてボールを相手陣地へと運ぶ。ボールキャリアは，守備側のプレーヤーに対し，コンタクト（ヒット）する，ランニングのスピードアップやステップ（カッティング）により接触を避けつつ振り切るなどして，ボールを奪われないようにする。

ヒットは，タックラーに対して加速してコンタクトしながら前進を試みる。タックルに耐えつつボールを保持しながら倒れ，味方にボールをつなぐ。

カッティングは，ボールキャリアがタックラーをかわすための急激な方向転換を行うために用いる。減速，ストップ，方向転換，加速の位相からなり，ストップ，方向転換の位相からなるカッティングにおいてタックラーをかわすためには，ランニング中の急激な減速・ストップ，より大きな方向転換が有効となる。また，方向転換前にさまざまなフェイントを取り入れることもある。

ラグビーで発生しやすい外傷

ラグビーにおける外傷発生について，多数の報告がされている。それらは，WRの前身であるInternational Rugby Board が設置した Rugby Injury Consensus Groupが定めた外傷の定義と外傷調査方法に基づいている[8]。

表2は，男女それぞれの15人制・7人制における外傷発生率や外傷発生部位，外傷の種類，外傷発生機転に関して，代表的な国際大会であるラグビーワールドカップとセブンスワールドシリーズにおける外傷発生報告を基に作成したものである。

外傷発生率は，男女とも15人制に比べて7人制が高く，それぞれで男子が女子に比べて高かった。外傷発生部位は，15人制・7人制にかかわらず，

表2 男女15人制・7人制の国際大会における外傷発生傾向

		外傷発生率 1,000時間当たりの外傷発生件数	外傷発生部位[%]	主な外傷[%]	主な外傷発生機転[%]
15人制	男子	79.4	頭部/顔面(22.4) 大腿後面(12.6) 膝関節(11.9) 肩関節，足関節(7.7)	捻挫/靱帯損傷(21.7) 肉ばなれ(20.3) 脳振盪(15.4)	タックルをして(28.7) タックルをされて(19.1) ランニング(16.9) コリジョン(16.9)
	女子	53.3	頭部/顔面(32.8) 肩関節/鎖骨(14.1) 膝関節(12.5) 足関節(10.9)	脳振盪(26.6) 捻挫/靱帯損傷(25.0) 筋損傷など(10.9)	タックルをされて(27.7) コリジョン(19.9) タックルをして(16.3) ラック(16.3)
7人制	男子	122.4	頭部/顔面(15.7) 膝関節(15.6) 足関節(15.4) 肩関節(11.9)	捻挫/靱帯損傷(30.5) 肉ばなれ(16.4) 脳振盪(12.6)	タックルをされて(33.1) タックルをして(23.4) ランニング(16.1) コリジョン(12.4)
	女子	105.6	頭部/顔面(20.9) 膝関節(19.7) 足関節(11.3) 肩関節/鎖骨(8.4)	捻挫/靱帯損傷(31.7) 脳振盪(15.6) 打撲(11.5) 骨折(11.5)	タックルをされて(35.4) タックルをして(26.3) コリジョン(13.8) ラック(8.8)

（文献5，9～11をもとに作成）

男女とも頭部/顔面が最も多い点は共通していたが，男女ともに膝関節，足関節，肩関節の順に多かった7人制に対して15人制では，男子が大腿後面，女子が肩関節と異なる部位の外傷が多かった。

外傷の種類としては，脳振盪，捻挫/靱帯損傷，肉ばなれ・筋損傷と発生の多い外傷の傾向は変わらないが，15人制・7人制ともに女子では男子に比べて脳振盪の比率が高かった。

外傷発生機転はタックルに関係したものが多くを占めた。そのなかで，男子15人制のみ「タックルをして」の外傷が多く，その他では「タックルをされて」の外傷が多い結果となっている。

その他，男子15人制の外傷発生に関しては，Williamsら[12]は，2012～2020年の9年間に報告された外傷発生に関する文献から，ラグビーにおける外傷発生率が，試合では1,000時間当たり91件，練習・トレーニングでは1,000時間当たり2.8件であったこと，外傷発生部位は，頭部（16.7%），膝（12.9%），肩（11.7%）の順に多かったことを述べている。

ラグビートップリーグチームの外傷発生に関する筆者らのデータを**表3**，**4**に示す。1年間で発生した外傷を，試合・練習（ストレングストレーニングは除く）の合計とそれぞれについて外傷発生部位と外傷が発生したプレーでまとめたものである。

全体では，「タックルをされて」の肩，膝関節，「タックルをして」の肩の外傷が多い。試合では「タックルをされて」，「タックルをして」に関係する外傷が全体の約半数を占めている。一方，練習では試合で発生しなかった「ランニング」での外傷が最も多い。

外傷発生機転に関してタックルに関係する外傷が多いことは，海外と同様の傾向を示している。

表5は，2003年4月～2013年3月の過去10年間に発生した外傷について，2週間以上の練習休止を要したものを部位別にまとめたものである。膝関節の外傷が最も多く（82件），大腿部，足関節の順に多かった。外傷別の内訳では，膝内側側副靱帯損傷（medial collateral ligament：MCL）損傷が最も多かった。

試合における外傷発生率の他競技との比較において，サッカーでは男子が1,000時間当たり22.1～83.4件，女子が1,000時間当たり13.9～91.8件であった。最も外傷発生率が低かったバレーボールが，男女それぞれ1,000時間当たり3.8～11.7件，4.4～12.2件であったことからも，ラグビーにおける外傷発生率が非常に高いことがわかる[13]。

外傷発生に関係するプレーの特徴と動作上の注意点

プレーは，特定の目的を達成するために必要な動作が組み合わさって構成されたものととらえられる。主要なプレーについて，構成する動作とそれぞれで考慮すべき特徴を理解しておく。

表3 外傷が発生したプレーと外傷発生部位：外傷総数

2012-13年シーズンにおける国内トップリーグチーム（所属選手：44人）における試合および練習で発生した外傷（24時間以上練習を休止したもの）について，外傷が発生したプレーと外傷発生部位の関係を示す

外傷が発生したプレー	外傷発生部位（外傷総数）													計
	顔面・頭部	頸部	肩	肘関節	手関節	腰背部	股関節	大腿部	膝関節	下腿部	足関節	足部	その他	
タックルをして	3	1	5	0	0	3	2	2	2	1	1	0	5	25
タックルをされて	3	2	7	0	0	1	0	4	6	1	4	0	2	30
スクラム	1	4	0	3	0	1	1	4	4	0	3	0	3	24
密集（モール，ラック）	0	0	1	0	0	4	0	0	0	1	1	1	2	10
ランニング	0	0	0	0	0	1	1	2	0	3	1	0	0	8
ステップ	0	0	0	0	0	0	0	1	1	0	1	0	0	3
その他	1	5	2	0	0	2	1	5	5	6	6	2	9	44
計	8	12	15	3	0	12	5	18	18	12	17	3	21	144

表4 外傷が発生したプレーと外傷発生部位：試合・練習における外傷数

2012-13年シーズンにおける国内トップリーグチーム（所属選手：44人）における試合および練習で発生した外傷（24時間以上練習を休止したもの）について，外傷が発生したプレーと外傷発生部位の関係を示す。各セル左側の赤の数字が試合での外傷数，右側の黒い数字が練習での外傷数を示している

外傷が発生したプレー	外傷発生部位（左：試合で発生した外傷，右：練習で発生した外傷）																											計	
	顔面・頭部		頸部		肩		肘関節		手関節		腰背部		股関節		大腿部		膝関節		下腿部		足関節		足部		その他			
タックルをして	3	0	1	0	5	0	0	0	0	0	2	1	0	2	2	0	2	0	1	0	1	0	0	0	5	0	22	3
タックルをされて	2	1	2	0	7	0	0	0	0	0	1	0	0	0	3	1	5	1	1	0	3	1	0	0	2	0	26	4
スクラム	1	0	2	2	0	0	3	0	0	0	1	0	0	1	4	0	4	0	0	0	2	1	0	0	2	1	19	5
密集（モール，ラック）	0	0	0	0	1	0	0	0	0	0	2	2	0	0	0	0	0	0	0	1	0	1	0	1	2	0	5	5
ランニング	0	0	0	0	0	0	0	0	0	0	0	1	0	1	0	2	0	0	0	3	0	1	0	0	0	0	0	8
ステップ	0	0	0	0	0	0	0	0	0	0	0	0	0	0	1	0	1	0	0	0	0	1	0	0	0	0	2	1
その他	0	1	3	2	2	0	0	0	0	0	0	2	1	0	2	3	2	3	2	4	2	4	1	1	8	1	23	21
計	6	2	8	4	15	0	3	0	0	0	6	6	1	4	12	6	14	4	4	8	8	9	1	2	19	2	97	47

表5 過去10年間の急性外傷の発生件数

2003年4月～2013年3月の10年間に発生した外傷（2週間以上の練習休止を要したもの）について部位別にまとめた。なお，「その他」に分類される部位は除外した（総数325 件）

部　位	件　数	代表的な外傷名（件数）
頸部	16	頸部捻挫（11），頸椎椎間板ヘルニア（2）
肩	37	肩関節脱臼・亜脱臼（16），肩鎖関節脱臼（14），肩腱板損傷（4），胸鎖関節損傷（2）
腰背部	26	急性腰痛症（12），腰部挫傷（5），腰椎捻挫（3），腰椎横突起骨折（2），仙腸関節捻挫（2），腰椎椎間板ヘルニア（2）
股関節	15	股関節内転筋肉ばなれ（7），腸腰筋肉ばなれ（5），股関節痛（2）
大腿部	52	ハムストリング肉ばなれ（40），チャーリーホース（7），ハムストリング腱損傷・部分断裂（3）
膝関節	82	内側側副靱帯損傷（51），外側半月板損傷（8），前十字靱帯損傷（5），内側半月板損傷（4），挫傷（4），後十字靱帯損傷（3），過伸展損傷（2）
下腿部	33	下腿三頭筋肉ばなれ（22），下腿骨骨折（4），アキレス腱損傷（4），下腿三頭筋挫傷（2）
足関節	49	足関節捻挫（44），前脛腓靱帯損傷（3），足関節脱臼骨折（2）
足部	15	足部捻挫（8）

動作は，外傷発生機転との関係から限定した位相において，問題となる関節運動を整理しておくとわかりやすい。外傷発生に関係する動作の問題の改善は，パフォーマンスの向上にもつながることが多い。そのため，外傷発生機転から考える好ましい動作モデルを構築し，その原則について対象者に提示しておくとよい。

タックル

ラグビーにおける肩関節前方脱臼は，約60%がタックル時に発生するとの報告もあり[14]，肩関節外傷の発生に強く関係する。また，タックルにおける外傷は，ボールキャリアとの衝突時に生じることが多いと報告されており[15]，コンタクト時の姿勢が重要となる。

タックルは，**図3**のようにコンタクト（ヒット）を境に，プレヒット相とポストヒット相に区分される[16]。プレヒット相では，小さい歩幅（ショートステップ）でボールキャリアとの距離を詰めていく。ボールキャリアの動きに合わせて間合いを調整し，より的確なコンタクトが行える位置に移動する。

外傷予防のためにタックラーの好ましい姿勢を**図4**に示す。矢状面では，脊柱は過剰な前・後弯を呈することなく，股関節と膝関節を屈曲させ，下腿を前傾させる。それに伴い頭部と肩は腰部より高い位置となる。前額面では，両肩と骨盤を平行にして，両肩と骨盤で形成される四角形（スクエア）をボールキャリアに向ける。肩甲骨は内転・下制位として，肘関節を肩甲骨面より前方に保持する。コンタクトの瞬間にタックル側の下肢をボールキャリアの近くに強く踏み込み（パワーフット），**図4**のように肩前方部，胸部，上腕の広い部位でコンタクトする。コンタクトと同時に両上肢を前方に伸ばし，相手を挟み込んでとらえる。そうすることで，下肢からのエネルギーをしっかりとボールキャリアへと伝え，相手の前方推進力を

図3 タックルの位相

タックルは相手とのコンタクト（ヒット）が起こる瞬間を境に，プレヒット相とポストヒット相に分けられる。
タックラーとボールキャリアでは，求められる動作が異なる
❶，❷プレヒット相
❸コンタクト
❹，❺ポストヒット相

図4 外傷予防のために好ましいタックラーの姿勢

❶矢状面では，脊柱は過剰な前・後弯を呈さない状態とし，下肢の各関節を屈曲させて重心を低くし，肩関節を腰部より高くする
❷前額面では，スクエアをボールキャリアに向ける。肩甲骨は内転・下制位，肘関節は肩甲骨面より前方に保持する

減弱させる。これらは，ボールキャリアに対する有効なタックルとするうえでもポイントとなる。

ラック，モール

ラックにおけるボール争奪のためのプレーでは，攻撃側の選手はボール保持のために，守備側の選手はボール奪取のために互いにボールを乗り越えようと激しいコンタクトを繰り返す。より強い筋力を発揮できるように下肢の各関節を屈曲させ，体幹筋群の収縮により体幹の剛性を高めることを意識する。

モールでは，立ったままで相手を押し込むことでボールを前進させる。股関節・膝関節伸展，足関節底屈運動により前進を図る。タックルと同様に，下肢の各関節の屈曲角度を大きくし，脊柱は過剰な前・後弯を呈さないように体幹を前傾位とする。

視野外からのコンタクトにも備えて，股関節・膝関節屈曲位の保持を常に意識しておく。

スクラム

フォワード最前列のプレーヤーには，相手による前方からの力と，味方選手による後方からの力が加わる。スクラム自体が崩れることで発生する外傷も多いが，スクラム姿勢の問題も原因となる。

スクラム時の好ましい姿勢について，外傷が発生しやすいフォワード最前列のプレーヤーを例に解説する。基本となる姿勢は，**図5**のように矢状面ではフラットバックを意識し，下肢関節を屈曲して肩関節を腰部より高くする。前額面ではスクエアを保ち，上肢は前腕をやや回内して，味方選手のジャージの一部分をつかむ（バインド）。両下肢は，外側の選手では股関節をやや外転し左右に開き，中央の選手のみ投入されたボールをフッキングする際には前後に開く。

プレヒット相では姿勢を保ち，ヒットの瞬間に股関節・膝関節を伸展させ体幹を前方移動させる。ポストヒット相においても姿勢を保持しつつ，歩幅を狭くして前方への移動を試みる。

ボールキャリー

ボールキャリアは，状況に応じてヒット（コンタクト）やカッティングを選択しながらボールを確保しつつ，ゴールラインへと迫る。

ランニング

ラグビーでは，片手または両手でボールを把持したまま，タックルを避けながら速く走ることが求められる。そのため，通常の陸上競技（短距離走）における走動作とは動作目的が異なっており，求められる動作様式も異なる。

ランニングで生じる外傷の代表例として，ハムストリングの肉ばなれがある。ボールキャリアが守備側のプレーヤーからのタックルを逃れようと膝関節を伸展した際にハムストリングの強い遠心性収縮が生じ，発生に至る。このような例では，動作の問題としてswing phaseにおける膝関節伸展運動の増大が挙げられる。従って，ラグビーにおいては，**図6**のように膝関節を屈曲し，股関節屈曲運動を大きくしたforward-swingが望ましい。このような走動作は，肉ばなれの外傷予防だけでなく，タックラーに下肢を把持されないための対処としても重要である。

ボールを保持しながらのランニングでは，片側上肢の運動が制限され，体幹・骨盤運動の回旋運動が減少傾向にある。骨盤回旋運動の制限が股関節運動に影響し，要求される運動範囲が広くなることもある。体幹を前傾させてボール保持側の腕振りの運動範囲をなるべく大きくし，非保持側の

図5 スクラムにおける好ましい姿勢

フラットバックを意識し，下肢関節を屈曲して肩関節を腰部より高くする。「セット」「バインド」のコールで姿勢を作り（❶❷），「ヒット」のコールで姿勢を維持しながら，コンタクト（ヒット）する（❸）

図6 ランニングにおける注意点

❶股関節屈曲が小さいforward-swing：foot descentで膝関節伸展が増大するため，ハムストリングは遠心性収縮を要し，肉ばなれの発生に関係する
❷股関節屈曲が大きいforward-swing：肉ばなれなどの外傷発生を予防するためにも，膝関節を屈曲し，股関節屈曲を大きくしたforward swingを意識する

腕を大きく振るようにする。

ヒット

ボールキャリアが「タックルをされて」生じる外傷が多いことが報告されている。タックラーとのコンタクト時に加わる膝関節周囲の直達外力により動的アライメントの問題を呈し，膝前十字靱帯（anterior cruciate ligament：ACL）損傷や膝MCL損傷などの靱帯損傷や半月板損傷が発生する。従って，コンタクトした際に加わる外力に抗して問題となる動的アライメントに陥らないようにしなければならない。

タックルを受けることが予測される時点で，プレヒット相から下肢の各関節を深く屈曲させる。それにより下肢筋力を発揮させやすくし，また足関節の側方安定性を高める。ヒットの瞬間は，体幹筋群を収縮させて剛性を高めることを意識する。

コンタクト後のポストヒット相における転倒時の外傷発生も多い。地面に手をついた際に生じる肘関節・手関節の外傷や，肩から接地することによる肩腱板損傷・肩鎖関節損傷の発生にもつながる。ポストヒット相では，前方へは前腕など上肢の広い面で受け身をとり，側方へは下肢外側面から体幹外側面での接地を意識する。

カッティング

膝MCL損傷や膝ACL損傷などの膝関節外傷は，ストップ・方向転換相において，足底面の内側荷重を強めた蹴り出しに伴うknee-inの増大が原因として挙げられる。一方で，同じストップ・方向転換相におけるknee-outが足底面の外側荷重を強め，足関節捻挫の発生につながることもある。

このような外傷を予防するためにも，ストップ動作においては，股関節・膝関節屈曲，下腿前傾（足関節背屈）を大きくする。方向転換動作の例を**図7**に示す。歩幅を小さくして一側足部の足底接地の時間を短くするとともに，股関節運動を意識した動作とする。

ラグビーにおける特徴的な外傷と外傷発生機転からみた理学療法

受傷後・術後の理学療法の進行についてのおおまかな流れを**図8**に示す。スポーツ活動の再開に当たっては，外傷発生機転からみた再発防止に必要な動作の習得が求められ，①低下した患部周囲の機能回復，と合わせて，②動作習得に必要となる機能の向上・改善を早期より可能な方法で進めていく。スポーツ動作習得期においては，前述の好ましい動作の習得を目的に各種動作のエクササイズなどを実践する。

次に，ラグビーで多く発生する，膝MCL損傷，肩関節前方脱臼，頸部外傷の3つの外傷について，その病態と外傷発生機転と合わせて実践すべき内容を提示する。

● 膝MCL損傷

病態

膝MCLの損傷に伴い，疼痛や関節不安定性，不安定感などを呈する。特に膝MCLが制動を担う外反と前内側回旋方向の関節不安定性が問題となる。

治療には手術療法と保存療法があり，重症度や合併損傷の有無により選択は異なる。膝MCL単独

図7 ボールキャリアのカッティングにおける注意点

❶一歩を小さくして，両下肢の速やかな踏み替えにより荷重の分担を図る
❷歩幅の大きいステップでは，膝関節伸展位でknee-inを呈しやすい

図8 理学療法における進行期区分

急性対応期	機能改善期	スポーツ動作習得期	スポーツ活動再開
・他動/自動による関節運動を主体とした軽運動が中心 ・損傷部位に悪影響が及ばないよう，運動範囲や速度などを厳重に管理	・関節可動域や筋力・筋機能，協調性，全身持久力などの維持・改善を目的に実施する各種エクササイズ ・内容や負荷は低いものから高いものへと段階的に進行 例：単関節運動→複合関節運動 低強度→高強度	・スポーツ動作の再習得を目的に関節運動様式や荷重位置などを模し，単純化した内容のエクササイズ ・呈する動作の問題について修正しながら実施	・受傷・症状発生機転となりうる動作に各種条件を加えたシミュレーション ・コーチングスタッフの協力のもとで実施
練習休止期間		練習部分参加	練習全参加
・膝関節屈曲/伸展自動運動 ・大腿四頭筋等尺性収縮　など	・膝関節屈曲/伸展抵抗運動 ・股関節外転，外旋エクササイズ ・エルゴメーター ・スクワット　など	・ステップエクササイズ ・ジャンプエクササイズ　など	・方向転換動作 ・あたり動作　など

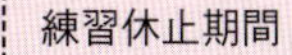

（文献17より許諾を得て転載）

損傷においては保存療法が選択されることが多い。

発生機転と動作の問題

代表的な発生機転として，タックルやラック，モールにおけるdirect contact injuryや，カッティングなどの方向転換動作におけるnoncontact injuryがある。外傷発生の多いプレーにおいて，それぞれ関係する動作の問題を挙げる。

- **タックル**

図9のような下肢外側へのタックルに対し，knee-inを強制する外力に抗しきれず，膝関節外反・下腿外旋が強制されることで外傷発生に至る。股関節・膝関節屈曲角度が小さい状態では，コンタクト時にこのような動作の問題を呈しやすい。

また，コンタクト側への体幹側屈・回旋が下肢の問題にもつながる。図10❶のように一側下肢が固定された状態で複数の選手からタックルを受けることで体幹側屈・回旋が強制され，膝関節外反・下腿外旋につながる場合もある。

予防のためには，コンタクト(ヒット)する前から下肢の各関節を屈曲させてコンタクトに備えておく。また，側方からのコンタクトによるknee-inを強制する外力に抗して可能な限り動的アライメントをneutralに保持しながら，ヒットした後も前進を続けることが重要となる。股関節内転に伴う膝外反の増大を避けることを意識しておく。

- **ラック，モール**

ラック，モールにおいては，図10❷のように足部が固定された状態で他者から膝外側に乗られ

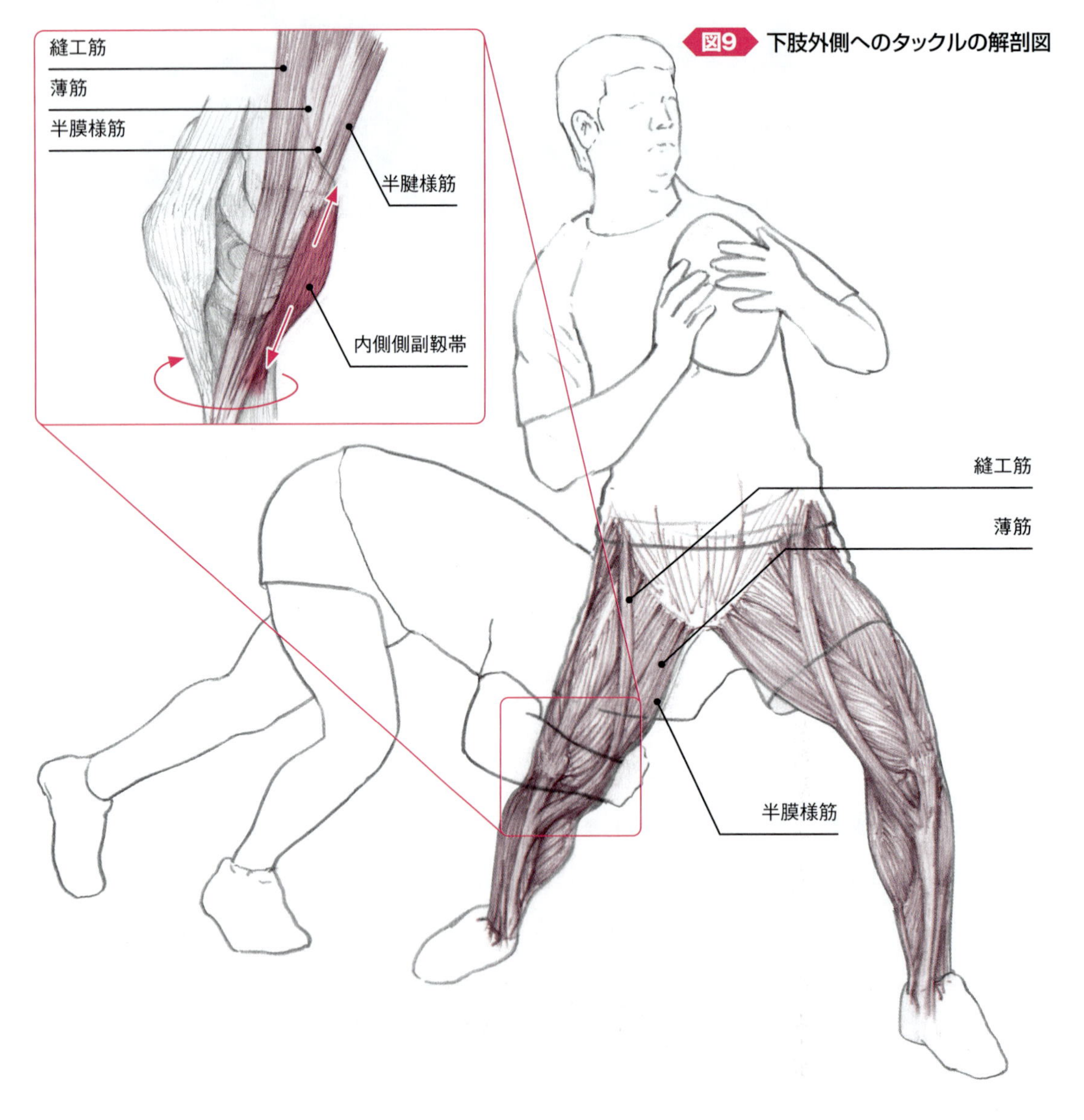

図9 下肢外側へのタックルの解剖図

図10 膝MCL損傷の発生機転

❶複数の選手からタックルを受けて一側下肢が固定された状態で，体幹回旋を強制されて受傷する
❷足部が固定された状態で他者から膝外側に乗られることで受傷する

ることで発生する例がある。ラックやモールでは，相手チームだけではなく，自チームの選手とのコンタクトにより外傷が発生することもある。下肢関節の屈曲角度が小さく，重心が高い姿勢でいるために，視野外からの不意なコンタクトによりknee-inが強制されて膝MCL損傷が発生することもある。股関節・膝関節・足関節を屈曲させ，重心を低く保っておくことが必須となる。

• **カッティング**

タックラーをかわそうと，減速，ストップ，方向転換の各動作をなるべく速く行おうとするあまり，膝関節屈曲角度を小さくして足部を体幹から離れた位置に接地させることが多い。その際，進行方向を変えようと骨盤の回旋と股関節内旋が生じ，内側への荷重を強めた蹴り出しとなる。このような動作では，knee-inが増大した動的アライメントを呈しやすい。従って，noncontact injuryの主な原因となるカッティングにおいては，ストップ相において体幹から近い位置に足部を接地させ，膝関節が外反位を呈さないよう注意する。さらに方向転換相では素早く反対側の足部を接地し，その蹴り出しにより加速する。ストップ時に反対側の股関節が屈曲位となるようにしておく。

理学療法①：低下した患部周囲の機能回復

• **関節動揺性・不安定性**

関節不安定性の残存は，プレー中の不安定感（不安感）の訴えにつながるだけでなく，再損傷や膝ACL損傷，半月板損傷，関節軟骨損傷など他外傷の誘因にもなる。

膝関節外反不安定性や膝関節前内側回旋不安定性については，受傷時から経時的に外反ストレステストなどの徒手検査によりend feelの有無と開大感を確認しておく。各種エクササイズは，医師からの情報に基づいて関節不安定性への影響を考慮して導入していく。また，エクササイズやスポーツ活動の再開に際しての補装具（装具，テーピングなど）の必要性を判断する根拠となる。

• **関節可動域**

損傷部位の癒着とその治癒過程において，膝関節伸展・屈曲可動域制限が生じることが多い。可動域拡大エクササイズに関しては運動範囲や運動量に留意する。

• **筋萎縮**

固定期間・安静期間によっては，大腿部の筋萎縮が問題となる。筋萎縮は筋力低下の大きな要因となるため，早期より改善しておく必要がある。

受傷後早期から定期的に大腿部周囲径を測定しておくことで，その推移を把握するとともに，プログラム内容の指標とする。大腿部周囲径測定に関して，膝蓋骨上縁上5cmの測定には内側広筋の萎縮が，同15cmまたは20cmの測定には内転筋群の萎縮が反映されると考えられる[18]。いずれの筋も，左右差がなくなるよう改善する。

• **筋力・筋機能**

膝関節伸展・屈曲筋力は，荷重位で膝関節屈曲位を保持するために必要となる。徒手筋力検査（manual muscle test：MMT）での測定を主に，等速性筋力測定器を用いた定量化を行っておくとよい。

エクササイズは関節不安定性への影響を考え，運動範囲や抵抗強度などに注意しながら実施する。また，開放性運動連鎖（open kinetic chain：OKC）での筋力が改善されていても，閉鎖性運動連鎖（closed kinetic chain：CKC）に反映されない例もある。スクワットやランジなどのシンプルな動作により，大腿四頭筋，内・外側ハムストリング，内転筋群の筋収縮を確認しておく。

理学療法②：動作習得に必要となる機能の向上・改善

- **knee-in制動力**

側方からのknee-inを強制する外力に抗してneutralの肢位を保持するための総合的な下肢筋力は，**図11，12**のような方法で評価しておくとよい。このような膝関節周囲に加わる側方からの外力に対して発揮される筋力をknee-in制動力とし，下肢屈曲位の保持に必要な膝関節屈曲・伸展筋力だけでなく，股関節外転筋力が関係していることが報告されている[19]。

また，一側下肢を前方に踏み出した肢位においては，骨盤を正中位に保持することも求められることから，大殿筋下部線維や体幹筋群などの収縮が十分かどうかについても確認しておく。

- **股関節開排（外旋）筋力**

コンタクト動作のみならずカッティングにおいても，knee-inを防ぐうえで股関節筋力が果たす役割は大きいとされている。股関節外転筋力について，MMTでは筋力を発揮しやすい角度での検査になりやすい。他動的に最大外転した肢位を保持できるかどうかを確認するなど，複合的な評価を行っておく。また，**図13**のような側臥位での開排（外旋）筋力が動作の特徴を反映しやすいことから，合わせて確認しておくとよい。

膝関節以外の筋力に関しては患部への影響を考慮しながらも，早期から重点的にエクササイズを実施しておくことが望ましい。

肩関節前方脱臼

病態

肩関節水平伸展や外転位での外旋運動などの強制により，関節窩から上腕骨が前方に逸脱するものである。関節窩前下縁の関節唇（Bankart病変）や関節唇に付着する関節上腕靱帯などの損傷，骨頭と関節窩の衝突による骨欠損（Hill-Sachs病変）が生じる。腱板損傷の合併例もある。

治療法としては，保存療法と手術療法が選択される。保存療法では，2〜3週間の固定が行われる。手術療法は，反復性脱臼に移行したものに対して用いられることが多い。関節鏡視下でのBankart修復術やBristow変法などの術式が行われる。Bristow変法では，合同筋腱が付着する烏口突起を移行することで，より強固な制動を図る。コンタクトを繰り返すラグビーで選択されることが多い術式である。

発生機転と動作の問題

肩関節前方脱臼の主要な発生機転として，タックルにおける肩関節水平伸展や外転位での外旋強制，スクラムにおいてバインドが崩れた際の水平

図11 構え姿勢におけるknee-in制動力の評価

❶両足を肩幅に開き，股関節・膝関節屈曲位，下腿前傾位の構え姿勢におけるknee-in制動力について評価する
❷検者が片側の大腿部遠位に加えるknee-inを強制する外力に対し，母趾球荷重を維持しつつ下肢アライメントをneutralに保持できるかどうか，定性的に評価する。もしくは，ハンドヘルドダイナモメーター（hand-held dynamometer：HHD）などを用いてknee-inを呈した際の外力を定量的に評価する。下肢アライメントの保持に当たり，外力が加わる側および反対側の股関節外転・外旋筋力などが大きく関与する
❸外力に抗しきれないときには，股関節内転・内旋を伴う膝関節外反を呈する

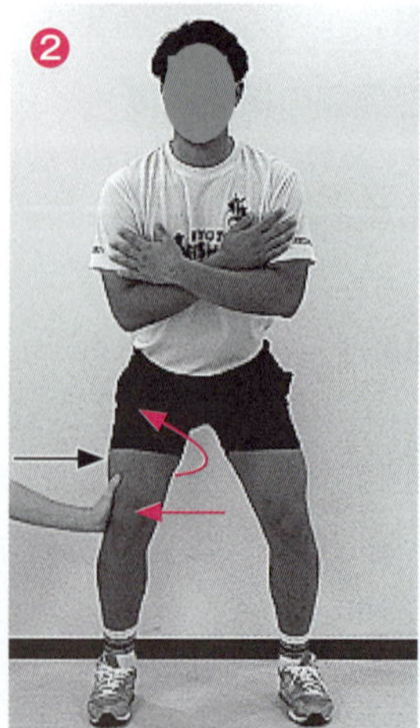

図12 踏み込み姿勢におけるknee-in制動力の評価

❶踏み出し側下肢を前方に踏み出し，股関節・膝関節屈曲位で下腿を前傾させ，踏み込み姿勢におけるknee-in制動力について評価する

❷踏み出し側の下肢におけるknee-in制動力を構え姿勢と同様に評価する。下肢アライメントの保持には，外力が加わる側および反対側の股関節外転・外旋筋力などとともに，踏み込み姿勢を保持するための体幹や股関節伸展筋力，膝関節伸展・屈曲筋力なども関係する

❸〜❻外力に抗しきれないときには，股関節内転・内旋を伴う膝関節外反(❸)，骨盤の後方回旋(❹)や側方偏位(❺)に伴うknee-in，反対側膝関節の伸展増大(❻)などの問題を呈する

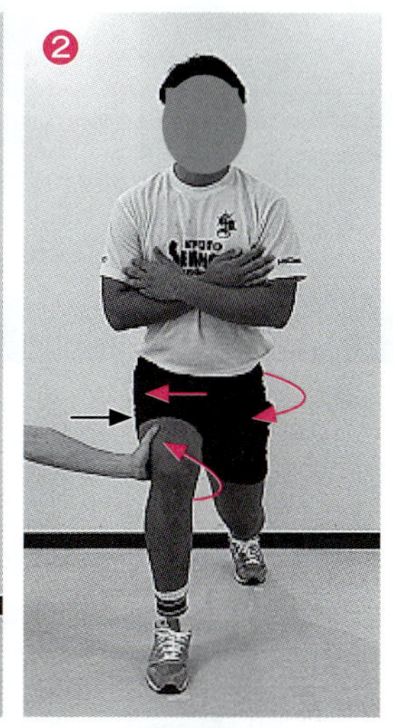

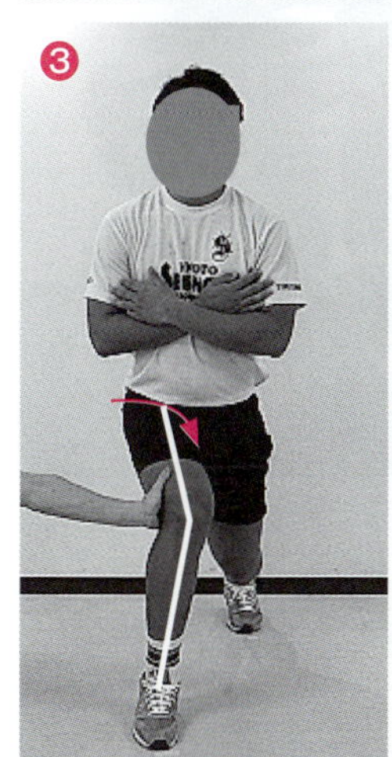

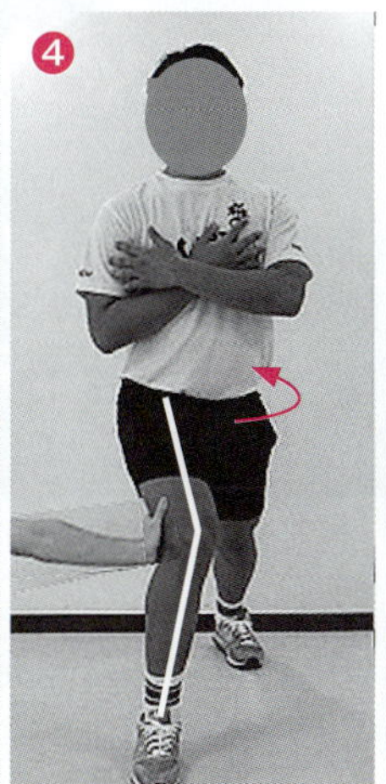

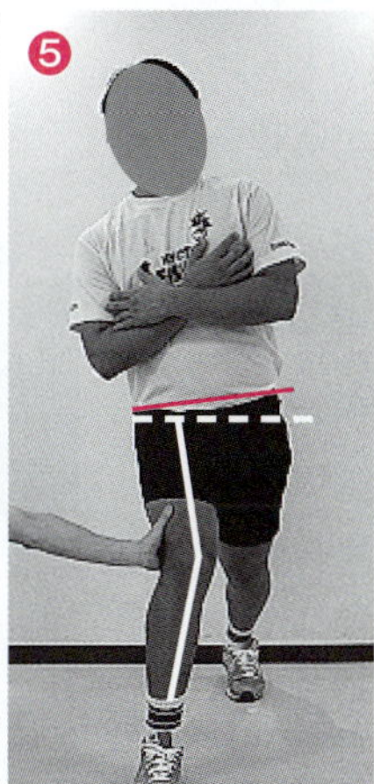

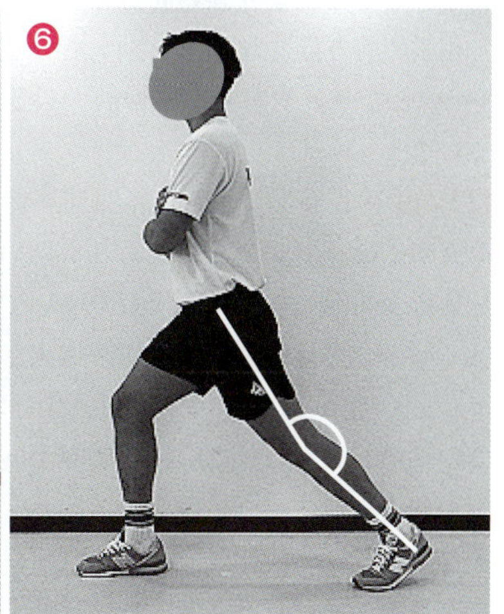

図13 側臥位での股関節開排筋力の測定

側臥位，股関節・膝関節屈曲位で踵部を支点に股関節開排を行わせて，最終域での筋力を確認する。発揮される筋力が動作の特徴に反映しやすい

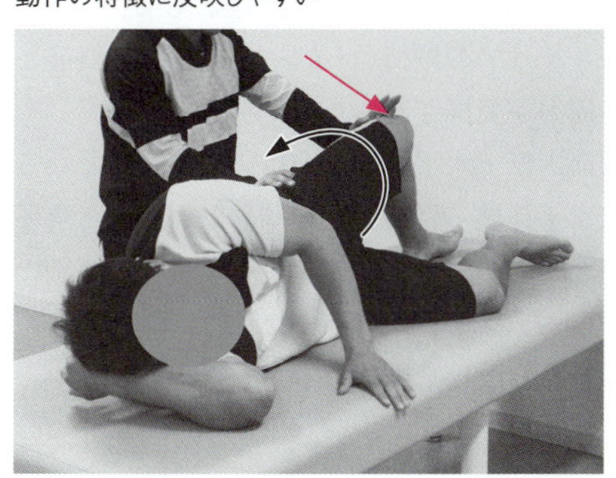

伸展強制，グラウンディング(ボールキャリアが前方に倒れながらボールを地面に置くプレー)の際の過屈曲強制によるものが広く知られている。

主要なプレー別に肩関節前方脱臼の発生に関係する動作の問題を挙げる。

- タックル

図14に肩関節前方脱臼に陥りやすいタックルの特徴を示す。図14❶のように，コンタクト側の肩に加わる体幹長軸方向の外力により体幹回旋を伴った側屈が強制されると，肩甲帯アライメントが変化する。これにより，肩関節は相対的に水平伸展角度が増大することに加え，肩甲帯の固定性

図14 肩関節外傷の発生につながるタックルの問題

❶体幹が回旋・側屈したタックル：体幹回旋を伴った側屈が強制されると肩甲帯アライメントが変化し，肩関節前方脱臼発生のリスクは高まる
❷コンタクトポイントが上肢の遠位のみとなったタックル：相手の前方推進力に耐えられず，肩関節水平伸展・外旋が強制されやすい
❸股関節・膝関節屈曲角度が小さいタックル：肩関節が腰部よりも低い位置となり，体幹が屈曲し円背を呈しやすい。円背姿勢では，肩甲骨の外転および前傾が増大し，肩関節水平伸展・外旋運動が強制されやすい

低下が生じることで肩関節水平伸展・外旋運動の制動力が低下し，肩関節前方脱臼発生のリスクが高まる。

図14❷のようにコンタクトポイントが上肢の遠位のみになると，より強い筋力を要する。そのため，相手の前方推進力に耐えられず，「腕がとられた」状態となり，肩関節水平伸展・外旋が強制されてしまう。

図14❸のような股関節・膝関節屈曲が小さいタックルでは，肩関節が腰部よりも低い位置となり，体幹が屈曲して円背を呈しやすい。円背姿勢では，肩甲骨の外転および前傾が増大し，内転位をとりにくくなる。そのため，上肢が水平伸展方向への運動を強制された際に，肩甲上腕関節での運動が強いられる。

- **スクラム**

スクラムが崩れることで，体幹は屈曲を強制される。体幹屈曲によって，**図15**のように味方をバインドしている側の肩関節は水平伸展・外旋が強まる。バインドをタイミングよく解かないと，リスクが高い状態に陥る。

図15 肩関節外傷の発生につながるスクラムの問題

スクラムが崩れることで体幹屈曲を強制され，味方をバインドしている側の肩関節は水平伸展・外旋が強いられる

理学療法①：低下した患部周囲の機能回復

保存療法・手術療法にかかわらず，受傷や手術侵襲，後療法による固定の影響を受けて低下した肩関節（肩甲上腕関節，肩甲胸郭関節）機能について，次の項目を中心に評価を行い，改善を図る。

- **肩甲上腕関節**

関節不安定性・動揺性：関節不安定性の残存は，不安定感の残存につながるだけでなく，反復性肩関節脱臼に移行するリスクが高まる。特に保存療法においては，関節不安定性の増悪に注意しながら理学療法を進行する。

関節可動域：固定や手術により，特に肩関節外旋制限をきたしやすい。セカンドポジションでの外旋可動域制限は，タックルをはじめ上肢の挙上を伴うプレーに影響する。関節不安定性および不安感を考慮しながら改善を図る。

筋力：腱板機能を反映する指標として，また，ボールキャリアの把持（バインド）に必要な機能として，筋力が発揮されるかを把握しておく。

肩関節内転・水平屈曲筋力は，脱臼肢位となる肩関節水平伸展・外旋方向の制動にかかわる重要な指標となる。MMTによる個別の筋力の評価のほか，**図16**のように複合した筋力についても確認して十分な改善を図る。

図16 複合した肩関節筋力の検査

❶検者が加える肩関節水平伸展を強制する外力に抵抗して，上肢を肩甲骨面上に保持できるか確認する
❷肩関節外旋・水平屈曲・内転が複合された筋力の評価として用いる
❸特に肩関節外旋位を保持しながらの運動が可能かどうかに注意する。手関節に抵抗を加えた方法では，より肩関節外旋位の保持の可否が明確になる

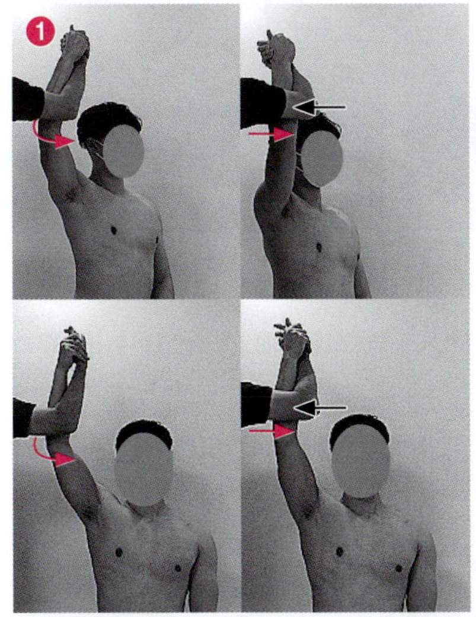
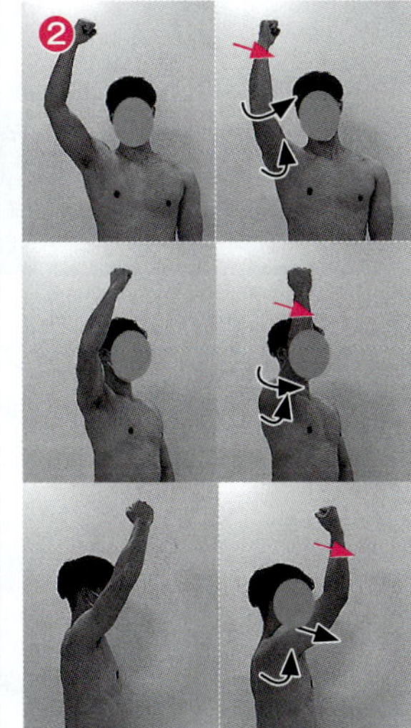
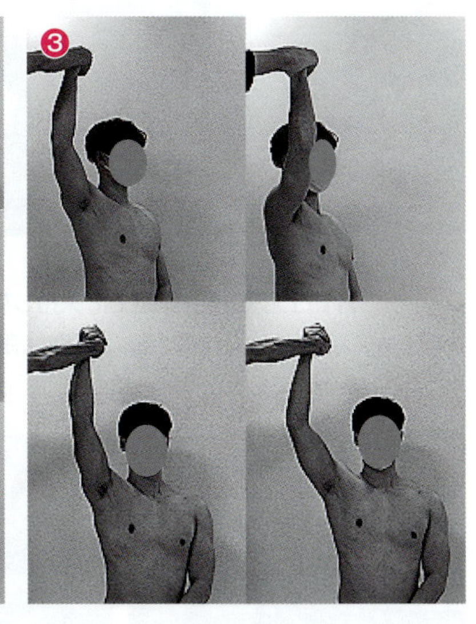

- **肩甲胸郭関節**

肩甲骨位置（アライメント）：固定の影響により肩甲骨が外転・前傾位をとる例や，痛みや不安感が原因となり肩甲骨が挙上位となる例など，受傷後・術後の経過において肩甲骨位置が変化していることは多い。肩甲骨位置の問題は肩関節周囲の筋力発揮を阻害する要因となるため，患部への影響を考えつつ内転・後傾位を保持するための働きかけを行う。

筋力：下肢で産出した力の上肢への効率よい伝達，より強い肩関節筋力の発揮には，胸郭に対して肩甲骨を強く固定することが必要となることから，前鋸筋の機能が重要となる。腱板機能との協調性の観点から，肩関節外旋位での筋力発揮を確認しておく。

理学療法②：動作習得に必要となる機能の向上・改善

タックルでは，肩関節水平伸展や外転位での外旋強制を防ぐに当たり，コンタクト時の衝撃が加わった後も上肢を肩甲骨面上に保持し続けなければならない。そのためには，肩甲胸郭関節および体幹などの機能や，それらが協調・連動することが重要となる。これらが個別に獲得されているか，また，協調して機能するかといった点について確認しておく。また，タックルやスクラムでは，より深い股関節・膝関節屈曲角度を保つための下肢筋力も必要となる。

- **上肢の肩甲骨面保持力（水平伸展制動力）（図17，18）**

上肢遠位の抵抗に抗して，肩甲骨面上の肢位をどの程度保持が可能か確認する。検者は，上肢遠位（手掌小指側）に肩関節水平伸展方向の外力を加える。上肢を肩甲骨面上に保持しつつ，肩関節外転・肘関節伸展，肩関節内転・肘関節屈曲を繰り返す。座位での保持が可能であれば，踏み込み姿勢でも実施する。タックル動作を想定し，一側下肢を前方に踏み出し，体幹を前傾させて行う。コンタクト側下肢が前方，後方の両方で保持が可能か確認する。体幹筋群による体幹固定が十分でないと，外力に抗しきれずに体幹が伸展もしくは回旋してしまう。最後に，前後方向への移動を伴いながら保持が可能か確認する。これらはエクササイズとしても有効であり，よく用いられる方法でもある。

- **軸圧負荷に抵抗した状態での肩関節水平屈曲筋力（図19）**

タックルでは，相手とのコンタクトにより体幹長軸方向の外力が加わる。このような体幹側屈を強制する外力に抗して体幹正中位を保持しながら，肩関節筋力が発揮できるかどうかを評価する。ハンドヘルドダイナモメーター（HHD）などにより客観化しておく。

図17 肩甲骨面上での上肢の保持

一側下肢を前方に踏み出し，体幹が伸展・回旋しないよう筋収縮により体幹を固定し，肩水平伸展方向の外力に抵抗して上肢を肩甲骨面上に保持する。コンタクト側の下肢が前・後ろの各条件で行う

❶コンタクト側（右）下肢：前　❷コンタクト側（右）下肢：後ろ　❸体幹固定が不十分で，体幹が回旋している

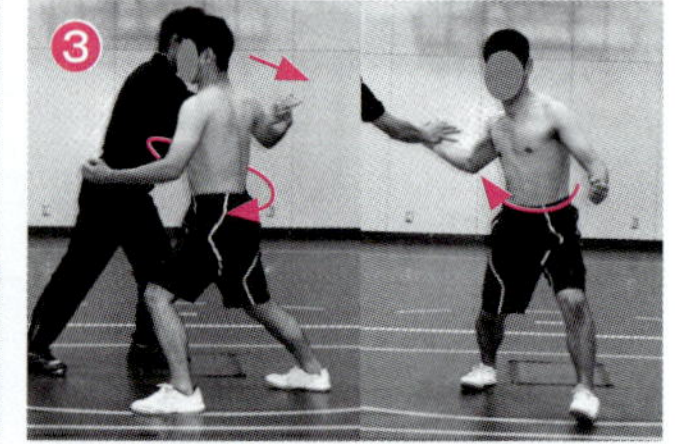

図18 片側上肢を肩甲骨面上に保持しながらの前後移動エクササイズ

体幹が伸展・回旋しないよう筋収縮により体幹を固定し，肩水平伸展方向の外力に抵抗して上肢を肩甲骨面上に保持し，前後に移動する

❶，❷横から見た図　❸，❹前から見た図

図19 軸圧負荷に抵抗した状態での肩関節筋力の測定

❶体幹片側に軸圧を加えた状態で上腕遠位に抵抗を加えて，肩関節水平屈曲筋力（水平伸展運動制動力）を測定する。軸圧に抵抗して体幹正中位を保持しながら肩関節筋力の発揮が可能か，発揮される筋力に左右差がないか確認する

❷横から見た図　❸軸圧に抵抗しきれない状態

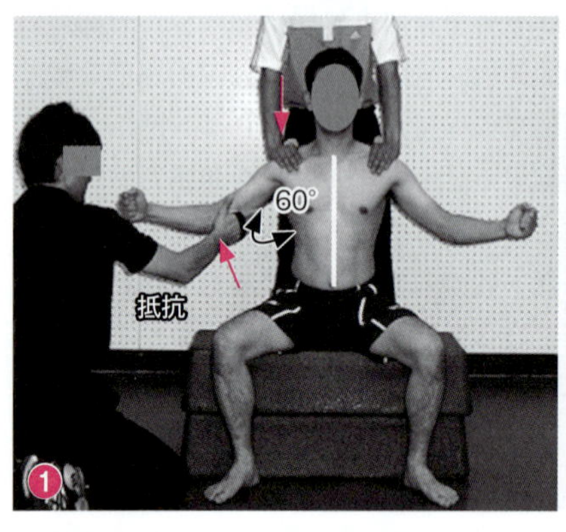

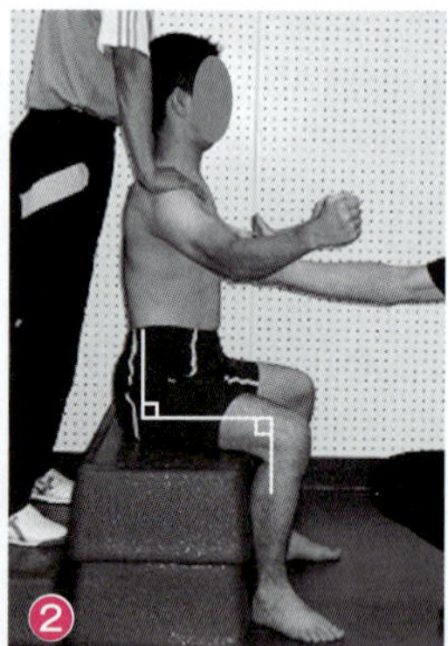

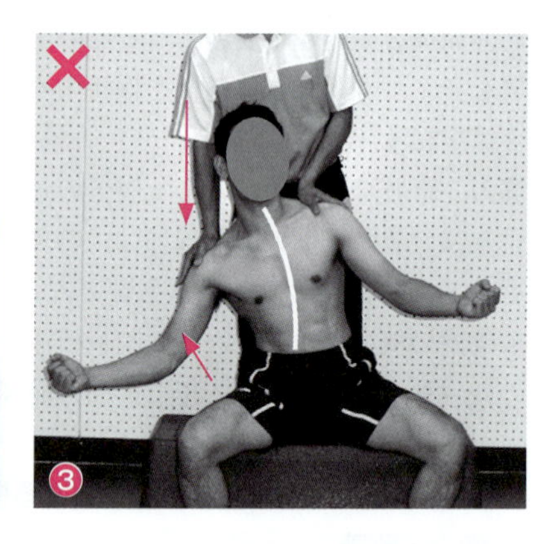

頸部外傷

病態

頸髄損傷など重篤な後遺症が残存してしまうものもあり，ルール面からも予防の働きかけがされている。

頸髄損傷のように不可逆的な状態までには至らないが，神経徴候を伴う外傷もみられる。頸椎捻挫やburner症候群といった，頸部の運動時に疼痛やしびれを伴うものが多い。

いずれも，外力によって頸部の屈曲，伸展，側屈，回旋およびこれらの複合した方向への過剰な運動が強制されて発生する。

burner症候群は骨性の損傷は伴わず，軟部組織，特に神経根や腕神経叢を中心とした末梢神経の損傷によって頸部から上肢にかけて電撃痛を訴えるもので，一時的な筋力低下を伴うこともある。

発生機転と動作の問題

発生機転は，頸部側屈を中心とした運動の強制による神経根の伸張と圧迫に大別される。図20のように，頸部の運動方向と同側の神経根がインピンジされて症状が発生するピンチ型と，対側の神経叢などが伸張されることにより症状が発生するストレッチ型がある。

外傷発生に関係する動作の問題を主要なプレー別に挙げる。

- タックル

図21のように筋力低下によりコンタクト時の頸部正中位の保持が困難な場合や，相手の下肢，体幹前面に側頭部でコンタクトするタックル（逆ヘッドタックル）では頸部の正中位を保持できず，過剰な側屈が強制される。

頸部周囲筋の筋収縮を強めて過剰な前・後弯を少なくし，頸部の正中位を保持した状態でのコンタクトを意識する。

円背姿勢は，胸椎が後弯して頸部が屈曲した姿勢となりやすく，ボールキャリアとのコンタクトにより過屈曲や回旋を伴った側屈の強制へとつながる。また，体幹側屈の増大は，相対的な頸部側屈の増大や代償としての肩甲帯挙上を招き，頸部周囲筋の筋力発揮が低下して正中位の保持が困難となりやすい。

股関節・膝関節屈曲角度が小さく円背を呈する，体幹の回旋・側屈を強制される，股関節・膝関節屈曲角度が小さい，といった問題は，肩関節脱臼と同様に頸部外傷にも関係するため対応を要する。

逆ヘッドタックルも含め，タックルにおける動作の問題は，プレヒット相における問題が原因となっていることもある。自身の好ましい「コンタクトポイント」によるコンタクトを行うために，小さい歩幅（ショートステップ）でのサイドステップやクロスステップといった各種ステップで相手の動きに合わせながらボールキャリアとの距離を詰め，より的確なコンタクトが行える位置に移動する。

- スクラム

スクラムが両チームの均衡を保持できず，いわゆる「崩れた状態」になると，体幹，特に頸部は屈

図20 頸部側屈による神経損傷

正常な運動範囲を逸脱した頸部側屈が強制されることで，損傷が発生する
❶タックルを行うことによる頸部側屈の強制　❷運動と同側の神経根には圧迫のストレスが加わる
❸運動と対側の神経根には伸張のストレスが加わる

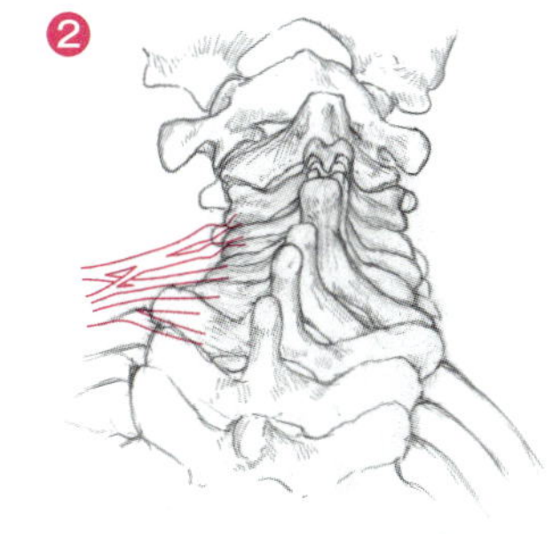

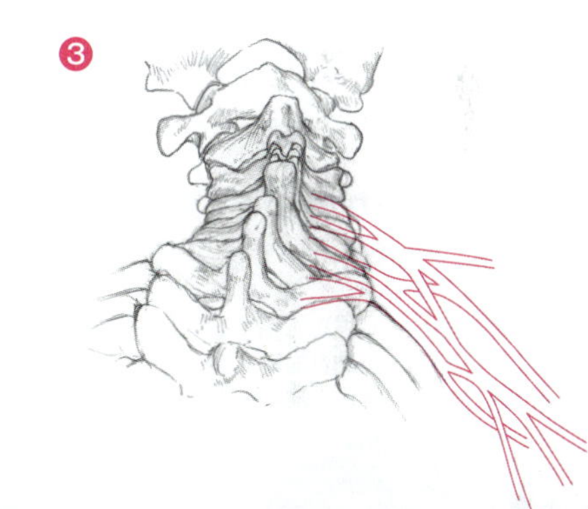

図21 頸部外傷の発生につながるタックルの問題

❶頸部側屈が強制されたタックル：筋力低下によるコンタクト時の外力に抵抗しきれず，頸部正中位の保持が困難となる
❷逆ヘッドタックル：相手の下肢や体幹前面に側頭部でコンタクトするタックル（逆ヘッドタックル）となり，頸部側屈が強制される

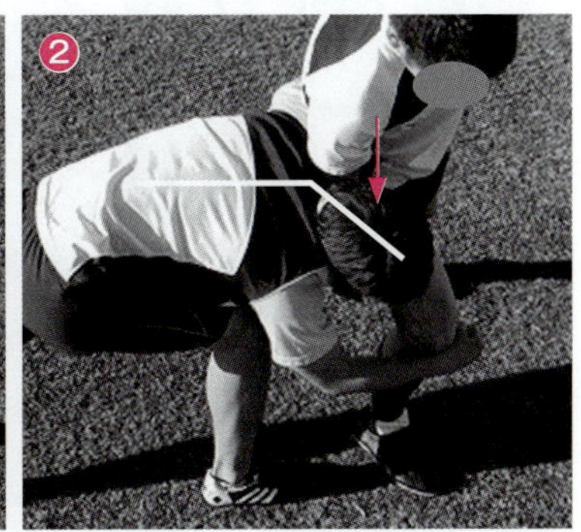

曲を強制され，頸椎捻挫などの発生につながる。

理学療法①：低下した患部周囲の機能回復

動作の問題を考えるうえでも，頸部の機能的要因の改善がポイントとなる。

- **頸部関節可動域**

屈曲，伸展，側屈，回旋運動で疼痛やしびれが発生しないかどうか，可動域と合わせて確認する。

運動に際しては，局所の椎間関節運動に依存することなく，頸椎や上位胸椎が運動しているかも確認しておく。

- **頸部筋力（図22）**

コンタクトした際に，頸部の正中位保持に必要な筋力があるかを確認しておく。

顎を引いて，矢状面における脊柱の過剰な前・後弯を少なくした状態で，頸部屈曲・伸展・左右側屈などを強制する外力に抵抗して正中位を保持させる。どの方向の外力に対して弱いか，また，どの程度の筋力低下がみられるかを把握する。これは，エクササイズとしても有用である。

理学療法②：動作習得に必要となる機能の向上・改善

- **脊柱・肩甲帯アライメント**

頸部運動に影響を与える要因として，脊柱・肩甲帯アライメントがある。上部胸椎の後弯や肩甲帯の外転・前傾が増大している例では，円背姿勢でのタックルにつながりやすい。

- **股関節・足関節可動域・筋力**

股関節屈曲可動域に制限をきたす下肢のタイトネスは骨盤後傾位の原因となり，脊柱の後弯増大を招く。同様に，荷重位で股関節・膝関節屈曲位をとり続けられる下肢筋力・筋機能を獲得しておく。患部にリスクが及ばない範囲でエクササイズを実施する。

理学療法の実践におけるその他の留意点

理学療法では，再発を防止するに当たり外傷発生機転からみた好ましい動作を，必要となる機能的要因とともに獲得していく。スポーツ活動再開に当たっては，それらが各種条件の下で確実に遂行されることを確認しておく。

単発の動作では問題がない場合においても，ランニングやストップが複合した際や，疲労した状態で問題となる動的アライメントが誘発されることもある。各種動作を組み合わせた内容を含むドリルエクササイズを実践しながら，問題点の修正を図っていく。

ラグビーでは，他者とのコンタクトとともに，グラウンドに倒れては立ち上がることが繰り返される。移動（ウォーキング，ランニング，スプリント，その他のスピード）にコンタクト・コリジョン（ボールキャリー，タックル，サポートプレーなど）を複合したフィールドエクササイズ（競技シミュレーション）を取り入れておくとよい。ま

図22 頸部筋力の測定とエクササイズ

顎を引いて，矢状面における脊柱の過剰な前・後弯を少なくした状態で，頸部側屈を強制する外力に抵抗して，体幹正中位とともに頸部正中位を保持させる

❶頸部側屈筋力：側屈を強制する外力を加える
❷頸部伸展筋力：屈曲を強制する外力を加える
❸頸部屈曲筋力：伸展を強制する外力を加える

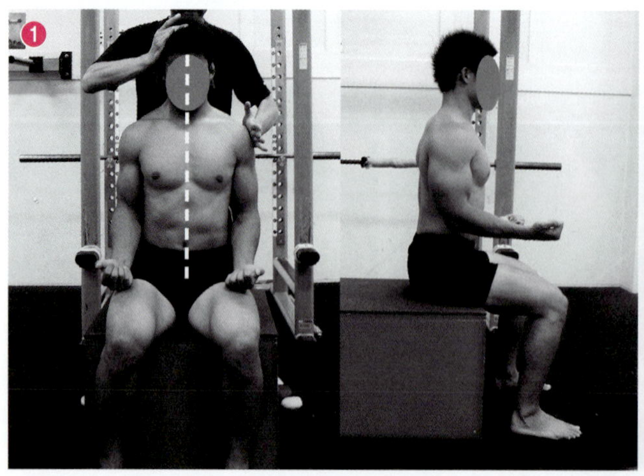

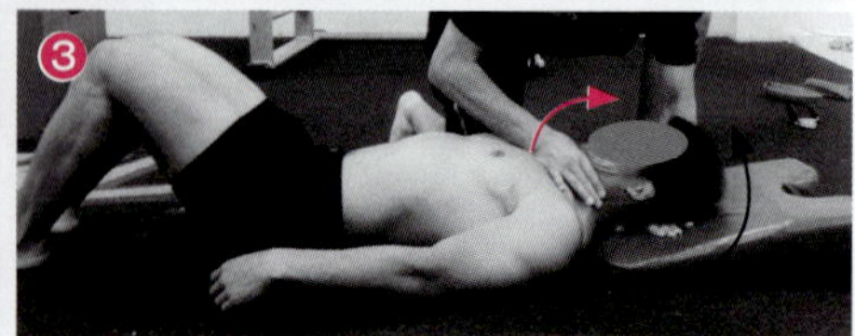

た，試合や練習の終盤においても好ましい動作が維持できるように，持久力の評価・改善も図っておく。ラグビー選手の体力的要因についてはさまざまな報告がされている[20)]。これらを参考に目標値を設定し，改善のためのトレーニングを進めておく。

このような競技特性も想定しつつ，可能な限りのシミュレーションを行いながら，外傷発生機転に陥らない，または危険から回避するための身体動作やスキルの習得を意識させ，スポーツ活動再開につなげていく。

【文献】

引用文献

1) Tucker R, et al.: Trends in player body mass at men's and women's Rugby World Cups: a plateau in body mass and differences in emerging rugby nations. BMJ Open Sport Exerc Med, 7 (1) : e000885, 2021.

2) Bevan T, et al.: A game for all shapes and sizes? Changes in anthropometric and performance measures of elite professional rugby union players 1999-2018. BMJ Open Sport Exerc Med, 8 (1): e001235, 2022. doi: 10.1136/bmjsem-2021-001235. eCollection 2022.

3) Fuller CW, et al.: Rugby World Cup 2011: International Rugby Board injury surveillance study. Br J Sports Med, 47 (18) : 1184-1191, 2013.

4) Fuller CW, et al.: Rugby World Cup 2015: World Rugby injury surveillance study. Br J Sports Med, 51 (1) : 51-57. 2017.

5) Fuller CW, et al.: Rugby World Cup 2019 injury surveillance study. S Afr J Sports Med, 32 (1) : 1-6. 2020.

6) Bridgeman LA, et al.: The Use of Global Positioning and Accelerometer Systems in Age-Grade and Senior Rugby Union: A Systematic Review. Sports Med Open, 7 (1) : 15, 2021. doi: 10.1186/s40798-021-00305-x.

7) Paul L, et al. : Quantifying Collision Frequency and Intensity in Rugby Union and Rugby Sevens: A Systematic Review. Sports Med Open, 8(1):12, 2022.

8) Fuller CW, et al.: Consensus statement on injury definitions and data collection procedures for studies of injuries in rugby union. Br J Sports Med, 41 (5) : 328-331, 2007.

9) Fuller CW, et al.: World Rugby Surveillance Studies Women' s Rugby World Cup 2017 Summary of Results. World. Rugby, 2017.

10) Fuller CW, et al.: Ten-season epidemiological study of match injuries in men's international rugby sevens. J Sports Sci, 38 (14) : 1595-1604. 2020.

11) Fuller CW, et al.: Eight-season epidemiological study of match injuries in women's international rugby sevens. J Sports Sci, 39(8) : 865-874. 2021.

12) Williams S, et al.: Injuries in Elite Men's Rugby Union: An Updated (2012-2020) Meta-Analysis of 11,620 Match and Training Injuries. Sports Med, 52 (5) : 1127-1140, 2022.

13) Zech A, et al.: Sex differences in injury rates in team-sport athletes: A systematic review and meta-regression analysis. J Sport Health Sci, 11 (1) : 104-114, 2022. doi: 10.1016/j.jshs.2021.04.003.

14) Headey J, et al.: The epidemiology of shoulder injuries in English professional rugby union. Am J Sports Med, 35(9): 1537-43, 2007.

15) Kenneth L, et al.: Tackle Injuries in Professional Rugby Union. Am J Sports Med, 36 (9) : 1705-1716, 2008.

16) 竹村雅裕：スポーツ動作の観察・分析 ⑥あたり．アスリートのリハビリテーションとリコンディショニング 上巻 外傷学総論／検査・測定と評価－リスクマネジメントに基づいたアプローチ－（小林寛和 編），pp.195-201, 文光堂，2010.

17) 小林寛和，ほか：保存療法．講座スポーツ整形外科学 1 巻 整形外科医のためのスポーツ医学概論（松本秀男 編）．pp.249-256, 中山書店，2021.

18) 金村朋直：各種検査･測定の目的と意義 ⑨筋萎縮の確認．アスリートのリハビリテーションとリコンディショニング 上巻 外傷学総論／検査･測定と評価－リスクマネジメントに基づいたアプローチ－（小林寛和 編），pp.134-139, 文光堂，2010.

19) 金村朋直，ほか：外力に対する knee-in 制動と下肢筋力の関係．スポーツ医・科学，23: 9-12, 2012.

20) 濱野武彦，ほか：ACL 再建術後の競技復帰と問題点：ラグビー．臨スポーツ医，39 (9) : 974-982, 2022.

参考文献

21) Sclafani MP, et al.: Return to play progression for rugby following injury to the lower extremity: a clinical commentary and review of the literature. Int J Sports Phys Ther, 11 (2) : 302-320, 2016.

22) 濱野武彦，ほか：上肢急性外傷に対するリコンディショニング（競技別）コンタクト，コリジョンを伴う競技におけるリスクマネジメント．Skill up 上肢急性外傷のリハビリテーションとリコンディショニング（宮下浩二 編），pp.189-199, 文光堂，2012.

23) 濱野武彦，宮下浩二，小林寛和：ラグビー選手のハムストリングス肉ばなれに関する一考察－ランニング動作に着目して．J Athlet Rehabil, 4 (1) : 59-67, 2003.

24) 小林寛和，北岡さなえ，濱野武彦：スポーツ種目による膝関節術後トレーニングのポイント (1) コンタクト・コリジョン競技．臨スポーツ医，31 (2) : 2014.

25) 小林寛和，ほか：ラグビーにおける外傷・障害－予防・評価・治療・復帰－外傷・障害予防とコンディショニング・リコンディショニング．臨スポーツ医，34 (2) : 190-195, 2017.

カヌー

本項では，カヌー競技において特にスプリント競技に着目し，主たる漕法であるカヤックとカナディアンの各々における動作の特徴と，それに関連する必要な身体機能や起こりうる障害について説明する。さらに理学療法に必要な評価および治療・トレーニング方法の一部について解説する。

スポーツ種目の基礎知識・特徴

カヌーの競技種目には多くの種類があるが，オリンピック・パラリンピック競技大会においては，流れのない直線コースで1～4人乗りの艇に乗り，一定の距離で水路（レーン）を決めてタイム順位を競うスプリントと，激流を下りながら吊るされたゲート（関門）を通過し，タイム順位を競うスラロームがある。スプリント，スラロームには，艇の進行方向に向かって座り，両端ブレードのパドルを左右交互に漕ぎながら前に進むカヤック（**図1**）と，艇の進行方向に向かって立膝の姿勢で乗り込み，片方ブレードのパドルで左右どちらか片方のみを漕ぎながら前に進むカナディアン（**図2**）の2種類がある。さらにスプリントは，1人乗りのシングル，2人乗りのペア，4人乗りのフォアの区別があり，それぞれ距離が200m，500m，1,000mの3種目がある。また，パラカヌー競技の種目はスプリントのみであり，両側で漕ぐカヤックと片側で漕ぐヴァー（Va'a）の2種目がある。オリンピック・パラリンピック競技大会以外においても，カヌーワイルドウォーター，カヌーポロ，ドラゴンカヌー，フリースタイルカヌー，カヌーマラソン，シーカヤックなど，競技大会・種目は数多く存在し，それぞれに特徴的な部分はいくつもあるが，本項では基本的な漕ぎ方であるカヤックとカナディアンの漕法に絞って解説する。

カヌーに多い外傷・障害

過去の報告[1]や筆者らの調査結果（**表1**）においても，腰部の障害および肩関節をはじめとした上肢の障害が多い。これはカヌーの漕動作の特徴を考えると容易に想像できるが，同一姿勢で繰り返しの動作が求められるカヌーの漕動作においては，骨盤・下肢の動きが非常に重要であり，理学療法士として注目すべき動作の特徴や身体機能とのかかわりは数多く存在する。

図1 カヤック

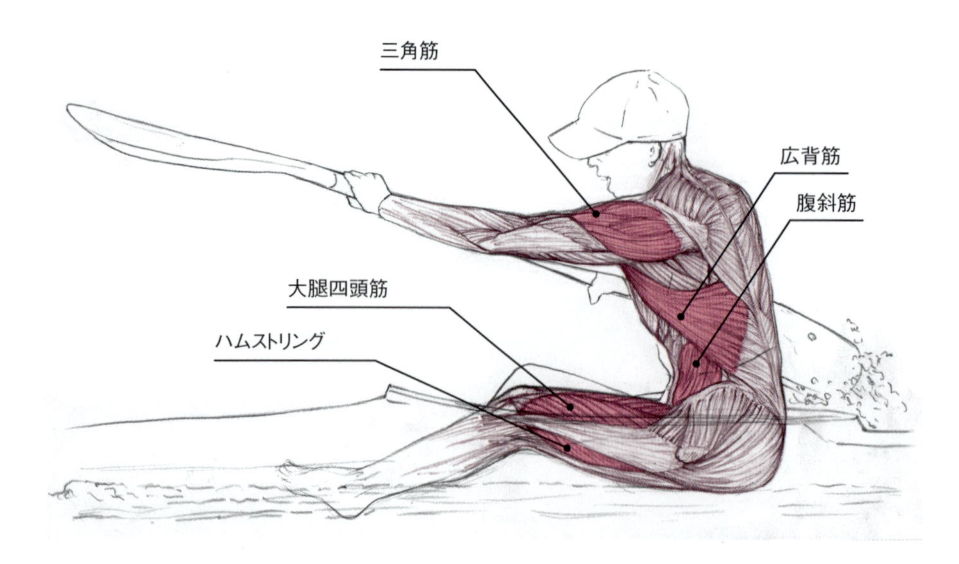

図2 カナディアン

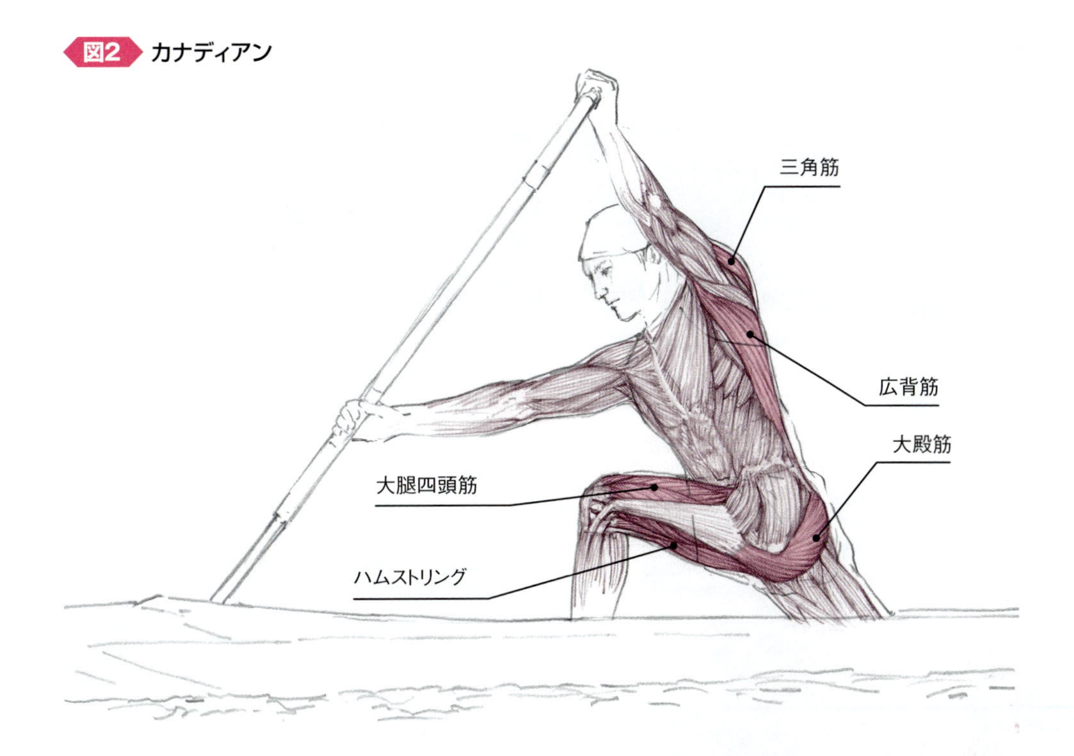

表1 国民体育大会の県予選・関東ブロック・本大会において群馬県選手団にみられた障害件数

年度	腰部	肩関節	肘・手関節	股関節	その他（下肢）
2015年	10	10	2	3	0
2019年	6	8	2	1	0
2022年	15	12	1	0	1
総数[件]	31	30	5	4	1

カヤック

カヤックの漕動作（パドリング）は4つのphase（相）に分けて考えることができる（**図3**）。最も重要な相は，catch phase（キャッチ）からpull phase（プル）にかけてであり，水をできる限り遠い位置でキャッチするとともに，推進力を得るためにパドルで強く水をつかむことが要求される。

前方へのリーチのために必要な身体機能

キャッチからプルにかけてはリーチ側の肘関節を伸展し，肩関節を屈曲したまま胸椎を同側回旋するとともに，艇のなかでは同側の下肢伸展運動に伴った骨盤の同側回旋運動が生じている。この連動した運動がスムーズに展開されるが，次のような動作や身体機能の特徴が障害を引き起こすことが多い。

- **座位バランス不良に伴う反対側への過剰な重心移動**

水上に浮かんでいる細い艇上という不安定な状況のため，選手には高度なバランス能力が要求される。キャッチ動作時にカウンターウエイトでバランスをとろうとした結果，反対側への荷重が生じる場面がよくみられるが，その現象が過度になるとリーチ側への十分な回旋動作が阻害される。そのため代償的に体幹側屈が生じ，それが腰部への負担や上肢への過剰な負担を強いる可能性も高い。

水上でのバランス能力は水上での練習で獲得されることが多く，経験とともに獲得されるという現場の意見も否定できないが，バランスクッションやバランスボールなどを用いて座位バランス練習を実施することも有効である。また，不良な重心移動が習慣化している選手も存在するため，選手の重心移動能力を評価するとともに（**図4**），正しい重心移動と，その姿勢で上肢を動かすようなトレーニングも重要である（**図5**）。

図3 カヤック・パドリングの各相

❶catch phase ❷pull phase ❸finish phase ❹recovery phase

図4 座位重心移動評価

❷では重心移動時に反対側への体幹側屈による代償動作が確認される

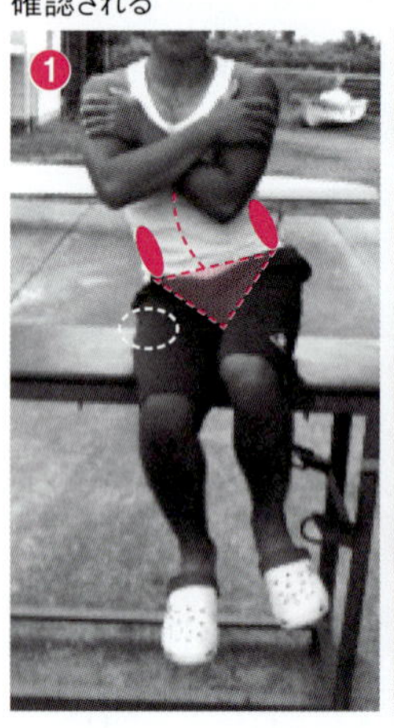
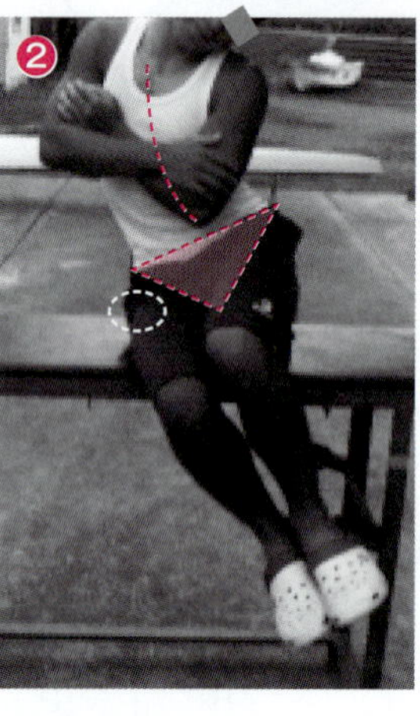

図5 重心移動練習例

側方へのリーチ動作で十分な重心移動を誘導させている

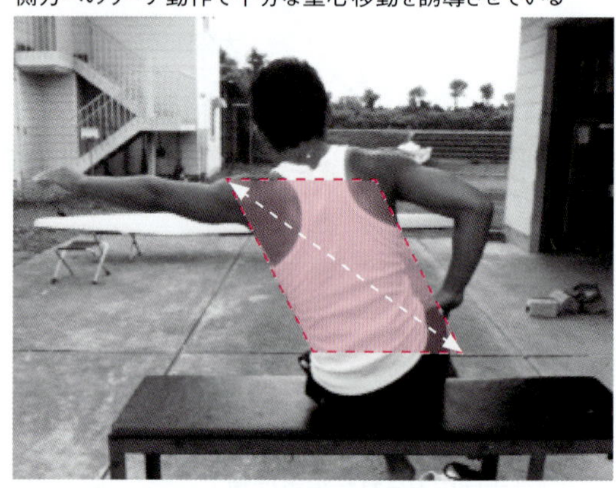

- **反対側の股関節屈曲・内旋可動域低下**

艇内では脚蹴りといわれる動きが起こっており，選手は足部で進路調節のためのラダーとよばれるものを操作しているだけでなく，推進力を得るためにキャッチ動作と同時に同側の下肢伸展動作(蹴る動作)を実施している。本動作はパフォーマンス向上の観点だけでなく，障害予防の観点からも非常に重要な運動である。一側の蹴り動作に伴い反対側の股関節・膝関節屈曲が生じるが，その際に股関節屈曲に伴った内旋可動域が不十分であると，骨盤の回旋運動が制限される。股関節外旋位で漕いでいる選手もみられるが，そのような選手には骨盤の回旋運動はほぼみられず，結果として腰椎の過剰な回旋や上肢への過剰な負担といった問題が生じる可能性が高い。特に，股関節屈曲位での股関節内旋動作の確認および内旋可動域改善のための介入は重要である。

- **骨盤前傾不十分**

不良姿勢に伴う骨盤後傾・腰椎後弯といった現象がもたらす悪影響は一般的な問題点として挙げられるが，カヌー選手においても同様である。特に長座位で長時間の動作を強いられるカヤックにおいては，骨盤の前傾を伴った股関節屈曲が強いられ，さまざまな要因(ハムストリングの伸張性の低下，股関節屈筋の過緊張など)により骨盤前傾可動性の低下や股関節屈曲可動域の制限が生じる可能性が高い(**図6**)。結果として，体幹後面筋の伸張に伴う筋・筋膜性腰痛，股関節屈曲に伴う股関節前面のインピンジメント症候群といった障害が生じる可能性があり，骨盤後傾は前述した股関節外旋の原因にもなりうる。

介入としては骨盤前後傾運動に加え，股関節周囲筋の柔軟性の獲得・確保が非常に重要である。**図7**にハムストリングをはじめとした大腿後面筋のストレッチの例を示すが，股関節屈曲位で実施すべきである。また，セルフストレッチの指導の際には，骨盤の前傾が不十分な状態での実施は避けるべきである。

- **胸部の可動性不十分**

カヌー選手はパドルを体幹の前方で操作するため，体幹前面筋の緊張が高まりやすい。さらに不良姿勢に伴い，胸郭・胸椎を含めた胸部の可動性

図6 骨盤前傾とその関連因子

大腿後面筋（特に二関節筋のハムストリング）の伸張性低下などが不十分な骨盤前傾を引き起こし，結果として股関節の屈曲が十分に引き出されない

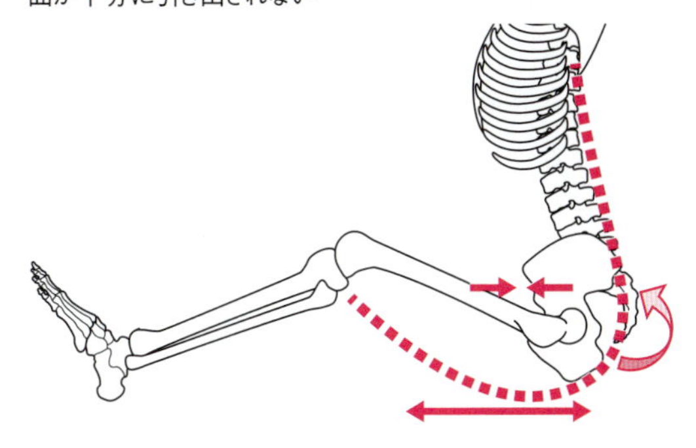

が低下すると，十分な体幹回旋が制限される。上部体幹の可動性低下に伴い，上肢の過剰使用や下部体幹の過剰回旋が生じる可能性があり，結果として上肢や腰部の障害が引き起こされる。

大胸筋・小胸筋など，肩前面筋の柔軟性改善を目的とした介入・ストレッチ指導（**図8**）に加え，胸郭の運動制限に対する呼吸へのアプローチも有効である。

力強いキャッチに必要な身体機能

キャッチ後の引き動作は，体幹を軸にして体幹と上肢のラインを崩さないまま回旋動作を実施することが望ましい。過剰な肩関節伸展・肘関節屈曲を伴った引き動作はいわゆる「手漕ぎ」とよばれ，強い推進力を得ることができないうえに，肩甲骨面上から逸脱した上肢の運動となるため，さまざまな上肢の障害を引き起こすことは容易に想像で

図7 大腿後面筋のストレッチ例

股関節を十分に屈曲した位置からの膝関節伸展運動で伸張効果を引き出す

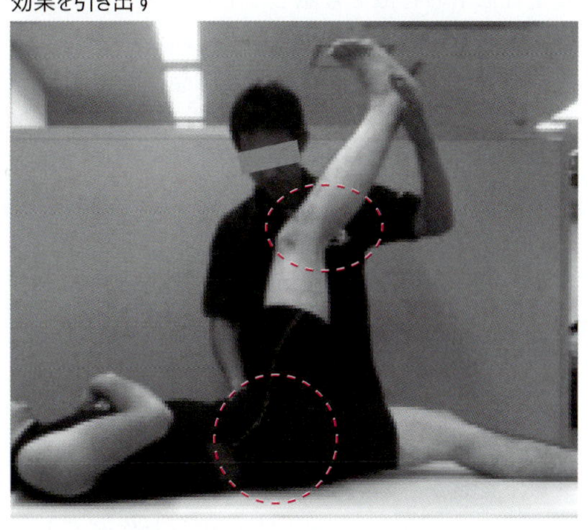

きる。体幹を軸とした回旋運動がスムーズに実施できない原因としては，次のような動作や身体機能の特徴が考えられる。

- **体幹機能不良**

キャッチの際に力強い軸を構成するために体幹機能は重要である。骨盤前傾・腰椎前弯が強くみられるケースにおいては，腰椎分離症をはじめとした腰椎の障害を引き起こす可能性が高い。体幹機能の評価として腹横筋を中心としたコアマッスルの評価は重要であるが，蹴り動作における下肢からの運動に対する安定性低下，漕動作における上肢からの運動に対する安定性低下のどちらに関連しているか評価することも重要である（**図9**）。

図8 肩前面筋のストレッチ例

❶手部を固定し，上腕の伸張，肩関節屈曲，上部体幹伸展を同時に実施する
❷胸椎の伸展が十分に引き出されていることに注意する

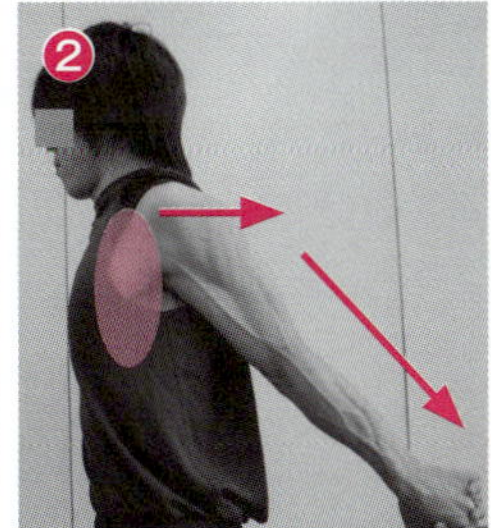

図9 体幹機能評価

❶上部抵抗：体幹屈曲位とし，上肢からの伸展・回旋方向の抵抗に対してその位置を保てるかどうかを評価する
❷下部抵抗：股関節90°屈曲位とし，膝から伸展方向に抵抗を加え，下肢の位置を保っていられるかどうかを評価する

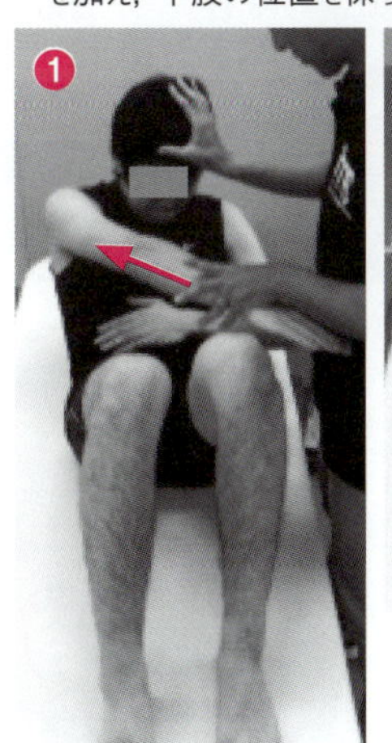

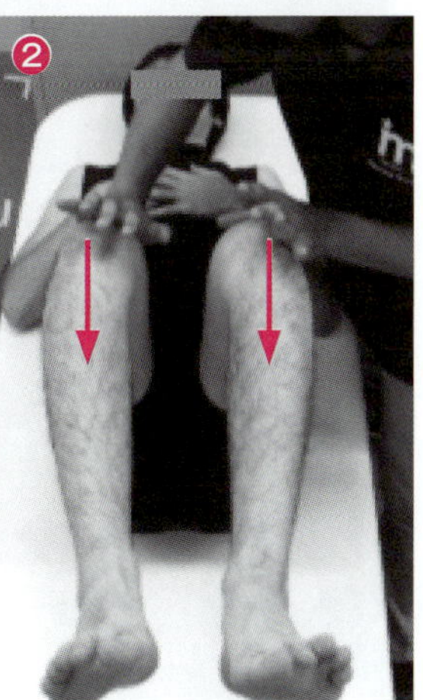

また，実際のトレーニングにおいても，前述の安定性低下の特徴を考慮したトレーニングが必要である。コアの安定性を意識した状況下での下肢屈伸動作（**図10❶**），骨盤の前後傾運動を意識したトレーニング（**図10❷，❸**），上半身の運動に伴った体幹の収縮トレーニング（**図10❹～❼**）など，必要な機能に合わせて体幹トレーニングを選択・指導することが重要である。

- **肩関節のアライメント不良および肩甲骨の可動性不良**

前述した通り，肩前面筋の緊張は高まりやすく，上腕骨頭が前方に偏位した肩甲上腕関節のアライメント不良が生じやすい。また，前述した胸部の可動性低下に加えて，肩甲骨の内転動作が不十分となりやすい。肩甲上腕関節や肩甲胸郭関節を含めた肩関節のアライメント・可動性に対する評価・介入は重要である。関節のモビリティーに対する評価や理学療法治療に関しては成書を参考されたい。

カナディアン

カナディアンの漕動作もカヤック同様に，4つの相に分けて考えることができる（**図11**）が，各相で必要とされる身体能力は大きく異なる。

カヤックの漕動作と同様，最も重要な相はキャッチからプルにかけてであり，水をできる限り遠い位置でキャッチするとともに，推進力を得るためにパドルで強く水をつかむという原則は共通している。しかしながら，片膝立ちという肢位の特徴から左右非対称な運動が要求され，そのため必要な身体機能はカヤックとは異なる部分が多い。カヤックと大きく異なるのは押手（パドルの端を持つ側）と引手（パドルの中央を持つ側）が存在する点で，押手はoverhead positionでパドルを操作し，引手はパドルを介して進行方向を操作する役割がある。

上肢・体幹機能

押手側の肩関節にはスムーズな挙上動作に加えて，挙上位でパドルを安定させる能力が必要とされる。引手側は肘関節を伸展したまま胸椎を同側回旋することで，より遠くへリーチすることが求められる。次のような動作や身体機能の特徴が問題を引き起こすことが多い。

- **押手側の肩関節アライメント不良および肩甲骨可動性低下**

押手側の肩関節挙上に伴うスムーズな肩甲骨の

図10 下部体幹のトレーニング
❶コアの安定性を意識した状況下での下肢屈伸動作
❷，❸骨盤後傾を意識して下肢全体を持ち上げる
❹～❼股関節屈曲位を維持したまま反動をつけずに起き上がるためには，骨盤の引き付け運動が必要である

図11 カナディアン・パドリングの各相分け

❶catch phase　❷pull phase　❸finish phase　❹recovery phase

図12 肩甲骨面上での安定性評価

肩甲骨面上で肩関節を固定し，その状態でさまざまな方向に抵抗を加えて維持できるかどうかを評価する。水上での漕動作においてはさまざまな環境下で抵抗が加わることが多く，より大きな安定性が要求される。

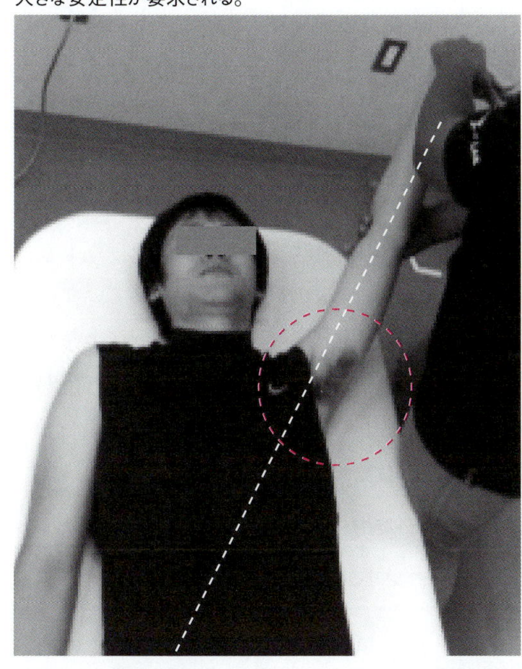

上方回旋および体幹伸展に伴う肩甲骨の後傾がスムーズでない場合，肩関節挙上に伴う肩甲上腕関節内でのインピンジメント症候群や，肩関節周囲筋への過剰な負担といった問題が生じることがある。肩甲骨面上でキャッチができているか，アライメントの評価も重要である。

- **押手側の肩関節安定性・挙上時の体幹機能不十分**

キャッチの際に押手を安定させるための要因として，肩甲骨面上に肩甲上腕関節と上腕骨が位置することが重要である。そのため，肩甲骨面上での安定性（**図12**）および挙上位を保つための体幹機能を評価することが重要である（**図13**）。

- **胸部の可動域不十分**

カヤックと同じく，胸部（胸郭，胸椎）をはじめとした上部体幹の回旋可動域が必要とされる（カヤックの同項目参照）。左右差が生じる動作の繰り返しにより，安静時の身体構造に左右差が生じていることも多いので，選手に合わせたアプローチが必要である。

下肢機能

キャッチからプル相において，前足（押手側）はフォワードランジ状態で，股関節屈曲・膝関節屈曲を伴いながら前方への重心移動が求められる。下肢の運動と同時に，骨盤の反対側回旋運動が求められる。後脚（引手側）では股関節伸展に伴って骨盤の同側回旋運動が生じ，前脚と協動して前方重心移動を生じさせている。選手が不安定な艇上

図13 肩関節挙上位での安定性評価

❷は体幹安定性が不十分で挙上した上肢に加えた力に抵抗できない

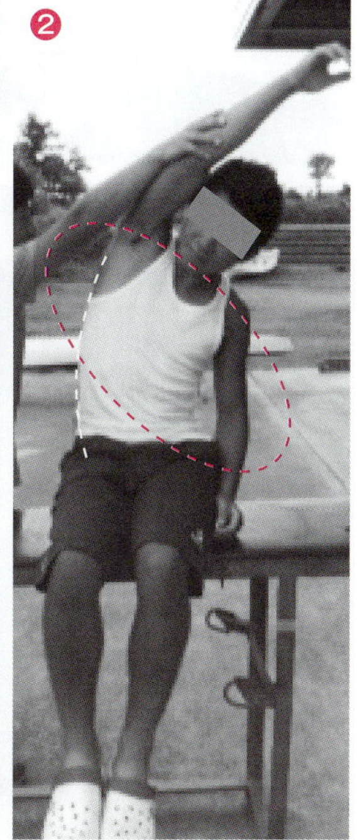

で安定するためには強い下肢支持機能とバランス能力が要求されるが，そのうえで力強い推進力を得るためには，下肢から連動して滑らかでしなやかな上半身の動きが必要であり，下肢は窮屈な姿勢のなかで大きな可動域も求められる。次に示すような動作や身体機能の特徴が障害を引き起こすことが多い。

- **前脚の股関節屈曲・内旋可動域制限**

骨盤・体幹のスムーズな回旋を引き出すために，前脚の股関節屈曲可動域と内旋可動域が要求される。大殿筋・ハムストリングを中心とした股関節伸筋群の柔軟性はもちろん，十分な股関節の可動性が保たれていない場合，股関節前面のインピンジメント症候群や骨盤後傾に伴った腰背部の伸張ストレスを引き起こす可能性が高い。

- **前脚の荷重時の不安定性**

前述した通り，漕動作においては骨盤・股関節を中心として前脚に高い安定性が求められる。土台となる下半身の安定性が不十分な状態では上半身の動きでバランスをとることが求められ，その状態で力強い引き動作を遂行することは困難である。骨盤・股関節周囲筋の筋力は必須であり，その評価・トレーニングに関するアプローチは多角的に考慮する必要がある（**図14**）。

- **後脚の伸展可動域不十分**

前脚とは反対に，後脚は股関節伸展可動域が要求され，腸腰筋・大腿直筋をはじめとした股関節前面（屈曲）筋の伸張性が必要な身体機能となる。

その他・重要な視点

生理学的側面

漕距離の違いにより必要とされる無酸素能力・有酸素能力は異なるため，各選手に要求される能力に対する助言，トレーニング強度の設定などは理学療法士としてカヌー選手にかかわるうえで重要な視点である。特に乗艇練習における強度設定はレベルの高い選手では十分であることが多いが，陸上での補強トレーニングなどの強度設定は不十分なことが多い。

トレーニングメニュー

競技人口が限られるカヌーにおいては，トレーニングやセルフケアの原則が周知されていないことが多く，そのような状況では基本的なトレーニング・ケアに関する助言・指導を行う必要がある。

図14 骨盤・股関節周囲安定性改善のためのトレーニング例

❶，❷床側（図中左側）の肘と膝と股関節が一直線に並んだ状態から，真っすぐとなる位置まで持ち上げて支える
❸，❹内転筋のトレーニング：下肢全体を内転方向に持ち上げる
❺中殿筋のトレーニング：股関節約45°屈曲位，膝関節約90°屈曲位から股関節を外旋させる
❻，❼骨盤安定性向上トレーニング：骨盤を挙上した状態から反対側の下肢を屈曲挙上する（❻）。❻のステップアップとして，膝立ち位での協調性改善に向けたトレーニング（❼）。片膝立ちから前脚を挙上して安定させる

【文献】

1) 坂井田　稔，ほか：カヌー選手のアンケートによる障害調査．中部整災誌，45（3），469-470, 2002.
2) Dobos J: Chapter 8 “Orthopaedic injuries in canoeing”. Handbook of Sports Medicine and Science: Canoeing(McKenzie D, Berglund B, eds). pp.92-104, John Wiley & Sons, 2019.
3) Campbell G: Chapter 12 “Forward Paddling”. British Canoe Union Coaching Handbook (British Canoe Union, eds). pp.205-222, Pesda Press, 2006.

ゴルフ

ゴルフは生涯スポーツといわれるほど人気の高いスポーツである。また，男女，プロ・アマチュアを問わず，ハンデによって対等に楽しむこともできる。初心者でも一度いいショットを打つと，その感覚が忘れられずに何度も練習場に通って打ち込んだり，指導を受けたり雑誌などで情報を得ようとする。
プロとアマチュアの違いは，より多くのボールを丹念に打っているかどうかだといっても過言ではない。一球一球を大切にし，研究心をもってたゆまぬ鍛錬・努力をしているのがプロである。一方，一般ゴルファーは，準備運動も不十分なままいきなりクラブを振り，それが傷害の引き金となることが多々ある。特に腰部はスイングでの負担が大きい部位なので，十分な準備運動と傷害の予防が不可欠と思われる。ゴルフを長く楽しく続けるためには，プロ・アマチュアを問わず，身体の管理・努力が必要なことはいうまでもない。
本項では，ゴルフ特有の動作とそれに伴う腰部障害について理解を深め，その理学療法における評価と考え方，およびその実際と運動の方法について解説する。

ゴルフとは

ゴルフは紳士のスポーツといわれ，プレー中は対戦相手のプレーを観察しているものの，すべては個人の責任で行われる。そのため，準備運動もプレー中の身体の管理も，個々の工夫とアイデアでなされるべきである。

ゴルフは，アマチュアにおいては，娯楽，趣味，運動などさまざまな目的があるが，プロにおいては生活にかかわる競技である。そのため，身体を鍛えてより遠くへボールを飛ばそうとし，コントロールショットをするために身体を酷使することになる。また，多くのアマチュアゴルファーは，適切な準備運動をせずにいきなりクラブを振り回してプレーを開始するため，身体にかかる負担は多くなり，障害の危険性が増大する。

本項では，ゴルフスイング時における腰部にターゲットを絞り，腰部の障害についてどのように対応すべきか紹介する。

ゴルフ動作の機能解剖

ゴルフのスイング動作について，Kelley[1)]は動作を12 sectionsに分けて次のように説明している（**図1**）。

section 1：preliminary address

予備動作により，状況を観察・確認する。このときに，身体の位置や向き，風の方向，池やバンカーの位置など，さまざまな情報を収集する。

section 2：impact fix

インパクト，ターゲット，そして軌道などをイメージして調整する。

section 3:adjusted address（アドレス）

ワッグル*1やフォワードプレス*2などをしてクラブの位置を定める。「アドレスを見るとそのゴルファーの能力がわかる」[2)]というほど重要である。インパクトはアドレスの再現といわれ，アドレスでつくった両肩と手首を結んだ三角形を常に一定に保つことが，よいインパクトにつながる（**図1❶**）。この際，両肩甲骨をやや外転位，両肩関節をやや内旋させることで腹側の筋群を働かせることができ，より安定したアドレスが得られる。

アドレスの基準となるのは，ボールと目標を結んだラインである。そのラインに対して，両つま先を結んだ線，同様に両膝・腰・両肩の4つの線が平行になるように構えることが大切である。

*1 ワッグル：クラブヘッドを左右に動かす動作。ショットに向けて備える，緊張を和らげるといった効果がある。アドレス前の姿勢に戻り，筋をリラックスさせるために行う。

*2 フォワードプレス：手と腕を目で見てわかる程度に少し前（ショットの方向）へ押し出すようにすること。これから体を動かそうとする方向とは反対側に少し動かして，反動をつけてタイミングをとることである。

section 4：start up

初期引き上げ動作（始動，**図1❷**）。下肢をしっかりと固定し，アドレスでつくった両上肢の三角形を保ち，体軸を中心に上体を回転させる。

section 5：back stroke

引き上げ～トップまでの動作（**図1❸**）。できる限り下半身を固定し，体幹上部の回転でパワーを溜めるように意識する。

section 6：the top

腕が最高点に達したところ（**図1❹**）。できる限り下半身を動かさずに固定し，上部体幹の回旋（ひねり）でパワーを蓄積する。上部体幹の回旋筋に緊張を感じる（**図2❶**）。

section 7：start down

初期の加速期（**図1❺**）。腕（肩）から加速させて腕を引き下ろしていく時期で，スイングのトップからの切り返し動作。上半身は一瞬固定され，下半身の左方向への回旋が先行する。この上半身と下半身の相反的な時間差の動きが最大限のパワーを蓄積し，ヘッドスピードの加速につながる。

section 8：down stroke

引き下ろし動作で腕がより加速される時期（**図1❻**）。

section 9：release

クラブヘッドがさらに加速される時期。溜めた力を一気に解き放つ（**図1❼**）。

section 10：impact

インパクトでボールを加速させる時期（**図1❽**）。

図1 ゴルフのスイング動作

［スイング写真協力：プロゴルファー 湯原信光氏（東京国際大学特命教授・ゴルフ部監督）］

- preliminary address：予備動作により，状況を観察・確認する
- impact fix：インパクト，ターゲット，そして軌道などをイメージして調整する

❶adjusted address：ワッグルやフォワードプレスなどをしてクラブの位置を定める
❷start up：初期引き上げ動作
❸back stroke：引き上げ～トップまでの動作
❹the top：腕が最大に引き上げられたところ
❺start down：初期の加速期。腕（肩）から加速させて腕を引き下ろしていく動作
❻down stroke：引き下ろし動作で腕がより加速される時期
❼release：クラブヘッドがさらに加速される時期。溜めた力を一気に解き放つ
❽impact：インパクトでボールを加速させる時期
❾follow through
❿finish

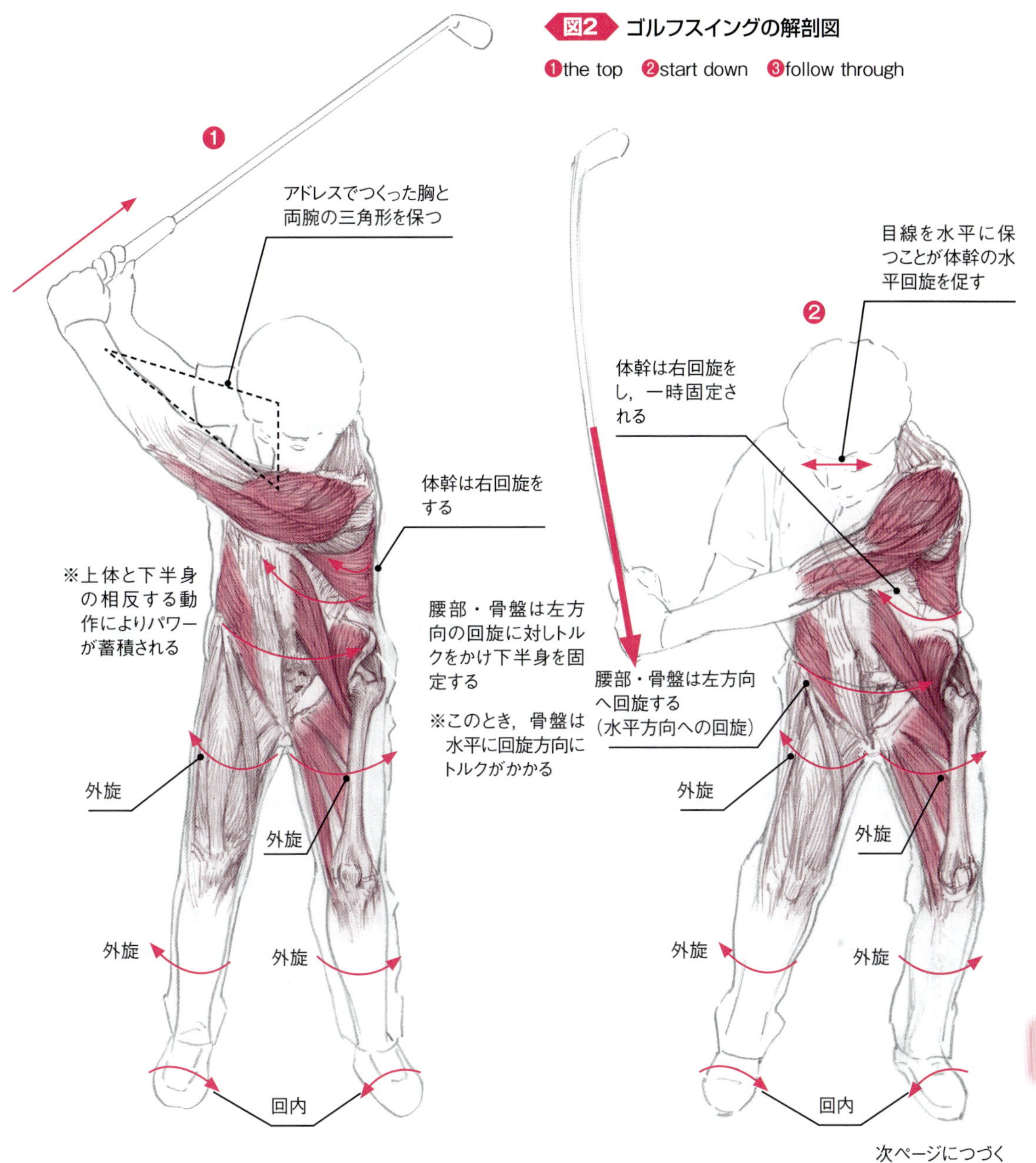

次ページにつづく

section 11：follow through

インパクトの後，クラブが振り上がる時期（**図1❾**）。

section 12：finish

クラブが最大まで，振り上がる時期（**図1❿**）。

ゴルフにおける主な障害とその要因

ゴルフ選手をみる際にまず心に留めておかなくてはならないこととして，アドレスを行い構えの姿勢をとった時点の状態が挙げられる。右打ちのプレーヤーであれば右肩が下がり，体幹は右側屈でやや右回旋していることが多く，脊柱ははじめから関節面のアライメントが悪くなっており，障害の起こりやすい状態となっている。そのような状態で「背筋を伸ばして」，「腰を反って」などと指導されると，脊柱のアライメントが悪くなって身体的にはさらに悪条件でボールを打つことになり，腰の障害の要因となる。

そのため，常に脊柱の可動性と安定性を保ちながら，脊柱の弯曲のアライメントを整えるようなトレーニングを行って準備しておくべきである。特に，胸椎レベルでの関節の可動性は体幹の回旋において重要である。胸椎レベルでの可動域が制限され回旋がスムーズに行われないと，腰部に負

前ページよりつづく

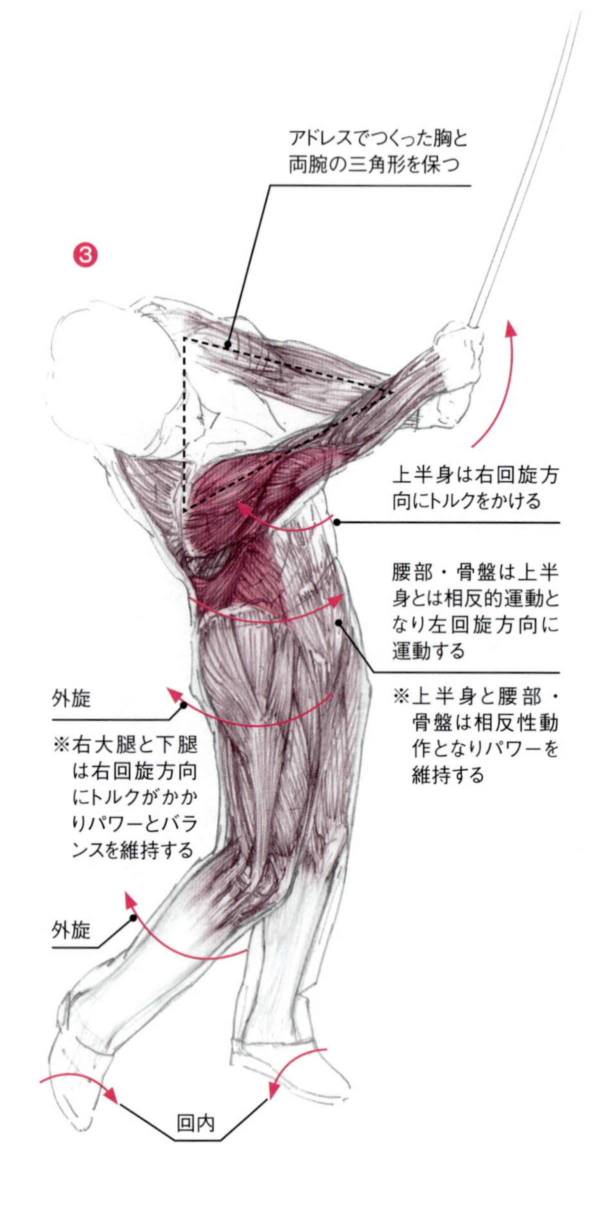

アドレスでつくった胸と両腕の三角形を保つ
❸
上半身は右回旋方向にトルクをかける
腰部・骨盤は上半身とは相反的運動となり左回旋方向に運動する
※上半身と腰部・骨盤は相反性動作となりパワーを維持する
外旋
※右大腿と下腿は右回旋方向にトルクがかかりパワーとバランスを維持する
外旋
回内

担がかかることになる。

次に，ゴルフスイングのなかで特に障害の起こりやすいsectionを例に挙げて解説する（**図3**）。

① back stroke → the top

このsection間で体軸が正しく回旋されないと各脊椎の関節面に負担がかかり，痛みの要因となる（**図3❶**）。前述のように，アドレスでつくった胸と両腕による三角形を保持しながら，トップの位置まで上部体幹の右回旋が行われる。骨盤と腰部が上部体幹とは相反する筋活動動作（左方向への回旋トルク＊3）を行うことで下半身が固定され，パワーが蓄積される。このとき，体幹筋群や股関節周囲筋群によって骨盤と腰部が水平移動しないように固定されていないと右方向に体軸が崩れてしまい，右股関節や腰椎に負担がかかることになる（**図2❶**）。

＊3 トルク（torque）：発揮される回転力。回転軸の周りにおける力のモーメントのこと（三省堂：大辞林 第三版，2006．より引用）。

② the top → start down → down stroke

このsection間のボディターンがスムーズにいかないとボールインパクト時の腰部への衝撃が大きくなり，障害の要因となる（**図3❷**）。上部体幹は右回旋方向に固定したまま，骨盤・腰部が相反する左方向に回旋することでパワーを最大限に蓄積し，よりパワフルなインパクトにつなげることができる。このとき，上部体幹の固定と体幹筋群や股関節周囲筋群による骨盤・腰部の水平方向への動作がスムーズでないと左方向に体軸が崩れてしまい，左股関節や腰椎に負担がかかることになる（**図2❷**）。

③ release → impact → follow through

このsection間においても骨盤と腰部が正しく回旋されないと，腰部の痛みの要因となる（**図3❸**）。蓄積されたパワーを一気に解き放ち，ヘッドスピードを上げる。上部体幹は右回旋方向にトルクをかけて固定され，骨盤・腰部は相反して左方向に回旋することになる。この相反的な動きがパワーを最大限に発揮し，よりパワフルなインパクトになる。また，この相反的な動きにより，アドレスでつくった三角形の両上肢の動きを素早くスムーズにできる。上部体幹の固定と，体幹筋群・股関節周囲筋群による骨盤・腰部の水平方向への動作がスムーズになり，右股関節では相反性の筋活動によって外旋方向にトルクが生じる。この動作が行われないと左方向に体軸が崩れてしまい，左股関節や腰椎に負担がかかることになる（**図2❸**）。

図3 不適切なゴルフスイング

❶back stroke→the top：理想の体軸は骨盤に対して垂直だが，ここでは左の骨盤が下がり，右方向に体軸が動いているため，右股関節や腰椎の側屈と回旋に負担がかかる
❷the top→start down→down stroke：右の骨盤が下がり，左方向に体軸が動いているため，左股関節や腰椎の側屈と回旋に負担がかかる
❸release→impact→follow through：右方向に体軸が動き右骨盤が下がっているため，左股関節や腰椎の側屈と回旋に負担がかかる

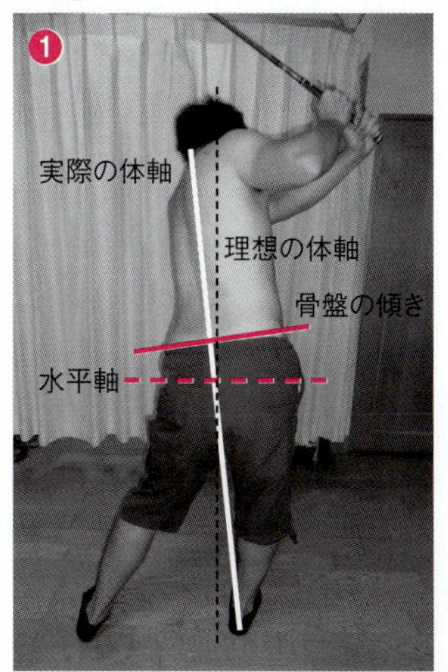

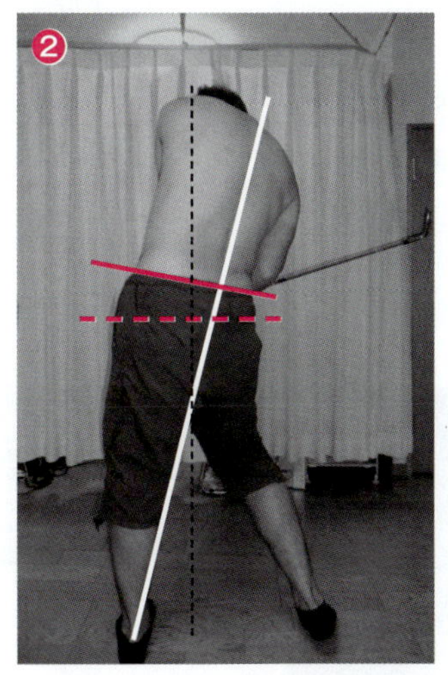

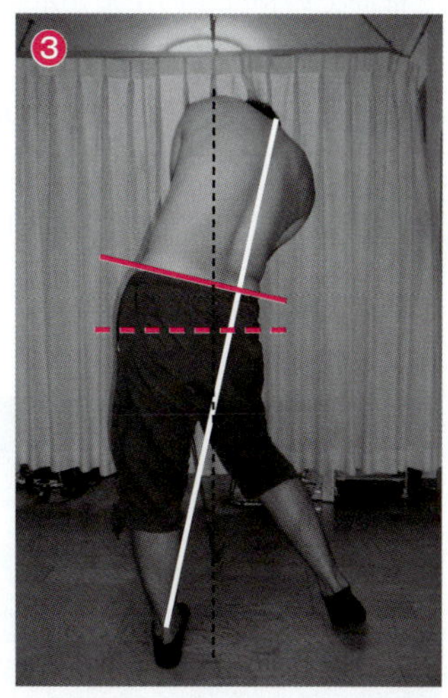

Sports Skill

臨床上多く見かける上級者およびプロゴルファーの腰背部（図4）

図4 ゴルフ上級者の典型的な腰背部

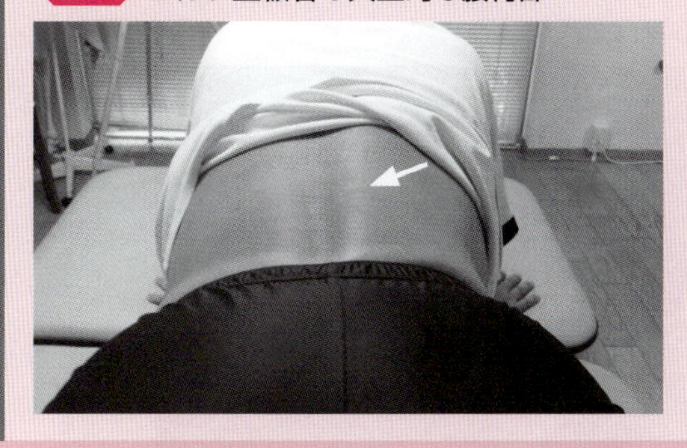

右打ちのゴルファーでは腰椎右回旋が優位となり，腰背部の筋の緊張が高くなっている（矢印で示した部分）。これはrelease→impactの動作の際に，下半身の左回旋の力に対して上半身を右方向に残し，カウンター的に身体の右側で動きを制御することで生じてくる。制御する力が強ければ強いほど，腰部に負担がかかり障害が発生する。

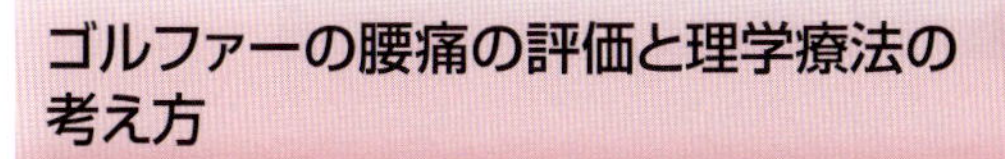

ゴルファーの腰痛の評価と理学療法の考え方

腰痛の評価[3-5]

腰部の評価について，一般的な感覚テスト，反射テスト，神経伸展テスト，柔軟性テストなどを紹介する。

感覚テスト（図5）

一般に，触覚は筆や綿で軽く触れ，痛覚は針やピン車，温度覚は氷水または湯を入れた試験管，振動覚は音叉を用いて検査する[6]。検査はデルマトームに沿って行い，健常部を10点満点として検査部位が何点かを患者に答えてもらう。

反射（深部腱反射，図6）

反射とは，末梢の感覚受容器の刺激により発生した興奮が求心路を通って中枢神経系の興奮を引き起こし，これが遠心路によって効果器に伝えられて生じる一定の反応である[6]。

反射亢進は支配髄節よりも中枢部での障害を示唆し，反射が減弱している場合はその反射弓内の障害を示唆する。

末梢神経牽引テスト

• **大腿神経伸張テスト（図7）**

被検者を腹臥位または側臥位にし，膝関節90°屈

曲位で他動的に股関節伸展運動を行う。大腿神経に伸展力が働き，この力が腰椎神経根に波及する。大腿の前内側部あるいは下腿内側部に感覚異常や痛みが生じれば陽性であり，特にL2-3間など上位腰椎間での神経根の圧迫が示唆される。

- **坐骨神経伸展テスト**

下肢伸展挙上(straight leg raising：SLR)テスト(**図8❶**)：被検者を背臥位にし，膝関節伸展位で股関節を屈曲させていく。疼痛が生じた場合，通常第5腰椎神経根あるいは第1仙骨神経根の圧迫が示唆される。

Bragard（ブラガード）テスト(**図8❷**)：SLRテストと同様に下肢を挙上していき，痛みや異常感覚が生じたところで下肢をわずかに下げ，ハムストリングの伸張を緩める。その後，足関節を背屈させることで，下肢の痛みの原因がハムストリングの短縮によるものか神経原性かを判別できる。

図5 感覚テスト

筆による触覚の検査

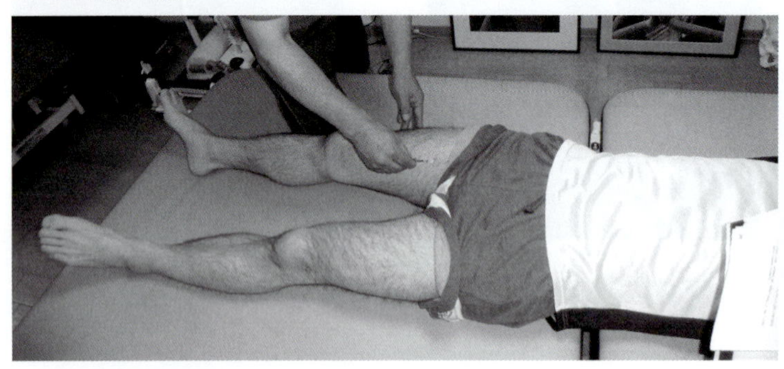

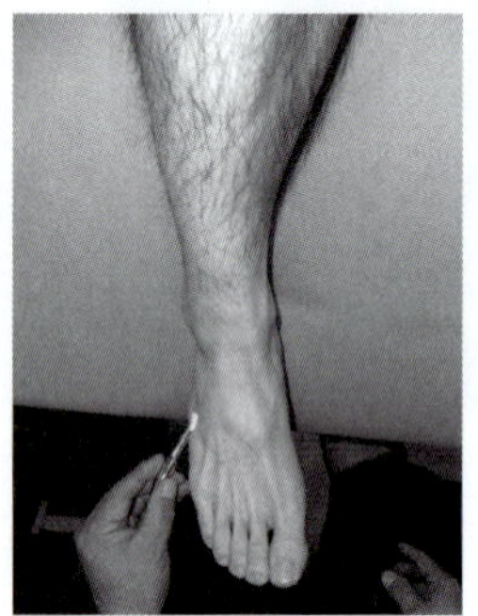

図6 反射の検査

❶膝蓋腱反射：膝蓋骨のやや下方の膝蓋腱をハンマーで軽く叩打する
❷アキレス腱反射：手で足関節を軽度背屈させアキレス腱部を軽く叩打する

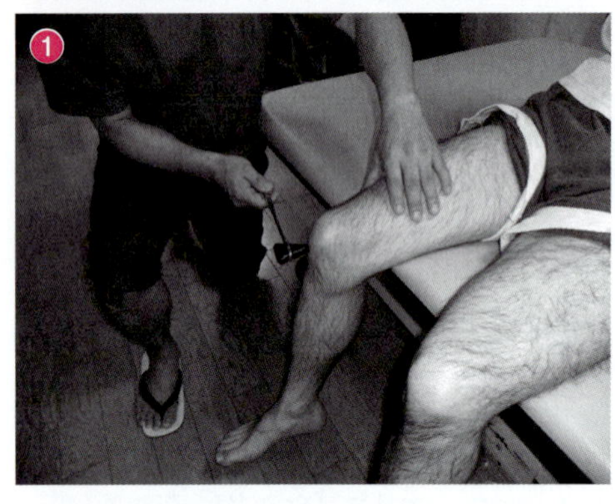

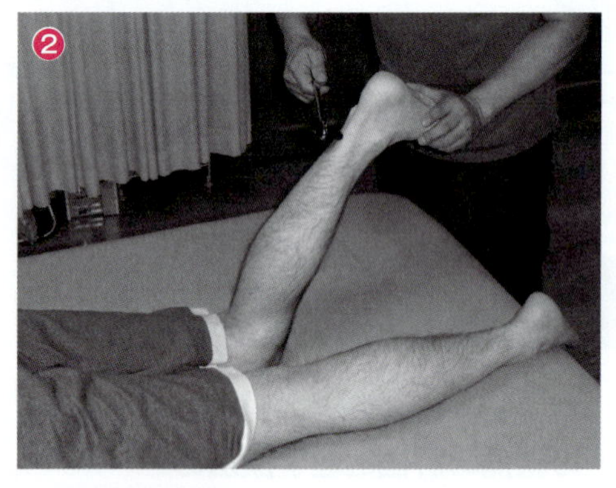

図7 大腿神経伸張テスト

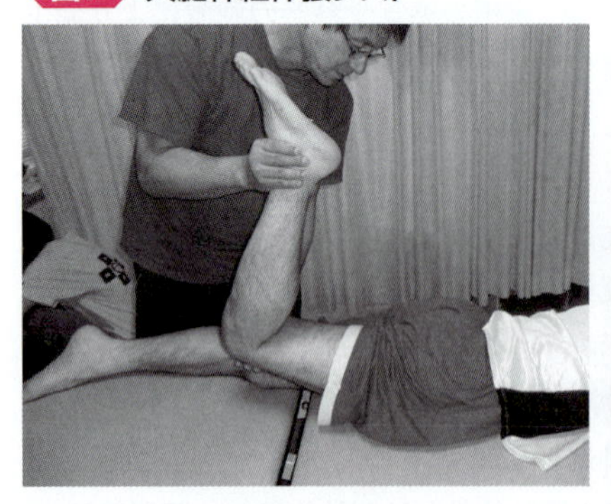

図8 坐骨神経伸展テスト

❶SLRテスト　❷Bragardテスト：腰椎神経根の圧迫を調べる

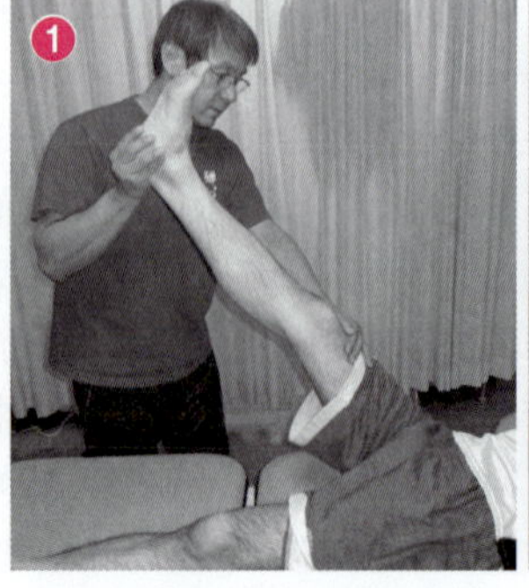

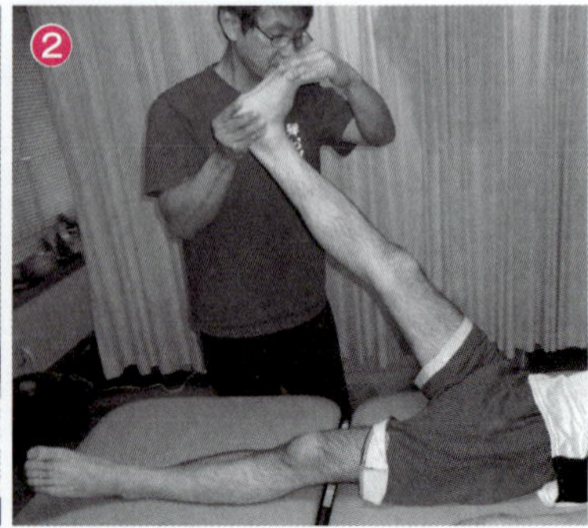

Kemp（ケンプ）テスト（図9）

腰椎神経根の圧迫を調べるテストである。被検者を立位とし，検査者は被検者の後方に立ち，一側の手を被検者の片側腰背部へ，他方の手を反対側の肩に置き，腰背部に当てた手の側へ体幹を後側屈する。後側屈側の殿部から下肢後面に疼痛が放散した場合は，腰椎神経根の圧迫が示唆される。

可動域の確認（指床間距離，図10）

被検者に立位から膝伸展位で体幹を前屈させ，床から手指先端までの距離を測定する。

簡便な腰椎回旋のチェック

• **座位(足底は床に固定していること)**

胸郭を固定し，膝を左右前後に出すことにより腰椎の回旋の程度を評価する(**図11**)。

• **四つ這い**

左膝を垂直下方に押すと右腰背部の緊張が生じ(腰椎右回旋：**図12❶**)，右膝を垂直下方に押すと左腰背部の緊張が生じる(腰椎左回旋，**図12❷**)。例えば，右回旋が生じている場合は左膝を押すのが容易となる。

腰痛の運動療法

腰椎は全体で，伸展30°，屈曲40°の可動性をもっている[7]。側屈は20〜30°[8]，左右の総回旋は10°(5°+5°)で各椎体レベルでは1°[9]とされている。屈曲・伸展と比べると回旋と側屈の可動域は広いわけではなく，関節のアライメント不良により正しい運動ができないと障害の原因となる。

特に，体幹の回旋機能を用いてボールの飛距離を伸ばそうとしたり，平坦ではないグラウンドから打つ場合は無理な体勢で打つことになる場合もあるため，腰への負担はさらに増大する。まずは腰椎の可動性と安定性が必須であり，そしてその機能をどのようにゴルフ動作につなげるかが課題となる。そのためには，運動コントロールと運動学習の原理を利用すると，プログラムを組み立てやすく効果的である。次に，その原理と考え方について説明する。

運動コントロール

表1に示した4段階[10]で運動を獲得していき，目的とする動作などにつなげていく。

スポーツ動作に限らず，われわれが運動を行うときは各関節の運動可動域(mobility)が必要である。そして，関節周囲の安定性(stability)を得ることで，重力に対応することが可能である。実際の動作は，安定性があるなかで運動を行うこと(mobility on stability)で協調的な運動が可能となる。例えば，ゴルフ動作では体幹の安定性があるので上肢の運動が行いやすくなる。巧緻性動作(skill)では，運動性・安定性があり，そしてその安定を得ながら運動を行うことで動作が円滑・協調的に行われている。

運動学習（motor learning）

運動学習ではFittsら[11, 12]の提言する，①認知段階，②連合段階，③自動段階の理論を用いて，運動を学習させていく。

ここからは，ゴルフの場合を例に運動学習について解説する。

• **①認知段階**

言語中枢(主に前頭葉・側頭葉・頭頂葉に位置する)が活動し，自分自身に問いかけている状態である。最初からボールがクラブにまともに当たっ

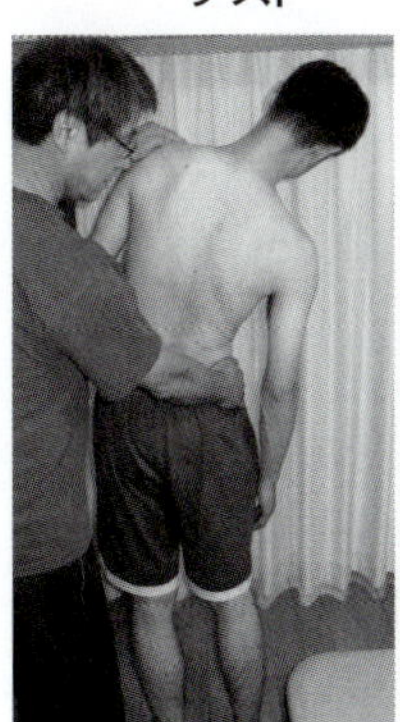

図9 Kemp テスト

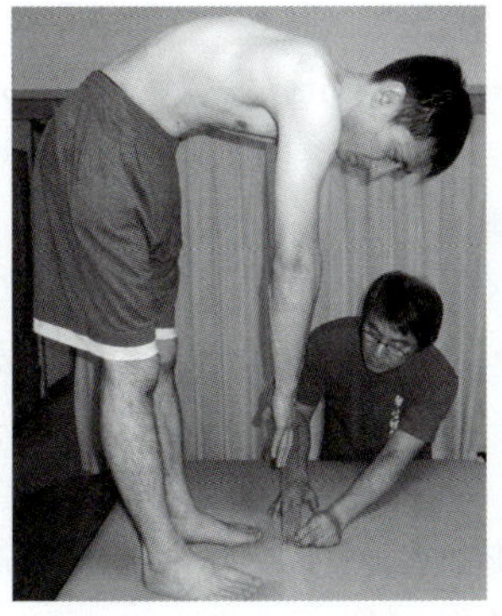

図10 指床間距離

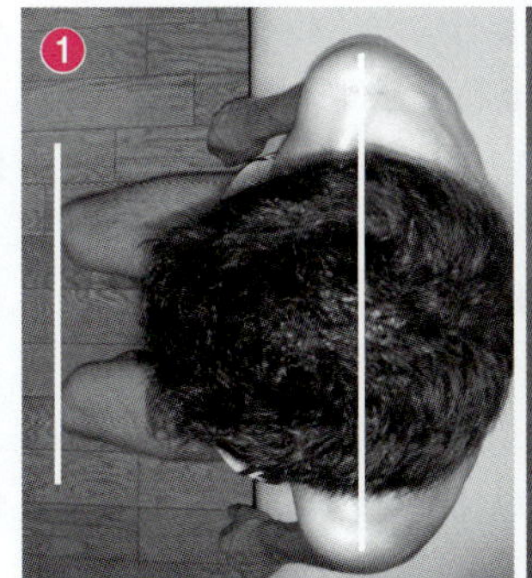

図11 座位での腰椎回旋チェック

座位で体幹を固定し，膝の位置の左右差を確認する。❶は左右均等，❷は左膝が前に出るので，腰椎の右回旋が優位になっている

図12 四つ這いでの腰椎回旋チェック

❶左膝を下方に押したときは右腰背部の筋が緊張する
❷右膝を下方に押したときは左腰背部の筋が緊張する

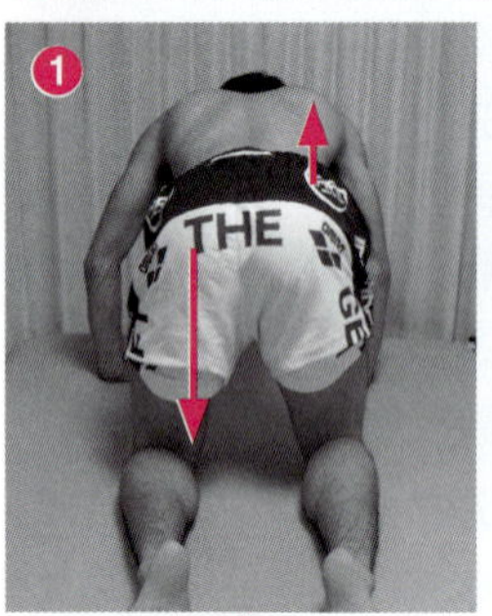
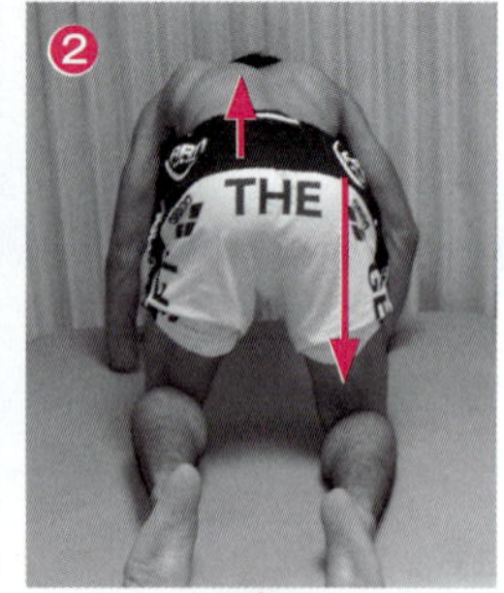

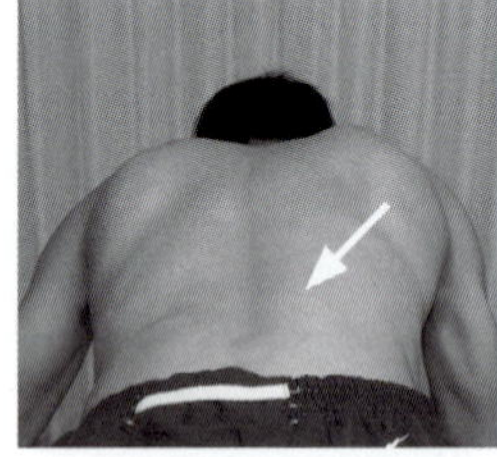
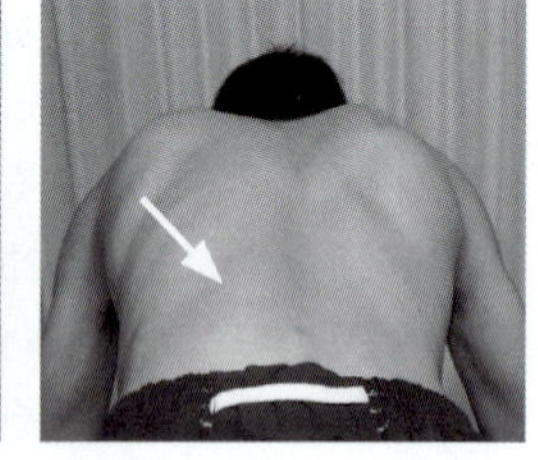

表1 運動コントロールの段階

①mobility：運動性
②stability：安定性
③mobility on stability：安定性があるなかでの運動性
④skill：巧緻性

てまっすぐ飛ばせる人はおらず，握り，構え，振り方などもすぐにできるわけではない。初心者は，ゴルフの本・写真・動画などを見て正しい握り方や構えなどの情報を収集し，自分なりに理解している段階である。初心者に運動を教える場合には，どのような部位や運動要素を用いて運動を獲得していくのかということを教え，認識させる必要がある。

- ②連合段階

試行錯誤の段階で，さまざまな運動戦略が試される。例えば，「もう少しグリップを変えたらどうか？」，「体の重心をもう少し右に乗せたらどうだろう？」など試行錯誤し，成功すれば採用，あるいは失敗したら却下されていく。運動要素を実際に使って経験し，よかったことは継続し，改善すべきところは修正していく段階である。

- ③自動段階

運動学習の最終段階であり，より自然でオートマチックな運動を目指し，動作に対応できるようにしていく。この段階になると，言語的過程やさまざまな運動戦略を試す必要もない。自分の身体がどう動くのかをわかっており，意識的に努力しなくても適応・調節し，反応することができる。一流のゴルファーほど，構えたときにショットの方向性や状況などをすべて把握しており，自然に身体が対応する。よいショットを打っても「何も考えていなかった」，「どのようにして打ったのか覚えていない」という状況が，この段階といえるだろう。

前述のように，ゴルフは紳士のスポーツといわれ，大会でプレーヤーがショットを打つとき，観客は静粛にすることがマナーとされている。プレーヤーは自分一人の世界に入り込むほど自分自身に問いかけてしまい，心理的にも肉体的にもオートマチックになりにくいことがゴルフの難しさでもある。特に競技スポーツでは，いかにオートマチックな状態にできるかが競技パフォーマンスの向上につながる。

続いて，実際のゴルファーの腰痛に対する運動療法の一部を紹介する。

hands on exercise（セラピストが直接患者の体に触れ，刺激する）

図13〜22の図中の矢印は，運動と抵抗の方向を示す。

- ①mobility（可動性）を促進する

腰椎屈曲・伸展/側屈/三次元（屈曲/伸展，側屈，回旋）の動きを獲得する。まずは，可動域の大きい屈曲と伸展の動き（**図13**）を獲得すべきである。次に，側屈（**図14**），そして回旋を含めた三次元の要素（**図15**）を獲得していくことが最善と思われる。そして，腰椎の可動性・生理的前弯を正常化することが重要である。運動は，負荷なしの運動から軽い負荷，そして微細な動きの獲得へと進めていく。

- ②stability（安定性）を得る

脊柱の深部筋も含めた体幹の安定性を促進する。頭部，肩甲帯の要素を利用し，体幹を強化していく（**図16**）。

- ③mobility on stability（安定性があるなかでの運動）

下部体幹や下肢などの安定性を得ながら，上部体幹の運動性を促す。さらに高度な動きとなる（**図17，18**）。

図13 腰椎屈曲と伸展の運動(側臥位)

❶開始肢位(伸展)
❷最終肢位(屈曲)

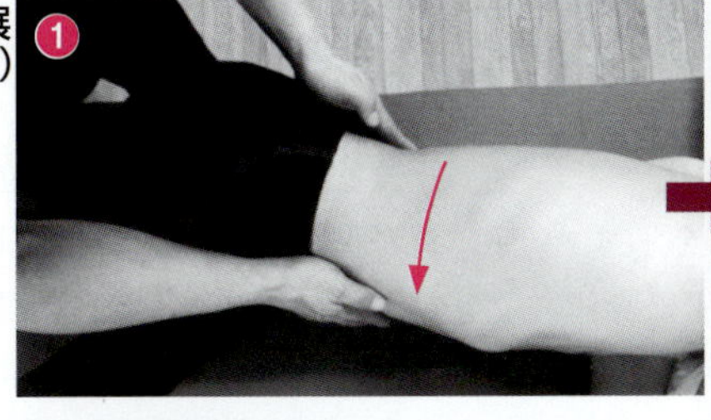
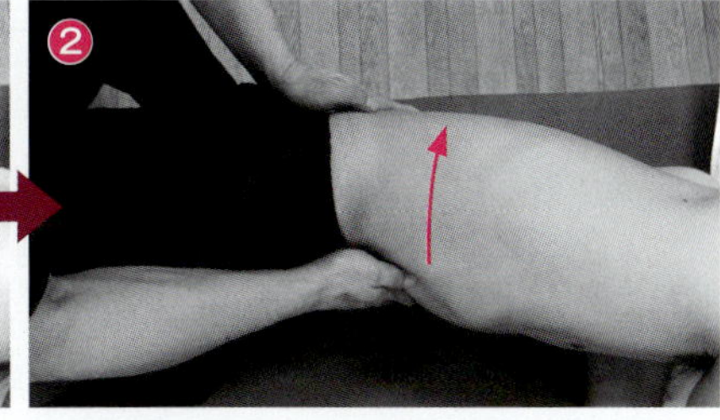

図14 腰椎の側屈の運動(背臥位)

❶開始肢位
❷最終肢位(左側屈)

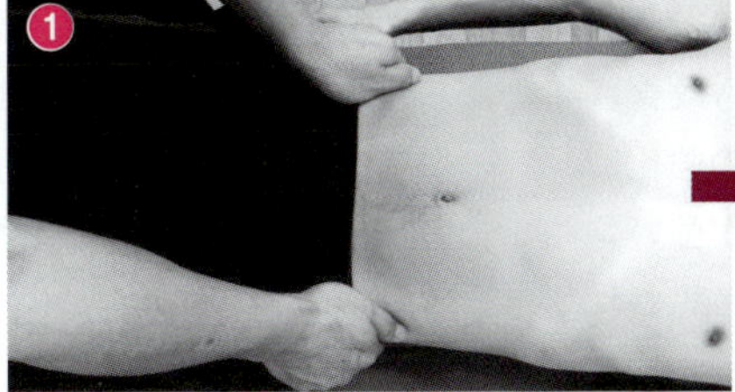
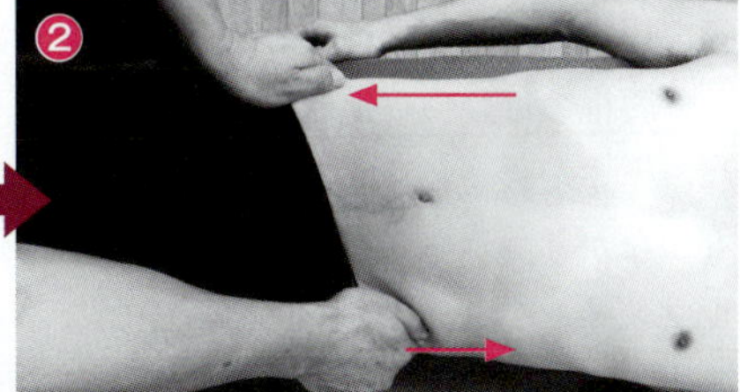

図15 回旋を含めた三次元的運動：右腸骨稜の前面部から左肩関節に向かう(側臥位)

❶骨盤前方挙上の開始肢位
❷骨盤前方挙上最終肢位

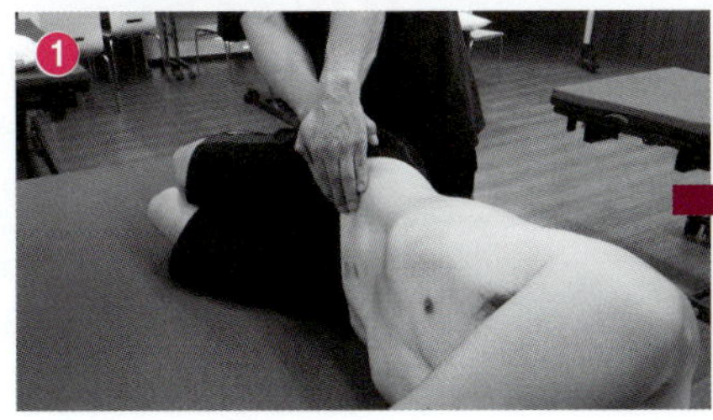
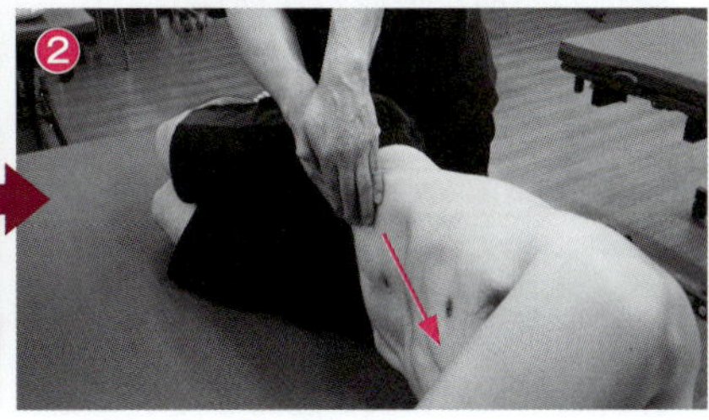

図16 体幹のstability獲得

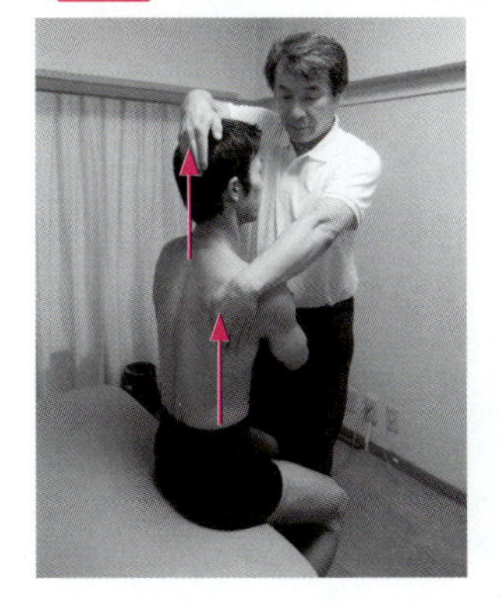

図17 mobility on stabilityの例①

❶開始肢位：両上肢と頭頸部の安定性を得る
❷終了肢位：上部体幹，頭頸部の安定性を保ちながら，下部体幹および骨盤の運動性を得る

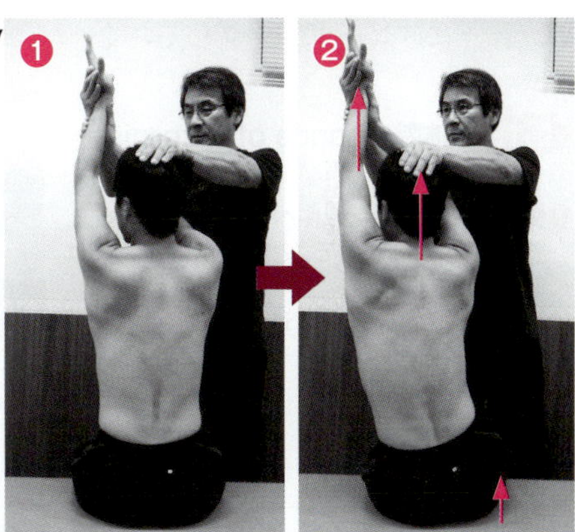

ゴルフ

図18 mobility on stabilityの例②

❶開始肢位：セラピストは両骨盤の上から両膝に向かって圧縮を加える。股関節周辺の安定性を得る(矢印は圧縮の方向を示す)
❷終了肢位：左膝をマットに押し付け，右膝をわずかに挙げると右背部筋が収縮する。腹筋を強化しつつ，背筋群が強化される。セラピストは左骨盤には圧縮を加え，左下肢の安定を得るなかで右下肢の挙上に対して抵抗を与える(矢印は運動の方向を示す)

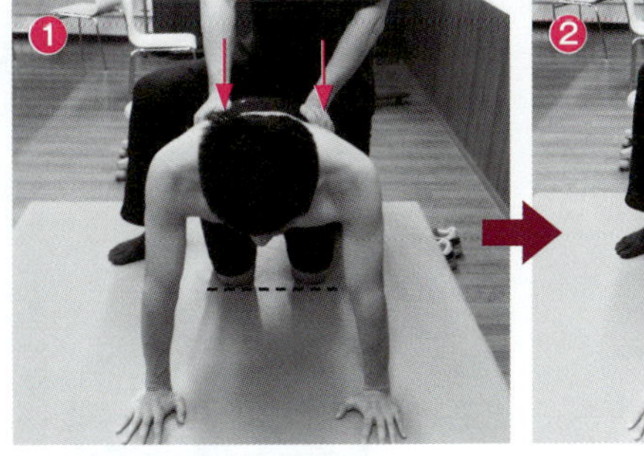
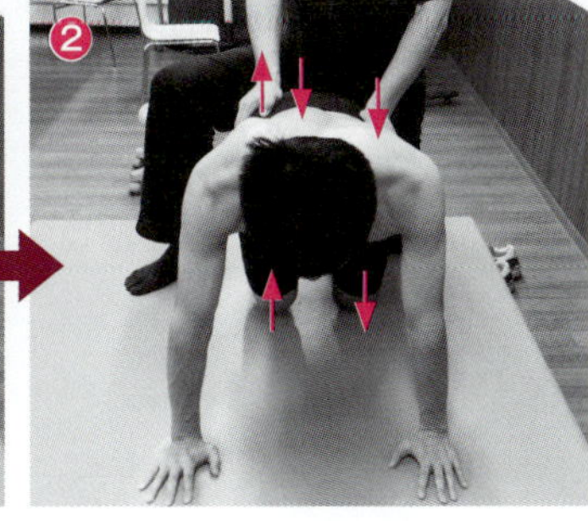

hands off exercise（自主トレーニング，ホームエクササイズ）

• **腹筋・背筋群および腰部回旋筋群の強化**

図19に体幹のhands off exerciseの例を示す。四つ這い位で，できる限り体重移動をせずに身体の正中線を動かさないようにして一側の膝を少し挙上する。これにより腹部と腰部の内圧が高まり，腰部周辺の筋力が促進される。左右交互に行うことで腰椎の可動性促進となり，前屈動作も改善される。また腹筋と背筋群，股関節周囲筋の強化にもつながり，ボールインパクト時の衝撃が強いゴルフスイング動作への対応が可能になると思われる。

• **腰椎の屈曲と伸展の運動（図20）**

脊柱に沿って背中にゴルフクラブを当てた状態で，腰椎を屈曲・伸展させる。屈曲すると腰背部がクラブに接触し，伸展するとクラブと腰背部の間にスペースができる。

• **体幹と下肢の相反性運動の強化（図21）**

体幹と下肢の相反性運動を行うことで，パワーを蓄積するためのトレーニングとなる。運動は相反する方向へ水平に行う。はじめはゆっくりと行い，徐々にスピードアップしていく。

• **スクワット姿勢の保持（腰痛予防の筋力強化）（図22❶）**

骨盤をニュートラル肢位（上前腸骨棘と恥骨の位置が垂直）を保つ。この位置を保つことで腹筋と背筋がバランスよく働く。また，殿筋や大腿四頭筋の強化にも適している。最初は1分間のスクワット姿勢の保持を目標とし，最終的に5分間の保持ができるようになると腰痛予防が可能である。さらなる強化を望むのであれば10分間スクワット姿勢を保持できるようになると腰痛予防のほかに下肢筋力が強化され，ボールの飛距離アップにもつながる。

• **スクワット姿勢から体重を左右に並行移動（図22❷）**

骨盤をニュートラル肢位に保ちながら左右への並行移動をゆっくりと行う。このことで腹筋と背筋をバランスよく働かせながら，殿筋や大腿四頭筋の強化ができる。最初は1分間を目標に左右への体重平行移動を行い，最終的に5分間継続して行えるようにする。5分間できるようになると下肢が強化され，ゴルフに必要な体重移動を習得することができる。

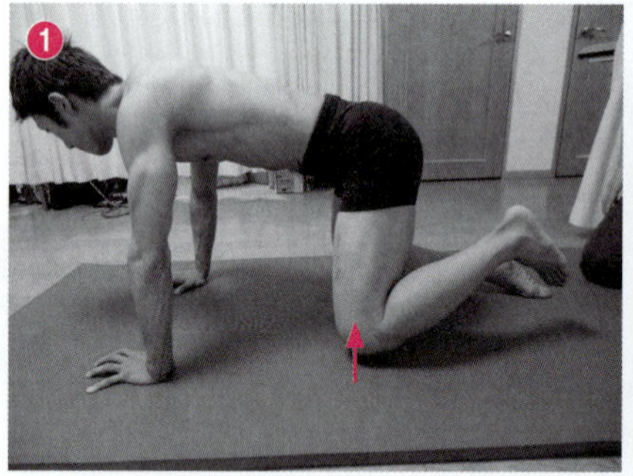
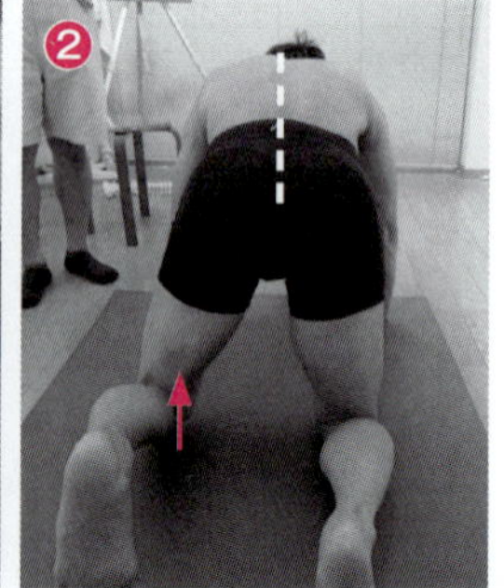

図19 体幹のhands off exerciseの例

❶側面から見た図。一側へ体重移動をせずに，膝をわずかに挙上することを心がける（矢印は運動の方向を示す）
❷後面から見た図（矢印は運動の方向を示す）

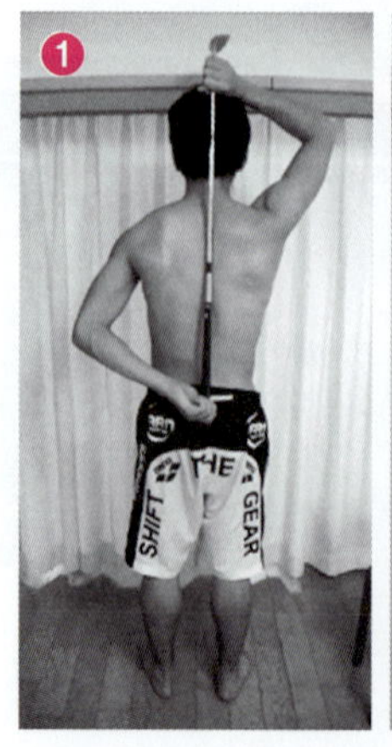

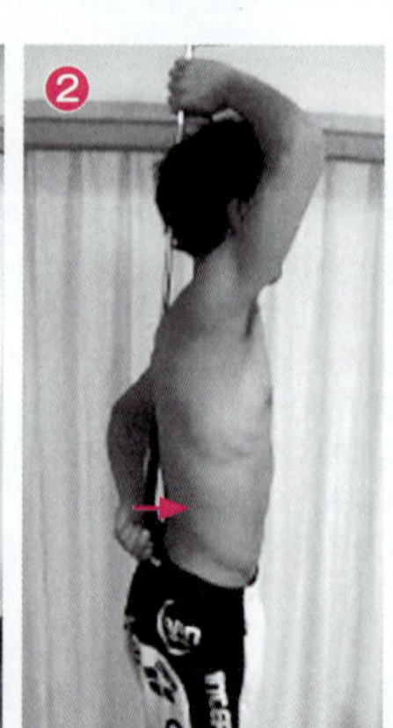
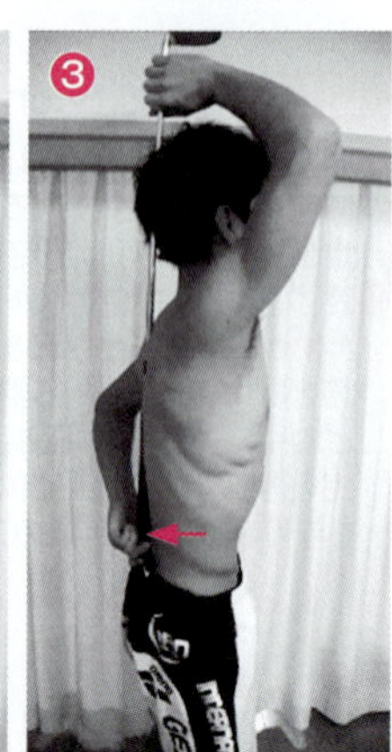

図20 背中にゴルフクラブを当てて行う腰椎の屈曲・伸展

❶ゴルフクラブを当てる位置。脊柱に沿って背中にゴルフクラブを当てる
❷腰椎伸展（矢印は運動の方向を示す）
❸腰椎屈曲（矢印は運動の方向を示す）

図21 体幹と下肢の相反性運動

❶準備姿勢：ゴルフクラブのシャフトを持ち，身体の左側に置いた台の上にグリップを乗せて姿勢を伸ばす
❷開始肢位：体幹と骨盤の向きを合わせる
❸最終肢位：体幹を右回旋，骨盤は左回旋させる（矢印は運動の方向を示す）

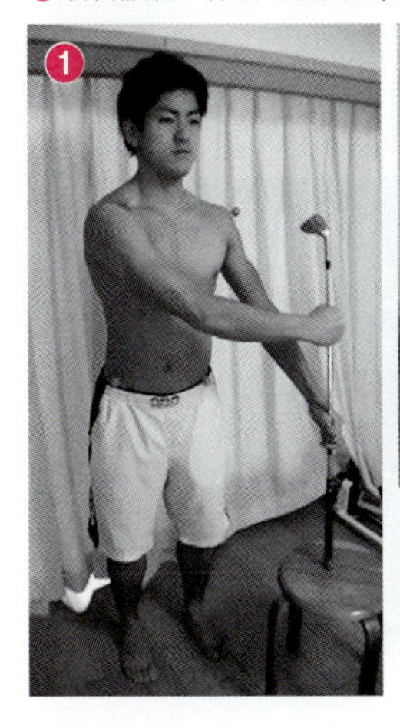

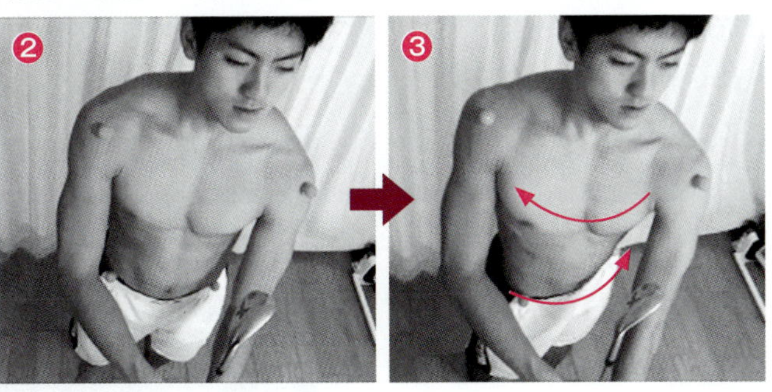

図22 スクワット姿勢の保持（腰痛予防の筋力強化）

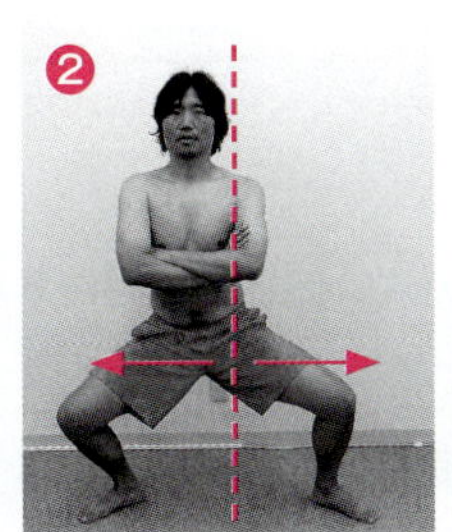

❶スクワット姿勢の保持：両肩・骨盤・両膝のラインは水平に保つ
❷スクワット姿勢から体重を左右に並行移動：骨盤をニュートラル肢位に保ちながら平行移動を行う
❸〜❺ボールを持った状態でのスクワット姿勢における体幹の回旋（❸体幹右回旋，❹ニュートラル肢位，❺体幹左回旋）：a）❹から❸で急速に止める。b）❹から❺で急速に止める。c）❸から❺で急速に止める。1セット5回を目安にし，次第に回数を増やしていく

- **1〜2kg程度のボールを持った状態でのスクワット姿勢における体幹の回旋（図22❸〜❺）**

骨盤をニュートラル肢位に保ちながらスクワット姿勢をとり，左右に体幹の回旋運動を行う。このとき，**図22❹**の位置からできるだけ素早い動きで**図22❸**もしくは**図22❺**に動き，そこで止めることで体幹筋と下肢に対しカウンターの動きがかかり，回旋運動が強化される。ゴルフのバックスイング，インパクト時，そしてフォロースルーなどのパフォーマンスの改善に効果的である。

フォローアップ

前述のように，ゴルフではアドレスを行い構える姿勢をとった時点で，脊柱関節面のアライメントが悪く，障害が起こりやすい状況であるということを認識しておくべきである。

まずはプレーする前に入念な準備運動が必要である。特に，**図18**に示した四つ這いでの運動は，体幹の可動性，腹筋と背筋，股関節周囲の筋群の運動となり，短時間でできる効率のよい準備運動である。また，プレー中でも腰に違和感を覚えたら同じ運動を行うことで，障害の予防，パフォーマンスの維持・向上につながるかもしれない。ボールを打つたびに，また1ラウンドプレーするたびに腰に負担がかかり，腰椎関節周囲にある固有感覚は低下し，筋も十分に対応できなくなって，障害が発生する。

プレー前の入念な準備運動，プレー中の簡単な修復運動，そして可能であればプレー後の入念なクールダウン・筋群への再刺激をしておくと障害予防にもなる。

おわりに

本項では，ゴルフで多発する腰の障害について，

症状とその評価，運動療法について述べた。ゴルフは，老若男女問わず最も人気のある生涯スポーツの1つといっても過言ではない。何歳になってもプレーを楽しむことは可能である。しかし，プロ，アマチュアを問わず，長く楽しくプレーを続けていくためには，ゴルファーがゴルフにおける障害についての知識をもつことが重要である。そのため，ゴルフの障害予防にはどのような準備運動が必要なのか，どのような状況でプレーすることが必要なのかなどといった，ゴルファーの教育が大切である。いくつになってもフルスイングができるような体作りを，普段から心がけたい。

筆者もゴルフ愛好者であり（**図23**），プロゴルファーとともに，どうすれば障害を未然に防ぐことができ，体を強化してパフォーマンスを向上させることができるのか，日々対応に取り組んでいる。本項が，多くのゴルファーの障害予防，パフォーマンス向上の一助になれば幸いである。

図23 筆者のスイング

Treatment

ゴルフ肘に対する考え方と対応の仕方

障害が起きやすい場所

①橈側および尺側手根伸筋群近位部（図24❶）

インパクトからフォロースルー時に筋群が遠心性収縮として十分に働かないと上腕骨外側上顆起始部に過大なストレスがかかり，筋腱の炎症や痛みにつながる。

②橈側および尺側手根屈筋群近位部（図24❷）

ダウンスイングからインパクト時に筋群が十分に働かないと上腕骨内側上顆起始部に過大なストレスがかかり，筋腱の炎症や痛みにつながる。

①と②の障害の共通点

両肩の使い方にある。両肘が過伸展し，両肩が外旋してしまうと肩の中間位が保てなくなり，腹筋と背筋，上腕から前腕，手首への筋連鎖を起こすことが難しくなる（**図24❸**）。このため，両上肢の前腕や手首の筋活動が低下し，ゴルフクラブからの衝撃に対応できなくなり痛みや障害につながると考えられる。

対処法

ダウンスイングからインパクトにかけて**図25**のように，両肩，前腕，手首の中間位を保つことが上肢・体幹の筋群を働かせることにつながり，障害を回避できる。さらに，中間位の保持はパフォーマンスの向上にも貢献できる。手掌面と上腕二頭筋のラインが一致することを目安にするとよいと考えられる。

もちろんラウンド前の準備，トレーニングとして基本的な筋のストレッチ・強化は必須であることは言及するまでもないが，障害の主な原因は，両肩，前腕，そして手首という上肢の筋群要素の使い方に問題があるからである。このため，筋のストレッチや筋力強化を行うことが根本的な改善にはなりえない。つまり筋群をいかに効率よく使わせるかが，障害予防およびパフォーマンスの向上につながることを心に留めておく必要がある。

図24 ゴルフ肘の障害が起きやすい場所とその原因

●のポイントは，痛みの発症しやすい位置を示す

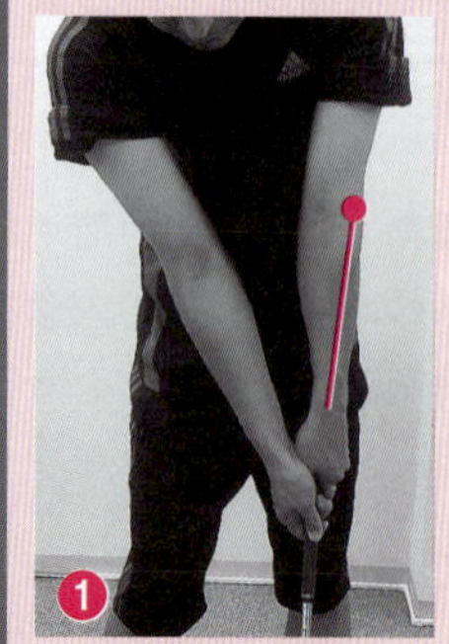

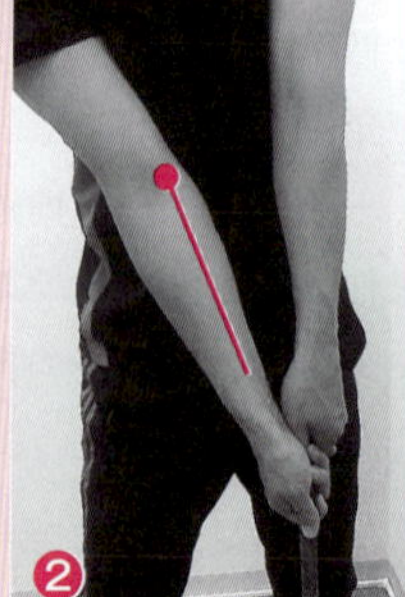

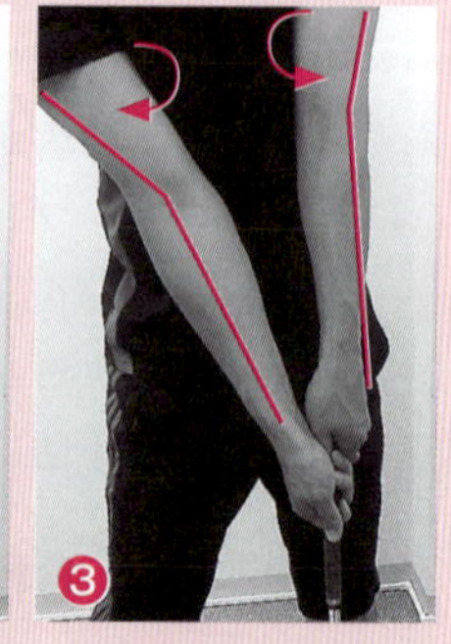

図25 ゴルフ肘への対処法

ダウンスイングからインパクトにかけて両肩，前腕，手首の中間位を保つことで上肢・体幹の筋群を適切に働かせ，障害を防ぐ

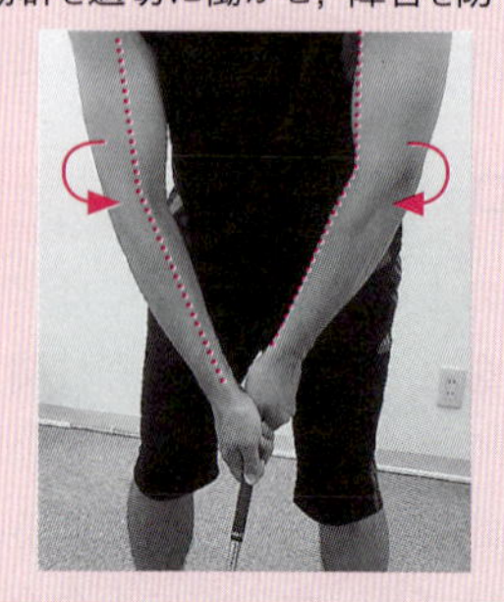

インパクト時の筋群の使い方

神経生理学者のGellhorn(ゲルホーン)[13]の筋電図(electromyography：EMG)によるヒトの筋活動に関する実験結果によると，上腕三頭筋は前腕回外位と橈側手根伸筋との組み合わせパターンをもち，さらに上腕二頭筋は前腕回外位と橈側手根屈筋との組み合わせパターンをもつことが示されている。このことから，上腕三頭筋には前腕回外と手関節伸展(橈側手根伸筋)，そして上腕二頭筋には前腕回外と手関節屈曲(橈側手根屈筋)の組み合わせでそれぞれの筋群が強力に働くと推定される。ゴルフにおいて，インパクトの瞬間に肘関節の二関節筋である上腕二頭筋と上腕三頭筋が効率よく働かないと肘関節の運動性と安定性を得ることができず，関節周囲の筋・腱あるいは靱帯などに負担がかかり，痛みや炎症につながる。肘関節障害を防ぐためには，もちろん関節周囲筋群のストレッチや強化などが必須であるが，それらが効率よく，そしてタイミングよく働かないと能力も発揮できない。そこで，インパクト時における手関節と前腕の効率のよい組み合わせを**図26**に示す。それらの組み合わせは，左手関節屈曲と前腕回外の組み合わせにより，上腕二頭筋の働きを強力にする。また，右手関節伸展と前腕回外の組み合わせにより，上腕三頭筋の働きを強力にする。このことにより，衝撃のかかるインパクト時に上腕二頭筋と上腕三頭筋が適切かつタイミングよく働くことができ，肘関節障害の予防につながると考えられる。

また，インパクトの瞬間にクラブのヘッドスピードを上げるには，右上肢と左上肢のカウンターの動き[counter movement(カウンタームーブメント)：進行中の動きを制限する方法の1つで主動運動の方向とは反対の動き][14]が必要と考えている。つまり，右打ちの場合，インパクトの瞬間に左上肢は上腕二頭筋と橈側手根屈筋によって安定して制御され，運動方向と反対の動きに力がかかる。そして右上肢は，上腕三頭筋と橈側手根伸筋の働きによって安定して制御され，加速される。この右上肢の加速と左上肢の反対方向への制御によりカウンターの動きが起こりクラブのヘッドスピードが加速され，より力強いインパクトを得ることができると考えられる。**図27**にそのカウンターの動きの方向を矢印で示す。

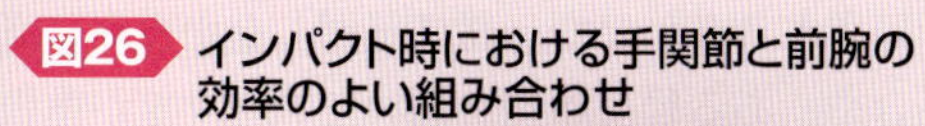

図26 インパクト時における手関節と前腕の効率のよい組み合わせ

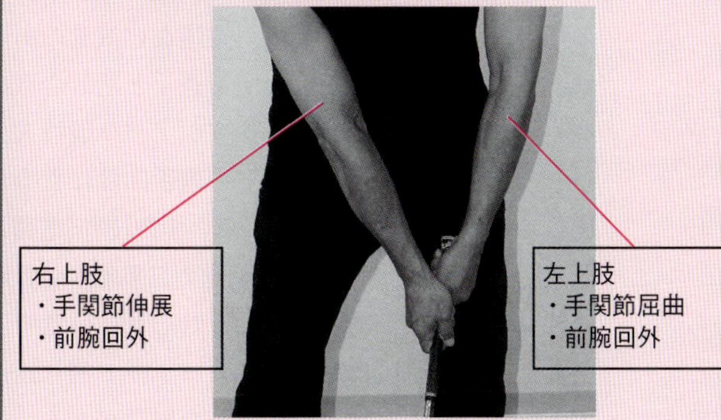

図27 カウンタームーブメント

カウンターの動きの方向を↑で示す

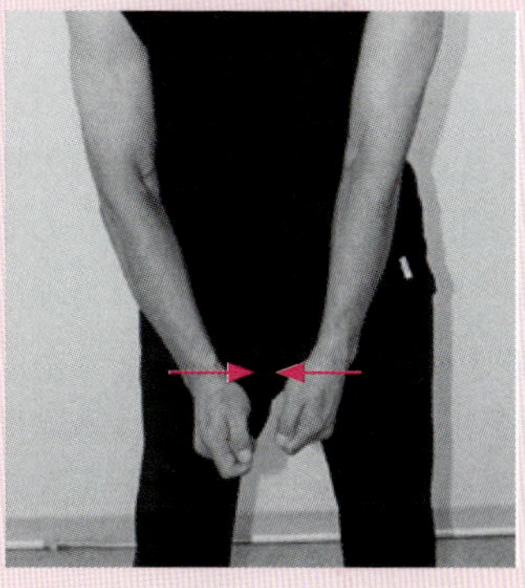

ゴルフ

【文献】

1) Kelley H: The Golfing Machine 7th ed. Golfing Machine, 2006.
2) 樹本ふみきよ: 湯原信光のシンプルゴルフ 基礎編. ALBA, 2011.
3) 塩田悦仁, 監訳: カパンジー機能解剖学Ⅲ 脊椎・体幹・頭部. 医歯薬出版, 2008.
4) 石川 斉, 嶋田智明, 監訳: 筋骨格系検査法 原著第3版. 医歯薬出版, 2011.
5) 高岡邦夫, 編: 整形外科 徒手検査法. メジカルビュー社, 2003.
6) 南山堂: 医学大辞典 第19版. 南山堂, 2006.
7) Allbrook D: Movements of the lumber spinal column. J Bones Joint Surg Br, 39: 339-345, 1957.
8) Tanz SS: Motion of the lumber spine: a roentgenologic study. Am J Roentgenol radium Ther Nucl Med, 69 (3) : 399-412, 1953.
9) Gregersen GG, Lucas DB: An in vivo study of the axial rotation of the human thoracolumbar spine. J Bone Joint Surg Am, 49(2): 247-262, 1967.
10) Stockmeyer SA: An interpretation of the approach of Rood to the treatment of neuromuscular dysfunction. Am J Phys Med, 46: 900-961, 1967.
11) Fitts PM, Posner MI, eds.: Human performance. Brooks/Cole, 1967.
12) Shumway-Cook A, Woollacott MH: Motor control: theory and practical application. Lippincott Williams & Wilkins, 1995.
13) Gellhorn E: Patterns of muscular activity in man. Arch Phys Med Rehabil, 28 (9): 566-74, 1947.
14) Spirgi-Gantert I, Suppe B, eds.: FBL Klein-Vogelbach Functional Kinetics 7th ed. Springer, 2014.

パラスポーツ①：視覚障害

近年，パラスポーツが注目され始めている。ただ一言でパラスポーツといっても障害による競技種目やクラス分けの区分があり，ひとくくりにすることはできない。本項では筆者らの視覚障がい者に対するスポーツのコンディショニングトレーニング指導の経験から，動作スクリーニングの活用と必要なコンディショニングトレーニング指導について紹介する。

視覚障がい者の特性

視覚障がい者とは，視覚に障害があるため目が見えないか，あるいは見えにくい状況にある人をいい，スポーツ活動を行ううえで工夫が必要となる。人間は周囲の状況を把握するための情報を視覚に頼って得ており，その割合は60～80％を占めるといわれている。つまり，情報の多くは視覚を中心として収集しているので，視覚障害は情報障害といわれる。

また，障害の程度として，「盲：目が見えない」，「弱視：目が見えにくい」や視野の欠損，視野狭窄などがあり，視覚障害という同一の障害としてとらえることはできないという点を理解しておく必要がある。

視覚障がい者とあいさつをする際は，相手からの印象が変わるためハッキリと大きな声でするとよい。また，聴覚がよいことが多いので，声質で発言者の気持ちを読んでいるため留意すべきである。スタッフ同士で話すときも彼らは会話をよく聞いているので，誤解を生まないためにもその内容には気をつけるべきである。

視覚障がい者は日常的に晴眼者の肩や肘に触れてガイドにしている。晴眼者（先導者）が少ない場合は視覚障がい者同士で順に並んで肩に手を当てて移動する（手引き歩行という，**図1**）。全盲の場合，移動の際に白杖を持つことがほとんどだが，弱視の場合は昼間に明るい場所では使わないことがある。眼疾患（白内障など）によっては反射が眩しく，明るいことが障害になる場合があるため，サングラスを使用している。

市街の路上や施設内の渡り廊下など段差がある場所は「何メートル先に下り坂あり」，「つま先上がりのスロープ」などの言葉で早めに伝える。トイレやホテルの個室入り口など，幅の狭い所を通る際に視覚障がい者は壁を軽く叩くことで幅の広さを把握するため，気がついたら知らせたほうがよい。食事全般において，テーブルのどこに何があるのか，惣菜の名称も含めて説明している。機内食の場合も同様である。海外遠征時はビュッフェ形式の食事が多くなるが，どんなものがあるか視覚障がい者とスタッフが一緒に巡回しながら皿に盛る場合や，ある程度希望を聞いてスタッフが準備する場合などさまざまである。柔道など減量のある競技では，食事内容についても選手と話し合う必要がある。パラリンピックやアジアパラ競技大会（アジパラ）などでは，すべての選手向けに食事が提供される形式であるため，車いす競技者（電動と手動）や義足競技者，視覚と聴覚の二重障がい者が一緒になる機会があるので，それぞれに留意する必要がある。筆者は列をなすコーナーで割り込んで，他国の選手と揉めてしまった経験がある。

視覚障がい者スポーツとは

パラスポーツに特有のルールとして「クラス分け」があり，視覚障害においては，障害の強いものからB1，B2，B3などと分類する。柔道では2022年よりJ1（全盲），J2の2つに変更されている。

図1 複数の視覚障がい者を誘導する場合の手引き歩行例

すべての競技においてクラス分けが行われている。クラス分けではそれぞれのクラスのうち選手がどのクラスに該当するのか確認され，どのクラスにも該当しない選手は，NE（不適格）となり，競技に参加できない。

クラス分けの結果により，種目によっては競技上のルールが多少異なる。ブラインドサッカーやゴールボールでは，目に「アイマスク」や「アイシェード」を着用することがルールとなっている。これは視覚的な条件をそろえて対戦するためであり，選手は競技ごとのルールで国際大会に参加している。そのなかで，特定のルールを策定して視覚以外の情報を活用したスポーツ活動を実施している。例えば，聴覚機能を活用した競技として，ボールの中に鈴を入れたり，健常者の声による指示で方向を確認したりするものなどがある。

トレーニングなどの指導上の注意事項

視覚障がい者へのトレーニングやスポーツの指導・支援における注意事項として，視覚以外の情報を活用してスポーツを理解してもらう必要があることが挙げられる。基本的な留意点を次に示す。

①事故や外傷・障害の発生防止および障害の悪化予防のために，安全な活動環境を整備する

②不安感を抱かせない活動内容の提供や指導，支援方法を選択する

③視覚障害の悪化を防ぐために，視覚障害の原疾患などによる運動制限の有無を確認しておく。緑内障による眼圧上昇や網膜剥離の場合の強いコンタクトなどで注意が必要である

④視覚以外の情報として聴覚情報が有効である。健常者の口頭説明では正確かつ具体的に説明することが求められ，基本的に指示語（あっち，そっちなど）を用いるべきではない。空間情報の提供においては，対象者を基準とした前後左右などの方向を正確に伝える必要がある。指示を誤ると移動方向を間違えて衝突などの危険が生じるおそれもある。言葉での説明以外に，笛や拍手などさまざまな音源の活用も有効である。陸上競技の短距離種目や幅跳では，コーチがゴール方向から音や声で方向指示やタイミングを図ることを行っている

⑤スポーツの活動内容や技術に関する言葉の定義を明確にし，視覚障がい者と指導者・支援者が言葉を同じ意味で理解・認識している必要がある

⑥視覚障がい者は視覚的にフォームを理解することが困難なので模倣することが難しい。フォームの理解を促進するために，触覚情報を活用して指導者が行うフォームを触ってもらう方法や，筋感覚を活用し，対象者の身体を触ったり動かしたりする方法などを用いる（**図2**）

⑦対象者のスポーツ活動の結果を，即時に視覚の代わりとしてフィードバックする必要がある。フォームのよしあし，測定記録，投てき物がどの方向にどの程度飛んだかなどを具体的かつ即時に知らせることで，対象者は自分が行った感覚とその結果を照らし合わせ，自己のパフォーマンス状況を理解できる。後述するゴールボール競技では，コート内を数字で区分化して情報を伝達する工夫などを行っている

図2 触覚を利用した動きの確認

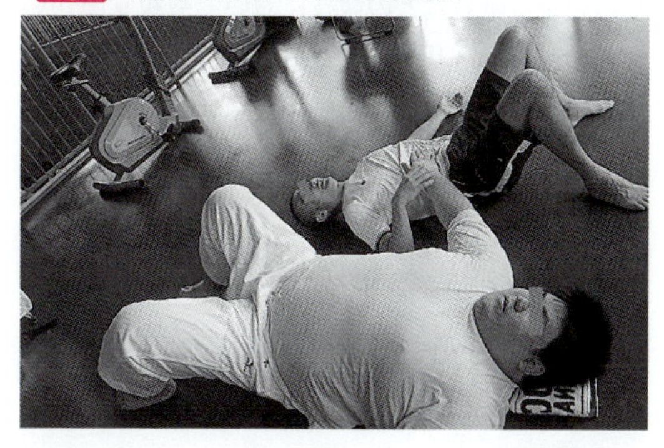

トレーニングの実際

● ゴールボール

視覚障がい者スポーツにおける種目は多岐にわたる。本項では，筆者が2012年ロンドンパラリンピック大会に向けてサポートを実施したゴールボール競技選手に，どのような指導を行ってきたか提示する。

筆者はサポート依頼を受け，選手の評価の実施，個別指導，チーム指導を担当した。チームからは体幹の強化によるディフェンスを中心に戦力を強化をしていく方針があったため，それに合わせてトレーニングプログラムを構築した（**図3**）。前述したトレーニング上の注意事項を踏まえて，さらなる強化のために実施した内容を紹介する。

図4は，体幹エロンゲーションの方向性などを徒手操作で入力することで感覚をつかんでもらうことを実施している様子である。徒手操作で細部の感覚を選手自身に理解してもらうことが，以後のトレーニング実施に大きな影響を与えることになる。このため，ボディイメージの強化に時間をかけることは有効となる（**図5**）。軸性荷重をかけた際の自然な体幹制御を活用して，より自律的なものに変化させていく（**図6**）。

ゴールボール競技選手とのトレーニングを通じた経験により，動作獲得における徒手操作の重要性を認識することができた。つまり，空間での身体認知や四肢の位置の制御などは，普段での経験以上にスピードも強さも要求されるため，少しのずれが勝負を決める大きな要因となる。また，それが起因となり，外傷や障害にもつながっていく。現場においては予防としてのトレーニングの重要性も実感し，動作スクリーニングの活用を試みた。その結果，筆者はどの競技においても視覚障がい者への動作スクリーニング活用は有意義なものとして認識している。

動作スクリーニングの活用

動作スクリーニング（functional movement screen：FMS）は，基本動作，動作パターン内のモーターコントロール，および特定のスキルによって動作能力をとらえるものである。健常者の競技スポーツにおいては各競技を行ううえで，基本動作での可動性や安定性の状態，左右差について把握することでパフォーマンスに関する個人の問題を把握する目的で活用されている。正式なコースも国内で受講することができるようになってきており，筆者は積極的にこのスクリーニングを活用することを勧めている。このスクリーニングは，①オーバーヘッドスクワット，②ハードルステップ，③インラインランジ，④ショルダーモビリティー，⑤アクティブストレートレッグレイズ，⑥トランクプッシュアップ，⑦ローテーショナリースタビリティーの7項目である。各項目において左右差を優先的に判断していきながら，21点満点の係数でスクリーニングしていく。Chorbaら[2]による女子大学スポーツ選手のFMS得点と障害発生を調査した研究では，14点もしくは14点未満の選手は15点以上の選手と比較して下肢障害の

図3 ゴールボールの競技特性
体幹コントロール能力が必要となる

図4 体幹機能改善の徒手入力
左手指から左踵部まで長軸でエロンゲーションを体感し，体現していく

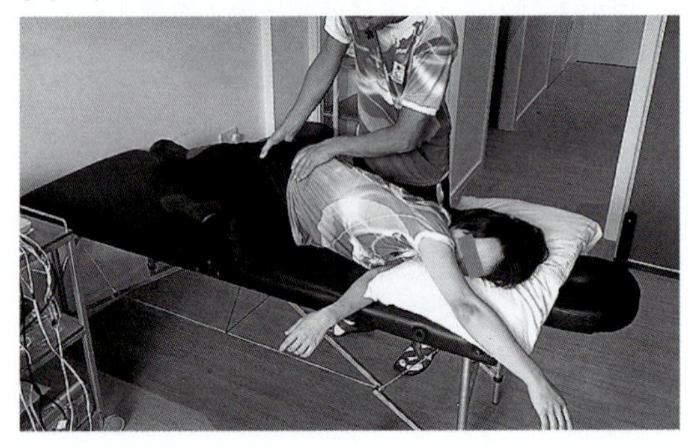

図5 体幹軸性のボディイメージの強化
足部から頭頂部までの長軸方向を空間でイメージしていく

図6 体幹動的安定性の強化
❶矢状面上のランジ動作とメディスンボール長軸方向を動的にコントロールする　❷下半身の安定のなか，バランスボールを活用して回旋軸をコントロールする

Sports Skill

ゴールボール[1)]

視力障害をもつ人のために考案された対戦型スポーツである。アイシェード（目隠し）を着用し，1チーム3選手で構成される2チームがコートで向かい合い，それぞれの自陣から鈴入りボール（1.25kg）を転がすように投げ合って相手側ゴールに入れ，合計得点を競う（**図7**）。攻撃側は投球の際，ゴールから自陣までの6m以内（チームエリア）で少なくとも1回，さらにセンターラインを挟んで6m以内（ニュートラルエリア）で少なくとも1回，ボールをバウンドさせて守備側エリアにボールを入れなければならない。一方，守備側は攻撃側が投げたボールに触れてから10秒以内に，センターラインを越えるように攻撃しなければならない。

わずかな振動や鈴の音を頼りにする競技のため，攻撃側は投球の際に守備側に不利になるような音を出すと反則となる。また，プレー中は監督の声による指示や，観客の声援も禁止されている。

図7 オフェンスにおける投球動作

発生率が4倍に増加すると報告している。Kieselら[3)]によるプロフットボール選手と障害予防を調査した研究では，FMS得点が15点以下であった選手はシーズン中の受傷リスクが有意に高かったと報告している。検査者差異による判定信頼性は94％であり，左右差による外傷発生は30％増加するといわれている。臨床現場でできるものとしては有意義であり，筆者は普段から活用している。視覚障がい者は，視覚の問題を除いて四肢における欠損などの機能障害をもつケースは限られる。そのため，このスクリーニングについては，ハードルステップにおけるゴムバンドの位置を工夫すれば問題なく実施でき，筆者が指導している選手全員に実施するようにしている。

視覚障がい者の傾向としては，左右差を認識していない場合が多く認められ，身体イメージの問題を競技動作と照らし合わせることを推奨している。その修正には多くの時間を要するが，選手自身が認識できると障害予防に有効な情報となり，事前のウォームアップやクールダウンなどで活用するきっかけになる。このスクリーニングは，現場で簡易的に活用できる利点があり，近年は国内でも正式なセミナーを受講する機会が多くなってきている。

図8は，テーピングを実施したままであまりよい状態ではないが，可動性と安定性の両方において課題事項が確認できる。この選手は慢性的な腰痛があり，合宿などで強度の高い練習が続くとその症状が強くなるため十分な練習ができない時期があり，競技力向上のためのトレーニングでの症状が身体アライメントの異常が原因であると理解できずにいた選手である。一般的なスクワットなどをトレーニングとして実施している視覚障がい

図8 オーバーヘッドスクワット

下肢（足関節，膝関節，股関節）や肩甲帯・胸椎の可動性および体幹の安定性を確認できる

者も多いが，感覚的に行っているフォームに問題がある場合もよく目にする。下肢関節の可動性だけでなく，肩甲帯を含む上肢帯の慢性外傷が胸椎の可動性に支障をきたし，それがさらに影響を及ぼすなど，フォームの修正には全身的なスクリーニングを活用していく必要がある。

柔道

トレーニング・練習面

走る際は指導者と選手は1人対1人が基本になるが1人対2人の場合もある。周囲に注意しながら走行する。「きずな」とよばれる布紐があるとよいが，走行できるようになるためには，互いに少々練習する必要がある。

筆者の経験上，視覚障がい者は安心・安全な環境でのランニングを希望することが多い。芝やタータンの路面では転倒しても重度の外傷・障害の発生リスクが低いためである。方向は上下左右に加えて，時計の文字盤方向で伝えるとわかりやすい。姿勢・動作については，全盲選手は言葉だけでは通じない場合が多いため，自身の体に触れさせてイメージしてもらう場面もある(コロナ禍では難しい状況であった，**図9**)。室内・屋外問わず「スピーカー」のような音源を用意すれば，どの位置から音が出ていたかによって視覚障がい者は自身の位置を振り返りやすい。しかし，柔道場などの(精神)修行の場とされている所では使いづらい場合もあるため，音の内容と大きさにも配慮が必要である。

弱視であっても眼疾患によって視野や視力が異なるので，視覚障がい者個人から情報を得て対応することが重要となる。

アンカーとなるもの(手に触れるもの，音など)がない場合，極端に運動範囲が変化する(狭くなることが多い)ので，動作や運動範囲については入念に繰り返し指導する必要がある。シャトルラン実施の場合は伴走者をつける，両サイドと中央に人を配置するなどの工夫を要する。反復横跳び，立ち幅跳びなどの測定・トレーニング時も同様である。チューブ・棒などを用いるトレーニング・ストレッチは視覚障がい者にとって安心して取り組める内容で，柔道では自分の帯や上衣を使って行うことが多い(**図10**)。

図11ではバランス能力と合わせて挙上側の股関節外旋・外転での過剰な努力が認められ，下肢可動性(空間制御)の問題が確認できる。この選手は膝関節の問題を長らく抱えており，単純な膝関節へのストレッチや筋力強化は実施していたが，股関節の可動性の問題を認識していなかった。

図12に示す選手は，腕力，脚力ともに自信があり競技中も腕力主体で競技していることを指導者からも指摘されていた選手である。しかしながら実際は，体幹の制御に加えて四肢の制御不良を確認することができた。選手自身も腕力での制御の限界を認識し，空間での動きの認識不良を経験することで，より体幹を中心としたトレーニングの重要性を確認することができた。

図9 姿勢・動作についてのコミュニケーション

全盲選手に触れてもらい姿勢のイメージを具体化する

図10 帯を用いたトレーニング

図11 ハードルステップ
片脚でのバランス能力および挙上側脚の可動性を確認できる

図12 ローテショナルスタビリティー
体幹の安定性の能力確認に用いる

図13 練習時の飲料水
ラベルを一部剥がして他人と区別する

飲料水などの管理

練習時の飲料水は各人のスペースを確保することで，視覚障害があっても自分のスペース内で水筒，タオル，テーピングなどを管理できる。スペースの確保が難しい場所ではスタッフが管理する必要もある。個人でこだわりのある選手は自分で判別できるマークを付ける場合もある（**図13**）。

試合会場や練習場所以外での負傷

競技中に負傷することがあるのはもちろんであるが，視覚障害の選手は競技会場内や宿舎での移動時にも負傷してしまうことがある。観覧席が薄暗い場合や窓が大きく強い日差しが入る設計のロビーなどで明るすぎる場合は，視覚障害の選手が周囲の机や椅子を判別できず衝突・転倒し，足首を捻挫するという例もみられる。視覚障害においても，中心暗点や周辺視野障害など障害ごとに見え方が異なる。

また，全盲選手であってもトイレや浴場へ単独で移動する場合も多く個人差があるため，各選手の見え方を把握しておくことは安全上重要である。遠征の際には生活環境の変化に合わせるため宿舎周辺の状況を把握することが必要になる。エレベーターやラウンジ，ダイニングなどの位置，玄関や通路など移動経路上の段差や障害物の有無などを選手とともに確認し，負傷を予防していくことが必須である。

その他

クラス分けや計量のときは付き添いが認められるので，安全に留意しながら立ち会う。海外では英語でやり取りする場合もあるので多少の英語力が必要となる。

ドーピング検査を行う場合も付き添いが認められるので，できるだけ検査がスムースに進むように配慮する。抜き打ち検査の場合でもルールに沿った対応を求めることで，国内・海外とも（時間がかかったことはあったが）問題は生じなかった。視覚障害選手に限らず，パラ選手は普段服用している薬物の事前申請を要する場合があるので早めに確認する。

ブラインドサッカー

ブラインドサッカーは，B1クラスのフィールドプレイヤーが4名と，晴眼者もしくは弱視者が務めるゴールキーパーが1名の計5名を1チームとして試合が行われる。フィールドプレイヤーはアイシェードを装着して視覚を遮断した状態で，鈴などの音源が入ったボールを用いてプレーを行う。競技ピッチのサイドラインにはフェンスが設置されており，健常者のサッカーと比較してボールがサイドラインを割りにくくなっている（**図14**）。

図14 ブラインドサッカーの競技の様子

ブラインドサッカーにおける主な障害とその要因

フィールドプレイヤーは視覚情報が遮断された状態でプレーを行い，ピッチ内を自由に動き回ることができる競技特性から，フィールドプレイヤー同士の衝突が避けられない場合がある。そのため，ブラインドサッカーによる傷害の特徴として，頭頸部・顔面の接触による傷害が多い。2016～2021年までのブラインドサッカー日本代表選手の傷害を調査した結果（**図15**），傷害部位は下肢が48%と最も多く，次いで頭部・顔面が30%であった。傷害の種類は，頭部・顔面の裂傷・出血が23%と最も多く，次いで足関節捻挫が14%，下肢打撲が11%，膝内側側副靱帯損傷が7%であった。2012年ロンドンパラリンピック，2016年リオデジャネイロパラリンピックの傷害発生率の調査では，全競技のなかでブラインドサッカーが最も傷害発生率が高かったと報告されている[4,5]。このように，ブラインドサッカーはパラスポーツのなかで最も傷害発生率が高く，理学療法士には現場で発生した傷害に対する評価が求められる。

ブラインドサッカー選手の筋力評価

健常者におけるサッカーの下肢筋力に関する研究によると，方向転換，ランニング，スプリント，ジャンプ，着地などのサッカー特有の動きにより，下肢に自重の約2～4倍程度の負荷がかかることが示唆されており[6-9]，下肢の筋力および制御力を向上させることで下肢の傷害が減少し，パフォーマンスの向上が可能と報告されている[10,11]。ブラインドサッカーにおいても，方向転換，ランニング，そしてスプリント動作は頻繁に行われているため，同様と考えられる。ブラインドサッカー日本代表選手と健常男子サッカー選手の下肢筋力を比較した研究では，多用途筋機能評価運動装置であるBIODEX® System 4（BIODEX®）を用いて膝関節伸展・屈曲筋力を測定した（**図16**）。その結果，ブラインドサッカー日本代表選手において，膝関節伸展・屈曲筋力ともに有意に低いことが明らかになった[12]。

また，健常男子サッカーにおける下肢筋力とキックに関する研究では，下肢伸展最大パワーとシュート時のボール速度は正の相関関係があり[13]，シュート時のボール速度は下肢筋力および助走速度により決定されると報告されている[14]。ブラインドサッカーは健常男子サッカーと異なり視覚情報がないため長い助走をとりボールを蹴ることが困難であるため，シュート時のボール速度は下肢筋力に大きく依存する。特に，ブラインドサッカーではペナルティキック（PK）が勝敗を分けることが多く，ボール速度によってPKのゴール成功率が大きく左右されるため[15]，下肢筋力は重要である。

以上のことから，ブラインドサッカー選手における下肢筋力強化は，競技力向上や傷害予防の観点から非常に重要であるため，BIODEX®を用いた正確な筋力測定や，レッグエクステンション，レッグカールなどの機器を用いたり，バーベルを

図15 ブラインドサッカー日本代表選手の部位ごとの傷害割合

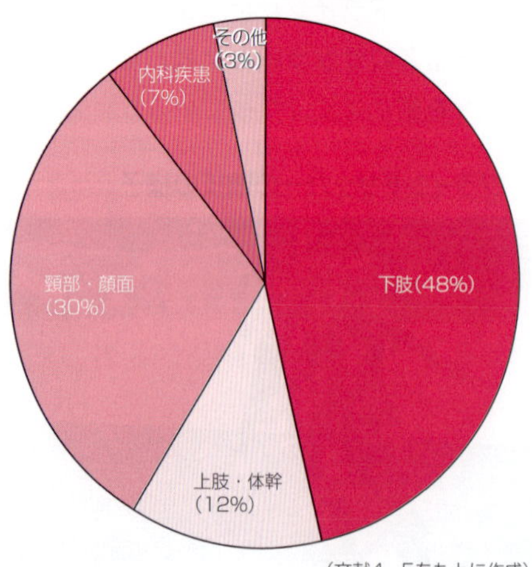

（文献4，5をもとに作成）

図16 BIODEX®による下肢筋力測定の様子

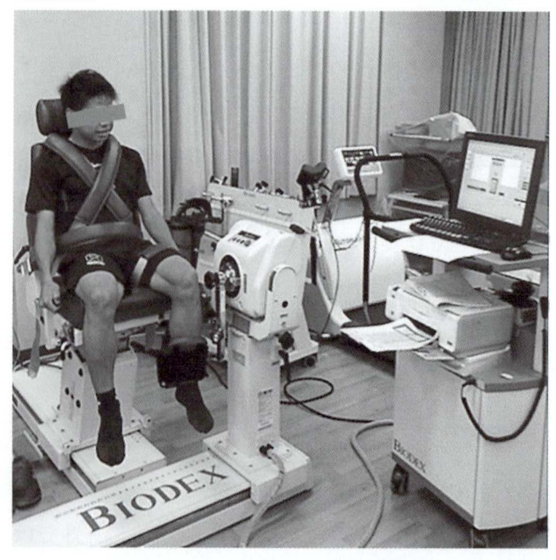

用いたスクワットなどにより最大筋力の測定を経時的に行いながら，下肢筋力トレーニングを実施していくことが望ましいと考えられる。

ブラインドサッカー選手へのFMSの活用

FMSは，基本的な動作パターンの評価，可動性と柔軟性の評価，体幹安定性の評価など合計7種目で構成されており，ブラインドサッカー選手のパフォーマンス向上や傷害予防に活用するために実施している（**図17**）。

ブラインドサッカー選手のFMSの平均得点は，フィールドプレイヤーでは17.5±1.8点，ゴールキーパー（健常者）では17.8±1.5点であった。健常者のサッカーにおいては，日本代表選手では平均18.2点，U-21日本代表選手では平均16.2点であり[16)]，ブラインドサッカー選手は日本代表選手より低い値であった。ブラインドサッカー選手が特に得点を落としている種目は，ハードルステップとローテーショナルスタビリティであり，片脚でのバランス能力や股関節の可動性，体幹安定性が課題であることがわかった。これらの身体機能は，視覚情報が遮断された状態でのプレーにおいて重要であるため，今後改善が必要である。

理学療法士としての役割

視覚障害は情報障害といわれることがあり，動作についての情報を口頭だけでなくボディータッチなどを駆使し，認知してもらうことが重要となる。また，ひとくくりに視覚障害といってもその視覚からの情報は多岐にわたり，両眼・片眼などの情報入力の個人差も配慮していくことが必要になる。

図18に示す選手は，走幅跳での身体と顔の方向性に特徴があるが（**図18❶**），動作スクリーニングチェック後の体幹トレーニング実施の際に，頭位コントロールの不良を確認できた（**図18❷**）。これも視覚障がい者の動作の特徴として挙げられる。特に視覚からの情報が左右均一でない場合は，十分に体幹と連動した頭位コントロールができていないことがある。その差に気が付かずにトレーニングしていると競技フォームにも影響を及ぼしてくることを認識すると，指導に生かせる。

理学療法における注意事項

本項では，一般的なトレーニング上の注意事項の紹介を含めて視覚障害選手へのサポートの方法を紹介したが，理学療法士としてさらに身体機能をスクリーニングするために，次の注意事項が基本なるので，参考にしてもらいたい。

①視野や視力の左右差による習慣的な頸椎の回旋の問題
②トレーニング用品（特にシューズ）のフィッティングの問題
③トレーニング姿勢（いわゆるフォーム）の認識差

図17 オーバーヘッドスクワットでの測定の様子

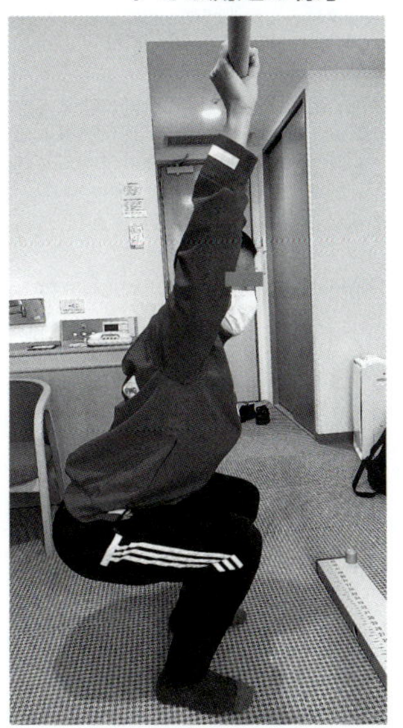

図18 走幅跳選手のフォーム（❶）とサイドプランクの様子（❷）
❶顔の方向と体幹部分のねじれが確認できる
❷頭頸部と体幹の軸のずれが確認できる

Sports Gear, Equipment

用具への注意

スポーツを行ううえで，シューズは重要な役割を占めている。特に足底においては固有受容器からの情報が上行性の感覚情報となるため，視覚障がい者にとってはバランスや荷重方向の調整における重要な情報である。

図19の例では，シューズサイズが合っていないことを選手自身が認識しておらず，シューズ内で足自体が不安定になり外反母趾を悪化させる要因となっていたことが理解できていなかった。多くの選手が自身のトレーニングアイテムのフィッティングに注意を払っていない場合があることを認識し，道具のサイズの確認が重要となる。特にシューズは，脱着の利便性を重視していることがあるので注意が必要である。

図19　合宿期間中に外反母趾の訴えのある選手のシューズとインソールの様子

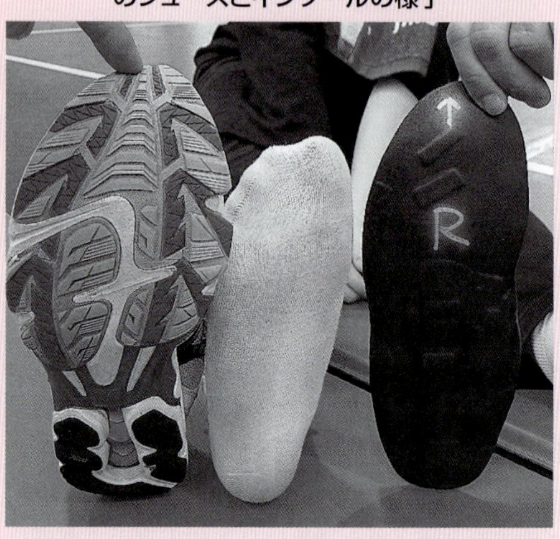

これらを考慮して基本的な動作姿勢の矯正を軸とし，徹底的に反復練習を行い感覚的な認識を高めていく必要がある。情報障害といわれる特性を理解し，限られた視覚情報が場合によっては身体機能不良の原因となっていないか判断する必要がある。

謝辞

本項の執筆にあたり，日ごろよりお世話になっている競技団体，選手各位の皆様のご協力に感謝します。

【文献】

引用文献

1) 日本ゴールボール協会公式ホームページ．http://www.jgba.jp/index.html
2) Chorba RS, et al.：Use of a functional movement screening tool to determine injury risk in female collegiate athletes. N Am J Sports Phys Ther, 5 (2) : 47-54, 2010.
3) Kiesel K, et al.：Can Serious Injury in Professional Football be Predicted by a Preseason Functional Movement Screen? N Am J Sports Phys Ther, 2 (3) : 147-158, 2007.
4) Willick SE, et al.: The epidemiology of injuries at the London 2012 Paralympic Games. Br J Sports Med, 47 (7) : 426-432, 2013.
5) Derman W, et al.: High precompetition injury rate dominates the injury pro le at the Rio 2016 Summer Paralympic Games: a prospective cohort study of 51198 athlete days. Br J Sports Med, 52 (1) : 24-31, 2018.
6) Barnes JL, et al.: Relationship of jumping and agility performance in female volleyball athletes. J Strength Cond Res, 21 (4) : 1192-1196, 2007.
7) McElveen MT, et al.: Bilateral comparison of propulsion mechanics during single-leg vertical jumping. J Strength Cond Res, 24 (2) : 375-381, 2010.
8) Sato K, Mokha M: Does core strength training influence running kinetics, lower-extremity stability, and 5000-M performance in runners? J Strength Cond Res, 23 (1) : 133-140, 2009.
9) Wallace BJ, et al.: Quantification of vertical ground reaction forces of popular bilateral plyometric exercises. J Strength Cond Res, 24 (1) : 207-212, 2010.
10) Askling C, et al.: Hamstring injury occurrence in elite soccer players after preseason strength training with eccentric overload. Scand J Med Sci Sports, 13 (4) : 244-250, 2003.
11) Lehnhard R, et al.: Monitoring injuries on a college soccer team: The effect of strength training. J Strength Cond Res, 10(2) : 115-119, 1996.
12) 松井　康，ほか：ブラインドサッカー日本代表選手の下肢筋力に関する研究－晴眼サッカー選手との比較－．日障害者スポーツ会誌，24: 31-35, 2016.
13) 浅見俊雄，ほか:サッカーのキックにみられるパワーとパフォーマンスとの関係について．身体運動の科学 I -Human power の研究（キネシオロジー研究会 編）. pp.147-157, 杏林書院，1976.
14) Hoshizaki T: Strength and coordination in the Soccer kick. Terauds J ed, Sports Biomechanics: Proceedings of International Conference of Sport Biomechanics. Academic Publishers, 271-275, 1984.
15) 松井　康，ほか：ブラインドサッカーにおける PK の得点率とボール速度との関係．日障害者スポーツ会誌，25: 40-42, 2017.
16) 早川直樹，ほか：機能評価（FMS: Functional Movement Screen）. A フィジカルフィットネスプロジェクト コンデョニングプログラム（育成年代）. pp.3, 公益財団法人日本サッカー協会，2015.

参考文献

17) 香田泰子：視覚障害者のスポーツにおける指導と支援．バイオメカニズム学会誌，38 (2) : 117-122, 2014.
18) 門田正久：高齢者・身体障害者のスポーツ参加と理学療法 2. 身体障害を有する対象者のスポーツ参加と理学療法士サポート．理学療法ジャーナル，46 (7) : 609-613, 2012.
19) 門田正久：障がい者アスリートのメディカルサポート環境－現状と課題．理学療法ジャーナル，50 (6) : 569-576, 2016.

パラスポーツ②：車いすラグビー

近年，パラスポーツへの関心の高まりから，メディアなどでパラスポーツを目にすることが多くなっている。また，東京2020パラリンピック競技大会をきっかけに，パラスポーツになんらかのかかわりを求める理学療法士が増えている。本項では，車いすラグビーの紹介と併せ，選手の運動機能・能力を評価する役割を担うクラシファイアについて述べる。

車いすラグビーの歴史とクラシファイア

2005年に制作された「マーダー（殺人）ボール」という映画を皆さんは知っているだろうか。車いすラグビーはまるで戦闘のようなスポーツであることからこのように形容されるが，それほどパラスポーツのなかではきわめて激しいコンタクト競技である（**図1**）。

この競技は，頸髄損傷や脳性麻痺および切断など四肢に障害がある者のスポーツとして1977年にカナダで考案され，ラグビー，バスケットボール，バレーボールおよびアイスホッケーなどの要素を混合したユニークなスポーツである。1981年にアメリカでチームが結成され，翌年には2国間で初の国際大会が開催され，次第にヨーロッパやその他の地域へ広がった。1994年に国際パラリンピック委員会（International Paralympic Committee：IPC）によってパラリンピック競技として認定され，2000年のシドニーパラリンピックから正式競技として採用された。

日本には1996年11月に紹介され，翌年4月に日本クアドラグビー連盟（当時）が設立され，日本代表チームは2004年のアテネパラリンピックに初出場を果たした。次第に競技人口が増えて国内各地にチームが結成され，2023年4月現在，9チーム約90人が正式に選手登録されるに至った。選手のクラス分けに従事するクラシファイアに関しては，2002年3月に国際クラス分けクリニックが横浜で開催され，筆者も通訳を兼ねて国内クラシファイアの一人として研修に参加し，国際クラシファイアの資格を得た。その後，国内においてクラシファイアが徐々に増え，現在では11人が国内連盟に登録され，うち3人は国際クラシファイアとして活動している。

図1 試合中のコンタクト場面

©ABEKEN/JWRF

車いすラグビーのスポーツ特性

● ルール（表1）

男女混合の競技であり，試合は4対4で行われる。選手は競技用の車いす（**図2**）に乗ってプレーし，ボールをパスでつないでトライを狙う。

コートの広さはバスケットボールと同じで，バレーボールを基に開発された専用のボールを使用する。ボールを持った状態で2つの車輪がトライラインを通過すると1得点となる。ラグビーとは異なり前へのパスも可能である。相手の車いすに自分の車いすをぶつけるタックルが認められており，車いす同士が激しくぶつかり合うプレーが特徴である。

● 選手の条件

IPC Classification Cord（Rulebook参照）に基づき，車いすラグビーの選手は，筋力低下，他動関節可動域障害，四肢欠損，筋緊張亢進，アテトーゼ，運動失調のいずれかの障害があることが条件となっている。障害の最小基準が設けられており，これに満たない場合は選手としてプレーできない。

表1 車いすラグビーの主なルール

- ・コートはバスケットボールのコートと同じ広さで，攻撃時間など時間制限を設けるルールが存在する。ラグビーとは異なり，前方へのパスが認められている
- ・オフェンス側はボールを持ってから12秒以内にセンターラインを越える必要がある
- ・一度センターラインを越えた後はセンターラインの自陣側にボールを戻してはならない
- ・オフェンス側は40秒以内にトライを行わなければならない。オフェンス側が前述のルールに対して反則を犯した場合，ボール所有権が相手チームに移行され攻守交替となる

（文献4を参考として作成）

図2 競技用車いす

❶ローポインター用車いす：障害の重い選手が使う。ディフェンスに有利な長い車体と大きく突き出たバンパーが特徴である
❷ハイポインター用車いす：障害の軽い選手が使う。コンパクトで車体の前面を囲ったウイングと短いバンパーが特徴である

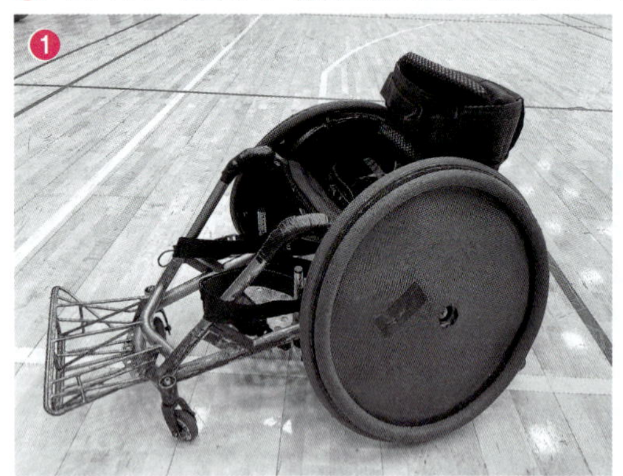

Rulebook

IPC Classification Cord[1)]

IPCが定め，パラリンピック競技のクラス分けに共通する基本事項が記載された文書。各国際競技連盟のクラス分けマニュアルは，このCordに準じたものでなければならない。出場資格のある障害，最小障害，選手評価，抗議と上訴，クラシファイアとその養成，データ保護などの項目がある。

条件を満たす主な疾患・障害は，頸髄損傷，四肢欠損，神経筋疾患（シャルコー・マリー・トゥースCharcot-Marie-Tooth病，ギラン・バレーGuillain-Barré症候群など），多発性関節拘縮症，脳性麻痺などである。

選手に多い外傷

車いすの格闘技と称される競技の特性から肩の外傷が多く，転倒の際に肘や手関節を打撲するなど傷害は上肢に多くみられる。筋の過剰な伸張やオーバーユースによる筋損傷，肩関節脱臼，後方への転倒による後頭部強打，前方への転倒による膝蓋骨骨折，指先を車いすに挟まれるなどの事例も過去にみられた。また，頸部・肩甲帯筋群への過負荷による痛み，筋短縮，腱障害，関節拘縮など，肩関節周囲に障害を有する選手も多くみられる。各チームに所属する理学療法士やトレーナーが選手の身体ケアに携わっていることが多いが，クラシファイアによる定期的なクラス分けの結果を踏まえて，選手の身体的変化に注意を向け，トラブルの拡大を最小限にとどめるとともに適切なケアに努めている。

クラス分けの概要

クラス分けシステム・プロセス[2,3)]

障害の程度によって各選手にクラスが設定され，障害の重い0.5クラスから障害の軽い3.5クラスまで0.5点刻みの7段階に分けられる。規則ではコート上の4人の合計点数を8.0点以内で編成する必要があり，障害が軽い選手だけでなく重い選手も出場することができる。また，女性が1人チームに入ることで4人の合計点数の上限が0.5点加算される（8.5点）。

クラス分けは3人一組のクラシファイアによって，身体的評価［徒手筋力検査（manual muscle testing：MMT，**図3❶**），体幹機能テスト（体幹機能と下肢機能を総合的に評価するもの）］，技術的評価（車いす操作やボール操作）（**図3❷**），観察的評価（試合での動き）の3つが実施され，それぞ

れの評価結果に一貫性があることを確認し，選手のクラスが決定される。頸髄損傷だけでなく，さまざまな疾患・障害の選手において同じ過程で検査が実施される。しかし，神経筋疾患では近位筋よりも遠位筋の筋力が強いことが多く，四肢欠損では四肢の長さの欠如によって十分な動きが発揮できない，協調運動障害では筋力はあるが協調的に動くことができずボールコントロールができない，など特徴に多様性がある。そのため，それぞれ違う疾患ではあるが，公平に点数が付けられるように詳細なマニュアルに基づき前述の3項目の正確な評価と3人のクラシファイアの見解の一致が重要となる。

実際の選手のクラスは，「[両上肢のスコア（下記）の合計÷2]）＋体幹のスコア」で算出される。体幹スコアと下肢機能スコアは別々ではなく，両者を総合的に評価したものが体幹スコアである。最高点は，上肢3.5点・体幹1.5点と定め，この計算式により合計が4.0点以上となる場合はオーバークラスとなり選手資格を失う。

各上肢スコアの特徴（主に頸髄損傷）

0.5 スコア

肩関節周囲筋の弱化があり，大胸筋胸骨部・上腕三頭筋のMMT：0〜1で，駆動時は腋をしめることができず，ストップ・ターン・ブレーキはゆっくり行われ，チェストパスも困難なことがある（図4❶）。

1.0 スコア

大胸筋胸骨部・広背筋・上腕三頭筋のMMT：0〜3で，0.5スコアに比べて駆動時に腋がしまり，チェストパスも可能となる。

1.5 スコア

上腕三頭筋のMMT：3^{+}〜4^{-}，手関節背屈筋の筋力が4〜5である。1.0スコアと比べるとパスの距離が延び力強い駆動ができるようになるが，肘を力強く伸展できない。

2.0 スコア

肩関節周囲筋・肘関節屈伸・手関節掌背屈のMMT：4〜5である。力強い駆動・制動と長距離のパスが可能となり，駆動スピードも1.5スコアに比べると速い。手指の筋力が弱いため，指を使った車いす操作は困難である。このクラス以上になると積極的にボールを運ぶ役割も担える（図4❷）。

2.5 スコア

手指の屈伸がMMT：3〜4，母指屈伸のMMT：3〜5だが，手内在筋やその他の母指筋力がMMT：0〜2である。このクラスでは制動時にタイヤを握ったり，手指の力を一部用いてパスを行うことができる。手でアーチを形作ることが困難なため，

図3 身体的評価・技術的評価の場面

❶身体的評価（上腕三頭筋MMT：3以上の評価）：クラシファイアの役割は，A：MMT実施，B：MMT補助（車いすの固定，選手の表情などの観察），C：記録・観察である
❷技術的評価（車いす制動時の筋収縮触診）：クラシファイアの役割は，A：車いすを動かし制動に抵抗をかける，B：大胸筋・広背筋の触診，C：記録・観察である

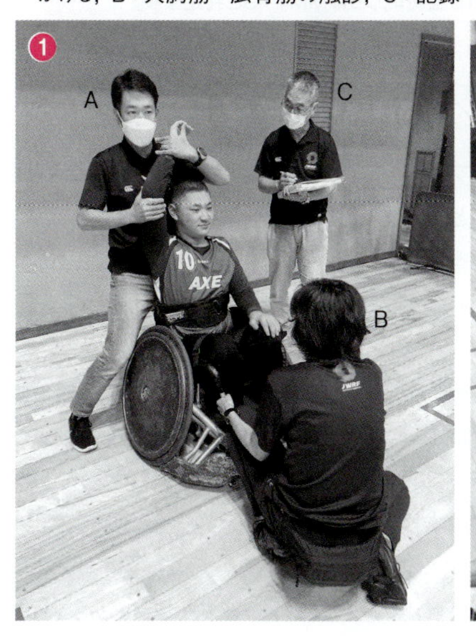

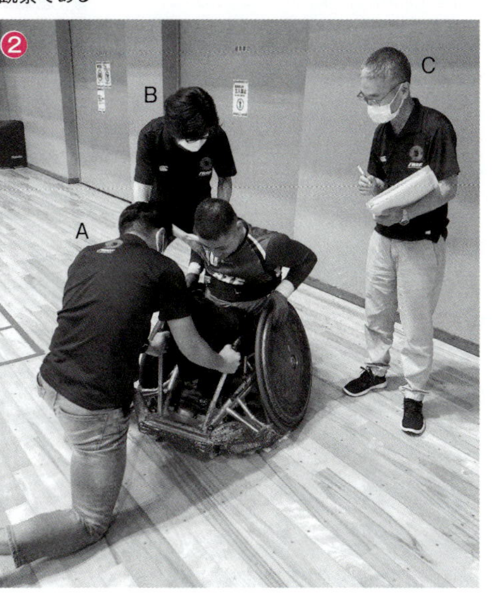

ボールを片手の指先で保持することはできない。

3.0 スコア

手内在筋や母指の対立・内転・外転MMT：2～4のため，機能的な握り動作と開く動作ができる。母指を補助的に用いて手をアーチ状にし，ボールを保持することができる。床のボールを片手でつかみ上げる，指でひっかけて相手のボールを奪うなどの行為も可能となり，ポイントゲッターの役割を発揮できる（図4❸）。

3.5 スコア

手と上肢の筋力がすべてMMT：4～5であるため高いパフォーマンスを行うことができ，ポイントゲッターとなる。ただし両上肢が3.5スコアの場合は最小障害を満たさないとされ，左右差や体幹のスコアがある選手に限られる。

各体幹スコアの特徴

体幹機能テストは足のつかないプラットホーム上端座位で行われる。

0 スコア

腹筋群と背筋群の収縮が認められない。

0.5 スコア

腹筋群と背筋群の両方あるいはどちらかの収縮が認められる。

1.0 スコア

股関節の機能を補助的に用いて体幹側屈・回旋・前後屈ができる。

1.5 スコア

股関節の筋力が屈曲・外転・伸展でMMT：3以上あり，体幹と股関節を協調的に動かすことができる（端座位でのお尻歩き，あるいは臥位下肢挙上位での骨盤回旋のいずれかが可能）。

スコアが上がるにつれて体幹筋が機能的に働くため，衝突時の体幹の動揺や駆動時の安定性を観察する必要がある。また，体幹のスコアが上がるにつれてリーチ範囲が広がることにも着目する。

車いすラグビーのクラシファイア

クラシファイアに求められる技能と知識

クラス分けの過程で最低限必要とされる技能は，MMTを実施できることと，解剖学や運動学の知識に基づいた動作分析を実施できることである。また，選手の多くが頸髄損傷，その他に神経筋疾患，四肢欠損などの疾患・障害を有するため，障害特性や車いすシーティングの知識をもっていることが望まれる。以上のことからクラシファイアの職種は，理学療法士，作業療法士，医師が主体となる。特に理学療法士にとって，MMTと動作分析は臨床において頻繁に実施する評価法であるため従事しやすい。実際に日本のクラシファイアは理学療法士が最も多い。しかしMMTについては競技特性や競技用車いす座位での評価を容易にするため，臨床で使用される「Daniels（ダニエルズ） and Worthingham's（ワーシングハム） Muscle Testing」と異なる検査肢位や判断基準を独自に定めており，改めて学習が必要になる。また，クラス分けの「観察的評価」は「ゲームを観戦する」ことではなく，「ゲーム中の選手の動作を見て分析する」ということである。この区別を認識することが重要である。

クラシファイアに限らず，車いすラグビーにかかわるスタッフとしての活動は業務外活動である。そのような状況下で活動へのモチベーションを維持するためには，車いすラグビーに対する興味や楽しみを見出すことが重要である。また，現実的に継続した活動を行えるのかという見極めも必要である。

Column

車いすラグビー独自のMMTの概要

基本的に車いす上で測定を完結し，また競技特性を考慮するため，標準的MMTの肢位と判断基準以外で評価することが認められている。例えば上腕三頭筋は座位で肩関節最大屈曲位とし，そこから肘関節完全伸展運動が10回可能ならばMMT：3と判定する。

クラシファイア養成のプロセス

クラシファイアを希望する者が直ちに活動を開始できるというわけではなく，図5に示すプロセスを経て養成される。

プロセスの導入として国内公式戦に併せて不定期に実施されている国内クラス分け講習会の受講が必要である。次に，国内クラシファイアの経験を積み重ねていく過程で，その活動を継続していくか，さらにステップアップして国際クラシファイアを目指すか，という段階を迎える。日本のクラシファイア全体のレベルアップには国際クラシファイアが日本の連盟に多く在籍していることが

図4 各上肢スコアにおける有効筋（主に頸髄損傷）

❶0.5スコア ❷2.0スコア ❸3.0スコア

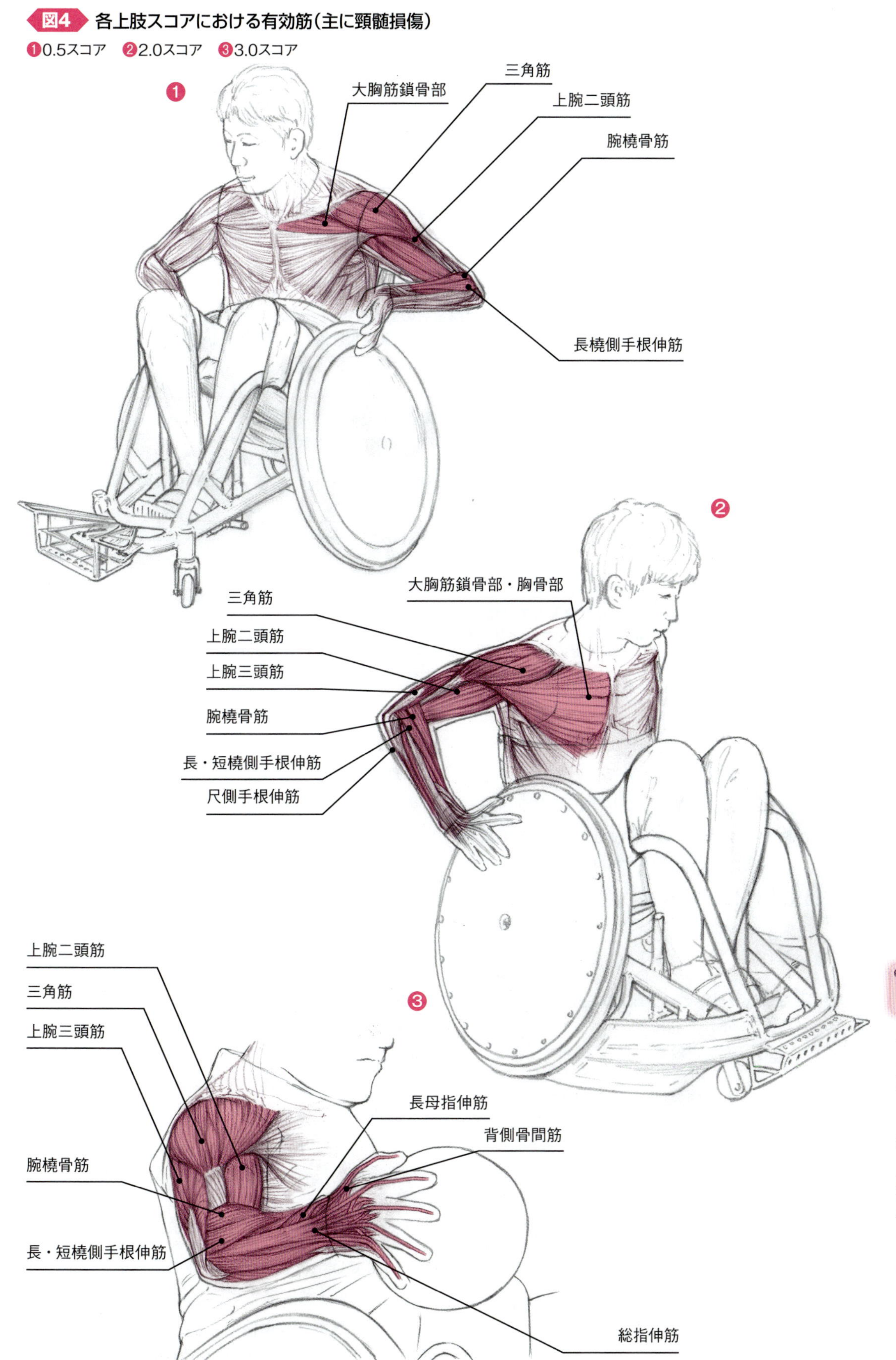

図5 クラシファイア養成プロセス

国内クラス分け講習会の受講

JWRF クラス分け委員会主催で実施される
【内容】座学, 身体的・技術的評価の見学, 観察的評価のポイント

国内クラシファイアとしての活動

JWRF クラス分け委員会に所属し, 国内大会での活動を通して経験を積む
身体的・技術的評価のサポートや実施, クラス分けフォームの記載, 観察的評価, ディスカッション, 選手への説明

国際クラス分け講習会の受講を検討

【条件】国内クラシファイアとしてクラス分けの一連の流れが実施可能, 本人の希望, 英語力が備わっている

国際クラス分け講習会の受講

WWR 主催で実施され, 技術および英語力により以下のレベルに評価される
Level Ⅰ：国内活動レベル
Level Ⅱ (Zonal)：国際クラシファイア, ただし日本人の場合はアジア・オセアニア地区での活動に限定
Level Ⅲ (International)：全地区において国際クラシファイアとして活動が可能

国際クラシファイアとしての活動

Level Ⅱ (International)：国際クラス分け講習会で評価を受けた者(入門レベル国際認定)
Level Ⅲ：Level Ⅱ での活動と一部の上級トレーニングを終了したうえで評価を受けた者(国際認定)
Level Ⅳ：Level Ⅲ での活動とすべての分野における上級トレーニングを終了したうえで評価を受けた者(上級国際認定)

JWRF：Japan Wheelchair Rugby Federation(日本車いすラグビー連盟)
WWR：World Wheelchair Rugby

望まれるため，条件を満たす者についてはそれを目指すことが勧められる。しかし，国際クラス分け講習会の多くは海外での国際大会に併せて実施されるため，移動も含めると7～10日間程度の連続休暇が必要になることが多い。そのため，職場の理解を得ることができるかなど，十分な検討・調整が必要である。

2023年4月現在，日本にいる国際クラシファイアは，Level Ⅱが1名，Level Ⅲが2名と車いすラグビー強豪国に比べて少ない。特に最高ランクであるLevel Ⅳ保持者はいないため，監督，コーチ，選手はもちろん，レフェリー，トレーナーなどのスタッフからの高い知識・技術・交渉能力に関する要求に対応できていない。海外クラシファイアと対等に協働するためにも，語学力(英語)に長け，クラシファイア全体のマネジメントもできる人材を育成することが急務である。そのためにも，国内クラス分け講習会の開催を通じて，相応しい人材を継続的に育成することが必要である。

Column

東京2020パラリンピック競技大会におけるクラシファイア活動

パラリンピック開催中のクラス分けは通常実施されないが，COVID-19感染拡大により大会前に競技クラスの取得ができなかった選手が参加国に多数いたことから特別に実施された。さらに母国開催という理由から，筆者は幸運にも東京2020パラリンピック競技大会でクラシファイアとして参加することができた。使い捨てのマスク，キャップ，保護フェイスシールド，ガウンの着用による厳しいCOVID-19感染対策のなか，多くの選手のクラス分けを遂行した。10日間のホテルと会場の往復と体育館での業務の専念は過酷であったが，優秀な海外のクラシファイアとともに学び，情報交換することができた喜びは何よりも大きな収穫であった。

クラシファイア活動の実際

国内では主に競技連盟主催の公式大会(年4～5回)に合わせて活動している。その他，要請に応じてクラブチーム主催の非公式大会などでの活動や，日本パラスポーツ協会，東京都および東京都

障害者スポーツ協会が主催する選手発掘事業で競技連盟スタッフとして参加する機会が増えている。公式大会は1大会につき1～3日間の日程となっており，基本的にはこの期間中にすべての過程を実施する。複数のチームおよび選手のゲームスケジュールの合間を利用してクラス分けスケジュールを組み，身体的・技術的評価を行う。また，対象選手がゲームに出場しているときに観察的評価を行い，随時ディスカッション，クラスの決定，説明を行うため，かなりタイトなスケジュールとなる。さらに講習会の受講生がいるときは座学も組み込まれる。クラシファイアの研修会はこれまで必要に応じて大会中の合間で実施していたが，最近は大会外でのオンライン開催が増えている。

国際大会では大会開始前に身体的・技術的評価を全対象選手に実施し，大会開始後は観察的評価，ディスカッション，クラスの決定，選手への説明を行う。クラシファイアの研修会は必ず実施され，ここで講師を務めることがクラシファイアとしてのレベルアップに向けた評価基準の1つとなる。

クラス分けの発展

クラス分けは国際クラス分けマニュアルに基づいて実施される。これは数年ごとに改定されており，直近では東京2020パラリンピック競技大会後の2021年10月に改定された。主な変更点は，IPC Classification Cordに準じた記載になったこと，特に選手として出場要件を満たしているのか(eligibility)について明確な内容になっている。また，MMTの値から判断する上肢スコアの基準が，これまでは頸髄損傷の神経レベルに応じた基準のみだったが，新たに神経筋疾患を想定した多発性神経障害や遠位型ミオパチーの選手に使用する基準が追加された。さらに四肢欠損の選手が増加したことから，断端長によるスコアの判定基準が追加された。

今後，脳性麻痺の選手を対象とした協調運動障害の判断基準が追加される予定である。国内では現時点で脳性麻痺の選手は少数だが，明確な基準がないためにクラス分けに苦慮している。ヨーロッパ地区では代表レベルの脳性麻痺の選手がいることもあり，選手層の幅を広げるためにも明確な基準が作られることを期待したい。

競技発展に向けた課題

妥当性と信頼性のあるクラス分けシステムの構築

東京2020パラリンピック競技大会および2022年の世界選手権でともに銅メダル獲得と優秀な成績を収めた日本チームは，2015年に競技連盟が一般社団法人化し大きな組織となった。支援するスポンサーも増え，競技の認知・普及活動にも精力的である。それに伴い，各部署の役割が明確化され，クラシファイアの責務も重要となっている。2021年に改定されたクラス分けマニュアルは250ページを超える詳細な規約・規定・手順が記載され，特にハイポインターの四肢欠損者，協調運動障害および進行性疾患選手などの多様性が拡大したことにより，妥当かつ信頼できる身体機能評価に基づくクラス分けシステムの確立は大きな課題となった。そのためにも，国内でクラス分けに関する研究課題を設け，取り組む体制を作ると同時に，海外と連携してルールやマニュアル策定にも参画できる人材を育成し，支援する仕組みを構築することが重要である。

新たな選手発掘と育成

車いすラグビーの女子選手の参画は各国ともに少ないのが現状であるが，日本も現在4名ときわめて少ない。パラスポーツの普及とともに車いすラグビー選手の発掘と育成は喫緊の課題であり，病院・施設の理学療法士や医療スタッフおよび選手を問わず，あらゆる人的ネットワークを活用し，有望な選手をリクルートすることもクラシファイアの務めである。また，早期に機能判定を実施して情報を提供するなど，他のスタッフと連携したフットワークのよい活動が期待される。

【文献】

1) International Paralympic Committee: IPC Athlete Classification Code Rules, Policies, and Procedures for Athelete Classification. 2015.
2) World Wheelchair Rugby: WWR Wheelchair Rugby Classifier Handbook. 2021.
3) World Wheelchair Rugby: WWR Classification Rules. 2021.
4) 日本パラスポーツ協会：かんたん！車いすラグビーガイド. https://www.parasports.or.jp/about/referenceroom_data/competition-guide_04.pdf（2023年4月10日閲覧）.

パラスポーツ③：車いすテニス

近年わが国では，障がい者のスポーツへの関心が高まっている。それに伴い，選手サポート体制も徐々に進んでおり，パラリンピックや国際大会へのトレーナー帯同などの活動も増加している。本項では，車いすテニスの紹介を通して，パラスポーツと理学療法のかかわりについて述べる。

車いすテニスとは

車いすテニスは，既存のスポーツであるテニスのルールを一部改変したスポーツである（図1）。

ラケットやボールはテニスと同じものを使用する。コートの規格も同様で，ハードコートやクレーコート，芝のコートでも行う。テニスとの唯一の違いとしては，打球のバウンドが2バウンドまで認められている点である。車いすテニス選手と健常者のテニス選手が同じコートに入ってプレーする場合は，車いすテニスの選手には車いすテニスのルール，健常者にはテニスのルールが適用される。

車いすテニスのクラス分け

パラスポーツでは競技を公平に行うことを目的として，運動機能・能力を評価・分類するクラス分けのルールを導入している競技も多い。車いすテニスのクラスは男子・女子・クアード，ジュニアがある。国際テニス連盟（International Tennis Federation：ITF）公認大会やパラリンピックでは，男子・女子の部で出場する選手の条件として，片脚または両脚の機能欠損による恒久的障害を有していなければならないと定められている。具体的な条件としては，①第1仙髄（S1）レベルより高位の運動機能障害を伴う神経障害を有する，②股関節・膝関節・足関節の強直，重度の関節症，または人工関節置換を有する，③中足趾節間関節より近位の下肢の切断を有すること，または①～③と同等の機能的障害を片側または両側下肢に有するものとされている。加えて，テニスの技能によりクラスが分けられている。唯一，運動機能・能力により分けられるクアードクラスは，上記条件に加えて四肢中三肢以上の障害をもつ選手が対象となる（図2）。その他運動機能障害により，オーバーヘッドサービスが行えない，体幹機能の制限の有無にかかわらず連続的なフォアハンドやバックハンドストロークができない，手動で巧みな車いす操作ができない，テーピングや補装具なしではラケットを握ってプレーできないなどの基準の1つを満たすことが条件となる[1, 2]。このクラスは頸髄損傷者も多く，電動車いすでプレーする選手

図1 国際大会男子シングルスの試合

図2 噴霧器で冷却するクアード選手

右手のラケットはテーピングで固定してプレーしている

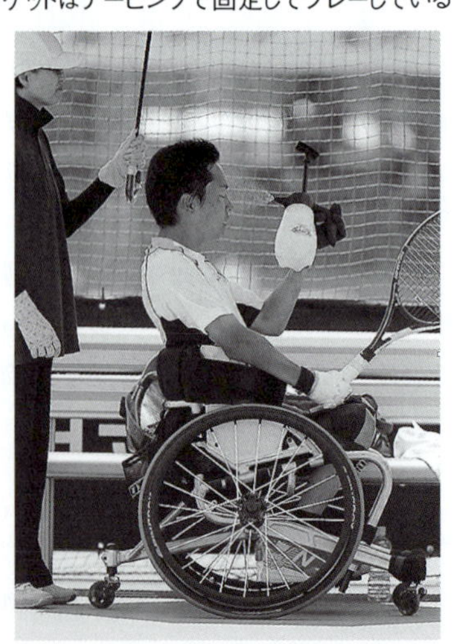

もいる。クアード選手として国際大会に出場するには，ITFクラシファイアによるクラシフィケーションを受け，認定される必要がある。

競技用車いす

車いすテニスでは競技用車いすの形状に関する規制や制約はない。一般的には，競技特性上軽量で回転性のよい車いすが求められる。そのため，車輪は約18〜22°の正面から見て「ハ」の字型となるキャンバー角をもち，回転性を重視することからホイルベース（前輪と後輪の車軸間距離）は短めに設定されている。現在は前に2つのキャスター，後ろに1つのキャスターのある5輪タイプのものが主流となっている（**図3**）。後方のキャスターは，方向転換の役割のほか，オーバーヘッド動作中の後方への転倒防止の役目がある。近年強豪国を中心に，選手と車いすメーカー，研究機関が協力し，より軽量で機能的な車いすの開発が進められている。他にも車いす専用の座クッションがあるが，形状や材質については自身に合うクッションを探して使用しているため選手個々で異なる。特に普段から車いす座位で生活している脊髄損傷者などの選手にとっては，日常生活も含めた褥瘡予防の観点からも非常に重要である。

チェアワーク

車いすテニスにおけるチェアワークは，健常者のフットワークに該当する。ただし，健常者はサイドステップによりボールとの距離を調整できるが，車いすテニス選手はサイドステップが不可能なため，チェアワークは健常者のフットワーク同様に重要な技術となる。車いすテニスで求められるチェアワークとしては，短い距離での頻繁な回転（ターン）や，相手の打ったボールへの素早い対応がある。そのためターンの速さ，巧みさ，敏捷性，ゲーム中を通してリズムよく動き続けることができる持久性が求められる（**図4**）。

図3 競技用車いす

車いすテニスにおける外傷・障害の特徴

車いすテニスは，競技の特性上オーバーユースによるスポーツ障害の割合が多い。障害部位に関しては諸家により報告されている[3-5]が，肩甲骨周囲を中心に，肩，肘，前腕，手関節，頸部，腰部などが多い。スポーツ障害の要因としては競技特性を考えると，①ラケットスポーツに起因するもの，②車いす駆動によるもの，③基礎疾患により残存する運動機能レベルに応じたプレースタイルによるものが主に考えられる。①〜③はオーバーラップする部分が多い。特に車いすテニスでは①に加え②，③の要因が特徴的である。②に関しては競技中の駆動距離やスピードも求められることから，車いす駆動による上肢・体幹への負担は大きい。また，利き手はラケットを把持して駆動するため，経験の浅い選手では技術面からも胸筋群有意の車いす駆動動作による弊害が多くみられる。③については，例えばクアード選手や胸髄損傷の座位バランスが不安定な選手では，車いすのシート角度調整（股関節屈曲角度を増す）や腹帯で体幹を固定するほかに，ラリー中もボールを打つ際はラケットを把持しない側の上肢で体幹を安定させてプレーしている（**図5**）。しかし，高い位置の

図4 マーカーを利用したチェアワークトレーニング

目的に応じてスラロームやターン動作，ストップ・ダッシュ繰り返し動作などさまざまなバリエーションで実施する。胸筋群優位の選手には肩甲骨の可動性を重視したバック走や左右の上肢を交互に使う駆動動作なども実施する

図5 頸髄損傷のクワード選手のフォアハンド

左上肢を使って体幹を支持し，低い位置の打球に対応している。体幹の支持性が低い選手は，車いすと体幹を一体化するため競技用車いすに体幹ベルトが装着されている

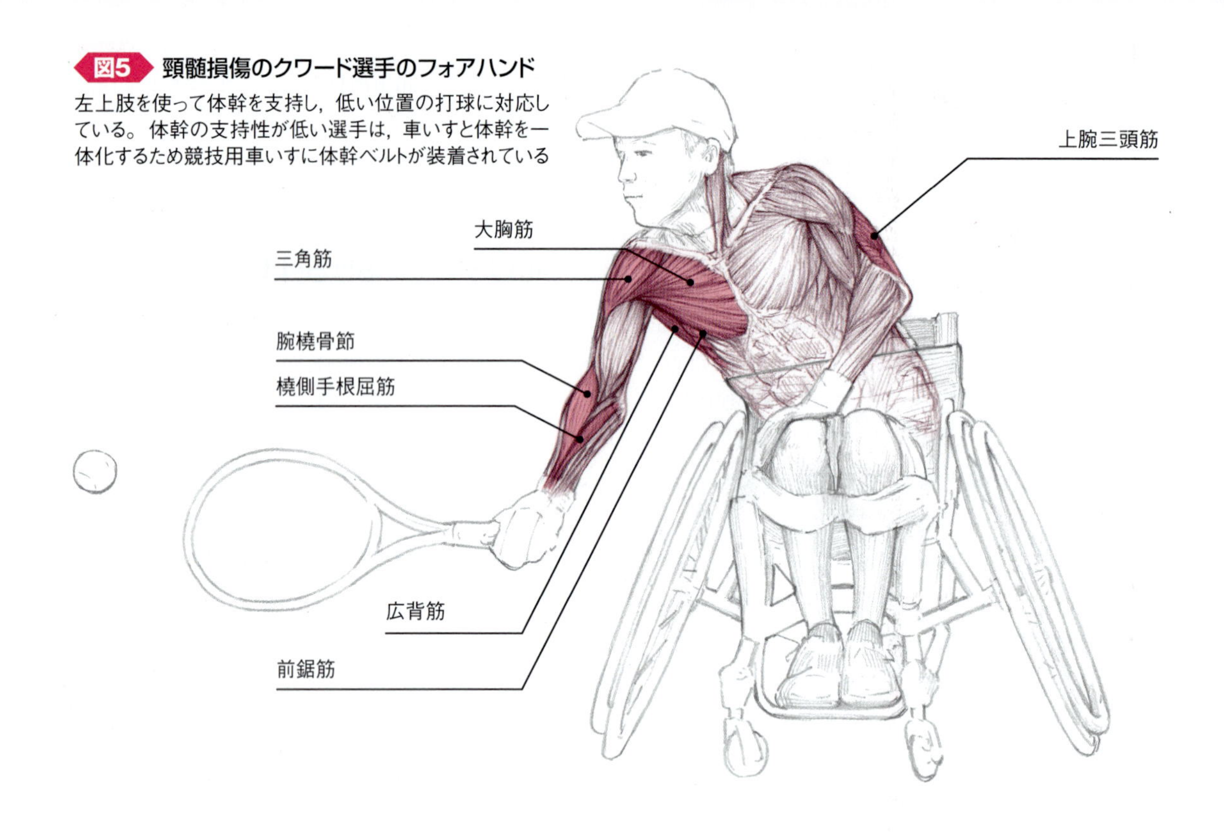

打球への対応やサーブ時にボールをトスする場面では，体幹の動揺によりボールのヒッティングポイントが安定しにくい（**図6**）。そのため，広背筋は体幹の安定性に働き，肩甲胸郭関節の肩甲骨の動きは制限されることが考えられる。その結果，胸筋群のタイトネスや胸椎可動性低下に関連した運動連鎖の破綻から，肩，肘，前腕，手関節の機能障害を誘発してしまうことが考えられる。そこで普段から胸筋群の柔軟性と，胸郭・肩甲骨の可動性確保が必要となる。一方で，下肢切断や下位脊髄損傷者など座位バランスが良好で，体幹回旋や骨盤の前後傾の左右入れ替え動作で車いすを推進できるような選手では，体幹機能を最大限に利用してプレーするため，胸椎・胸郭の可動性低下は肩・腰部への負担を強めることが予想される。そのため，下部体幹を中心とした支持性と併せ，胸椎・胸郭可動性の確保が重要となる。そこで，選手のケアやトレーニングを行う場合，選手個々の競技レベルと基礎疾患を理解したうえで，残存機能を最大限使用したパフォーマンス向上を進めるためには，ストレスのかかりやすい部位・組織を理解し，普段から可動性の確保や支持性，協調性の向上を図っていくことが重要となる（**図7**）[6]。

図6 サーブ動作

❶男子選手（右膝離断）のサーブ：体幹が安定しているため左手はフリー
❷男子選手（胸髄損傷）のサーブ：左手でリムを把持し体幹を安定させている

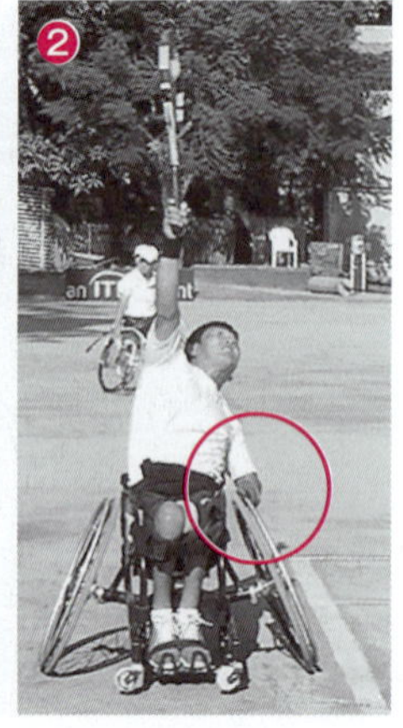

理学療法の実際

競技現場における理学療法士の主な活動としては，国内で開催される大会のフィジオサービス，強化合宿・国際大会へのトレーナー帯同，個別選手や地域で活動する競技団体へのトレーナー活動などがあり，車いすテニスにたずさわる機会は増えている。筆者の所属する一般社団法人日本車いすテニス協会（Japan Wheelchair Tennis

図7 胸郭・胸椎に対するモビライゼーション・ストレッチ・スタビライゼーション

❶脊椎の複合運動パターン（連結運動と非連結運動）を利用した胸椎回旋のモビライゼーション・ストレッチ：選手を側臥位にして胸椎全体を伸展位とし，目的の分節の下にクッションなどを入れて側屈位をとらせた肢位とする。両下肢は深屈曲させることで腰椎を屈曲位にする。施術者の右手で目的の分節の下の胸椎棘突起を下方から押して固定する。施術者の右上肢と体幹で選手の下部体幹を固定することで，腰椎への回旋ストレスが加わらないようにする。施術者の左上肢・体幹を用いて選手の上方の体幹に回旋を加えることで，胸椎の椎間関節に牽引をかけて関節の離解を行う（モビライゼーション）。上記と同様の肢位で選手の回旋筋群の収縮と弛緩を数回繰り返しストレッチ後に拮抗筋を収縮してもらい，選手の右側屈と左回旋の連結運動による伸展を促していく（ストレッチ）

❷肋骨のモビライゼーション：選手を腹臥位にして安静肢位をとらせる。施術者は右手で選手の可動性が低下している肋骨と連結する胸椎の反対側の横突起を固定する。これにより，圧迫を加える肋骨と連結する胸椎への回旋ストレスを予防する。左小指球を可動性の低下している肋骨に当て，下外側（外腹側）方向に向けて肋骨を押すことで，肋横突関節において牽引をかけ関節の離開を行う

❸〜❺股関節深屈曲，腰椎屈曲・側屈の肢位となることで，胸椎の伸展・回旋の連結運動を強調した運動が可能となる。呼吸運動を併用することで，肋骨のモビライゼーションの要素を取り入れることが可能となり，肩甲上腕関節の屈曲角度を変化させることで，選択的に腹斜筋群，胸筋群，肋間筋に対してのセルフストレッチも行うことができる

❻体幹の不安定な選手に対する腹部にクッションを入れた状態での肩甲帯のスタビライゼーション

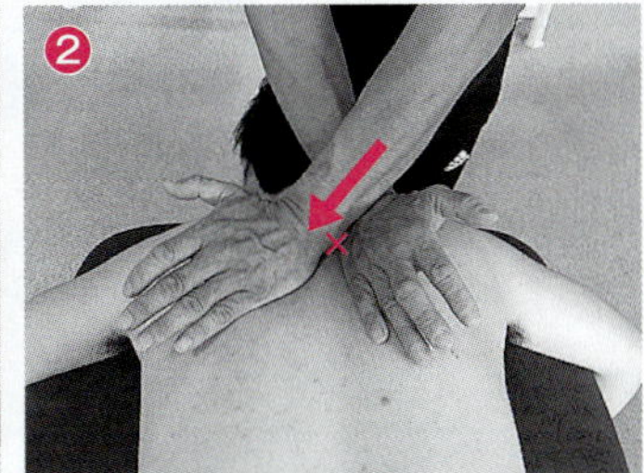

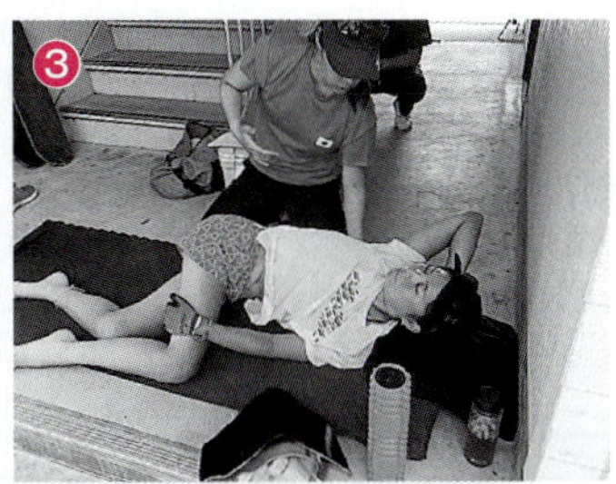

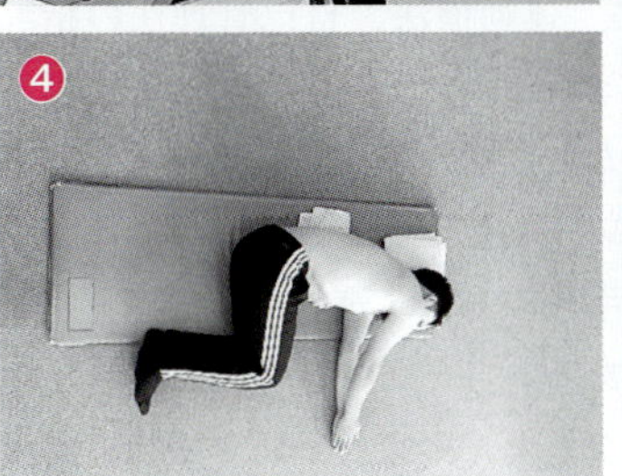

Sports Gear, Equipment

車いすテニスの歴史

図8 東京2020パラリンピック日本代表チーム

（写真提供／安藤 晃氏）

1970年代中ごろ，アメリカで車いすテニスのパイオニアの一人であるBrad Parks（ブラッド パークス）は，事故により車いすユーザーとなる。その後，リハビリテーション中に車いすでのテニスを知り，自身でも始めたところ，レクリエーション活動を通じて治療になると同時に，非常に楽しいスポーツであることに気付き普及を始めた。その数年後には全米規模の大会が開催されている。現在，車いすテニスはレクリエーションからプロスポーツにまで発展している。世界では1998年に国際車いすテニス連盟（International Wheelchair Tennis Federation：IWTF）がITFに統合され，ITF車いすテニス委員会の諮問機関として国際車いすテニス協会（International Wheelchair Tennis Association：IWTA）が発足している。日本では1983年に普及が始まり，その後組織強化が図られ，1991年に現在の一般社団法人日本車いすテニス協会（Japan Wheelchair Tennis Association：JWTA）が設立された。JWTAはアジア地区担当としてITF，IWTAと連携し普及などの国際活動への協力に加えて，国内では，全国大会の調整，ランキングの管理，普及活動，技術強化，国際大会への選手団派遣などを行っている。近年，日本は各クラスで世界の強豪国の一角を成しており[1,7]，2021年に開催された東京2020パラリンピック競技大会においては，男子シングルス金メダル，女子シングルス銀メダル，ダブルス銅メダル，クアード（ミックス）ダブルス銅メダルを獲得した。競技団体としてもパラリンピック5大会連続メダル獲得のほか，クアード（ミックス）シングルス4位入賞，女子シングルス，ダブルス8位入賞と，日本代表チームとしても過去最高の成績を残している（図8）。

Treatment

車いすテニス選手の主な特徴

頸髄損傷について

クアード選手に多い頸髄損傷者のなかには，体温調節（発汗）障害をもつ選手も多い。そのため，霧吹きや濡れタオルなどを利用してプレー中の体温上昇を予防することや，炎天下では日陰に入り休憩を促すことなど，うつ熱（＊）への予防対策が必要となる（**図2**参照）。また頸髄損傷の選手では，車いす駆動において推進力を増すために頸部・上部体幹の屈曲・伸展運動を利用するため，頸部の疲労を訴える選手が多いことも特徴として挙げられる（**図9**）。

＊うつ熱：脊髄損傷者において，知覚障害部の発汗機能の消失または低下に伴い発汗による体温調節が機能不全となり，熱の放散ができず体内に熱がこもってしまい体温上昇を起こす状態。特に頸髄損傷，上部胸髄損傷者は麻痺域が広いため著明となる

図9 頸髄損傷のクアード選手の頭頸部の動きを使った車いす駆動と制動動作

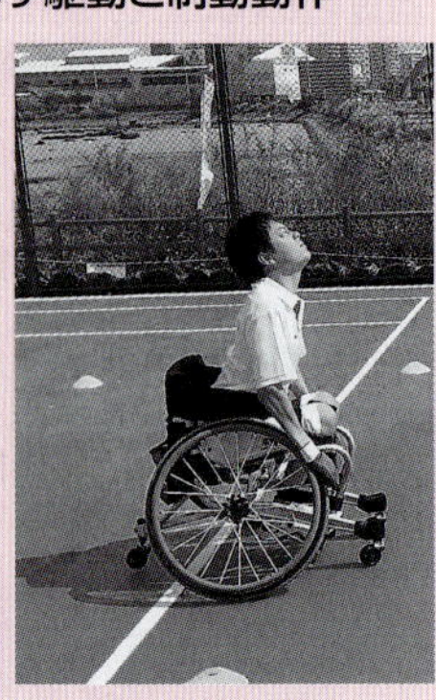

排便障害について

頸髄損傷，脊髄損傷などの選手によっては，合宿・大会期間中も排便コントロールによりスケジュール調整が必要な場合がある。事前に選手への聴き取り，コーチ，スタッフとの情報共有をしておくとよい。

Association：JWTA）トレーナー部，公益社団法人広島県理学療法士会による国際大会フィジオサービススタッフでの活動を通じて，現場で行われる理学療法について以下に一部を紹介する。

大会期間中のフィジオサービス，合宿，試合帯同中は，選手の健康管理，スポーツ現場での応急処置，スポーツ外傷・傷害の予防，コンディショニングが主な活動となる。特にフィジオサービスで理学療法士がかかわる選手へのコンディショニングサポートにおいては，運動の質を確保する点で徒手療法は重要な手段の1つとなるが，状態に合わせた物理療法，運動療法，自己管理法の指導（**図10〜12**），テーピング（**図13**）などを併用し，再発予防を含めた包括的なアプローチが重要である。その他，車いす座位ポジショニングの調整や日常生活の移動手段の方法・選択などのアドバイスも行うこともある。

一方，スポーツ外傷・障害の予防と競技力向上のためには，中・長期的な観点からの取り組みが必要となる。普段からのセルフケアを含めた自己管理法の指導や提案，ときには日常生活動作の検証も必要となる。また，競技力向上を目的とした

図10 遠征先やフィジオルームで使用する物理療法複合機器

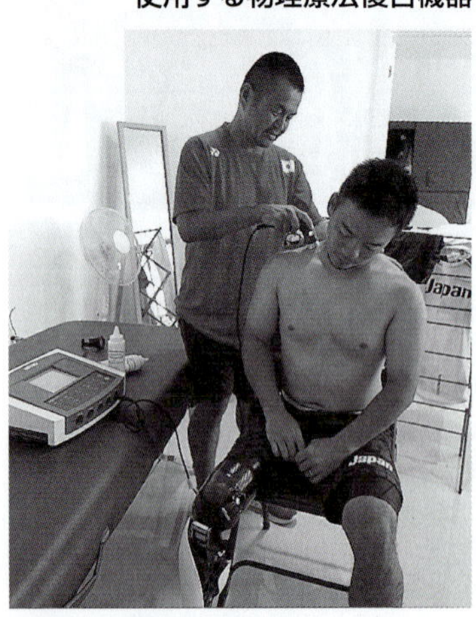

図11 クアード選手へのパートナーストレッチ

麻痺のため自動運動時に肩関節挙上制限のある頸髄損傷の選手に対して実施

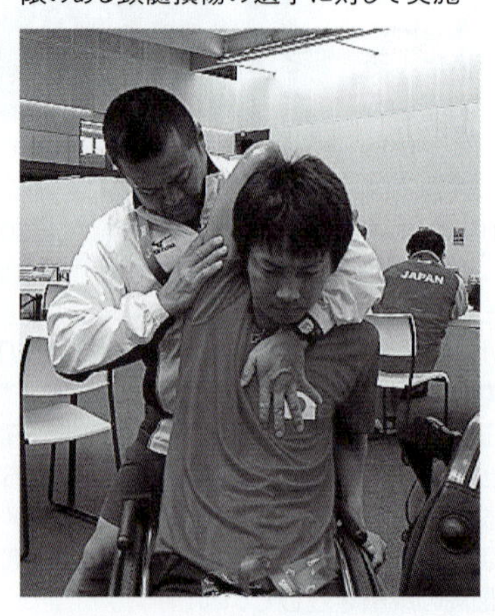

図12 クアード選手のサスペンショントレーニング

握力が弱く把持が困難な選手に対しての肩甲帯スタビリティを胸郭可動性改善を目的に実施

フィジカルトレーニングについては，競技における身体的・技術的な課題に対し，選手はもちろん，コーチ・サポートスタッフ間での情報共有と連携を図りながら強化プログラムを作成して進めることが重要となる（**図14**，**15**）。その他，あらゆるカテゴリーの選手の基礎体力向上を踏まえた強化・啓発活動も必要である（**図16**）。

東京2020パラリンピック競技大会での活動

今大会は，新型コロナウイルス（COVID-19）の世界的な感染拡大の影響により大会期間中の選手の健康管理についての制約も多く，スタッフも含め競技に取り組むうえでチームにとっても大会全体を通じて大きなストレスとなる大会であった。

図13 手関節尺側の不安定性に対するテーピング

選手の前腕の橈骨と尺骨が平行となる位置にし，伸縮テープを用いてスプリット状にしたテープ（❶）で尺骨茎状突起を押し込み，手関節尺側のアライメント調整を行う（❷，❸）。尺側の不安定性に関しては，尺側手根伸筋・屈筋，手内在筋のトレーニングと併せて実施すると効果的である

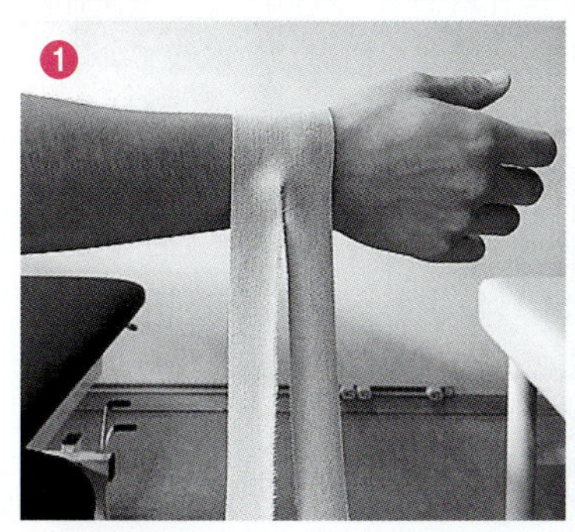

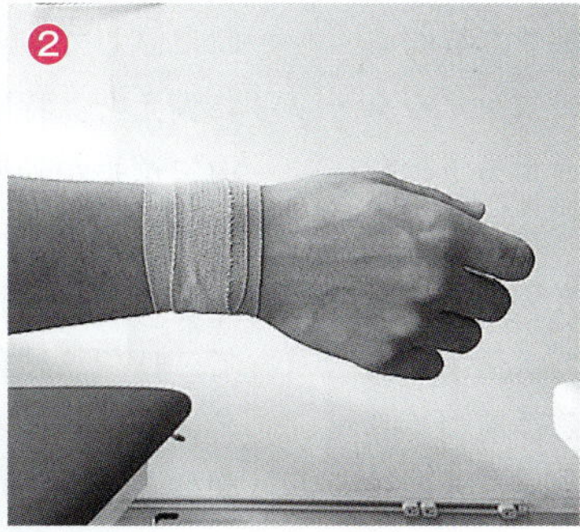

図14 競技力向上を目的とした体幹トレーニング

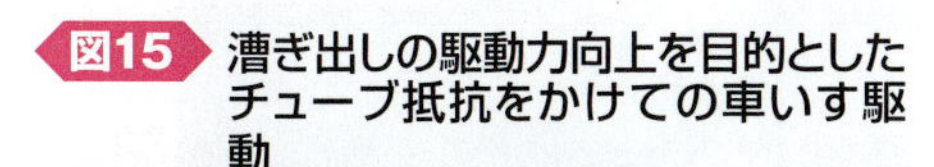

図15 漕ぎ出しの駆動力向上を目的としたチューブ抵抗をかけての車いす駆動

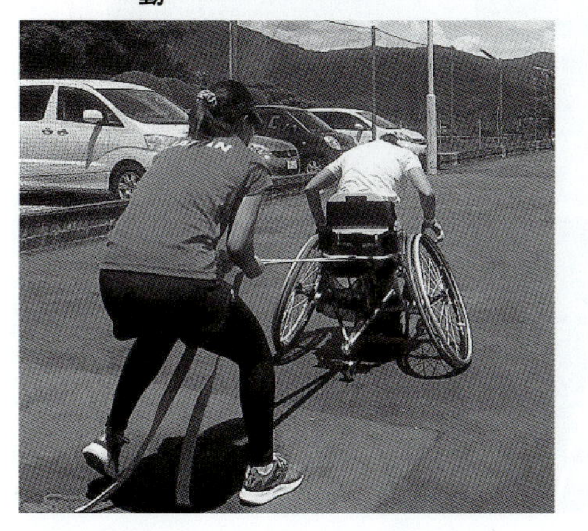

Treatment

パラスポーツトレーナー制度について

2008年から財団法人日本障害者スポーツ協会（当時，現在は「公益財団法人日本パラスポーツ協会」）主催による障がい者スポーツトレーナー（当時，現在は「公認パラスポーツトレーナー」）制度が開始された（＊）。この制度は，各競技団体もしくは各地域のパラスポーツ協会の推薦を受けた受講者に研修・認定試験が実施され，合格すると公益財団法人日本パラスポーツ協会公認パラスポーツトレーナーに認定される。この制度が展開されることで，各地域と競技団体のトレーナー間の連携が図れるようになるため，日本各地で活動する選手をサポートする体制の構築強化が期待される。

＊2021年10月に協会名称が「公益財団法人日本パラスポーツ協会」へ変更され，指導者制度の名称も2023年4月より「公認障がい者スポーツトレーナー」から「公認パラスポーツトレーナー」へ変更された。

図16 ジュニア世代へのウォーミングアップ指導

筆者は車いすテニス日本代表チーム付きトレーナーとして活動し，主にチーム内の健康管理，選手のケア，コンディショニングサポートを行った。大会期間中，チーム付きトレーナーは男子，女子，クアード各チームに配置され3名体制での活動であった。その他選手が利用できるトレーナーサポートとしては，競技会場トーナメントフィジオ，日本選手団本部トレーナー室，日本選手団村外サポート拠点があり，一部の選手はパーソナルトレーナーの帯同もあった。

大会期間はシングルスとダブルスの試合が並行して進行し，各選手の試合開始・終了の時間も違ってくるため，各選手に応じたセルフケアやタイムリーなリカバリー，トレーナーサポートの利用も促した。そのため，上記トレーナーサポートとの連携を図りながら対応を進める必要があった。そこで，大会に向けた事前準備として，選手が安心してサポートを受けることができる環境づくり構築を掲げ，各トレーナー間の連携が図れる関係づくりに取り組んだ。結果として，幸いにも大会期間中の競技会場トーナメントフィジオにはJWTAトレーナー部スタッフをはじめ，国際大会フィジオ経験も多い理学療法士が全国から集まり従事していただけた。また日本選手団本部，日本スポーツ振興センター（Japan Sport Council：JSC）村外サポート拠点においても，本大会までの海外遠征時にサポートにかかわっていただいたトレーナーの参加もあり，選手サポートに関して各トレーナー間での情報共有ができた。最終的には，選手にとって安心できる環境づくりが構築できたのではないかと考える。

また，今大会は事前に開催地の大会期間中に予想される気候から，準備段階より暑熱対策に取り組んだ。体温調整の難しいクアードクラスの選手のほかにも，全クラスの選手へのリカバリー対策として，アイスバス（**図17**），アイスベスト，アイススラリー（**図18**）を取り入れた。運用に当たっては，事前に各選手個々の練習時・強化合宿時に試してもらい，要望を把握して本戦での実施に備えた。特にアイスバスについては，大会期間中に選手が効果的に使用できるように，会場フィジオルームとの連携のほか，日本選手団本部トレーナー室，JSC村外サポート拠点の利用と併せて，JWTA独自でも会場近隣ホテルを借り上げ即時に使用できる環境を整備した。また，先行して開催されたオリンピックでの暑熱対策の情報提供など財団法人日本テニス協会（Japan Tennis Association：JTA）スタッフから協力いただけたことも大変役立った。

暑熱環境以外にも，大会期間中は天候不順によるスケジュールの変更，長時間の待機，深夜に及ぶ試合など，選手にとってコンディショニングの難しい環境であったため，トレーナー間で協力しながらもチームごとの対応を基盤として臨機応変

図17 アイスバス

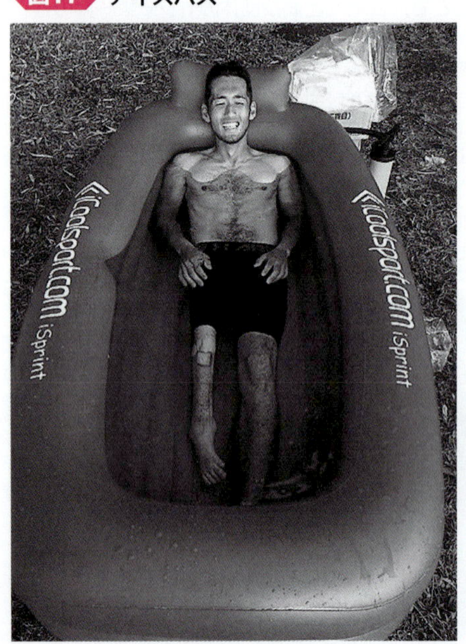

図18 アイスベストとアイススラリー

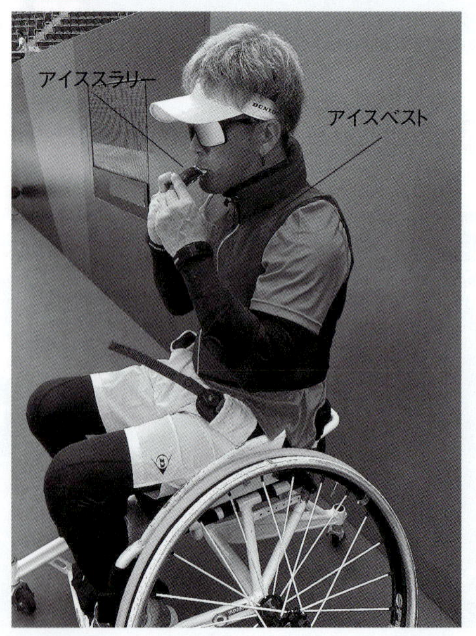

にサポートを進めた。その他，村外ホテルを拠点とする選手に対しては，大会期間中，大会側の送迎バスに加えてJWTA独自の送迎車両をタイムリーに運用する体制を採りタイムロスを少なくし，ホテルや選手村での各選手のリカバリーの時間確保に努めた。

これらの面では，自国開催というメリットを生かすことができ，選手のリカバリーサポートにおいてもALL JAPANで臨めた大会であったと考える。

理学療法士のかかわり

車いすテニスへのかかわりとしては，前述した国内で開催される国際大会（福岡，兵庫，大阪，岐阜，宮城）におけるフィジオサービスを各府県理学療法士会がサポートしている（2023年現在）。また，パラスポーツへの理学療法士のかかわり方としては，専門性を生かし，リハビリテーションでのスポーツ導入から，生涯・競技スポーツ参加における窓口としての役割のほか，クラス分け，大会でのフィジオサポート，チームでのトレーナー活動など多種多様であり，必要性も高いと考えられる。そのため筆者は，各地でパラスポーツにかかわる理学療法士の連携はもちろんのこと，選手・競技を支える他職種との連携はパラスポーツの発展において非常に重要であると考えている。また，この度の東京2020パラリンピック競技大会開催は，多くの理学療法士がパラスポーツにかかわる機会となった。競技付きトレーナー，競技会場や選手村村内，村外拠点などでのトレーナーサポートスタッフ，パーソナルトレーナー対応のほか，クラス分けや大会運営などさまざまな場面で理学療法士が活動した大会であったともいえる。今大会を機に，今後も継続してパラスポーツに携わる理学療法士が増えていくことに期待したい。

【謝辞】
本項を終えるにあたり，写真を提供していただいた諸石光照選手，齋田悟司選手，菅野浩二選手，国枝慎吾選手，眞田　卓選手，川野将太選手，上地結衣選手，大谷桃子選手，久保下郁弥選手，JWTAトレーナー部増田　拓氏，馬場　歩氏，久保下　亮氏，職場元同僚山口輝氏ほか，JWTA関係各位，広島県車いすテニス協会関係各位，公益社団法人広島県理学療法士会，Peace cupフィジオサービススタッフにかかわる理学療法士各位，至学館大学大槻洋也教授，医療法人社団飛翔会寛田　司理事長，職員各位，支えてくださったすべての方々に深謝いたします。

【文献】

1） 一般社団法人日本車いすテニス協会ホームページ：http://jwta.jp/（2023年4月8日閲覧）.
2） International Tennis Federationホームページ：https://www.itftennis.com/（2023年4月8日閲覧）.
3） 佐藤誠亮，ほか：国際交流車いすテニス大会（ピースカップ）における広島県理学療法士会の取り組み．理学療法学，35（suppl）：310, 2008.
4） 木村大輔，ほか：車いすテニス選手のスポーツ障害に関する調査．理療科，26: 631-635, 2011.
5） 安藤佳代子：車いすテニス選手の体力測定評価と指導事業 事業報告書．pp. 8-11, 日本車いすテニス協会，2011.
6） 蛯江共生：車いすテニスにおける理学療法の関わり．理療ジャーナル，44（10）：875-879, 2010.
7） 岩月俊二：スポーツ・イノベーションとしての障がい者スポーツ～車いすテニスの事例～．戸山サンライズ，250: 10-17, 2011.
8） Kaltenborn FM, et al.: Manual Mobilization of the Joints: Volume Ⅱ The Spine. Orthopedic Physical Therapy Products, 2012.

索引

き

く

す

せ

な

に・ね・の

は

ひ

ふ

へ

ほ

ま

み・む・め・も

や・ゆ

よ

ら

り

る・れ

ろ・わ

A

B

C

D・E

F

P

Q・R

S

T

U・V

W・X・Y

数字

第3版
スポーツ理学療法学
動作に基づく外傷・障害の理解と評価・治療の進め方

2014年 3 月 10 日 第 1 版第 1 刷発行
2018年 11 月 30 日 第 2 版第 1 刷発行
2023年 8 月 10 日 第 3 版第 1 刷発行

■監 修 陶山哲夫 すやま てつお

■編 集 赤坂清和 あかさか きよかず

■発行者 吉田富生

■発行所 株式会社メジカルビュー社
〒162-0845 東京都新宿区市谷本村町2-30
電話 03(5228)2050(代表)
ホームページ https://www.medicalview.co.jp

営業部 FAX 03(5228)2059
E-mail eigyo@medicalview.co.jp

編集部 FAX 03(5228)2062
E-mail ed@medicalview.co.jp

■印刷所 シナノ印刷株式会社

ISBN 978-4-7583-2085-6 C3047